거의 한 세기 동안, 히브리 성경에 대한 주석을 펴낸 학자는 몇 명 되지 않는다. 「구약, 어떻게 해석할 것인가」는 성경 신학을 지향하고 목적에 충실하게 구성되었다. 또한 분석적으로 안내하는 수준이 깊이 있으며, 명료하게 설명하고, 실례가 되는 보기들과 해석적 함축에 따른 방향을 제시한다. 이러한 면에서 이 책은 이전에 나온 모든 저술을 뛰어넘는다. 드루치는 텍스트에 초점을 맞추고 장르를 잘 파악하여 문맥에 민감한 방법론을 차근히 밟아 나가면서 뜨거운 열정을 지닌 주해학자와 강해자의 길을 가고 있다. 독자가 특정한 텍스트에 어떤 신학적 견해를 가지고 있든, 이 책은 구약을 해석하는 데 탁월한 지침을 제공한다. 히브리어 주해와 관련된 모든 교사와 학생에게 이 책을 최고의 교과서로 추천한다.

윌리엄 배릭_ 마스터 신학교 구약학 명예 교수,
「복음주의 구약 주석」(Evangelical Commentary on the Old Testament) 구약 편집자

이 책은 구약을 우리 주님의 말씀(눅 24:25-27, 44-49)과 일관되게 설교하고 가르치는 일을 진지하게 고민하는 모든 사람에게 매우 귀중한 자료다. 장르 구분부터 성경 신학, 조직 신학, 실천 신학에 따라 구약을 해설한 함축에 이르기까지, 이 책에서 드루치는 그리스도 중심적(성경적-신학적) 주해 방법론을 확립하는 데 필요한 모든 단계를 거치고 있다. 책 곳곳에 나오는 예문들도 대단히 유용하다. 이 책은 내가 학생으로서, 그리고 목회자로서 간절히 바라던 책이다. 이제 열방 가운데 그리스도의 영광을 위해 성경 전체에서 그리스도를 제대로 설교하도록 세계 각국의 다음 세대 목회자와 교회 개척자를 훈련하는 과목들(히브리어 구문론, 히브리어 산문, 히브리어 시, 구약 성경 신학)에서 이 책을 사용할 것을 생각하니 무척 기쁘다.

데릭 바스_ 네덜란드 틴데일 신학교 구약 언어 및 문학 조교수

드루치의 최신 저술인 이 책은 우리 자신의 생각을 텍스트에 주입하는 것이 아니라 성경의 저자들이 텍스트에서 말하려는 바를 확실히 끌어내면서 그리스도 중심적인 방식으로 구약을 읽고 적용하도록 돕는 주해적, 신학적 도구를 제공한다. 특히 이 책이 기여하는 바는 두 가지다. 첫째, 다양한 장르를 상세하게 논의한다는 것이다. 이 책은 책임 있는 해석에 필요한 문학적 규칙들을 설명하고, 각 장르가 성경의 일관된 메시지, 즉 곧 오실 메시아를 향한 소망에 중점을 둔 메시지에 어떻게 기여하는지 보여 준다. 둘째, 드루치가 자신의 박사 학위 논문에서 전개한 강화 분석 방법을 철저하게 설명한다는 것이다. 이 분석은 텍스트의 계층 구조를 구축하는 것으로 시작한다. 이때 텍스트의 계층 구조는 텍스트 각 부분이 성경 저자의 요점에 어떻게 기여하는지 보여 주어 문학적 논거를 추적하는 객관적 기초를 제공한다. 이 논거를 보여 주는 도표는 주해적 개요의 기초를 제공하며, 이 기초를 통해 우리는 저자가 의도한 대로 가르치고 있다고 확신하면서 텍스트를 설교할 수 있다. 드루치의 책은 구약을 해석하고 선포하도록 돕는 든든한 안내서다.

존 벡맨_ 베들레헴 신학대학 구약학 조교수

이 책은 히브리 성경 해석과 관련하여 내가 아는 최고의 지침서다. 이 책은 믿음을 강화하고, 연구 의욕을 자극하며, 메시아를 드높인다. 드루치는 성서 히브리어를 아는 독자에게든 알지 못하는 독자에게든 이 책이 도움이 되도록 주의 깊게 구성하였다. 그는 주님을 향한 열정을 원동력으로 하는 학문이 얼마나 탁월한지 보여 준다. 이 책은 교회의 유익과 하나님의 영광을 위해 성경을 연구하고 적용하며 가르칠 도구를 독자에게 제공할 것이다.

토드 볼린_ 마스터 대학 성경 연구학 부교수

「구약, 어떻게 해석할 것인가」는 그저 그런 성경 해석 입문서가 아니다. 그러한 사실은 '주해에서 신학에 이르는 12단계'라는 부제에 암시되어 있다. 이 책의 독자(아니, 사용자)들은 예수 안에 있는 복된 소식을 향한 제이슨 드루치의 열정을 어느 정도 발견할 것이다. 구약 성경을 읽는 데서 시작하여 예수 그리스도에 대한 믿음이 깊고 풍성해지는 데로 나아가는 과정을 드루치가 시험과 입증을 거쳐 단계별로 제시할 때면, 그의 강의를 들은 학생은 누구나 그런 열정을 보게 된다. 그렇다. 이 책은 구약을 다루지만, 주 예수 그리스도께 초점을 맞춘다. 드루치는 시작부터 절정에 이르기까지 구약 전체가 오실 메시아를 말하고 있다고 분명하게 주장하기 때문이다. 그는 구약이 기독교의 경전이라고 확신하며, 그의 그런 확신은 옳다. 구약은 나사렛 예수 안에서만 참으로 적절하게 절정에 이르고 성취되기 때문이다. 진심으로 이 책을 추천한다. 이 책이 많은 사람에게 그리스도에 대한 믿음을 형성하는 도구가 되기를 기도한다.

아델 캐인데이_ 노스웨스턴-세인트 폴 대학 신약학 및 헬라어 교수

드루치는 학문적 전문성과 선교적 경험을 결합하여 구약을 "성경"(Christian Scripture)으로 보도록 도와준다. 이 책은 하나님 말씀을 신실하게 해석한다. 그 해석은 말씀 자체의 역사적 배경과 일치하며, 구속적 맥락과도 조화를 이룬다. 그렇게 성경을 하나의 전체로 볼 때, 성경 해석자들은 구약 기자들의 특별한 관심사를 알 수 있고, 그들의 글이 신약에 나오는 우리 구속주의 계시와 연속성을 지니고 있음을 찬양하게 될 것이다. 그 결과, 신자들은 구약을 자신의 삶에 적용하는 능력을 키울 수 있다. 그러한 적용을 통해 복음에 대한 소망은 더욱 커지고 그리스도의 영광을 향한 열심은 한층 불타오를 것이다.

브라이언 채플_ 그레이스 장로교회 담임목사

목차를 훑어보기만 해도 마음이 설렌다. 내가 구약을 가르칠 때 이 책이 있었다면 얼마나 좋았을까! 지금 이 책을 사용하는 교수와 학생들이 부럽다. 이 책의 내용은 기대에 어긋나지 않는다. 문장 하나하나가 주의 깊게 숙고한 결실을 전달한다. 드루치는 성경 해석에 관한 신학적 담론을 아는 학자이며, 그만큼 학생들에게 그러한 담론을 소개할 준비가 잘 되어 있다. 하지만 이 저술은 단지 학생들의 머리를 올바른 방향으로 향하게 하는 데 그치지 않는다. 이 책에서 드루치의 목표는 하나님 말씀에 대한 신실한 해석자의 심장을 만들어 내는 것이다. 나는 그가 성경을 유일무이한 하나님의 말씀으로 보지 않는 일부 사람들(심지어 복음주의자들)에게 반대하여 '하나님의 유일무이한 말씀으로서 성경이 지닌 독특한 본질'에 전념한 것에 갈채를 보낸다. 이처럼 드루치는 성경의 내러티브들을 '신화'와 구별한다. 드루치

가 말하듯이, “성경 저자들이 역사라고 믿은 사건들의 실상을 부인하면서 여전히 성경의 권위를 긍정한다고 말할 수는 없다.” 나는 또한 각 책이 어떻게 그리스도를 가리키는지 밝혀 낼 때까지 구약 해석은 끝날 수 없다는 드루치의 믿음에 갈채를 보낸다. 이 책에서는 대단히 큰 도움이 될 만한 표들을 곳곳에서 많이 볼 수 있다. 이 책은 (표에 대한 사전 설명, 개관, 연구 문제 등을 첨부해서) 독자들이 편리하게 사용하도록 구성되었을 뿐 아니라, 어려운 쟁점을 피하지 않고 그것에 대해 알려 주며 유용한 견해와 자료를 제시하는 각주를 많이 담고 있다. 또한 이 책은 성경 본문들에 관한 통찰로 가득하다. 이를테면 잠언 22장 6절(다섯 쪽 이상)과 사무엘상 13장 14절(네 쪽) 등이다. 히브리어를 잘 아는 사람들은 히브리 성경을 연구하면서 일어나는 쟁점들을 논하는 부분들에서 특별히 흥미를 느낄 것이다. 나는 이 책을 자주 들춰 볼 것이다.

레이 클렌드넌_ B&H 출판 그룹의 성경 및 주석 책임 편집자

이 기념비적인 저술에서 제이슨 드루치는 강화 언어학의 통찰을 적용하여 히브리 성경을 기독교 경전으로서 책임 있게 연구하기 위한 본질적 질문과 방법을 연구자들에게 제시한다. 이 책에 나온 도구와 자료의 모든 개관은 보물처럼 얼마나 소중한지! 드루치의 주해적 판단에 모두 동의하지 않더라도 그의 지칠 줄 모르는 노력에 감사하면서 이 책을 주해 기술을 배우고 가르치는 도구로 사용할 수 있을 것이다. “감사합니다. 드루치 박사!”

존(‘잭’) 콜린스_ 커버넌트 신학교 구약학 교수

학문적으로 정밀하면서도 하나님을 영광스럽게 하며 그리스도를 향유하는 구약 해석에 관심 있는 모든 사람에게 드루치의 「구약, 어떻게 해석할 것인가」는 진정한 보물이다. 이 책은 단순히 해석학에 대한 것이 아니다. 우리가 성경을 어떻게 읽어야 하는가를 다루는 성경 신학이다. 드루치의 책은 단어 연구 및 절의 관계라는 주제처럼 대단히 상세한 작업부터, 성경의 전반적 내러티브를 포괄하는 웅대한 총괄적 개념에 이르기까지 모든 범위를 다룬다. 이 책은 구약의 풍성함을 깊이 파고 들길 갈망하는 모든 사람에게 필독서다.

존 크러치필드_ 컬럼비아 국제대학 성경학 교수

드루치는 엄밀하고 명확하며 열정적으로 글을 쓴다. 그는 성경 본문의 의미를 이해하려 애쓸 때 해야 하는 엄청난 양의 연구(그와 동시에 그 의미를 파악하는 것이 지닌 엄청난 중요성)를 상세히 설명한다. 주해가 주는 유익은 어마어마하기 때문이다. 드루치는 개별적인 나무(주해)에서 더 큰 숲(신학)으로, 그러고는 숨을 멎게 하고 경배를 불러일으키는 전경(송영)으로 우리를 인도한다. 이 책 곳곳에서 드루치는 학생들의 이해를 도울 많은 예와 표를 제시한다. 그가 우리에게 바라는 것은 성경이 우리를 ‘붙잡을’ 수 있도록 우리가 성경을 ‘붙잡는’ 것임을 나는 느낄 수 있다.

스티븐 뎀스터_ 캐나다 크랜달 대학 종교학 교수

이 책은 많은 강점을 지닌 탁월한 책이다. 히브리어를 아는 사람들을 위한 트랙과, 히브리어를 알지 못하는 사람들을 위한 트랙을 따로 구성하였으며, 연구 문제, 용어 풀이, 폭넓은 참고 자료 등도 포함하고 있다. 교과서로서 이 책은 명확한 신학적 독자층을 대상으로 하고 있다. 하지만 강화 분석을 예리하게 적용하기 때문에 이 책은 히브리어를 아는 모든 해석자에게 귀중한 참고 자료다. 이 책은 유용한 예시들과 함께 명확한 단계별 구성 방식을 제시한다. 방법론적으로는 가장 큰 문학적-언어적 단위에서 가장 작은 단위로 정확하게 넘어간다. 그 다음에는 문맥적으로 가장 작은 단위부터 문학적, 역사적, 문화적, 신학적 맥락이라는 더 큰 영역으로 전진한다. 가장 중요한 것으로 이 책은 성경 신학, 조직 신학, 실천적 적용을 위해 계속 숙고하도록 안내한다. 이 모든 과정은 강력하게 그리스도 중심적인 초점에 맞춰져 있다.

로드니 듀크_ 애팔래치안 주립대학 종교학 교수

드루치는 자신의 새로운 교과서인「구약, 어떻게 해석할 것인가」에서 학자의 정확성, 교사의 조직성, 목자의 심정을 결합한 자신의 특별한 은사를 다시 한 번 입증했다. 그는 초급, 중급, 고급 학생들을 위해 세 개의 동시 트랙으로 글을 쓰면서, 주해에서 신학으로 가는 분명한 경로를 전개한다. 그러면서 학계의 최근 동향을 정확하게 인식한 논의와, 분명한 성경적 예, 추가로 연구할 풍성한 자료 등을 제공한다. 즉 이 책은 더 많은 통찰과 더 정확한 인식을 갖추게 되면 다시 읽어 보아야 하는 지침서다. 구약 연구자들에게 드루치의 저서는 다음 세대를 위한 기준이 될 것이다.

대니얼 에스테스_ 시더빌 대학 구약학 석좌 교수

이 책은 해석학적 이론과 실제를, 그리고 교리 신학과 윤리 신학을 결합한 것이다. 제이슨 드루치 박사는 포괄적이고도 균형 있게 구약을 연구하도록 단계별 지침을 소개하는 탁월한 일을 해냈다. 제이슨은 학문과 경건을 겸비한 사람이다. 이 저서에서 그는 우리가 하나님 말씀을 정확하게 해석하고 더 적절하게 적용하도록 돕기 위해 자신의 전문 지식과 믿음을 공유한다. 각 장은 원어로 텍스트를 연구하는 능력과 관심 정도에 따라 읽을 수 있도록 여러 선택권을 제시한다. 이런 접근법으로 인해 이 책은 다양한 강의실 상황에서 사용하기에 이상적이다. 학생은 물론 경험이 많은 설교자와 교사에 이르기까지, 성경을 통해 하나님을 더 잘 알기 원하는 사람들은 이 세심한 연구에서 많은 것을 얻을 것이다.

리 필즈_ 미드-애틀랜틱 기독 대학 성경학 교수

그리스도인들 중에는 구약을 이해하길 완전히 포기하거나, 아니면 피상적인, 심지어 비성경적인 구약 해석을 받아들이는 사람이 매우 많다. 그러나 예수께서는 그러지 않으셨다!「구약, 어떻게 해석할 것인가」에서 드루치 박사는 교회에 큰 선물을 주었다. 이 책은 갈피마다 명료하고 깨달음을 주며 영감을 주는 훌륭한 주해의 예로 꽉 차 있다. 그리고 이 주해들은 우리를 경건한 신학으로 이끈다. 드루치 박사의 방법은 우리를 복되게 하며, 무엇보다 그리스도를 더 밝히 보고 깊이 사랑하게 해줄 것이다. 이 책을 강력히 추천한다!

윌리엄 풀리러브_ 리폼드 신학교 구약학 조교수

하나님 말씀을 연구하는 온갖 분야의 사람들은 「구약, 어떻게 해석할 것인가」에서 도움을 받을 것이다. 해외를 여러 번 여행하고 해외에서 사역한 내 경험을 되새겨 볼 때, 우리가 드루치처럼 신학을 진지하고 즐겁게 받아들인다면 교리적 오류를 얼마나 줄이고 그리스도와 얼마나 더 평화를 누렸을지 생각하지 않을 수 없다. 이 책이 지닌 가장 중요한 유용성은 대상 독자에 맞춰 세 개의 트랙을 제시한다는 것이다. 나는 분주한 엄마이기 때문에 모든 쪽을 다 읽을 시간이 없다. 그러나 히브리어 연구자가 되기를 갈망하기 때문에 이해하는 수준은 더 자라길 원한다. 각 장에 나오는 '길 안내'는 이 책을 읽으며 보내는 시간을 최대한 활용하는 데 매우 유익했다. 개인 연구, 제자도, 자녀 양육에서 이 책을 활용하고 즐기라.

글로리아 퍼먼_ 타문화 사역자

성경 해석학 교과서는 일반적으로 두 종류다. 이론적이어서 해석적 방법의 철학적 토대를 묘사하거나, 실제적이어서 어떻게 시작할지 가르쳐 주는 것이다. 전자는 주로 학자들을 위한 것이고, 후자는 주로 목사, 성경 교사, 학생들을 위한 것이다. 드루치의 교과서는 후자를 변형한 것이며, 감탄을 자아낼 정도로 그 목적을 잘 성취한다. 그러면서 교과서들 사이에 있는 상당한 간격도 메워 준다. 그는 히브리어 언어학과 강화 분석이 어떻게 독자들로 히브리 성경을 더 잘 이해하도록 도와주는지를 지식에 근거하여 분명하게 제시한다. 따라서 이 책은 그저 성경을 읽는 법에 대한 또 다른 책이 아니다. 성경 본문을 진지하게 붙잡고 씨름하려 애쓰는 모든 사람에게 중요한 자료다.

듀안 개럿_ 서던 뱁티스트 신학교 구약 해석학, 성경 신학 교수

구약의 성경 해석(주해와 신학)에 대한 드루치의 안내서는 그 깊이와 범위가 엄청나기 때문에, 새롭고 참된 기독교적 문학 비평(*Literarkritik*)을 시작하는 탁월한 첫걸음이다. 그러한 비평은 비판적 인간 이성이 진리를 판단하는 최고 기준이라고 보는 계몽주의의 막다른 골목에서 벗어나게 해준다.

피터 젠트리_ 서던 뱁티스트 신학교 구약 해석학 교수

드루치의 「구약, 어떻게 해석할 것인가」는 구약 성경을 통해 진지하게 하나님을 추구하고 싶어 하는 사람들을 위한 안내서다. 드루치는 열두 단계로 된 해석 과정을 따라 우리를 인도한다. 그 과정을 통해 우리는 구약 성경 본문에서 출발하여 그 성경을 자신과 교회와 세상에 그리스도 중심적으로 적용하는 자리로 나아가게 된다. 이 책은 매우 편리하게 사용할 수 있도록 구성되었다. 또한 각 장은 성경 적용들로 가득 차 있으며, 그 적용들은 깊고 철저한 구약 연구로 이끌 것이다. 이 책은 바로 그런 연구를 가르치고 본을 보인다. 당신이 마음과 뜻과 힘을 다하여 하나님을 사랑하는 일을 진지하게 생각한다면, 이 책은 당신을 위한 것이다. 이 책 내용은 당신의 마음과 뜻을 만족시키며, 당신에게 도전할 것이다. 그리고 이 책에 나오는 내용을 모두 통달하려면 주님이 주시는 힘이 필요할 것이다.

W. 에드워드 글레니_ 노스웨스턴-세인트 폴 대학 신약학 및 헬라어 교수

시간을 잡아먹는 많은 일로 분주한 탓에 목회자와 성경 교사들이 자신의 신학을 교육할 다양한 훈련을 뒷전으로 밀어 버리는 경우를 종종 본다. 누군가가 그들에게 필요할 때마다 복습할 만한 자료와 수단으로 기본적이고 포괄적인 핸드북을 제공해 주기만 한다면! 그런데 제이슨 드루치가 바로 그 일을 해냈다. 그는 논리적 단계를 사용해서 성경 본문을 주해하는 방법을 제시한다. 이 책은 공식적으로 신학 훈련을 받지 않은 독자도 주해를 잘할 수 있게끔 만들어졌다. 또한 신학생이나 목회자는 가르치고 설교하는 데 굉장한 도움을 받을 수 있다. 텍스트에서 적용에 이르는 열두 단계는 건전한 성경 신학과 믿을 만한 교리적 진술에 도달하려면 세심하게 주의를 기울여야 한다고 강조한다. 마지막 단계인 실천 신학에서는 이 전체 과정이 하나님의 백성을 목회적으로 돌보기 위한 것이라고 본다. 이것이 바로 이 책의 최고 업적이다. 언어와 주해에 쏟은 모든 수고는 성경 신학과 조직 신학을 지나, 텍스트가 적용되는 방식에서 풍성하게 보상 받는다. 그 적용 방식은 독자인 우리뿐 아니라 우리의 말을 듣는 사람들도 성경이 우리에게 하는 그 하나님 말씀을 참으로 분별할 수 있게 한다.

그레이엄 골즈워디_ 호주 무어 신학교 전(前) 구약학, 성경 신학, 해석학 교수

구약 주해를 사랑하고 가르치는 사람으로서 내게 제이슨 드루치의 책 「구약, 어떻게 해석할 것인가」는 마치 금광과 같다! 다른 주해 '입문서'와 마찬가지로 우리는 저마다 이러저러한 면에서 미진한 점을 찾아낼 것이다. 그럼에도 드루치는 교수, 목회자, 학생에게 견고한 절차, 훌륭한 예, 유용한 통찰이라는 귀중한 보물을 주었다. 그는 자신의 열두 단계를 면밀히 설명하는 것 말고도, 다양한 단계에 맞춰 (새로운 본문들과 함께) 같은 본문을 샅샅이 살피면서 분명한 본보기를 제공한다. 그 모든 것에 더하여 각 단계의 주해를 돕기 위해 드루치가 제공하는 풍성한 자료는 큰 자산이다. 내가 가르치는 학생들과 졸업생들에게 이 책을 추천하고 사용할 날을 고대한다.

마이클 그리산티_ 마스터즈 신학교 구약학 선임 교수 및 Th. M 프로그램 책임자

사람들은 내게 신학교를 가지 않고 어떻게 성경을 더 잘 이해할 수 있는지 종종 묻는다. 「구약, 어떻게 해석할 것인가」는 히브리어와 헬라어를 모르는 사람들이 배움에서 크게 한 걸음 나아가기 위해 필요한 바로 그것을 제공한다. 이 책은 장르, 문법, 맥락 같은 도구를 이용하는 법을 알려 줄 뿐 아니라, 이 도구들을 어떻게 사용할지 분명하고도 효과적으로 보여 준다.

낸시 거스리_ 성경 교사, 「구약에서 예수를 만나다」(*Seeing Jesus in the Old Testament*) 성경 공부 시리즈 저자

이 책은 주해법을 다룬 책 가운데 내가 본 가장 잘 다듬어진 지침서다. 이 책은 히브리어를 알거나 배우고 있는 학생들을 위해 만들어졌지만, 구약을 진지하게 연구하기 원하는 사람이면 누구든 사용할 수 있도록 구성되어 있다. 각 단계가 분명하게 규정되어 있을 뿐 아니라, 서너 개의 핵심 본문 주해를 통해 각 단계에 대한 탁월한 본보기도 제시하고 있다. 그 결과, 견고한 주해 '입문서'라는 모체에 해설적 통찰이 풍성히 박힌 귀중한 참고 도구가 탄생했다.

마이클 하빈_ 테일러 대학 성경 연구학 교수, 성경 연구, 기독교 교육 사역, 철학 학과장

드루치는 진짜 보석 같은 책을 썼다. 신학교 교육의 여러 측면이 이 단 한 권의 책에 요약되어 있다! 이 책은 성경에 나오는 예수에 대한 메시지를 이해하고, 그것을 자신이 처한 현대 배경에 적용하고자 애쓰는 진지한 성경 연구자들을 격려하고 인도해 줄 것이다. 이것은 서기관 에스라의 옛 본보기를 따라 어떻게 연구하고 행하고 가르쳐야 하는지 보여 주는 예들과 분명한 단계들로 명확하게 쓰인 책이다.

칩 하디_ 사우스이스턴 뱁티스트 신학교 구약 및 셈어 조교수

드루치의 「구약, 어떻게 해석할 것인가」는 아마 구약 해석학과 주해에 대해 오늘날 입수할 수 있는 가장 포괄적이고 완벽하며 실제적인 지침서일 것이다. 이 책은 탁월한 저술이다. 구약 주해를 가르치는 모든 사람에게 진심으로 권한다.

대니얼 헤이즈_ 우아치타 뱁티스트 대학 성경 연구학 교수

드루치는 구약 주해를 위한 열두 단계를 제시하는데, 그것은 주해 자체를 넘어 성경 신학, 조직 신학, 실천 신학을 포함한다. 처음부터 드루치가 고백하는 헌신은 분명하며, 이 과업의 핵심 토대를 이룬다. 드루치는 그리스도인들에게 구약이 중요한 이유를 탁월하게 논증한다. 그중에서도 구약이 예수와 초대 교회의 유일한 성경이었다는 논증은 특히 탁월하다. 드루치는 구약 장르(즉, 역사적 내러티브, 예언과 율법, 시편, 잠언) 각각을 해석하는 원리와 함께 통찰 있는 서론을 제시한다(1장). 절과 텍스트 문법에 대한 설명(5장)과, 몇 가지 예와 함께 나오는 논증을 도표로 표시하는 법에 대한 설명(6장)은 특히 유용하다. 무엇보다 드루치는 구약에 대한 신약 저자들의 해석을 자주 논의한다. 그는 '길 안내'로 각 장을 시작하며 나머지 부분에서 내내 이미지를 사용한다. 구약 히브리어에 능숙하지 않다고 느끼는 독자도 자료를 빠르게 찾아내 활용하도록 도와주기 위해서다. 이 책의 강점은 성경의 다양한 예를 가지고 주해 단계를 예시하는 것 말고도, 독자가 열두 단계를 모두 따라가면서 하나의 특정한 본문(출애굽기 19장 4-6절)을 본보기로 다룰 수 있다는 것이다. 하나님 말씀을 예배하는 마음으로 적용하는 것을 목표로 하는 통합적 구약 입문서를 찾고 있다면, 이 책이야말로 고려해 볼 만하다.

더글라스 후프만_ 바이올라 대학 탈봇 신학대학원 성경학, 신학 교수 및 부학장

드루치는 「구약, 어떻게 해석할 것인가」에서 탁월한 자료를 제공했다. 그의 설명들은 명확하고 이해하기 쉬우며, 구약 텍스트를 설교하고 가르치는 과정에 정말 유용하다. 이 책은 구약을 잘 가르치려 하지 않는 요즘 같은 때에 지도자들에게 구약을 가르치도록 격려한다.

월터 카이저_ 고든 콘웰 신학교 명예 학장

「구약, 어떻게 해석할 것인가」는 성경의 증거를 진지하게 받아들인다. 구약이 "성경"이며, 그렇기 때문에 오늘날 교회에서 설교하고 가르쳐야 한다는 것이다. 구약을 이해하고 적용하는 문제로 씨름하는 사람이라면 누구든 이 책이 엄청나게 유용하다는 것을 알게 될 것이다. 이 책은 학문적이고, 신학적, 주해적 통찰이 풍성하며, 히브리어 문법과 구문에 세심하게 주의를 기울인다. 그러면서도 해석적 과업에 단계별로 접근하기 때문에 목회자나 성경 교사가 이해하기 쉽다. 당신은 이 책을 소장하고 싶

을 것이다!

캐롤 카민스키_ 고든 콘웰 신학교 구약학 교수

이 책은 조금 늦은 감이 있다. 15년 전에 이 책이 있었다면 얼마나 좋았을까! 여기 나온 많은 내용에 도움을 받았을 것이기 때문이다. 이 책은 단지 구약에 대한 것이 아니다. 드루치는 절대 구약만이 성경(testament)인 것처럼 행동하지 않는다. 이 책 갈피마다 복음 사건을 경축하기 때문이다. 이 때문에 「구약, 어떻게 해석할 것인가」는 신약을 이해하는 데도 영향을 끼친다. 드루치가 구약의 구조를 잘 아는 것은 분명하다. 하지만 구약의 하나님을 그보다 훨씬 잘 아는 것이 분명하다. 그는 독자들이 자신과 함께 예배하기를 원한다. 나와 동역하는 사람들의 손에 이 책이 하루 빨리 들리면 좋겠다.

톰 켈비_ 핸드투더플로우 사역(Hands to the Plow Ministries) 대표,
교회 갱신 동맹(Alliance for Renewal Churches) 대표

그리스도인들은 현대의 삶에 과연 구약이 적절한지를 두고 종종 혼란스러워할 수 있다. 드루치는 이런 장애물들을 체계적으로 극복하고 '예수의 성경'을 연구할 필요와, 그렇게 하는 그리스도인들이 누리게 될 기쁨을 둘 다 보여 준다. 드루치의 이 책은 구약에 포함된 진리들을 이해하고 적용하도록 도와주는 면밀하고 확실한 안내서다. 또한 성경 해석이 건전한 교리와 그리스도인의 실생활에 필요한 기반이라는 사실을 깊이 상기시킨다. 많은 사람이 이 책을 펼쳐서 우리의 위대하신 하나님, 주권자이자 구원자이시며 만족을 주시는 분인 그 하나님을 사랑할 수 있게끔 성경 본문을 탐구하게 되기를 바란다.

제레미 킴블_ 시더빌 대학 신학과 조교수

드루치는 구약 성경 해석을 위한 걸작 안내서를 만들어 냈다. 그는 초급, 중급, 고급 학생들이 신적 영감을 받은 이 텍스트의 메시지를 더 잘 이해할 수 있도록 이 책을 썼다. 구약을 신실하게 해석하기 바라는 모든 사람에게 이 책을 열렬히 권한다.

트렘퍼 롱맨 3세_ 웨스트몬트 대학 성경학 교수

구약에 대한 무지가 만연하다는 문제를 해결하는 데 기꺼이 추천할 포괄적 안내서가 여기 있다. 교육학에 민감한 드루치는 개요가 잘 정리된 여러 단계, 수많은 창의적 도표, 풍부한 입증 자료와 참고 자료, 어휘 설명을 제공한다. 그는 구약 모든 부분을 감탄할 정도로 잘 지배하며, 최근 학계에 분명하게 정통하고 있다. 저자가 히브리어에 크게 의지하고 있는 (신학생에게 큰 도움이 되는) 부분 때문에 일반 독자가 당황할 필요는 없다. 그 과정에서 드루치는 많은 도움을 주기 때문이다. 명확하게 복음주의적이고 보수적인 드루치는 영적 열정으로 글을 쓴다. 나는 건전한 성경 해석을 향한 그의 열정에 경의를 표한다. 그런 해석은 깨달음을 가져올 것이며, 성경의 저자이자 구원의 창시자이신 하나님을 찬양하는 경건한 행동을 낳을 것이다.

엘머 마튼스_ 프레즈노 퍼시픽 대학 성경 신학교 구약학 명예 학장 및 명예 교수

「구약, 어떻게 해석할 것인가」(원제 'How to Understand and Apply the Old Testament')라는 제목은 적절하다. 이 책은 통상적인 입문서 이상이기 때문이다. 이 책은 그리스도인 독자에게 구약을 정확하고 효과적으로 해석하는 법을 면밀하고 완전하게 제시한다. 드루치의 논의는 적절한 해석을 위해서는 성경 전체가 정경이라는 관점을 고려해야 하며 그리스도인의 삶을 위한 실제 적용이 없으면 그 해석은 불완전하다는 것을 인정한다. (히브리어 지식이 있든 없든) 성경을 공부하면서 더 많은 것을 얻어 내고자 하는 사람이라면 반드시 이 책을 읽어야 한다.

케네스 매튜스_ 비슨 신학교 신학부 구약학 교수

드루치의 「구약, 어떻게 해석할 것인가」를 읽으면서 두 단어가 떠오른다. '포괄적'(comprehensive)이라는 말과 '이해하기 쉬운'(accessible)이라는 말이다(그랜트 오스본이 고든 피와 더글러스 스튜어트를 만났다고 생각해 보라). 구약에 대한 드루치의 열정과 그리스도를 향한 사랑은 모든 페이지에서 찾아볼 수 있다. 이 책은 빛과 열기가 균형을 이룬, 구약을 해석하는 데 믿을 만한 안내서다.

벤자민 머클_ 사우스이스턴 뱁티스트 신학교 신약학 및 헬라어 교수

말투는 매력적이고, 문학적으로 명료하며, 자료가 포괄적이고, 교육 면에서 탁월하며, 학적으로 건전하고 정교하며 해박한, 아니 이 모든 것 이상이다. 고등 교육 강의실에서 25년 넘게 가르친 나로서는 드루치의 이 굉장한 저서에 비할 만한 것을 결코 본 적이 없다. 이 책은 이 분야의 고전이 될 것이다.

유진 메릴_ 달라스 신학교 구약학 명예 석학 교수

이 책(그리고 이 책과 짝을 이루는 책)은 교회에 큰 도움이 된다. 학문적 엄격함과 설교자의 열정을 결합하는 것은 드물고 귀한 일이다. 그런데 드루치가 바로 그 일을 해냈다. 이 책은 구약을 주해하고 해석하는 법과, 설교하고 적용하는 법을 분리시키기보다 그 둘을 매우 유용하고 대단히 풍요롭게 한데 결합한다. 나는 이 안내서가 성경을 진지하게 연구하고자 하는 하나님의 백성에게 대대로 풍성한 자원이 되리라 확신한다.

J. 개리 밀러_ 호주 퀸즈랜드 신학 대학 학장 및 구약학, 성경 신학, 설교학 교수

제이슨 드루치는 우리에게 구약 읽기, 해석하기, 적용하기에 대한 포괄적이고 읽기 쉬운 지침을 주었다. 그는 관련 주제를 모두 망라하며, 논쟁적인 주제에 대해서는 분별 있고 균형 잡힌 접근을 제시한다. 그중에서도 그가 텍스트를 주의 깊고 상세하게 주해하여 핵심 원리와 쟁점을 설명하는 방식은 특히 주목할 만하다.

더글러스 무_ 휘튼 대학 성경학 웨스너 의장, NIV 성경 번역 위원회 의장

드루치의 책이 돋보이는 것은 그가 의도적으로 마음을 겨냥한 해석 방법을 계발하기 때문이다. 성경이 헌신적으로 연구할 만한 가치가 있다는 그의 확신은 그의 명료함을 뛰어넘는다. 성경이 그리스도의 탁월성을 증거하기 때문이다. 드루치는 독자들이 지혜롭고 능숙하게 구약을 주해하도록 인도하

며, 교회 생활에 중요한 몇 가지 적용 문제와 씨름하는 것을 피하지 않는다. 몇몇 복음주의 학자는 특정 적용에 다른 관점을 주장할 수 있겠지만, 드루치는 확실히 성경 연구자들을 "진리의 말씀을 옳게 분별"(딤후 2:15)하도록 성공적으로 구비시킨다.

크리스틴 파머_ 고든 콘웰 신학교 구약학 부교수

「구약, 어떻게 해석할 것인가」에서 제이슨 드루치는 하나님, 성경, 교회를 향한 깊은 사랑을 드러낸다. 그는 분명하고 귀납적인 진술과, 오랜 세월 동안 가르침을 통해 개발한 핵심 통찰을 결합한다. 텍스트에 대한 그의 열심은 전염성이 있어서 다른 그리스도인들에게도 구약을 연구하고 그 진가를 인정할 수 있는 능력을 심어 준다. 드루치는 구약이 하나님의 성품을 드러내고, 그리스도를 내다보며, 오늘날 삶에서 하나님과 이웃에 대한 사랑을 영위하고 명확히 적용하게 해준다는 사실을 우리에게 보여 준다.

데이비드 파머_ 고든 콘웰 신학교 신약학 부교수, 신시내티 켄우드 침례교회 담임목사

우리로 '계시'에서 '엄밀함'을 통해 '큰 환희'로(즉 '신성한 하나님 말씀'에서 '진지한 해석 작업'을 통해 '하나님을 알고 누리는 것'으로) 나아가도록 이 책이 고안되어 있다고 말한다면, 제이슨 드루치가 기뻐할 것이다. 거룩한 예배의 경이를 맛보기 위해서는 힘든 해석 작업을 피할 방법이 없다. 그래서 드루치는 주의 깊게 해석하는 힘겨운 일을 평이하게 만드는 데 노력을 아끼지 않는다. 많은 사람에게 구약은 낯선 분야다. 익숙하지 않은 장소를 여행할 때, 그곳 토박이가 함께 다닌다면 얼마나 좋을까! 그의 도움을 받으면 온갖 이상한 일들을 이해할 수 있다. 심지어 마음이 편해지기도 한다. 당신이 고대 보물들을 탐구하려는 방랑벽을 가지고 있다면, 이 책을 추천한다. 드루치가 그 보물을 발견하는 법을 보여 줄 것이다.

존 파이퍼_ 디자이어링갓 설립자이자 교사, 베들레헴 신학교 총장 및 성경 주해 교수

히브리 성경을 주해하는 법을 배우던 학생 시절을 돌이켜 볼 때, 내게 이 자료가 있었으면 얼마나 좋았을까! 드루치는 신실함과 엄밀함으로 구약을 연구하도록 돕는 확실하고 분명한 안내자다. 그 모든 것의 목표는 하나님에 대해 올바로 사고하고 설교하는 것이다. 이 책을 적극 추천한다!

로버트 플러머_ 서던 뱁티스트 신학교 신약 해석학 교수

「구약, 어떻게 해석할 것인가」에서 드루치 박사는 주해의 원리와 목적, 그리고 그 과정에 포함된 필수 단계와 그것을 구성하는 훈련에 대한 면밀하고 포괄적이며 박식한 입문서를 만들어 냈다. 드루치의 저술과 자료 조직 방식은 마음을 끌고, 매력적이며, 분명하고, 이해하기 쉽다. 이 연구의 토대를 이루는 것은 성경 저술들(구약과 신약)이 하나님 말씀이라는 것, 그것이 그리스도인의 삶에 (정확하고, 무오하며, 틀림없는) 권위를 지니고 있다는 것, 오늘날 세상에서 사는 삶과 관련 있다는 것, 하나님의 임재 안에서 사는 삶에 절대 충분하다는 것에 대한 흔들리지 않는 저자의 확신이다. 매우 기쁘게도 이 연구는 곳곳이 하나님 말씀을 향한 분명한 사랑과 경외, 깊은 감사로 점철되어 있다. 또한 텍스트를 확증하는 것부터 그 진리들을 선포하고 적용하는 것에 이르는 주해 과정의 궁극적 목표로, '하나님의 영광'과 '그분 백성의 유익'을 끊임없이 강조한다. 이 연구는 성경 언어에 숙달되면, 또는 성경의 두 언어 중 하나

를 어느 정도라도 알면, 성경 주해의 두 가지 주요 목표를 실현할 가능성이 높아질 것이라고 설득력 있게 주장한다. 여러 해 동안 다양한 수준의 히브리어와 주해를 가르치면서 하나님의 귀한 성경으로 행하는 사역을 위해 사람들을 훈련시킬 숭고한 책임을 다할 때 내게 제이슨 드루치의 책이 있었다면 매우 열심히 사용했을 것이다.

게리 프라티코_ 고든 콘웰 신학교 구약학 은퇴 선임 교수

드루치의 책 「구약, 어떻게 해석할 것인가」는 목회자나 교사에게 대단히 좋은 자료다. 이 책은 해석과 적용에 필요한 모든 단계로 독자들을 안내하되, 더할 나위 없이 명확하게 인도한다. 많은 예를 소개하여 책을 추상적이지 않게 해준다. 드루치는 해석자가 실제로 사용할 수 있는 방법을 가르친다! 마지막으로, 이 책은 그 신학적 견해 때문에 눈에 띈다. 여기, 성경 신학과 조직 신학을 대단히 잘 알고 있는 구약 해석에 대한 책이 있다. 대단히 유용한 자료다. 열렬히 추천한다.

토마스 슈라이너_ 서던 뱁티스트 신학교 신약 해석학 교수 및 부학장, CSB 번역 감독 위원회 공동 의장

제이슨 드루치는 방대한 양의 유용한 정보들을 조직해서 포괄적이고 실제적인 안내서를 만들었다. 이 책은 본문 비평에서 조직 신학에 이르기까지 해석의 전 과정을 망라한다. 이론과 원리에 대한 논의는 피하고, 방대한 예, 수많은 현명한 조언, 신학적, 기독론적 해석을 위해 충분히 연구된 모델 등을 제공한다. 히브리어를 어느 정도 아는 학생들이 이 책에서 가장 유익을 얻을 것이다. 하지만 이 책은 초보 신학생뿐 아니라 성경 본문을 더 깊고 풍성하게 이해하고자 하는 설교자에게도 귀중한 자료가 될 것이다.

앤드류 셰드_ 호주 무어 신학교 구약학과 히브리어학 학과장 및 히브리어와 구약학 교수

이 매혹적인 연구서는 독자(특히 히브리어를 아는 독자)에게 구약의 신학적 메시지를 온전히 이해시키고 전달하기 위해 어떻게 하면 중요한 주해적 도구들을 체계적이고 정확하게 사용할 수 있는지 가르치고 보여 준다. 드루치는 다음을 통해 이것이 어떻게 가능한지 풍성하게 예시한다. (1) 서로 다른 문학 유형들의 의미와 기능에 영향을 주는 장르 특성을 고려한다. (2) 각 절이 중심 메시지를 설득력 있게 뒷받침하도록, 다양한 히브리어 본문을 (텍스트 계층화나 괄호로 묶는 것을 모두 사용하여) 절의 종속 관계에 대한 계층 구조로 간략하게 줄여서 말하는 법을 보여 준다. (3) 다양한 사본 전통들을 비판적으로 평가하여, 특정 본문의 정확한 원문이 무엇인지 확실하게 해준다. (4) 신학적 목적을 전개시키기 위해 특정 본문에 나오는 절들의 계층 구조에 기초하여 개요를 준비한다. (5) 핵심 히브리어 단어들을 연구하는 법을 보여 준다. (6) 메시지를 원래 배경에서 보기 위해 역사적, 문학적 맥락을 이용하는 법을 안내한다. 그러나 드루치는 단지 텍스트의 장르, 단어, 구조, 문맥을 이해하는 것에 만족하지 않는다! 그는 신구약 곳곳에 나오는 본문들(특히 구원사의 여러 측면과, 앞으로 오실 메시아적 왕과 그분의 나라에 대한 소망과 관련된 본문들) 간의 유기적 연관을 규정하기 위해 더 폭넓고 종합적인 성경적, 신학적 검토를 해야 한다고 설득력 있게 주장한다. 그 다음에 드루치는 하나님이 무엇을 전달하고 계셨는지 면밀히 고찰하고, 이 인상적인 연구의 마지막 부분에서 현대 그리스도인에게 적절하고 강력하게 적용할 원

리들을 제시하는 쉽지 않은 일을 한다. 그렇게 해서 우리 세대를 위해 구약의 영원불변한 가치를 보존하는 것이다. 이 감탄할 만한 접근법을 나는 강력히 추천한다. 그것은 성경 연구 결과를 크게 향상시킬 것이기 때문이다.

개리 스미스_ 유니온 대학 기독교 학부 은퇴 교수

현대 복음주의 강단에 부족한 것이 있다면, 구약 성경을 일관되게 강해하는 설교가 없다는 것이다. 많은 목회자가 신학교에서 배운 성서 히브리어를 잊어버렸거나, 위험을 무릅쓰고 복잡한 구약 텍스트를 해석하려는 사람들에게 부과되는 요구에 위협을 느낀다. 그 사람이 바로 당신이라면, 아니면 당신이 아는 누군가라면, 주해에서 시작하여 건전하고 실질적인 목회 신학으로 나아가는 데 필수적인 열두 단계를 탁월하게 다룬 드루치의 책이 출간된 것에 함께 기뻐하자. 교회는 이 책을 오랫동안 기다려 왔으며 이런 책이 절실했다. 적극 추천한다.

샘 스톰스_ 브릿지웨이 교회 설교 및 비전 담당 지도 목사, 엔조잉갓 사역(Enjoying God Ministries) 대표

드루치는 구약이 실제로 무엇을 말하고 있는지 보여 주는 방법론들에 대한 놀랍고 포괄적인 지침을 한데 모아 놓았다. 그 방법론들은 우리가 하나님의 영광을 위해 구약을 올바로 사용할 수 있게 해준다. 드루치의 책은 사용하기 쉬운 설명, 깔끔한 표, 도표, 목록, 적절한 참고 문헌 소개, 가장 힘든 해석상 난제를 끈기 있게 단계적으로 인도해 주는 지침 등으로 가득 차 있다. 초보자부터 숙련된 해석자에 이르기까지 누구든 이 책에서 많은 것을 배울 것이다.

더글러스 스튜어트_ 고든 콘웰 신학교 구약학 교수

이 책은 구약을 기독교 경전으로 이해하고 적용하는 도전에 직면해 있다. 이것은 교회사에서 다루기 힘들고 (때로는) 논쟁적인 주제였다. 드루치는 그 도전을 정면으로 명확하게 맞서며, 건설적이고 철저하게 기독교적 제안을 내놓는다. 우리는 드루치의 접근법에서 많은 것을 배울 수 있다. 나는 많은 사람이 그것을 받아들일 것이라 생각한다.

히스 토마스_ 허셀 홉스 신학 및 사역 대학 학장, 오클라호마 뱁티스트 대학 구약학 교수 및 교회 관계 부학장

이것은 구세대의 귀납적 성경 연구 방법이 아니다! 이 책은 "에스라가 여호와의 율법을 연구하여 준행하며 율례와 규례를 이스라엘에게 가르치기로 결심하였었더라"라는 에스라 7장 10절의 실제적이고 학문적인 성과다. 드루치는 자신이 제시한 TOCMA 방식(텍스트[Text], 관찰[Observation], 맥락[Context], 의미[Meaning], 적용[Application])으로 성경을 연구하는 학생에게나 성경 교사에게 구약을 연구하고 그 의미를 파악하기 위한 원스톱 자료를 제공한다. 이 책은 범상치 않은 학문의 깊이와 실용성의 균형(학적 엄정함과 세부 사항, 개념, 용어의 정확함의 균형)을 이루고 있으면서도, 쾌활하고 열정적이며, 심지어 경건한 문체로 쓰여 있다. 이 책은 다른 좋은 자료들에 망라된 주제들(예를 들어, 장르를 판별하는 법, 단어 연구 방법, 텍스트의 논지를 따라가는 법, 역사적, 문학적 맥락에 대한 논의)을 포함한다. 그러면서 일반적으로 별도의 잡지와 책에서 다루는, 특별한 심화 주제들도 통합시킨다. 이를테면 히브리어 텍스트 언어학

및 주해와 신학 과목들(성경 신학, 조직 신학, 실천 신학)의 상호 작용 같은 것이다. 처음부터 끝까지 드루치는 복음주의적 관심사(예를 들어, 성경의 권위, 장르와 역사성, 구약을 기독론적으로 읽는 것)에 민감하게 반응한다. 이 책에는 이 책을 교사의 가장 좋은 벗으로 만들어 주는 모든 실제적 항목도 포함되어 있다. 해석 원리를 특정한 텍스트에 적용시킨 예들, 책의 각 부분에 나오는 연구 질문, 방대한 자료 목록, 면밀한 전문 용어 풀이 등이다. 개인적으로 연구할 때 나는 이 책을 사용할 것이며, 몇몇 서론적 초급이나 고급 과정에서 필수 교재로 채택할 것이다.

케니스 터너_ 토코아 폴스 대학 성경 연구학 부교수

그렇게 생각하는 사람이 별로 많지는 않지만, 드루치는 기록된 말씀에 나타난 대로 성육신하신 말씀과 만나야 정통 신학과 참된 예배로 나아갈 수 있다고 이해한다(눅 24:44, 요 5:39, 롬 1:1-3). 그래서 성경 연구자들을 분석적, 주해적 분석이라는 학문에서 신학적, 실제적 적용이라는 예술로 매우 엄밀하게 인도하며, 그 예술은 예배의 만족에서 정점에 이른다. 특히 도움이 되는 것은 '문학적 단위와 텍스트의 계층 구조'에 대한 부분과 '절과 텍스트 문법'에 대한 부분이다. 이 책은 표준적인 교과서가 될 뿐 아니라, 구약에서 예수 그리스도의 복음의 복된 소식을 연구하고 신실하게 선포하도록 부름 받은 사람들이 평생 활용할 자료가 될 것이다. 당신이 성경을 먹는 일에 굶주려 있다면(겔 3:1-3), "일어나", 이 책을 취하여 "먹으라"(행 10:13).

마일즈 반 펠트_ 리폼드 신학교 구약학 및 성경 언어 교수, 성경 언어 연구소 소장 및 학장

제이슨 드루치는 색다른 일을 이루었다. 구약을 기독교 경전으로 해석하는 한편, 원래의 역사적, 문학적 배경에 면밀히 주의를 기울이길 강조하는 구약 해석 안내서를 펴낸 것이다. 그는 장르와 맥락이라는 토대적 측면에서 시작하여 신학과 적용에 이르는 내내, 해석적 쟁점들의 미로를 이리저리 통과해 가면서 독자들을 신실하게 인도한다. 학생들은 종종 내게 구약을 깊이 연구하는 데 도움이 되는 자료가 무엇인지 물어 본다. 이제 나는 어떤 책을 첫째로 추천해야 하는지 안다. 드루치는 학자의 솜씨와 목회자의 마음으로 글을 썼다. 하나님 말씀을 향한 그의 사랑이 페이지마다 가득하다. 드루치는 그저 성경에 대해 이야기하지 않는다. 우리 스스로 성경의 보물을 어떻게 열 것인지를 보여 준다.

브라이언 비커스_ 서던 뱁티스트 신학교 신약 해석 및 성경 신학 교수,
〈서던 뱁티스트 신학 저널〉(*The Southern Baptist Journal of Theology*) 부편집자

구약을 "성경"으로 해석하는 일에 전념하는 드루치는 이 책에서 성경 해석자들에게 본문 구성, 형태, 배치, 의미, 적용을 어떻게 하면 가장 잘 파악할 수 있는지 안내한다. 드루치의 해석적 접근법은 거의 모든 수단을 동원한다. 심지어 그리스도인들에게 구약 율법과 약속들과 어떻게 관계를 형성할지, 어떻게 구약에서 그리스도와 복음을 신실하게 설교할지를 유용하게 안내해 준다. 「구약, 어떻게 해석할 것인가」는 최신 정보에 근거하여 이해하기 쉽고 신학적으로 풍성하게 구성된, 믿을 만한 성경 해석 안내서다. 진심으로 이 책을 추천한다.

브루스 월키_ 리젠트 대학 성경학 명예 교수, 녹스 신학교 구약학 명예 석좌 교수

이 책은 본문을 주해하는 단계들을 설명하기 위해 분명하고 창의적인 방식을 제시한다. 이 책에 나오는 포괄적인 열두 단계 계획은 독자들에게 하나의 구약 본문을 이해하는 데 필요한 기본 사항들(텍스트가 무엇을 말하는지 결정하는 것부터 그것을 적용하는 것에 이르기까지)을 매우 잘 소개한다. 이 책은 이해하기 쉽고 잘 구성되어 있으며, 학생에게나 평신도에게나 유용할 것이다.

폴 웨그너_ 게이트웨이 신학교 구약학 교수 및 대학원 프로그램 책임자

하나님 말씀을 올바로 해석하고 우리 삶에 지혜롭게 적용하는 법을 배우는 데 필요한 모든 것을 단 한 권의 책에서 발견하는 일은 드물다. 그러나 이 책은 바로 그런 책이다! 많은 그리스도인이 구약을 이해하고 오늘날의 삶에 적용하기 위해 씨름한다. 이 연구서는 안개를 걷고 구약이 그리스도인들에게 살아 움직이게 해준다. 당신이 오랫동안 하나님 말씀을 연구해 왔든 초보자든, 「구약, 어떻게 해석할 것인가」는 필독서다. 우리는 우리 주 예수 그리스도의 영광스러운 역사에 비추어 성경 본문의 모든 교훈, 권위, 아름다움으로부터, 적절한 신학적 적용까지 올바로 넘어가는 법을 배울 것이다. 나는 모든 것을 잘 종합하고 독자들에게 주해에서 신학으로 이동하는 법을 이보다 멋지게 가르치는 책, 우리가 구약의 더 나은 독자가 되도록 실제로 돕는 책을 알지 못한다. 제이슨 드루치는 우리에게 진짜 선물을 주었다. 진지하게 성경을 연구하고자 하며, 교회에서 하나님 말씀을 선포하고 가르치고 순종하는 것을 보길 간절히 원하는 모든 사람에게 이 책을 강력 추천한다.

스티븐 웰럼_ 서던 뱁티스트 신학교 조직 신학 교수, 〈서던 뱁티스트 신학 저널〉 편집자

이 책은 그저 구약 주해를 잘 하기 위한 또 하나의 '입문서'라고 하기에는 훨씬 많은 것을 전달한다. 이 책은 서너 개의 구약 책들과 핵심 텍스트를 통찰 있게 분석할 뿐 아니라, 성경 신학과 조직 신학과 실천 신학이 어떻게 구약을 기독교적 맥락에서 이해하고 적용하는 데 도움을 주는지도 상세하게 논의한다. 드루치는 영감으로 된 성경인 구약을 깊이 존중하면서, 해석자가 실수하지 않기 위해 반드시 피해야 하는 다양한 함정을 유용하게 밝히며, 그가 제안하는 '주해에서 신학에 이르는 12단계'가 어떻게 하나님이 의도하신 의미와 메시지를 명료하게 해줄지를 일관되게 보여 준다. 성서 히브리어를 배우는 것이 지닌 유익들이 여러 부분에서 분명하게 예시되긴 하지만, 이 책은 구약을 어떻게 기독교의 경전으로 읽고 가르쳐야 하는지를 더 잘 파악하기 원하는 모든 사람이 반드시 읽어야 하는 책이다.

폴 윌리엄슨_ 호주 무어 신학교 구약, 히브리어, 아람어 조교수

이 책은 탁월한 업적이다. 우리에게 종종 낯선 것처럼 보이는 성경의 옛 절반을 오랜 세월에 걸쳐 주의 깊고 신실하게 연구한 결과다. 모든 설교자는 이 자료를 거듭 주의 깊게 읽고 싶을 것이다. 이 책은 구약 성경을 정확한 정보에 근거해서 책임 있게 다루기 위한 귀중한 안내서이기 때문이다.

프레드 재스펠_ 개혁주의 침례교회 목사, '한 눈에 보는 책들'(*Books at a Glance*) 책임 편집자, 서던 뱁티스트 신학교 조직 신학 부교수

구약, 어떻게 해석할 것인가

(주)죠이북스는 그리스도를 대신한 사신으로
문서를 통한 지상 명령 성취와 하나님 나라 확장을 위해 노력합니다.

How to Understand and Apply the Old Testament
by Jason S. DeRouchie

구약, 어떻게 해석할 것인가

주해에서 신학에 이르는 12단계

제이슨 S. 드루치 지음
정옥배 옮김

죠이북스

—

사랑하는 내 자녀들인
제니, 루시, 아이작, 에즈라, 죠이, 조이에게.
이 책에서 초점을 맞추고 있는 책인 성경이
너희로 하나님께 소망을 두고
하나님이 행하신 일을 잊지 아니하며
그분의 계명을 지키도록(시 78:7) 더욱 도와주어
이 모든 것이 그리스도께 영광이 되길 기도한다.

—

차례

표 목록

분석적 개요

I. 서론_ 발견과 만남의 여정

A. 해석 과업

B. 구약이 그리스도인에게 중요한 열 가지 이유

C. 히브리어 주해가 주는 유익

D. 해석 과정 개관_ TOCMA

II. 1부 텍스트_ 본문 구성이란 무엇인가

A. 장르

1. 장르의 정의
2. 성경의 문맥 안에서 장르 살펴보기
3. 장르 분석과 구약의 논쟁적 신학
4. 장르와 역사성의 관계
5. 장르 연습_ 출애굽기 19장 4-6절
6. 역사적 내러티브
   a. 성경 내러티브의 독특한 성질
   b. 역사, 신화, 성경 내러티브
   c. 구약 내러티브 해석법
   d. 역사적 내러티브 해석의 예_ 열왕기상 17장
7. 예언과 율법
   a. 여호와 예언의 독특한 성질
   b. 선지자 강화의 범주
   c. 언약 규정으로서의 율법
   d. 구약 예언을 해석하기 위한 지침
8. 시편
   a. 시편에 대한 기독론적 접근
   b. 시편을 메시아적 음악으로 읽기
   c. 시편 하위 장르의 다양함
   d. 탄원, 신뢰, 감사, 찬양의 시
   e. 시편을 해석하기 위한 지침
9. 잠언서
   a. 성경의 잠언이 지니는 일반 특징
   b. 잠언 22장 6절을 재고하다
   c. 성경의 잠언에 대한 결론

B. 문학적 단위와 텍스트의 계층 구조

1. 문학적 단위를 확립하기 위한 기본 규칙
2. 히브리어의 문학적 단위와 텍스트의 계층 구조 소개
3. 텍스트 블록
4. 텍스트 블록, 그리고 창세기의 구조와 메시지
5. 텍스트 블록에서 하위 단위 분별하기_ 단락 구분
6. 전환 표지/절정 표지인 וַיְהִי와 וְהָיָה
7. 표시된 일차 인용 형식과 표시된 이차 인용 형식
8. 문학적 단위 형성 연습_ 출애굽기 19장 4-6절

C. 본문 비평

1. 본문 비평의 본질과 시편 22편 16[H17]절
2. 히브리어 본문 비평 소개와 아모스 6장 12절
3. 히브리어 성경의 본문 비평 연구 판 개관
   a. 책 제목과 배열
   b. 단락, 단원, 구절, 장 구분
   c. 마소라
4. 본문 비평 장치
5. 가장 중요한 텍스트들과 역본들
   a. 히브리어 텍스트
   b. 역본들/번역들
6. 몇 가지 흔한 필사 오류
7. 본문 비평을 위한 원리
8. 본문 비평 연습_ 출애굽기 19장 4-6절

D. 번역

1. 성경 번역에 대한 선교적 비전
2. 성경 연구에서 여러 개의 영어 역본이 주는 유익
3. 서로 다른 번역들과 번역 이론들
4. 자신만의 번역본을 만드는 법
5. 자신만의 번역본을 만드는 것이 지닌 가치에 대한 세 가지 예
   a. 여섯 째 날의 중요성_ 창세기 1장
   b. 완전한 평강으로 지키심_ 이사야 26장 3절
   c. 찬양을 위해 지음 받음_ 스바냐 3장 20절
6. 번역 연습_ 출애굽기 19장 4-6절

III. 2부 관찰_ 본문은 어떻게 전달되는가

A. 절과 텍스트 문법

V. 4부 의미_ 본문은 무엇을 의미하는가

A. 성경 신학

1. 성경 신학의 전제들
2. 성경 신학의 본질
   a. 과업 1부
   b. 과업 2부
   c. 구원사적 연관들
   d. 문학적-정경적 연관들
   e. 언약들의 관계
   f. 그리스도의 중심성
   g. 성경 신학의 본질 요약
3. 성경의 틀, 형식, 초점, 받침점
4. 주제 추적의 예_ "제사장 나라"(출 19:6)
5. 신약에서 구약을 사용하는 예_ 마태복음 2장 15절에 나오는 호세아 11장 1절

B. 조직 신학

1. 조직 신학이란 무엇인가
2. 어떻게 조직 신학을 공부할 것인가
3. 조직 신학에서 특정 텍스트 연구의 두 가지 예
   a. 구원론과 선교론_ 출애굽기 19장 4-6절
   b. 교회론과 종말론_ 스바냐 3장 9-10절

VI. 5부 적용_ 본문이 왜 중요한가

실천 신학

1. 구약을 적용하는 것이 지닌 중요성과 도전
2. 하나님은 그리스도인들을 교훈하기 위해 구약을 주셨다
3. 구약 교훈을 적용하기 위한 일반적 지침_ 출애굽기 19장 4-6절
4. 그리스도인들과 구약 율법
   a. 그리스도인들을 위한 율법의 적실성에 대한 확증
   b. 율법의 세 부분에 대한 평가
   c. 구약 율법을 적용하는 법
   d. 사랑으로 집 짓기_ 신명기 22장 8절
   e. 성별 혼란_ 신명기 22장 5절
   f. 안식일을 지키는 것_ 신명기 5장 12절
   g. 금지된 음식_ 레위기 20장 25-26절
5. 그리스도인들과 구약의 약속들
   a. 그리스도인들이 구약의 약속들을 주장하는 것의 도전과 필요성
   b. 성경 신학을 위한 하나님의 약속들의 다섯 가지 기초 텍스트
   c. 구약 약속들을 기독교적으로 적용하기 위한 지침
6. 구약에서 그리스도와 복음을 보는 것과 맛보는 것

VII. 결론_ 어둠 속에서 행하는 것에 대한 최종 결론

| 머리말 |

한 가지 고백하자면, 필자는 기본적으로 '……을 위한 열 가지 방법' 또는 '……을 극복하는 다섯 단계' 등과 같은 제목을 별로 신뢰하지 않는다. 그러면 「구약, 어떻게 해석할 것인가?: 주해에서 신학에 이르는 12단계」라는 책 제목을 어떻게 생각해야 하는가? 이 제목은 괴로울 정도로 기계적이다. 훌륭한 독자라면 책을 제대로 잘 읽는 것은 몇 개의 '단계'로 세분할 수 없다는 것을 매우 잘 알 것이다. 그런 제목은 확고한 마케팅 전략을 반영할 수는 있다. 그러나 과대광고를 치밀함이나 엄밀함과 혼동해서는 안 된다. 그렇지 않은가?

뭐, 보통은 그렇다는 말이다. 이 탁월한 책은 예외다. 제이슨 드루치는 놀랄 만큼 광범위한 자료를 붙잡고 씨름한다. 모나거나 단순히 이론적인 것처럼 느껴지지 않는 질서정연한 방식으로 말이다. 일부는 드루치가 구약을 주해하는 구체적인 예를 대단히 많이 소개하기 때문이며, 또 일부는 그의 작업이 엄정하면서도 경이와 예배를 불러일으키기 때문이다. 의심할 바 없이 이 책은 힘든 지적 단련을 요한다. 하지만 그것은 지적 훈련 이상이다.

이 책이 이렇게 긴 이유는 드루치가 초급, 중급, 고급 독자들을 대상으로 글을 썼기 때문이다(고급 독자를 대상으로 하는 부분은 히브리어를 상당한 수준에서 이해할 수 있어야 한다). 책을 읽어 보면 각 부분에 그 수준이 분명히 표시되어 있다. 이 책이 지닌 많은 특징을 보고 있자면, 이 책은 정말 감탄할 만한 교과서다. 이 책의 성구 색인은 구약을 설교하거나 가르치는 모든 사람이 참고할 만하다. 이 색인을 통해 우리는 드루치가 특정 본문에 대해 무엇을 말했는지 점검할 수 있다. 그는 몇몇 구약 성경 책의 구조를 통찰 있게 분석하고 많은 본문을 면밀하게 주해한다.

하지만 이 책의 핵심은 신실하게 주해하는 데 필요한 여러 요소를 최신 자료까지 적절하게 다룬다는 것이다. 그 요소들이란 문학 장르에 대한 적절한 이해, 구조 분석을 좌우하는 데 많은 영향을 주는 절 종속에 대한 정확한 논의, 반드시 해야 하는 본문 비평에 관한 판단, 단어 연구('어떻게 연구해야 하는가'와 '어떻게 연구하지 말아야 하는가' 모두), 특정 본문의 역사적, 문학적 맥락에 대한 주의 깊은 연구 등이다. 물론 이 요소들 중 대부분은 오늘날 강화 분석이라는 명칭으로 묶여 있다. 하지만 드루치는 거기에서 멈추는 데 만족하지 않는다. 그는 독자들이 정경의 맥락에서 구약 본문을 어떻게 읽을지를 깊이 생각하도록 이끈다. 강화 분석은 성경 신학과 결합되어 있다. 구약을 모체로 구약을 주해하는 것에서 기독교 경전이라는 맥락에서 구약을 주해하는 것으로 이동하려면, 엄청나게 많은 도전을 맞게 된다. 드루치는 흔한 오류와 단순화를 피하면서도, 독자들에게 구약 책들이 예수께서 가지고 계신 유일한 성경이었다는 것(그리고 예수께서 그 책을 가지고 하신 일은 예수를 주님으로 고백하는 사람들에게 영원한 권위를 지니고 있다는 것)을 상기시키길 원한다. 거기까지 하고 나서, 드루치는 성경을 읽는 현대 그리스도인들에게 적절한 적용이란 어떤 것인지를 성찰한다.

이 모든 것이 열두 단계 안에 담겨 있다. 그 단계들은 유용한 표, 상징, 생각할 만한 토론 문제, 다른 안내 지침들을 완비하고 있다. 그 모든 것이 이 책을 엄청나게 유용하고 믿을 만한 교과서로 만들어 준다. 이 책은 이른바 (지금은 낡아져 가고 있는) 새로운 설교학을 다루어서 독자들을 성가시게 하지는 않는다. 그것을 빼놓은 것은 지혜로운 일이다.

이 책을 추천하는 것은 내 기쁨이자 특권이다.

D. A. 카슨

트리니티 복음주의 신학교 신약학 연구 교수

개관

이 책이 출간된 2017년은 마르틴 루터가 95개 조항을 게시한 지(1517년 10월 31일) 500주년 되는 해다. 95개 조항은 세계 곳곳에 종교개혁을 일으킨 불꽃으로, 그 종교개혁은 오늘날에도 여전히 살아서 발전하고 있다. 지금 읽고 있는 이 책은 이 위대한 복음 전통에 속해 있으며, 그것을 기초로 하고 있다. 바로 '오직 성경'(*sola Scriptura*), 즉 성경만이 교리와 실천의 모든 문제에서 최고 권위를 갖는다는 것을 기념하는 전통이다.

예수는 구약을 사랑하셨다. 실로 구약은 예수께서 갖고 계신 유일한 성경이었다. 그리고 예수는 구약이 자신을 가리킨다고 믿으셨다. 필자는 신자들이 구약을 기독교 경전으로서 더 깊이 연구하고, 실천하며, 가르치도록 돕기 위해 이 책을 썼다. 필자는 하나님의 무오한 말씀이 우리 삶에서 최고 권위를 갖는다고 생각한다. 그리고 어디에 있는 그리스도인이든 성경 전부를 주의 깊게 해설하길 원한다. 또한 그리스도가 대단히 많은 것을 바꿔 놓으셨다는 것을 인정하면서도 구약과 신약의 연속성을 찬양하기를 원한다. 필자는 구약을 이해하고 적용하도록 도와서 그리스도인들이 복음의 소망을 키우고 신실하게 우리 메시아를 높이길 바란다.

이 책은 히브리어를 모르는 평신도들과, 구약을 원어로 연구하는 학생들 모두 읽을 수 있게 구성되었다. 이 책은 하나님의 계시된 말씀, 특히 구약에 구현된 말씀을 주의 깊게 관찰하고, 정확하게 이해하며, 공정하게 평가하고, 적절하게 느끼며, 올바로 행동하고, 신실하게 표현하는 법을 배우기 원하는 모든 사람을 위한 것이다. 이 책을 통해 우리는 다음과 같은 것을 할 것이다.

- 주해와 해석을 위한 열두 단계 과정을 배울 것이다.

- 다양한 해석 단계의 본을 보여 줄 만한 많은 사례를 성경에서 살펴볼 것이다.
- 새 언약 신자들이 구약을 기독교 경전으로서 어떻게 자신의 것으로 만들어야 하는지 생각해 볼 것이다.
- 성경의 처음 4분의 3에 해당하는 부분에 나오는 그리스도의 중심성과 복음의 소망을 경축할 것이다.

이 책이 독특하게 기여하는 것 두 가지는 강화 분석(성경 저자의 사고 흐름을 따라가는 것)과 성경 신학(성경이 서로 어떻게 들어맞고 그리스도를 가리키는지 생각해 보는 것)이다. 필자가 대답하고자 하는 실제적인 문제로는 다음과 같은 것들이 있다.

- 그리스도인은 구약 율법을 어떻게 해야 하는가? 모세가 전한 요구들 가운데 지금도 우리가 그리스도를 추구하는 데 안내자 역할을 하는 것이 있는가?
- 그리스도인은 구약의 약속, 특히 물질적 공급과 보호와 관련된 약속들을 어떻게 생각해야 하는가? 우리는 정말로 "성경의 모든 약속은 내 것이라"[1]고 노래할 수 있는가?
- 구약은 그리스도와 복음의 소망을 어떻게 가리키는가? 구약으로 설교한 바울은 어떻게 "내가 너희 중에서 예수 그리스도와 그가 십자가에 못 박히신 것 외에는 아무것도 알지 아니하기로 작정하였음이라"(고전 2:2)고 말할 수 있었는가?

2015년 여름, 워싱턴 주 벨링햄에 있는 페이스라이프(Faithlife) 본부 스튜디오에서 로고스 모바일 강좌(Logos Mobile Ed)를 위해 '구약 주해'를 준비하면서 이 책의 초고를 썼다. 신약 주해 과정은 필자의 동료인 앤드류 나셀리(Andrew Naselli)가 가르쳤다. 이 두 과정 모두 www.logos.com/product/117883/mobile-ed-biblical-exegesis-bundle에서 볼 수 있다. 그 강좌가 끝난 후, 존 휴즈와 P&R 출판팀이 앤디와 내게 한 쌍을 이루는 두 권의 책을 펴낼 것을 권했다. 그 두 권은 개념, 구조, 신학, 교육학 등 여러 면에서 쌍둥이 같다.

---

1 The Sensational Nightingales, "Every Promise in the Book Is Mine," *Let Us Encourage You* (Malco Records, 2005, orig. 1957).

책을 이용하기 위한 지침

하나님 말씀을 연구하는 모든 차원에는 발견해야 하는 아름다움과 극복해야 하는 도전이 있다. 필자는 모든 해석자가 다 같지는 않다는 것을 인식하고, 세 개의 트랙으로 이 책을 썼다.

레벨1 초급 부분은 이 책 대부분을 차지하며 모든 독자를 위한 것이다. **초급 해석자**는 이 트랙만 택할 수 있을 것이다. 이 트랙에는 성서 히브리어가 하나도 나오지 않기 때문이다. 하지만 이 트랙도 가르침과 경외감, 영감을 주고, 동기를 부여할 수많은 주해적, 신학적 길과 전망을 포함하고 있다.

레벨2 중급 역시 모든 독자를 위한 것으로, 성서 히브리어 지식이 필요하지 않다. 하지만 이 수준에서는 **중급 해석자**에게 도움이 될 만한 원어를 접할 수 있다. 필자는 언제나 히브리어를 번역하고 분명하게 가르치려 애쓴다. 이 트랙에서 독자들은 히브리어 주해가 주는 유익을 어느 정도 누릴 것이며, 히브리어를 모르는 사람도 중요한 해석적 도구에서 어떻게 큰 유익을 얻을 수 있는지 알게 될 것이다.

레벨3 고급 트랙은 특별히 성서 히브리어를 알거나 배우고 있는 **고급 해석자**들을 위한 부분이다. 이 트랙에는 원어를 어느 정도 알고, 연구를 위해 히브리어 성경을 사용할 사람들이 실제로 유익을 얻을 만한 전문적 논의가 포함될 것이다.

이 책은 처음부터 끝까지 각 단락이나 그 하위 단락의 난이도를 표시하기 위해 앞서 나온 세 가지 레벨을 사용한다. 어느 길로 가기 원하는지 결정하고, 이 책의 인도를 따르기 바란다. 각 장 서두에 '길 안내'가 있다. 이것은 주해에서 신학에 이르는 여정에서 우리가 어디에 있는지 상기시킬 것이며, 앞으로 갈 길을 간략하게 개관해 줄 것이다.

히브리어를 모르는 독자라도 레벨2 중급 자료까지는 연구할 것을 권한다. 주해적, 신학적으로 매우 유익할 뿐 아니라, 여기서 다루는 논의가 독자의 이해를 벗어나지는 않기 때문이다. 이 길을 택한다면, 레벨1에 나오는 자료들도 모두 유용하리라는 점을 기억하라. 히브리어를 공부하고 있거나 공부한 사람은 이 책의 모든 부분을 읽는 것이 좋다. 바라기는 그 부분이 당신에게 하나님과 성경 본문을 상기시키고, 명확하게 설명하며, 가르쳐서 당신이 더 집중하고 깊이 몰두하게 되는 것이다.

각 장 끝에는 '핵심 단어와 개념', '더 생각해 보기 위한 질문', '추가 연구 자료'를 포함시켰다. 이러한 추가 자료들이 개인 연구, 소모임 토론, 강의실 등에서 이 책을 사용할 때 도움이 되기를 바란다. 책 뒷부분에는 상세한 핵심 용어 해설, KINGDOM 성경 읽기 표, 참고 문헌, 성구 색인, 주제 및 인명 색인이 실려 있다.

우리가 성경 해석으로 가는 여정을 시작할 때, 하나님 아버지께서 그분의 성령으로 그리스도를 향한 사랑을 불러일으키고, 깊이 생각하도록 우리 마음을 깨우시길 바란다. 당신이 하나님의 영광을 위해, 그리고 열방 가운데 하나님의 교회의 유익을 위해 성경 전체를 더 잘 다룰 수 있게 되기를 기도한다.

제이슨 S. 드루치
베들레헴 신학교

| 감사의 글 |

이 책을 쓰는 데, 그리고 필자 자신이 가장 위대한 책인 성경을 이해하고 적용하고 전달하는 법을 배우는 데 영향을 끼친 사람이 많다. 그중 일부는 필자가 잊어버렸을지 모르지만, 일곱 집단의 사람들에게 감사하고 싶다.

첫째, B. A.와 M. Div. 과정을 공부하는 동안 필자는 해석적 접근 방식의 토대를 형성했다. 그중 M. Div. 과정은 거의 20년 전에 마친 것이다. 필자는 테일러 대학에서 빌 헤스의 지도로 처음 2년간 헬라어를 공부했다. 빌 헤스는 하나님과 그분 말씀에 대한 열심의 본을 보여 주었으며, 좋은 질문을 던지고 저자의 사고 흐름을 따라가는 틀을 처음 세워 주었다. 고든 콘웰 신학교에서 공부하는 동안, 그렉 빌, 스캇 해프먼, 고든 휴젠버거, 게리 프라티코, 더그 스튜어트 같은 중요한 학자들이 원어 주해와 신학에 대한 기량을 갈고 닦는 데 도움을 주었다. 관심 있는 독자들은 필자의 주해적, 신학적 방법에서 빌과 스튜어트의 독특한 영향을 볼 수 있을 것이다.[1] 그들이 하나님의 권위 있고 무오한 말로서 성경에 신실하게 접근한 것에 깊은 감사를 표한다.

둘째, 서던 뱁티스트 신학교에서 박사 과정을 공부하면서, 댄 블록과 피터 젠트리 두 분에게 세심한 보살핌을 받았다. 그들의 정밀한 성경 해석 방식과, 그에 걸맞은 그리스도와 그분의 교회에 대한 깊은 헌신이 필자에게 끼친 영향은 영원할 것이다. 블록의 사역은 주의 깊은 문학적 분석을 통해 메시지에 귀를 기울이는 데 온통 집중되어 있다.[2] 이 책이 이처럼 세심하게 귀를 기울이는 본보기가 되기를 바란다. 젠트리

---

1 특히 G. K. Beale, *A New Testament Biblical Theology: The Unfolding of the Old Testament in the New* (Grand Rapids: Baker Academic, 2011)(『신약 성경 신학』, 부흥과개혁사), Beale, *Handbook on the New Testament Use of the Old Testament: Exegesis and Interpretation* (Grand Rapids: Baker Academic, 2012)(『신약의 구약 사용 핸드북』, 부흥과개혁사), Douglas Stuart, *Old Testament Exegesis: A Handbook for Students and Pastors*, 4판 (Louisville: Westminster John Knox, 2009)(『구약 주석 방법론』, 크리스천다이제스트), Gordon D. Fee and Douglas Stuart, *How to Read the Bible for All Its Worth*, 4판 (Grand Rapids: Zondervan, 2014)(『성경을 어떻게 읽을 것인가』, 성서유니온선교회)를 보라.

2 예를 들어 Daniel I. Block, *The Book of Ezekiel: Chapters 1-24*와 *The Book of Ezekiel: Chapters 25-48*, NICOT

와 나눈 오랜 대화는 히브리어 강화 분석에 대한 필자의 초기 접근을 구체화하는 데 도움이 되었다. 그때부터 필자는 젠트리가 처음부터 전체적인 성경 신학(whole-Bible theology)으로 씨름하는 것을 보면서 큰 유익을 얻었다.[3] 톰 슈라이너에게도 감사의 말을 덧붙이고 싶다. 바울의 논증을 추적하는 것에 대한 그의 논의[4]는 필자가 신명기에서 모세의 논증을 추적하는 것에 대해 박사 학위 논문을 쓰기로 결정한 동기가 되었다. 슈라이너의 목회적 성향과, 바울과 율법에 대한 그의 접근은 필자에게 대단히 큰 영향을 끼쳤다.[5]

셋째, 2005년 여름에 존 파이퍼와 저스틴 테일러와 함께한 짧은 점심 식사로 필자의 삶은 새로운 발견을 시작하고, 열심히 추구하게 되었다. 그 결과 10여 년 동안 어떻게 하면 구약을 통해 그리스도와 복음을 신실하게 존중할 수 있을지 배우려 애쓰고 탐구하게 되었다. 이제 겨우 시작인 듯하다. 베들레헴 침례교회와, 2009년부터는 베들레헴 신학교의 일원이 된 것은 이러한 열정이 더욱 불타오르는 데 도움이 되었다. 또한 필자가 다른 사람들도 열방 가운데서 성령에 의해 그리스도 안에 있는 하나님의 영광을 소중히 간직하고 선포하도록 이끄는 데 더 헌신하는 계기가 되었다. 이 책을 쓸 수 있게 해주고, 그러한 배경과 목표로 가르칠 수 있게 해준 학교에 감사한다. 필자는 필자가 재직하는 학교의 신학과 팀과 전략을 사랑한다.

넷째, 마일즈 반 펠트, 제이슨 마이어, 앤디 나셀리에 대한 감사는 특별히 언급할 만하다. 박사 과정에서 공부하는 동안 반 펠트와 나눈 수많은 대화는 성경 신학에 대한 필자의 열정을 부채질했다. 특히 어떻게 성경의 틀이 하나님 나라이고, 성경의 형식은 언약적이며, 성경의 받침점이 그리스도인가 하는 것과 관련해서 말이다. 반 펠

(Grand Rapids: Eerdmans, 1997), Block, *Judges, Ruth: An Exegetical and Theological Exposition of Holy Scripture*, NAC 6 (Nashville: Broadman & Holman, 1999), Block, *Deuteronomy*, NIVAC (Grand Rapids: Zondervan, 2012)를 보라.

3 특히 Peter J. Gentry and Stephen J. Wellum, *Kingdom through Covenant: A Biblical-Theological Understanding of the Covenants* (Wheaton, IL: Crossway, 2012)(『언약과 하나님 나라』, 새물결플러스), Gentry and Wellum, *God's Kingdom through God's Covenants: A Concise Biblical Theology*(Wheaton, IL: Crossway, 2015)를 보라.

4 Thomas R. Schreiner, *Interpreting the Pauline Epistles*, 2판 (Grand Rapids: Baker Academic, 2011)(『바울 서신 석의 방법론』, 기독교문서선교회), 97-124쪽.

5 가장 최근 것으로 Thomas R. Schreiner, *40 Questions about Christians and Biblical Law*, 40 Questions (Grand Rapids: Kregel, 2010)를 보라. Schreiner, *The Law and Its Fulfillment: A Pauline Theology of Law* (Grand Rapids: Baker Academic, 1998)(『바울과 율법』, 기독교문서선교회)를 참조하라.

트의 생각들은 「성경 신학적 구약 개론」(부흥과개혁사 역간)[6] 서론에 담겨 있으며, 식견 있는 독자들은 우리의 접근법에서 많은 유사점을 볼 것이다. 계속되는 우리의 우정에 대해, 그리고 그의 경건함이 필자를 주께 더 가까이 가게 하는 것에 대해 대단히 감사한다. 베들레헴 침례교회에서 설교 및 비전 목사를 맡기 전, 마이어는 베들레헴 신학교에서 신약학 전임 교수로 재직했다. 그는 필자가 더 깊은 차원의 거룩을 겸비하도록 박차를 가하고, 성경 전체 곳곳에서 하나님의 언약 목적들을 더욱 경축하게 해주었다. 마이어와 함께 보낸 시간 때문에 필자의 삶과 가르침은 더 나아졌다.[7] 나셀리와 필자는 일주일에 약 세 시간씩 교제했고, 가족끼리도 깊은 관계를 유지하고 있다. 그와 함께 보내는 시간은 필자의 삶에 깊은 경건함과 큰 기쁨을 가져다준다. 나셀리는 끊임없이 필자가 신학적으로 생각하도록 돕는다. 필자는 4년차 대학원 과정에서 나셀리와 공동으로 성경 신학을 가르치는 것을 특히 좋아한다. 베들레헴 신학교에서 나셀리와 함께 복음에 협력할 수 있어서 대단히 감사드린다. 이 책과 짝을 이루는 그의 책 「신약, 어떻게 해석할 것인가」(*How to Understand and Apply the New Testament*)[8]를 꼭 읽길 바란다.

다섯째, 이 책이 나올 수 있도록 해준 많은 사람에게 감사하고 싶다. 존 휴즈와 P&R 출판팀은 이 프로젝트를 받아들이고, 처음부터 끝까지 확실하고도 그리스도께 영광이 되는 지원을 해주었다. 캐런 막너슨이 신실하게 원고를 정리해 준 것과 토머스 슈메이커가 공들여 식자해 준 것에 매우 감사한다! 스캇 제이미슨, 대니 프랜시스, 돈 스트라카에게 감사한다. 그들은 모두 원고를 좀 더 나아지게 하는 실질적인 제안들을 해주었다. 뒤 두 사람은 또한 '핵심 단어와 개념' 목록, '더 생각해 보기 위한 질문', '용어 풀이' 등을 작성하는 데 도움을 주었다. 동료 존 벡맨이 자신이 가르치는 중급 히브리어 강좌에서 이 책을 시험적으로 사용해 준 것에 대해, 그리고 2016년 봄부터 35명의 베들레헴 신학교 학생이 유용한 피드백을 해준 것에 대해 감사한다. 바이

---

6 Miles V. Van Pelt 편집, *A Biblical-Theological Introduction to the Old Testament: The Gospel Promised* (Wheaton, IL: Crossway, 2016)(「성경 신학적 구약 개론」, 부흥과개혁사), 23-42쪽.

7 Jason C. Meyer, *The End of the Law: Mosaic Covenant in Pauline Theology*, NSBT 7 (Nashville: Broadman & Holman, 2009), Meyer, *Preaching: A Biblical Theology* (Wheaton, IL: Crossway, 2013)를 보라.

8 Andrew David Naselli, *How to Understand and Apply the New Testament: Twelve Steps from Exegesis to Theology* (Phillipsburg, NJ: P&R Publishing, 2017)(「신약, 어떻게 해석할 것인가」, 죠이북스).

블아크(Biblearc, www.Biblearc.com)의 앤디 허버트가 호(arc)와 괄호들을 끝손질해 준 수고에 대해, 그리고 이전에 내가 가르친 학생이자 프리랜서 그래픽 디자이너인 조엘 더거티가 이 책에 사용된 대부분의 이미지와 아이콘을 만들어 준 것에 대해 감사한다. 그의 창의성과 세부 사항에 대한 세심함으로 인해 내용이 더 잘 전달되었다고 생각한다. 마지막으로, 필자의 학생 라이언 어기에게 "고맙다"고 말하고 싶다. 그 역시 일부 이미지를 마무리하는 일을 해주었다.

여섯째, 신실한 아내 테레사로 인해 주님께 감사한다. 테레사는 필자의 가장 큰 후원자이자 최고의 조력자, 가장 진실한 친구로 이 땅에 있다. 아내는 지혜와 균형, 하나님을 의지하는 것에 대한 본을 보여 준다. 아내는 그리스도를 소중히 여기고, 필자를 안정되게 하며 보완해 준다. 그리고 하나님이 필자를 부르신 분야인 연구, 집필, 목양 사역을 열정적으로 지원해 준다. 아내는 우리의 여섯 자녀를 기쁘게 인도하며 우리의 '사과나무 농장'(Apple Tree Farm)을 가족이 안식하고 사역의 열매를 맺는 장소로 만들어 준다. 아내에게 매우 감사한다.

일곱째, 필자의 여섯 자녀에 대해 주님을 찬양한다. 이 책을 그들에게 바친다. 아이들은 한 명 한 명이 보물이며, 저마다 여러 방식으로 이 아빠가 그리스도를 닮아 가도록, 그리고 주의 깊게 성경을 읽도록 격려하고 영향을 주었다. 아이들 모두를 깊이 사랑한다. 이 책에서 필자가 제시하는 원리와 지침(그중 많은 것은 우리의 가정에서 가르치고 모범을 보인 것이다)을 통해 그들이 성경 갈피마다 나타난 그리스도를 직면하면서 하나님의 아름다움을 더 잘 보고 맛볼 수 있기를 기도한다.

| 약어 목록 |

AB	Anchor Bible
ABD	*The Anchor Bible Dictionary*, ed. David Noel Freedman, 6 vols. (New York: Doubleday, 1992)
ANET	*Ancient Near Eastern Texts Relating to the Old Testament*, ed. James B. Pritchard, 3rd ed. (Princeton, NJ: Princeton University Press, 1969)
ApOTC	Apollos Old Testament Commentary
ASOR	American Schools of Oriental Research
ASV	Authorized Standard Version
BA	*Biblical Archaeologist*
BBE	Bible in Basic English
BBR	*Bulletin of Biblical Research*
BDB	Francis Brown, S. R. Driver, and Charles A. Briggs, *The New Brown-Driver-Briggs Hebrew and English Lexicon*
BECNT	Baker Exegetical Commentary on the New Testament
BETL	Bibliotheca Ephemeridum Theologicarum Lovaniensium
BHQ	*Biblia Hebraica Quinta*, ed. Adrian Schenker et al. (Stuttgart: DeutscheBibelgesellschaft, 2004–)
BHS	*Biblia Hebraica Stuttgartensia*, ed. Karl Elliger et al., 5th rev. ed. (Stuttgart: Deutsche Bibelgesellschaft, 1983)
Bib	*Biblica*
BSac	*Bibliotheca Sacra*
CBQ	*Catholic Biblical Quarterly*
CDCH	*The Concise Dictionary of Classical Hebrew*, ed. David J. A. Clines (Sheffield, UK: Sheffield Phoenix, 2009)
CEB	Contemporary English Bible
CEBA	Contemporary English Bible with Apocrypha
COS	*The Context of Scripture*, ed. William W. Hallo and K. Lawson Younger Jr., 3 vols. (Leiden: Brill, 1997–2002)
CSB	Christian Standard Bible
CurBR	*Currents in Biblical Research*
CurBS	*Currents in Research: Biblical Studies*
DBCI	*Dictionary of Biblical Criticism and Interpretation*, ed. Stanley E. Porter (London: Routledge, 2007)
DBSJ	*Detroit Baptist Seminary Journal*
DCH	*The Dictionary of Classical Hebrew*, ed. David J. A. Clines, 9 vols. (Sheffield, UK: Sheffield

	Phoenix, 1993–2014)
DJD	Discoveries in the Judaean Desert
DJG	*Dictionary of Jesus and the Gospels*, ed. Joel B. Green and Scot McKnight (Downers Grove, IL: InterVarsity Press, 1992)
DLNT	*Dictionary of the Later New Testament and Its Developments*, ed. Ralph P. Martin and Peter H. Davids (Downers Grove, IL: InterVarsity Press, 1997)
DNTB	*Dictionary of New Testament Background*, ed. Craig A. Evans and Stanley E. Porter (Downers Grove, IL: InterVarsity Press, 2000)
DOT:P	*Dictionary of the Old Testament: Pentateuch*, ed. T. Desmond Alexander and David W. Baker (Downers Grove, IL: InterVarsity Press, 2003)
DOT:WPW	*Dictionary of the Old Testament: Wisdom, Poetry, and Writings*, ed. Tremper Longman III and Peter Enns (Downers Grove, IL: InterVarsity Press, 2008)
DSS	Dead Sea Scrolls
DTIB	*Dictionary for Theological Interpretation of the Bible*, ed. Kevin J. Vanhoozer (Grand Rapids: Baker Academic, 2005)
EDBT	*Evangelical Dictionary of Biblical Theology*, ed. Walter A. Elwell (Grand Rapids: Baker, 1996)
EDT	*Evangelical Dictionary of Theology*, ed. Walter A. Elwell, 2nd ed. (Grand Rapids: Baker Academic, 2001)
EJ	*Evangelical Journal*
ESV	English Standard Version
ExpTim	*Expository Times*
GKC	*Gesenius' Hebrew Grammar*, ed. E. Kautzch, trans. A. E. Cowley, 2nd ed. (Oxford: Clarendon, 1910)
GNB	Good News Bible
GTJ	*Grace Theological Journal*
HALOT	*The Hebrew and Aramaic Lexicon of the Old Testament: Study Edition*, ed. Ludwig Koehler, Walter Baumgartner, and Johann Jakob Stamm, trans. M. E. J. Richardson, 2 vols. (Leiden: Brill, 2001)
HBCE	The Hebrew Bible: A Critical Edition
HCSB	Holman Christian Standard Bible
HS	*Hebrew Studies*
HSM	Harvard Semitic Monographs
HUCA	*Hebrew Union College Annual*
IBHS	*An Introduction to Biblical Hebrew Syntax*, by Bruce K. Waltke and M. O'Connor (Winona Lake, IN: Eisenbrauns, 1990)
Int	*Interpretation*
ISBE	*International Standard Bible Encyclopedia*, ed. Geoffrey W. Bromiley, 4 vols. (Grand Rapids: Zondervan, 1979–88)
JAAS	*Journal of Asia Adventist Seminary*
JAOS	*Journal of the American Oriental Society*

JBL	*Journal of Biblical Literature*
JBLMS	Journal of Biblical Literature Monograph Series
JBMW	*Journal for Biblical Manhood and Womanhood*
JDFM	*Journal of Discipleship and Family Ministry*
JETS	*Journal of the Evangelical Theological Society*
JMT	*Journal of Ministry and Theology*
JNSL	*Journal of Northwest Semitic Languages*
JSNT	*Journal for the Study of the New Testament*
JSOT	*Journal for the Study of the Old Testament*
JSOTSup	Journal for the Study of the Old Testament Supplement Series
JSPHL	*Journal for the Study of Paul and His Letters*
KJV	King James Version
LSAWS	Linguistic Studies in Ancient West Semitic
LXX	Septuagint(the Greek Old Testament)
MCED	*Mounce's Complete Expository Dictionary of Old and New Testament Words*, ed. William D. Mounce (Grand Rapids: Zondervan, 2006)
Ms(s)	Manuscript(s)
MSG	The Message
MSJ	*The Master's Seminary Journal*
MT	Masoretic Text
NAB	New American Bible
NAC	New American Commentary
NASB	New American Standard Bible
NASU	New American Standard Updated
NCE	*New Catholic Encyclopedia*, ed. Thomas Carson, 2nd ed., 15 vols. (Washington, DC: Catholic University of America Press, 2003)
NDBT	*New Dictionary of Biblical Theology: Exploring the Unity and Diversity of Scripture*, ed. T. Desmond Alexander and Brian S. Rosner (Downers Grove, IL: InterVarsity Press, 2000)
NEB	New English Bible
NET Bible	New English Translation Bible
NETS	New English Translation of the Septuagint
NICNT	New International Commentary on the New Testament
NICOT	New International Commentary on the Old Testament
NIDB	*The New Interpreter's Dictionary of the Bible*, ed. Katharine Doob Sakenfeld, 5 vols. (Nashville: Abingdon, 2009)
NIDOTTE	*New International Dictionary of Old Testament Theology and Exegesis*, ed. Willem A. VanGemeren, 5 vols. (Grand Rapids: Zondervan, 1997)
NIV	New International Version
NIVAC	NIV Application Commentary
NJB	New Jerusalem Bible

NKJV	New King James Version
NLT	New Living Translation
NRSV	New Revised Standard Version
NSBT	New Studies in Biblical Theology
OTL	Old Testament Library
RBén	*Revue bénédictine*
RBTR	The Reformed Baptist Theological Review
REB	Revised English Bible
RevQ	*Revue de Qumrân*
RSV	Revised Standard Version
SBET	*Scottish Bulletin of Evangelical Theology*
SBJT	*Southern Baptist Journal of Theology*
SBL	Society of Biblical Literature
SBLDS	Society of Biblical Literature Dissertation Series
SBLSS	Society of Biblical Literature Semeia Studies
SBTS	Sources for Biblical and Theological Study
SIL	Summer Institute for Linguistics, International
SOTBT	Studies in Old Testament Biblical Theology
TDOT	*Theological Dictionary of the Old Testament*, ed. G. Johannes Botterweck and Helmer Ringgren, trans. John T. Willis et al., 15 vols. (Grand Rapids: Eerdmans, 1974–2006)
TJ	*Trinity Journal*
TLB	The Living Bible
TLOT	*Theological Lexicon of the Old Testament*, ed. Ernst Jenni and Clause Westermann, trans. Mark E. Biddle, 3 vols. (Peabody, MA: Hendrickson, 1997)
TNTC	Tyndale New Testament Commentaries
TWOT	*Theological Wordbook of the Old Testament*, ed. R. Laird Harris, Gleason L. Archer Jr., and Bruce K. Waltke. 2 vols. (Chicago: Moody Press, 1980)
TynBul	*Tyndale Bulletin*
UBS	United Bible Societies Greek New Testament
UCSD	University of California, San Diego
VTSup	Supplements to *Vetus Testamentum*
WEB	World English Bible
WTJ	*Westminster Theological Journal*
WUNT	Wissenschaftliche Untersuchungen zum Neuen Testament
YLT	Young's Literal Translation
ZAH	*Zeitschrift für Althebräistik*
ZEB	*The Zondervan Encyclopedia of the Bible*, ed. Merrill C. Tenney and Moisés Silva, 2nd ed., 5 vols. (Grand Rapids: Zondervan, 2009)
ZECOT	Zondervan Exegetical Commentary on the Old Testament

서론

발견과 만남의 여정

"하나님의 선한 손의 도우심을 입어 …… 에스라가 여호와의 율법을 연구하여 준행하며 율례와 규례를 이스라엘에게 가르치기로 결심하였었더라"(스 7:9-10).

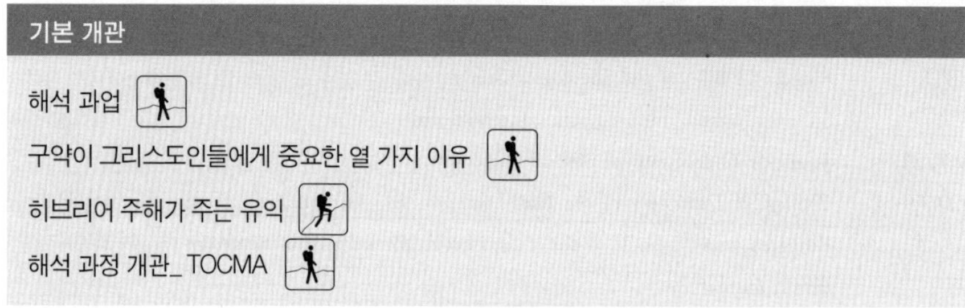

표0.1. 서론 길 안내

우리는 바야흐로 발견과 신적 만남이라는 여정을 시작하려 한다. 굽이굽이마다 아름다움이 가득한 이 여정의 목표는 예수 그리스도 앞에서 살아 계신 하나님을 예배하는 것이다. 우리가 구약이라고 부르는 책은 예수께서 가지신 유일한 성경이었다. 창세기, 신명기, 이사야서, 시편 같은 책들이 유대인의 메시아인 예수의 삶과 사역을 이끌었다. 예수께서 하나님의 말씀이라고 밝히시고(막 7:13, 12:36), 권위 있는 것으로 간주하시며(마 4:3-4, 7, 10, 23:1-3), 교리적 오류에 빠지지 않도록, 심지어는 지옥에 들어가지 않도록 사람들에게 알고 믿으라고 명하신 것(막 12:24, 눅 16:28-31, 24:25, 요 5:46-47)이 바로 '성경'이다. 예수는 지금 우리에게 있는 "성경"의 첫 4분의 3을 이루는 부분을 "폐하지 못하나니"(요 10:35)라고 확신하셨다.[1] 또한 구약이 그분 자신을 증거하고(눅 24:27,

---

1 다른 표기가 없다면, 본문에 나오는 모든 영어 번역은 ESV® Bible(The Holy Bible, English Standard Version®), copyright © 2001 by Crossway, a publishing ministry of Good News Publishers에서 인용한 것이다. 허락을 받고 사

46, 요 5:39, 46) 기록된 대로 완전히 이루어질 것이며(마 5:17-18, 눅 24:44), 그분의 이름으로 죄 사함을 받게 하는 회개가 모든 족속에게 전파될 것이라고(눅 24:47) 확신하셨다. 필자가 구약을 사랑하는 것은 구약이 하나님의 성품과 행동을 묘사하고 우리 메시아의 엄위하심을 증거하는 방식 때문이다. 구약은 하나님이 우리에게 주신 특별 계시의 첫 4분의 3이며, 인류가 구약의 갈피마다 나타난 주권자, 구주, 성취자를 보고 경축하는 일보다 고귀한 것은 없다는 바로 그 이유 때문에, 필자는 독자들이 구약을 해석하길 원한다.

해석 과업

이 책은 그리스도인들이 구약을 해석하는 데 안내자가 되도록 구성되었다. 성경 해석 과정에는 주해와 신학이 모두 포함된다. 주해는 대부분 분석에 초점을 맞춘다면, 신학은 통합과 의미를 다룬다.[2]

영어의 주해(exegesis)라는 말은 헬라어 명사 ἐξήγησις(엑세게시스. ἐκ[에크, '……로부터', '……에서'] + ἄγω[아고, '……를 가져오다', '……를 움직이다'])를 음역한 것으로, '기사, 묘사, 서술'을 뜻한다. 좁은 의미로 정의하면, 주해는 성경 저자들이 텍스트를 무슨 의미로 쓴 것인지 개인적으로 발견하는 것이다.[3] 텍스트는 의미를 전달한다. 의미를 만들어 내

용했으며, 판권은 출판사 소유다. 다른 표기가 없다면, 여러 예문에 나오는 영어 번역은 필자의 번역이다. (한글판에서는 다른 표기가 없다면, 본문에 나오는 성경 말씀은 한글 개역개정에서 인용한 것이며 필자의 번역은 새로 번역하였다_ 편집자)

2 이러한 구분에 대해서는 Andrew David Naselli, "D. A. Carson's Theological Method," *SBET* 29, 2 (2011): 256-72쪽을 보라. D. A. Carson, "Unity and Diversity in the New Testament: The Possibility of Systematic Theology," in *Scripture and Truth*, D. A. Carson and J. D. Woodbridge 편집 (Grand Rapids: Zondervan, 1983), 65-95, 368-75쪽, repr. in D. A. Carson, *Collected Writings on Scripture*, Andrew David Naselli 엮음 (Wheaton, IL: Crossway, 2010), 111-49쪽, Carson, "The Role of Exegesis in Systematic Theology," in *Doing Theology in Today's World: Essays in Honor of Kenneth S. Kantzer*, John D. Woodbridge and Thomas Edward McComiskey 편집 (Grand Rapids: Zondervan, 1991), 39-76쪽, Carson, "Systematic Theology and Biblical Theology," *NDBT* 89-104쪽을 참조하라.

3 ἐξήγησις(엑세게시스)라는 용어는 사사기 7장 15절의 어느 헬라어 사본에서 등장한다. "기드온이 그 꿈과 해몽하는 말(즉, 서술[narration], τὴν ἐξήγησιν[텐 엑세게신])을 듣고 경배하며." 이 문맥은 단순히 꿈을 '이야기하는' 것과

지 않는다. 성경 저자들은 그저 하나님의 인도를 따라 특정한 의미와 목적을 가지고 의도적으로 그 단어들을 쓴 것이다. "성령의 감동하심을 받은 사람들이 하나님께 받아 말한 것[이다]"(벧후 1:21). 우리는 여호와께서 종으로 사용하신 사람을 통해 성경에서 우리에게 주시는 것을 주의 깊게 읽어야 한다. 주해는 그 성경에 있는 것을 발견하는 일과 관련된다. 성경에는 저자들이 전달하는 특정한 의미와, 그것이 지닌 함축, 곧 저자들이 알았을 수도 있고 몰랐을 수도 있지만 텍스트에서 그들이 의도한 의미의 원리나 유형에 합당하게 들어 있는 추론이 포함된다.[4]

영어의 신학(theology)이라는 말은 라틴어 *theologia*에서 나왔다. 이 단어는 θεός(테오스, '하나님')와 λόγος(로고스, '공식적인 이야기, 추정')가 결합하여 유래된 것이다. 간단히 말해, 신학은 '하나님에 대한 추론 또는 연구'다. 성경은 모든 시대를 향한 하나님의 말씀이고, 모든 성경 본문은 더 광범위한(역사적, 문학적, 성경적) 맥락을 갖고 있기 때문에 (좁은 의미로 규정된) 주해를 하다 보면 우리는 자연히 다양한 신학 분야로 넘어가게 된다.

- 성경 신학은 하나님 말씀이 서로 어떻게 연결되어 그리스도 안에서 절정에 이르는지 살펴본다.
- 조직 신학은 성경이 특정한 신학 주제에 대해 무엇을 가르치는지 검토한다.
- 실천 신학은 성경의 진리에 적절한 그리스도인의 반응을 상술한다.

성경 해석은 예배의 삶을 통해 적용으로 이어지지 않으면 완성된 것이 아니다. 주해는 신학으로 이어진다. 그리고 전 과정은 성경에 나타난 살아 계신 하나님과 인격적으로 만나는 결과를 가져와야 한다. 송영(하나님께 영광을 돌리거나 하나님을 찬양하는 일)이 모든 성경 공부의 특색이 되어야 한다.

주해를 연관시킨다. 이것은 그 꿈의 의미를 평가하는 것과는 다르다. 오늘날, 기록된 자료를 주해한다는 것은 보통 어느 정도의 해석을 의미한다. 그러나 주해란 성경 본문에 있는 내용을 주의 깊게 읽는 것이라는 강조는 여전히 중요하다.

4 이에 대해 더 알려면 Robert H. Stein, *A Basic Guide to Interpreting the Bible: Playing by the Rules*, 2판 (Grand Rapids: Baker Academic, 2011)(『성경 해석학』, 기독교문서선교회), 30-38쪽, Stein, "The Benefits of an Author-Oriented Approach to Hermeneutics," *JETS* 44, 3 (2001): 451-66쪽, G. K. Beale, "The Cognitive Peripheral Vision of the Biblical Authors," *WTJ* 76, 2 (2014): 263-93쪽, 특히 266-70쪽을 보라. G. K. Beale and Benjamin L. Gladd, *Hidden but Now Revealed: A Biblical Theology of Divine Mystery* (Downers Grove, IL: InterVarsity Press, 2014)(『하나님의 비밀』, 새물결플러스), 340-64쪽, 특히 344-47쪽을 참조하라.

이 책에서 1-9장은 주해의 개요를 다루고, 10-12장은 신학을 다룬다. 다음은 성경 해석에 대한 필자의 접근법을 보여 주는 몇 가지 기초 원리다.

1. 성경 해석은 성경을 하나님 말씀으로 볼 것을 요구한다

성경 저자들이 의도한 바에 제대로 접근하는 유일한 길은 그들이 하나님이 하신 바로 그 말씀을 읽고 썼다고 (그들이 그랬듯이) 믿는 것이다(사 8:20, 고전 2:13, 14:37). 그러려면 성경의 권위에 복종하려는 마음이 있어야 한다. 우리는 기꺼이 성경의 선언에 맞게 진리를 이해하고 적용해야 한다. 모든 것을 하나님이 계시하신 의도에 따라 이해하고 적용해야 하는 것이다. 성경은 **특별 계시**다. 하나님이 우리가 이해할 수 있는 방식으로 그분 자신과 그분의 뜻을 드러내신 것이다(고전 14:37, 딤후 3:16, 벧후 1:20-21). 단지 개념만이 아니라 단어 자체도 하나님이 영감을 주신 것이다(마 5:17-18, 고전 2:13, 딤후 3:16-17). "여호와의 말씀은 순결"하고(시 12:6), 그분의 "율법은 진리"이며(시 119:142), "주의 의로운 모든 규례들은 영원"하고(시 119:160), 그분의 "계명들[은] 의[롭다]"(시 119:172). 예수께서는 "성경은 폐하지 못하나니"(요 10:35)라고 말씀하셨으며, 바울은 그 이유가 "모든 성경은 하나님의 감동으로 된 것"(딤후 3:16)이어서라고 말했다. 실로 베드로가 말했듯이, "예언은 언제든지 사람의 뜻으로 낸 것이 아니요 오직 성령의 감동하심을 받은 사람들이 하나님께 받아 말한 것"(벧후 1:21)이다.

이 진리들이 함축하는 바는 성경은 선포하는 모든 것에 권위 있으면서도 정확하다는 것이다. 성경의 주장들이 믿을 만하면서도 오류가 없다는 것을 강조하기 위해 교회는 역사적으로 (a) '믿음'(교리)과 '실천'(윤리)의 문제에서 성경의 가르침은 **무류하다**(infallible), 즉 확실하고 안전한 안내자이며, (b) '사실'(역사든, 연대기든, 지리든, 과학이든)의 문제에서 **무오하다**(inerrant), 즉 전적으로 참되고 믿을 만하다고 진술했다.[5] 두 용어는 의미가 비슷하지만 다루는 영역이 서로 다르다. 또한 둘 다 저자가 성령의 인도를 받

---

5 "성경 무오성에 관한 시카고 선언문"(Chicago Statement on Biblical Inerrancy, 1978)은 다음과 같이 진술한다. "'무류하다'는 말은 호도하는 것도, 호도당하는 것도 아닌 특성을 의미하며, 그래서 성경이 모든 문제에서 확실하고, 안전하며, 신뢰할 만한 규칙이자 안내자라는 진리를 명확한 견지에서 보장해 준다. 마찬가지로, '무오하다'는 말은 거짓이나 실수가 없는 것을 의미하며, 그래서 성경이 그 모든 주장에서 전적으로 참되고 신뢰할 만하다는 진리를 보장해 준다. 우리는 정경적 성경이 언제나 무류하고 무오하다는 사실에 근거하여 성경을 해석해야 한다고 주장한다"(http://www.bible-researcher.com/chicago1.html).

아 그들의 텍스트에서 전달하려는 것과 관련해서만 제대로 이해할 수 있다(이 부분을 더 알려면, 1장에 나오는 '역사, 신화, 성경 내러티브'를 보라). 우리가 알아야 할 것은 성경이 우리를 절대 잘못된 방향으로 이끌지 않을 것이며, 우리 삶에 최고의 영향을 끼쳐야 한다는 것이다.

2. 성경 해석은 우리가 성경의 진리를 알 수 있다고 추정한다

성경에 대한 올바른 이해는 본질상 성경이 가르치는 것이 명확하다고 추정한다. 간단히 말해서 우리가 진리를 알 수 있다는 것이다. 베드로는 "그[바울의 서신서] 중에 알기 어려운 것이 더러 있[다]"고 인정했다. 그러나 이어서 "무식한 자들과 굳세지 못한 자들이 다른 성경과 같이 그것도 억지로 풀다가 스스로 멸망에 이르느니라"(벧후 3:16)고 말한다. 시편 기자들은 하나님 말씀이 우리의 길을 밝히고 깨달음을 준다고 확신했다(시 119:105, 130). 바울은 자신의 말을 명확하게 썼으며(고후 1:13) 다른 사람들에게 "주께서 범사에 네게 총명을 주[실]" 것을 신뢰하면서 자신이 말한 것을 "생각해 보라"(딤후 2:7)고 명했다. 필자는 8장에 나오는 '공유된 전제들과 성경의 명확성'에서 성경의 명확성을 더 논할 것이다.

3. 성경 해석은 우리가 적절하게 반응할 것을 요구한다

성경 해석 과정은 하나님이 말씀하신 것을 발견하면 끝나는 것이 아니다. 그 다음에 우리는 반드시 하나님 말씀이 "교훈과 책망과 바르게 함과 의로 교육하기에 유익"(딤후 3:16)하다는 것을 깨닫는 데로 나아가야 한다. 우리는 성경 저자가 의도한 의미를 파악할 뿐 아니라(비그리스도인도 그렇게 할 수 있다), 그 저자가 의도한 결과를 파악해야 한다(이것은 그리스도인만이 할 수 있다. 롬 8:7-8, 고전 2:14). 따라서 우리는 **IOUS**를 기도해야 한다. "내[우리] 마음을 주의 증거들에게 향하게 하시고(**I**ncline)"(시 119:36), "내 [우리] 눈을 열어서(**O**pen) 주의 율법에서 놀라운 것을 보게" 하시고(119:18), "[우리가] 일심으로(**U**nite) 주의 이름을 경외하게" 하시고(86:11), "아침에 주의 인자하심이 우리를 만족하게 하사(**S**atisfy) 우리를 일생 동안 즐겁고 기쁘게"(90:14) 하시길 기도하는 것이다.[6]

---

6 John Piper, *When I Don't Desire God: How to Fight for Joy* (Wheaton, IL: Crossway, 2004)(『하나님을 기뻐할 수 없을 때』, IVP), 151쪽.

존 파이퍼는 교육의 여섯 과정을 다음과 같이 유용하게 정리했다.[7]

- 주의 깊게 '관찰하라'.
- 올바르게 '이해하라'.
- 공정하게 '평가하라'.
- 적절히 '느끼라'.
- 지혜롭게 '적용하라'.
- 명확하고 뚜렷하게 '표현하라'.

이것은 하나님의 책에 나오는 모든 진리를 올바로 파악하는 데 필요한 마음과 정신의 필수 습관들이다.

4. 적용에서 정점에 이르는 성경 해석은 하나님께 의지할 것을 요구한다[8]

연구에서 실천으로 이동하는 과정은 하나님만이 해주실 수 있으며, 하나님은 예수를 통해서만 그렇게 하신다. 고린도전서 2장 14절에서 바울은 "육에 속한 사람은 하나님의 성령의 일들을 받지 아니하나니 이는 그것들이 그에게는 어리석게 보임이요, 또 그는 그것들을 알 수도 없나니 그러한 일은 영적으로 분별되기 때문이라"고 말한다. 여기서 바울이 말하는 '알다'라는 말은 '받아들이다, 긍정하다, 동조하다, 기뻐하다, 적용하다'라는 뜻이다. 하나님 말씀을 가리고 있는 완악함의 수건은 그리스도 안에서만 벗겨질 것이다(고후 3:14). 그리스도 안에서 말씀은 우리에게 가까워 우리 입과 우리 마음에 있을 것이다(롬 10:8). 성경 저자들의 궁극적 의도에는 변화된 삶이 포함되어 있다. 변화된 삶의 토대는 살아 계신 하나님과 인격적으로 만나는 것이다. 그 삶은 여호와의 도움 없이는 경험할 수 없다.

이 책은 하나님의 영광과 그분 백성의 유익을 위한 구약 해석 과정을 설명한다. 성

---

7 John Piper, *Think: The Life of the Mind and the Love of God* (Wheaton, IL: Crossway, 2010)(『존 파이퍼의 생각하라』, IVP), 191-98쪽. 파이퍼는 실제로 같은 과정을 일반 계시(하나님의 세상)와 특별 계시(하나님의 말씀) 모두에 적용한다.

8 이에 대해 더 알려면 John Piper, *Reading the Bible Supernaturally: Seeing and Savoring the Glory of God in Scripture* (Wheaton, IL: Crossway, 2017)(『존 파이퍼의 초자연적 성경 읽기』, 두란노)를 보라.

경을 세밀히 살피는 것(주의 깊은 연구)은 언제나 성경이 우리 자신을 세밀히 살피는 결과를 낳아야 한다. 성경은 더욱 그리스도를 닮아 가도록 우리를 변화시키기 때문이다. 주해와 신학을 하는 것은 하나님을 만나기 위해서다. 우리는 겸손하고 의존하는 마음으로 접근하고, 절대 조종하거나 지배하려는 마음으로 나아가서는 안 된다. 성경 해석은 왕이 아닌 종을 만들어 내야 한다.

이를 위해 당신이 주께 이렇게 기도하기를 권한다.

> 오, 여호와여, 당신은 "무릇 마음이 가난하고 심령에 통회하며 내 말을 듣고 떠는 자 그 사람은 내가 돌보려니와"(사 66:2)라고 말씀하셨습니다. 하나님 아버지여, 나를 보소서. 그래서 나의 교만을 꺾으시고, 나의 감정을 억제하시며, 내가 당신을 제대로 공경하게 해주소서. 잘 따르기로 준비된 마음, 주님이 내가 이해할 수 있도록 말씀하셨다는 사실에 경외를 느끼는 마음, 받기를 갈망하는 마음으로 성경에 다가가게 하소서. 이 책이 나를 잘 인도하여 내가 연구하는 법, 삶을 살아가는 법, 세심함과 겸손과 확신으로 당신의 말씀을 선포하는 법을 배우도록 돕게 하소서. 왕이신 예수님의 이름으로 기도합니다. 아멘.

구약이 그리스도인에게 중요한 열 가지 이유

그리스도인이 새 언약에 속한 사람들이라면, 왜 우리가 구약을 이해하고 적용하려 애써야 하는가? 12장에서 그 답을 전개하겠지만, 여기서는 구약(Old Testament)이라는 말에 나오는 첫 단어 '구'(Old)가 '그리스도인에게 중요하지 않거나 무의미하다'는 뜻이 아니라는 열 가지 이유를 제시할 것이다.

1. 구약은 예수의 유일한 성경이었으며 우리가 가진 성경의 4분의 3(75.55퍼센트)을 구성한다

지면의 길이가 의미하는 바가 있다면, 구약은 하나님께 중요하다. 하나님은 자신의 말씀을 한 책(a Book)으로 우리에게 주셨다. 사실상 구약은 하나님의 첫 번째 특별 계시로, 신약에서 예수 안에서 성취되는 것의 기초를 형성한다. 구약은 예수와 초대 교회가 가지고 있던 유일한 성경이었다(예를 들어 마 5:17, 눅 24:44, 행 24:14, 딤후 3:15). 또한 구약은 우리가 가진 성경의 대부분을 형성한다.

2. 구약은 우리가 성경의 핵심적인 가르침을 이해하는 데 실질적으로 영향을 끼친다

율법서(창세기-신명기) 끝부분에 이르면, 성경은 그 플롯을 형성하는 다섯 가지 주요 언약(아담-노아 언약, 아브라함 언약, 모세 언약, 다윗 언약, 새 언약)을 이미 다 암시한 셈이다. 그리고 나서 구약 나머지 부분은 이 묘사를 기초로 상세히 전개된다. 그에 따라 구약 내러티브는 더 나은 왕, 복된 백성, 더 넓은 땅을 기대하게 한다. 구약은 문제를 만들어 내며, 신약이 답하고 성취하는 약속들을 포함한다. 역사에서 하나님이 행하신 일들을 온전히 이해하려면 구약이 필요하다.

게다가 성경의 일부 교리는 구약을 알아야만 제대로 이해할 수 있다. 예를 들어, 창세기 1장 1절-2장 3절만큼 세계관 형성에 적합한 텍스트가 있는가? 신성한 장소와 성전을 제대로 이해하려면, 구약 말고 어디로 가야 하는가? 여호와(YHWH)의 비길 데 없음을 이사야 40장만큼 명확하게 선언한 곳이 있는가?[9] 이사야 53장보다 대속(substitutionary atonement)을 간결하게 표현한 곳이 있는가? 바울이 말하는 "시와 찬송과 신령한 노래들"(엡 5:19, 골 3:16)이 무슨 뜻인지 알려면 어디를 살펴봐야 하는가? 이 모든 것은 주로 우리가 구약을 얼마나 이해하는지에서 나온다.

마지막으로, 신약의 세계관과 가르침은 구약에 제공된 틀에 기초한다. 신약에서 우리는 구약을 인용하거나 암시하거나 반영하는 글을 문자 그대로 수백 개나 발견한다. 예수의 성경에 푹 잠기지 않고는 그중 어느 것도 완전히 파악할 수 없다.

---

9 YHWH는 때로 모음을 붙여서 Yahweh(여호와/야훼)라고 번역되는데(한글판에서는 '여호와'로 번역하였다_편집자), 참되신 한 분 하나님이 자신의 신원을 밝히시는 개인적 이름이며, 선견자와 현자, 노래를 쓰는 사람들이 예배와 설교에서 사용한 이름이다. YHWH는 만물의 창조주이시자 이스라엘의 언약의 주님이다. 현대 영어 역본들은 대부분 그 이름을 큰 대문자와 작은 대문자를 사용해서 LORD라고 나타낸다. 이 이름은 '존재'(being) 동사와 관련되어 있으며, '그가 존재하게 한다'(he causes to be)라는 의미로 보인다. 즉 여호와만이 자존하는 분으로 그분에게서, 그분으로 말미암아, 그분에게로 만물이 존재하는 것이다.

3. 우리는 구약과 신약 양쪽에서 같은 하나님을 만난다

히브리서가 어떻게 시작되는지 주목하라. "옛적에 선지자들을 통하여 여러 부분과 여러 모양으로 우리 조상들에게 말씀하신 하나님이 이 모든 날 마지막에는 아들을 통하여 우리에게 말씀하셨으니"(히 1:1-2). 구약 선지자들을 통해 말씀하신 그 하나님이 이제 예수를 통해 말씀하신다!

그러면 어떤 사람은 "구약의 하나님은 진노하시고 무거운 짐을 지우시는 하나님인 반면, 신약의 하나님은 은혜로우시고 자유케 하시는 분이지 않은가?"라고 물을지도 모른다. 몇 가지 텍스트를 생각해 보자. 구약 텍스트를 먼저 살펴보고, 이어서 신약 텍스트를 살펴보고자 한다.

아마 여호와의 성품과 행동에 가장 토대가 되는 구약 진술은 출애굽기 34장 6절일 것이다. "여호와라 여호와라 자비롭고 은혜롭고 노하기를 더디 하고 인자와 진실이 많은 하나님이라." 그러고 나서 구약은 이 진리를 수없이 여러 번 재단언하면서 하나님이 제멋대로인 백성을 거듭 용서하시고 보호하시는 이유를 명확하게 보여 준다.

> 여호와께서 아브라함과 이삭과 야곱과 더불어 세우신 언약 때문에 이스라엘에게 은혜를 베풀며 그들을 불쌍히 여기시며 돌보사 멸하기를 즐겨하지 아니하시고 이때까지 자기 앞에서 쫓아내지 아니하셨더라(왕하 13:23).

> 너희가 만일 여호와께 돌아오면 너희 형제들과 너희 자녀가 사로잡은 자들에게서 자비를 입어 다시 이 땅으로 돌아오리라 너희 하나님 여호와는 은혜로우시고 자비하신지라 너희가 그에게로 돌아오면 그의 얼굴을 너희에게서 돌이키지 아니하시리라(대하 30:9).

> 그러나 주께서 그들을 여러 해 동안 참으시고 또 주의 선지자들을 통하여 주의 영으로 그들을 경계하시되 그들이 듣지 아니하므로 열방 사람들의 손에 넘기시고도 주의 크신 긍휼로 그들을 아주 멸하지 아니하시며 버리지도 아니하셨사오니 주는 은혜로우시고 불쌍히 여기시는 하나님이심이니이다(느 9:30-31).

이처럼 구약에는 하나님의 은혜가 가득하다. 그 은혜가 신약을 가득 채우는 것처럼 말이다.

게다가 신약에서 예수는 다른 누구보다 지옥을 많이 말씀하신다. 예수께서는 "몸은 죽여도 영혼은 능히 죽이지 못하는 자들을 두려워하지 말고 오직 몸과 영혼을 능히 지옥에 멸하실 수 있는 이를 두려워하라"(마 10:28)고 선언하신다. 마찬가지로 "누구든지 나를 믿는 이 작은 자 중 하나를 실족하게 하면 차라리 연자 맷돌이 그 목에 달려서 깊은 바다에 빠뜨려지는 것이 나으니라"(18:6)고 말씀하신다. 바울은 신명기 32장 35절을 인용하면서 "내 사랑하는 자들아 너희가 친히 원수를 갚지 말고 하나님의 진노하심에 맡기라 기록되었으되 원수 갚는 것이 내게 있으니 내가 갚으리라고 주께서 말씀하시니라"(롬 12:19)고 단언했다. 그리고 히브리서 저자는 "우리가 진리를 아는 지식을 받은 후 짐짓 죄를 범한즉 다시 속죄하는 제사가 없고 오직 무서운 마음으로 심판을 기다리는 것과 대적하는 자를 태울 맹렬한 불만 있으리라"(히 10:26-27)고 말했다. 이처럼 하나님은 구약과 마찬가지로 신약에서도 진노하신다.

분명 구약은 여호와의 의로운 분노를 수없이 표현한다. 신약에서 피로 사신 자비를 대단히 많이 표현하는 것과 마찬가지다. 중요한 것은 '우리가 신약에서 만나는 하나님을 구약에서도 만난다'는 사실을 깨닫는 것이다. 우리는 복을 주겠다는 약속과 저주하겠다는 약속 모두에 신실하신 하나님을 성경 전체에서 만난다. 하나님은 죄와 회개를 모두 심각하게 여기신다. 그리고 우리도 그래야 한다!

4. 구약은 우리가 누리는 바로 그 '좋은 소식/복음'을 선언한다

복음은 이것이다. 곧, 통치하시는 하나님이 그리스도 예수의 삶과 죽음과 부활을 통해 믿는 죄인들을 구원하시고 만족시키신다는 것이다. 바울은 "또 하나님이 이방을 믿음으로 말미암아 의로 정하실 것을 성경이 미리 알고 먼저 아브라함에게 복음을 전하되 모든 이방인이 너로 말미암아 복을 받으리라 하였느니라"(갈 3:8)고 말한다. 아브라함은 우리가 지금 누리고 있는, 온 세상을 향한 구원 메시지를 이미 알고 있었다. 마찬가지로 로마서 서두에서 바울은 자신이 전파했고 우리가 현재 그 안에서 안식을 누리는, "그의 아들에 관한" 대단히 능력 있는 "하나님의 복음"을 하나님이 "선지자들[즉 구약 선지자들]을 통하여" 성경에 "미리 약속하[셨다]"고 강조한다(롬 1:1-3, 16). 이 선지자들 가운데 핵심 인물이 바로 이사야다. 그는 여호와의 왕적 종(메시아) 및 그분과 동일시되는 많은 종이 가난한 자들과 상한 자들에게 위로가 되는 "아름다운 소식"(구원하시는 하나님이 그분께 기름부음 받은 왕적 해방자를 통해 다스리신다는 소식)을 전하리라고 예상했다(사 61:1. 이사야 40장 9-11절, 52장 7-10절, 누가복음 4장 16-21절 참조). 그렇기 때문에 구약을 읽는 것은 우리가 복음을 더 잘 파악하고 기뻐하도록 하나님이 주신 방식이다(히브리서 4장 2절도 보라).

5. 구약과 신약은 둘 다 사랑을 요구한다. 그리고 우리는 구약에서 사랑에 대해 많은 것을 배울 수 있다

옛 언약 안에서 사랑은 여호와가 이스라엘에게 행하라고 '명하신 것'(what)이다(신 6:5, 10:19). 다른 계명은 모두 그저 '어떻게'(how) 행할지를 명료하게 설명한다. 예수께서는 구약이 한마디로 하나님과 이웃을 사랑하라는 명령이라고 강조하셨는데, 그 말씀을 함축한 구절이 바로 이것이다. "네 마음을 다하고 목숨을 다하고 뜻을 다하여 주 너의 하나님을 사랑하라 하셨으니 이것이 크고 첫째 되는 계명이요 둘째도 그와 같으니 네 이웃을 네 자신같이 사랑하라 하셨으니 이 두 계명이 온 율법과 선지자의 강령이니라"(마 22:37-40). 그리스도는 "무엇이든지 남에게 대접을 받고자 하는 대로 너희도 남을 대접하라 이것이 율법이요 선지자니라"(7:12)고 강조하셨다. 바울도 "온 율법은 네 이웃 사랑하기를 네 자신같이 하라 하신 한 말씀에서 이루어졌나니"(갈 5:14. 로마서 13장 8, 10절 참조)라고 말했다. 구약 이스라엘과 마찬가지로, 주님은 그리스도인들에게 사랑을 드러내는 삶을 명하신다. 그러나 이제 주님은 새 언약의 '모든' 지체에게 그분이 명하신 것을 행할 능력을 주신다. 모세가 주장했듯이, 하나님이 새 언약 시대에 마음의 할례를 베풀겠다고 약속하신 이유는 "너로 마음을 다하며 뜻을 다하여 네 하나님 여호와를 사랑하게"(신 30:6) 하시려는 것이었다. 또한 모세는 이 신적 역사를 누리는 사람들은 장차 "여호와의 말씀을 청종하고 내가 오늘 네게 명령하는 그 모든 명령을 행할 것이라"(30:8)고 말했다. 모세의 옛 언약 율법은 삶 전체를 아우르는 사랑을 요구했다. 오늘날 그리스도인들은 그리스도라는 렌즈를 통해 구약에서 사랑이 삶의 모든 영역에 끼치는 광범위한 영향을 분명하게 알 수 있다.

6. 예수께서는 율법과 선지자를 폐하러 오신 것이 아니라 성취하러 오셨다

예수께서는 구약을 무시하시기는커녕, 자신이 구약을 이루러 왔다고 강조하셨다. 그리고 그 과정에서 그리스도인들에게 구약의 가르침은 여전히 적실하다고 강조하셨다. "내가 율법이나 선지자를 폐하러 온 줄로 생각하지 말라 폐하러 온 것이 아니요 완전하게 하려 함이라 진실로 너희에게 이르노니 천지가 없어지기 전에는 율법의 일점 일획도 결코 없어지지 아니하고 다 이루리라 그러므로 누구든지 이 계명 중의 지극히 작은 것 하나라도 버리고 또 그같이 사람을 가르치는 자는 천국에서 지극히 작다 일컬음을 받을 것이요 누구든지 이를 행하며 가르치는 자는 천국에서 크다 일컬음을 받으리라"(마 5:17-19). 10장과 12장에서 우리는 이 텍스트의 의미를 더 살펴볼 것이다. 여기서 살펴볼 중요한 점은 옛 언약 시대가 끝나긴 했지만(롬 6:14-15, 고전 9:20-21, 갈 5:18. 누가복음 16장 16절 참조), 구약 자체는 우리에게 여전히 적실하다는 것이다. 구약은 하나님의 성품을 보여 주고(예를 들어 롬 7:12), 그리스도의 탁월성을 가리키며, 모든 면에서 우리에게 사랑의 범위를 묘사하기(마 22:37-40) 때문이다.

7. 예수는 구약이 자신을 가리킨다고 말씀하셨다

예수와 처음 만난 후 빌립은 나다나엘에게 "모세가 율법에 기록하였고 여러 선지자가 기록한 그이를 우리가 만났[다]"(요 1:45)고 말했다. 당신은 할 수 있는 한 많이 예수를 보고 음미하길 원하는가? 우리는 구약에 나타난 예수를 발견한다. 예수께서는 이렇게 말씀하셨다. "너희가 성경에서 영생을 얻는 줄 생각하고 성경을 연구하거니와 이 성경이 곧 내게 대하여 증언하는 것이니라"(요 5:39. 요한복음 5장 46-47절 참조). "이에 모세와 모든 선지자의 글로 시작하여 모든 성경에 쓴 바 자기에 관한 것을 자세히 설명하시니라"(눅 24:27). 부활하신 후 예수께서는 하나님 나라 복음을 선포하시면서(행 1:3) 제자들의 마음을 열어 "성경을 깨닫게 하시고 또 이르시되 이같이 그리스도가 고난을 받고 제삼일에 죽은 자 가운데서 살아날 것과 또 그의 이름으로 죄 사함을 받게 하는 회개가 예루살렘에서 시작하여 모든 족속에게 전파될 것이 기록되었[다]"(눅 24:45-47)고 말씀하셨다. 구약을 제대로 '이해한다면', 예수의 삶이 가져올 선교와 메시아의 메시지를 구약에서 들을 수 있을 것이다. 마찬가지로 바울은 "선지자들과 모세가 반드시 되리라고 말한 것밖에 없으니 곧 그리스도가 고난을 받으실 것과 죽은 자 가운데서 먼저 다시 살아나사 이스라엘과 이방인들에게 빛을 전하시리라"(행 26:22-23)고 가르쳤다. 바울은 구약을 설교하면서 "내가 너희 중에서 예수 그리스도와 그가 십자가에 못 박히신 것 외에는 아무것도 알지 아니하기로 작정하였[다]"(고전 2:2)고 선언할 수 있었다. 예수를 더 온전히 알기 원한다면, 구약을 읽으라!

8. "하나님의 모든 경륜"을 선언하지 못하면 우리가 여호와 앞에서 위험에 처할 수 있다

바울은 그리스도 안에 있는 하나님 나라의 복된 소식을 전하는 사자였다(예를 들어 행 19:8, 20:25, 28:30-31). 그는 모세의 율법서와 선지서, 즉 구약을 가지고 그 소식을 선포했다(28:23. 26장 22-23절 참조). 사도행전 20장 26-27절에서 바울은 에베소 장로들에게 "여러분 가운데서 누가 구원을 받지 못하는 일이 있더라도, 내게는 아무런 책임이 없습니다. 그것은, 내가 주저하지 않고 여러분들에게 하나님의 모든 경륜을 전해 주었기 때문입니다"(새번역)라고 증언했다. "하나님의 모든 경륜"(whole counsel of God)이라는 말은 성경에 계시된 바 구원사 안에 있는 하나님의 목적 전체를 말한다. 사도 바울이 예수의 위격 안에서 복이 저주를 이긴다는 여호와의 구속 계획을 알리지 않았다면, 그는 에베소 교회가 장차 범할 만한 모든 교리적 또는 도덕적 오류에 대해 하나님 앞에 책임이 있을 것이다(에스겔 33장 1-6절, 사도행전 18장 6절 참조). 성경은 신약과 함께 완성된다. 지금 우리는 "성도에게 단번에 주신 믿음"(유 3절)을 통째로 가지고 있다. 그러나 이 "믿음"은 "하나님의 모든 경륜"이라는 틀 안에서만 제대로 이해할 수 있다. 그러므로 우리가 구약을 최대한 활용하여 그리스도와 관련해서 피 흘리는 죄를 범하지 않기를 기도한다.

9. 구약 저자들은 하나님이 그리스도인을 위해 구약을 주셨다고 강조했다

바울은 하나님의 영감을 받은 구약 저자들이 그리스도의 죽음과 부활 이후에 살아가는 신약 신자들을 '위해' 글을 썼다고 확신했다. "무엇이든지 전에 기록된 바는 **우리의 교훈을 위하여** 기록된 것이니 우리로 하여금 인내로 또는 성경의 위로로 소망을 가지게 함이니라"(롬 15:4. 4장 23-24절 참조). "그들[이스라엘인]에게 일어난 이런 일은 본보기가 되고 또한 말세를 만난 **우리를 깨우치기 위하여** 기록되었느니라"(고전 10:11).[10] 따라

10 12장 '하나님은 그리스도인들을 교훈하기 위해 구약을 주셨다'라는 부분에서 우리는 구약 선지자들 자신이 그렇게 되리라고 예상했다는 것을 볼 것이다.

서 사도 바울은 디모데에게 그가 양육받은 "성경"(sacred writings)은 "능히 너로 하여금 그리스도 예수 안에 있는 믿음으로 말미암아 구원에 이르는 지혜가 있게"(딤후 3:15) 한다고 강조했다. 디모데는 유대인 어머니와 외조모에게 구약으로 양육받았다(행 16:1, 딤후 1:5). 오늘날 사람들은 그리스도라는 렌즈를 통해 구약을 읽어 하나님의 진노에서, 그리고 죄의 종이 되는 것에서 구원받을 수 있다!

이 때문에 바울이 바로 다음 구절에서 "모든 성경은 …… 교훈과 책망과 바르게 함과 의로 교육하기에 유익하니 이는 하나님의 사람으로 온전하게 하며 모든 선한 일을 행할 능력을 갖추게 하려 함이라"(3:16-17)고 말하는 것이다. 새 언약 신자들은 그리스도와 관련하여 구약을 읽을 때 '구약에서' 벗어난 형제자매를 바로잡고 책망할 수 있다. 구약에서 우리는 많은 "유익한" 것들(행 20:20), 곧 "하나님의 은혜의 복음"(20:24)을 발견하기 때문이다. 그 복음은 "하나님께 대한 회개"와 "우리 주 예수 그리스도께 대한 믿음"을 요구한다(20:21). 이 사실에 기초하여 신약 저자들은 구약이 그리스도인에게 적실하다고 추정하고, 일반적으로 구약을 그리스도인들에게 권고하는 기초로 사용했다(예를 들어 고전 9:8-12, 엡 6:2-3, 딤전 5:18, 벧전 1:14-16). 우리는 이제 옛 언약이 아니라 새 언약에 속해 있으므로, 그리스도인들이 특정한 옛 언약 가르침과 정확히 어떻게 관련을 맺어야 하느냐는 질문이 자연스럽게 제기된다. 이 문제는 12장에서 다룰 것이다. 그럼에도 핵심은 구약이 그리스도인에게 쓴 것이 아니긴 하지만 여전히 우리를 위해 기록되었다는 것이다.

10. 바울은 교회 지도자들에게 구약을 설교하라고 명한다

구약이 그리스도인들에게 여전히 중요한 열 가지 이유 중 마지막은 바울이 사람으로 하여금 "구원에 이르는 지혜가 있게" 하는 "성경"과, "하나님의 감동으로 된 유익[한]" 것인 "성경"을 말할 때, 그가 말하는 성경이란 구약을 의미한다는 사실에 근거한다(딤후 3:15-16). 이것을 아는 것은 바울이 디모데에게 부탁한 것을 이해하는 데 영향을 끼친다. "너는 말씀을 전파하라 때를 얻든지 못 얻든지 항상 힘쓰라 범사에 오래 참음과 가르침으로 경책하며 경계하며 권하라 때가 이르리니 사람이 바른 교훈을 받지 아니하며 귀가 가려워서 자기의 사욕을 따를 스승을 많이 두고 또 그 귀를 진리에서 돌이켜 허탄한 이야기를 따르리라"(4:2-4). 사도 바울이 보기에, 디모데와 같은 그리스도인 설교자들은 교회가 배교하지 않도록 지키기 위해서 구약을 설교해야 했다. 지금은 신약이 있지만, 우리도 예수와 그분의 사도들이 하나님의 교회의 유익을 위해 한 것처럼 구약을 우리 것으로 삼을 수 있으며, 실로 반드시 그렇게 해야 한다.

히브리어 주해가 주는 유익

이 책에서 많은 유익을 얻기 위해 반드시 히브리어를 알아야만 하는 것은 아니다. 실로 이 책 모든 장은 영어만으로도 구약을 해석하도록 인도하는 알찬 정보를 포함하고 있다. 그렇기는 하지만 하나님은 구약 대부분을 히브리어로 기록하여 우리에게 주셨다. 그리고 이 때문에 이 책 전반부(2-7장)에 나오는 많은 자료는 '히브리어' 주해 과정을 명확하게 설명한다. 당신이 히브리어를 알지 못해도 이 부분을 계속 읽어 보길 권한다. 그런다면 히브리어를 아는 사람들에게 감사하고 그들을 위해 기도하려는 마음이 들 것이라고 믿기 때문이다. 히브리어 주해가 주는 몇 가지 유익에 관심이 없다면 이 부분을 건너뛰고 다음 부분으로 넘어가도 좋다.

필자가 학교에서 사역하는 동안 대부분 제사장 겸 학사인 에스라의 성경 접근법이 필자의 성경 해석에 크게 영향을 끼쳤다. "하나님의 선한 손의 도우심을 입어 …… 에스라가 여호와의 율법을 **연구**하여 **준행**하며 율례와 규례를 이스라엘에게 **가르치기**로 결심하였었더라"(스 7:9-10).

하나님 말씀을 연구하라 → 준행하라 → 가르치라

이것이 에스라가 결심한 순서다. 주의 깊은 관찰, 올바른 이해, 공정한 평가로 이루어진 연구는 실천을 불러일으켜야 한다. 진리를 깨달았다고 느낀다면 그 다음에는 그에 따라 행동하는 것이다. 연구하고 실천한 후에야 우리는 가르칠 준비가 된다. 연구하지 않고 가르친다면, 하나님 말씀을 우리 자신의 말로 대체하게 된다. 주님 대신 우리가 권위가 되는 것이다. 실천하지 않고 가르친다면, 우리는 위선자일 뿐이다. 필

자는 성서 히브리어를 사용하여 구약에 접근할 수 있는 사람들이 모든 세대에 필요한 이유를 살펴보길 원한다. 그리고 에스라의 결심에 비추어 그 대답을 고찰해 보길 원한다.[11]

신자라면 누구나 하나님을 알려고 애써야 하지만, 모두가 성경 언어들을 알아야 하는 것은 아니다. 실로 주님은 은혜롭게도 그분의 말씀이 번역될 수 있게 하셨다. "각 족속과 방언과 백성과 나라 가운데에서" 나온 사람들이 구주에 대해 듣고 그분을 믿게 하시기 위해서다(계 5:9. 느헤미야 8장 7-8절, 사도행전 2장 6절 참조). 더불어 히브리어와 헬라어의 기본 원리를 파악한다고 해서 반드시 성경을 정확하게 해석하는 것도, 해석상의 모든 난제가 없어지는 것도 아니다. 성경 언어를 안다고 해서 저절로 훌륭한 주해학자가 되는 것도, 하나님의 진리를 명확하고 매력적으로 전하는 선포자가 되는 것도 아니다. 또한 언어 기술이 반드시 우리를 더욱 거룩해지게 하거나 하나님을 더 많이 알게 하지도 않는다. 의심할 바 없이, '성경을 해석하는 가장 중요한 기술'은 하나님을 의지하며 주의 깊게 성경 본문을 읽고, 읽고, 또 읽는 것이며, 그 텍스트가 하나님의 성품과 행동과 목적에 대해 무엇을 말하는지, 어떻게 그리스도를 가리키는지 생각해 보는 것이다.

그럼에도 모든 세대의 교회에는 성경 언어를 능숙하게 다룰 수 있는 사람이 조금은 필요하다. 왜 그러한가? 네 가지 이유가 있다.[12] (아직) 히브리어를 모른다면, 그 이유들을 개관한 글을 읽을 때 이 앞 단락에서 말한 것을 유념하라. 그리고 낙심한 마음을 돌이켜 이러한 틀로 연구하고, 준행하고, 가르칠 수 있는 몇몇 사람을 세우신 하나님께 감사하라.

1. 성경 언어들은 하나님의 기록된 말씀에 직접 접근할 수 있게 해준다

원어 주해는 성경을 통해 우리에게 말씀하기로 하신 하나님의 결심을 지지함으로 예수를 높이는 것이다. 처음에 성경은 히브리어, 아람어, 헬라어로 기록되었다. 하나님

---

11 에스라 7장 10절을 더 목회적으로 성찰한 내용은 Jason S. DeRouchie, "A Life Centered on Torah(Ezra 7:10)," in *Basics of Biblical Hebrew: Grammar*, by Gary D. Pratico and Miles V. Van Pelt, 2판 (Grand Rapids: Zondervan, 2007)(『베이직 비블리칼 히브리어』, 대서), 249-50쪽을 보라.

12 이어서 나오는 내용은 Jason S. DeRouchie, "The Profit of Employing the Biblical Languages: Scriptural and Historical Reflections," *Themelios* 37, 1 (2012): 32-50쪽에 나오는 요점들을 응축한 것이다.

은 자신의 지혜로 모든 세대 인간들의 유익을 위해서 권위 있고 분명하며 필요하고 충분한 자신의 말을 한 책에 보존하여 지키기로 하셨다. 예수께서는 자신이 구약의 모든 소망을 성취하러 왔다고 말씀하시면서 이 사실의 중요성을 강조하신다. "내가 율법이나 선지자를 폐하러 온 줄로 생각하지 말라 폐하러 온 것이 아니요 완전하게 하려 함이라 진실로 너희에게 이르노니 천지가 없어지기 전에는 율법의 일점일획도 결코 없어지지 아니하고 다 이루리라"(마 5:17-18). 성경 본문은 세세한 부분들(모든 점과 모든 획)도 영속적인 의미를 담고 있으며, 그리스도의 위격과 사역을 가리킨다. 그래서 하나님의 책을 연구하며 성경 언어들을 진지하게 다룰 때 우리는 하나님의 지혜를 힘입고 그분의 아들을 높이시는 하나님의 열정에 참여하게 된다. 이것이 우리가 '히브리어' 주해를 해야 하는 첫째 이유다.

2. 성경 언어들은 하나님 말씀을 연구하도록 돕는다

히브리어와 헬라어를 사용하면, 하나님 책의 의미를 파악했다고 더 분명히 확신할 수 있다. 성경 언어들을 아는 것은 우리가 영감으로 이루어진 성경 본문의 세세한 부분을 더 정확하게 관찰하고, 더 명확하게 이해하며, 더 공정하게 평가하고, 더 확신 있게 해석하도록 돕는다. 히브리어와 헬라어가 없으면, 사역자들은

- 다른 누군가의 번역을 신뢰해야 한다(탁월한 번역이 많지만, 그럼에도 어쨌든 그것은 번역/해석이다).
- 역본이 서로 다를 때, 도움을 받지 못한다.
- 정확하게 파악하거나 공정하게 평가하지 않으면, 주석과 다른 도구에서 다른 사람들이 말하는 것에 크게 의지할 수밖에 없다.
- 번역으로는 쉽게 전달되지 않는 수많은 강화 특징을 놓칠 수밖에 없다.

언어들을 안다고 해서 해석자가 늘 바르게 해석하거나 모든 해석적 도전이 사라지는 것은 아니다. 그럼에도 성경 언어들을 사용하면, 이해를 저해하는 장애물을 제거하고 실수할 만한 많은 경우를 없앨 수 있다. 게다가 해석자가 히브리어와 헬라어를 안다면, 성경 메시지가 계시되는 통로인 저자의 사고 흐름을 더 정확하게 추적할 수 있다.

3. 성경 언어들은 하나님 말씀을 실천하도록 돕는다

히브리어와 헬라어를 사용하면 그리스도인이 성숙해지는 데 도움이 될 수 있다. 그런 성숙함은 우리가 증거하는 내용이 정당하다는 것을 세상에 확증시킨다. 성경은 하나님 말씀을 진정으로 만나면 우리가 사는 방식이 바뀔 것이라고 분명히 말한다. 우리는 왕 대신 종이 되고, 교만보다는 그리스도를 높이는 겸손을 기르게 된다. 그러나 유감스럽게도 말씀을 실천하는 것을 잊는 경우가 매우 많다. 그래서 세상에 복음을 전파하지 못한다.

우리가 주님을 알고 그분을 위해 사는 것은 말씀이라는 맥락에서만 개발되며, 성경을 연구하는 일은 원어를 통해 가장 잘 이루어진다. 그렇기 때문에 히브리어와 헬라어는 거룩함을 개발하는 하나님의 도구 역할을 할 수 있으며, 그 거룩함은 교회의 선교를 고양시킨다. 원어 주해는 주님이 우리가 어떤 감정을 갖길 원하시는지, 우리가 어떤 행동을 취하길 원하시는지 명확히 하는 데 도움이 될 수 있다. 언어를 배우고 유지하고 사용하는 이 힘든 과업은 성경 본문으로 들어가는 새로운 발견의 문을 여는 것과 함께, 그 자체로도 성품, 훈련, 담대함, 기쁨을 키우는 많은 기회를 제공한다. 위선은 하나님 나라가 확장되는 것을 방해한다. 그러나 덕행 있는 삶을 동반한 성경적 연구는 복음을 구체화하고 선교를 증진하여 예배로 이어지게 한다.

4. 성경 언어들은 하나님 말씀을 가르치는 것을 돕는다

원어 주해는 설교하고 가르칠 때 새롭고 담대한 표현을 사용하고 진리를 더 잘 변호하게 해준다. 히브리어와 헬라어를 통해 성경을 연구하는 일에 흠뻑 빠지면, 개인적 발견과 새로움, 통찰을 누릴 기회를 끊임없이 얻게 된다. 그러한 것들은 모두 우리가 더 잘 가르치게 도와줄 수 있다. 게다가 언어들은 성경 진리를 판단하고 변호하는 매우 효과적인 수단을 제공한다. 교회에는 믿음을 열렬히 옹호할 사람들이 있어야 한다. 그들은 "능히 바른 교훈(doctrine, 교리)으로 권면하고 거슬러 말하는 자들을 책망[하는]"(딛 1:9) 사람들이다. 성경 언어들은 우리의 가르침과 설교가 정확하며 정곡을 찌를 수 있게 다듬어 준다.

요약하자면, 하나님 말씀을 정확하게 선포하고 복음의 순결함을 성실하게 보존할 책임을 맡은 기독교 사역자들에게 성경 언어는 말씀을 연구하고 실천하고 가르치는 일에 도움을 준다. 언어들을 적절히 사용하는 것은 그러지 않았다면 닫혀 있었을 문을 열어 성경을 발견하게 해주고, 그러지 않았다면 갖지 않았을 책임을 해석자들에게 부과한다. 히브리어와 헬라어를 아는 사역자들은 자신을 먹일 수 있을 뿐 아니라 어느 정도 성경을 분별할 수 있다. 그러한 분별력은 사역자들이 새로운 번역, 새로운 신학 관점, 교회와 문화의 변화 동향 등을 잘 알고 반응하게 해줄 것이다.

앞서 말한 것에 비추어, 직업적 소명을 지닌 모든 독자에게 다음과 같은 행동 단계를 제안한다.

- **신학교 교수와 관리자_** 하나님의 책으로 사역하는 직업이 소명인 사람들을 훈련하는 모든 커리큘럼의 핵심에 원어로 하나님 말씀을 주해하는 것을 두도록 힘쓰라.
- **교회 목회자와 훈련 목회자_** 하나님을 의지하고 철저하게 사고하여 하나님 말씀을 (이 순서대로!) 연구하고 실천하고 가르치는 사람이 되도록 애쓰라.
- **교회의 다른 지도자_** 설교하고 가르치도록 부름 받은 교회 사역자들에게 연구할 시간을 주고, 교인들이 이것을 우선순위로 생각하도록 도우라.
- **청년 지도자와 대학 교수_** 하나님 말씀을 가르치는 사역자로 부름 받았다고 생각하는 사람들이 그 과업을 위해 철저히 준비하도록 격려하라.
- **모든 사람_** 하나님 말씀을 해석할 때 직접 접하고, 거짓 가르침에서 자신을 지키며, 자신의 지도자들이 책임지게 하도록 힘껏 노력하라. 그리고 복음이 보존되는 것을 위해, 우리 지도자들을 위해, 그들을 훈련하는 교회와 학교를 위해 영광스러운 우리 하나님께 기도하라.

이제 구약을 어떻게 이해하고 적용할지 발견해 보자.

해석 과정 개관_ TOCMA

이 책은 주해에서 신학까지, 그리고 개인 연구에서 실천하는 것을 지나 가르치는 것으로 나아가도록 안내하는 열두 단계를 사용한다. 이 안내서는 각 단계를 하나씩 고찰하긴 하지만, 해석 과정은 나선 모양과 비슷하다. 성경에 충실해지기 위한 오르막길을 오르는 동안 우리는 때마다 다양한 해석적 정차 지점을 계속 재방문하게 되기 때문이다.

쉽게 기억할 수 있도록 전체 과정에 TOCMA라는 별칭을 붙였다. TOCMA는 텍스트(**T**ext), 관찰(**O**bservation), 맥락(**C**ontext), 의미(**M**eaning), 적용(**A**pplication)을 나타낸다. 열두 단계는 각각 이 전체 범주 중 하나에 들어간다.

1부 텍스트(Text)_ 본문 구성이란 무엇인가

1장 장르_ 본문의 문학적 형태, 주제, 기능을 결정하고, 그것을 비슷한 장르와 비교해 보며, 그것이 해석에 끼치는 영향을 생각해 본다.

2장 문학적 단위와 텍스트의 계층 구조_ 본문의 경계선과 기본 구조를 결정한다.

3장 본문 비평_ 본문의 원래 표현이 무엇이었는지 확증한다.

4장 번역_ 텍스트를 번역하고 다른 번역들과 비교해 본다.

2부 관찰(Observation)_ 본문은 어떻게 전달되는가

5장 절과 텍스트 문법_ 단어, 구, 절, 그리고 그보다 큰 텍스트 단위의 구성과 관계를 평가한다.

6장 논증-추적_ 문학적 논증을 모두 추적하여 끝내고, 본문의 주된 요점과 연결된 메시지 중심의 개요를 만든다.

7장 단어 연구와 개념 연구_ 핵심 단어, 구, 개념의 의미를 명확히 밝힌다.

3부 맥락(Context)_ 본문은 어디에 들어맞는가

8장 역사적 맥락_ 저자가 텍스트를 쓴 역사적 상황을 이해하고, 저자가 언급하거나 추정하는 역사적 세부 사항을 모두 확인해 본다.

9장 문학적 맥락_ 본문이 전체 책에서 담당하는 역할을 파악한다.

4부 의미(Meaning)_ 본문은 무엇을 의미하는가

10장 성경 신학_ 우리가 연구하는 본문이 성경의 전체 흐름과 메시지와 어떻게 연관되어서 그리스도를 가리키는지 생각해 본다.

11장 조직 신학_ 우리가 연구하는 본문이 신학적으로 전체 성경과 어떻게 일관되는지 분별한다. 특히 복음과 직접 관련된 핵심 교리들을 평가해 본다.

5부 적용(Application)_ 본문이 왜 중요한가

12장 실천 신학_ 그리스도의 중심성과 복음의 소망을 강조하면서 텍스트를 자기 자신, 교회, 세상에 적용해 본다.

이제 필자와 함께 발견하고 기술을 개발하는 여정을 시작하자. 1-9장은 주해 과정에 더 초점을 맞추고, 10-12장은 신학을 다룬다. 하나님을 높이는 예배는 모든 성경 해석 단계의 원동력이자 목표다. 따라서 그리스도의 영광과 열방 중에 있는 그분 교회의 유익을 위하여 당신의 모든 연구가 실천으로 이어지고, 찬양과 선포로 충만한 가르침이 흘러넘치기를 기도한다.

핵심 단어와 개념

성경 해석

주해

신학

특별 계시

무류성과 무오성

IOUS

하나님의 모든 경륜

연구하라 → 준행하라 → 가르치라!

TOCMA

더 생각해 보기 위한 질문

1. 주해와 신학의 연관성을 서술해 보라. 주해와 분리된 신학, 또는 신학과 분리된 주해의 위험은 무엇인가?
2. 드루치의 성경 연구를 인도하는 네 가지 전제는 무엇인가?
3. 이 전제들을 각각 고수하지 않으면 어떤 위험이 따르는가?
4. 성경 해석의 궁극적 목표는 무엇인가?
5. 구약이 그리스도인에게 중요한 열 가지 이유 중 당신의 영혼을 가장 감동시킨 것은 무엇인가? 당신이 구약을 연구하도록 가장 자극하는 것은 무엇인가?
6. 히브리어를 아는 것은 어떤 면에서 성경 주해 과정에 유익이 되며, 어떤 면에서 유익이 되지 않는가?

추가 연구 자료[13]

Baker, David W., and Bill T. Arnold. *The Face of Old Testament Studies: A Survey of Contemporary Approaches*. Grand Rapids: Baker Academic, 2004.

Carson, D. A. "Approaching the Bible." In *New Bible Commentary: 21st Century Edition*, edited by D. A. Carson, R. T. France, J. A. Motyer, and G. J. Wenham, 1-19. 4th ed. Downers Grove, IL: InterVarsity Press, 1994.

13 성경을 연구하는 사람들에게 여러모로 도움이 되리라고 생각되는 '추가 연구 자료'를 각 장에 포함시켰다. 열거된 모든 책이 신학 관점이나 해석적 접근 면에서 통일된 것은 아니다. 따라서 독자들은 그리스도인에게 최고 권위를 제공하는 성경에 비추어 모든 주장을 주의 깊게 평가해야 한다. 필자가 가장 중요하거나 가장 좋다고 생각하는 자료 앞에는 별표를 붙였다. 검은 별(★)은 모든 독자에게 유용한 자료를 표시하는 반면, 검은 원 안에 들어 있는 별(✪)은 더 고급 독자에게 유용한 자료라는 것을 강조한다. 그 자료들에는 히브리어가 포함될 수도 있다. 이 참고 문헌을 만드는 데 도움을 준 필자의 친구이자 동료인 앤디 나셀리에게 감사를 표한다.

________, ed. *The Enduring Authority of the Christian Scriptures*. Grand Rapids: Eerdmans, 2016.

________. *Exegetical Fallacies*. 2nd ed. Grand Rapids: Baker Academic, 1996.

Chisholm, Robert B., Jr. *From Exegesis to Exposition: A Practical Guide to Using Biblical Hebrew*. Grand Rapids: Baker Academic, 1999. 「구약 원어 성경 주석에서 강해까지」, 크리스찬출판사.

DeRouchie, Jason S. "The Profit of Employing the Biblical Languages: Scriptural and Historical Reflections." *Themelios* 37, 1 (2012): 32-50.

Dockery, David S., Kenneth A. Mathews, and Robert B. Sloan, eds. *Foundations for Biblical Interpretation: A Complete Library of Tools and Resources*. Nashville: Broadman & Holman, 1994.

Duvall, J. Scott, and J. Daniel Hays. *Grasping God's Word: A Hands-On Approach to Reading, Interpreting, and Applying the Bible*. 3rd ed. Grand Rapids: Zondervan, 2012. 「성경 해석」, 성서유니온선교회.

Dyer, John. *Best Commentaries: Reviews and Ratings of Biblical, Theological, and Practical Christian Works*. http://www.bestcommentaries.com/.

Evans, John F. *A Guide to Biblical Commentaries and Reference Works*. 10th ed. Grand Rapids: Zondervan, 2016.

Glynn, John. *Commentary and Reference Survey: A Comprehensive Guide to Biblical and Theological Resources*. Grand Rapids: Kregel, 2007.

Goldsworthy, Graeme. *Gospel-Centered Hermeneutics: Foundations and Principles of Evangelical Biblical Interpretation*. Downers Grove, IL: InterVarsity Press, 2006. 「복음 중심 해석학」, 기독교문서선교회.

Grudem, Wayne A., C. John Collins, and Thomas R. Schreiner, eds. *Understanding the Big Picture of the Bible: A Guide to Reading the Bible Well*. Wheaton, IL: Crossway, 2012. 「성경, 어떻게 개관할 것인가」, 부흥과개혁사.

Guthrie, George H. *Read the Bible for Life: Your Guide to Understanding and Living God's Word*. Nashville: Broadman & Holman, 2011. 「삶을 위한 성경 읽기」, 성서유니온선교회.

InterVarsity Press에서 출간한 구약 관련 사전들

- Alexander, T. Desmond, and David W. Baker, eds. *Dictionary of the Old Testament: Pentateuch*. Downers Grove, IL: InterVarsity Press, 2003.
- Arnold, Bill T., and H. G. M. Williamson, eds. *Dictionary of the Old Testament: Historical Books*. Downers Grove, IL: InterVarsity Press, 2005.
- Boda, Mark J., and J. Gordon McConville, eds. *Dictionary of the Old Testament: Prophets*.

Downers Grove, IL: InterVarsity Press, 2012.

• Longman, Tremper, III, and Peter Enns, eds. *Dictionary of the Old Testament: Wisdom, Poetry, and Writings*. Downers Grove, IL: InterVarsity Press, 2008.

Kaiser, Walter C., Jr. *Toward an Exegetical Theology: Biblical Exegesis for Preaching and Teaching*. Grand Rapids: Baker Academic, 1981.

Kaiser, Walter C., Jr., and Moisés Silva. *Introduction to Biblical Hermeneutics: The Search for Meaning*. 2nd ed. Grand Rapids: Zondervan, 2007. 「성경 해석학 개론」, 은성.

Köstenberger, Andreas J., and Richard D. Patterson. *For the Love of God's Word: An Introduction to Biblical Interpretation*. Grand Rapids: Kregel, 2015.

________. *Invitation to Biblical Interpretation: Exploring the Hermeneutical Triad of History, Literature, and Theology*. Grand Rapids: Kregel, 2011. 「성경 해석학 개론」, 부흥과 개혁사.

Longman, Tremper, III. *Old Testament Commentary Survey*. 5th ed. Grand Rapids: Zondervan, 2013.

McCartney, Dan, and Charles Clayton. *Let the Reader Understand: A Guide to Interpreting and Applying the Bible*. 2nd ed. Phillipsburg, NJ: P&R Publishing, 2002.

Naselli, Andrew David. "D. A. Carson's Theological Method." *SBET* 29, 2 (2011): 245-74.

Osborne, Grant R. *The Hermeneutical Spiral: A Comprehensive Introduction to Biblical Interpretation*. 2nd ed. Downers Grove, IL: InterVarsity Press, 2006.

Piper, John. *Reading the Bible Supernaturally: Seeing and Savoring the Glory of God in Scripture*. Wheaton, IL: Crossway, 2017. 「존 파이퍼의 초자연적 성경 읽기」, 두란노.

★ Plummer, Robert L. *40 Questions about Interpreting the Bible*. 40 Questions. Grand Rapids: Kregel, 2010. 「성경을 여는 40가지 질문」, 기독교문서선교회.

Poythress, Vern S. *Reading the Word of God in the Presence of God: A Handbook for Biblical Interpretation*. Wheaton, IL: Crossway, 2016.

Soulen, Richard N., and R. Kendall Soulen. *Handbook of Biblical Criticism*. 4th ed. Louisville: Westminster John Knox, 2011.

✪ Stuart, Douglas. *Old Testament Exegesis: A Handbook for Students and Pastors*. 4th ed. Louisville: Westminster John Knox, 2009. 「구약 주석 방법론」, 크리스천다이제스트.

1부. 텍스트

본문 구성이란 무엇인가

1장
장르

목표_ 본문의 문학적 형태, 주제, 기능을 결정하고, 그것을 비슷한 장르와 비교해 보며, 그것이 해석에 끼치는 영향을 생각해 본다.

여정의 단계

1부 텍스트_ 본문 구성이란 무엇인가

- **1장 장르**
- 2장 문학적 단위와 텍스트의 계층 구조
- 3장 본문 비평
- 4장 번역

2부 관찰

3부 맥락

4부 의미

5부 적용

기본 개관

장르의 정의

성경의 문맥 안에서 장르 살펴보기

장르 분석과 구약의 논쟁적 신학

장르와 역사성의 관계

장르 연습_ 출애굽기 19장 4-6절

역사적 내러티브

예언과 율법

시편

잠언

표1.1. 1장 길 안내

장르의 정의

필자의 큰딸은 '장르' 분석의 달인이다. 딸아이가 날마다 우편함에 가서 각종 청구서와 광고지는 옆으로 치워 버리고 친구나 가족에게 온 편지를 골라내는 것을 보면 잘 알 수 있다. 새로운 문학 저술이 나올 때마다 우리는 거의 언제나 장르를 판별한다. (의식적으로든 무의식적으로든, 옳든 그르든) 그 텍스트가 연구 논문인지 시인지, 또는 사실적 역사인지 꾸며 낸 이야기인지 결정한다. 우리는 구성, 표현, 서론 또는 마무리 진술, 내용 등에서 단서를 찾는다. 어떤 것이 풍자인지, 픽션인지, 논픽션인지에 관해 저자가 보내는 신호들을 찾아본다.

이런 표시들은 문서의 장르를 가리킨다. **장르**란 판별할 수 있는 문학 저술 범주를 말하며, 보통 저마다 나름의 주해 규칙을 요구한다. 따라서 어떤 작품의 장르를 오해하면 왜곡된 해석으로 이어질 수 있다. 이 시점에서 우리가 내리는 결정이 나머지 주해 과정에 영향을 끼치는 것이다. 이 첫째 장은 이 책에서 가장 긴 장이며, 개관은 나머지 열한 단계의 해석 경로를 설정할 것이다. 성서 히브리어를 얼마나 알든 어느 독자나 이 자료에서 유익을 얻을 것이다.

장르 분석은 문법 구성뿐 아니라 유형, 내용, 문맥에서의 기능과도 관련되어 있다. 장르 분석은 특정 단위의 형태, 주제, 목적을 살펴본다. 또한 그 요소들이 충분히 잘 규정되었는지, 어떤 본문을 특정 장르에 속한 것으로 분류하고 해석할 만큼 충분히 특징적인지 묻는다. 형식, 내용, 기능을 다른 텍스트들과 충분히 비교할 수 있다면, 그리고 유형이 나타나는 것을 판별할 만한 명확한 판단 기준을 확립할 수 있다면, 그 단위는 특정 장르에 속한다고 말할 수 있다. 텍스트의 장르를 알면, 어떤 질문을 던져야 하는지 아는 데 도움이 된다. 텍스트의 장르를 잘못 정하면, 우리의 성경 해석도 잘못된 방향으로 나아갈 수 있다.

우리는 문학적 세부 사항과, 그것을 어떻게 읽어야 하는지 분명하게 설명하는 저자의 언급을 주의 깊게 살펴보아 텍스트의 장르를 분별한다. 우리는 축복을 읽고 있는가, 저주를 읽고 있는가? 법정 기록인가, 권고인가? 송영인가, 족보인가? 잠언인가,

기도하는 마음으로 드리는 간구인가? 사랑 노래인가, 애가인가? 또는 그밖에 있을 수 있는 다른 것들인가?[1]

지금의 성경을 만들어 내기 위해 하나님이 사용하신 현자, 선견자, 노래하는 자, 군주는 때로 정보를 전달하고 생각을 자극하려고 애썼다. 율법서와 역사적 내러티브들이 대체로 이런 유형이다. 그들은 다른 장르들을 통해서는 특정한 행동, 믿음, 감정에 영향을 끼치고 그에 따른 결과를 얻으려 했다. 감정을 일깨우고 애정을 불러일으키는 것이다. 여기에는 시편 대부분과 아가서 같은 책이 포함된다. 어떤 장르들은 이 두 목적을 섞어 놓았다. 많은 예언서와 일부 잠언 같은 장르다.

모든 장르는 나름의 해석 규칙을 가지고 있다. 어떤 장르는 과장법과 비유 언어를 많이 사용하는 것을 허용하지만, 어떤 장르는 그렇지 않다. 텍스트에 나오는 표시들은 비유를 역사적 저술과 구분한다. 각각은 전혀 다르게 읽어야 한다. 그러나 우리가 보기에는 둘 다 비슷한 형식으로 보일 수 있다. 성경 저자들은 자신이 의도한 진리를 가장 효과적으로 전달하기 위해 여러 다른 장르를 택했다. 그들은 의식적으로 정해진 장르의 규칙을 따랐다. 그리고 자신의 독자들도 그러기를 원했다. 다양한 장르가 어떻게 작동하는지 파악하면 성경을 더 잘 해석하는 데 도움이 될 것이다.

성경의 문맥 안에서 장르 살펴보기

예수와 사도들이 사용한 유대 성경은 현대 영어 성경과 구조가 달랐던 듯하다. 유대 성경은 영어 성경처럼 서른아홉 책으로 국한되지만 몇 책은 짝을 지어 한 권을 이루

---

1 장르 분석은 19세기 초에 성경과 비슷한 근동 텍스트가 점점 많이 발견된 뒤, 구약 연구에서 주목받게 되었다. 수메르 왕 목록, 이집트 잠언, 바빌로니아 창조 기사와 법전, 히타이트와 앗시리아의 조약문, 앗시리아 예언 등과 같은 성경 외적 자료들은 구약이 어떻게 그 문화에 녹아들면서도 감연히 맞섰는지를 분명하게 설명하는 데 도움이 되었다. 사람들은 즉시 이 외적 텍스트들의 형태, 내용, 기능을 성경과 비교 또는 대조해야 한다고 느꼈다. 장르 분석은 비교를 하는 데 중요했다. 합리적으로 비교하려면 텍스트의 장르가 비슷해야 하기 때문이다. 율법은 율법과, 잠언은 잠언과, 예언은 예언과 비교해야 하는 것이다.

었으며(예를 들어 사무엘상하, 열왕기상하, 열두 개의 소선지서, 에스라-느헤미야서, 역대상하),[2] 성경 전체를 크게 셋으로 구분하여 다른 순서로 배열한다. 율법서(תּוֹרָה, *tôrâ*, 토라), 선지서(נְבִיאִים, *nĕbîʾîm*, 느비임), 시가서(또는 '다른 경전들'[כְּתוּבִים, *kĕtûbîm*, 케투빔])다.[3] 많은 사람이 이 유대적 배열을 **TaNaK**라고 부른다. TaNaK는 세 주요 부분을 나타내는 각 히브리어 첫 글자로 만든 두문자어다. 우리는 이렇게 세 부분으로 나뉘었을 수 있다는 증거를 누가복음 24장 44절에서 볼 수 있다. 예수께서 부활하신 후에 "내가 너희와 함께 있을 때에 너희에게 말한 바 곧 모세의 율법과 선지자의 글과 시편에 나를 가리켜 기록된 모든 것이 이루어져야 하리라 한 말이 이것이라"고 선언하신 말씀이다. (룻기가 먼저 나오긴 하지만) 대부분 시편이 시가서에서 첫째로 중요한 책으로 간주된다. 그리고 이 구절에서 예수는 시편을 셋째 부분인 시가서 전체를 대표하는 책으로 간주하시는 듯하다.

성경에 나타난 증거는 예수의 성경이 창세기에서 시작되어 역대기로 끝난다는 것도 암시한다. 우리는 예수께서 바리새인들과 논쟁하신 장면에서 이 사실을 볼 수 있다. 그때 예수는 "아벨(Abel)의 피로부터 …… 사가랴(Zechariah)의 피까지"(눅 11:51. 마태복음 23장 35절 참조)라며 구약 선지자들의 순교를 말씀하셨다. 이것은 단순히 'A부터 Z까지'라는 진술이 아니다. 사가랴라는 이름은 어느 성경 언어의 자모(alphabet)에서도 마지막 글자로 시작하지 않기 때문이다. 또한 엄밀히 말해서 이것은 연대기적 진술도 아니다. 아벨이 최초 순교자인 것은 분명하지만(창 4:4, 8), 시간상 구약의 마지막 순교자는 여호야김 통치 시기(주전 609-598, 예레미야 26장 20-23절을 보라)에 죽은 스마야의 아들 우리야이기 때문이다. 그보다 예수께서는 정경에 따라 말씀하신 것으로 보인다. 그분이 가지고 계신 성경의 문학적 구조에서 첫 번째 순교자와 마지막 순교자를 언급하신 것이다. 즉 창세기에 아벨이 살해당한 사건이 기록되었듯이, 역대기 마지막 부분은 요아스 통치 시기(주전 835-796, 역대하 24장 20-21절을 보라)에 성전에서 죽임 당한 사가랴를 강조한다.

스티븐 뎀스터(Stephen Dempster)는 히브리 구약을 이루는 세 부분의 구조가 어떻게

---

2 적어도 사무엘서, 열왕기, 역대기의 경우, 이 책들이 후에 두 책으로 분리된 것은 순전히 실용적인 이유로 보인다. 히브리 성경은 자음만 사용했는데 모음을 포함하는 헬라어로 그 성경을 번역해 보니, 그 책들을 한 두루마리에 담기에는 매우 길었던 것이다.

3 성경 외에 나오는 삼중 구분에 대한 예로는 벤 시라(Ben Sira)와 DSS에 있는 4QMMT C.10의 서언을 보라.

하나님의 구속 이야기의 '내러티브'와 '해설'을 구분하는지, 그리고 어떻게 전자가 후자의 틀을 형성하면서 그렇게 하는지에 주목했다.[4] 필자가 이 책에서 따르는 정경 배열은 히브리 성경의 표준 본문 비평 연구판(즉, the *Biblia Hebraica Stuttgartensia, BHS*)의 배열이 아니라, 바바 바트라(*Baba Bathra*) 14b에 나오는, 가장 오래된 유대적 정경 목록의 배열이다.[5] 이 원칙에 따라 구조를 다루는 것이 문학적이고 합리적인 것으로 보인다. 이 목록에서 내러티브 책들은 대부분 연대순으로 되어 있는 반면, 해설 책들은 일반적으로 분량이 가장 많은 것에서 적은 것 순으로 되어 있기 때문이다.

표1.2에서 명확하게 보여 주듯이 주요 선지서들은 (이사야서, 예레미야서, 에스겔서처럼) 연대순과 상관없이 나오고, 룻기는 사사기 이후라는 시간적 배경과 완전히 분리되어 있다. 다니엘서는 선지서에 포함되어 있지 않으며, 역대기와 에스라-느헤미야서는 시간상 역순으로 되어 있다. 내러티브 책은 창세기에서 열왕기까지 연대순으로 이어지고, 예레미야서에서 예레미야애가까지는 중단된다. 그 다음에 다시 다니엘서에서 에스라-느헤미야서까지 이어진다. 그러고 나서 역대기는 아담부터 이스라엘을 고국으

4 Stephen G. Dempster, *Dominion and Dynasty: A Biblical Theology of the Hebrew Bible*, NSBT 15 (Downers Grove, IL: InterVarsity Press, 2003)(『하나님 나라 관점으로 읽는 구약 신학』, 부흥과개혁사), 45-51쪽.

5 바바 바트라 14b는 바라이타(baraita), 즉 바빌로니아 탈무드(약 주후 500)에서 발견되는 고대 전통이다. 대략 미쉬나(Mishnah, 유대교 구전 율법) 때 것이지만 그것에 포함되지는 않았다. 벡위스(Beckwith)는 텍스트 자료를 완벽하게 평가하며, 바바 바트라 14b에 나오는 성경 책들의 배열은 아마 주전 164년경 유다 마카베오(Judas Maccabaeus)에게서 비롯되었을 가능성이 높다고 가정한다(마카베오하 2장 14-15절을 보라)(Roger T. Beckwith, *The Old Testament Canon of the New Testament Church and Its Background in Early Judaism* [Grand Rapids: Eerdmans, 1985], 121-27, 152-53, 198). 벡위스가 대중적 수준으로 간결하게 요약한 결론 내용은 그의 "The Canon of Scripture," *NDBT* 27-34쪽을 보라. 이 구조가 다른 것들보다 역사적, 신학적으로 중요하다는 것을 더 살펴보려면, Stephen G. Dempster, "An "Extraordinary Fact": Torah and Temple and the Contours of the Hebrew Canon, Part 1," *TynBul* 48, 1 (1997): 23-56쪽, Dempster, "An "Extraordinary Fact": Torah and Temple and the Contours of the Hebrew Canon, Part 2," *TynBul* 48, 2 (1997): 191-218쪽, Dempster, "From Many Texts to One: The Formation of the Hebrew Bible," in *The World of the Aramaeans 1: Biblical Studies in Honour of Paul-Eugène Dion*, P. M. Michèle Daviau, John W. Wevers, and Michael Weigl 편집 (Sheffield, UK: Sheffield Academic, 2001), 19-56쪽, Dempster, "The Place of Nehemiah in the Canon of Scripture: Wise Builder," *SBJT* 9, 3 (2005): 38-51쪽, Dempster, "Canons on the Right and Canons on the Left: Finding a Resolution in the Canon Debate," *JETS* 52, 1 (2009): 47-77쪽, Dempster, "Canon and Old Testament Interpretation," in *Hearing the Old Testament: Listening for God's Address*, Craig G. Bartholomew and David J. H. Beldman 편집 (Grand Rapids: Eerdmans, 2012), 154-179쪽, Dempster, "Ecclesiastes and the Canon," in *The Words of the Wise Are like Goads: Engaging Qoheleth in the 21st Century*, Mark J. Boda, Tremper Longman III, and Christian G. Rata 편집 (Winona Lake, IN: Eisenbrauns, 2013), 389-402쪽, Dempster, "A Wandering Moabite: Ruth-A Book in Search of a Canonical Home," in *The Shape of the Writings*, Julius Steinberg and Timothy J. Stone 편집, Siphrut: Literature and Theology of the Hebrew Scriptures 16 (Winona Lake, IN: Eisenbrauns, 2015), 87-118쪽을 보라.

율법서	전기 선지서와 후기 선지서		전기 시가서와 후기 시가서	
창세기 출애굽기 레위기 민수기 신명기	여호수아서 사사기 사무엘상하 열왕기상하	예레미야서 에스겔서 이사야서 열두 선지서	룻기 시편 욥기 잠언 전도서 아가 예레미야애가	다니엘서 에스더서 에스라-느헤미야서 역대상하
내러티브	내러티브	해설	해설	내러티브

표1.2. 바바 바트라 14b에 나오는 히브리 성경 배열

로 귀환시킨 고레스 칙령까지 이야기를 상기시킨다. 해설 책에 대해서는 후기 선지서 네 권이 긴 것부터 짧은 것 순으로 나와 있으며, 전기 시가서도 같은 방식을 따른다. 룻기가 시편 앞에 나오고, 더 긴 애가가 아가 뒤에 나오는 것만 다를 뿐이다. 룻기와 시편의 순서가 바뀐 것은 시편을 다윗적 소망이라는 맥락 안에 있게 해주며, 애가와 아가의 순서가 바뀐 것은 (1) 예레미야의 글들이 해설 단위 전체의 틀을 형성하고, (2) 솔로몬이 쓴 세 권의 책(잠언, 전도서, 아가)을 한데 모아 주며, (3) 애가가 독자들을 열왕기에서 멈추었다가 다니엘서 내러티브에서 다시 이어지는 포로 생활이라는 맥락으로 다시 향하게 해준다.

율법서(Law)는 모세오경(*Pentateuch*)이라고도 불리며, 성경의 처음 다섯 책인 창세기부터 신명기까지를 말한다. 이 부분은 모두 내러티브이며, 세상이라는 맥락에서 하나님과 이스라엘의 관계와 이스라엘을 향한 목적을 분명히 밝히는 데 주력한다. 창세기는 '하나님 나라에 대한 서언'으로 하나님을 높이는 이스라엘의 과업을 준비하고, 출애굽기부터 신명기에서는 그 과업을 상세히 설명한다.

그 다음에 선지서(Prophets)로 넘어가는데, 여기에는 두 부분이 포함된다. 여호수아서부터 열왕기까지인 첫 번째 부분은 이스라엘이 언약에 실패한 것을 이야기하는 내러티브 역사다. 예레미야서부터 열두 선지서까지인 두 번째 부분은 백성의 반역에 대한 선지자적 해설이다. 이 부분은 백성의 죄를 하나님의 전체 구속 계획 안에 둔다. 전기 선지서는 가나안 정복부터 군주정을 거쳐 바벨론 포로에 이르기까지 이스라엘이 하향하는 시기에 일어난 일에 초점을 맞추는 반면, 후기 선지서는 그 드라마가 왜 그런 식으로 전개되었는지 말해 준다.

시가서(Writings)는 선지서와 마찬가지로 해설과 내러티브를 모두 포함하지만 순서는 반대로 배열되어 있다. 시가서는 그 취지가 훨씬 긍정적인 것이 특징이다. 룻기부터 예레미야애가에 이르는 전기 시가서의 해설은 하나님의 메시아적 나라를 소망하는 사람들이 어떻게 살아야 하는지를 명확하게 설명한다. 즉 그들이 삶에서 겪는 즐거움과 고난 가운데서 어떻게 하나님으로 계속 만족할 수 있을지를 이야기하는 것이다. 예레미야애가는 열왕기하 끝부분에서 강조된 포로 생활이라는 맥락으로 다시 돌아가게 하며, 애가 다음에는 다니엘서에서 내러티브가 다시 시작되어 역대기까지 이어진다. 그러면서 하나님이 포로 생활에서 남은 자들을 보존하시는 것, 백성이 그 땅으로 처음 돌아온 것, 완전한 하나님 나라 실현에 대한 약속 등을 상세히 말한다. 이 이야기는 역대기에서 마무리되지 않는다. 따라서 이야기가 성취되는 것을 보려면 독자들은 신약으로 넘어가야 한다. 이 이야기는 그리스도와 그분의 교회 안에서 궁극적으로 실현되기 때문이다.

지금은 두 가지를 분명하게 해야 한다. 첫째, 구약은 역사적 '내러티브'로 뼈대를 이루고 있기 때문에 구약 전체를 하나님의 구속 역사라는 렌즈를 통해 읽는 것이 옳으며, 또한 그렇게 읽어야 한다. 이 구원의 (실제) 이야기는 시공간 상의 사람들과 사건들이 어떻게 하나님 나라의 목적과 연관되는지에 대한 하나님의 관점을 명확하게 밝혀 준다. 그 목적은 원래 창조에서 새 창조로, 아담 안에 있던 이전의 저주받은 세상에서 그리스도 안에 있는 복된 새 세상으로 이동한다. 앞으로 명확해지겠지만, 구속 드라마의 주인공은 하나님이다. 만물 위에 뛰어나신 하나님은 은혜롭게도 이스라엘을 구별하셔서, 죄라는 세상의 재앙을 이기고 궁극적으로는 그리스도를 통한 구원이라는 축복으로 세상을 바꿔 줄 통로로 삼으셨다.

둘째, 예수의 성경은 내러티브 이상이었다. 내러티브 부분 자체는 율법(예를 들어 출 20:1-17, 신 12-26장), 경고(민 23-24장), 축복과 저주(레 26장, 신 28장), 노래(예를 들어 출 15장, 신 32장), 수수께끼(예를 들어 삿 14:14), 비유(예를 들어 삼하 12:1-4), 묵시적 환상(예를 들어 단 7장) 등 다양한 장르를 포함하고 있을 뿐 아니라, 구약은 후기 선지서와 전기 시가서를 포함하기 때문이다. 후기 선지서와 전기 시가서는 대단히 시적인 책들이면서도 그 책들을 둘러싸고 있는 내러티브 책들(즉 전기 선지서와 후기 시가서)의 줄거리를 해설한다. 그래서 우리는 구속사를 추가 자료들과 나란히 놓고 세 부분으로 이루어진 구조 안에서 읽을 때에만 성경에서 가장 중요한 메시지를 가장 분명하게 파악할 것이다. 예수와 사도들은 바로 이 렌즈를 통해 하나님 나라의 좋은 소식을 전파했다. 그리고 그것은 메시아를 선포하고 복음을 전파하는 메시지에 명백하게 나타났다(눅 24:44-47, 행 26:22-23, 28:23).

성경 장르의 다양성을 고찰할 때, 우리는 성경의 장르들을 메시지와 목적 모두와 관련하여 매우 중요한 성경적 통일성에 단지 풍미를 더해 주는 것으로 보아야 한다.[6] 구약에 나오는 서른아홉 권(유대인이 세는 방식으로는 스물네 권)의 개별 책들처럼, 구약 전체는 공통 목표를 위해 의도적으로 구성되었다는 표시를 보여 준다. 그 목표란, 바로 최고 저자이신 하나님의 인도하시는 손길을 입증하는 것이다.

장르 분석과 구약의 논쟁적 신학

우리가 가지고 있는 성경은 성령의 감동을 받은 제사장, 선지자, 시인, 군주들이 만든 것이다. 그리고 당시의 언어와 문화, 상황이 성경 모든 책의 모든 내용을 결정했다. 하지만 그러는 내내 자신의 성품처럼 순전하고 참되고 지속적인 것으로 성경이 형성되도록 인도하신 분은 하나님이었다. 믿음(교리)과 실천(윤리)의 문제들과 관련해서만이 아니라, 사실(역사, 지리, 과학 등)과 관련해서도 그렇다. 성경은 역사 안에서 자라났다. 그러면서 또한 성경은 역사를 형성한다. 성경은 문화 가운데서 일어났지만 문화에 맞

6 무엇보다 중요한 구약의 메시지와 목적에 대해서는 Dempster, *Dominion and Dynasty*(『하나님 나라 관점으로 읽는 구약 신학』), Jason S. DeRouchie가 편집한 *What the Old Testament Authors Really Cared About: A Survey of Jesus' Bible* (Grand Rapids: Kregel, 2013), Miles V. Van Pelt, "Introduction," in *A Biblical-Theological Introduction to the Old Testament: The Gospel Promised*, Miles V. Van Pelt 편집 (Wheaton, IL: Crossway, 2016)(『성경 신학적 구약 개론』, 부흥과개혁사), 23-42쪽을 보라. '내러티브(Narrative) → 내러티브 → 해설(Commentary) → 해설 → 내러티브' 유형이 신약 정경에서 '복음서(N) → 사도행전(N) → 바울 서신과 히브리서(C) → 일반 서신(C) → 요한계시록(N)'의 형식으로 유지되고 있는 것은 주목할 만하다. 트로비쉬(Trobisch)가 주장한 것처럼 가장 오래된 고대 정경 배열은 일반 서신을 바울 서신들 앞에 두긴 하지만, 포괄적인 전체 유형은 구약의 유형과 대응한다(David Trobisch, *The First Edition of the New Testament* [Oxford: Oxford University Press, 2000]를 보라. C. E. Hill, "The New Testament Canon: Deconstructio ad Absurdum?," *JETS* 52, 1 [2009]: 101-19쪽 참조).

서도록 의도적으로 고안되었다. 다른 어떤 고대 문헌도 "성경"과 같지 않다. 다른 어떤 글도 하나님 말씀이 아니기 때문이다. 장르를 비교하는 것은 정당한 작업이지만, 절대 성경을 다른 책과 완전히 비슷한 것처럼 취급해서는 안 된다.

오늘날 많은 학자, 심지어 자칭 복음주의자라고 하는 일부 학자들조차 이렇게 주장한다. 성경이 고대 사회에서 흔히 사용되는 형식 또는 장르를 사용한 사실은 성경적 세계관이 유일신론적이기는 하지만, 고대 이스라엘 이웃이 계몽되기 전의 종교 개념과 의식과 종종 유사하거나 때로 큰 차이 없이 차용한 것이라는 신념을 뒷받침한다는 것이다. 이 학자들은 성경이 고대 문헌이기 때문에 다른 모든 고대 문헌처럼 해석해야 한다고 주장한다. 그러므로 성경에 등장하지 않는 고대 왕들이 종종 선전 활동을 위해, 그들 자신의 이름을 구축하기 위해 역사를 날조했다는 것을 안다면, 우리도 이스라엘 역사를 이런 식으로 읽는 것에 마음이 열려 있어야 한다는 것이다. 그들은 성경에 등장하지 않는 앞일에 대한 예언들은 모두 그 일이 일어난 후에 쓰였기 때문에, 우리는 성경의 선지자들도 마찬가지로 역사를 날조했을 가능성에 마음이 열려 있어야 하고, 심지어는 아마도 그럴 것이라고 예상해야 한다고 말한다. 그들은 고대의 모든 창조 기사는 과학 이전에 현실을 어떻게 이해했는지를 증거하며, 그렇기 때문에 과학적으로 사실에 입각한 자료를 찾는 것은 우리가 성경에 지나치게 많은 것을 기대하는 것이라고 말한다. 그들은 하나님의 유일무이한 말씀인 성경의 독특한 특성을 설명하지 못한다.

필자는 구약학 교수인 존 커리드(John Currid)의 말에 동의한다. 우리가 구약은 역사적으로 신빙성이 있다고 단언하고 그에 비교할 만한 고대 글들과의 유사점뿐 아니라 차이점을 평가해 보면, 성경이 자신이 처한 고대 환경에서 스스로 구별되는 것을 볼 수 있다는 것이다. 고대 사회에서 흔히 사용되던 역사, 율법, 예언, 애가 같은 장르를 사용한다고 해서, 성경이 그 장르들을 같은 방식으로 사용한다는 뜻은 아니다. 커리드는 자신의 책 「고대 근동 신들과의 논쟁」(*Against the Gods*, 새물결플러스 역간)에서 성경은 이교의 신화와 개념, 풍습을 자신의 것으로 만드는 것이 아니라 그것을 논박하고 거부하는 경향이 있다고 설득력 있게 주장한다.[7] 성경은 다음과 같은 방식으로 이

---

7 John D. Currid, *Against the Gods: The Polemical Theology of the Old Testament* (Wheaton, IL: Crossway, 2013)(「고대 근동 신들과의 논쟁」, 새물결플러스).

일을 한다.

- 다신론, 마법, 폭력, 이교를 통해 상스럽고 왜곡된 사건의 진정한 원래 역사성을 확증하는 방식
- 고대 사회에서 신화였던 것이 이스라엘의 시간과 역사 안에서는 실제적이고 사실적인 내용을 갖고 있음을 보여 주는 방식

잠시 고대 종주권 조약 유형을 살펴보자. 성경 본문에서 이와 유사한 것들을 볼 수 있다. 메러디스 클라인(Meredith Kline)은 자신이 쓴 「위대한 왕의 조약」(*Treaty of the Great King*)이라는 신명기 주석에서, 헷 족속의 조약 유형이 신명기와 어떻게 비슷한지를 최초로 밝혀냈다.[8]

전문	신 1:1-5
역사적 서언: 언약 역사	1:6-4:49
규정들: 언약의 삶	5:1-26:19
재가: 언약 비준	27:1-30:20
왕조의 성향: 언약 연속성	31:1-34:12

표1.3. 신명기의 조약 구조

많은 사람이 클라인의 초기 제안을 조금 수정했다. 그러나 대부분은 조약과 유사한 점이 있다고 인정하며, 신명기에서 하나님이 위대한 왕으로서 이스라엘에게 접근하고 계신다고 믿는다(신 33:5). 어떤 면에서 우리는 여호와가 그분 자신의 목적을 위해 의도적으로 국제 조약 유형을 채택하여 개조하셨다고 볼 수 있다. 그러나 또한 이 땅에서 이루어지는 지정학적 조약들은 하나님이 에덴동산에서 인류와 더불어 시작하신 더 원형적인 언약 관계의 결과이며, 그 언약 관계를 반영하는 것일 뿐이라고 볼 수 있다. 이뿐 아니라 하나님이 창조 때 인류와 더불어 시작하신 것 자체가 하나님 자신의

8 Meredith G. Kline, *Treaty of the Great King-the Covenant Structure of Deuteronomy: Studies and Commentary* (Grand Rapids: Eerdmans, 1963, repr., Eugene, OR: Wipf & Stock, 2012). George E. Mendenhall, "Covenant Forms in Israelite Tradition," *BA* 17 (1954): 50-76쪽, Mendenhall, "The Suzerainty Treaty Structure: Thirty Years Later," in *Religion and Law: Biblical-Judaic and Islamic Perspectives*, Edwin B. Firmage, Bernard G. Weiss, and John W. Welch 편집 (Winona Lake, IN: Eisenbrauns, 1990), 85-100쪽 참조.

영원하신 삼위일체 간의 언약 협약과 법령을 반영하는 것이다. 이 협약과 법령은 구원사를 통해 실행된다(엡 1:4-14). 주님이 조약이라는 방식으로 이스라엘과 관계를 맺으신 것은 단순히 고대 사회의 관행을 빌려온 것이 아니라 사실상 그분이 원래 인간들과 맺으신 언약적 접근으로 돌아가고 계신 것이며, 참된 왕권이 어떤 모습이어야 하는지를 세상에 본 보이신 것이다. 인류의 모든 나라는 궁극적인 하나님 나라를 왜곡되게 반영한 것일 뿐이다.

성경의 배경인 고대는 우리가 사는 사회와 때로는 닮았지만 종종 닮지 않은 관점과 권세, 관행으로 가득하다. 이런 환경에서 구약은 거짓 인식과 활동에 대항하는 논쟁적 신학으로 자리하고 있다.[9]

장르와 역사성의 관계

형식만으로는 어떤 이야기가 역사성을 지녔는지, 사실에 입각하고 있는지를 명확하게 설명할 수 없다. 예를 들어, 나단이 강탈당한 양 이야기를 다윗 왕에게 들려줬을 때, 그 이야기는 사실에 입각한 것처럼 보였다. 그러나 "당신이 그 사람이라"라는 단 한 문장으로, 그 이야기는 불의함에 대한 역사적 이야기에서 불의함에 대한 내러티브 비유로 바뀌었다(삼하 12:1-7). 내러티브는 역사와 허구를 모두 표현할 수 있다. 그리고 다른 수많은 장르도 역사적 글쓰기를 위한 도구가 될 수 있다. 예를 들어, 역사적 사실은 내러티브 산문에든 시적 노래에든 모두 등장할 수 있다. 장르마다 나름의 지배 규칙이 있지만(예를 들어, 시에서는 비유 언어가 더 많이 허용된다), 형식 자체는 글의 사실성과 아무 관련이 없다.

장르마다 지닌 차이와, 그 형식이 역사성에 영향을 끼치지 않는 방법을 알기 위해

9 커리드의 책인 「고대 근동 신들과의 논쟁」를 한번 살펴볼 것을 권한다. 그 책은 다양한 예가 가득하고 분명하게 쓰인 주석으로, 우리가 하나님 말씀의 본질을 존중하고, 당시 부적절한 세계관에 대항하도록 쓰인 부분이 구약에 얼마나 많은지 파악하는 데 도움을 준다.

사사기에서 이에 상응하는 역사적 이야기를 하나 살펴보자. 사사기 4장에서 우리는 드보라와 바락이 사사직을 수행하는 위대한 내러티브 기록을 읽는다. 그들은 하솔을 다스린 가나안 왕 야빈이라는 원수와 대적하기 위해 하나님이 세우신 사람들이다. 야빈의 군대 장관은 시스라였는데, 사사기 4장 18-21절에는 시스라가 드보라와 바락에게서 도망한 이후 이야기가 나온다.

> 야엘[이라는 여자]이 **나가** 시스라를 영접하며 그에게 **말하되** 나의 주여 들어오소서 내게로 들어오시고 두려워하지 마소서 하매 **그가** 그 장막에 **들어가니 야엘이** 이불로 **그를 덮으니라 시스라가** 그에게 **말하되** 청하노니 내게 물을 조금 마시게 하라 내가 목이 마르다 하매 **[야엘이]** 우유 부대를 **열어 그에게 마시게 하고 그를 덮으니 그가 또 이르되** 장막 문에 섰다가 만일 사람이 와서 네게 묻기를 여기 어떤 사람이 있느냐 하거든 너는 없다 하라 하고 그가 깊이 잠드니 **[그러나]** 헤벨의 아내 **야엘이** 장막 말뚝을 **가지고** 손에 방망이를 **들고** 그에게로 가만히 **가서** 말뚝을 그의 관자놀이에 **박으매** 말뚝이 **꿰뚫고** 땅에 박히니 **그가 기절하여 죽으니라**.

이 글은 직접적인 내러티브다. 그러나 해설자가 말한 한 절(clause)을 제외한 모든 절이 히브리어에서 이야기를 말하는 바익톨(*wayyiqtol*, 바브[*waw*] 연속 미완료) 동사(굵게 표시)로 시작된다.

이야기의 요점에 주의를 집중시키기 위한 방편으로, 사사기 5장은 같은 사건을 드보라와 바락의 노래로 다시 소개한다. 이번에는 이 역사적 사건이 완벽한 히브리 시로 전달되는 것이다. 야엘 부분은 5장 24-27절에 나온다. 이제 그 사건이 다른 장르로는 어떻게 표현되는지 보라(ESV 성경을 따라 단락을 구분하였다_ 편집자).

> 24 겐 사람 헤벨의 아내 야엘은
> 다른 여인들보다 복을 받을 것이니
> 장막에 있는 여인들보다 더욱 복을 받을 것이로다
> 25 시스라가 물을 구하매 우유를 주되
> 곧 엉긴 우유를 귀한 그릇에 담아 주었고

26 손으로 장막 말뚝을 잡으며
오른손에 일꾼들의 방망이를 들고
시스라를 쳐서
그의 머리를 뚫되
곧 그의 관자놀이를 꿰뚫었도다
27 그가 그의 발 앞에
꾸부러지며 엎드러지고 쓰러졌고
그의 발 앞에
꾸부러져 엎드러져서
그 꾸부러진 곳에
엎드러져 죽었도다.

ESV의 단락 구분은 번역자가 이 텍스트를 시로 인식했음을 표시한다. 전체 흐름은 내러티브와 느낌이 다르다. 운율과 리듬이 있으며, 전체 본문에 바익톨 동사는 하나도 나오지 않는다. 이 노래는 감정과 열정, 찬송을 불러일으킨다. 전체 부분은 우리를 감동시켜 우리로 드보라과 바락과 함께 "여호와여 주의 원수들은 다 이와 같이 망하게 하시고 주를 사랑하는 자들은 해가 힘 있게 돋음 같게 하시옵소서"(삿 5:31)라는 이 노래의 마지막 줄을 노래하게 한다.

출애굽기 14-15장에 나오는 출애굽 이야기에서도 장르를 비교할 수 있는 예를 볼 수 있다. 출애굽기 14장에는 여호와께서 이스라엘을 애굽에서 해방시킨 사건이 산문으로 기록된 역사적-내러티브 이야기가 나온다. 이 부분은 시공간 상에서 일어난 대로 상세하게 단계별로 사건을 해설한 것이다. 하지만 출애굽기 15장에서는 같은 사건이 노래로 바뀌어 나온다. 이 부분은 시적 이미지와 비유 표현으로 가득하다. 출애굽기 15장 3-11절은 이렇게 되어 있다.

3 여호와는 용사시니
여호와는 그의 이름이시로다

4 그가 바로의 병거와 그의 군대를 바다에 던지시니
최고의 지휘관들이 홍해에 잠겼고
5 깊은 물이 그들을 덮으니
그들이 돌처럼 깊음 속에 가라앉았도다
6 여호와여 주의 오른손이 권능으로 영광을 나타내시니이다
여호와여 주의 오른손이 원수를 부수시니이다
7 주께서 주의 큰 위엄으로 주를 거스르는 자를 엎으시니이다
주께서 진노를 발하시니 그 진노가 그들을 지푸라기같이 사르니이다
8 주의 콧김에 물이 쌓이되
파도가 언덕같이 일어서고
큰물이 바다 가운데 엉기니이다
9 원수가 말하기를 내가 뒤쫓아 따라잡아
탈취물을 나누리라, 내가 그들로 말미암아 내 욕망을 채우리라,
내가 내 칼을 빼리니 내 손이 그들을 멸하리라 하였으나
10 주께서 바람을 일으키시매 바다가 그들을 덮으니
그들이 거센 물에 납같이 잠겼나이다

11 여호와여 신 중에 주와 같은 자가 누구니이까
주와 같이 거룩함으로 영광스러우며
찬송할 만한 위엄이 있으며 기이한 일을 행하는 자가 누구니이까.

이 시적인 글에서 우리는 내러티브에서는 볼 수 없는 것을 읽는다. 내러티브에서는 "여호와께서 큰 동풍이 밤새도록 바닷물을 물러가게 하시니"(출 14:21)라는 말만 나온다. 그러나 노래에서 우리는 "주의 콧김에 물이 쌓이되"(15:8)라는 말을 읽는다. 이 비유 표현은 「나니아 연대기」(*The Chronicles of Narnia*)에 나오는 아슬란의 포효가 지닌 힘과 비슷하며, 반복은 감정적 효과를 한층 더해 준다.

노래에서 우리는 '……같이', 즉 직유를 듣는다. "그들이 돌처럼 깊음 속에 가라앉았도다"(출 15:5). "그 진노가 그들을 지푸라기**같이** 사르니이다"(15:7). 내러티브인 14장 23,

28절에서 우리는 "애굽 사람들[이] …… 다 그들의 뒤를 추격하여 …… 물이 다시 흘러 병거들과 기병들을 덮되 그들의 뒤를 따라 바다에 들어간 바로의 군대를 다 덮으니 하나도 남지 아니하였더라"라는 말을 읽는다. 이에 반해, 시는 15장 10절에서 "주께서 바람을 일으키시매 바다가 그들을 덮으니 그들이 거센 물에 **납같이** 잠겼나이다"라고 선언한다. 전자의 묘사는 사실을 전달한다. 후자는 우리가 그 이야기를 읽을 때 느껴야 하는 감정적 효과를 포착한다. 이처럼 직유를 사용하면 시의 느낌이 살아난다.

중요하게도, 역사적 내러티브는 서슴없이 여호와를 출애굽의 주요 동인으로 강조한다. 내러티브인 출애굽기 14장 25절에서 애굽 사람들은 여호와의 강력한 손길을 느낀다. 그들이 "이스라엘 앞에서 우리가 도망하자 여호와가 그들을 위하여 싸워 애굽 사람들을 치는도다"라고 주장하기 때문이다. 그러나 이에 더하여 시에서는 이렇게 울려 퍼진다. "여호와는 용사시니 여호와는 그의 이름이시로다 …… 여호와여 신 중에 주와 같은 자가 누구니이까 주와 같이 거룩함으로 영광스러우며 찬송할 만한 위엄이 있으며 기이한 일을 행하는 자가 누구니이까"(15:3, 11).

출애굽기 14장과 15장에서 역사적 내러티브가 시적 노래로 바뀌었다고 해서 그 사건의 역사적 진실성이 달라지는 것은 아니다. 그저 각 장르가 다양한 방식으로 역사를 묘사하는 것이다. 내러티브는 시공간에서 시간상 연속하여 일어난 사건들이 진전되는 과정을 풀어 놓는다. 노래는 훨씬 구체적인 형상화, 비유 언어, 시적 대구법을 사용한다. 그러나 이러한 수단들을 통해 여전히 같은 이야기를 선포한다. 마찬가지로 사사기 4장과 5장에서 본 형식 변화도 텍스트의 역사성이나 사실성과는 아무 상관이 없다. 두 글 모두 어떻게 야엘이 시스라를 죽였는지를 말한다. 하지만 시는 의도적으로 우리를 감동시켜 역사를 주관하시는 분을 새로운 방식으로 찬양하게 한다.

성경 저자들은 역사와 허구 모두 다양한 장르로 표현할 수 있다. 이 장 나머지 부분에서는 서로 다른 성경 장르를 해석하기 위한 몇 가지 기본 지침을 규정해 보겠다.

장르 연습_ 출애굽기 19장 4-6절

필자는 주장하려는 요점을 예시하기 위해 이 책에 성경의 수많은 예를 소개하고 있다. 때로는 몇몇 텍스트를 재사용하기도 한다. 해석 과정을 거치면서 그 텍스트들을 새로운 각도로 다시 살펴보는 것이다. 그중 한 텍스트로는 주해에서 신학에 이르는 열두 단계를 모두 살펴볼 것이다. 바로 출애굽기 19장 4-6절로, 아마 성경에서 옛 언약의 구조가 가장 명확하고 가장 단순하게 계시된 텍스트일 것이다.

출애굽기 19장 4-6절의 장르를 고려할 때, 우리는 곧 두 가지를 인식할 수 있다. 첫째, 이 구절은 하나님의 선지자가 기록한 하나님의 말씀이라는 것이다. 그렇기 때문에 이것을 **선지자적**(예언적) **신탁**이라고 불러도 맞을 것이다. 더 구체적으로 말하면 이 구절은 하나님이 모세를 통해 백성에게 전달하신, 사신의 말이다. 그리고 이 구절에는 암시된 권고가 섞인 교훈이 포함되어 있다. 둘째, 이 말씀 자체는 창세기에서 시작되고 열왕기하 끝까지 중단 없이 계속되다가 다니엘서에서 재개되어 역대하 끝까지 이어지는 웅대한 내러티브에 속한다는 것이다(이 장 앞부분에 나오는 '성경의 문맥 안에서 장르 살펴보기'를 보라). 이 내러티브는 구원사를 전달하며, 궁극적으로는 그리스도와 신약에서 절정에 이른다.

그래서 우리는 출애굽기 19장 4-6절의 장르를 '교훈과 암시된 권고로 구성된 선지자-사신의 말'이라고 이름 붙일 수 있다. 이것은 출애굽기와 모세오경, 그리고 더 넓게는 구약의 역사적 내러티브에 속한다.

역사적 내러티브

성경 내러티브의 독특한 성질

성경에 나오는 역사적 내러티브는 관련 사건들을 시간에 따라 이야기 형식으로 기록한다. 보통은 과거 사건들이다. 성경의 약 65퍼센트가 내러티브다. 창세기부터 열왕기까지, 다니엘서부터 역대기까지, 복음서와 사도행전, 심지어 요한계시록 일부가 내러티브에 해당한다. 이 책들은 하나님이 자신을 위해 한 백성을 세우시고 자신을 널리 알리기 위해 궁극적으로 예수를 통해 역사하시는 실제 이야기들을 자세히 이야기한다.

표면적으로 보면, 성경에 나오는 역사적 내러티브는 우리가 오늘날 뉴스 기사나 역사책에서 읽는, 사실에 근거한 역사적 보고와 비슷하다. 현대의 역사적 저술과 마찬가지로 구약은 창조부터 시작하여 이스라엘이 바벨론에서 처음 귀환하기까지 핵심 인물들과 시대, 장소, 정권, 사건의 연대기를 기록한다. 그러나 성경은 단순히 사건을 기록하는 것을 훨씬 넘어선다. 성경은 의도적으로 어떤 사실을 포함할지 선택하고, 그 다음에는 하나님의 관점에서 하나님의 목적에 따라 그것을 표현한다. 성경에 나오는 역사적 내러티브는 적어도 네 가지 면에서 독특하다.

1. 구약 내러티브는 보통 그 안에 다양한 하위 장르를 담고 있다

성경 이야기 곳곳에는 종종 수많은 하위 장르가 섞여 있다. 그렇게 섞여 있는 하위 장르로는 족보(예를 들어 창 5장, 11:10-26), 임종 축복(예를 들어 창 49장, 신 33장), 노래(출 15:1-18, 신 32:1-43), 앞일에 대한 예언(민 23-24장), 설교(신 5-26장), 언약(수 24:1-28) 등이 있다. 다른 고대 텍스트들에서도 이렇게 하위 장르가 혼합되어 있는 것을 볼 수 있다. 하지만 성경에서는 그 양상이 매우 뚜렷하다.

2. 구약 내러티브는 하나님께 초점을 맞추고 그리스도를 내다본다

모든 역사적 저술과 마찬가지로 성경 내러티브도 선택적이며 목적을 가지고 진술된다. 그러나 성경 내러티브에서는 하나님이 주요 인물이자 주요 동인이다. 그분의 말씀과 행동이 각 이야기를 지배한다. 심지어 에스더서에서도 마찬가지다. 화자는 주님의 이름이나 호칭을 한 번도 명백하게 언급하지 않지만, 에스더서에는 하나님의 섭리적 목적들이 굽이마다 분명하게 드러난다. 이처럼 구약 이야기들 자체는 역사에 대한 하나님의 관점을 제공하며, 세상을 향한 하나님의 구속 계획이 그리스도 예수와 그분의 교회에서 절정에 이른다는 것을 나타낸다. 구약 이야기는 더 나은 왕, 복된 백성, 더 넓은 땅을 갈망하게 한다. 하나님은 구약에 상세히 나와 있는 세상의 문제에 대한 대답으로 이 모든 것을 약속하신다.

3. 구약 내러티브는 가르친다

성경은 하나님의 계시다. 그렇기 때문에 성경에 나오는 역사적 내러티브는 단지 정보를 주기 위해서가 아니라 교훈하기 위해 만들어진 것이다. 이 내러티브들은 이야기 형태로 된 설교다. 성경 내러티브는 하나님이 계시하신 메시지와, 회개하고 믿고 순종해야 한다는 사실을 우리에게 확신시키려 애쓴다. 하나님의 목적에 따라 화자가 어떤 이야기를 하고 어디에 초점을 두는지가 달라진다. 우리는 단지 사실을 알기 위해서가 아니라 저자가 의도한 메시지를 듣기 위해 읽어야 한다. 일반적으로 화자는 좋은 것인지 나쁜 것인지를 명확하게 밝히지 않은 채 죄와 실패를 상세히 설명한다. 성경에 나오는 인물들의 결정과 행동이 모두 우리를 위한 규범이 되는 것은 아니다. 화자는 언약(언약의 교훈과 약속들과, 언약하신 주님의 성품 둘 다)에 비추어 언약의 역사를 읽을 수 있을 만큼 우리가 성경을 충분히 알기를 기대한다. 하나님의 우월하심과 가치를 가리킬 때에만 우리는 성경에 나오는 사람들을 본받아야 한다.

4. 구약 내러티브는 종종 우리 자신의 의도와는 다른 의도를 가지고 있다

화자는 자신의 이야기를 정교하게 만들면서 궁극적으로 우리에게 설교를 하는 것이다. 그렇기 때문에 그들은 때로 우리가 관심을 보이는 특정 세부 사항들을 포함하는 일에 별로 관심이 없다. 그들은 정확하게 말하지만, 연대기나 사건 순서를 엄밀하게 배열하는 문제가 늘 그들의 관심사인 것은 아니었다. 우리는 출애굽기에 나오는 바로의 이름을 알고 싶지만, 성경은 그것에 침묵하고 하나님의 이름인 '여호와'에 의도적으로 더 관심을 보인다. 사울의 통치를 재빨리 건너뛰고 다윗에게 넘어가는 것, 거의 전적으로 남왕국에 초점을 맞추는 것, 다윗과 밧세바의 정사 사건을 언급조차 하지 않는 것 등은 역대기 저자의 특권이다. 사무엘서-열왕기서는 이 모든 일을 다르게 접근한다. 그렇게 취사선택했다고 해서 내용의 정확성에 의문을 불러오는 것은 아니다. 단지 사무엘서-열왕기서가 전하는 메시지는 역대기 메시지와 다르다는 것을 볼 수 있을 뿐이다.

역사, 신화, 성경 내러티브

성경은 하나님의 기록된 말씀이다. 이 말은 성경 본문이 우리의 최고 권위가 되어야 한다는 뜻이다. 또한 원래 표현에 관한 한, 성경은 믿음(교리)과 실천(윤리)과 관련된 주장들에서 **무류한** 규칙이자 지침이며, 사실(역사, 지리, 연대, 과학)과 관련된 주장들에서는 **무오하다**는 것을 의미한다. 성경의 권위에 관해서는, 다른 모든 장르처럼 성경 내러티브에서도 저자의 의도와, 그들이 따른 문학적 관습을 존중해야 한다. 우리는 부분 보도와 부연 설명, 요약 등을 감안해야 하며, 성경이 모든 주제마다 명확하거나 남김 없는 정보를 제공하길 요구해서는 안 된다. 우리는 현상론적 언어를 감안해야 한다. 저자들은 자신이 관찰하거나 경험한 현상을 그런 언어로 묘사한다. 그 현상이 어떻게 일어났는지를 반드시 과학적으로 묘사하는 것은 아니다. 우리는 진실성을 보증하지 못한 채 보고되는 말을 감안해야 한다. 성경의 어떤 인물은 참되지 않은 것을 참된 것으로 말할 수도 있다. 명백하게 비유로 여겨지는 본문들을 제외하면 이러한 경우들은 성경 내러티브가 시공간에서 일어난 사건을 정확한 글로 제시한다는 것을 알려 준다. 그러므로 우리도 내러티브에 그런 식으로 접근해야 한다.

이런 접근과 달리 최근에는 성경 내러티브를 '신화', 또는 단순히 '이야기'라고 부르기를 선호하는 학자들이 다시 등장하고 있다. 심지어 복음주의자라고 주장하는 사람들 중에도 그런 학자들이 있다. '신화'란 초자연적인 것과 관련된 허구적 글들로, 심오한 진리를 포함하지만 우리에게 역사의 실제 사실을 제공하지는 않는 글을 의미한다. 그들은 성경 본문만이 권위가 있으며 우리 믿음을 불러일으킨다고 주장한다. 믿음은 성경 메시지에서 나오며, 텍스트에서 다루는 사건들의 역사성과는 아무 관련이 없다고도 말한다. 이러한 주장에 대해 필자는 여덟 가지로 대답하겠다.

1. 장르로 볼 때, 성경 내러티브는 신화가 아니다

성경 이야기가 철저하게 주님, 즉 시공간에서 일어나는 모든 사건을 감독하고 판단하시는 그분의 행동과 말씀에 초점을 맞추고 있다는 것은 사실이다. 그러나 하나님을 포함한다고 해서 성경이 신화가 되는 것은 아니다. 앞서 우리는 고대 사회에서 신화였던 것이 이스라엘의 시간과 역사에서는 실제적이고 사실적인 내용을 지녔다는 사실을 구약 내러티브가 보여 주려 한다고 말한 바 있다. 우리는 성경이 실제 사람, 실제 장소, 실제 시간이 존재하는 매우 실제적인 세상에 초점을 맞추고 있으며, 성경 저자들은 하나님을 이러한 실제적인 세상의 일부라고 믿었다는 점을 인식해야 한다. 신화에 나오는 괴물과 장소는 성경에 나오지 않는다. 그러한 것들은 성경에서 묵시(예를 들면 단 7장)와 같은 다른 장르에서 나오긴 하지만, 성경 내러티브에서는 나오지 않는다. 생명나무와 말하는 뱀(창 3장), 심지어 말하는 나귀(민 22장)가 나오기도 한다! 그러나 이러한 것들은 시공간 상의 다른 기적적 개입들, 즉 하나님의 간섭이라고 설명할 수밖에 없는 것들과 다를 바 없다. 죽음의 천사가 애굽을 훑고 지나간 것, 광야에서 40년간 날마다 만나가 내린 것, 여호와의 불같은 영광이 성전에서 눈에 보이게 타오른 것, 과부의 아들이 죽었다가 다시 살아난 것, 도끼머리가 물에 뜬 것처럼 말이다. 성경은 자신을 신화가 아니라 역사로 나타내며, 실제로 우리에게 신화에 빠지지 않도록 주의하라고 명한다(딤전 1:3-4, 4:7, 벧후 1:16).

2. 우선순위는 텍스트에 있다

많은 학자가 '고고학이 이러저러한 것을 입증해 주었다'고 주장한다. 그러나 사회과학(고고학, 인류학, 사회학 등)은 사회와 문화의 일반 특징만 다룰 뿐이다. 출토된 도기들은 말을 하지 않는다. 텍스트만이 구체적인 사건과 개인에 대해 분명하게 설명하며, 이 점이 오래된 텍스트 증거인 성경에 우선권을 부여한다.

3. 권위와 역사성은 서로 관련되어 있다

성경은 하나님의 계시이므로(딤후 3:16), 성경의 역사성과 권위는 밀접하게 결합되어 있다. 우리는 성경 저자들이 역사적이라고 믿은 사건의 실상을 부인하면서 성경의 권위를 긍정한다고 말할 수는 없다. 더구나, 우리는 성경이 다른 어떤 책과도 같지 않다는 것을 알아야 한다. 성경만이 특별 계시이기 때문이다. 따라서 성경의 주장을 긍정하는 수준이 곧 하나님께 복종하는 수준을 보여 준다.

4. 신적이거나 초자연적인 사건을 언급한다고 해서 그 사건이 역사적이지 않다는 뜻은 아니다

1800년대 후기 이후로 역사 비평은 하나님에 대한 믿음이 비과학적이며, 초자연적 존재가 개입한다는 주장은 그 어느 것도 입증할 수 없고, 그렇기 때문에 비역사적이라고 주장했다. 하지만 역사 비평가들은 객관성을 획득하려다가 오히려 주관성을 증대시켰다. 실현 가능성을 자신들의 세계관이 허용하는 수준으로 제한했기 때문이다. 학자들은 성경의 진리 주장들에 처음부터 회의적이기보다는(=비평의 원리), 자료와 일치하는 증거를 사려 깊게 평가해야 한다. 인간의 경험을 나타내는 것으로 '역사'를 한정하기보다는(=유추의 원리), 역사가들 자신과 개인적으로 전혀 관련되지 않을 법한 사건들을 믿게 하는 논증이 얼마나 합리적인지에 따라 역사적 타당성을 판단해야 한다. 잠재적인 역사적 인과 관계를 자연적 힘이나 인간의 작용에 국한하기보다는(=상호 관계의 원리), 인과 관계를 확장하여 (하나님과 같은) 모든 인격적인 힘을 포함시켜서 단순히 자연적이거나 물리적인 힘에만 국한하지 말아야 한다.[10]

더불어 무신론적 성경 역사가들은 적어도 성경 외 분야에서 일하는 역사가들이 자신의 원자료에 부여하는 정도의 신빙성을 성경에 부여해야 한다. 초자연적인 것을 언급하는 성경 외적 텍스트를 연구할 때, 역사가는 그런 일이 일어날 가능성을 지지하지 않는 사람이라 할지라도 그 증언을 종교적 암호로 해석하며 그것 때문에 결코 다른 사실들이 일어날 가능성까지 의심하지는 않는다. 예를 들어 산헤립이 레반트(소아시아와 고대 시리아 지방의 지중해 연안 지방_ 편집자)를 정복한 것에 대해 산헤립이 직접 말

---

10 이 세 반응에 대해서는 William J. Abraham, *Divine Revelation and the Limits of Historical Criticism* (Oxford: Oxford University Press, 1982)을 보라. Craig S. Keener, *Miracles: The Credibility of the New Testament Accounts*, 2 vols. (Grand Rapids: Baker Academic, 2011) 참조.

한 내용은 신학적 관점과 선전자의 편견으로 가득하지만, 학자들은 그것에 의문을 제기하지 않는다.[11] 그렇다면 왜 학자들이 열왕기하 18장 13절-19장 37절에 나오는 동일한 사건에 대한 역사적 주장에는 의문을 제기해야 하는가? 마찬가지로 고대 역사학자인 에드윈 야마우치(Edwin Yamauchi)가 말했듯이 헤로도토스(Herodotus)가 '아폴로 신전의 신탁'(Delphic Oracles)을 믿는다고 해서 헬라 역사의 정확한 원천이라는 자격을 상실하지는 않으며, 잔 다르크가 받은 신적 명령을 입증할 수 없다고 해서 자기 동포들을 각성시켜 프랑스에서 영국군을 밀어 냈다는 사실을 학자들이 의심하게 되는 것도 아니다.[12]

5. 입증 가능성은 역사를 만드는 데 필수적이지 않다

우리는 성경의 주장들을 정당화하기 위해 성경 외의 확증을 요구하지 않아도 된다. 과거에 대해 우리가 지닌 지식에는 빈틈이 매우 많기 때문이다. 예를 들어, 1842년에 와서야 우리는 사르곤 2세(사 20:1)에 대한 부차적 증거를 얻을 수 있었다.[13] 게다가 야마우치가 말하듯이 1932년에 와서야 학자들은 여호야긴이 바벨론 포로로 잡혀 간 것을 성경 외 서판에서 확인했으며(왕하 24:11-13), 각각 1961년과 1966년에서야 고고학자들은 본디오 빌라도(눅 3:1, 23:1, 행 4:27)와 벨릭스 총독(행 24장)에 대한 비문 증거를 발견했다.[14] 2002년에 발견된 야고보 유골함(James Ossuary)은 "예수, 그의 형제 야고보, 그리고 그들의 아버지 요셉"이라는 이름을 직접 언급한 최초의 성경 외적 자료다.[15] 이러한 발견들을 통해 성경의 주장이 지닌 역사성이 뚜렷해진다는 것에는 어느 누구도 이의를 제기할 수 없다. 하지만 이 텍스트들이 발굴된 순간, 성경에 나오는 인물들이 갑자기 진짜로 존재하게 되는 것은 아니다.

---

11 *ANET* 287-88, *COS* 2:300-305을 보라.

12 Edwin Yamauchi, "The Current State of Old Testament Historiography," in *Faith, Tradition, and History: Old Testament Historiography in Its Near Eastern Context*, A. R. Millard, James K. Hoffmeier, and David W. Baker 편집 (Winona Lake, IN: Eisenbrauns, 1994), 27-28쪽.

13 *COS* 3:293을 보라.

14 Yamauchi, "The Current State of Old Testament Historiography," 26-27쪽.

15 일부 학자들은 야고보 유골함이 진짜인지 의문을 제기한다. 그것의 진실성에 대한 확고한 주장으로는 Hershel Shanks and Ben Witherington III, *The Brother of Jesus: The Dramatic Story and Meaning of the First Archaeological Link to Jesus and His Family*, 2판 (San Francisco: HarperOne, 2004)을 보라.

게다가 성경이 가리키는 많은 사건은 성경 외적 자료들이 언급할 만한 것이 아니다. 예를 들어, 족장들은 고대 사회에서 비교적 '무명'이었다. 그래서 우리는 다른 곳에서 '아브라함, 이삭, 야곱'이라는 언급을 발견하리라고 기대해서는 안 된다. 그럼에도 족장 이야기의 세세한 부분들은 그 이야기가 속한다고 여겨지는 시대와 매우 촘촘히 맞아떨어진다.[16] 마찬가지로 대단히 많은 고대 역사 기록은 군주들이 성공적으로 보이도록 만들어졌으므로, 주요 황제들이 망신당한 일, 이를테면 출애굽 때 여호와께서 애굽에 승리하신 것(출 14-15장)과 히스기야 시대에 여호와께서 산헤립의 군대를 수없이 많이 죽인 것(왕하 19:35, 사 37:36) 등에 대해 성경 외에서 증거를 찾으리라 기대해서는 안 된다. 그럼에도 이 두 성경 이야기가 모두 진실이라는 것을 뒷받침하는 성경 외적 증거는 상당히 많다.[17] 더구나 성경이 핵심 등장인물들의 승리와 실패/패배를 모두 포함하는 것은 성경 자신의 역사적 주장을 입증하는 증거로 보아야 한다.

6. 유죄로 입증될 때까지는 성경의 주장을 무죄로 보아야 한다

이스라엘이 사실을 왜곡하거나 꾸며 냈다는 증거는 없다. 메시지의 본질은 물론이고 성경 본문에서 거짓 교사들을 심판하는 내용(예를 들어 신 13:1-5)을 봐도 그랬을 가능성은 전혀 없다.[18] 게다가 역사 연구의 다른 어느 분야도 '무죄로 입증될 때까지는 유죄'라는 접근 방식을 취하지 않는다. 그렇다면 성경 연구에서 그래야 할 이유가 있는가? 크레이그 블롬버그(Craig Blomberg)가 말하듯이 역사가들은 그렇지 않다고 믿을 만한 좋은 이유가 없다면 어떤 저술에 나오는 세부 사항을 사실에 입각하는 것으로 추정해

---

16 K. A. Kitchen, *On the Reliability of the Old Testament* (Grand Rapids: Eerdmans, 2003), 313-72쪽을 보라.

17 출애굽에 대해서는 Charles F. Aling, *Egypt and Bible History: From Earliest Times to 1000 B.C.*, Baker Studies in Biblical Archaeology (Grand Rapids: Baker, 1981)(『이집트와 성경 역사』, 기독교문서선교회), John Bimson, *Redating the Exodus and Conquest*, 2판, JSOTSup 5 (Sheffield, UK: Almond Press, 1981), James K. Hoffmeier, *Israel in Egypt: The Evidence for the Authenticity of the Exodus Tradition* (Oxford: Oxford University Press, 1996), Kitchen, *On the Reliability of the Old Testament*, 241-312쪽, David Rohl, *Exodus: Myth or History?* (St. Louis Park, MN: Thinking Man Media, 2015), Timothy P. Mahoney with Steven Law, *Patterns of Evidence: Exodus* (St. Louis Park, MN: Thinking Man Media, 2015)를 보라. 히스기야 왕 시대인 주전 701년에 산헤립이 예루살렘을 포위 공격한 것에 대해서는 William R. Gallagher, *Sennacherib's Campaign to Judah: New Studies*, Studies in the History and Culture of the Ancient Near East 18 (Leiden: Brill, 1999), Kitchen, *On the Reliability of the Old Testament*, 40-42, 50-51쪽을 보라.

18 Stuart Lasine, "Fiction, Falsehood, and Reality in Hebrew Scripture," *HS* 25 (1984): 25-40쪽을 보라.

야 한다.[19] K. A. 키친(Kitchen)은 예를 들면 이집트학에서 이집트의 제19왕조까지 연대를 추정할 수 있는 「토리노 파피루스」(*Turin Papyrus of Kings*)는 그보다 약 500년 전인 제14왕조 76명의 왕을 열거하는데, 문서에 이름이 나오는 왕들은 대부분 오직 이 문서에서만 발견되지만 역사가들은 이 왕들의 존재를 부인하지 않는다고 말한다.[20] 마찬가지로 G. J. 레니에(Renier)는 리비우스(Livy)의 저술 대부분과, 투르의 그레고리우스(Gregory of Tours)의 「프랑크족 역사」(*A History of the Franks*) 앞 권들에는 이 자료를 통해서만 알 수 있는 사건들이 담겨 있지만, "그들이 말하는 이야기를 알 수 있는 다른 길이 없기 때문에, 우리는 잠정적으로 그들의 말을 받아들여야 한다"[21]고 말한다.

7. 역사에 나타난 하나님의 계시는 성경에 대한 믿음의 산물이 아니라 그 믿음의 원천이다

성경에 대한 믿음은 역사에 나타난 하나님의 계시에 근거한다. 그리고 성경에 대한 증거의 의의는 중심 사건들이 실제로 일어났는지와 운명을 같이한다. 중심 사건들(창조, 타락, 홍수, 족장들, 출애굽, 시내산, 광야, 가나안 정복, 왕국들, 바벨론 유수, 첫 귀환, 그리스도의 죽음과 부활, 초대 교회의 성장)을 역사적인 것으로 본다면, 중심적이지 않은 다른 사건들 역시 실제로 정확한 것이라고 간주해야 한다.

신앙을 고백하는 복음주의자는 대부분 우리의 믿음이 서기 위해서는 예수의 부활이 필요하다는 것을 지지할 것이다(고전 15:14). 그럼에도 일부 복음주의자들은 구약에 나오는 많은 역사적 주장을 무시한다. 그것이 역사 속에서 하나님이 행하신 행동을 증거한다기보다는 비유에 더 가깝다고 보는 것이다. 스턴버그(Sternberg)는 해석자가 성경에 나오는 역사적 내러티브를 허구로 본다면 여호와를 "역사의 주인에서 상상력의 산물로 바꾸어 가장 끔찍한 결과를 가져온다"[22]고 말한 바 있다. 오늘날에는 위험한 가르침이 많이 제기되고 있다.

예를 들어, 많은 사람이 예수의 역사성은 긍정하지만 아담의 역사성과 타락은 부인

---

19 Craig L. Blomberg, *The Historical Reliability of the Gospels*, 2판 (Downers Grove, IL: InterVarsity Press, 2007)(「복음서의 역사적 신빙성」, 솔로몬), 304쪽.

20 K. A. Kitchen, *Ancient Orient and Old Testament* (Downers Grove, IL: InterVarsity Press, 1975), 30쪽.

21 G. J. Renier, *History: Its Purpose and Method* (London: Allen and Unwin, 1950), 90-91쪽. 필자는 Blomberg, *The Historical Reliability of the Gospels*(「복음서의 역사적 신빙성」), 304쪽에서 이 자료를 알게 되었다.

22 Meir Sternberg, *The Poetics of Biblical Narrative: Ideological Literature and the Drama of Reading*, Indiana Studies in Biblical Literature (Bloomington, IN: Indiana University Press, 1985), 32쪽.

하고 싶어 한다. 그런 사람들은 스스로 "나는 어떤 **예수**를 믿는가?"라고 물어보아야 한다. 그분은 성경의 개념뿐 아니라 일점일획까지 모두 중요하며 자신을 가리킨다고 말씀하신 그 예수인가?(마 5:18) 그분은 말씀이 육신이 되신 분, "태초에 하나님과 함께 계셨고 만물이 그로 말미암아 지은 바" 된 그 예수인가?(요 1:2-3) 그분은 인간적 혈통이 아담까지 거슬러 올라가며(눅 3:38), 하나님이 결혼을 위한 전형적인 예로 태초에 남자와 여자를 창조하신 것(마 19:4)과 노아 시대에 전 세계에 반역이 일어난 것(눅 17:26-27) 모두 역사적으로 일어난 일이라고 긍정하신 그 예수인가? 그분은 성경을 "폐하지 못[한다]"고 선언하신 분(요 10:35), 그리고 바울이 역사적 아담에 의해 생겨난 죄 문제에 대한 해답이라고 강조한(롬 5:12-19, 고전 15:22, 45) 그 예수인가? 우리가 단언하는 **예수**가 그 **예수**가 아니라면, 우리는 믿음의 역사적 토대를 잃어버릴 위험에 처해 있는 것이다.[23]

8. 성경을 있는 그대로 받아들이려면 해석에 대해 비기독교적이거나 무신론적인 접근보다 기독교적이고 유신론적인 접근이 필요하다

성경의 모든 단어는 삼위 하나님의 영이 인도하신 것이다(딤후 3:16, 벧후 1:21). 성경 전체는 **그리스도적**(Christian, 기독교적)이다. 구약은 모두 그리스도를 가리키고 그리스도의 강림에 비추어서만 온전히 이해할 수 있으며(눅 24:44-46, 고후 3:14), 신약은 모두 그리스도의 위격과 사역에 기초한다(엡 2:20).[24] 성경을 읽는 사람들은 저마다 세계관이 있으며, 실체의 본질에 대해 특정한 전제(즉, 믿음 주장)를 가지고 성경에 접근한다. 하지만 우리는 기독교적 유신론의 렌즈를 통해 접근할 때만 성경을 있는 그대로 받아들인다. 무신론이나, 정도를 벗어난 형태의 유신론이 해석학 체계를 인도한다면, 성경에서 **의도한** 메시지를 파악하리라 기대할 수 없다.

결론적으로 필자는 성경 저자들이 자신의 내러티브를 '역사', 곧 하나님이 시공간 상에서 행하신 일에 대한 정확한 기술로 보았다고 믿는다. 성경 본문을 해석적으로 신실하게 접근하려면 성경의 주장을 그것이 계시된 의도에 따라 긍정하면서, 성경을 있는 그대로 받아들여야 한다.

---

23 이에 대해 더 알려면 Jason S. DeRouchie, *Genesis: History, Fiction, or Neither? Three Views on the Bible's Earliest Chapters*의 논평, Charles Halton 편집, *Themelios* 40, 3 (2015): 485-90쪽을 보라. 이 논평 요약본은 www.thegospelcoalition.org/article/book-reviews-genesis-history-fiction-or-neither-three-views를 보라.

24 기독교 성경으로서 구약을 더 알려면, 10장과 12장을 보라.

구약 내러티브 해석법

내러티브는 제대로 설교하고 가르치기가 어려운 성경 장르 중 하나다. 보통 메시지가 명백하게 나와 있기보다는 감춰져 있거나 예시되어 있기 때문이다. 이름이 나오거나 나오지 않는 수많은 등장인물, 다양한 수준의 사건, 수많은 화법 때문에 훌륭한 해석자라도 내러티브의 요점을 찾아내기가 어렵다. 하지만 우리는 찾을 수 있다. 그 요점을 가장 분명하게 진술하는 내용은 보통 어떤 사람의 말에 나오며, 이야기 나머지를 이해하는 렌즈를 제공한다.

이 부분에서 필자는 성경 내러티브를 해석하기 위한 네 가지 인도 원리를 강조할 것이다. 그리고 다음 부분에서는 성경 이야기에 나오는 특정 에피소드에 이 원리들을 적용할 것이다.

1. 에피소드와 에피소드의 장면을 구분하라

많은 텔레비전 드라마들과 마찬가지로, 성경 내러티브는 장면들이 모인 에피소드들로 구성되어 있다(이에 대해 더 알려면 2장에 나오는 '문학적 단위를 확립하기 위한 기본 규칙'을 보라). 주어진 이야기 배후에 깔린 설교적 메시지는 전체 에피소드와 밀접하게 관련된다. 따라서 초점을 지나치게 좁혀 한 장면만 바라본다면 이야기의 주된 요점을 놓치기 쉽다. 그렇기 때문에 하나의 이야기를 바라보고 있다는 것을 확인했다면, 성경 내러티브 해석에서 그 다음 단계는 장과 절은 영감으로 구분된 것이 아니라는 사실을 기억하면서 내러티브 에피소드와 그 에피소드의 다양한 장면 구분을 찾아내는 것이다. 우리가 사무엘상 17장을 설교한다면, 다윗이 골리앗을 물리친 전체 이야기를 설교하지, 다윗이 자기 형 엘리압을 만난 것이나 갑옷과 무기에 관해 사울과 대화를 나눈 것만 설교하고 싶지는 않을 것이다. 전체 이야기를 볼 때라야 그것이 궁극적으로 다윗에 대한 이야기가 아니며, 다윗은 단지 그 에피소드에 나오는 참된 전사를 가리키는 도구일 뿐이라는 사실을 분명하게 인식할 수 있다. 이 에피소드에 나오는 가장 긴 발화인, 다윗이 골리앗에게 하는 말처럼 말이다. "오늘 여호와께서 너를 내 손에 넘기시리니 …… 온 땅으로 이스라엘에 하나님이 계신 줄 알게 하겠고 또 여호와의 구원하심이 칼과 창에 있지 아니함을 이 무리에게 알게 하리라 전쟁은 여호와께 속한 것인즉 그가 너희를 우리 손에 넘기시리라"(삼상 17:46-47).

2. 문학적 특징과 신학적 궤적을 고찰하라

a. 문학적 맥락

어떤 에피소드에 초점을 맞출 때 우리는 "무엇 때문에 이 에피소드가 나왔는가? 그리고 에피소드 자체는 어떻게 시작하고 끝나는가?"라고 질문해야 한다. 또한 주어진 본문을 어떻게 읽어야 하는지를 화자가 다른 곳에서 조금이라도 명료하게 제시하고 있는지 좀 더 폭넓게 살펴봐야 한다.

b. 플롯 전개와 등장인물 묘사

여기서는 던져 보아야 할 질문이 매우 많다. (i) 사건의 본질은 무엇인가? 갈등 또는 문제는 무엇인가? 그것은 어떻게 해결되는가? (ii) 반복이 있는가? 있다면, 그 반복은 종종 구조의 문제를 명확하게 하거나 중요한 것에 주의를 기울이게 할 수 있다. (iii) 하나님은 언제나 가장 중요한 등장인물이시다. 그렇다면 하나님이 무엇을 말씀하시는가 또는 무엇을 행하시는가? 그리고 그분 말씀이나 행동은 어떻게 언약과 관련되어 있거나 에피소드의 여러 장면에 명확성을 부여하는가? (iv) 이름이 나온 등장인물이나 보조적인 등장인물은 누구이며, 그들은 하나님과 어떤 관계를 맺고 있는가? 그들은 무엇을 말하고 어떻게 행동하는가? 그들의 말이나 행동은 어떻게 언약과 관련되거나 에피소드의 여러 장면에 명확성을 부여하는가? 이 등장인물들은 하나님을 향하는 경우에만 우리가 따를 모범이라는 것을 기억하라.

c. 편집자의 논평

때로는 화자가 직접 이야기에 개입하여 해설하고, 그렇게 해서 어떤 사건에 대한 하나님의 관점을 부여한다. 그러한 논평들은 우리가 어떤 에피소드나 부분, 책의 요점을 분별하는 데 특히 유용하다.

d. 내러티브가 그리스도의 사역을 예상하는 방식

그리스도는 모든 성경 이야기의 궁극적 목표다. 따라서 모든 내러티브 에피소드가 어떻게 예수께서 오시는 것에 대한 기초를 형성하는 데 도움이 되는지 묻는 것은 정당하며 예상되는 질문이다. 그것은 신적이거나 인간적인 말이나 행동, 인간의 실패, 관련 사건이나 제도를 통해 성취될 수 있을 것이다.

3. 내러티브 에피소드의 주요 개념을 한 문장으로 진술하라

여기서는 세 가지 특징을 주목할 만하다. (a) 주요 개념은 거의 언제나 하나님에 대한 무언가를 말해 주며, 우리가 어떻게 하나님과 올바로 관계를 맺는지에 초점을 맞춘다. (b) 주요 개념은 때로 등장인물의 행동에서 본보기로 나타나기도 하지만, 보통은 어떤 말(하나님이 직접 하신 말씀이든, 그분의 선지자나 다른 주요 등장인물이 한 말이든)에서 명확하게 진술된다. (c) 주요 개념은 모든 세대를 대상으로 말하는 것이어야 하며, 따라서 내러티브 에피소드의 변함없는 메시지를 전달할 수 있게 표현되어야 한다.

4. 내러티브 에피소드의 주해적 개요에 대한 초안을 작성하라

주해적 개요를 작성하는 법은 6장에서 더 상세히 다룰 것이다. 그럼에도 이 과업의 중심 취지는 모든 장면과 모든 부분이 가장 우선적인 주요 개념과 어떻게 관련되며 어떻게 기여하는지를 개요 형태로 명확하게 정리하는 것이다.

성경 모든 부분과 마찬가지로, 성경 내러티브를 연구하는 목표는 그 이야기에 대한 저자의 의도를 파악하는 것이다. 그 저자는 왜 그러한 세부 사항을 포함시켰는가? 그가 가르치고 싶어 한 것은 무엇인가? 왜 그는 그런 식으로 글을 썼는가? 로버트 스타인(Robert Stein)은 성경 내러티브의 '왜'에 도달하기 위해 다음과 같은 유용한 연습을 제안했다. 그는 다음 문장을 완성시켜 보라고 제안한다.[25]

> 'X-성경책'의 저자인 내가 'X-시나리오'의 이 글을 당신에게 서술한 것은
>
> ______________________________ 때문이다.

---

25 Robert H. Stein, *A Basic Guide to Interpreting the Bible: Playing by the Rules*, 2판 (Grand Rapids: Baker Academic, 2011)(『성경 해석학』, 기독교문서선교회), 157쪽.

이 간단한 연습을 통해 우리는 이야기와 밀접하게 관련된 하나님의 설교, 우리를 위한 그분의 지속적인 메시지에 한 걸음 더 나아간다.

이야기 배후의 의도와 이야기 자체는 다르다는 것에 유의하라. 주제는 그 목적과 다르다. 다음 부분에서는 이 원리들을 열왕기상 17장에 적용해 볼 것이다. 이 텍스트는 선지자 엘리야의 사역을 소개하고 하나님 말씀을 유효하게 하는 그의 역할을 강조한다.

역사적 내러티브 해석의 예_ 열왕기상 17장

이제 역사적 내러티브를 해석하는 원리들을 열왕기상 17장에 나오는 선지자 엘리야의 첫 번째 이야기에 적용해 보고자 한다. ESV는 17장을 이런 식으로 시작한다. "[그런데](now, 개역개정에는 없음_ 옮긴이) 길르앗에 우거하는 자 중에 디셉 사람 엘리야가 아합에게 말하되 내가 섬기는 이스라엘의 하나님 여호와께서 살아 계심을 두고 맹세하노니 내 말이 없으면 수년 동안 비도 이슬도 있지 아니하리라 하니라." ESV 번역자는 17장이 새로운 시작을 표시한다고 생각한 것이 분명하다. 그는 처음에 나오는 바익톨(바브 연속 미완료)의 וַ(바브, '그리고')를 '그런데'(now)라고 번역하기 때문이다. 이 접근대로 여기서 새로운 에피소드가 시작한다고 여길 만한 이유는 적어도 두 가지다. 첫째, 17장 1절에서 우리는 선지자 엘리야를 처음 만났다. 그리고 엘리야가 아합 왕에게 한 말은 독자들에게 비가 오지 않는 것과 관련된 새로운 드라마를 예상하게 한다. 그렇기 때문에 17장 1절은 새로운 주제의 시작이며, 그와 함께 새로운 에피소드의 시작을 알린다. 둘째, 앞 장은 강화의 한 단위가 끝난 것을 나타내는 일련의 표시절(marked clause)들로 마무리된다. 이 표시절들은 17장 1절 첫머리에 나오는 바익톨 동사가 실제로 뭔가 새로운 것을 시작한다는 것을 시사한다. 비록 아합 왕 통치기의 내러티브를 계속하긴 하지만, 그 이야기 안에 있는 새로운 에피소드인 것이다.

열왕기상 17장 1절을 지나면, 의도적으로 한데 묶어 놓은 듯한 몇 개의 장면 구분을 볼 수 있다. "여호와의 말씀이 엘리야에게 임하여 이르시되"(17:2). 이 부분에서 하나님은 엘리야에게 요단강 근처 시냇가로 가라고 명하신다. 그곳에서 엘리야는 물을 마시고, 기적처럼 까마귀를 통해 음식을 공급받는다. 하나님은 "내가 까마귀들에게 명령하여 거기서 너를 먹이게 하리라"고 말씀하신다(17:4). 주님은 자신의 말씀에 충실하게 엘리야를 만나시고 공급하신다. 하지만 그후 7절에서 우리는 "땅에 비가 내리지 아니하므로 얼마 후에 그 시내가 마르니라"라는 말을 읽게 된다.

열왕기상 17장 8절은 "여호와의 말씀이 엘리야에게 임하여 이르시되"라고 반복한다. 이렇게 2절에 나온 말을 반복하는 것은 화자가 곧 비슷한 사건을 소개할 가능성을 암시한다. 하나님은 이제 엘리야에게 이스라엘 경계선 밖으로 나가 지중해 연안을 따라 시돈으로 가라고 명하신다. 그곳에서 우리는 이제 하나님이 한 과부에게 엘리야를 먹이도록 명령하셨다는 말을 듣게 된다. 명령에 대한 언급과 음식에 대한 언급은 까마귀를 통한 기적적 공급을 상기시키며, 이 새로운 장면이 첫 번째 장면과 유사하다는 것을 시사한다.

엘리야는 과부를 만나자마자 마실 것과 음식을 청한다. 그러자 그 이방인은 자신과 아들이 먹을 한 끼 양식밖에 없으며, 그러고 나서 자기들은 죽을 것이라고 여호와 앞에 맹세한다. 여기서 우리는 이 에피소드에서 가장 긴 인용문이자, 발화 안에 발화가 포함된 유일한 말을 보게 된다. 이 요소들은 그것이 텍스트의 주된 요점과 관련이 있을 듯하다는 것을 시사한다. "엘리야가 그에게 이르되 '두려워하지 말고 가서 네 말대로 하려니와 먼저 그것으로 나를 위하여 작은 떡 한 개를 만들어 내게로 가져오고 그 후에 너와 네 아들을 위하여 만들라 이스라엘의 하나님 여호와의 말씀이 "나 여호와가 비를 지면에 내리는 날까지 그 통의 가루가 떨어지지 아니하고 그 병의 기름이 없어지지 아니하리라" 하셨느니라'"(왕상 17:13-14). 하나님은 까마귀를 보내 시냇가에서 엘리야의 필요를 채우신 것처럼 이번에는 자신의 선지자를 먹여 살리는 도구로 과부를 사용하신 것이다. 이렇게 하나님 말씀은 요단에서 참으로 입증되었듯이 시돈에서도 다시 한 번 참으로 입증될 것이다. 과부는 엘리야가 말한 대로 행했고 그와 그의 집이 여러 날 동안 먹었다고 나온다. 그래서 우리는 16절에서 "여호와께서 엘리야를 통하여 하신 말씀같이 통의 가루가 떨어지지 아니하고 병의 기름이 없어지지 아니하니라"라는 말씀을 읽는다.

이야기는 여기서 자연스럽게 끝나는 것처럼 보인다. 우리는 하나님이 자신의 말씀을 선언하시는 것과 자신의 약속을 신실하게 지키시는, 두 개의 유사한 장면을 보았기 때문이다. 그런데 그 시점에서 이야기는 계속된다. 그래서 우리는 열왕기상 17장 17절에서 "이 일 후에 그 집 주인 되는 여인의 아들이 병들어 증세가 심히 위중하다가 숨이 끊어진지라"라는 말씀을 읽는다. 하나님 말씀은 떡을 공급할 정도로 충분히 능력이 있다. 그렇지만 죽은 자를 다시 살릴 만한 능력도 충분한가? 여인은 엘리야에게 묻는다. "하나님의 사람이여 당신이 나와 더불어 무슨 상관이 있기로 내 죄를 생각나게 하고 또 내 아들을 죽게 하려고 내게 오셨나이까"(18절). 이에 엘리야가 그의 아들을 데려와 하나님께 아이의 생명을 살려 달라고 구한다. 주님은 그 선지자의 기도를 들으시고 아이를 살려 주신다. 그리고 자기 아들이 살아난 것을 보고서야 여인은 엘리야에게 "내가 이제야 당신은 하나님의 사람이시요 당신의 입에 있는 여호와의 말씀이 진실한 줄 아노라"(24절)고 단언한다. 이렇게 기적적으로 소년이 깨어나는 것으로 하나님의 선지자를 통한 그분 말씀은 효력이 입증되었다.

이처럼 다양한 장면이 모두 결합해서 에피소드의 메시지에 기여한다. 이와 대조적으로 열왕기상 18장 1절은 가뭄에 대한 처음 약속을 상기시키면서 새로운 방향으로 나아간다. "많은 날이 지나고 제삼 년에 여호와의 말씀이 엘리야에게 임하여 이르시되 너는 가서 아합에게 보이라 내가 비를 지면에 내리리라." 18장의 시간 배경은 첫 예언을 한 지 3년 후로 옮겨 간다. 그것은 우리가 새로운 에피소드로 이동했으리라는 것을 시사한다. 17장에 서론적 진술과 세 장면이 빈틈없이 이어서 나오는 것은 그 다양한 단위들이 모두 한 에피소드의 일부라는 것을 시사한다. 그러면서 하나님 말씀은 진실하다는 것과, 하나님은 기적적인 방식으로 궁핍한 자들을 돌보실 의지와 능력이 있으시다는 것에 중요하게 초점을 맞춘다.

이야기 흐름과 핵심적인 발화 내용에 비추어, 표1.4에서 필자는 이 에피소드의 주요 개념과 주해적 개요를 제시하였다.

아이를 보고서야 여인은 "내가 이제야 당신은 하나님의 사람이시요 당신의 입에 있는 여호와의 말씀이 진실한 줄 아노라"(왕상 17:24)고 선언했다. 하나님은 가장 작은 자도 기꺼이 능력으로 돌보신다. 따라서 우리는 하나님의 선지자들을 통한 그분 말씀이 참되고 권위 있다고 단언해야 한다.

주요 개념

하나님은 이스라엘인이 아닌 과부의 아들을 죽은 자 가운데서 다시 살리시는 사건을 통해, 예상치 못한 신자에게조차 기꺼이 능력을 베푸신다는 것을 입증하셨다. 따라서 우리는 하나님의 선지자들을 통한 하나님 말씀이 참되고 권위 있다고 단언해야 한다.

I. 하나님 말씀의 진리와 권위를 단언하는 배경_ 하나님 말씀대로 비가 오지 않음(1절)
II. 한 이스라엘인 선지자를 위한 하나님 말씀의 진리와 권위에 대한 단언(2-7절)
III. 한 이방인 과부를 위한 하나님 말씀의 진리와 권위에 대한 단언(8-24절)
- A. 하나님 말씀의 진리와 권위를 경험함(8-16절)
- B. 하나님 말씀의 진리와 권위를 확인함_ 하나님이 능력으로 과부의 아들을 기꺼이 죽은 자 가운데서 살리심(17-24절)

표1.4. 열왕기상 17장의 주요 개념과 주해적 개요

이 서론적 진리는 이 부분 나머지 모든 에피소드들을 우리가 어떻게 해석할지 결정해 준다. 그 모든 에피소드는 비가 내리지 않는다는 사실에 지배된다. 당신은 아마 바알의 선지자 450명과 엘리야가 갈멜산에서 대결한 이야기를 기억할 것이다. 그 일은 열왕기상 18장에서 등장한다. 18장에서 폭풍우의 신 바알은 여호와와 정면으로 맞설 것을 도전받는다. "여호와가 만일 하나님이면 그를 따르고 바알이 만일 하나님이면 그를 따를지니라 …… 너희는 너희 신의 이름을 부르라 나는 여호와의 이름을 부르리니 이에 불로 응답하는 신 그가 하나님이니라"(18:21, 24). 바알의 모든 선지자가 고래고래 소리 지르고 고함을 질렀지만, 불은 임하지 않았다. 그러고 나서 엘리야가 하나님께 기적적으로 개입하시길 기도했다. "주께서 이스라엘 중에서 하나님이신 것과 내가 주의 종인 것과 내가 주의 말씀대로 이 모든 일을 행하는 것을 오늘 알게 하옵소서"(18:36). 이 기도가 끝나자 여호와의 불이 임했다. 그 결과, 사람들이 돌이켜 참된 하나님을 예배했다(18:38-39). 이 일 후에 하나님은 땅에 비를 내리셨다(18:41-46).

누군가가 우리 대신 죽은 자 가운데서 다시 살아나셨을 때, 우리는 하나님이 자신의 약속을 성취할 능력은 물론 기꺼이 그러실 마음이 있다는 것을 깨달아야 한다. 하나님 말씀은 참되고 권위가 있다. 열왕기상하를 처음 읽는 포로들에게 여호와의 진리와 권위에 대한 과부의 최종 단언은 죽음이라는 자신들의 상황이 극복될 수 있다는 소망을 안겨 주었을 것이다. 더구나 믿음으로 그리스도의 죽음과 부활에 참여한 우리에게는 하나님에 대한 소망이 더욱 실현될 것이다. "그리스도께서 죽은 자 가운데서 다시 살아나사 잠자는 자들의 첫 열매가 되셨도다 사망이 한 사람으로 말미암았으니 죽은 자의 부활도 한 사람으로 말미암는도다 아담 안에서 모든 사람이 죽은 것같이 그리스도 안에서 모든 사람이 삶을 얻으리라"(고전 15:20-21). 열왕기상 17장 이야기는 복음의 진리를 가리키며, 오늘이나 영원토록 하나님은 신실하시다는 우리의 소망을 고조시킨다.

예언과 율법

여호와 예언의 독특한 성질

이제부터 다룰 몇 부분은 성경의 예언을 설명한다. 성경에서는 여호와의 **선지자**들이 하늘 궁정의 사신으로 표현된다(왕하 17:13, 렘 23:21-22). 하나님이 두 가지 핵심 목적을 위해 위임하신 자들이라는 것이다. 그 목적이란 하나님을 위해 백성에게 **설교**하는 것과 백성을 위해 하나님께 **기도**하는 것이다.

주된 기도 전사인 선지자들은 궁핍하고 반역하는 사람들을 대신해서 정기적으로 하나님께 중보했다. 하나님은 아브라함이 그런 선지자라고 말씀하셨다. 사라를 돌려보내라고 하시며 그가 아비멜렉의 생명을 위해 기도할 선지자라고 말씀하셨다(창 20:7). 모세는 선지자적 중보자를 가장 잘 보여 주는 본보기다. 그는 "그[하나님]의 앞에 서서 그의 노를 돌이켜 [이스라엘을] 멸하시지 아니하게 하였[다]"(시 106:23). 심지어 여호와가 중보하지 말라고 명하셨을 때조차(출 32:9-10) 모세는 자신의 선지자적 역할을 굽히지 않았는데(32:11-14), 그 결과는 하나님의 자비였다(32:14. 민수기 14장 11-20절 참조).[26] 마찬가지로 사무엘은 백성에게 하나님의 길을 가르치는 것과 더불어 이스라엘

---

26 역설적이게도 "나를 막지 말라 내가 그들을 멸하[리라]"(신 9:14. 출애굽기 32장 10절 참조)는 여호와의 명령은 실제로 하나님이 선지자에게 기도하도록 명하기 위해 사용하신 수단이다. 하나님은 그대로 순종하면 죄를 짓는 것이 되었을 만한 명령을 모세에게 주셨다. 선지자들은 하나님의 백성을 위해 공격의 전면에 서야 했기 때문이다. 신명기에서 자세히 이야기하면서 모세는 이스라엘의 죄가 하나님께 얼마나 심각한 범죄였는지 강조한다(신 9:14, 16, 18). 그럼에도 하나님은 선지자에게 그분 자신은 절대 하지 않겠다고 약속하신 일을 하라고 명하신다(4:30-31, 31:6). 신명기 9장 14절에서 출애굽기 32장 10절에 나오는 것과 같은 "내가 하는 대로 두라"(1-נות[나바트]의 히필) 대신 "막지 말라"(רפה[라파]의 히필)를 사용한 것은 신명기에서 모세가 의도적으로 신명기 4장 31절("그가 너를 버리지[רפה](라파)

을 위해 기도하기를 쉰다면, 자신은 죄를 짓는 것이라고 말했다(삼상 12:23). 바알의 선지자들과 엘리야는 저마다 자기 신들의 "이름을 불렀으며"(왕상 18:24, 26, 36-37), 아람 사람 나아만은 엘리사가 자신을 위해 중보해 줄 것을 기대했다(왕하 5:8). 아모스는 여호와께 이스라엘을 용서해 달라고, 북왕국에 벌을 내리지 말아 달라고 두 번 간청했으며 주님은 용서해 주셨다(암 7:1-6). 하나님은 그분의 말씀을 지닌 참된 선지자들이 그분 백성의 필요를 위해 기도하기를 기대하셨다. "만일 그들이 선지자이고 여호와의 말씀을 가지고 있다면 그들이 …… 만군의 여호와께 구하여야 할 것이니라"(렘 27:18). 모세에게 그러셨듯이 주님은 예레미야에게 선지자적 역할과 반대되는 행동을 명하셨다(렘 7:16. 11장 14절, 14장 11-12절 참조). 그럼에도 예레미야는 기도했으며, 후에 그렇게 한 것에 대한 보상으로 하나님께 자신을 보호해 달라고 탄원했다(18:20). 여호와는 에스겔에게 자신이 "이 땅을 위하여 성을 쌓으며 성 무너진 데를 막아서서 나로 하여금 멸하지 못하게 할 사람"(겔 22:30)을 찾았으나 하나도 찾지 못했다고 말씀하셨다.

선지자들은 중보자로서 무릎을 꿇는 것과 함께 대변자이자 하나님의 설교자였다. 그들은 하나님의 계시를 그분의 백성에게 권위 있게 제시하는 사람이다. 때로 그들은 장래에 일어날 일들을 예언하는 것(foretelling)으로 그 일을 했다. 하지만 현재에 인간 행동을 지시하고 그들의 청중이 여호와의 시각으로 현실을 재조정하기 위해 하나님 말씀을 선포하는 것(forthtelling)으로써 그 일을 하는 경우가 더 많았다(왕하 17:13, 대하 36:15-16, 사 44:26, 렘 23:21-22, 호 12:9-10, 학 1:13, 슥 7:11-12, 말 3:1). 때로 신적 말씀은 꿈이나 환상을 통해 선지자에게 임했다(예를 들어 민 12:6-7, 사 6:1-13, 렘 31:26, 슥 2:1, 암 8:1-3). 그러나 보통 영감의 방식이 무엇인지는 나오지 않는다. 때로는 성령께서 영감에 관여하신다는 말이 나오기도 한다(예를 들어 삼상 10:6, 10, 왕상 22:24, 느 9:30, 겔 11:5, 욜 2:28-29, 미 3:8, 슥 7:12). 그리고 신탁이 나오기 전에는 보통 "여호와의 말씀이 임하여 이르시되……"라는 관용적 표현이 나오는 경우가 많다(예를 들어 삼하 7:4, 왕상 21:28, 렘 1:2, 겔 36:16, 학 1:3, 슥 4:8). 신적 계시는 보통 설교로 전달된다. 그러나 때로는 비유나 풍유의 형식을 띠기도 한다(예를 들어 삼하 12:1-7, 사 5:1-7, 겔 16, 23장). 어떤 경우에는 선지자들이 자신의 신탁을 극적으로 몸으로 표현해서 하나님의 메시지를 상징적으로 실현하기도 했다(예를 들어

의 허락] 아니하면서 너를 멸하지 아니하시며")에 나오는 신적 약속을 반영하며, 여호와가 모세에게 비키라고 명하신 의도는 실제로 모세가 여호와의 백성을 보존하기 위한 수단으로 중보하길 원하신다는 것으로 이해했음을 시사한다.

삼상 15:27-28, 왕상 11:29-37, 왕하 13:14-20, 렘 13:1-11, 겔 4장).

내용에 관해 보면, 일부 신탁들은 인간의 질문에 신적 대답을 제공했다(예를 들어 창 15:2-5, 삼하 2:1, 합 1-2장). 하지만 대부분의 신탁은 역사의 특정한 시점에 이스라엘이 언약에 충성된 것(또는 충성되지 못한 것)에 대해 하나님이 먼저 반응하신 것이었다. 즉, 선지자들은 언약 시행자로서 이스라엘의 죄에 맞서 백성에게 다시 여호와께 헌신하라고 명하고, 여호와께서 그들에게 지키기로 맹세하신 언약의 저주와 축복, 죽음과 생명에 대한 약속들을 상기시켰다(레 26장, 신 4:25-31, 28장, 30:1-10). 선지자들은 언약에 충성스럽게 살지 못하거나 하나님과 그분의 백성을 존중하지 않은 개인(예를 들어 삼상 13:13-14, 왕상 11:11-13) 또는 민족(예를 들어 사 17장, 렘 8:4-12, 겔 15장, 암 4:1-3, 미 3:7-12)에게 경고나 임박한 징벌의 신탁을 선언했다. 그들은 또한 하나님이 자기 백성과 맺은 관계를 새롭게 하실 날을 예언하는 구원과 회복의 신탁을 선언했다(예를 들어 사 10:5-12:6, 렘 31:31-34, 겔 36:16-32, 암 9:13-15, 슥 8:1-8).

성경(예를 들어 민 22-24장, 왕상 18:20-40)과 고대 사회 전역에서 발견된 수많은 성경 외적 텍스트들은 둘 다 많은 이교도가 신탁을 말했으며 신들에게서 나오는 말은 성경 예언에 국한되지 않았다고 말해 준다. 여호와와 마찬가지로 이교 거짓 신들은 충성을 요구했으며, 심판을 선언했다. 그 신들은 위험을 경고했고, 위험에 처하면 안심시켰다. 그들은 국가의 멸망을 예언했으며, 나라가 새롭게 될 것을 약속했다. 그럼에도 여호와의 예언은 적어도 세 가지 면에서 그들과 다르다.

1. 고대 사회의 신들 가운데 여호와만이 백성과 언약 관계를 확립하고, 유지하며, 시행하기 위해 말씀하셨다

모세는 신명기 4장 7-8절에서 "우리 하나님 여호와께서 우리가 그에게 기도할 때마다 우리에게 가까이하심과 같이 그 신이 가까이함을 얻은 큰 나라가 어디 있느냐 오늘 내가 너희에게 선포하는 이 율법과 같이 그 규례와 법도가 공의로운 큰 나라가 어디 있느냐"고 증언한다. 참된 예언은 부정행위를 드러내고 축복으로 인도하는 회개를 요구하면서, 여호와께만 한결같이 충성할 것을 촉구한다(신 13:2-3, 애 2:14).

2. 많은 이교 신탁은 그 의도와 성취가 모호하지만, 여호와의 명령과 예언은 의도가 분명하고 정확하다

모세는 신명기 18장 22절에서 "만일 선지자가 있어 여호와의 이름으로 말한 일에 증험도 없고 성취함도 없으면 이는 여호와께서 말씀하신 것이 아니요 그 선지자가 제 마음대로 한 말이니"라고 주장한다(열왕기상 22장 28절, 이사야 44장 7-8절, 예레미야 28장 8-9절, 예레미야애가 2장 14절, 에스겔 33장 33절 참조). 여호와의 모든 예언은 이루어진다.

3. 여호와의 예언에는 이교 관행의 징후가 전혀 없으며, 하나님 말씀으로만 확증된다

이사야 8장 19-20절은 "어떤 사람이 너희에게 말하기를 주절거리며 속살거리는 신접한 자와 마술사에게 물으라 하거든 백성이 자기 하나님께 구할 것이 아니냐 산 자를 위하여 죽은 자에게 구하겠느냐 하라 마땅히 율법과 증거의 말씀을 따를지니 그들이 말하는 바가 이 말씀에 맞지 아니하면 그들이 정녕 아침 빛을 보지 못하고"라고 선언한다. 여호와-신탁에서는 유일신론이 다신론적 우상 숭배에 확고하게 맞선다. "나 외에는 다른 신들을 네게 두지 말지니라"(신 5:7. 5장 8-10절, 6장 4-5절, 시편 115편, 이사야 40장 18-31절 참조). 여호와는 전적인 충성을 요구하시는, 질투하는 하나님이다. 우리는 그분의 음성을 듣고, 그분 말씀에 주의를 기울여야 한다.

선지자 강화의 범주

신탁(oracle)은 선지자를 통해 신적으로 선포되는 모든 말로, 현재에 인간의 행동을 지시하거나 미래에 일어날 일을 미리 말하는 것이다. 성경에 나오는 선지자의 신탁은 보통 다음 유형 가운데 한 가지 이상으로 구성되어 있다. 즉, **고발**, **교훈**, **경고/징벌**, **소망/구원** 등이다.

1. 고발	범죄에 대한 진술(언약 규정을 위반한 것에 대한 상세한 진술)
2. 교훈	기대되는 반응에 대한 명확한 설명(언약 규정에 주의를 기울이라는 명령)
3. 경고/징벌	시행되어야 하는 벌에 대한 선언(언약 저주에 대한 경고 또는 약속)
4. 소망/구원	미래의 소망 또는 해방에 대한 단언(언약-회복 축복에 대한 약속)

표1.5. 선지자 강화의 범주

1. 고발

선지자의 주된 역할은 하나님의 백성에게 언약 어긴 일을 직면시키는 것이었다. "오직 나는 여호와의 영으로 말미암아 능력과 정의와 용기로 충만해져서 야곱의 허물과 이스라엘의 죄를 그들에게 보이리라"(미 3:8. 이사야 58장 1절 참조). 종종 선지자들은 백성이 구체적으로 어떻게 언약을 어겼는지를 밝혔다. 예를 들어, 미가는 이렇게 선언했다. "야곱 족속의 우두머리들과 이스라엘 족속의 통치자들 곧 정의를 미워하고 정직한 것을 굽게 하는 자들아 원하노니 이 말을 들을지어다 시온을 피로, 예루살렘을 죄악으로 건축하는도다 그들의 우두머리들은 뇌물을 위하여 재판하며 그들의 제사장은 삯을 위하여 교훈하며 그들의 선지자는 돈을 위하여 점을 치면서도 여호와를 의뢰하여 이르기를 여호와께서 우리 중에 계시지 아니하냐 재앙이 우리에게 임하지 아니하리라 하는도다"(3:9-11). 마찬가지로 스바냐는 이렇게 선언했다. "패역하고 더러운 곳, 포학한 그 성읍이 화 있을진저 그가 명령을 듣지 아니하며 교훈을 받지 아니하며 여호와를 의뢰하지 아니하며 자기 하나님에게 가까이 나아가지 아니하였도다 그 가운데 방백들은 부르짖는 사자요 그의 재판장들은 이튿날까지 남겨 두는 것이 없는 저녁 이리요 그의 선지자들은 경솔하고 간사한 사람들이요 그의 제사장들은 성소를 더럽히고 율법을 범하였도다"(습 3:1-4).

2. 교훈

교훈은 선지자가 종종 율법에 나오는 모세의 구체적인 명령을 상기시키면서 백성을 그들이 가야 할 길로 인도할 때 나온다. "여호와께서 각 선지자와 각 선견자를 통하여 이스라엘과 유다에게 지정하여 이르시기를 너희는 돌이켜 너희 악한 길에서 떠나 나의 명령과 율례를 지키되 내가 너희 조상들에게 명령[한] …… 모든 율법대로 행하라 하셨으나"(왕하 17:13). 그래서 미가는 이렇게 썼다. "사람아 주께서 선한 것이 무엇임을 네게 보이셨나니 여호와께서 네게 구하시는 것은 오직 정의를 행하며 인자를 사랑하며 겸손하게 네 하나님과 함께 행하는 것이 아니냐"(미 6:8). 그리고 스바냐는 이렇게 호소했다. "여호와의 규례를 지키는 세상의 모든 겸손한 자들아 너희는 여호와를 찾으며 공의와 겸손을 구하라 너희가 혹시 여호와의 분노의 날에 숨김을 얻으리라"(습 2:3).

3. 경고/징벌

징벌과 구원을 선포하는 문제에서는 이사야, 오바댜, 학개 같은 후기 선지자와 모세가 밀접한 관계가 있음을 인식하는 것이 대단히 중요하다. 경고와 소망의 말을 할 때, 후기 선지자들은 모세가 레위기 26장과 신명기 27-32장에서 말한 언약 저주와 회복의 축복을 직접적 근거로 삼았다. 이 텍스트들을 자세히 살펴보면 적어도 원래 받은 축복 열 가지, 서로 다른 저주 스물일곱 가지, 저주를 극복한 후 누리게 될 회복의 축복 열 가지를 발견하게 된다. 표1.6은 이 모든 것에 대한 개관을 제시한다.

징벌의 신탁에 관해서 다니엘은 이렇게 기도한다. "온 이스라엘이 주의 율법을 범하고 치우쳐 가서 주의 목소리를 듣지 아니하였으므로 이 저주가 우리에게 내렸으되 곧 하나님의 종 모세의 율법에 기록된 맹세대로 되었사오니 이는 우리가 주께 범죄하였음이니이다"(단 9:11). 경고/징벌에 대한 선지자의 신탁은 언약에 충실하게 살지 못하거나 하나님과 그분의 백성을 존중하지 못한 개인(예를 들어 삼상 13:13-14, 왕상 11:11-13) 또는 민족(예를 들어 사 17장, 렘 8:4-12, 겔 15장, 암 4:1-3, 미 3:7-12)에게 경고나 임박한 징벌을 선언하는 말이다. 이 신탁들은 레위기 26장과 신명기 4, 27-28장에 상세히 나오는 언약 저주들이 성취된 것을 명시한다. 한 예는 에스겔 21장 14-17절에 나온다.

> 그러므로 인자야 너는 예언하며 손뼉을 쳐서 칼로 두세 번 거듭 쓰이게 하라 이 칼은 죽이는 칼이라 사람들을 둘러싸고 죽이는 큰 칼이로다 내가 그들이 낙담하여 많이 엎드러지게 하려고 그 모든 성문을 향하여 번쩍번쩍하는 칼을 세워 놓았도다 오호라 그 칼이 번개 같고 죽이기 위하여 날카로웠도다 칼아 모이라 오른쪽을 치라 대열을 맞추라 왼쪽을 치라 향한 대로 가라 나도 내 손뼉을 치며 내 분노를 다 풀리로다 나 여호와가 말하였노라.

이 구절은 포로과 사로잡힌 생활에 대한 모세의 저주를 반영하고 있다. 그것은 표 1.6에서 열세 번째로 언급한 저주로, 여호와가 모세를 통해 경고하신 것과 같다. "내가 너희를 여러 민족 중에 흩을 것이요 내가 칼을 빼어 너희를 따르게 하리니 너희의 땅이 황무하며 너희의 성읍이 황폐하리라"(레 26:33).

<table>
<tr><th colspan="2">축복</th></tr>
<tr><td>1. 여호와의 임재/은총/충성(레 26:11-12)
2. 언약에 대한 확증(레 26:9)
3. 여호와의 거룩한 백성이 되라(신 28:9)
4. 철따라 내리는 비(레 26:4, 신 28:12)
5. 풍성한 번영과 풍작
a. 일반적인 것(신 28:12)
b. 태의 열매(레 26:9, 신 28:4, 11)
c. 가축의 열매(신 28:4, 11)
d. 땅의 열매(레 26:4-5, 10, 신 28:4, 8, 11)</td><td>6. 일반적인 것과 지정되지 않은 것(신 28:2, 6, 8, 12-13)
7. 아무 두려움 없는 땅에서의 평강과 안정
a. 일반적인 것(레 26:5-6)
b. 해로운 짐승으로부터(레 26:6)
c. 원수들로부터(레 26:6)
8. 원수들에 대한 승리(레 26:7-8, 신 28:7)
9. 노예 생활로부터의 자유(레 26:13)
10. 세계에 끼치는 영향과 증거(신 28:1, 10, 12)</td></tr>
<tr><th colspan="2">저주</th></tr>
<tr><td>1. 여호와의 진노와 거부(레 26:17, 24, 28, 41, 신 4:24-25, 29:20, 24, 27-28, 31:17-18, 29, 32:16, 19-22, 30)
2. 예배 의식을 거부하고 파괴함(레 26:31)
3. 전쟁과 그 황폐함
a. 일반적인 것(레 26:17, 25, 33, 37, 신 28:25, 49, 52, 32:23-24, 30, 41-42)
b. 포위 공격(레 26:25-26, 29, 신 28:52-53, 55, 57)
4. 두려움, 공포, 전율(레 26:16-17, 36-37, 신 28:66-67, 32:25)
5. 대적과 외국인에게 점령되고 억압당함(레 26:16-17, 32, 신 28:31, 33, 43-44, 48, 68, 32:21)
6. 농업적 재앙과 흉작
a. 일반적인 것(레 26:20, 신 28:17-18, 22, 40, 29:23)
b. 가뭄(레 26:19, 신 28:22-24)
c. 농작물 해충(신 28:38-42)
7. 기근/기아(레 26:26, 29, 45, 신 28:53-56, 32:24)
8. 질병, 유행병, 오염(레 26:16, 신 28:21-22, 27-28, 35, 59-61, 29:22, 32:24, 39)</td><td>9. 황폐함
a. 거룩한 장소(레 26:31)
b. 도시와 성읍들(레 26:31, 33)
c. 땅(레 26:32-35, 43, 신 28:51, 29:23)
10. 불에 의한 멸망(신 28:24, 32:22)
11. 들짐승의 해(레 26:22, 신 32:24)
12. 죽임당하는 것과 불임
a. 가족(레 26:22, 신 28:18, 59)
b. 가축(레 26:22, 신 28:18, 51)
c. 전반적 인구(레 26:22, 36, 신 4:27, 28:62, 32:36)
13. 포로와 유배 생활
a. 백성(레 26:33-34, 36, 38-39, 41, 44, 신 4:27, 28:36-37, 41, 63-64, 68, 29:28, 30:4, 32:26)
b. 왕(신 28:36)
14. 포로 생활에서 우상 숭배를 강요당함(신 4:28, 28:36, 64)
15. 흉작(레 26:16, 20, 신 28:20, 29-31, 33, 38-41)
16. 불명예와 수모(레 26:19, 신 28:20, 25, 37, 43-44, 68)
17. 소유 상실과 궁핍(신 28:31)
18. 가족을 잃음(신 28:30, 32, 41, 32:25)</td></tr>
</table>

19. 무력함과 걸려 넘어짐(레 26:36-37, 신 28:29, 32, 32:35-36, 38-39) 20. 심리적 고뇌(신 28:20, 28, 34, 65-67) 21. 평안과 안식이 없음(신 28:65) 22. 장사되지 못함(신 28:26) 23. 평야의 성읍처럼 됨(신 29:23) 24. 죽음과 멸망(레 26:36, 39, 신 4:26, 28:20-22, 44, 48, 51, 61, 29:20, 30:15, 18-19, 31:17, 32:25-26, 35, 39, 42)	25. 일반적인 것과 지정되지 않은 것(신 4:30, 28:20, 24, 45, 59, 61, 63, 29:19, 21-22, 31:17, 21, 29, 32:23, 35) 26. 일반적인 벌, 저주, 복수(레 26:41, 43, 신 28:16, 20-21, 27, 30:19, 32:35, 41, 43) 27. 여러 배로 받는 벌들(레 26:18, 21, 24, 28)
회복의 축복	
1. 여호와의 임재, 은총, 충성이 새롭게 됨(레 26:42, 45, 신 4:29, 31, 30:3, 9) 2. 언약의 갱신(레 26:42, 44-45, 신 4:31) 3. 참된 예배와 신실한 능력의 회복(신 4:30, 30:6, 8) 4. 인구 증가(신 30:5, 9) 5. 농업적 풍성함(레 26:42, 신 30:9)	6. 일반적 번영, 안녕, 재물의 회복(신 30:3, 5, 9, 32:39) 7. 포로 생활에서 돌아오는 것과 땅을 다시 소유함(신 30:3-5) 8. 재통합(신 30:3-4) 9. 대적과 외국인에 대한 권세(신 30:7) 10. 죽음과 멸망에서 해방됨(레 26:44, 신 30:6, 32:39)

모든 내용은 레위기 26장, 신명기 4, 28-32장에서 나온 것이다. 아마 이사야서를 제외하고는, 어느 선지서도 모든 범주를 한 책에 언급하지 않을 것이다. '저주'와 '회복의 축복' 목록은 Thomas Edward McComiskey가 편집한 *The Minor Prophets: An Exegetical and Expository Commentary* (copyright ©1998 by Thomas Edward McComiskey)에 나오는 Douglas Stuart의 "Malachi", 1259-60쪽 내용을 수정한 것이다. Baker. www.bakerpublishinggroup.com의 허락을 받고 사용했다.

표1.6. 모세 율법의 축복, 저주, 회복의 축복

4. 소망/구원

소망/구원에 대한 진술은 다윗에게 더 구체적으로 약속하신 왕조와 함께(삼하 7:12-16), 여호와께서 레위기 26장과 신명기 4장과 30장에서 약속하신 회복을 서술한다. 위로의 말은 하나님이 추방과 죽음으로 그분의 백성을 벌하신 뒤 자기 백성과의 관계를 새롭게 할 날을 예언한다(예를 들어 사 10:5-12:6, 렘 31:31-34, 겔 36:16-32, 암 9:13-15). 예를 들어, 스가랴 8장 2-3, 7-8절을 생각해 보라.

> 만군의 여호와가 이같이 말하노라 내가 시온을 위하여 크게 질투하며 그를 위하여 크게 분노함으로 질투하노라 여호와가 이같이 말하노라 내가 시온에 돌아와 예루살렘 가운데에 거하리니 예루살렘은 진리의 성읍이라 일컫겠고 만군의 여호와의 산

은 성산이라 일컫게 되리라 …… 만군의 여호와가 이같이 말하노라 보라, 내가 내 백성을 해가 뜨는 땅과 해가 지는 땅에서부터 구원하여 내고 인도하여다가 예루살렘 가운데에 거주하게 하리니 그들은 내 백성이 되고 나는 진리와 공의로 그들의 하나님이 되리라.

이 구절은 표1.6에 열거된 모세의 많은 회복의 축복을 배경으로 한다. 1. 여호와의 임재, 은총, 충성이 새롭게 됨, 2. 언약의 갱신, 7. 포로 생활에서 돌아오는 것과 땅을 다시 소유함 등이다. 주님은 먼저 모세를 통해 이 약속들을 선포하셨으며, 이제 포로기 이후 선지자를 통해 그 약속들이 앞으로 성취될 것을 재단언하신 것이다.

신명기와 후기 선지서 같은 책에 나오는 신탁을 연구할 때는 지금 어떤 선지자의 말을 읽고 있는지 생각하라. 후기 선지서 중 한 책을 연구하고 있고 고발 또는 교훈의 선포를 읽고 있다면, 그 책의 설교자가 염두에 두고 있는 모세의 명령이 어떤 것인지를 생각해 보아야 한다. 징벌 또는 구원에 대한 선포를 읽고 있다면, 선지자가 레위기 26장과 신명기 4, 27-30장에서 어떤 축복, 어떤 저주, 또는 어떤 회복의 축복을 예상하고 있는지 생각해 보라. 또한 다윗 언약의 약속들은 언제나 염두에 두어야 한다. 그 약속들은 모세가 처음에 선포한 왕적 해방자와 새 언약 중보자에 대한 하나님 나라 소망들(예를 들어 창 3:15, 22:17b-18, 49:8-10, 민 24:17-19, 신 18:15-18과 34:10-12)을 더 구체화한 것이다. 하나님의 선지자들은 언약 시행자였으며, 우리는 무엇보다도 모세 언약과 다윗 언약에 비추어 그들의 말을 읽어야 한다. 선지자들은 그들의 성경을 펼치고 설교했다. 우리도 그래야 한다.

언약 규정으로서의 율법

구약 예언을 해석하기 위한 몇 가지 원리를 제시하기 전에, 성경 율법의 구체적 형태를 더 상세히 설명하고자 한다. 성경 율법은 선지자들이 설교하는 배경을 지배했다.

하나님은 언약 관계의 틀 안에서 그분의 율법을 주셨다. 여러 법령과 심판은 언약 규정을 제공해 주었다. 필자는 예레미야, 스바냐, 말라기와 같은 고전 선지자들(classical prophets, 주전 8세기 이후 선지자들로 체험이나 기적이 아닌 말씀 선포를 중심으로 사역했다_ 편집자)이 어떻게 모세의 말에 열린 마음으로 자신의 성경을 펴서 말하는 언약 시행자였는지를 살펴보았다. 모세는 그 자신이 모든 구약 선지자 중 가장 위대한 선지자로, 구약에 선포된 대부분의 내용과 유형을 모두 제공했다.

모세 율법은 두 가지 형식으로 우리에게 다가온다. 학자들은 그것을 각각 필연적인 것과 결의론적인 것이라고 이름 붙였다. **절대법**(apodictic laws)은 어떤 조건이나 예외가 없는, 기본 원리가 되는 율법이다. 이에 반해 **결의론적 율법**(casuistic laws)은 언제나 상황적인 것, 특정한 환경과 관련된 율법이다. 절대법이 적용된 경우가 종종 결의론적 율법이 된다.

절대법	결의론적 율법
출 20:3_ 너는 나 외에는 다른 신들을 네게 두지 말라. **출 20:16_** 네 이웃에 대하여 거짓 증거 하지 말라.	**출 21:28_** 소가 남자나 여자를 받아서 죽이면 그 소는 반드시 돌로 쳐서 죽일 것이요 그 고기는 먹지 말 것이며 임자는 형벌을 면하려니와. **출 22:26-27_** 네가 만일 이웃의 옷을 전당 잡거든 해가 지기 전에 그에게 돌려보내라 그것이 유일한 옷이라 그것이 그의 알몸을 가릴 옷인즉 그가 무엇을 입고 자겠느냐 그가 내게 부르짖으면 내가 들으리니 나는 자비로운 자임이니라.
무조건적이고 명령적이며, 보통 의지를 나타내는 동사로 시작	조건적이고 선언적이며, 보통 '만일', 또는 '……하면'이라는 말로 시작
이인칭	보통 삼인칭
일반적_ 조건이나 예외가 없다.	구체적_ 실제 상황에 기초한다. 종종 동기나 예외절과 함께 나온다.
종종 부정형	보통 긍정형

Daniel I. Block, "Reading the Decalogue from Right to Left: The Ten Principles of Covenant Relationship in the Hebrew Bible," in *How I Love Your Torah, O LORD! Studies in the Book of Deuteronomy* (Eugene, OR: Cascade, 2011), 31쪽 내용을 수정함.

표1.7. 구약 율법의 형식 구분

구약 율법의 형식 구분을 밝히는 것과 함께, 내용 변화에 기초하여 율법의 다양한 종류를 인식하는 것도 도움이 된다. 표1.8은 구약에서 발견할 수 있는 서로 다른 다섯 가지 종류의 율법을 개관한다. 바로 **형법**, **민법**, **가족법**, **제의법/의식법**, **긍휼법**이다.

출애굽기, 레위기, 신명기 같은 책을 읽을 때는 다양한 형식과 유형의 율법을 유의해서 살펴보라. 또한 구약의 내러티브, 예언, 지혜의 말들을 연구할 때는 모세가 처음에 전한 언약 가르침과 어떻게 관련되는지 생각해 보라. 12장에서는 그리스도인이 어떻게 옛 언약과 관계를 맺어야 하는지 살펴볼 것이다. 그것이 실천 신학의 초점이다.

형법

전체 공동체의 안녕을 위협하는 범죄나 불법을 다스리는 율법. 피해자는 국가 또는 민족 공동체다. 그렇기 때문에 전체 공동체를 대표해서 최고 국가 권위의 이름으로 처벌을 내린다. 이스라엘에서 그 권위는 여호와를 의미했다.

납치(출 21:16, 신 24:7)
부모에 대한 지속적인 반항(출 21:15, 17, 신 21:18-21)
살인/고의적이거나 피할 수 있는 살해(출 21:14, 민 35:16-21, 30-31, 신 19:11-13)
종교적 위법 행위

a. 안식일을 어김(출 31:14-15, 35:2. 민수기 15장 32-36절 참조)
b. 거짓 예언(신 13:1-5, 18:20)
c. 우상 숭배(출 22:20, 레 19:4, 신 13:1-18, 17:2-7)
d. 자식을 제물로 바침(레 20:1-5)
e. 마술(출 22:18, 레 19:26, 31, 20:27)
f. 신성 모독(레 24:14-23)

성적 범죄

a. 결혼하거나 약혼한 사람의 간음(레 20:10, 신 22:22-24. 창세기 38장 24절 참조)
b. 혼전 부정을 숨김(신 22:20-21)
c. 약혼한 처녀를 강간함(신 22:25)
d. 제사장의 딸의 행음(레 21:9)
e. 근친상간(레 20:11-12, 14)
f. 동성애(레 20:13)
g. 수간(출 22:19, 레 20:15-16)

강력 사건에서의 위증(신 19:16-21)

주_ 십계명에 나오는 거의 모든 명령과 금지는 형사 범죄로 여겨진다.

민법

시민 또는 조직 간에 일어난 개인 분쟁으로, 공적 당국에 판단을 호소하거나 개입을 요청하는 분쟁을 다스리는 율법. 피해자는 국가나 민족 공동체가 아니다.

의도적이지 않은 살해

a. 과실 치사(출 21:13, 민 35:9-15, 신 19:1-13)
b. 자기 방어로 인한 죽음(출 22:2-3)

공격

a. 사람이 사람을 공격함(출 21:18-19, 22)

b. 짐승이 사람을 공격함(출 21:28-32)
c. 짐승이 짐승을 공격함(출 21:33-36)

신뢰를 깨뜨림

a. 도둑질(출 22:1-4, 7-9, 12, 레 19:11, 13)
b. 재산 파괴(출 22:5-6, 14)

위증

a. 강력 사건이 아닌 경우(출 23:1-3)
b. 상업/거래에서(레 19:35-36)

제한된 가정 문제

a. 실제로든(출 22:16-17, 레 19:20-22, 신 22:28-29), 잠재적이든(신 22:13-21) 성인 사이에 서로 동의한 혼전 부정
b. 이혼 후 상황(신 24:1-3)
c. 종에 대한 학대(출 21:20-21, 26-27)
d. 달아난 종을 다루는 법(신 23:15-16)
e. 수혼(계대결혼) 의무를 받아들이지 않음(신 25:7-10)

가족법
이스라엘 가정에 적용되는 비민사적 국내법

수혼(신 25:5-6)
유산(신 21:15-16)
희년, 땅과 사람의 구속(레 25장)
자녀 훈육(신 6:6-9, 20-25, 11:18-21)
부모 공경과 순종(출 20:12, 레 19:3, 신 5:16)
딸을 창녀가 되게 함(레 19:29)
종과 관련하여 섬기는 기간의 한도, 유업, 보호(출 21:2-11, 신 15:1-23)
성별 구분 유지(신 22:5)

제의법/의식법
이스라엘 종교 생활에서 가시적인 형식과 의식에 적용되는 율법

희생 제사

a. 제단과 제사(출 20:24-26)
b. 첫 열매를 드림(출 22:29-30, 23:19)
c. 제사
- 일반 지침(출 23:18, 29:38-46, 레 1-7장, 19:5-8)
- 속죄일(레 16장)
- 장소(레 17:1-9, 신 12장)

신성한 달력

a. 주간 안식일(출 20:8-11, 23:12, 31:12-17, 35:1-3, 레 19:3, 30, 신 5:12-15)
b. 안식년(출 23:10-11, 레 25:3-7, 신 15:1-6)
c. 절기와 신성한 날들(출 23:14-19, 34:22-23, 레 23:9-22, 신 16:1-17)
d. 희년(레 25:8-55)

신성한 상징과 구별

a. 성막(출 25-30장)

b. 제사장직
  - 의복(출 28장)
  - 봉헌(출 29:1-37, 레 8장)
  - 제사 집행(출 29:38-46, 레 6-7장)

c. 정결 의식(정결한/부정한)
  - 음식 율법(레 11:2-47, 20:24-26, 신 14:4-20)과 피를 먹는 것(레 17:10-16, 19:26)
  - 출산(레 12장)
  - 나병(레 13-14장)
  - 몸의 유출병(레 15장)

d. 이교 민족과 구별됨
  - 이종 교배/가축, 종자, 옷을 섞는 것(레 19:19, 신 22:9-11)
  - 머리 가를 깎는 것, 몸을 베는 것, 문신(레 19:27-28, 신 14:1)

긍휼법

다른 사람들을 향한 자선, 정의, 자비를 다루는 '율법들'. 엄밀히 말해서 이 율법은 법정에서 시행할 수 있는 것은 아니지만, 하나님은 마음을 아신다.

다른 사람들을 보호하고 보살핌

a. 나그네(출 22:21, 23:9, 레 19:9-10, 33-34, 신 14:28-29, 24:19-22)
b. 과부와 고아(출 22:22-24, 신 14:28-29, 24:19-22)
c. 가난한 자들(출 22:25-27, 23:6, 레 19:9-10, 신 15:7-11, 24:10-13, 19-22)
d. 이웃(신 19:13, 16-18)
e. 장애인(레 19:14, 신 27:18)
f. 레위인(신 14:28-29)
g. 해방된 종(신 15:12-15)
h. 고용된 종(신 24:14-15)

정의와 공평(출 23:7-8, 레 19:15, 신 24:17-18, 27:19, 25)
노인 공경(레 19:32)
원수 또는 형제의 잃어버린 재산을 되찾음(출 22:4, 신 22:1-3)
원수 또는 궁핍한 형제를 도움(출 23:5, 신 22:4)
전쟁에서 면제해 줌

a. 새 집을 산 사람(신 20:5)
b. 새로 사업을 소유한 사람(신 20:6)
c. 갓 결혼한 남자(신 20:7, 24:5)

전쟁으로 인한 이방인 과부와의 결혼(신 20:10-14)
미래 세대를 위해 양식 수단을 보존함(신 20:6-7, 25:4)
안전한 집을 건설함(신 20:8)
다른 사람의 생계 수단을 존중함(신 23:24-25, 24:6)

Jason S. DeRouchie와 Kenneth J. Turner 제공. 원래 DeRouchie가 편집한 *What the Old Testament Authors Really Cared About*, 466-67쪽에 실린 내용으로, 허락을 받고 사용하였다. 예는 예시일 뿐이다. 다섯 가지 주요 범주는 Christopher J. H. Wright, *Old Testament Ethics for the People of God* (Downers Grove, IL: InterVarsity Press, 2004)(『현대를 위한 구약 원리』, IVP), 288-301쪽에 나온 것으로 Anthony Phillips, *Ancient Israel's Criminal Law: A New Approach to the Decalogue* (New York: Schocken Books, 1970), 2, 13쪽 내용을 수정한 것이다.

표1.8. 내용에 따른 구약 율법 유형

구약 예언을 해석하기 위한 지침

성경 예언을 연구할 때, 다음 다섯 가지 원리를 염두에 두라.[27]

1. 해석적 오류를 경계하라

매우 많은 사람이 잘못된 방식으로 구약 예언에 접근한다.

a. **고대-현대 민족 혼동_** 구약 예언을 현재의 특정 정치 체제와 연결하는 것. 현대 세속 국가 이스라엘은 성경의 이스라엘과 다를 뿐 아니라, 명기되지 않은 구약 율법들을 현대의 특정 사건이나 사람과 연결하는 것은 불가능하지는 않다 해도 극히 어려운 일이다. 미래 사건을 예언할 때조차도 선지자들은 여전히 설교를 하고 있었으며, 그들의 목적은 하나님이 만유보다 우월하시다는 사실에 비추어 현재 언약에 새로운 차원으로 충성하도록 일깨우는 것이었다. 우리가 모든 개념을 정확하게 판별할 수는 없다 해도, 선지자는 여호와께서 역사를 주관하시며 모든 것을 바로잡으시리라는 것을 우리에게 충분히 분명하게 말하고 있다.

b. **장르 혼동_** 한 장르에 적용한 해석 규칙이 다른 장르에도 적용된다고 생각하는 것. 문학적으로 매우 다양하기 때문에 해석자는 반드시 저자의 이중적인 의도를 따라가야 한다. 선지서에 자주 나오는 비유, 상징, 은유 등의 표현을 문자적 진술과 구분해야 하는 것이다.

c. **영적 해석_** 문맥에 나오지 않는 '더 깊은' 또는 '신령한' 적용을 위해, 어떤 진술을 그것이 말하는 대상인 역사적 진리와 분리하는 것.

d. **개인화_** 어떤 텍스트가 다른 누구에게도 적용되지 않는 방식으로 당신이나 당신 집단에만 적용될 수 있다고 생각하는 것.

e. **풍유_** 어떤 본문의 요소들이 기독교 진리의 상징으로만 의미를 지닌다고 생각

27 처음 네 가지 원리는 Douglas Stuart, Gordon-Conwell Theological Seminary, 1999 강의에서 나눠 준 자료를 수정한 것이다.

하는 것. 보통 이 접근법은 성경 저자의 의도를 전혀 고려하지 않는다.

f. **보편화_** 일반적이지 않거나 독특한 것을 모든 사람에게 대등하게 적용되는 것처럼 다루는 것.

g. **도덕적 해석_** 모든 성경 본문에서 삶을 위한 원리를 끌어낼 수 있다고 생각하는 것. 어떤 텍스트들은 어떻게 살아야 하는지가 아니라 무엇을 위해 살아야 하는지를 말해 준다.

h. **본보기화_** 성경에 기록된 행동은 언제나 우리가 따라야 하는 본보기라고 생각하는 것. 예를 들어, 다윗이 밧세바와 간음을 저지른 사실에서 우리가 같은 일을 해도 정당화된다는 결론을 끌어내는 것은 잘못이다.

i. **피상적 기독론화 또는 예표론화_** 주해적이거나 신학적 근거 없이 어떤 사람이나 사건, 제도가 그리스도를 가리킨다고 주장하는 것. 우리는 그리스도를 발견하고 싶다. 하지만 그리스도가 발견되도록 하나님이 의도하신 곳에서만 그렇게 해야 한다.

2. 신탁이라는 견지에서 생각하라

거의 모든 선지자의 가르침은 신탁, 즉 하나님에게서 나오는 독립된 구두 계시 형태로 되어 있다. 이 신탁은 종종 "여호와가 이같이 말씀하시니라"라는 말로 시작한다. 선지자들은 백성에게 충성을 명령하기 위해서 또는 하나님이 역사에서 무슨 일을 하고 계시며 왜 그러시는지 설명하기 위해서 신탁을 말로 표현하거나 노래로 부른 듯하다.

우리는 신탁의 시작과 끝이 어디인지 주의 깊게 판별해야 하며, 신탁의 특징적 용어와 구조, 말의 유형을 제대로 이해했는지 확인해야 한다. 우리는 신탁의 역사적, 문학적, 성경적 배경을 끈기 있게 분석하고, 그것이 역사에서, 그 책에서, 그리고 정경에서 차지하는 위치를 파악해야 한다. 또한 형태, 구조와 흐름, 중요한 단어들을 열심히 면밀하게 조사해야만 한다.

선지자의 신탁은 대부분 엄밀한 산문과 시의 중간에 들어가며, 모두 여러 비유 표현을 사용한다. 어떤 것은 환상을 사용하는데, 그렇기 때문에 우리는 그러한 비유 표현에 익숙하지 않은 현대 독자들을 위해 무엇을 상징하는지 주의 깊게 판별해야 한다. 우리는 모든 신탁을 성경이 지닌 성경적-신학적 기반 안에서 신실하게 해석해야 한다. 사람들이 삶의 방향을 제대로 설정하려면 '큰 그림'을 알아야 하며, 우리는 그들에게 선지서를 정확하게 가르쳐야 한다.

3. 역사에 주의를 기울이라

구약에 나오는 고전 선지자 열다섯 명은 모두 기념비적 시기인 340년(주전 770-433) 동안 설교했다. 당시는 이스라엘과 유다가 두 독립 국가였다가 단 하나의 처량한 남은 자 국가(유다)만이 거대한 바사 제국에 속한 하나의 작은 구역으로 쇠락한 시기였다. 왜 그렇게 되었는가? 이스라엘이 하나님의 모세 언약에 오랫동안 불순종하여 그 언약의 저주들이 촉발되었기 때문이다.

이때는 극적인 변화의 시대였다. 하나님의 선지자들은 왜 역사가 그런 식으로 진행되는지, 이 역사가 그리스도 안에서 절정에 이르는 전반적인 하나님 나라 건설 계획에 어떻게 들어맞는지를 이스라엘과 세상 앞에 명확하게 설명했다. 이스라엘이 큰 나라가 되리라는 하나님의 옛 약속들은 무효가 된 것인가? 미래에 약속된 하나님 나

<table>
<tr><th>정권 & 예언 시기</th><th>이스라엘</th><th>유다</th><th>정경 내 순서</th></tr>
<tr><td>앗수르(주전 870-626)
8세기-7세기 초</td><td>요나(약 770)
아모스(약 760)
호세아(약 760-730)</td><td>이사야(약 740-700)
미가(약 737-690)
나훔(약 650)</td><td rowspan="3">예레미야
에스겔
이사야
열두 선지자
호세아
요엘
아모스
오바댜
요나
미가
나훔
하박국
스바냐
학개
스가랴
말라기</td></tr>
<tr><td>바벨론(주전 626-539)
7세기 말-6세기 초</td><td></td><td>하박국(약 630)
예레미야(약 627-580)
스바냐(약 622)
요엘(약 600?)
오바댜(약 586?)
에스겔(약 593-570)
[바벨론에서]</td></tr>
<tr><td>바사(주전 539-323)
6세기 말-5세기</td><td></td><td>학개(약 520)
스가랴(약 520-518)
말라기(약 433)</td></tr>
</table>

정경 내 순서는 바바 바트라 14b(앞에 나오는 '성경의 문맥 안에서 장르 살펴보기'를 보라)에서 가져온 것이다. 선지자들에 대한 자료는 대부분 John H. Walton, *Chronological and Background Charts of the Old Testament*, 2판 (Grand Rapids: Zondervan, 1994), 52쪽에서 나온 것이다.

표1.9. 고전 선지자의 연대기

라에 대한 소망이 조금이라도 남았는가? 저주의 시대가 끝나고 회복의 축복을 누리게 될 것인가? 선지자들의 설교는 뚜렷하게 역사의 발전을 다루었다. 따라서 역사적 맥락을 무시하고 그들의 메시지를 해석한 내용은 정확하리라고 전혀 기대할 수 없다.

표1.9는 고전 선지자들에 따라 세계 주요 강국과 주요 시기를 개관한 내용이다. 성경에 나오는 선지서 배열이 연대적이지 않다는 점을 주목하라. 이것은 성경 선지서의 순서를 정하는 데 연대보다는 신학이 결정적 역할을 했다는 것을 시사한다.

4. 언약과 정경을 기억하라

여호와의 선지자들은 하나님이 이 땅에 있는 사람들과 맺으신 다양한 언약의 시행자이자 사신이었다. 또한 그들은 다가오는 새 언약, 즉 신과 인간이 이전에 맺은 모든 언약을 다른 방식으로 성취할 그 새 언약을 예언했다.

의심할 바 없이 모세 율법은 선지자들의 설교에 매우 큰 영향을 끼쳤다(출 19장-신 33장). 그 율법은 이스라엘을 향한 선지자들의 고발과 교훈을 이끌었으며, 그들이 선언한 축복, 저주, 회복의 축복에 대한 틀을 제공했다(레 26장, 신 4장, 27-32장).

일시적 축복의 첫 번째 시대는 약속의 땅에서 영위할 번영의 삶이었다. 그 시대는 다윗과 솔로몬의 통치 때에 절정에 이르렀다. 그후 언약을 어긴 결과, 여호와는 나라를 나누셨고, 북왕국 이스라엘과 남왕국 유다에 차례로 외국의 억압과 포로 생활이라는 저주를 내리셨다. 주전 723년에 앗수르가 사마리아와 북왕국을 정복한 것을 되돌아보면서 열왕기 저자는 "이 일은 이스라엘 자손이 …… 하나님 여호와께 죄를 범하고 …… 그들이 듣지 아니하고 그들의 목을 곧게 하기를 그들의 하나님 여호와를 믿지 아니하던 그들 조상들의 목같이 하여 여호와의 율례와 여호와께서 그들의 조상들과 더불어 세우신 언약과 경계하신 말씀을 버[렸기]"(왕하 17:7, 14-15) 때문에 일어났다고 주장했다. 북왕국이 황폐해진 뒤에는 바벨론이 남왕국 유다를 점차 억압하여 포로로 삼았다(주전 605, 597, 586). 그리고 주전 586년에 예루살렘이 성전과 함께 멸망하면서 절정에 이르렀다.

여호와께서 모세를 통해 이렇게 장차 황폐해지리라고 말씀하시긴 했지만(신 4:25-28, 31:16-17, 26-29), 그분의 최종 결론이 저주는 아니었다. "이 모든 일이 네게 임하여 환난을 당하다가 끝날에 네가 네 하나님 여호와께로 돌아와서 그의 말씀을 청종하리니 네 하나님 여호와는 자비하신 하나님이심이라 그가 너를 버리지 아니하시며 너를 멸하지 아니하시며 네 조상들에게 맹세하신 언약을 잊지 아니하시리라"(4:30-31). 회복의 축복 시대는 그리스도의 초림에서 시작된 새 언약의 새 창조 시대다. 하나님은 그분의 이름이 다시 높아지도록 오직 그분의 자비로 그 축복을 베푸실 것이다. "이스라엘 족속아 내가 이렇게 행함은 너희를 위함이 아니요 너희가 들어간 그 여러 나라에서 더럽힌 나의 거룩한 이름을 위함이라"(겔 36:22).

다윗에게 영원한 나라와 보좌를 주겠다는 여호와의 서약(삼하 7:12-16)은 여자의 후손과 아브라함의 약속의 씨(창 3:15, 22:17b-18)가 유다 계열(창 49:8-10)에서만 나오는 것이 아니라 다윗 계열에서도 나올 것이라고 밝혀서 모세의 회복 약속에 초점을 맞추고 있다. 소선지서와 대선지서는 대체로 이 약속들을 기반으로 한다. 아브라함, 모세, 다윗의 언약 소망을 하나로 융합한 것이다(예를 들어 사 9:7, 55:3, 렘 23:5, 30:9, 겔 34:23, 37:24-25, 호 3:5, 암 9:11, 슥 13:1).

모세 언약과 새 언약은 아브라함 언약의 1단계와 2단계로 작용하기 때문에(5장에 나오는 '텍스트 문법의 예_ 창세기 12장 1-3절'과 8장에 나오는 '출애굽기 19장 4-6절의 역사적 맥락'에서 '언약'에 대한 논의를 보라) 선지서들도 하나님이 족장들에게 하신 약속에 소망을 둔다(예를 들어 사 29:22, 41:8, 51:2, 렘 33:25-26, 미 7:20). 여기에는 "너를 저주하는 자에게는 내가 저주하리니"라는 주장과 "땅의 모든 족속이 너로 말미암아 복을 얻을 것이라"(창 12:3)는 약속이 모두 포함되어 있다. 그러한 진술들은 온 세상이 아담-노아 언약에 속한다는 사실과 함께(창세기 9장 9-11절, 이사야 24장 4-6절, 스가랴 11장 10절을 보라. 이사야 43장 27절, 호세아 6장 7절 참조), 이방 나라를 향한 수많은 신탁(예를 들어 사 13-23장, 렘 46-51장, 겔 25-32장, 옵 1-21절, 습 2:5-3:7)의 배경을 제공한다. 이 신탁들에서 피조 세계와 맺은 언약의 주님인 여호와는 자신이 온 세상을 벌하고 또 화해하겠다고 선언하신다(습 3:8-10).

선지자들은 온 세상에 하나님 나라가 회복되는 날을 기다리면서 부분적으로는 교회의 현재 시대, 즉 그리스도의 죽음과 부활로 시작된 우리의 '말세'를 예언했다(행 2:17, 히 1:1-2). 또한 그들은 앞으로 올 시대에 성취가 완성될 것을 기대한다. 그때에 있을 축복은 첫 번째 시대의 축복보다 클 뿐 아니라, 하나님의 구속을 아는 사람들에게는 영원한 것이다(엡 1:3, 13-14, 벧전 1:3-5. 12장에 나오는 '그리스도인들과 구약의 약속들'을 보라).

선지자들은 다른 누구보다 앞선 혁신자가 아니었다. 그저 상기시키고 시행하는 자였다. 그들은 자신이 가진 성경을 기반으로 설교했다. 우리는 그들의 글을 이런 관점에서 읽어야 그들을 제대로 이해할 것이다.

우리는 그들의 메시지가 어떻게 기독교 정경 전체에 들어맞는지 계속 질문해야 한다. 대선지서와 소선지서가 후기 선지서를 구성하며, 이 선지서들은 전기 선지서 다음에 나온다. 이 구조에 따르면 여호수아서-열왕기는 언약 역사에서 **무엇이** 일어났는지 말해 주고, 예레미야서-말라기서는 그 일이 **왜** 그런 식으로 일어났는지 말해 준다. 우리는 성경에서 후기 선지서 배열이 사실상 연대적 목적보다는 신학적 목적에 따라 결정된 것으로 보인다는 것의 의미도 생각해 보아야 한다. 예를 들어 요나는 처음 1,000년간 성경을 쓴 문서 선지자들(writing prophets) 가운데 가장 초기 인물로 보이지만, 요나서는 선지서 열두 권 중 다섯째에 위치한다. 그렇기 때문에 우리는 오바댜서가 요나서보다 앞에 나오는 것이 요나서를 읽는 데 영향을 주는지를 물어야 한다.[28] 게다가 신약과 구약에 나오는 선지자들의 목소리는 우리가 읽고 있는 메시지를 어떻게 이해시키고, 어떤 관계가 있는지를 늘 물어야 한다. 우리는 정경에 배치된 위치 안에서, 그리고 아담-노아 언약, 아브라함 언약, 모세 언약, 다윗 언약, 새 언약에 비추어 선지서들을 읽어야 한다.

5. 그리스도와 복음을 보고 맛보라

신약은 구약 선지자들이 약속된 메시아의 날들을 기대하며 내다보았다고 분명하게 말한다. 예를 들어, 예수께서는 "너희 조상 아브라함은 나의 때 볼 것을 즐거워하다가 보고 기뻐하였느니라"(요 8:56. 마태복음 13장 17절 참조)고 말씀하셨다. 게다가 선지자들은 "연구하고 부지런히 살펴서 자기 속에 계신 그리스도의 영이 그 받으실 고난과 후에 받으실 영광을 미리 증언하여 누구를 또는 어떠한 때를 지시하시는지 상고"하였다(벧전 1:10-11).

예수께서는 부활하신 뒤 이렇게 주장하셨다. "미련하고 선지자들이 말한 모든 것을 마음에 더디 믿는 자들이여 그리스도가 이런 고난을 받고 자기의 영광에 들어가야

---

28 열두 선지서를 묶은 사람은 아마 오바댜서에서 하나님이 정죄하시는, 이스라엘에 대한 에돔의 교만이 니느웨에 대한 요나의 교만을 반영한 것이라고 믿었을 것이다. 요나는 이스라엘 민족을 대표하며, 여호와가 에돔의 교만에 대적하신 것처럼 이스라엘의 교만도 대적하실 것이다.

할 것이 아니냐 하시고 이에 모세와 모든 선지자의 글로 시작하여 모든 성경에 쓴 바 자기에 관한 것을 자세히 설명하시니라"(눅 24:25-27). 우리는 또한 "그들의 마음을 열어 성경을 깨닫게 하시고 또 이르시되 이같이 그리스도가 고난을 받고 제삼일에 죽은 자 가운데서 살아날 것과 또 그의 이름으로 죄 사함을 받게 하는 회개가 예루살렘에서 시작하여 모든 족속에게 전파될 것이 기록되었으니"(24:45-47)라는 글도 읽는다.

신약의 다른 많은 목소리는 모든 선지자가 그리스도의 환난과 그에 따를 승리를 예상했다고 강조한다. 베드로의 말을 빌면, "그러나 하나님이 모든 선지자의 입을 통하여 자기의 그리스도께서 고난 받으실 일을 미리 알게 하신 것을 이와 같이 이루셨느니라 …… 모세가 말하되 주 하나님이 너희를 위하여 너희 형제 가운데서 나 같은 선지자 하나를 세울 것이니 …… 또한 사무엘 때부터 이어 말한 모든 선지자도 이때를 가리켜 말하였[다]"(행 3:18, 22, 24). 또한 "그에 대하여 모든 선지자도 증언하되 그를 믿는 사람들이 다 그의 이름을 힘입어 죄 사함을 받는다 하였느니라"(10:43). 후에 바울 역시 이렇게 주장한다. "내가 오늘까지 서서 높고 낮은 사람 앞에서 증언하는 것은 선지자들과 모세가 반드시 되리라고 말한 것밖에 없으니 곧 그리스도가 고난을 받으실 것과 죽은 자 가운데서 먼저 다시 살아나사 이스라엘과 이방인들에게 빛을 전하시리라 함이니이다"(26:22-23).

구약 선지자들은 메시아의 고난과, 그로 인해 촉발될 선교를 내다보았다. 모든 선지자가 예수를 가리키므로, 선지서 해석은 각 책이 어떻게 그리스도를 알리는지 분별하기까지는 끝날 수 없다. 이것은 모든 본문이 같은 식으로 메시아를 가리킬 것이라는 뜻이 아니라, 모든 선지서 텍스트에서 예수의 복음 사역이 더욱 확대될 수 있고, 확대되어야 한다는 것이다. 선지서들은 이런 식으로 기독교 경전에서 그 위치를 인정받는다. 선지서를 읽을 때 그리스도와 복음을 보고 맛보도록 애쓰라(12장에서 비슷한 제목을 달고 있는 부분을 보라).

시편

시편에 대한 기독론적 접근

시편은 성경에서 가장 친숙하고 사랑을 많이 받는 부분들을 담고 있다. 다음 구절들 첫 부분에 나오는 단어들만 봐도 아마 많은 독자가 본문 전체를 암송할 수 있을 것이다. "복 있는 사람은 악인들의 꾀를 따르지 아니하며 죄인들의 길에 서지 아니하며 오만한 자들의 자리에 앉지 아니하고 오직 여호와의 율법을 즐거워하여 그의 율법을 주야로 묵상하는도다"(시 1:1-2). "여호와 우리 주여 주의 이름이 온 땅에 어찌 그리 아름다운지요"(8:1[H2]).[29] "여호와는 나의 목자시니 내게 부족함이 없으리로다 그가 나를 푸른 풀밭에 누이시며 쉴 만한 물가로 인도하시는도다 내 영혼을 소생시키시고"(23:1-3).

예수는 시편을 사랑하셨으며, 종종 자신이 메시아라는 것을 변호하거나 자신의 고통을 표현하기 위해 시편을 사용하셨다. 예를 들어, 대제사장과 장로들과 대화를 나누시면서 "너희가 성경에 건축자들이 버린 돌이 모퉁이의 머릿돌이 되었나니 이것은 주로 말미암아 된 것이요 우리 눈에 기이하도다 함을 읽어 본 일이 없느냐"(마 21:42)고 물어보실 때, 예수께서는 자신을 시편 118편 22-23절에 나오는 고난 받는 왕과 동일시하셨다. 마찬가지로 예언된 메시아에 대해 바리새인들과 이야기하시면서 메시아가 다윗의 아들이라는 그들의 주장을 이어받아 시편 110편 1절을 인용하여 물어보셨다. "그러면 다윗이 성령에 감동되어 어찌 그리스도를 주라 칭하여 말하되 주께서 내 주께 이르시되 내가 네 원수를 네 발아래에 둘 때까지 내 우편에 앉아 있으라 하셨도다 하였느냐"(마 22:43-44). 예수께서는 유다의 배신이 시편에 예언되어 있다고 보셨으며(시 41:9[H10], 요 13:18), 겟세마네 동산에서는 시편 42편 5-6[H6-7]절에 나오는, 괴로워하는 왕의 말을 암시하신 듯하다(마 26:38). 십자가에서 예수는 시편 22편 1[H2]절에 나오는 왕의 부르짖음을 자신의 부르짖음과 동일시하시면서 "나의 하나님, 나의 하나님, 어찌하여 나를 버리셨나이까"라고 외치셨다(마 27:46). 죽기 전에 예수께서 마지막

---

29 괄호 안에 나오는 'H + 숫자'는 영어 구절과 다른 히브리어 구절이다.

으로 하신 "아버지 내 영혼을 아버지 손에 부탁하나이다"(눅 23:46)라는 말씀은 시편 31편 5[H6]절에 나오는 왕의 말이 이루어졌음을 선언하신 것이다. 예수는 시편이 자신에 대한 것이라고 믿으셨다. 부활하신 뒤 "모세의 율법과 선지자의 글과 시편에 나를 가리켜 기록된 모든 것이 이루어져야 하리라"(눅 24:44)고 강조하신 것도 이런 맥락에서 하신 말씀이다.

사도와 신약 저자들 역시 시편을 먼저는 그리스도의, 그 다음에는 그리스도 안에 피하는 모든 사람(시 2:12)의 애도, 감사, 찬양을 제공하는 글로 읽는다. 그들은 예수께서 십자가에서 대속하여 죽으신 것을 여호와와 그분께 기름부음 받은 왕을 향한 열방과 백성의 분노가 절정에 이른 것으로 보았다(시 2:1-2, 행 4:25-28). 그들은 시편이 십자가의 생생한 공포(시 22:7[H8], 109:25, 마 27:39), 무리의 조롱(시 22:8[H9], 마 27:43), 그리스도의 입이 마르신 것(시 22:15[H16], 요 19:28. 시편 69편 21[H22]절 참조), 그분의 뼈가 보호된 것(시 34:20[H21], 요 19:36), 유다의 죽음(시 69:25[H26], 109:8, 행 1:16, 20), 예수께서 부활하신 뒤 "형제"에게 인사하신 것(시 22:22[H23], 히 2:12. 마태복음 28장 10절, 로마서 8장 29절 참조) 등을 예언했다고 믿었다. 또한 예수께서 육체로 부활하신 것은 여호와께서 기름부음 받은 왕의 시체를 죽음 이후까지 보존하시고(시 16:10, 행 2:24-32, 13:35-37) 그분을 하나님의 왕적인 "낳은 아들"(시 2:7. 또한 사도행전 13장 32-33절을 보라. 로마서 1장 4절 참조)로 높이시리라는 예언이 성취된 것이라고 믿었다. 결국 예수(계 12:5, 19:15)와 그분과 동일시된 사람들(2:26-27)은 반역하고 음모를 꾸미는 사람들을 깨기 위해 "철장"을 사용할 것이다(시 2:9).

브루스 월키(Bruce Waltke)가 말했듯이 "신약 저자들은 그리스도를 미리 보여 주는 시편을 확인하여 한정하기보다는 시편 전체가 예수 그리스도를 염두에 두고 있는 것으로 추정한다. 이것이 시편을 해석하는 표준 방식이다."[30] 시편에 대한 기독론적 접근은 시편 전체를 메시아적 음악으로 볼 것을 요구한다. "그리스도가 부르는" 노래든 "그리스도를 가리키는" 노래든 말이다.[31] 우리 자신을 이 기름부음 받은 분과 동일시할 때, 그분의 기도는 우리의 기도가 되고 그분의 음악은 우리의 음악이 된다.

---

30 Bruce K. Waltke, "A Canonical Process Approach to the Psalms," in *Tradition and Testament: Essays in Honor of Charles Lee Feinberg*, John S. Feinberg and Paul D. Feinberg 편집 (Chicago: Moody Press, 1981), 7쪽.

31 Mark D. Futato, *Interpreting the Psalms: An Exegetical Handbook*, Handbooks for Old Testament Exegesis (Grand Rapids: Kregel, 2007)(『시편을 어떻게 해석할 것인가』, 크리스챤출판사), 174쪽은 그렇게 말한다.

시편을 메시아적 음악으로 읽기

신약 저자들이 시편을 새로운 방식으로 접근하고 있는 것이 아님을 인식하는 것은 중요하다. 그들은 단지 우리가 선지서들에서 보는 유형을 따르고 있다. 예를 들어, 스가랴 선지자는 메시아적 소망이 흠뻑 배어 있는 맥락에서 시편 72편을 암시한다. 스가랴는 다윗 계열의 왕이 보좌에 없는 시대에 글을 쓰면서 "시온의 딸아 크게 기뻐할지어다 예루살렘의 딸아 즐거이 부를지어다 보라 네 왕이 네게 임하시나니 그는 공의로우시며 구원을 베푸시며 겸손하여서 나귀를 타시나니 나귀의 작은 것 곧 나귀 새끼니라 내가 에브라임의 병거와 예루살렘의 말을 끊겠고 전쟁하는 활도 끊으리니 그가 이방 사람에게 화평을 전할 것이요 그의 통치는 **바다에서 바다까지 이르고 유브라데 강에서 땅 끝까지 이르리라**"(슥 9:9-10)고 주장한다. 요한은 예수께서 승리의 입성을 하실 때 이 텍스트를 성취하고 계시다고 보았다(요 12:14-16). 굵게 표시된 부분은 시편 72편 8절과 정확히 대응하는데, 이것은 스가랴가 이 시편을 오실 메시아적 왕을 예언하는 것으로 해석하고 있었음을 시사한다.

시편 72편 표제는 그 기도가 솔로몬의 시라고 말하는 반면, 노래 텍스트는 이스라엘의 통치자가 자신보다 위대한 누군가를 바라면서 기도하고 있다고 본다. 솔로몬의 왕권은 구약의 어떤 왕보다도 강하다.[32] 시편 72편은 수많은 **제왕 시편** 중 하나로, 비할 데 없는 분인 오실 구원자를 묘사하고 있다(시편 2, 18, 20, 21, 45, 72, 101, 110, 132, 144편을 보라). 표1.10은 시편의 제왕 시편에 나오는 통치자에 대한 전반적인 모습을 요약한다.[33]

---

32 우리는 시편 20-21편에서 동일한 유형을 본다. 그 시편들에서 시편 기자인 다윗은 다른 사람을 위해 기도한다. 여호와께 그분이 기름부으신 왕을 그 고난에서 구해 달라고(시 20편), 그리고 그 왕을 죽음에서 구하시고 그를 영원한 날과 복을 받게 하신 것으로 인해(시 21편) 하나님이 높임 받으시길 기도하는 것이다. 필자는 다윗이 위해서 기도하는 왕은 후에 그가 시편 110편 1절(마태복음 22장 41-46절 참조)에서 자신의 "주"라고 밝히는 분이라고 생각한다. 그렇게 볼 때 하나님께 도움을 구하는 다윗의 개인적 청원이 시편 22편과 같은 탄원에 나타나며, 그의 개인적 구원은 시편 23편에서 경축된다. '전치사 לְ(레, "……에게") + 고유명사'(예를 들어, לְדָוִד [레다빗], '다윗에게')가 저자를 지칭한다는 견해에 대해서는 *GKC* § 129c를 보라. 다양한 제안들에 대한 개관으로는 Uriel Simon, *Four Approaches to the Book of Psalms: From Saadiah Gaon to Abraham Ibn Izra*, Lenn J. Schramm 옮김 (Albany, NY: State University of New York Press, 1991), 179-82쪽을 보라.

33 이렇게 통합한 것 중 일부는 J. Alec Motyer, *Look to the Rock: An Old Testament Background to Our Understanding*

1	그분은 단지 하나님의 "아들"(89:27[H28])이 아니라 하나님이 "낳으신" 아들로(2:7), 여호와께 속해 있으며(89:18[H19]) 영원히 하나님께 봉헌되어 있다(18:20-24[H21-25], 21:1, 7[H2, 8]. 63편 1-8, 11[H2-9, 12]절 참조). 그분은 하나님 우편에 앉아 계시며(110:1) "하나님"(45:6[H7])이자 다윗의 "주"(110:1)라고 불린다. 그분은 하나님 임재 안에서 영원히 기쁨을 누리실 것이다(21:6[H7]. 16편 11절 참조).
2	그분은 여호와의 영원한 복을 받으시고(21:6[H7], 45:2[H3]. 72편 17절 참조), 다윗 언약의 약속들을 성취하시며(89:28-37[H29-38], 132:11-12, 17-18), 열방(2:8)과 멜기세덱 제사장직(110:1-4) 모두의 후사가 되실 것이다.
3	땅의 나라와 민족들이 그분에게 대적한다(2:1-3, 110:2). 하지만 그분은 그들을 모두 압도하실 것이다(45:3-5[H4-6], 89:22-23[H23-24], 110:1, 5-7, 132:18). 환난을 통해 승리에 이르기까지 압도하시는 것이다(18:37-50[H38-51], 20:1-9[H2-10], 21:1, 4[H2, 5], 144:7-8, 11). 그리고 그분은 그들 가운데서 하나님을 찬양하실 것이다(18:49[H50]).
4	여호와의 행하심으로(2:6, 8, 18:31-36, 43, 46-50[H32-37, 44, 47-51], 21:1-13[H2-14], 110:1-2, 132:17-18), 그분은 시온에 기초를 두고(2:6, 110:2, 132:13, 17) 전 세계 통치를 확립하실 것이다(2:8-12, 45:17[H18], 72:8-11, 89:25[H26], 110:5-6, 132:18).
5	그분은 평강(72:7)과 열매(72:3, 16) 가운데서 영원히 다스리실 것이다(21:4[H5], 45:6[H7], 72:5). 그리고 의와 정의로 통치하실 것이다(45:4, 6-7[H5, 7-8], 72:2-3, 101:1-8). 그 정의에는 가난한 자들의 친구가 되고 억압자들을 물리치는 것이 포함될 것이다(72:2, 4, 12-14).
6	그분 안에서 피난처를 발견하는 사람들은 복이 있을 것이다(2:12, 72:17, 144:15). 그분의 통치 아래 그들은 번영하고(72:7) 풍성함을 누릴 것이며(72:3, 144:13-15), 번성하면서(72:3) 열매를 맺을 것이다(72:16, 144:12).
7	그분은 영원한 이름을 소유하실 것이며(72:17), 사람들 가운데 뛰어나실 것이고(45:2, 7[H3, 8]), 끝없는 감사의 대상이 될 것이다(72:15).

표1.10. 제왕 시편에 나오는 메시아적 왕에 대한 묘사

스가랴서가 시편 72편을 메시아적으로 해석하는 것은 아마 그 시편의 인간 저자가 원래 지닌 의도와 맞을 것이다. 분명 이 제왕 시편들은 일반적인 어느 육체적 왕을 말하는 것이 아니기 때문이다. 시편 72편에 나오는 화자는 자신을 넘어 여호와의 왕적 이상(신 17:14-20)과, 그분이 다윗에게 하신 나라에 대한 서약(삼하 7:12-16)이 성취될 것을 상상했다. 그것 자체는 율법에서 주님이 하신 약속들, 곧 악을 정복하고 복을 확보하는 왕적 해방자, 영원히 다스리실 분을 일으키겠다는 약속들(창 3:14-15, 22:17b-18, 49:8-10, 민 24:7-9, 17-19)에 기초한다. 새로운 세대마다 모두 다음 왕은 택하신 왕이 되리라는 소망이 있었다. 하지만 유대 왕들은 모두 자신은 백성이 소망하던 구주가 아니라는

---

of Christ (Downers Grove, IL: InterVarsity Press, 1996), 23-38쪽 내용을 수정한 것이다.

것을 입증했다. 그럼에도 믿음의 공동체는 그분이 오실 것에 대한 증거로 이 시편을 계속 노래했으며, 그러고 나서 신약 성도는 그분이 오신 것을 경축했다.

스가랴가 시편을 메시아적으로 다룬 첫 선지자는 아닌 것 같다. 예를 들어 예레미야 33장에서 다윗의 언약이 낮과 밤처럼 확고하게 확립되었다고 강조할 때 예레미야는 시편 89편에 의거하는 듯하다. 시편에서 여호와는 이렇게 선언하신다. "내가 나의 거룩함으로 한 번 맹세하였은즉 다윗에게 거짓말을 하지 아니할 것이라 그의 후손이 장구하고 그의 왕위는 해같이 내 앞에 항상 있으며 또 궁창의 확실한 증인인 달같이 영원히 견고하게 되리라"(시 89:35-37[H36-38]). 그리고 예레미야는 이렇게 진술한다. "너희가 능히 낮에 대한 나의 언약과 밤에 대한 나의 언약을 깨뜨려 주야로 그때를 잃게 할 수 있을진대 내 종 다윗에게 세운 나의 언약도 깨뜨려 그에게 그의 자리에 앉아 다스릴 아들이 없게 할 수 있겠으며"(렘 33:20-21. 31장 36-37절 참조).[34] 마찬가지로 시편 89편 28[H29]절에 나오는 "그[다윗]를 위하여 나의 인자함을 영원히 지키고 그와 맺은 나의 언약을 굳게 세우며"라는 여호와의 약속이 성취되었음을 잠재적으로 선언하시면서 하나님은 이사야를 통해 신실한 남은 자들에게 말씀하신다. "내가 너희를 위하여 영원한 언약을 맺으리니 곧 다윗에게 허락한 확실한 은혜이니라"(사 55:3).[35] 유다 집에 대

---

34 사무엘상하와 함께 예레미야서는 마소라 본문(MT)과 다른 텍스트 및 역본 사이에 중대한 차이가 있다. 이 경우, 칠십인 역에는 예레미야 33장 14-26절이 완전히 빠져 있다. 이것은 이 부분에 나온 약속들이 예레미야서에 원래 있던 것이 아니라 후에 해석 역사에서 생겨난 것일 가능성을 제기한다(Emanuel Tov, *Textual Criticism of the Hebrew Bible*, 3판 [Minneapolis: Fortress, 2011], 286-88쪽은 그렇게 말한다). 사해 문서 4QJerc에는 16-20절이 보존되어 있지 않다. 그리고 빈 간격은 MT 전체 텍스트가 들어가기에 매우 좁다. 그래서 두루마리는 이 부분에 더 짧은 텍스트를 포함하거나, 그 행 위에 한두 단어를 삽입하였다(Martin G. Abegg Jr., Peter Flint, and Eugene Ulrich, *The Dead Sea Scrolls Bible* [San Francisco: HarperSanFrancisco, 1999], 401쪽은 그렇게 말한다). 의미심장하게도 예레미야서 MT는 예레미야의 말을 기록했다고 여러 번 언급하며(예를 들어 렘 25:13, 30:2, 36:2, 28, 32, 45:1, 51:60, 63), 그 책 자체는 선지자 자신이 기록한 다양한 길이의 여러 판이 있다는 것을 시사한다(예레미야 51장 59-64절에 나오는 더 짧은 바벨론판과, 예레미야 36장 32절에 나오는 바룩의 더 긴 이집트판을 보라. 45장 1-5절을 43장 5-7절과 비교해 보라). 이것은 그 책이 독특한 사본적 전통을 지니고 있음을 설명하는 데 도움이 될 것이다. 그리고 그것은 알려져 있는 모든 판이 선지자 자신에게서 나왔다는 것을 의미할 수 있다.

35 이 텍스트들에 대해서는 특히 William C. Pohl IV, "A Messianic Reading of Psalm 89: A Canonical and Intertextual Study," *JETS* 58, 3 (2015): 522-25쪽을 보라. Knut M. Heim, "The (God-)forsaken King of Psalm 89: A Historical and Intertextual Enquiry," in *King and Messiah in Israel and the Ancient Near East: Proceedings of the Oxford Old Testament Seminar*, John Day 편집, JSOTSup 270 (Sheffield, UK: Sheffield Academic, 1998), 296-322쪽을 참조하라. 이사야 55장 3절에 대한 도발적인 다른 해석으로는 Peter J. Gentry, "Rethinking the "Sure Mercies of David" in Isaiah 55:3," *WTJ* 62, 2 (2007): 279-304쪽, Peter J. Gentry and Stephen J. Wellum, *Kingdom through Covenant: A Biblical-Theological Understanding of the Covenants* (Wheaton, IL: Crossway, 2012)(『언약과 하나님 나라』, 새물결플러스), 406-21쪽을 보라. 덜 분명하긴 하지만, 이사야서에 나온 다른 두 텍스트와 미가서에서 나온 또 하나의 텍스트

한 여호와의 일시적 징벌은 여호와께서 다윗에게 하신 언약을 저버리신 것처럼 보이면서도(시 89:38-46[H39-47]),[36] 시편 89편은 후대 선지자들과 더불어 하나님이 "내 언약을 깨뜨리지 아니하고 내 입술에서 낸 것은 변하지 아니하리로다"(89:34[H35])라고 말씀하신 것을 증거한다.[37]

이사야, 예레미야, 스가랴뿐 아니라 다윗도 적어도 특정 경우에는 시를 쓸 때 의식적으로 앞을 내다보면서 그리스도의 역사를 예언했다. ESV에서는 분명하지 않지만, 다른 역본에서 사무엘하 23장 1절을 보면 다윗의 마지막 말은 **"야곱의 하나님께로부터 기름부음 받은 자**(메시아)"[38]에 관한 선지자적 신탁으로 나온다. 이것은 칠십인 역에 보존된 해석이다. 두에-랭스(Douay-Rheims, 1610)와 YLT(1898) 같은 초기 영어 역본들은 그 해석을 따랐다. 이 진술을 어떻게 번역하든 간에, "강한 사람의 말"(נְאֻם הַגֶּבֶר[네움 학게베르])이라는 문구가 더 나오는 곳은 민수기 24장 3, 15절과 잠언 30장 1절뿐인데, 이 말들은 모두 메시아적 신탁을 소개한다(민수기 24장 7, 17-19절, 잠언 30장 4절을 보라).[39] 게다가 다윗의 '마지막 말'의 내용은 분명 다윗 자신을 넘어선 분을 가리킨다. 그 통치가 빛과 새 창조를 가져올 분(삼하 23:4), 철과 창자루를 가진 쓸모없는 사람을 정복할 분(23:6-7)을 말하는 것이다. 이것은 아마 시편 2편 9절에 나오는 형상을 반영했을 것이다. 그 구절에서 하나님의 왕적 아들은 분노하는 민족들을 "철장으로" 정복하실 것이다(창세기 49장 10절, 민수기 24장 17절, 요한계시록 12장 5절, 19장 15절 참조).

더 분명한 것은 사도행전 2장 30-31절에 나오는 베드로의 주해적 결론이다. 그 구

에서 우리는 시편 72편을 하나님의 종말적 통치와 관련된 종말적 텍스트로 읽을 수 있다. 문맥을 보면 종말적 통치는 궁극적으로 그분의 메시아적 인물을 통해 오는 것으로 인식된다(시편 72편 1-2절과 이사야 32장 1절, 시편 72편 9절과 미가 7장 17절, 시편 72편 10절과 이사야 60장 9, 11절을 비교해 보라). 시편과 후기 선지서의 이런 연관과 다른 잠재적 연관으로는 Sue Gillingham, "From Liturgy to Prophecy: The Use of Psalmody in Second Temple Judaism," *CBQ* 64, 3 (2002): 471-76쪽을 보라.

36 시편 89편의 연대를 추정하기란 어렵다. (1) 그 시편은 분명 다윗의 나라에 대한 약속이 위험에 처한 것으로 보일 때에 쓰였으나(시편 89편 38-46[H39-47]절을 보라), (2) 시편 88편에서 '에스라인 헤만'이라는 비슷한 말이 나온 다음에 89편 저자가 '에스라인 에단'이라고 나오는 것으로 보아 시편 89편은 다윗과 솔로몬 시대와 연관되는 것으로 보이기 때문이다. 아마 에단은 솔로몬이 죽은 직후, 그리고 르호보암 시대에 나라가 분열된 직후에 텍스트를 썼을 것이다(특히 열왕기상 4장 31절[H5:11]을 보라. 역대상 15장 16-17, 19절 참조).

37 이 독법에 대해서는 Pohl, "A Messianic Reading of Psalm 89," 507-25쪽을 보라.

38 Michael Rydelnik, *The Messianic Hope: Is the Hebrew Bible Really Messianic?*, NAC Studies in Bible and Theology 9 (Nashville: Broadman & Holman, 2010), 39-41쪽을 보라.

39 민수기 텍스트를 메시아적으로 보는 것에 대한 논의로는 같은 책 38-39, 52-55쪽을 보라.

절에서 사도 베드로는 시편 16편 8-11절의 의미를 묵상하면서, 다윗에 대해 이렇게 말한다. "그는 선지자라 하나님이 이미 맹세하사 그 자손 중에서 한 사람을 그 위에 앉게 하리라 하심을 알고 미리 본 고로 그리스도의 부활을 말하되." 이 구절은 나중에 더 자세히 다루려고 한다. 지금까지 분명한 것은 시편이 앞을 내다보면서, 그리스도의 고난과 후에 받으실 영광을 묘사한다는 것이다(벧전 1:10-12). 우리가 기름부음 받은 왕과 우리 자신을 동일시하는 한, 그분의 기도는 우리의 기도가 되고 그분의 음악은 우리의 음악이 된다.

시편 하위 장르의 다양함

시편은 구약 학자들이 장르라는 렌즈를 통해 평가한 첫 책이다. 이 접근은 여전히 많은 구약 해석에서 중요한 특징이다.[40] 가장 널리 알려진 시편 하위 장르 여덟 가지는 다음과 같다.

- 탄원 시편(참회 시편과 저주 시편을 포함)
- 신뢰 시편 또는 확신 시편
- 감사 시편
- 찬양 시편 또는 찬송(즉위 시편을 포함)
- 제왕 시편
- 지혜 시편/토라 시편
- 예식 시편
- 역사적 시편

---

40 장르 범주에 초점을 맞추어 시편에 접근하는, 대단히 유용한 명저 두 책은 Bernhard W. Anderson and Steven Bishop, *Out of the Depths: The Psalms Speak for Us Today*, 3판 (Louisville: Westminster John Knox, 2000)과, Gordon D. Fee and Douglas Stuart, *How to Read the Bible for All Its Worth*, 3판 (Grand Rapids: Zondervan, 2003)(「성경을 어떻게 읽을 것인가」, 성서유니온선교회), 212-15쪽이다.

이 범주는 비교적 자명하며, 내용에 따라 구분된다. 어느 시편이 어느 범주에 속하는지 알면, 우리 마음의 기도를 표현하기 위한 말을 쉽게 찾을 수 있다. 표1.11은 하위 장르에 따라 시편을 분류한 것이다.

탄원	3, 4, 5, 6, 7, 12, 13, 14(=53), 17, 22, 26, 27, 28, 35, 38, 39, 41, 42/43, 44, 51, 54, 55, 56, 57, 58, 59, 60, 61, 63, 64, 69, 70, 71, 74, 77, 79, 80, 82, 83, 85, 86, 88, 90, 94, 102, 106, 108, 109, 120, 123, 126, 130, 137, 140, 141, 142, 143 (참회 시편 = 6, 38, 51, 102, 130, 143, 저주 시편 = 35, 55, 59, 69, 79, 109, 137)
신뢰	11, 16, 23, 91, 121, 125, 129, 131
감사	30, 66, 92, 107, 116, 118, 124, 138
찬양/찬송	8, 29, 33, 46, 47, 48, 76, 84, 87, 93, 95, 96, 97, 98, 99, 100, 103, 104, 105, 111, 113, 114, 117, 122, 134, 135, 136, 145, 146, 147, 148, 149, 150 (시온의 노래 = 46, 48, 76, 84, 87, 여호와의 즉위 시편 = 47, 93, 96, 97, 98, 99)
제왕	2, 18, 20, 21, 45, 72, 101, 110, 132, 144
지혜/토라	1, 37, 49, 73, 112, 127, 128
예식	15, 24 (136편도 참조)
역사적	78 (105, 106, 107, 114편도 참조)
혼합	9/10, 19, 25, 31, 32, 34, 36, 40, 65, 89, 119
불분명	50, 52, 62, 67, 68, 75, 81, 115, 133, 139

John C. Crutchfield for *What the Old Testament Authors Really Cared About: A Survey of Jesus' Bible*, Jason S. DeRouchie 편집 (Grand Rapids: Kregel, 2013), 342쪽에서 제공. 허락을 받고 사용함.

표1.11. 하위 장르에 따른 시편 구분

여호와의 궤를 예루살렘으로 옮길 때, 다윗은 하나님을 향한 자신의 열정에 버금가는 음악에 대한 사랑 때문에 레위 사람을 음악 사역자로 위임했다. 그는 수금과 비파, 제금과 나팔을 관장하는 지도자를 세웠으며, 심지어 합창단까지 임명했다. 전반적으로 다윗은 이 예배 지도자들에게 "여호와를 칭송하고(to invoke, 즉 도우심을 간청하고) 감사하며 찬양"(대상 16:4)하라고 명했다. 뒤에서 보겠지만 칭송(invocation)은 **탄원** 시편의 핵심이고, 감사는 **감사** 시편의, 그리고 찬양은 **찬양** 시편의 핵심이다. 게다가 앞서 열거한 시편 장르 대부분은 주제로만 구분되는 반면, 탄원 시편, 감사 시편, 찬양 시편은 구조 유형으로도 특징을 이룬다. 다윗의 지시에 비추어 본다면, 다른 시편 하위 장르가 모두 이 세 가지 주요 범주 유형에 속한다고 볼 수 있는 성경적 근거를 가질 수 있을 것이다.

이와 함께 역대기 저자는 다윗이 임명한 레위인 음악 지도자들(즉 아삽, 헤만, 여두둔)이 "선견자"(대상 25:5, 대하 29:30, 35:15)로, "왕의 명령을 따라 예언하며"(prophesied, 개역개정에는 "왕의 명령을 따라 신령한 노래를 하며"라고 번역되었다_ 옮긴이) "수금과 비파와 제금을 잡아 …… 여호와께 감사하며 찬양하[는]"(대상 25:1-3) 사람이었다고 주장했다. 이스라엘의 신실한 사람들은 여호와께 "즐거움으로 찬송[할]"(대하 29:30) 때 그들의 말과 "선지자" 다윗(행 2:30. 사무엘하 23장 2절 참조)의 말로 찬송했다. 제왕 시편의 특성과, 이 지도자들이 "왕의 명령을 따라 예언"했다는 사실(이 왕의 삶은 다윗 언약의 하나님 나라 약속에 맞춰져 있다[삼하 7:12-16, 대상 17:11-14, 25:2])은 이 선지자적 역할이 선포하는 것(forthtelling)뿐 아니라 앞일을 말하는 것(foretelling, 즉 예언)을 포함한다고 이해해야 함을 강력하게 시사한다. 이제 신약 저자들이 바로 이런 식으로 다양한 시들을 해석했다는 사실을 살펴볼 것이다.

탄원, 신뢰, 감사, 찬양의 시

가장 일반적인 시편 하위 장르 두 가지는 단연코 탄원과 찬양이며, 논리적 연속선상에서 그 둘 사이에는 신뢰 시편과 감사 시편이 있다. **탄원의 시**(탄원 시편)는 고통을 겪는 가운데 하나님께 도움을 구하는 부르짖음이다. **신뢰의 시**(신뢰 시편)는 여호와를 확신한다고 선언하지만, 여전히 고통 가운데 있다. **감사의 시**(감사 시편)는 고통 이후에 해방된 것이나 공급하시는 것에 감사한다. **찬양의 시**(찬양 시편)는 여호와가 누구신지와 무엇을 하셨는지, 특히 피조물과 구속과 관련하여 하신 일들을 경축하는 찬송이다. 시편 하위 장르는 대부분 그것들이 지닌 일반 주제에 따라 구분되지만, 탄원 시편, 감사 시편, 찬양 시편은 구조 유형으로도 알 수 있다.

1. 탄원의 시(탄원 시편)(APTRAP)

a. 하나님을 부름(**A**ddress)

b. 간구, 대체로 기도를 들어달라는 간구(**P**etitions)

c. 괴로움을 토로(**T**rouble)

d. 하나님이 응답하셔야 하는 이유(**R**eason)

e. 확신을 선언(또는 신뢰)(**A**ssurance)

f. 찬양 또는 제사에 대한 약속(**P**raise)

제왕 시편에서 두드러진 특징은 악에 대한 메시아의 승리와 전 세계적 통치가 큰 고난을 거쳐서만 온다는 것이다(시 18:37-50[H38-51], 20:1-9[H2-10], 144:7-8, 11). 마찬가지로 이사야는 왕적인 종이 "높이 들[리는]"(사 52:13) 길은 "간고를 많이 겪었으며 질고를 아는 자"(53:3)의 길이 될 것이라고 예언했다. 이런 관점에서, 히브리서 기자는 "그는 육체에 계실 때에 자기를 죽음에서 능히 구원하실 이에게 심한 통곡과 눈물로 간구와 소원을 올렸고"(히 5:7)라고 진술한다. 복음서 기자들은 환난에서 승리로 이어지는 그리스도의 여정을 상세히 기술하며, 그리스도의 기도가 종종 탄원 시편에서 직접 나왔다고 말한다.

앞서 말했듯이 고대 이스라엘에서 탄원은 특정 형식을 지니고 있는데, 종종 여섯 가지 요소를 포함한다. 예를 들어, 대부분의 유형은 시편 6편에 나오는 탄원에서 분명하게 나타난다. 시편 6편에서 기름부음 받은 왕은 하나님의 징벌 아래 아무 죄 없이 고난 받는 자로서 부르짖는다.

예루살렘으로 승리의 입성을 하신 뒤, 예수께서는 자신이 밟게 될 죽음의 길을 점차 응시하면서 이 시편으로 직접 하나님께 기도하셨다. 예수께서는 시편 6편 3-4[H4-5]절에 의지해서 "지금 내 마음이 괴로우니 무슨 말을 하리요 아버지여 나를 구원하여 이때를 면하게 하여 주옵소서 그러나 내가 이를 위하여 이때에 왔나이다"(요 12:27)라고 외치셨다. 이러한 번민의 외침은 예수께서 겟세마네에서 표하신 비슷한 신음(마 26:38-39, 44. 시편 42편 5[H6]절과 연관된 말)과, 예수께서 십자가에서 외치신 절정의 부르짖음(시편 22편 1[H2]절을 인용한 말)인 "나의 하나님, 나의 하나님, 어찌하여 나를 버리셨나

1	여호와여 주의 분노로 나를 책망하지 마시오며……	하나님을 부름
2-4	여호와여 내가 수척하였사오니 내게 은혜를 베푸소서 여호와여 나의 뼈가 떨리오니 나를 고치소서 나의 영혼도 매우 떨리나이다 …… 여호와여 돌아와 나의 영혼을 건지시며 주의 사랑으로 나를 구원하소서	간구 및 하나님이 응답하셔야 하는 이유
6-7	내가 탄식함으로 피곤하여 밤마다 눈물로 내 침상을 띄우며 …… 내 눈이 …… 내 모든 대적으로 말미암아 어두워졌나이다	괴로움을 토로
8-10	악을 행하는 너희는 다 나를 떠나라 여호와께서 내 울음소리를 들으셨도다 여호와께서 내 간구를 들으셨음이여 여호와께서 내 기도를 받으시리로다 내 모든 원수들이 부끄러움을 당하고……	확신을 선언

주_ 여기에 빠진 요소는 '찬양 또는 제사에 대한 약속'이다. 하지만 이 특징은 시편 7편 17[H18]절의 탄원 끝 또는 시편 27편 6절의 탄원 한가운데 분명하게 나타난다.

표1.12. 시편 6편_ 탄원 시편

이까"(마 27:46)라는 고백을 생각나게 한다. 예수께서는 사역 초기에 시편 6편 8[H9]절을 사용하여 자신이 최후의 심판 때 악인들에게 하실 말씀을 묘사하셨다(마 7:23). 또한 세상이 이유 없이 그분을 미워하는 것은 시편 35편 19절의 탄원에 기록된 예언을 이루는 것이었다고 주장하셨다(요 15:25). 첫 번째 성전 정화 사건에서 예수는 시편 69편 9[H10]절을 인용하여 "주의 전을 사모하는 열심이 나를 삼키리라"(요 2:17)고 선언하셔서 자기 영혼의 고통을 설명하셨다.

의미 있게도 "제자가 그 선생보다, 또는 종이 그 상전보다 높지 못하[므로]"(마 10:24) 그리스도를 따르기 원하는 사람은 누구든지 "자기를 부인하고 자기 십자가를 지고" 따라야 한다(16:24). "우리가 하나님의 나라에 들어가려면 많은 환난을 겪어야 할 것이라"(행 14:22). 따라서 고난을 거치는 왕의 여정이 그분께 피하는 모든 사람의 여정인 것처럼(시 2:12) 그분의 기도는 우리의 기도가 될 수 있다. 바울은 그리스도가 하나님을 위해 고난 받았다는 것을 강조하고 시편 69편 9[H10]절에 나온 "주를 비방하는 비방이 내게 미쳤나이다"라는 왕의 탄식을 인용한 직후에, "무엇이든지 전에 기록된 바는 우리의 교훈을 위하여 기록된 것이니 우리로 하여금 인내로 또는 성경의 위로로 소망을 가지게 함이니라"고 선언한다(롬 15:3-4). 바울은 광범위하게 말하면 모든 구약이 그리스도인에게 중요하다고 말하고 있지만, 가장 직접적으로는 탄원의 시가 예수께 피하는 모든 사람의 탄원이 된다는 뜻으로 말한 것이다. 즉 처음에는 그리스도의 기도로 나온 시편들이 이제 구원받은 사람들의 노래가 된다는 것이다. 우리가 "하나님이 미리 아신 자들을 또한 그 아들의 형상을 본받게 하기 위하여 미리 정하셨으니 이는 그로 많은 형제 중에서 맏아들이 되게 하려 하심이니라"(롬 8:29. 시편 2편 7절, 22편 22[H23]절 참조)고 확신하며 소망 가운데 그 탄원을 노래하길 기도한다.

2. 신뢰의 시(신뢰 시편)

탄원은 문제에 초점을 맞추는 반면, 신뢰 시편은 응답에 초점을 맞춘다. 하지만 둘 다 고난이라는 맥락에서 나온 기도다. 신뢰 시편에는 특별한 유형이 존재하지 않는다. 하지만 신뢰 시편은 모두 하나님이 신실하시며 주관하신다는 확신을 표현한다.

많은 사람이 사랑하는 시편 23편이 이 범주에 속한다. 시편 23편은 시편 22편 뒤에 나온다. 이 시편 22편은 그리스도의 고난과 승귀를 예언하는 내용으로 가득하고(3장에 나오는 '본문 비평의 본질과 시편 22편 16[H17]절'을 보라), 하나님이 구해 주신 것으로 인해 형제들 앞에서 여호와를 찬양하리라는 서원을 담고 있다(22:22-24[H23-25]). 그렇기 때문에 우리는 먼저 여호와를 그분의 목자로 고백하는 그리스도의 간증으로 시편 23편을 읽을 수 있다.[41] 그러고 나서야 그분께 피하는 우리도(2:12) 동일한 소망의 노래를 부를 수 있다.

1-3	여호와는 나의 목자시니 내게 부족함이 없으리로다 그가 나를 푸른 풀밭에 누이시며 쉴 만한 물가로 인도하시는도다 내 영혼을 소생시키시고 자기 이름을 위하여 의의 길로 인도하시는도다	하나님의 공급 안에 있는 확실함과 안식
4-6	내가 사망의 음침한 골짜기로 다닐지라도 해를 두려워하지 않을 것은 주께서 나와 함께하심이라 주의 지팡이와 막대기가 나를 안위하시나이다 주께서 내 원수의 목전에서 내게 상을 차려 주시고 기름을 내 머리에 부으셨으니 내 잔이 넘치나이다 내 평생에 선하심과 인자하심이 반드시 나를 따르리니 내가 여호와의 집에 영원히 살리로다	하나님의 보호 안에 있는 확실함과 안식

표1.13. 시편 23편_ 신뢰 시편

---

41 더글러스 그린(Douglas J. Green)은 " 'The Lord Is Christ's Shepherd': Psalm 23 as Messianic Prophecy," in Eyes to See, *Ears to Hear: Essays in Memory of Alan Groves*, Peter Enns, Douglas J. Green, and Michael B. Kelly 편집 (Phillipsburg, NJ: P&R Publishing, 2010), 33-46쪽에서 메시아적 해석의 정당성을 주장한다. 실망스럽게도 그린의 접근은 시편에 대한 메시아적 해석을 원래 역사적 배경과 분리시킨다. 다윗은 원래 메시아적 해석을 의도하지 않았지만 신약 저자들이 시편을 해석하는 방식에 비추어 볼 때 그것이 여전히 정당하다고 주장하는 것이다. 이에 반해, 필자는 메시아적 해석이 실로 다윗의 원래 역사적 의도의 일부였다고 강조하고 싶다. 그 역사적 의도에는 기름부음 받은 왕에게 피하는 모든 사람은 또한 그 왕의 기도를 그들 자신의 기도로 만들 수 있다는 견해도 포함된다. 그 왕의 신뢰의 말은 우리의 신뢰의 말이 된다. 시편 22-24편이 시편 안에서 하나의 단위를 형성한다는 주장에 대해서는 Nancy L. Declaissé-Walford, "An Intertextual Reading of Psalms 22, 23, and 24," in *The Book of Psalms: Composition and Reception*, Peter W. Flint and Patrick D. Miller 편집, VTSup 99 (Leiden: Brill, 2005), 139-52쪽을 보라.

신약은 신뢰 시편을 여러 번 인용한다. 한 예는 그리스도의 죽음 사건에서 볼 수 있다. 예수께서는 마지막 숨을 쉬시기 직전에, 시편 31편 5[H6]절에 나오는 신뢰의 선언을 글자 그대로 인용하신다. 시편에 나오는 왕의 서원을 예수께서 바로 그 순간에 이루고 계시다는 것을 강조하기 위해 헬라어 미래 시제를 현재 시제로 바꿀 뿐이다. "아버지 내 영혼을 아버지 손에 부탁하나이다"(눅 23:46).

마찬가지로 누가는 베드로와 바울 둘 다 시편 16편 8-11절에 나오는 신뢰의 증언을 예수의 부활을 직접 예언한 것으로 해석했다고 말한다(행 2:25-32, 13:35-37). 베드로는 사망의 고통이 왜 예수를 매어 놓을 "수 없었는지" 명확히 설명하기 위해(행 2:24) 시편 16편 8-11절(=시편 15편, 칠십인 역)을 인용하여 말한다. "다윗이 그를 가리켜 이르되 내가 항상 내 앞에 계신 주를 뵈었음이여 나로 요동하지 않게 하기 위하여 그가 내 우편에 계시도다 그러므로 내 마음이 기뻐하였고 내 혀도 즐거워하였으며 육체도 희망에 거하리니 이는 내 영혼을 음부에 버리지 아니하시며 주의 거룩한 자로 썩음을 당하지 않게 하실 것임이로다 주께서 생명의 길을 내게 보이셨으니 주 앞에서 내게 기쁨이 충만하게 하시리로다 하였으므로"(행 2:25-28). 그러고 나서 베드로는 그에 대해 이렇게 선언한다. "형제들아 내가 조상 다윗에 대하여 담대히 말할 수 있노니 다윗이 죽어 장사되어 그 묘가 오늘까지 우리 중에 있도다 그는 선지자라 하나님이 이미 맹세하사 그 자손 중에서 한 사람을 그 위에 앉게 하리라 하심을 알고 미리 본 고로 그리스도의 부활을 말하되 그가 음부에 버림이 되지 않고 그의 육신이 썩음을 당하지 아니하시리라"(2:29-31). 베드로는 다윗이 영원한 나라에 대한 하나님의 약속을 "알고", 그리스도의 부활을 "미리 본" "선지자"였다고 말한다(2:30-31. 3장 18, 24절, 10장 43절 참조). 우리는 사무엘하 7장 12절에서 다윗이 자신이 죽으리라는 것을 알고 있었음을 배웠으며, 사도들은 다윗이 "죽어 장사되어"(행 2:29) 그의 시체가 "썩음을 당하였[다]"(13:36)는 것을 강조했다. 그래서 우리는 시편 16편에 나오는 왕의 말이 다윗의 삶에서 일어난 일을 언급한 것으로 볼 수 없고 아마도 그리스도의 부활을 예시한 것[42]이라고 볼 수 있

---

42 많은 학자가 이런 견해를 주장한다. 우리는 그 견해를 시편 16편에 대한 **예표적**(*typological*) 해석이라고 부를 수 있다(예를 들어, M. Rese, "Die Funktion der alttestamentlichen Zitate und Anspielungen in den Reden der Apostelgeschichte," in *Les Actes des Apôtres: Traditions, rédaction, théologie*, J. Kremer 외 편집, BETL 48 [Leuven: Leuven University Press, 1979], 76쪽, Leonhard Goppelt, *Typos: The Typological Interpretation of the Old Testament in the New*, Donald H. Madvig 옮김 [Grand Rapids: Eerdmans, 1982][『모형론』, 순출판사], 122-23쪽, James M. Hamilton Jr., 개인

다. 오히려 사도들은 시편 16편을 주해하면서 그 말을 직접적 예언으로 보게 되었다.

3. 감사의 시(감사 시편)(IMART)

a. 하나님을 부르며 찬양하는 도입(**I**ntroduction)

b. 불행(**M**isery) 또는 괴로움을 고함

c. 다른 사람들에게 하나님을 찬양하라고 호소함(**A**ppeal)

d. 구원(**R**escue)을 선언

e. 서원에 대한 간증(**T**estimony) 또는 찬양

구원받은 사람들 마음속에는 하나님께 드리는 감사가 풍성해야 한다. 그리고 우리는 종종 감사를 말로 표현해야 한다. 표1.14가 보여 주듯이, 시편 30편에 나오는 왕의 말은 많은 감사 시편에서 찾아볼 수 있는 유형의 좋은 예다.

1	여호와여 내가 주를 높일 것은	하나님을 부르며 찬양하는 도입
	주께서 나를 끌어내사 내 원수로 하여금 나로 말미암아 기뻐하지 못하게 하심이니이다	불행 또는 괴로움을 고함
4	주의 성도들아 여호와를 찬송하며 그의 거룩함을 기억하며 감사하라	다른 사람들에게 하나님을 찬양하라고 호소함
11-12	주께서 나의 슬픔이 변하여 내게 춤이 되게 하시며 나의 베옷을 벗기고 기쁨으로 띠 띠우셨나이다 이는 잠잠하지 아니하고 내 영광으로 주를 찬송하게 하심이니	구원을 선언
	여호와 나의 하나님이여 내가 주께 영원히 감사하리이다	서원에 대한 간증 또는 찬양

표1.14. 시편 30편_ 감사 시편

신약에서는 감사 시편과 연결되는 고리를 여럿 발견할 수 있다. 자주 볼 수 있는 것은 시편 34편이다. 34편 8[H9]절에서 왕은 청중에게 "너희는 여호와의 선하심을 맛

서신). 하지만 우리는 I. 하워드 마셜(Howard Marshall)처럼 "'예표' 자체에 해당되지 않는 진술에 '예표적'이라는 말을 사용하는 것이 적절한가?"(I. Howard Marshall, "Acts," in *Commentary on the New Testament Use of the Old Testament*, G. K. Beale and D. A. Carson 편집 [Grand Rapids: Baker Academic, 2007], 538쪽)라고 물어보아야 한다. 10장에서 더 자세히 말하겠지만, 예표론(*typology*)이란 하나님이 이전의 사람, 사건, 제도와 후대의 사람, 사건, 제도를 의도적으로 대응하신 것을 말한다. 그로 인해 이전의 예표는, 적어도 뒤늦은 깨달음을 통해서라도 후대의 대형을 예언하는 것으로 인식된다. 특히 Richard Davidson, *Typology in Scripture: A Study of Hermeneutical TUPOS Structures*, Andrews University Seminary Doctoral Dissertation Series 2 (Berrien Springs, MI: Andrews University, 1981)를 보라.

보아 알지어다"라고 호소한다. 그리고 베드로는 독자들에게 이 명령에 주의를 기울였다면, 경건에서 자라야 한다고 말한다(벧전 2:2-3). 후에 베드로는 청중에게 하나님께 복 얻기를 애쓰라고 자극하고 악을 악으로 갚지 말라고 명령하기 위해 시편 34편 12-16[H13-17]절을 인용한다. "생명을 사랑하고 좋은 날 보기를 원하는 자는 혀를 금하여 악한 말을 그치며 그 입술로 거짓을 말하지 말고 악에서 떠나 선을 행하고 화평을 구하며 그것을 따르라 주의 눈은 의인을 향하시고 그의 귀는 의인의 간구에 기울이시되 주의 얼굴은 악행하는 자들을 대하시느니라 하였느니라"(벧전 3:9-12). 마지막으로, 시편 34편 20[H21]절에서 왕은 하나님이 모든 뼈를 보존하사 하나도 꺾이지 않도록 하신 그의 구원자시라고 선언하는데, 요한은 예수께서 십자가에 달리신 방식에서 그 예언이 성취되었다고 선언한다(요 19:36).

신약 저자들이 자주 인용하는 또 다른 감사 시편은 시편 118편이다. 이 시편이 인용되는 문맥은 다양하다. 예를 들어 히브리서 저자는 왜 그리스도인이 만족해야 하는지를 명확하게 설명하기 위해, 그리고 여호와가 절대 우리를 떠나거나 버리지 않으실 것이라는 하나님의 약속(수 1:5)에서 나온 추론으로, 시편 118편 6절을 인용해서 선언한다. "그러므로 우리가 담대히 말하되 주는 나를 돕는 이시니 내가 무서워하지 아니하겠노라 사람이 내게 어찌하리요 하노라"(히 13:6). 시편 기자에게 해당되던 것이 하나님께 피하는 모든 사람에게도 여전히 해당되는 것이다. 예수께서는 시편 118편 22-23절에 의지하여 자신을 "건축자들이 버린 돌"과 동일시하셨다. 그러고 나서 그분은 "모퉁이의 머릿돌"이 되실 것이다. 예수께서는 자신에게 떨어지는 모든 사람은 깨질 것이라고 말씀하셨다(마 21:42-44). 베드로도 시편 118편에서 같은 개념을 강조하면서 교회가 모퉁이의 머릿돌인 그리스도 위에 세워진다고 덧붙인다(벧전 2:4-8). 시편 118편 25-26절에서 시편 기자는 하나님께 "구원하소서"라고 구하며, 그러고 나서 여호와가 구원을 가져오는 통로가 되는 분은 복되다고 선언한다. 이 구절들은 그리스도의 승리의 입성 때 "호산나 다윗의 자손이여 찬송하리로다 주의 이름으로 오시는 이여 가장 높은 곳에서 호산나"(마 21:9)라고 노래하면서 무리가 참고한 구절이다. 또한 예수께서는 죽으시기 전에 그 구절들을 인용하셔서, 예루살렘이 "찬송하리로다 주의 이름으로 오시는 이여"(23:39)라고 선언할 때까지 다시는 그분을 보지 못할 것이라고 선언하셨다.

4. 찬양의 시(찬양 시편)(SRS)

a. 찬양하라는 부름(**S**ummons)

b. 찬양하는 이유(**R**eason)

c. 찬양하라는 부름(**S**ummons)의 반복

모든 시편 가운데 가장 짧은 시편인 117편은 찬양 시편의 기본 요소에 대한 유용한 개관을 제공한다.

1	너희 모든 나라들아 여호와를 찬양하며 너희 모든 백성들아 그를 찬송할지어다	찬양하라는 부름
2	우리에게 향하신 여호와의 인자하심이 크시고 여호와의 진실하심이 영원함이로다	찬양하는 이유
	할렐루야('여호와를 찬양하라'_ 옮긴이)	찬양하라는 부름의 반복

표1.15. 시편 117편_ 찬양 시편

주님은 "하늘에서"(시 148:1) "땅"(148:7)에 이르기까지, 천사부터 해와 달과 별에 이르기까지(148:2-3), 산에서 백향목에 이르기까지(148:9), "호흡이 있는 자"(150:6)에게 최고의 찬양을 받기에 합당하시다. 그분이 기름부으신 왕(103:1-2), 그분의 백성(118:2), 그리고 실로 땅의 모든 나라(117:1, 148:11-12)는 "그의 능하신 행동을 찬양하며 그의 지극히 위대하심을 따라" 찬양해야 한다(150:2).

시편은 점차 그늘에서 햇빛으로, 환난에서 승리로, 탄원에서 찬양으로 이동한다(표 1.16). 시편 144편과 145편은 여호와를 불변의 사랑으로, 왕의 요새로(144:1-2, 9-11), 은혜와 긍휼로 모든 것을 다스리시는 분으로(145:1, 8-9) 경축하면서 시편 다섯째 권의 주요 텍스트 부분을 끝낸다. 처음 네 권은 각각 사람들에게 하나님을 바라보라고 명하는 송영으로 끝난다(41:13[H14], 72:18-19, 89:52[H53], 106:48). 그 다음에 다섯째 권은 "할렐루야"(Praise the Lord)라는 선언으로 시작하고 끝나는 다섯 개의 시편으로 시편 전체를 결론 맺는다(146:1, 10, 147:1, 20, 148:1, 14, 149:1, 9, 150:1, 6).

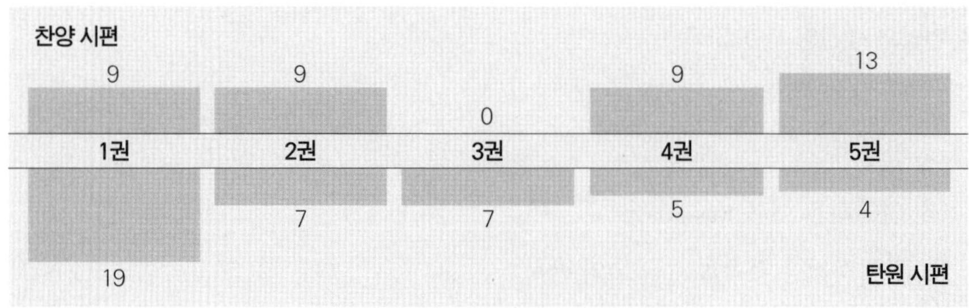

표1.16. 시편에 나오는 탄원에서 찬양까지[43]

우리는 시편 8편에 나오는 찬양들에 기초해서, 승리의 입성 때 어린아이들이 구원해 달라고 외친 대상인 그리스도(마 21:16. 시편 8편 2[H3]절 참조), 곧 사람이 되신 인자가 다름 아닌 하나님이 그분 발아래 만물을 복종시키신 분(엡 1:22. 시편 8편 4-6[H5-7]절 참조)이라는 것을 인식한다. 그럼에도 우리는 이 복종이 완전히 가시적인 것이 되기까지 기다린다(고전 15:27, 히 2:6-8). 초대 교회처럼(행 4:24) 우리도 "천지와 바다와 그중의 만물을 지으[신]"(시 146:6) 분에게 소망을 둔다. 오늘날 우리는 여호와께 노래하고 그분께 무릎을 꿇는다(95:1, 6). 영원히 끝나지 않을 안식에 들어가기 위해, 하나님의 약속들을 귀중히 여기는 믿음의 마음을 키워 가면서 말이다(95:7-11, 히 3:7-11, 4:3, 5-10). 우리는 단지 떡을 주시는 분이 아니라, 생명의 떡 자체이신 분을 신뢰한다(시 105:40, 요 6:31-33).

시편의 궁극적 목표는 자신이 기름부은 왕을 통해 구원하시고 만족스럽게 통치하시는 여호와를 찬양하게 하는 것이다. 시편은 옛 성도에게 메시아적 음악을 제공했다. 그것은 앞으로 올 나라를 소망하도록 만들어진 음악이다. 성취의 시대에 살고 있는 예수 그리스도의 교회로서(눅 24:44) 우리가 "시와 찬송과 신령한 노래를 부르며 감사하는 마음으로 하나님을 찬양[할]" 때 "그리스도의 말씀"이 우리 마음에 거하게 되기를(골 3:16. 에베소서 5장 19절 참조) 기도한다. 그렇게 우리는 우리가 해야 할 과업을 수행하게 될 것이다. 그 과업이란 만물이 나오고, 만물이 말미암으며, 만물이 돌아가는 그분에게 영광을 돌리는 것이다(롬 11:36). "여호와를 찬양하라!"

---

43 Jason S. DeRouchie와 John C. Crutchfield가 제공함. Jason S. DeRouchie 편집, *What the Old Testament Authors Really Cared About*, 348쪽에서 가져옴. 허락을 받고 사용함.

시편을 해석하기 위한 지침

주해에서 신학으로 이동하게 되면 궁극적으로 송영에 이르게 된다. 그리고 시편이라는 책은 하나님을 찬양하기 위한 완벽한 도약판을 제공한다. 시편을 제대로 해석하도록 도와주는 원리는 무엇인가?

1. 구원사의 문제와 약속을 상기하고, 시편을 예수께서 가진 성경의 흐름 안에 배치하라

예수께서 가진 성경의 흐름에서 시편은 중대한 변화를 남긴다. 이스라엘의 죄와 언약 저주에 초점을 맞추고 회복 축복의 약속에는 (언제나 분명하긴 하지만) 주의를 적게 기울이는 선지서와 달리, 시가서의 각 책은 온전히 지혜롭고 주권적이신 하나님 안에 있는 하나님 나라 소망의 메시지에 지배된다. 그 하나님은 고통 한가운데서도 자신의 백성에게 신실하시다. 예레미야서-말라기서는 새 언약 약속들을 상기시키며, 이스라엘이 갈망해 온 새 창조적 나라를 분명 예상했다. 열두 선지서 중 마지막 세 책(학개서, 스가랴서, 말라기서)은 최초의 회복에 속한 것이기도 했다. 그럼에도 어느 선지서도 새 창조적 나라가 역사에 이르렀다고 주장하지 않았다. 그보다 유대인들조차 처음 자신이 살던 땅으로 돌아오고 나서도 계속 반항했으며(학 1:9, 슥 1:2-6, 말 1:6), 내적 변혁도, 하나님이 약속하신 메시아적 왕이나 나라도 경험하지 못했다(에스겔 36장 22-36절, 37장 21-28절을 보라). 이 어둠 가운데 룻기라는 서곡은 다윗의 혈통을 통해 여호와의 구속하시는 은혜의 나라가 오리라고 단언하며, 그 뒤 시편은 하나님의 통치를 경축하고 그분이 기름부으신 아들 안에 피하는 모든 사람을 위한 소망을 선포한다. 시편은 독자가 더 소망을 품게 하면서, 기름부음 받은 왕을 따라 애도에서 송영으로, 환난을 거쳐 승리로 향하는 여정을 가라고 명한다. 주님이 다윗에게 하신 약속들은 여전히 유효하다. 그리고 영원하신 왕과 나라는 올 것이다.

2. 시편의 전반적인 구조, 메시지, 흐름을 기억하라

시편은 다섯 권의 책으로 구성되어 있다. 그 책들은 탄원에서 찬양으로, 궁극적으로는 하나님의 그리스도를 통해 하나님 나라의 약속들이 장차 성취되는 것을 소망하는 것으로 나아간다.[44] 제1권(시 1-41편)과 제2권(시 42-72편)은 하나의 단위를 형성하는데, 그 단위는 오실 왕에 대한 영광스러운 환상으로 시작하고(시 2편) 끝난다(시 72편).[45] 그 두 책은 함께 왕의 여정에서 환난을 통해 승리로 나아가는, 반복되는 주기를 소개한다. 그러고 나서 제3권(시 73-89편)은 다윗 왕조의 수치스럽고 비탄에 잠긴 상태를 한탄한다. 하지만 시편 89편은 "여호와의 언약에 대한 충성이 이 통탄할 상태를 역전시키리라는"[46] 소망을 제공한다.

제4권(시 90-106편)은 여호와의 주권적 통치를 강조하고 그분이 과거에 베푸신 용서를 회상하는 것으로 시작한다. 하나님이 다시 그러실 수 있다는 소망을 고조시키기 위해서다. 현대의 몇몇 관점과 대조적으로[47] 제4권에서 여호와의 왕권에 초점을 맞추는 것은 다윗의 인간 혈통을 거부하는 것이라기보다는, 시편 2편에 나오는 원래 환상에 맞춰 조정된 것이다. 그 환상에서는 여호와와 그분이 기름부으신 왕이 함께 다스리며, 기름부음 받은 왕은 이 땅에서 여호와를 대표한다.[48]

제5권(시 107-150편)은 주권에 대한 이런 환상에 기초하며 다윗 시편(시 138-145편)을 더 많이 포함하고 있다. 나라에 대한 하나님의 약속이 실제로 그분의 메시아를 통해 이루어지리라는 소망을 주기 위해서다.[49] 시편 110편에서는 사무엘상 2장 10, 35절과

---

44 John C. Crutchfield, "The Redactional Agenda of the Book of Psalms," *HUCA* 74 (2003): 21-47쪽.

45 David C. Mitchell, *The Message of the Psalter: An Eschatological Programme in the Book of Psalms*, JSOTSup 252(Sheffield, UK: Sheffield Academic, 1997), 243-53쪽도 그렇게 말한다.

46 Michael K. Snearly, "The Return of the King: Book V as a Witness to Messianic Hope in the Psalter," in *The Psalms: Language for All Seasons of the Soul*, Andrew J. Schmutzer and David M. Howard 편집 (Chicago: Moody Press, 2014), 210쪽.

47 특히 Gerald H. Wilson, *The Editing of the Hebrew Psalter*, SBLDS 76 (Chico, CA: Scholars Press, 1985), 209-28쪽, 그중에서도 212-14쪽을 보라. Wilson, "The Use of Royal Psalms at the "Seams" of the Hebrew Psalter," *JSOT* 11, 35 (1986): 85-94쪽, Wilson, "The Shape of the Book of Psalms," *Int* 46, 1 (1992): 129-42쪽, Wilson, "Shaping the Psalter: A Consideration of Editorial Linkage in the Book of Psalms," in *The Shape and Shaping of the Psalter*, J. Clinton McCann 편집, JSOTSup 159 (Sheffield, UK: JSOT Press, 1997), 72-82쪽, Wilson, "King, Messiah, and the Reign of God: Revisiting the Royal Psalms and the Shape of the Psalter," in *The Book of Psalms: Composition and Reception*, Peter W. Flint and Patrick D. Miller 편집, VTSup 99 (Leiden: Brill, 2005), 391-406쪽을 보라.

48 David M. Howard Jr., *The Structure of Psalms 93-100*, UCSD Biblical and Judaic Studies 5 (Winona Lake, IN: Eisenbrauns, 1997), 200-207쪽, Howard, "Divine and Human Kingship as Organizing Motifs in the Psalter," in *The Psalms: Language for All Seasons of the Soul*, Andrew J. Schmutzer and David M. Howard 편집 (Chicago: Moody Press, 2014), 205-6쪽, Snearly, "The Return of the King," 210쪽.

49 특히 Snearly, "The Return of the King," 207-15쪽을 보라. John C. Crutchfield, *Psalms in Their Context: An*

스가랴 6장 13절에 나오는 것과 비슷한 비유 표현을 사용하여 여호와께서 다윗의 "주"께 말씀하시길 그에게 "멜기세덱의 서열을 따라 영원한 제사장"이라고 맹세하시는 것을 볼 수 있다(110:1, 4). 하나님이 이 시편에서 멜기세덱의 제사장직에 관한 그분의 덜 유명한 맹세를 지키기로 약속하신다면, 우리는 하나님이 다윗의 보좌에 대해 잘 알려진 그분의 맹세도 지키시리라고 믿어야 한다. 바로 시편 89편에서 세 번 강조하는 맹세다(89:3-4, 35-36, 49[H4-5, 36-37, 50]). 그 다음에 이 사실은 시편 132편 11-18절에서 재차 단언되며, 시편 144-145편에서는 다윗의 왕권과 여호와의 왕권을 모두 재단언하며 경축한다.[50] 시편 전체를 마무리하는 그 시편들은 다윗 가문이 여호와께서 약속하신 왕권에 대한 환상을 완전하게 충족시키지 못했다고 인정하지만, 하나님이 이 땅 온 세상에 하나님 나라를 세울 구원자를 일으키시리라는 희망은 잃지 않았다.

처음부터 끝까지 시편은 여호와와 그분이 기름부으신 분에 대한 인류의 적대감과, 여호와의 의로운 왕을 통해 그분께 피하는 모든 사람을 위해 그분이 최종적으로 승리하신다는 것에 집중하여 초점을 맞춘다. 제1권에 의인과 악인을 바라보는 일반 관점이 나오는데, 그 책에는 오직 한 분의 참된 "의로운 분", 하나님이 기름부으신 분이 나온다(예를 들어 시 5:12[H13], 7:9[H10], 14:5, 34:19, 21[H20, 22], 37:12, 16, 25, 32). 그분은 "복 있는 사람"(1:1)으로, 원근 각처의 다양한 원수가 그분을 대적한다(예를 들어 2:1-2, 3:1, 5:8[H9], 6:8[H9], 7:1, 6, 9[H2, 7, 10]). 다른 사람들에게도 '복된'이라는 말과 '의로운'이라는 말이 붙는다(예를 들어 1:5-6, 32:11, 33:1, 34:15[H16], 37:17, 29, 39). 그러나 그들에게 그런 말이 붙는 것은 단지 그들이 의로운 분께 피하기 때문이다(2:12).[51] 기름부음 받은 이 왕을 제외하고는 "선을 행하는 자가 없으니 하나도 없[다]"(14:3, 53:3[H4]. 로마서 3장 12절 참조). 결국 "악이 악인을 죽일 것이라 의인을 미워하는 자는 벌을 받[을 것이다]"(시 34:21[H22]). 여호와의 왕적 아들(2:7)이 "철장으로 그들을 깨뜨[릴]"(2:9) 것이다. 그렇기 때문에 행악자들은 "하나님이 의인의 세대에 계[시다]"는 것을 알고 "두려워하고 두려워하[며]", 그 의인 자신은 주님께 피한다(14:5-6). 시편을 제대로 읽으려면 점차 환난에서 승리로 이동한다는 것을 유념하고, 우리가 오늘날 예수로 알고 있는 왕 안에서 더 안전한 피난처

Interpretation of Psalms 107-118, Paternoster Biblical Monographs (Eugene, OR: Wipf & Stock, 2015) 참조.

50 Howard, "Divine and Human Kingship as Organizing Motifs in the Psalter," 206쪽은 그렇게 말한다.

51 '의인'과 '의인들'의 차이를 보려면 시편 34편과 37편에서 צַדִּיק('의인')이 단수 형태와 복수 형태를 왔다 갔다 하는 것을 추적해 보라.

를 발견해야 한다.

3. 그리스도를 중심에 두라

시편의 말들은 그리스도를 묘사하는 것이거나 그리스도께서 말씀하신 것이다.[52] 그 시편에서 우리는 그리스도의 기도와 구원받은 자들의 노래를 듣는다. 내가 '그리스도'라고 말하는 것은 두 가지 이유에서다. (a) 헬라어 Χριστός(크리스토스, '그리스도')는 시편 2편 2절 같은 텍스트에 나오는 히브리어인 מָשִׁיחַ(마쉬아흐, '메시아/기름부음 받은 자')를 번역한 것이다. 이 왕은 시편에 나오는 주요 등장인물이다. 그는 고난당할 때든 승리할 때든 등장한다.[53] (b) 시편은 기대하고 있는 이 왕적 인물을 이상적 왕으로, 세상의 소망을 구현하는 사람으로 묘사한다(앞에 나온 '시편을 메시아적 음악으로 읽기'를 보라). 따라서 구원사는 이 구주-구원자를 나사렛 예수라고 보며, 신약은 시편 같은 책이 그분에 대해 말하는 방식에 비추어 그분을 '그리스도'라고 칭한다(예를 들어 행 4:26[ESV 각주]. 마태복음 1장 1절, 16장 16절 참조). 시편에 나오는 다양한 탄원, 감사, 찬양은 기름부음 받은 왕을 묘사한 것이거나 기름부음 받은 왕이 고백하는 것이며, 그것들은 또한 그분께 피하는 모든 사람의 음악이 된다(시 2:12).

구약은 많은 시편 기자를 "선견자"(대상 25:5, 대하 29:30, 35:15)라고 부른다. 그들은 "예언을 했고"(prophesied, 개역개정에는 "신령한 노래를 하며"라고 번역되었다_옮긴이), 그들의 말은 이스라엘의 찬양이 되었다(대상 25:1-3). 따라서 예수, 신약 저자, 구약 선지자 모두 시편을 메시아에 대한 예언으로 해석했다(앞에 나온 '시편을 메시아적 음악으로 읽기'와 '시편 하위 장르의 다양함'을 보라). 또한 시편의 약 절반을 쓴 다윗은 자신이 "선지자"였으며(행 2:30. 사무엘하 23장 2절 참조), 자신이 처한 절박한 상태와 소망은 모두 자신이 "내 주"라고 부르는 분께 속한다는 것을 유념했다(시 110:1. 마태복음 22장 41-46절 참조).[54] 베드로는 사무

---

52 Futato, *Interpreting the Psalms*(『시편을 어떻게 해석할 것인가』), 174쪽.

53 이 개념을 더 알려면 Waltke, "A Canonical Process Approach to the Psalms," 11-12쪽, Patrick D. Miller, "The Beginning of the Psalter," in *The Shape and Shaping of the Psalter*, J. Clinton McCann Jr. 편집, Library of Hebrew Bible/Old Testament Studies (Sheffield, UK: Sheffield Academic, 2000), 83-92쪽을 보라.

54 시편 14편 7절에서 다윗은 기름부음 받은 왕이 거하는 곳인(2편 6절 참조) 시온에서 구원이 나오게 해달라고 청한다. 포로 상태에서 두 번째 출애굽하는 것에 대한 모세의 약속을 암시하면서 말이다. 그 약속은 훗날의 새 언약과 연관된 것이다. "여호와께서 그의 백성을 포로 된 곳에서 돌이키실 때에 야곱이 즐거워하리로다"(신명기 30장 3절 참조). 우리는 역대상 16장 35절에 나온 다윗의 감사 노래에서 비슷한 관점을 본다. "우리 구원의 하나님이여 우리를 구

엘하 7장 12-14절에서 다윗에게 주어진 하나님 나라 약속에 기초하여, 그리스도께서 죽음을 이기실 것을 다윗이 어떻게 의식적으로 예언했는지를 강조한다. "그는 선지자라 하나님이 이미 맹세하사 그 자손 중에서 한 사람을 그 위에 앉게 하리라 하심을 알고 미리 본 고로 그리스도의 부활을 말하되"(행 2:30-31. 사무엘하 23장 1-7절 참조). 이 구절에서 우리는 베드로가 다른 구절에서 보인 행동을 볼 수 있다. 구약 선지자들이 "자기 속에 계신 그리스도의 영이 그 받으실 고난과 후에 받으실 영광을 미리 증언하여 누구를 또는 어떠한 때를 지시하시는지"를 "연구하고 부지런히 살[폈다]"는 것이다(벧전 1:10-11). 그들이 자신의 성경 말고 무엇을 연구했겠는가? 또한 베드로는 모세부터 그 후 (다윗을 포함한) 모든 선지자가 그리스도의 고난과 그로 인해 일어날 선교를 이야기했다는 것도 강조했다(행 3:18-24, 10:43. 누가복음 24장 44-47절, 사도행전 26장 22-23절 참조). 시편을 해석할 때 그리스도를 염두에 두라.

4. 시편을 시로 읽으라

성경을 대충 읽는 사람이라도 시편이 사사기 같은 역사적 내러티브와 다르게 읽힌다는 것을 분별할 수 있다. 시편은 시라는 차이가 있으며, 영어 성경은 보통 시의 행을 사용하여 그 차이를 밝힌다(한글 성경도 마찬가지다_ 옮긴이). 그 결과 지면에 흰 여백이 더 많아진다(ESV에서 사사기 4장과 5장의 형태를 비교해 보라).

전통적으로 학자들은 시적 '지표'를 사용하여 산문과 시를 구분했다. 윌프레드 왓슨(Wilfred Watson)은 그러한 특징으로 열아홉 가지를 언급하는데, 그것을 '대체 표지'와 '구조 표지'로 구분한다.[55]

a. **대체 표지**_ 행 형태가 확실한 것,[56] 생략(공백), 색다른 어휘, 간결함(간명함), 색다

원하여 만국 가운데에서 건져 내시고 모으사 우리로 주의 거룩한 이름을 감사하며 주의 영광을 드높이게 하소서"(=시 106:47-48). 다윗은 이스라엘을 영광의 절정에 올려놓았지만, 다윗 자신은 그 민족이 이미 모세가 약속한 미래의 구원이 절박하게 필요한 저주 아래 있다고 보았다.

55 Wilfred G. E. Watson, *Classical Hebrew Poetry: A Guide to Its Technique*, JSOTSup 26 (Sheffield, UK: JSOT Press, 1984), 46-54쪽.

56 마이클 패트릭 오코너(Michael Patrick O'Connor)는 히브리 시를 밝혀내기 위한 원리는 운율도 대구법도 아니고, 텍스트가 시적 행의 제한을 따르는지 여부라고 주장한다. 0-3개의 술어(예를 들어, 정형 동사), 1-4개의 구성 성분(예를 들어 동사, 명사, 전치사구, 구문 사슬), 그리고 2-5개의 단위(즉 כִּי['……하므로, ……때문에, ……것, ……때']

른 단어 순서,[57] 고어체, 운율 사용, 규칙성과 대칭.

b. 구조 표지_ 대구법, 단어 쌍, 교차 대구 유형, 봉투 구조(수미상관 구조), 고정관념적 문구 해체, 반복, 성 일치 대구법, 삼중콜론(tricolon), 각운 및 다른 소리 유형, 산문 요소가 없거나 드문 것[58]

빈도가 덜하긴 하지만 산문에서도 이 요소가 모두 나타난다.[59] 그래서 오늘날 많은 학자가 산문과 시를 구분하는 것은 "종류보다는 정도의 차이"[60]라고 여긴다. 산문과 시의 관계가 이런 기준으로 설정되면, 산문에 다양한 문학적, 언어적 특징이 들어갈 수 있으면서도 그런 특징들이 두드러질 경우에 시라는 것을 표시한다고 강조할 수 있다.

물론 문체가 정교한 문학을 해석할 때는, 저자가 메시지를 전달하고 반응을 얻기 위해서 사용하는 다양한 수준의 예술 기교를 구별하기 위해 주의 깊게 읽어야 한다. 노래를 쓴 사람들은 청중이 감동받아 예배를 드리도록, 독자가 인격적인 방식으로 기도하고 찬양하도록 애썼다. 그들은 우리가 탄원, 신뢰, 감사, 찬양을 느끼도록 돕기 위해 구체적인 단어, 생생한 이미지, 언어유희, 운율을 사용한다. 시편을 시로 읽으라.

또는 אִם['만일'] 같은 작은 불변화사나, אֶל['……으로'] 같은 전치사)를 가지는 것이다(*Hebrew Verse Structure*, 2판 [Winona Lake, IN: Eisenbrauns, 1997]). 그의 저술에 대한 간략한 요약과 논평으로는 Duane A. Garrett and Jason S. DeRouchie, *A Modern Grammar for Biblical Hebrew* (Nashville: Broadman & Holman, 2009), 340-42쪽을 보라.

57 시적 텍스트는 동사로 시작되는 절을 비동사로 시작되는 절과 같은 비율로 사용한다. 비동사로 시작되는 절은 구획별로 구분된 산문의 특성과 반대되는 직선적 특성 때문에 동사로 시작되는 기본 절에 지배받는다. 게다가 시는 통상 동사 앞에 한두 개의 구성 성분이 나오는 반면, 산문은 그런 경우가 거의 없다. 이를 더 알려면 Jason S. DeRouchie, "Deuteronomy as Didactic Poetry? A Critique of D. L. Christensen's View," *JAAS* 10, 1 (2007): 1-13쪽을 보라.

58 시에 비교적 드물게 나오는 정관사(הַ), 한정적 직접 목적어 표시(אֶת־), 상대적 불변화사 אֲשֶׁר는 산문에 매우 집중적으로 나온다. Francis I. Andersen and A. Dean Forbes " 'Prose Particle' Counts of the Hebrew Bible," in *The Word of the Lord Shall Go Forth: Festschrift for David Noel Freedman*, Carol L. Meyers and Michael Patrick O'Connor 편집, ASOR Special Volume Series 1 (Winona Lake, IN: Eisenbrauns, 1983), 165-83쪽을 보라.

59 James L. Kugel, *The Idea of Biblical Poetry: Parallelism and Its History* (New Haven, CT: Yale University Press, 1981, repr., Baltimore: Johns Hopkins University Press, 1998), 59-95쪽. 특히 85-87, 94-95쪽은 그렇게 말한다.

60 Sue E. Gillingham, *The Poems and Psalms of the Hebrew Bible*, Oxford Bible Series(Oxford: Oxford University Press, 1994), 36쪽. 산문과 시를 구분하는 것에 대해 학적 논의를 유용하게 개관한 내용으로는 J. Kenneth Kuntz, "Biblical Hebrew Poetry in Recent Research, Part I," *CurBS* 6 (1998): 55-57쪽, Kuntz, "Biblical Hebrew Poetry in Recent Research, Part II," *CurBS* 7 (1999): 44-47쪽을 보라.

5. 시편 제목을 설명하라

시편 150개 가운데, 34개를 제외하고는 일정 유형의 제목(즉 표제)이 달려 있다. 제목에는 그 시편의 연주법, 유형, 저자, 목적, 역사적 기원 등이 포함되어 있다.[61] 이 요소들을 모두 담고 있는 시편은 60편 단 하나뿐이다. 시편 60편은 "인도자를 따라 수산 에듯에 맞춘 노래. 다윗이 교훈하기 위하여 지은 믹담, 다윗이 아람 나하라임과 아람 소바와 싸우는 중에 요압이 돌아와 소금 골짜기에서 에돔을 쳐서 만 이천 명을 죽인 때에"라고 시작한다. 우리는 표제의 여러 요소를 다음과 같이 구분할 수 있다.

a. **확장된 연주법**(P)_ 인도자를 따라 수산 에듯에 맞춘 노래
b. **시의 유형**(T)_ 믹담
c. **저자**(A)_ 다윗
d. **목적**(Pu)_ 교훈하기 위하여
e. **역사적 기원**(H)_ 다윗이 아람 나하라임과 아람 소바와 싸우는 중에 요압이 돌아와 소금 골짜기에서 에돔을 쳐서 만 이천 명을 죽인 때에

표1.17(145쪽)은 시편 전체 유형과 추정 저자를 개관한다. 흰색과 회색을 사용하여 한 책에서 다음 책으로 넘어가는 것을 표시하였다. 이 표에는 각 시편과 관련된 하위 장르(SG)도 포함되어 있다. 제목 유형에서 **굵은 글씨**로 되어 있는 것은 '인도자를 따라, X[고유명사]의 시'라는 기본 유형과는 다르거나 그 유형에서 확장된 것이라는 표시다.

거의 모든 학자는 시편 제목이 오래되었다고 인정한다. 제목에 나오는 음악 용어는 주전 3세기 무렵에는 폐지된, 매우 오래된 것들이다. 구약을 헬라어로 번역한(즉 칠십인 역) 사람들도 그 용어들의 의미를 이해하기 위해 분투했기 때문이다(오늘날 우리에게도 여전히 그 문제가 남아 있다). 더불어 우리는 다윗이 거의 절반에 달하는 시편과 명백

61 고대 근동에서 나온 비교 자료, 하박국 3장의 유형, 시편 자체의 책 안에 있는 내적 단서들에 따라 브루스 월키는 현재 윗줄에 표기하는 시편 표제를 실제로는 위 첨자와 아래 첨자로 나누어야 한다고 주장한다. '음악 책임자/인도자를 따라'라는 말을 포함하는 쉰다섯 번의 음악 표기는 앞에 나오는 시편들에 포함시켜야 한다는 것이다. 그는 위 첨자는 시편의 저작과 관련되어 있고 아래 첨자는 그것의 연주와 관련되어 있다고 생각한다. Bruce K. Waltke, "Superscripts, Postscripts, or Both," *JBL* 110, 4 (1991): 583-96쪽을 보라.

하게 관련된 것에 놀라서는 안 된다. 구약은 통상 다윗을 이스라엘의 가장 탁월한 음악 지도자로 가리키기 때문이다(예를 들어 삼상 16:14-23, 삼하 22장, 시 18편, 삼하 23:1-7, 대상 6:31, 15:16, 16:7, 25:1, 대하 29:30, 스 3:10, 느 12:24-47). 그리고 우리는 이스라엘 민족이 대단히 이른 시기에 다윗과 관련된 음악을 노래하고 있었다는 것을 안다(대하 29:30, 시 72:20. 역대상 16장 7-37절 참조). 신약 시대 사람들은 시편 제목들을 분명히 알았고, 예수와 베드로는 둘 다 특정 시편의 저자가 다윗이라고 전제하고 주장을 펼쳤다(마태복음 22장 41-46절에 인용된 시편 110편 1절, 사도행전 2장 25-29절에 인용된 시편 16장 8-11절).[62] 앞서 말한 것에 비추어 볼 때, 우리에게는 제목이 원래 성경의 일부였다고 믿을 만한 이유가 충분하다. 즉 그 제목들에서 저자나 역사에 대해 주장하는 내용이 정확하다고 믿을 수 있다는 것이다.[63]

제목에 따르면, 다윗이 역사적 사건을 언급한 시편은 열네 편이다. 그중에서 (시편 18, 30, 34편을 제외하고) 대부분은 탄원의 특징을 보인다. 그리고 시편 30편만 빼고 모든 시편은 구원 이후 감사나 찬양을 표현하거나(시 18, 34편), 적들에게서 도망하면서, 배신을 겪으면서, 전쟁을 하면서, 죄를 고백하면서 외치는 비통한 부르짖음(시 3, 7, 51, 52, 54, 56, 57, 59, 60, 63, 142편)을 포함한다. 하나님은 이처럼 다윗이 겪은 고난의 여정에서 그를 인도하셨다. 그리스도의 궁극적 고난과 후에 받으실 영광을 예언할 예표적 배경을 형성하기 위해서다(벧전 1:11). 제목들은 다윗의 메시아적 예언이 역사에 근거하며 다윗의 삶이 그리스도의 삶을 가리킨다는 것을 알 수 있도록 도와준다.

시편 제목에 따르면 73개에 달하는 다윗의 시편은 대부분 제1, 2, 5권에 속해 있다.[64] 처음과 끝에 다윗 시편이 더 자주 나오는 것으로 시편 전체가 다윗적-메시아적 특징을 지니게 된다. 다윗 혈통 사람들의 죄는 하나님 나라에 대한 소망에 의문을 제기했지만, 시편 편집자(들)는 처음부터 끝까지 하나님이 이스라엘의 왕과, 그와 관련된 사람들을 구해 주실 것이며, 그분이 왕과 그의 나라를 모두 영원히 보존하실 것이

62 히브리어 텍스트에는 다윗 시편이라는 표시가 나오지 않은 시편을 신약 저자들이 다윗 시편이라고 부르는 경우가 두 곳 있다(사도행전 4장 25-26절에 인용된 시편 2편 1-2절, 히브리서 4장 7절에 인용된 시편 95편 7-8절). 하지만 칠십인 역은 둘 다 다윗 시편이라고 표시한다.

63 표제의 신빙성과 정확성에 대한 문제를 개관한 내용으로는 D. A. Brueggemann, "Psalms 4: Titles," *DOT:WPW* 614-15쪽, Gordon J. Wenham, *The Psalter Reclaimed: Praying and Praising with the Psalms* (Wheaton, IL: Crossway, 2013), 86-90쪽을 보라.

64 칠십인 역(LXX)에는 다윗 시편의 목록이 열네 개 정도 더 많다. Brueggemann, "Psalms 4: Titles," 614쪽을 보라.

	하위 장르	제목	저자		하위 장르	제목	저자		하위 장르	제목	저자
1	W		미상	51	L	PTAH	**다윗**	101	R	TA	**다윗**
2	R		미상	52	U	PTAH	**다윗**	102	L	TPu	미상
3	L	TAH	**다윗**	53	L	PTA	**다윗**	103	P	A	**다윗**
4	L	PTA	**다윗**	54	L	PTAH	**다윗**	104	P		미상
5	L	PTA	**다윗**	55	L	PTA	**다윗**	105	P		미상
6	L	PTA	**다윗**	56	L	PTAH	**다윗**	106	L		미상
7	L	TAH	**다윗**	57	L	PTAH	**다윗**	107	Th		미상
8	P	PA	**다윗**	58	L	PTA	**다윗**	108	L	TTA	**다윗**
9	M	PTA	**다윗**	59	L	PTAH	**다윗**	109	L	PTA	**다윗**
10	M		미상	60	L	PTAPuH	**다윗**	110	R	TA	**다윗**
11	T	PA	**다윗**	61	L	PA	**다윗**	111	P		미상
12	L	PTA	**다윗**	62	U	PTA	**다윗**	112	W		미상
13	L	PTA	**다윗**	63	L	TAH	**다윗**	113	P		미상
14	L	PA	**다윗**	64	L	PTA	**다윗**	114	P		미상
15	Lit	TA	**다윗**	65	M	PTAT	**다윗**	115	U		미상
16	T	TA	**다윗**	66	Th	PTT	미상	116	Th		미상
17	L	TA	**다윗**	67	U	PTT	미상	117	P		미상
18	R	PTAH	**다윗**	68	U	PTAT	**다윗**	118	Th		미상
19	M	PTA	**다윗**	69	L	PA	**다윗**	119	M		미상
20	R	PTA	**다윗**	70	L	PAPu	**다윗**	120	L	TPu	미상
21	R	PTA	**다윗**	71	L		미상	121	T	TPu	미상
22	L	PTA	**다윗**	72	R	A	솔로몬	122	P	TPuA	**다윗**
23	T	TA	**다윗**	73	W	TA	아삽	123	L	TPu	미상
24	Lit	TA	**다윗**	74	L	TA	아삽	124	Th	TPuA	**다윗**
25	M	A	**다윗**	75	U	PTAT	아삽	125	T	TPu	미상
26	L	A	**다윗**	76	P	PTAT	아삽	126	L	TPu	미상
27	L	A	**다윗**	77	L	PTA	아삽	127	W	TPuA	솔로몬
28	L	A	**다윗**	78	H	TA	아삽	128	W	TPu	미상
29	P	TA	**다윗**	79	L	TA	아삽	129	T	TPu	미상
30	Th	TATH	**다윗**	80	L	PTAT	아삽	130	L	TPu	미상
31	M	PTA	**다윗**	81	U	PA	아삽	131	T	TPuA	**다윗**
32	M	TA	**다윗**	82	L	TA	아삽	132	R	TPu	미상
33	P		미상	83	L	TTA	아삽	133	U	TPuA	**다윗**
34	M	AH	다윗	84	P	PTA	고라자손	134	P	TPu	미상
35	L	A	다윗	85	L	PTA	고라자손	135	P		미상
36	M	PA	다윗	86	L	TA	**다윗**	136	P		미상
37	W	A	다윗	87	P	TAT	고라자손	137	L		미상
38	L	TAPu	다윗	88	L	TTAPTA	고라자손*	138	Th	A	**다윗**
39	L	PTA	다윗	89	M	TA	에스라인 에단	139	U	PTA	**다윗**
40	M	PTA	다윗	90	L	TA	모세	140	L	PTA	**다윗**
41	L	PTA	다윗	91	T		미상	141	L	TA	**다윗**
42	L	PTA	고라자손	92	Th	TTPu	미상	142	L	TAHT	**다윗**
43	L		미상	93	P		미상	143	L	TA	**다윗**
44	L	PTA	고라자손	94	L		미상	144	R	A	**다윗**
45	R	PTAT	고라자손	95	P		미상	145	P	TPuA	**다윗**
46	P	PAPT	고라자손	96	P		미상	146	P		미상
47	P	PTA	고라자손	97	P		미상	147	P		미상
48	P	TTA	고라자손	98	P	T	미상	148	P		미상
49	W	PTA	고라자손	99	P		미상	149	P		미상
50	U	TA	아삽	100	P	TPu	미상	150	P		미상

*시편 88편 역시 에스라 사람 헤만이 쓴 것으로 여겨진다

하위 장르(Subgenre, SG) **약어_** "L"(Lament, 탄원), "T"(Trust, 신뢰), "Th"(Thanksgiving, 감사), "P"(Praise, 찬양), "R"(Royal, 제왕), "W"(Wisdom, 지혜), "Lit"(Liturgy, 예식), "H"(Historical, 역사적), "M"(Mixed, 혼합), "U"(Unclear, 불분명)
제목 약어_ "P"(Performance, 연주): "성가대 지휘자에게", "T"(Type, 유형): "시편", "A"(Author, 저자): "X의[고유명사]", "Pu"(Purpose, 목적), "H"(Historical Context, 역사적 배경), **굵은 글씨**: 다르거나 확대된 것

표1.17. 시편 제목의 유형과 저자

라고 강조했다.

6. 시편의 하위 장르를 활용하여 개인 예배와 공동 예배를 고양시키라

앞에 나온 두 부분에서 필자는 시편의 하위 장르들을 개관했다(예를 들어 탄원 시편, 감사 시편, 찬양 시편). 이러한 분석은 많은 유익을 갖고 있다.

a. **하위 장르 유형을 알면, 해석할 때 적절한 예상에 도움이 된다.**

시편의 다양한 범주에 속하는 일반 유형들을 알면, 해석할 때 적절하게 예상하도록 도울 수 있다. 또한 표준에서 중요하게 이탈했을 때 알려 줄 수도 있다. 그것은 뭔가 중요한 것을 표시한다.

b. **하위 장르를 살펴보는 것은 그리스도의 인성을 인식하도록 돕고, 우리가 거룩하게 참고 견디는 동기를 부여할 수 있다.**

시편에서 기름부음 받은 왕은 우리가 느끼는 모든 감정을 표현하며 하나님께 옳다고 인정받는 것으로 묘사된다. 분노와 격노, 두려움과 슬픔, 위험 가운데서의 믿음, 평안, 감사, 찬양 등이다. 신약은 그리스도가 "형제들과 같이 되심이 마땅하도다 이는 하나님의 일에 자비하고 신실한 대제사장이 되[셨다]"(히 2:17)고 드러낸다. 그분은 "모든 일에 우리와 똑같이 시험을 받으신 이로되 죄는 없으[셨다]"(히 4:15. 빌립보서 2장 6-8절 참조). 시편에서 우리는 기름부음 받은 왕의 내적 열정과 기도를 독특하게 맛본다. 우리는 그가 탄원하는 고뇌, 감사하는 즐거움, 찬양하는 기쁨을 듣는다. 그리고 이런 다양한 표현을 통해 환난에서 승리에 이르는 여정에 도움을 받는다. 여러 유형의 시편들은 우리가 여러 방식으로 "예수를" 바라보고 "피곤하여 낙심하지 않기 위하여 죄인들이 이같이 자기에게 거역한 일을 참으신 이를 생각"(히 12:2-3)하도록 돕는다.

c. **시편의 여러 범주는 우리가 삶에서 시시때때로 드릴 기도의 내용을 제공한다.**

때로 우리는 어떻게 기도할지 알지 못한다. 어떤 시편이 탄원인지, 감사인지, 또는 찬양인지 안다면, 고통당하거나 기쁠 때에 개인으로든 공동체로든 우리 마음을 하나님께 표현할 말을 발견하는 데 도움이 될 수 있다. 교회가 점점 그리스도의 고난과 승리를 동일시하는 수단으로 시편을 노래하는 사람들이 모인 곳이 되기를 기도한다.

하위 장르 분석이 주는 유익들은 실재하지만, 중요한 주의 사항 두 가지를 말하고자 한다. 첫째, 하위 장르 분석은 시편들을 서로 고립시켜, 시편 전체 안에서 정경적 연속성의 감각을 잃어버리게 하는 경향이 있다. 앞서 말했듯이, 시편 책은 그 구조와 흐름에서 의도성을 드러낸다. 그렇기 때문에 나무만 따로 보면 이 숲의 아름다움을 놓칠 수 있다. 둘째, 어떤 시편은 하나의 하위 장르 범주에 맞지 않고, 서로 다른 하위 장르가 유동적으로 섞여 있는 것처럼 보인다. 하나님을 향한 진심 어린 말들은 종종 찬양과 간구, 감사와 탄원이 결합되어 있으며, 우리는 특정 시편을 선입관에 따른 틀에 억지로 집어넣지 않도록 주의해야 한다.

잠언서

성경의 잠언이 지니는 일반 특징

특성상 이 책은 다양한 구약 장르의 표본만 간단히 다룰 뿐이다. 마지막으로 살펴볼 것은 잠언서다. 잠언이란 일반 진리나 짧은 조언을 진술하는 말로, 흔하게 사용되는 간결하고 쉽게 기억할 만한 속담이나 격언을 말한다.

표1.18에서 오른쪽 칸을 살펴보고, 각 속담(잠언)을 하나씩 살펴보면서 몇 개나 완성할 수 있는지 보라. 몇 개나 완성했는지 종이에 적어 보라.

번개는 같은 장소에……	절대 두 번 치지 않는다.
사슬은……	가장 약한 고리만큼만 강하다.
세 살 버릇……	여든 간다.
한 푼 아낀 것은……	한 푼 번 것이다.
클수록……	떨어질 때 아프다.
말보다 행동이……	더 큰 소리로 말한다.
무소식이……	희소식이다.

과욕은……	금물.
달리는 도중에……	말을 갈아타지 말라.
김칫국부터……	마시지 말라.
엎지른 물은……	주워 담을 수 없다.
뚝배기보다는……	장맛이다.
모든 계란을……	한 바구니에 담지 말라.
수레를……	말 앞에 달지 말라.
목욕물 버리려다…	아기까지 버린다.
하늘이 무너져도……	솟아날 구멍이 있다.
봉당을 빌려주니……	안방까지 달라 한다.
할 가치가 있는 일이라면……	잘 할 가치도 있다.
일곱 번 넘어지고……	여덟 번 일어난다.
똥 묻은 개가……	겨 묻은 개 나무란다.

표1.18. 몇 가지 영어 속담

이중에서 속담을 몇 개나 알고 있는가? 16-20개를 맞혔다면 '속담 천재'라 불러 주겠다. 11-15개를 맞혔으면 '속담에 밝다'고, 6-10개면 분투하는 중이며 '속담 둔재'라고 부르겠다. 0-5개만 맞혔다면 확실히 '속담 하수'다.

표1.18에 열거된 모든 속담은 몇 가지 공통 특징을 지니고 있으며, 그 특징 중 많은 부분을 히브리 잠언도 지니고 있다. 그 특징들은 잠언 10-31장에서 살펴볼 수 있다.

1. 잠언은 기억하기 쉽다

잘 기억할 수 있으려면 (a) 우리가 쓰는 말로 **이해할 수 있고**, (b) 충분히 파악할 만큼 **다루기 쉽고**, (c) 다시 말할 수 있을 만큼 **암송하기 쉬운** 정보가 필요하다. 잠언은 대부분 함축적이고, 외우기 쉬우며, 시적이다. 더글러스 스튜어트(Douglas Stuart)는 잠언이 기억되기 쉬운 특징을 지녔다는 사실을 상기시키기 위해 다음과 같은 유용한 예들을 사용한다.[65]

65 Fee, *How to Read the Bible for All Its Worth*(『성경을 어떻게 읽을 것인가』), 241쪽.

a. “돌다리도 두드려 보고 건너라” 대 “특정 행동을 실행하기 전에 먼저 환경과 선택권들을 생각하라”

b. “호미로 막을 데 가래로 막는다” 대 “작은 문제를 고칠 몇 가지 수단이 있는데, 행동 초기에 그 수단을 취하면 큰 문제가 일어날 것을 미리 막을 수 있다.”

요점은 분명하다. 기억하기 쉽기 때문에 잠언은 강력하다.

2. 많은 잠언이 특정한 경우를 목적으로 고안되었다

대체로 잠언은 독특한 상황을 다룬다. 또한 종종 서로 모순되는 관점을 제시한다. 각 잠언이 특정 환경에서는 옳기 때문이다. 표1.19에 나오는 잠언 쌍을 보라.

1a. 유유상종	1b. 반대끼리는 서로 끌린다.
2a. 사공이 많으면 배가 산으로 간다.	2b. 백짓장도 맞들면 낫다.
3a. 망설이는 자는 기회를 놓친다.	3b. 돌다리도 두드려 보고 건너라.
4a. 손 안에 든 새 한 마리가 숲 속에 있는 두 마리보다 낫다.	4b. 사람은 자신의 한계를 넘어서야 한다.
잠 26:4_ 미련한 자의 어리석은 것을 따라 대답하지 말라 두렵건대 너도 그와 같을까 하노라.	잠 26:5_ 미련한 자에게는 그의 어리석음을 따라 대답하라 두렵건대 그가 스스로 지혜롭게 여길까 하노라.

표1.19. 모순되는 잠언

잠언은 제때에 알맞은 말을 제공한다. 잠언 25장 11절은 “경우에 합당한 말은 아로새긴 은 쟁반에 금 사과니라”라고 선언한다. 하지만 잠언 26장 9절은 “미련한 자의 입의 잠언은 술 취한 자가 손에 든 가시나무 같으니라”고 말한다. 표1.19에서 보았듯이, 잠언은 서로 모순될 수 있다. 하지만 이것은 어떤 잠언들은 용법이 한정되어 있고 특정한 경우를 위한 것이기 때문이다. 잠언이 의도하는 상황을 무시한다면, 해롭고 도움이 되지 않는 방식으로 잠언을 사용할 수 있다. 하지만 올바로 지혜롭게 사용할 때, 잠언은 우리 주변 사람들에게 생명을 줄 것이다. 그래서 “죽고 사는 것이 혀의 힘에 달렸나니 혀를 쓰기 좋아하는 자는 혀의 열매를 먹[을]” 것이다(잠 18:21).

3. 많은 잠언은 궁극적이지만 즉각적이지 않은 진리를 말한다

보응 신학은 살아 계신 하나님과 이스라엘의 인격적 관계(창 18:24-25, 욥 28:28, 잠 11:20, 15:33)와, 축복과 저주라는 언약 맥락(레 26장, 신 28장)에서 나온 것으로, 이스라엘의 지혜 사상을 인도하는 원리다. 어떤 사람들은 보응 신학을 **행위-결과의 연계**라고 말한다. 표1.20에 나오는 예들을 보라.

1	욥 4:8	내가 보건대 악을 밭 갈고 독을 뿌리는 자는 그대로 거두나니.
2	잠 22:8-9	악을 뿌리는 자는 재앙을 거두리니 그 분노의 기세가 쇠하리라 선한 눈을 가진 자는 복을 받으리니 이는 양식을 가난한 자에게 줌이니라.
3	잠 26:27	함정을 파는 자는 그것에 빠질 것이요 돌을 굴리는 자는 도리어 그것에 치이리라.
4	잠 28:10	정직한 자를 악한 길로 유인하는 자는 스스로 자기 함정에 빠져도 성실한 자는 복을 받느니라.
5	잠 28:18	성실하게 행하는 자는 구원을 받을 것이나 굽은 길로 행하는 자는 곧 넘어지리라.

표1.20. 이스라엘의 지혜 전통에 나오는 보응 신학

이 텍스트들은 모두 하나님의 세상에서는 '뿌린 대로 거둔다'는 것을 강조한다. 그럼에도 다른 수많은 잠언은 이러한 추수 원리가 이생에서 예외일 때가 많다고 밝힌다. 예를 들어 '……보다 나으니라'라는 잠언은 단순한 행위-결과 유형이 현재에 늘 통하지는 않는다는 것을 분명하게 보여 준다. "적은 소득이 공의를 겸하면 많은 소득이 불의를 겸한 것보다 나으니라"(잠 16:8). "겸손한 자와 함께하여 마음을 낮추는 것이 교만한 자와 함께하여 탈취물을 나누는 것보다 나으니라"(잠 16:19). 다른 수많은 잠언은 저주받은 이 세대에 언제나 의인이 번영하지는 않으며, 때로는 악인이 번영한다고 명백하게 단언한다. "유덕한 여자는 존영을 얻으나 폭력적인 남자는 재물을 얻느니라"(11:16, ESV 옮긴이 번역. 개역개정에는 "유덕한 여자는 존영을 얻고 근면한 남자는 재물을 얻느니라"라고 번역되었다_옮긴이). "가난한 자는 밭을 경작함으로 양식이 많아지거니와 불의로 말미암아 가산을 탕진하는 자가 있느니라"(13:23). '적당하지 못한' 잠언과 '숫자' 잠언도 같은 내용을 선포한다. 이생이 늘 행위-결과의 연계에 따라 이루어지지는 않는다는 것이다. "미련한 자가 사치하는 것이 적당하지 못하거든 하물며 종이 방백을 다스림이랴"(19:10). "세상을 진동시키며 세상이 견딜 수 없게 하는 것 서넛이 있나니 곧 종이 임금 된 것과 미련한 자가 음식으로 배부른 것과 미움 받는 여자가 시집 간 것과 여

종이 주모를 이은 것이니라"(30:21-23).[66]

이제 표1.21에 나오는 성경의 잠언을 생각해 보자. 모든 잠언이 진리를 주장하지만, 그중 일부(1, 3, 6번)는 지금은 명백하지 않지만 하나님이 모든 악을 정복하시고 모든 것을 바로잡으실 미래에 실현될 것이다.

1	잠 10:27	여호와를 경외하면 장수하느니라 그러나 악인의 수명은 짧아지느니라.
2	잠 11:20	마음이 굽은 자는 여호와께 미움을 받아도 행위가 온전한 자는 그의 기뻐하심을 받느니라.
3	잠 13:21	재앙은 죄인을 따르고 선한 보응은 의인에게 이르느니라.
4	잠 16:1	마음의 경영은 사람에게 있어도 말의 응답은 여호와께로부터 나오느니라.
5	잠 16:4	여호와께서 온갖 것을 그 쓰임에 적당하게 지으셨나니 악인도 악한 날에 적당하게 하셨느니라.
6	잠 16:31	백발은 영화의 면류관이라 공의로운 길에서 얻으리라.
7	잠 19:21	사람의 마음에는 많은 계획이 있어도 오직 여호와의 뜻만이 완전히 서리라.
8	잠 21:30	지혜로도 못하고, 명철로도 못하고 모략으로도 여호와를 당하지 못하느니라.

표1.21. 종말론의 의미를 고찰하는 잠언 표본

특정 결과를 예견하는 잠언이 반드시 **현 시대에** 절대적인 약속은 아니다. 그러나 그 잠언들은 좋든 나쁘든 하나님이 개입하시지 않으면 시간이 지나면서 입증될, 절대적이고 궁극적인(심지어 종말적인) 진리를 표현한다. 더글러스 스튜어트는 다음과 같은 세 가지 예를 제시하는데, 필자는 목적에 맞게 이 예들을 조금 각색했다.[67]

a. 잠언 15장 25절_"여호와는 교만한 자의 집을 허시며 과부의 지계를 정하시느니라."
인생이든 성경이든 여전히 그 집이 서 있는 교만한 자들과, 탐욕스러운 채권자에게 학대나 사기를 당하는 과부들이 있다고 증언한다. 그래서 우리는 욥기 24장 2-3절에서 "어떤 사람은 땅의 경계표를 옮기며 양 떼를 빼앗아 기르며 고아의 나귀를 몰아가며 과부의 소를 볼모 잡으며"라는 말씀을 본다. 마찬가지로 예수께서는 마가복음 12장 40절에서 "그들[종교 지도자들]은 과부의 가산을 삼키며 외식으로 길게 기도하는

---

66 전도서 8장 14절에 나오는 설교자와 시편 44편 17-19절에 나오는 고라 자손은 모두 보응 신학이 처음에 볼 때보다 얼마나 더 복잡한지를 한탄한다.

67 Fee and Stuart, *How to Read the Bible for All Its Worth*(『성경을 어떻게 읽을 것인가』), 243-45쪽.

자니 그 받는 판결이 더욱 중하리라"고 선언하셨다. 잠언 15장 25절의 요점은 현재에 늘 적용되는 진리를 선언한 것이 아니다. 그보다는 궁극적 원리를 주장하고 있다. '하나님은 교만한 자를 반대하시고 궁핍한 자를 돌보시며, 궁극적으로 모든 것을 바로잡으실 것이다'라는 원리다. 이 원리는 절대적이지만 현 시대에는 그와 반대되는 상황이 많다(히브리서 2장 8절을 보라). 하지만 우리는 하나님이 낙담한 자들에게 향하시며(신 10:18, 약 1:27) 모든 것을 바로잡으시리라는 것을 알고 소망 가운데 안식한다.

b. **잠언 22장 26-27절_ "너는 사람과 더불어 손을 잡지 말며 남의 빚에 보증을 서지 말라 만일 갚을 것이 네게 없으면 네 누운 침상도 빼앗길 것이라 네가 어찌 그리하겠느냐."**
이 본문은 우리가 대출(안전한 빚)을 받아서 집을 사면 절대 안 된다고 가르치는 것인가? 모든 신용카드 빚은 곧 하나님이 (침상을 포함한) 당신의 모든 소유를 빼앗아가는 결과를 가져오는가? 그렇지 않다. 이 잠언은 언제나 참된 단 하나의 원리를 가리킨다. '빚을 질 때는 주의하라. 압류는 대단히 고통스럽기 때문이다'라는 것이다.

c. **잠언 29장 12절_ "관원이 거짓말을 들으면 그의 하인들은 다 악하게 되느니라."**
이 잠언은 정부 관리의 상사(왕, 대통령, 수상, 족장 등)가 거짓말쟁이의 말에 귀를 기울이면 그 관리는 부패해지는 것 말고는 달리 선택의 여지가 없다고 확증하는 것인가? 그렇지 않다. 이 잠언은 단지 '진리 듣기를 강조하는 통치자는 한 나라의 지도부를 정직하게 유지하는 데 도움이 될 것'이라고 가르치는 것이다.

결론적으로, 현재 우리 삶은 역설과 수수께끼 같은 일들(7장의 'הֶבֶל["헛됨?"]_ 전도서'를 보라)로 가득하다. 그럼에도 우리는 여전히 지혜 가운데 행하라는 명령에 주의를 기울여야 한다. 언제나 의로우시고 항상 변치 않으시는 하나님이 궁극적으로 악인을 벌하고 의인을 변호하실 것이기 때문이다. "악인은 피차 손을 잡을지라도 벌을 면하지 못할 것이나 의인의 자손은 구원을 얻으리라"(잠 11:21). "너는 행악자들로 말미암아 분을 품지 말며 악인의 형통함을 부러워하지 말라 대저 행악자는 장래가 없겠고 악인의 등불은 꺼지리라"(24:19-20). "그들이 가만히 엎드림은 자기의 피를 흘릴 뿐이요 숨어 기다림은 자기의 생명을 해할 뿐이니 이익을 탐하는 모든 자의 길은 다 이러하여 자기의 생명을 잃게 하느니라 …… 어리석은 자의 퇴보는 자기를 죽이며 미련한 자의 안일은 자기를 멸망시키려니와 오직 내 말을 듣는 자는 평안히 살며 재앙의 두려움이 없이 안전하리라"(1:18-19, 32-33).[68]

잠언 22장 6절을 재고하다

이제 필자는 모든 부모에게 낯익은 잠언 하나를 다시 살펴보고자 한다. 바로 잠언 22장 6절이다. 목회 사역과 자녀 양육을 하면서 필자는 잘 알려진 이 구절의 의미를 두고 혼란스러웠다. 이 구절은 두 행으로 되어 있다. 첫째 행은 명령을 진술하고, 둘째 행은 그 결과를 상술한다. 히브리어를 알지 못하는 사람은 이 부분을 넘어가고 싶을지 모르지만, 계속 읽어 보기를 권한다.

חֲנֹ֣ךְ לַ֭נַּעַר עַל־פִּ֣י דַרְכּ֑וֹ	6	마땅히 행할 길을 아이에게 가르치라
גַּ֥ם כִּֽי־יַ֝זְקִ֗ין לֹֽא־יָס֥וּר מִמֶּֽנָּה׃	b	그리하면 늙어도 그것을 떠나지 아니하리라

표1.22. 잠언 22장 6절_ MT와 개역개정*

(원서는 ESV를 인용하였으나 한글 성경은 개역개정판을 인용하였다. 이후에 나오는 예문도 모두 동일하다_ 편집자)

1. 전통 번역에서 생겨나는 질문들

독자가 히브리어를 알고 텍스트를 자세히 읽는다면, ESV에 나오는 전통 번역을 읽을 때 두 가지 중요한 사항을 뚜렷하게 관찰할 수 있을 것이다. 첫째, ESV에서 "가르치다"(train)라고 번역한 희귀한 동사 חנך(하나크)가 나오는 곳은 세 군데가 더 있는데, 그 텍스트에서는 이 동사가 사람의 집이든(신 20:5) 하나님의 집이든(왕상 8:63, 대하 7:5) '봉헌하다'라는 뜻이다. 이것은 첫 행에 나오는 명령이 부모들에게 그들 자녀를 특정한, 아마 종교적이기도 한 행동 방침에 적극적으로 헌신하거나 위임하도록 명하고 있다

68 동일한 종말론적 소망이 시가서 여러 곳에 제시되어 있다(예를 들어 욥 19:25, 30:23, 시 5:11-12[H12-13], 21:3, 6[H4, 7], 24:5, 29:11, 67:1, 6-7[H2, 7-8], 28:8-9, 72:17, 73:24-26, 109:26-31, 112:1-2, 115:12-15, 119:20-21, 129:8, 132:13-18, 133:3, 134:3, 147:13, 전 2:11-13, 8:12-13). 잠언에 나오는 진리들에 대해 비슷한 종말론적 접근으로는 Bruce K. Waltke, *The Book of Proverbs: Chapters 1-15*, NICOT (Grand Rapids: Eerdmans, 2004), 107-9쪽을 보라.

는 것을 시사한다. 의도적으로나 형식적으로 그들 자녀가 하나님의 위대하심, 가치, 충분하심, 구원의 능력을 찬미하도록 인도하라는 것이다.[69] 여기서 요점은 "가르치라"라는 표현은 매우 약할 수 있으며, 종교적, 도덕적 명령에 봉헌하라는 잠재적 요소를 놓칠 수 있다는 것이다.

분명 아이를 '봉헌하는 것'은 자녀가 태어날 때 많은 부모가 시행하는 일반적인 헌신 의식을 포함한다. 하지만 잠언 내용 대부분은 십대 자녀를 양육하는 부모를 대상으로 한다. 그것은 잠언 22장 6절에 나오는 봉헌의 행동이 자녀가 성인으로 자라는 동안 자녀의 마음을 의도적이고 지속적으로 하나님께 의지하도록 목양하는 것에 초점을 맞추고 있음을 시사한다. 자녀 자신이 부모가 의도한 방향 설정을 인식하는 성인으로 자라는 것이다. 이것은 부모에게 주는 수동적 부르심이 아니다.

둘째, ESV에 나오는 "마땅히 행할 길을"(in the way he should go)이라는 말은 '그의 길이 지시하는 것(문자적으로는 입)을 따라'(עַל־פִּי דַרְכּוֹ[알 피 다르코])라는 히브리어를 매우 관용적인 표현으로 담아낸 것이다.[70] 그렇기 때문에 우리는 이 잠언의 명령 부분을 '그[젊은이]의 길이 지시하는 바를 따라 젊은이를 봉헌하라', 또는 더 일반적으로 '그[자녀]의 길이 요구하는 것에 따라 네 자녀를 봉헌하라'고 번역해야 한다.

2. 아이의 '길'을 평가하다

그러면 עַל־פִּי דַרְכּוֹ(알 피 다르코, 그의 '길이 지시하는 바를 따라')라는 말은 무슨 의미일까? 의미심장하게도 잠언과 같은 지혜 문학에는 단 두 가지 '길'만 있다. 지혜와 생명의 길과, 어리석음과 죽음의 길이다. 앞 구절은 "패역한 자의 길에는 가시와 올무가 있거니와 영혼을 지키는 자는 이를 멀리 하느니라"(잠 22:5)고 단언한다. 마찬가지로 잠언 11장 5절은 "완전한 자의 공의는 자기의 길을 곧게 하려니와 악한 자는 자기의 악으로 말미암아 넘어지리라"고 말한다. 또한 "정직하게 사는 사람은 여호와를 두려워하지만 잘못되고 비뚤어진 길을 걷는 사람은 여호와를 멸시한다"(현대인의성경)고 말하는 잠언

---

69 Bruce K. Waltke, *The Book of Proverbs: Chapters 15-31*, NICOT (Grand Rapids: Eerdmans, 2005), 204쪽은 그렇게 말한다.

70 עַל־פִּי(알 피)가 '……의 지시를 따라'라는 의미의 히브리어 관용구라는 것은 창세기 41장 40절, 43장 7절, 출애굽기 34장 7절, 신명기 17장 6, 10-11절 같은 텍스트에서 분명히 알 수 있다(같은 책, 205쪽 각주62). *HALOT*, 2:826, עַל(알)이라는 단어를 참조하라.

14장 2절을 생각해 보라. 또 "악을 떠나는 것은 정직한 사람의 대로이니 자기의 길을 지키는 자는 자기의 영혼을 보전하느니라"고 말하는 잠언 16장 17절을 보라.

잠언에서 길의 도덕적 내용은 하나님이든(잠 8:22), 지혜로운 자든(11:5, 14:8, 16:7), 인간 전반이든(16:9, 20:24), 어리석은 자든(19:3) 그것을 행하는 자에게 달려 있다.[71] 중요한 점은 '젊은이의 길'이라는 표현은 종종 부정적인 의미라는 것이다. 첫째, 그냥 내버려 두면 '젊은이'는 판단력이 없어서 마음이 어리석음으로 가득해진다. "어리석은 자 중에, 젊은이 가운데에 한 지혜 없는 자를 보았노라"(7:7). "아이의 마음에는 미련한 것이 얽혔으나 징계하는 채찍이 이를 멀리 쫓아내리라"(22:15). 둘째, 징계가 없으면 젊은이는 자기 부모를 수치스럽게 한다. "채찍과 꾸지람이 지혜를 주거늘 임의로 행하게 버려둔 자식은 어미를 욕되게 하느니라"(29:15). 그래서 부모는 이 문맥에서 자녀를 징계하고 지혜로 가르치라는 권고를 받는다. "네가 네 아들에게 희망이 있은즉 그를 징계하되 죽일 마음은 두지 말지니라"(19:18. 1장 1, 4절, 29장 15절 참조). 잠언에서 아이의 '길'은 긍정적이기보다는 부정적인 것이 더 많아 보인다. 그 길은 지혜 없는 길이다.

3. 잠재력을 개발하고 형성하다

이런 텍스트들에 근거하여 잠언 22장 6절을 풍자적이거나 역설적인 명령으로 해석할 수도 있다. 자녀를 양육하는 기준과 경계를 확립하지 않은 결과를 부모에게 경고하는 명령인 것이다. 비슷한 반어적 명령이 잠언 19장 27절에 나오는데, 그것 역시 명령법으로 시작한다. "내 아들아 교훈을 듣지 말지니라. 그러면 네가 지식의 말씀에서 떠나게 될지니라"(옮긴이 번역). 비슷한 방식으로 잠언 22장 6절을 읽는다면, 그 원칙은 "아이가 원하는 대로 하게 내버려 두라. 그러면 그 아이는 변화시킬 수 없는 고집 센 어른이 될 것이다! 제멋대로인 아이의 마음에 따라 아이를 양육하라. 그러면 그는 계속 제멋대로인 채로 있을 것이다"[72]가 될 것이다. 한때 필자는 이 잠언을 이런 식으로 해

---

71 Waltke, *The Book of Proverbs: Chapters 15-31*, 205쪽은 그렇게 말한다.

72 잠언 22장 6절을 이런 식으로 해석하는 내용에 대해서는 Richard J. Clifford, *Proverbs*, OTL (Louisville: Westminster John Knox, 1999), 197쪽, Gordon P. Hugenberger, "Train Up a Child," in *Basics of Biblical Hebrew: Grammar*, by Gary D. Pratico and Miles V. Van Pelt, 2판 (Grand Rapids: Zondervan, 2007)(『베이직 비블리칼 히브리어』), 162-63쪽, Douglas Stuart, *Old Testament Exegesis: A Handbook for Students and Pastors*, 4판 (Louisville: Westminster John Knox, 2009)(『구약 주석 방법론』), 41-42쪽을 보라.

석했다.

하지만 이제 필자는 세 가지 이유로 이런 접근법에 의문을 갖는다.[73] 첫째, 풍자적 해석은 자녀 양육에 더 소극적으로 접근하게 만든다. 그 해석은 의식적 의도를 표현하는 חֲנֹךְ(하나크, '봉헌하다')라는 동사를 설명해 주지 않는다. 분명 부모는 소극적으로라도 언제나 자녀를 훈련하고 있다. 주권자 하나님 앞에서 회개하도록 자녀를 이끌지 않는 것은, 우리가 자녀에게 종으로 살기보다는 스스로 계속 왕과 여왕으로 살아가도 괜찮다고 가르치는 것이다. 자녀에게 하나님의 계명을 가르치지 않는 것은, 그들에게 하나님 말씀이 우리 삶에서 최고 권위가 **아니라고** 가르치는 것이다. 경계를 설정하지 않는 것은, 자녀가 선을 행하든 악을 행하든 우리는 별로 신경 쓰지 않는다고 가르치는 것이다. 그럼에도 '봉헌하라!'는 명령어가 표현하는 것은 이러한 소극적 훈련은 아닌 것 같다. 오히려 현자들은 이 구절에서 부모에게 의도적으로 헌신하라거나, 자녀의 도덕적, 종교적 방향을 잡아 주라고 말하고 있다.

둘째, 젊은이의 길은 **그에게 맡겨 둔다면** 자연히 부정적이 되겠지만, 잠언 22장 6절은 고집 센 개인이 아니라 **자기 부모의 의도적 훈계와 교훈**('봉헌하라!')에서 유익을 얻는 사람을 묘사한다. 이와 함께 '그의 길이 지시하는 것을 따라'라는 관용 표현은 "마땅히 행할 길"이라는 의미를 가장 자연스럽게 표현하는 듯하다. 즉 모든 젊은이의 미래는 가능성으로 가득하다. 그리고 부모는 그 가능성을 인식하고 자녀의 길을 하나님께로 인도해야 한다. 이 구절은 방향과 잠재력에 대한 것이다. 그것은 ESV의 "마땅히 행할 길"이라는 번역이 구체적이지는 않지만 텍스트의 요점을 역동적으로 담고 있다는 것을 시사한다.

셋째, 명령에 주의를 기울인 결과는 "늙어도 그것을 떠나지 아니하리라"는 것이다. 잠언은 "어리석은 자가 아니라 지혜로운 자가 백발로 왕관을 쓴다"고 말한다(20장 29절 참조).[74] 즉 잠언은 어리석음이 아니라 **지혜를 향한** 방향을 예상하는 듯하다.

잠언 22장 6절의 결과 진술은 부모의 의도적인 도덕적, 종교적 조기 교육이 자녀에게 영원히 좋은 영향을 끼치리라는 것을 암시한다. 하지만 이 진술은 부모에게 변치

---

73 이 구절에 대한 필자의 이해를 재고해 보도록 독려한 브루스 월키에게 감사한다. 필자는 이 본문에 대해 그의 주해적 결정을 많이 따랐다.

74 Waltke, *The Book of Proverbs: Chapters 15-31*, 205쪽.

않는 약속을 하는 것은 아니다. 잠언 나머지 부분은 젊은이가 미래에 발휘할 능력은 부모의 인도에 달려 있을 뿐 아니라 그 아이 자신이 하는 선택에 매우 많이 좌우된다는 것을 분명히 하기 때문이다. 바로 앞 구절은 젊은이가 패역한 자의 영혼에게서 자기 영혼을 지켜야 한다는 것을 암시한다(잠 22:5). 그는 죽음에 이르기까지 악인을 따르기로 할 수도 있고(2:12-19), 자기 부모의 지혜에 주의를 기울여 생명에 이르는 의인의 선한 길을 택할 수도 있다(22:1-11, 20).

4. 부모와 자녀를 위한 잠언

잠언 22장 6절은 부모에게 주는 교훈으로 되어 있지만, 잠언 전체는 젊은이에게 주는 안내서다(1:4). 이 사실은 잠언 22장 6절이 사실은 옆길로 빗나간 젊은이를 다시 바른 길로 돌아오도록 부르려는 것임을 시사한다. 당신의 부모가 (불완전하게나마) 당신의 삶에 도덕적, 종교적 방향을 적극적으로 설정하려고 열심히 노력하고 있다면, 당신은 오늘날 어리석은 결정을 내려 그 방향을 거슬러서는 안 된다.

잠언 22장 6절은 하나님이 좋든 나쁘든 개입하시지 않는 한, 시간이 참된 것을 입증하리라는 원리를 제시한다. 부모로서 필자는 하나님 말씀에서 내게 주어진 방향을 기뻐한다. 주님이 그리스도 앞에 하나님의 영광을 드러내고 반영하며 닮아 가도록 우리 자녀를 의도적으로 헌신시키는 일에 필자와 아내를 부르신다는 것이다.

그러나 잠언 22장 6절은 필자와 필자의 자녀가 얼마나 많이 실패하는지도 상기시킨다. 그래서 필자는 복음의 능력이 나 자신의 잘못과 자녀들 마음의 완악함을 억제하는 것이 기쁘다. 하나님은 그리스도 안에서 죄 가운데 죽은 자들을 살리시고(엡 2:4-5), 죄를 고백하는 모든 사람을 용서하시며(요일 1:9), 옛 피조물을 새로운 피조물이 되게 하신다(고후 5:17).[75]

---

75 이 잠언에 대해 더 알려면 Ted Hilderbrandt, "Proverbs 22:6a: Train Up a Child?," *GTJ* 9, 1 (1988): 3-19쪽, Peter J. Gentry, "Equipping the Generation: Raising Children, the Christian Way," *JDFM* 2, 2 (2012): 96-109쪽을 보라.

성경의 잠언에 대한 결론

우리는 고대 사회 곳곳에서 수많은 잠언을 발견해 왔다. 하지만 그중 어느 것도 여호와를 경외하라고 명하지 않는다. 성경의 지혜를 다른 나머지와 구분해 주는 사실은 성경의 지혜는 여호와만이 우주에 명령하시고, 가치를 규정하시며, 옳은 것과 그른 것을 명확하게 하신다고 단언한다는 것이다. 주님을 경외하는 것은 지혜의 근본을 제공한다. 그것이 사람을 올바른 질서에 맞춰 주고, 하나님의 길을 살아가는 유일하고 적절한 성향을 제공하기 때문이다. "여호와를 경외하는 것이 지혜의 근본이요 거룩하신 자를 아는 것이 명철이니라"(잠 9:10. 1장 7절 참조).

구약 곳곳에서 하나님은 백성에게 자신을 경외하라고 명하셨다(예를 들어 출 20:20, 신 10:12). 그러나 그 명령을 따르는 사람은 거의 없었다. 그리고 그 결과는 멸망이었다. 필자는 예레미야가 새 언약에서 하나님이 주님을 두려워하는 마음을 공급하시리라고 예언한 것에서 소망을 발견한다. 그 두려움으로 우리는 우리의 구원을 이룬다(빌 2:12). 예레미야 32장 40절에 나오는 주님의 말씀을 들어 보라. "내가 그들에게 복을 주기 위하여 그들을 떠나지 아니하리라 하는 영원한 언약을 그들에게 세우고 나를 경외함을 그들의 마음에 두어 나를 떠나지 않게 하고." 이 텍스트에서 하나님은 모든 새 언약 신자가 지혜의 길을 걷도록 돕겠다고 약속하신다.

마지막으로 성경의 잠언은 그리스도 안에서 절정에 이른다. 그리스도는 우리에게 지혜가 되신다. 바울이 고린도전서 1장 30절에서 말하듯이 "그리스도 …… 예수는 …… 우리에게 지혜와 의로움과 거룩함과 구원함이 되셨[다]"(1장 24절 참고). 그분은 잠언 30장 4절에서 말하는 궁극적인 분이다. "하늘에 올라갔다가 내려온 자가 누구인지, 바람을 그 장중에 모은 자가 누구인지, 물을 옷에 싼 자가 누구인지, 땅의 모든 끝을 정한 자가 누구인지, 그의 이름이 무엇인지, **그의 아들의 이름이 무엇인지** 너는 아느냐." 이 구절에서 물어보는 첫째 이름은 분명 **여호와**, 즉 지혜의 근원이신 분이다(욥 28:23, 잠 8:22, 전 12:11). 그의 "아들의 이름"에 대해 말하자면, 잠언에서 **아들**이라는 말은 일반적으로 왕가의 일원을 지칭한다(잠 1:1, 8, 4:1-9). 그 아들은 신명기에서 말하는 왕위의 이상에 맞추기 위해 아버지의 가르침에 주의를 기울여야 했다(신 17:18-20). 그래서 하나님의 왕적이고 지혜로운 "아들"은 첫째로는 불완전한 다윗의 후손을 지칭한다. 그러나 그들의 삶은 저마다 더 궁극적이고 완전하신 다윗의 아들에 대한 소망을 나타냈다(삼하 7:14, 16, 시 2:7). 그분은 지금 우리가 예수라고 알고 있는 분, 지혜의 구현이시다. 야고보는 그리스도 안에 있는 사람들에게 지혜가 부족할 때 우리가 해야 할 일은 하나님께 구하는 것뿐이며, 그러면 하나님이 꾸짖지 않고 후히 주실 것이라고 말한다(약 1:5).

핵심 단어와 개념

장르와 장르 분석

TaNaK

비평의 원리, 유추의 원리, 상호 관계의 원리

선지자

신탁

고발의 신탁, 교훈의 신탁, 경고/징벌의 신탁, 소망/구원의 신탁

절대법 대 결의론적 율법

형법, 민법, 가족법, 제의법/의식법, 긍휼법

제왕 시편

탄원 시편, 신뢰 시편, 감사 시편, 찬양 시편

잠언

더 생각해 보기 위한 질문

1. 삼중 구조로 된 예수의 성경을 말해 보라. 각 부분은 구약 전체 메시지에 어떻게 기여하는가?
2. 우리는 구약과 당시 다른 고대 저술의 비슷한 점과 다른 점을 어떻게 생각해야 하는가?

3. 어떤 글의 역사성은 장르와 얼마나 관련되어 있는가?
4. 성경의 역사성을 부인하면서도 여전히 성경이 의미 있고 권위 있는 메시지를 담고 있다는 주장은 어떤 문제가 있는가?
5. 유신론적 세계관을 위해 비평의 원리, 유추의 원리, 상호 관계의 원리를 어떻게 수정해야 하는가?
6. 성경 예언에서 예언하는 것과 선포하는 것은 어떻게 다른가?
7. 네 가지 유형의 예언의 말은 모세 언약과 어떻게 관련되어 있는가? 표1.6을 보고, 예레미야 16장 4, 14-15절에 분명하게 나오는 서로 다른 저주 유형과 회복의 축복 유형을 밝혀 보라.
8. 독자가 빠지기 쉬운 해석적 오류는 무엇인가? 우리가 이런 오류들을 인정한다면, 어떤 위험이 있을지 상세히 설명해 보라.
9. "처음에 그리스도의 기도였던 시편이 이제는 구원받은 자들의 노래가 된다." 이 말의 의미를 설명해 보라.
10. 성경의 잠언이 지닌 세 가지 특징은 무엇인가?

추가 연구 자료

일반적인 것

Eissfeldt, Otto. Part 1 in *The Old Testament: An Introduction*. New York: Harper & Row, 1965.

★ Fee, Gordon D., and Douglas Stuart. *How to Read the Bible for All Its Worth*. 4th ed. Grand Rapids: Zondervan, 2014. 「성경을 어떻게 읽을 것인가」, 성서유니온선교회.

House, Paul R., ed. *Beyond Form Criticism: Essays on Old Testament Literary Criticism*. SBTS 2. Winona Lake, IN: Eisenbrauns, 1992.

InterVarsity Press에서 출간한 구약 관련 사전들

- Alexander, T. Desmond, and David W. Baker, eds. *Dictionary of the Old Testament: Pentateuch*. Downers Grove, IL: InterVarsity Press, 2003.
- Arnold, Bill T., and H. G. M. Williamson, eds. *Dictionary of the Old Testament: Historical Books*. Downers Grove, IL: InterVarsity Press, 2005.
- Boda, Mark J., and J. Gordon McConville, eds. *Dictionary of the Old Testament: Prophets*. Downers Grove, IL: InterVarsity Press, 2012.

• Longman, Tremper, III, and Peter Enns, eds. *Dictionary of the Old Testament: Wisdom, Poetry, and Writings*. Downers Grove, IL: InterVarsity Press, 2008.

Kaiser, Walter C., Jr., and Moisés Silva. *Introduction to Biblical Hermeneutics: The Search for Meaning*. 2nd ed. Grand Rapids: Zondervan, 2007.

Merrill, Eugene H., Mark F. Rooker, and Michael A. Grisanti. *The World and the Word: An Introduction to the Old Testament*. Nashville: Broadman & Holman, 2011. 「현대인을 위한 구약 개론」, 기독교문서선교회.

★ Plummer, Robert L. *40 Questions about Interpreting the Bible*. 40 Questions. Grand Rapids: Kregel, 2010. 「성경을 여는 40가지 질문」, 기독교문서선교회.

Ryken, Leland. *How to Read the Bible as Literature*. Grand Rapids: Zondervan, 1984.

________. *The Literature of the Bible*. Grand Rapids: Zondervan, 1974.

Ryken, Leland, and Tremper Longman III, eds. *A Complete Literary Guide to the Bible*. 2nd ed. Grand Rapids: Zondervan, 1993.

Sandy, D. Brent, and Ronald L. Giese, eds. *Cracking Old Testament Codes: A Guide to Interpreting Literary Genres of the Old Testament*. Nashville: Broadman & Holman, 1995.

Stein, Robert H. *A Basic Guide to Interpreting the Bible: Playing by the Rules*. 2nd ed. Grand Rapids: Baker Academic, 2011. 「성경 해석학」, 기독교문서선교회.

내러티브

Alter, Robert. *The Art of Biblical Narrative*. 2nd ed. New York: Basic Books, 2011.

Block, Daniel I. "Tell Me the Old, Old Story: Preaching the Message of Old Testament Narrative." In *Giving the Sense: Understanding and Using Old Testament Historical Texts: Essays in Honor of Eugene Merrill*, edited by David M. Howard and Michael A. Grisanti, 409-38. Grand Rapids: Kregel, 2003.

✪ Chisholm, Robert B., Jr. *Interpreting the Historical Books: An Exegetical Handbook*. Handbooks for Old Testament Exegesis 2. Grand Rapids: Kregel, 2006. 「역사서를 어떻게 해석할 것인가」, 크리스찬출판사.

Fokkelmann, J. P. *Reading Biblical Narrative: An Introductory Guide*. Louisville: Westminster John Knox, 2000.

Hoffmeier, James K., and Dennis R. Magary, eds. *Do Historical Matters Matter to Faith? A Critical Appraisal of Modern and Postmodern Approaches to Scripture*. Wheaton, IL: Crossway, 2012.

Long, V. Philips. *The Art of Biblical History*. Foundations of Biblical Interpretation. Grand

Rapids: Zondervan, 1994.

Millard, A. R., James K. Hoffmeier, and David W. Baker, eds. *Faith, Tradition, and History: Old Testament Historiography in Its Near Eastern Context*. Winona Lake, IN: Eisenbrauns, 1994.

Pratt, Richard L., Jr. *He Gave Us Stories: The Bible Student's Guide to Interpreting Old Testament Narratives*. Phillipsburg, NJ: P&R Publishing, 1993.

Satterthwaite, Philip E. *A Guide to the Historical Books*. Exploring the Old Testament 2. Downers Grove, IL: InterVarsity Press, 2012.

Sternberg, Meir. *The Poetics of Biblical Narrative: Ideological Literature and the Drama of Reading*. Indiana Studies in Biblical Literature. Bloomington, IN: Indiana University Press, 1985.

예언과 율법

Alexander, T. Desmond. *From Paradise to the Promised Land: An Introduction to the Pentateuch*. Grand Rapids: Baker Academic, 2012.

Baker, David W. "Israelite Prophets and Prophecy." In *The Face of Old Testament Studies: A Survey of Contemporary Approaches*, edited by David W. Baker and Bill T. Arnold, 266-94. Grand Rapids: Baker Academic, 2004.

Bandy, Alan S., and Bejamin L. Merkle. *Understanding Prophecy: A Biblical-Theological Approach*. Grand Rapids: Kregel, 2015.

Gentry, Peter J. *How to Read and Understand the Biblical Prophets*. Wheaton, IL: Crossway, 2017.

Gowan, Donald E. *Theology of the Prophetic Books: The Death and Resurrection of Israel*. Louisville: Westminster John Knox, 1998. 「구약 예언서 신학」, 대한기독교서회.

Hays, J. Daniel. *The Message of the Prophets: A Survey of the Prophetic and Apocalyptic Books of the Old Testament*. Grand Rapids: Zondervan, 2010.

McConville, J. G. *A Guide to the Prophets*. Exploring the Old Testament 4. Downers Grove, IL: InterVarsity Press, 2002. 「선지서: 성경 이해 6」, 성서유니온선교회.

Oswalt, John N. "Recent Studies in Old Testament Apocalyptic." In *The Face of Old Testament Studies: A Survey of Contemporary Approaches*, edited by David W. Baker and Bill T. Arnold, 369-90. Grand Rapids: Baker Academic, 2004.

Schnittjer, Gary Edward. *The Torah Story: An Apprenticeship on the Pentateuch*. Grand Rapids: Zondervan, 2006.

Schreiner, Thomas R. *40 Questions about Christians and Biblical Law*. 40 Questions. Grand

Rapids: Kregel, 2010.

◎ Smith, Gary V. *Interpreting the Prophetic Books: An Exegetical Handbook*. Handbooks for Old Testament Exegesis. Grand Rapids: Kregel, 2014.

VanGemeren, Willem A. *Interpreting the Prophetic Word: An Introduction to the Prophetic Literature of the Old Testament*. Grand Rapids: Zondervan, 1996.

◎ Vogt, Peter T. *Interpreting the Pentateuch: An Exegetical Handbook*. Handbooks for Old Testament Exegesis. Grand Rapids: Kregel, 2009. 「모세오경을 어떻게 해석할 것인가」, 크리스챤출판사.

Wenham, Gordon J. *A Guide to the Pentateuch*. Exploring the Old Testament 1. Downers Grove, IL: InterVarsity Press, 2003. 「모세오경: 성경 이해 3」, 성서유니온선교회.

시편과 잠언

Alter, Robert. *The Art of Biblical Poetry*. 2nd ed. New York: Basic Books, 2011.

Anderson, Bernhard W., and Steven Bishop. *Out of the Depths: The Psalms Speak for Us Today*. 3rd ed. Louisville: Westminster John Knox, 2000.

Berlin, Adele. *The Dynamics of Biblical Parallelism*. 2nd ed. Grand Rapids: Eerdmans, 2009. 「성경 평행법의 역동성」, 그리심.

Bullock, C. Hassell. *Encountering the Book of Psalms: A Literary and Theological Introduction*. Grand Rapids: Baker Academic, 2004. 「시편의 문학적 신학적 개론」, 크리스챤출판사.

Estes, Daniel J. *Handbook on the Wisdom Books and Psalms*. Grand Rapids: Baker Academic, 2010.

Fokkelmann, J. P. *Reading Biblical Poetry: An Introductory Guide*. Louisville: Westminster John Knox, 2001.

◎ Futato, Mark D. *Interpreting the Psalms: An Exegetical Handbook*. Handbooks for Old Testament Exegesis. Grand Rapids: Kregel, 2007. 「시편을 어떻게 해석할 것인가」, 크리스챤출판사.

Howard, David M., Jr. "Recent Trends in Psalms Study." In *The Face of Old Testament Studies: A Survey of Contemporary Approaches*, edited by David W. Baker and Bill T. Arnold, 329-68. Grand Rapids: Baker Academic, 2004.

★ Kelby, Tom. *Psalms 1-19: A Preacher's Guide*. Webster, WI: Hands to the Plow, Inc., 2015.

Kugel, James L. *The Idea of Biblical Poetry: Parallelism and Its History*. New Haven, CT: Yale University Press, 1981; repr., Baltimore: Johns Hopkins University Press, 1998.

Longman, Tremper, III. *How to Read Proverbs*. Downers Grove, IL: InterVarsity Press, 2002. 「어떻게 잠언을 읽을 것인가」, IVP.

________. *How to Read the Psalms*. Downers Grove, IL: InterVarsity Press, 1988. 「어떻게 시편을 읽을 것인가」, IVP.

Lucas, Ernest C. *A Guide to the Psalms and Wisdom Literature*. Exploring the Old Testament 3. Downers Grove, IL: InterVarsity Press, 2003. 「시편과 지혜서: 성경 이해 5」, 성서유니온선교회.

Lunn, Nicholas P. *Word-Order Variation in Biblical Hebrew Poetry: Differentiating Pragmatics and Poetics*. Paternoster Biblical Monographs. Eugene, OR: Wipf & Stock, 2006.

O'Connor, Michael Patrick. *Hebrew Verse Structure*. 2nd ed. Winona Lake, IN: Eisenbrauns, 1997.

Waltke, Bruce K., and David Diewert. "Wisdom Literature." In *The Face of Old Testament Studies: A Survey of Contemporary Approaches*, edited by David W. Baker and Bill T. Arnold, 295-328. Grand Rapids: Baker Academic, 2004.

How to Understand and Apply the Old Testament

2장

문학적 단위와 텍스트의 계층 구조

목표_ 본문의 경계선과 기본 구조를 결정한다.

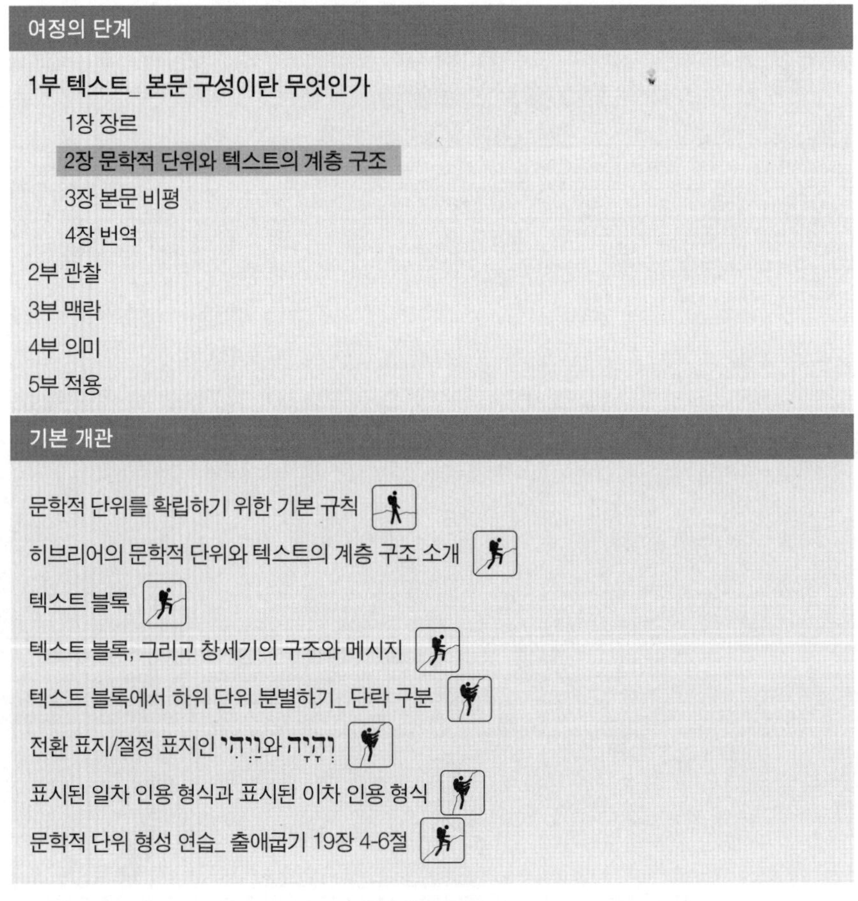

여정의 단계

1부 텍스트_ 본문 구성이란 무엇인가
- 1장 장르
- **2장 문학적 단위와 텍스트의 계층 구조**
- 3장 본문 비평
- 4장 번역

2부 관찰
3부 맥락
4부 의미
5부 적용

기본 개관

문학적 단위를 확립하기 위한 기본 규칙
히브리어의 문학적 단위와 텍스트의 계층 구조 소개
텍스트 블록
텍스트 블록, 그리고 창세기의 구조와 메시지
텍스트 블록에서 하위 단위 분별하기_ 단락 구분
전환 표지/절정 표지인 וַיְהִי와 וְהָיָה
표시된 일차 인용 형식과 표시된 이차 인용 형식
문학적 단위 형성 연습_ 출애굽기 19장 4-6절

표2.1. 2장 길 안내

문학적 단위를 확립하기 위한 기본 규칙

장르를 확인한 뒤, 주해에서 행할 다음 단계는 연구하고 있는 본문의 경계선을 결정하는 것이다. 그 본문은 인용문일 수도 있고, 단락이나 이야기, 노래, 심지어 전체 책일 수도 있다. **문학적 단위**를 확증하는 과정은 임의적인 것이 아니다. 성경 저자들은 목적과 논리, 특정 순서로 글을 쓰면서, 잘 이해할 수 있도록 사고를 분류하고 그 계층 구조를 만들기 때문이다. 성경 해석자로서 당신이 연구하는 본문에 분명한 시작과 끝이 있는지 생각해 보라. 내용, 문법, 또는 둘 다에서 본문의 경계를 분명하게 하는 단서들이 있는가? 이 장 첫 부분에서는 문학적 단위를 확증하기 위한 몇 가지 기본 지침을 제시하고, 나머지 부분들에서는 성서 히브리어가 이 과업을 돕는 독특한 방식들을 상술한다.

1. 영어 번역의 장절 구분을 그대로 따르지는 말라

우리가 가진 성경에 나오는 장절 숫자는 정해진 본문을 빨리 찾는 데 도움이 된다. 하지만 그 숫자들은 원래 성경 본문의 일부가 아니었으며, 때로는 잘못 구분되어 있기도 하다. 예를 들어, 창조의 한 주에 대한 내러티브는 창세기 1장 1절부터 2장 3절에 걸쳐 있으며, 이어지는 2장 4절은 창세기에 나오는 열 개의 톨레돗(*toledoth*)식 관용 표현("이것이 ……의 내력이니", "이것은 ……의 계보를 적은 책이니라", "……의 족보는 이러하니라") 중 첫 번째 것을 담고 있다. 각 관용 표현은 구별되는 문학적 단위를 소개한다. 창세기 서언과 제대로 씨름하다 보면 1장의 경계를 넘어 2장 1-3절을 포함하게 될 것이다. 유대인 서기관들은 아마 탈무드 시대(약 주후 135-500년)에 구절(verse)로 분리하기 시작했을 것이다. 하지만 실제로 구절에 숫자를 매긴 것은 16세기에 와서야 이루어졌다. 또한 1200년대가 되어서야 로마 가톨릭 주교인 스티븐 랭튼(Stephen Langton, 주후 1150-1228년)이 처음으로 장 구분을 더했다. 핵심은 이것이다. 현대 역본들에 있는 장절 구분을 텍스트의 경계선을 나타내는 정확한 안내자로 생각하지 말라는 것이다. 본문이 어디서 시작하고 끝나는지를 해석자 자신이 주의 깊게 평가해야 한다.

2. 우리가 가진 성경에 여러 권으로 되어 있는 몇몇 책은 예수께서 가지고 있던 성경에서는 한 권이었다는 것을 기억하라

이스라엘 선견자들, 현자들, 노래하는 자들이 쓴 구약은 본래 자음뿐이었다. 고대 히브리인들은 말로는 모음을 표현했지만 기록하지는 않았다. 그랬기 때문에 사무엘상하, 열왕기상하, 역대상하와 같은 긴 글도 하나의 두루마리에 쓸 수 있었던 것이다. 그러다가 주전 3세기에서 2세기에 구약을 헬라어로 번역하면서, 유대인들은 모음을 포함시켰다. 그렇게 해서 책 분량이 두 배가 되었고, 그 긴 글들을 복사하려면 하나 이상의 두루마리가 필요했다. 신약에서 고린도전서와 고린도후서는 바울의 서로 다른 서신인 반면, 구약의 역대상하는 한 책이다. 우리는 그에 맞춰 그 책들을 읽어야 한다. 따라서 사무엘서, 열왕기, 역대기, 심지어 (히브리어로 된 구약에서는 하나의 책인) 에스라-느헤미야서와 같은 책에서 문학적 단위로 씨름할 때는, 그 책들이 모두 원래 한 권이었다는 사실을 기억하라. 이처럼 문학적 단위는 '책'의 경계선도 넘을 수 있다.

3. 인식할 수 있는 시작 표지와 끝 표지를 찾아보라

영어에서는 제목으로 각 부분을 표시하고, 한 칸 들여 써서 단락을 나타낸다. 사람들이 하는 말은 인용 부호로 표시하며, 이야기를 시작할 때면 '옛날에……'와 같은 문구로 시작한다. 이러한 것들은 모두 새로운 사고 단위가 시작된다는 것을 표시하는 문학적 특징이다. 마치 우리의 의사소통에서 새로운 것이 다가오고 있다는 것을 나타내는 도로 표지판과 같다. 성경 저자들도 청중이 텍스트의 구조와 메시지를 잘 이해하도록 돕기 위해 비슷한 특징을 많이 사용했다. 데이비드 도시(David A. Dorsey)는 구약에서 발견되는 수많은 시작 표지와 끝 표지를 열거한다. 그가 관찰한 것 가운데 몇 가지 예시를 여기에 소개한다.[1]

a. 시작 표지

- **제목**(예를 들어 "시기오놋에 맞춘 선지자 하박국의 기도라"[합 3:1])
- **서론적 관용 표현**(예를 들어 "이것이 ……의 족보니라"[창 2:4, 5:1, 6:9 등], "이스라엘 자손이 여

---

1 David A. Dorsey, *The Literary Structure of the Old Testament: A Commentary on Genesis-Malachi* (Grand Rapids: Baker, 1999), 22-23쪽.

호와의 목전에 악을 행하니라"[삿 3:7, 12, 4:1 등])

- **시작할 때 공통으로 쓰는 단어나 문구**(예를 들어 "여호와께서 이와 같이 말씀하시되"[암 1:3], "들으라"[신 6:4], "화 있을진저"[습 3:1], "이제"[신 4:1], "보라"[습 3:19, 개역개정에는 이 말이 없다_ 옮긴이])
- **호격 칭호**(예를 들어 "여호와여"[시 8:1])
- **수사적 질문**(예를 들어 "어찌하여 이방 나라들이 분노하며 민족들이 헛된 일을 꾸미는가"[시 2:1])
- **시간 변화**(예를 들어 "아브람이 구십구 세 때에"[창 17:1])
- **장소 변화**(예를 들어 "이스라엘 자손[이] …… 신 광야에 이르러"[민 20:1])
- **등장인물 또는 화자의 변화**(예를 들어 "데만 사람 엘리바스가 대답하여 이르되"[욥 4:1])
- **논제 또는 주제의 변화**(예를 들어 "너희의 하나님이 이르시되 너희는 위로하라 내 백성을 위로하라"[사 40:1])
- **장르 변화**(예를 들어 내러티브에서 족보로 바뀌는 창세기 11장 10절)
- **시에서 산문으로 또는 산문에서 시로 변화**(예를 들어 이사야 35장에서 시가 나온 후 36장 1절에서 "히스기야 왕 십사 년에")

b. **끝 표지**

- **결론적 관용 표현**(예를 들어 "저녁이 되고 아침이 되니"[창 1:5, 8, 19 등])
- **시적 후렴**(예를 들어 "너희가 내게 돌아오지 아니하였느니라"[암 4:6, 8, 9 등])
- **요약 진술**(예를 들어 "이는 번제와 소제와 속죄제[의] …… 규례라 여호와께서 …… 이같이 모세에게 명령하셨더라"[레 7:37-38])
- **결론**(예를 들어 "여호와께서 그들의 주위에 안식을 주셨으되"[수 21:43])

4. 문학적 단위를 하나의 전체로 다루라

단순히 따로 분리된 단어나 절(clause)이 아니라, 전체 텍스트가 구두로 의사를 전달하는 자연스러운 틀을 제공한다. 어떤 텍스트는 한 절(예를 들어 "여호와는 소멸하는 불이시오") 또는 심지어 한 단어("달음질하라!")일 수도 있지만, 보통 하나의 텍스트에는 짧든(질문에 대한 대답) 길든(하나의 책) 절들이 연속으로 나온다.

텍스트 자체는 종종 따로 분리된 부분이나 독립된 문학적 꾸러미로 나뉜다. 그러나 성경 해석자들은 이 전체 사고 단위를 연구 대상으로 삼아야 한다. 우리는 성경 저자들이 표층 구조에 이 문학적 단위를 표시한 몇 가지 방식을 살펴보고, 그 다음에 여러 장르와 관련된 특별한 규칙들을 살펴봐야 한다.

a. 유사성의 유형

우리는 보통 비슷한 내용과 형식을 통해 문학적 단위를 다른 단위와 구분할 수 있다. 내용과 관련해서는 비슷한 시기(예를 들어, 타락 이전 시기[창 2:4-25]), 비슷한 장소(예를 들어, 시내 광야에 있는 이스라엘[출 19:1-민 10:10]), 비슷한 등장인물(예를 들어, 삼손의 사사직[삿 13:1-16:31]), 비슷한 논제나 주제(예를 들어, 성막 건축 지시[출 25:1-31:18]) 등에 주의하여 문학적 단위를 판별할 수 있다. 형식과 관련해서 문학적 단위는 종종 비슷한 시적 장치(예를 들어, 시편 119편에 자모순으로 된 이합체 시)와 비슷한 장르(예를 들어, 출애굽기 15장 1-18절의 바다에서 부르는 노래) 등을 포함한다.

b. 여러 장르에 대한 특별한 규칙들

장르 문제는 특별한 설명이 필요하다. 모든 장르는 문학 단위를 형성하는 나름의 유형을 지니고 있기 때문이다. 예를 들어, **역사적 내러티브**에서 우리는 **에피소드**들에 비추어 전체 **장면**(scene)을 다루어야 한다. 장면만 보면 필시 본문의 요점을 깨닫지 못할 것이다. 유명한 텔레비전 영미 드라마의 구조를 생각해 보라. 〈24〉 또는 〈엘리멘터리〉(*Elementary*) 같은 드라마는 한 시즌이 24회로 되어 있다. 그리고 각 회 에피소드마다 십여 개 또는 그보다 많은 장면이 나온다. 한 에피소드 안에서 각 장면은 드라마가 방영되는 주의 전반적 플롯에 기여하며, 매주 방영되는 에피소드는 각각 그 시즌이나 드라마의 구성에 어느 정도 기여한다. 전반적인 에피소드와 상관없이 각 장면의 요점을 파악하는 일이 힘들듯, 전반적 에피소드에 비추어 성경 장면들을 해석하지 않고 그 요점을 파악하려면 힘들 것이다.

창세기 39장이 좋은 예다. 성경을 무심코 읽는 독자들은 종종 '요셉과 보디발의 아내' 이야기를 한 에피소드로 여기는데, 사실 그 이야기는 하나의 장면이다. 하나의 장면으로서 그 내러티브는 단순히 성적 유혹을 피하라는 명령으로 보일 수 있다. 분명 그것은 중요한 교훈이다. 하지만 우리는 거기서 멈출 수 없다. 그러한 견해는 "여호와께서 요셉과 함께하시므로"라는 네 번의 진술이 왜 그 장의 뼈대를 구성하고 있는지 명확하게 설명하지 못하기 때문이다. 여호와께서는 요셉이 종으로 애굽에 들어왔을 때 요셉과 함께 계셨다(39:2). 그분은 요셉이 보디발의 집에서 섬길 때 요셉과 함께 계셨다(39:3). 그분은 보디발의 아내가 요셉을 성적으로 품행이 좋지 않다고 부당하게 비난하여 요셉이 옥에 갇히게 했을 때 요셉과 함께 계셨다(39:21). 그리고 요셉이 감금되어 있던 오랜 시간에도 그분은 요셉과 함께 계셨다(39:23). "여호와께서 요셉과 함께하시므로." 이 구절이 네 번 반복되는 것은 그 에피소드의 경계를 확인시키며, 보디발의 집에서 일어난 장면은 하나님이 함께하시는 사람의 한 유형을 제공한다는 것을 분명히 설명한다. 성적 순결은 하나님께 향하는 것을 나타내는 중대한 표현으로 본받을 만하다. 하지만 그 에피소드는 요셉에 대한 것이라기보다는 하나님에 대한 것이다. 주님은 세상 욕망을 만족시키는 것보다 하나님을 기쁘시게 하는 것을 큰 상으로 여기는 사람들과 함께 계신다.

신명기나 이사야서에 나오는 것과 같은 **예언적 설교**에서는 단락과 신탁들이 장면과 에피소드를 대신한다. 당신이 연구하는 단락은 주요 권고에 해당하는가? 아니면 역사적 성찰을 통해서든 약속이나 예언을 통해서든 동기를 부여하는 것인가? 연구하는 텍스트의 역할에 따라 당신은 전체 문학적 단위를 제대로 파악하기 위해 해석적 초점의 경계를 더 넓혀야 할 수도 있다.

예를 들어, 영어 성경은 대부분 신명기 5장에 '십계명'이라는 제목을 붙인다. 하지만 그 장을 주의 깊게 살펴보면, 하나님이 어떻게 모세를 언약 중재자로 임명하시는지 묘사하기 위해서 모세가 하나님이 시내산에서 우레같이 말씀하신 것을 다시 말하고 있는 것임을 알 수 있다(신 5:2-31). 그럴 때에, 십계명을 주시고 모세를 임명하신 내용은 (광야 이후) 새 세대가 왜 모세의 음성에 주의를 기울여야 하는지에 대한 전체적인 역사적 교훈을 제공하게 된다(5:1, 32-33). 모세는 하나님의 대변자다. 선지자들이 말할 때는 하나님이 말씀하고 계신 것이다. 이처럼 문맥을 설명하지 않는다면 주요 요점을 쉽게 놓칠 수 있다.

마찬가지로 **시편의 시**(시로서의 시편)에서 독자는 시의 한 연(즉 시의 한 단락)만이 아니라 전체 시를 연구하는 것이 이상적이다. (시편 119편과 같은 긴 시를 붙잡고 씨름할 때처럼) 실제로는 그렇게 할 수 없는 경우에는 시의 행들만이 아니라 각 연을 연구해야 한다. 그 다음에 그 연들을 전체 시에 비추어 해석해야 한다. ESV 번역자들은 시편 1편을 세 연으로 구분했다. 행간을 띄운 것에서 그러한 구분이 입증된다. 시편 2편은 네 연으로 되어 있다고 보았다. 우리가 직접 주해하다 보면, 다른 사람들이 제의하는 연 구분에 동의하지 않을 수도 있다. 그럼에도 우리는 이 구절들이 진주를 꿴 줄 같다기보다는 마치 무늬와 결, 색이 멋지게 잘 엮인 팔찌처럼 함께 어우러진다는 것을 알아야 한다. 구절들을 연구할 때는 따로 분리할 것이 아니라 문학적인 앞뒤 문맥 안에서 보아야 한다.

5. 현대 역본들과 견주어서, 그리고 가능하다면 표준적인 히브리어 텍스트와 견주어서 자신의 결정을 살펴보라

성경 번역자들은 단락 구분을 표시하고 문학적 단위를 구분하기 위해 들여쓰기를 사용한다. 우리가 가지고 있는 히브리어 성경 표준판 편집자들도 비슷하게 결정한다. 우리 개인의 판단을 그들의 판단과 비교해 보는 것도 도움이 된다. 때로 문학적 단위에는 어느 정도 주관성이 존재한다. 당신이 어느 편집자나 어느 번역자도 구분하지 않은 곳에서 본문을 시작하거나 끝내기로 결정한다면, 그 결정을 온전히 논증하는 것은 당신의 책임이다.

요약하면, 특정 텍스트의 문학적 단위를 고려할 때는

- 영어 번역의 장절 구분을 그대로 따르지는 말라.
- 우리가 가진 성경에 여러 권으로 되어 있는 몇몇 책은 예수께서 가지고 있던 성경에서는 한 권이었다는 것을 기억하라.
- 인식할 수 있는 시작 표지와 끝 표지를 찾아보라.
- 문학적 단위를 하나의 전체로 다루라.
- 현대 역본들과 견주어서, 그리고 가능하다면 표준적인 히브리어 텍스트와 견주어서 자신의 결정을 살펴보라.

이 장에서 이어지는 부분들은 특별히 성서 히브리어를 적어도 두 학기 이상 들은 사람들을 위한 것이다. 당신이 성서 히브리어를 듣지 않았더라도, 다음에 나오는 내용에서 성경 해석을 위한 주옥같은 통찰을 몇 가지 발견할 것이다. 아니면 이 부분을 건너뛰고 3장으로 갈 수도 있다.

히브리어의 문학적 단위와 텍스트의 계층 구조 소개

내용과 문학적 형식과 같은 표층 요소들과 함께, 성서 히브리어는 문학적 단위 또는 문학적 하위 단위가 어디서 시작하고 끝나는지를 명확히 하기 위해 수많은 언어적 특징을 사용한다. 이 장 나머지 부분은 그중 몇 가지를 강조할 것이다.

1. 절의 계층 구조

성경의 모든 절은 계층 구조로 되어 있다. 다른 절들, 그리고 그 문맥과 관련하여 상대적으로 중요도가 다른 것이다. 필자는 들여쓰기를 통해 계층 구조의 수준을 나타낸다. 그렇게 하면 본문의 사고 흐름을 따라가는 데 도움이 된다(A열). 들여쓰기가 되어 있는 절은 앞에 나온 상위 계층의 절이나 단위를 뒷받침한다. 다시 말해 어떤 절이 덜 들여 쓰였을수록 텍스트의 주요 취지에서 더 주된 것이다. 들여 쓰인 자료가 절대 덜 중요하다는 것이 아니다. 실로, 종종 그 반대다. 하지만 들여 쓰인 자료는 재진술로든 별개 진술로든 상위 계층의 사고를 뒷받침한다. 필자는 이런 식으로 본문의 사고 흐름을 시각적으로 나타내는 것을 **텍스트의 계층 구조**(text hierarchy)라고 부른다.

2. וְ의 역할과 접속사 생략

성서 히브리어에서 어떤 절(clause)의 계층을 결정하는 일차 요소는 절 시작 부분에 연결사가 있느냐 없느냐다. 가장 일반적인 연결사는 וְ(베, 보통 '그리고'라는 등위 접속사로 번역된다)이며, 이것은 언제나 구문적으로 대등한 요소들(예를 들어, 구[phrase] 대 구, 절[clause] 대 절, 더 큰 단위 대 더 큰 단위) 간의 결합 관계를 밝혀 준다. וְ(베)가 있으면 앞에 나온 사고 단위와 어느 정도 연관이 있다고 추정할 수 있다. 그러나 절들 또는 텍스트 단위들 간의 관계가 등위인지, 결과인지, 목적인지, 아니면 다른 어떤 의미 가치를 지니고 있는지는 문맥과, 그보다 광범위한 텍스트의 특징들을 살펴보아야만 분명히 알 수 있다. 연결사 וְ(베)의 의미 가치가 통상 '그리고'인 것은 아니다. 그러나 이 말이 나오면 늘 우리가 함께 읽어야 하는 일련의 절들이 따라온다. 다시 말해, וְ(베)절은 그 절이 연관되어 있는 절과 같은 수준에서 텍스트의 계층 구조를 계속 이어간다. 연관된 절은 바로 앞 절일 수도 있고 아닐 수도 있다.[2]

이에 반해 절 앞에 어떤 접속사도 없다면, '접속사 생략절'이라고 부른다. 히브리어에서 **접속사 생략**(asyndeton, 즉 앞에 어떤 접속사도 없는 것)은 분리를 표시하는 기능을 한다. וְ(베)절에 따라 생겨난 텍스트의 움직임이 갑자기 중단되고, (1) 새로운 시작(예를 들어, 새로운 연설 행위의 시작)이나 (2) 재진술 또는 별개 진술(예를 들어 신 5:2)에 의한 뒷받침 등을 알리는 것이다. 후자를 표시하는 기능을 할 때, 접속사 생략절과 그 절을 기반으로 하는 단위들은 보통 앞서 나온 것을 명확히 하거나 설명한다. 다음에 나오는 표들에서는 접속사 생략을 공집합(Ø)으로 표시했다. 예문에서 살펴보겠지만, 히브리어에서 텍스트의 계층 구조를 형성할 때 해석자는 더 중요한 절은 모두 오른쪽 끝에 놓는 반면, 더 종속되거나 뒷받침하는 절은 (오른쪽을 기준으로) 왼쪽으로 한 칸씩 들여 쓴다.[3]

3. 예문_ 신명기 7장 2-4절

이러한 특징들은 표2.2에 나온 예에서 잘 살펴볼 수 있다.

접속사가 생략된 곳(2b, 3b)에서 절의 계층 구조가 어떻게 바뀌는지 주목해 보라. 또한 כִּי(키, '왜냐하면')와 같은 종속 접속사(4a)가 어떻게 뒷받침을 표시하는지, 그리고

---

2 접속사 וְ(베)에 대한 이런 기본적 접근으로는 Richard C. Steiner, "Does the Biblical Hebrew Conjunction-וְ Have Many Meanings, One Meaning, or No Meaning at All?," *JBL* 119, 2 (2000): 249-67쪽을 보라.

3 성서 히브리어에서 וְ(베)의 이런 역할과 접속사 생략을 더 알아보려면, Stephen G. Dempster, *Linguistic Features of Hebrew Narrative: A Discourse Analysis of Narrative from the Classical Period* (Ph.D. diss., University of Toronto, 1985), 40-41쪽, Jason S. DeRouchie, *A Call to Covenant Love: Text-Grammar and Literary Structure in Deuteronomy 5-11*, Gorgias Dissertations 30/Biblical Studies 2 (Piscataway, NJ: Gorgias, 2007), 107-32쪽을 보라. 교차 언어적 관점에서 스티븐 레빈슨(Stephen H. Levinsohn)은 신약의 비내러티브 텍스트들에서 접속사 생략은 비슷한 방식들로 작용한다고 말한다(*Discourse Features of New Testament Greek: A Coursebook on the Information Structure of New Testament Greek*, 2판 [Dallas: SIL International, 2000], § 7.2).

הַחֲרֵם תַּחֲרִים אֹתָם	2	Ø	너는 그들을 완전히 진멸해야 한다.
לֹא־תִכְרֹת לָהֶם בְּרִית	b	Ø	그들과 어떤 언약도 맺어서는 안 된다.
וְלֹא תְחָנֵּם׃	c	וְ	**그리고** 그들을 불쌍히 여겨서도 안 된다.
וְלֹא תִתְחַתֵּן בָּם	3	וְ	**그리고** 그들과 혼인해서도 안 된다.
בִּתְּךָ לֹא־תִתֵּן לִבְנוֹ	b	Ø	네 딸을 그들의 아들에게 주지 말아야 하며
וּבִתּוֹ לֹא־תִקַּח לִבְנֶךָ׃	c	וְ	**그리고** 그들의 딸도 네 며느리로 삼지 말아야 한다.
כִּי־יָסִיר אֶת־בִּנְךָ מֵאַחֲרַי	4	כִּי	왜냐하면 네 아들이 나를 따르지 않고
וְעָבְדוּ אֱלֹהִים אֲחֵרִים	b		**그리고** 다른 신들을 섬길 것이기 때문이다.
וְחָרָה אַף־יְהוָה בָּכֶם	c	וְ	**그러면** 여호와께서 너희에게 진노하사
וְהִשְׁמִידְךָ מַהֵר׃	d		**그리고** 갑자기 너희를 멸하실 것이다.

표2.2. 텍스트 계층 구조_ 신명기 7장 2-4절

그 때문에 한 칸 들여 쓴 것에도 주목하라. 이 예에서 2a에 나오는 첫 번째 접속사 생략절은 새로운 시작을 표시한다(사실 이 절은 그 앞에 나온 짧은 시간적 서론에 이어 나온 주절이다). 이어서 2b와 3b에 나오는 접속사 생략절은 각각 그 앞 절을 설명하는 단위를 시작하여 절들의 각 부분이 좀 더 종속되게 만든다. 또한 모든 וְ(베, 해설을 나타내는 '그리고')절이 근원 절에 대해 의미적인 효력과 기능을 기초로 해서 앞에 나오는 절과 어떻게 연결되는지 주목하라. 예를 들어, 4a에서 시작된 논리적 근거는 4b-d까지 이어지는데, 각 절은 이유나 근거를 더해 나간다. 이런 식으로 절들을 제시하면, 텍스트의 다양한 하위 단위와 함께 텍스트의 경계를 결정할 수 있다.

이제 표를 한 줄씩 다시 살펴보자. 이 텍스트의 주요 명령은 2a에 나오는 "너는 그들을 완전히 진멸해야 한다"이다. 2b에 있는 접속사 생략과 그 내용은 이어서 나올 단위가 앞에 나온 것을 설명한다는 것과, 2c-3a에서 맨 앞에 וְ(베)가 나온 두 절이 그것을 계속 이어 나간다는 것을 표시한다. 이에 의해 처음 명령은 세 가지 방식에서 부정적으로 전개된다. 진멸하라는 명령은 가나안 사람들과 언약을 맺는 것, 그들을 불쌍히 여기는 것, 그들과 혼인하는 것을 금한다(2b-3a). 3a와 3bc에서는 그들과 혼인하는 것에 대한 특정 금지를 더 상세히 서술하며, 3b에 나오는 접속사 생략은 더 많은 설명이 나올 것을 표시한다. 3bc에 나오는 한 쌍의 절에 이어 4a에서 כִּי(키, '왜냐하면')가 나온다. 이 접속사는 4b-d에 나오는 다른 세 절과 결합되어 있으며, 그 절들은 모두 금지의 근거를 이룬다.

텍스트 블록

지금까지 배운 것은 **텍스트 블록**(text block)이라는 주요 개념에 대한 준비 과정이다. 텍스트 블록이란 함께 묶어서 읽어야 하는 일련의 절들을 말한다. 이러한 강화 단위는 (접속사가 없는) 접속사 생략절이나 공식적으로 표시된 종속절로 시작되고, וְ(베, 해설을 나타내는 '그리고')로 결합된 절들이 연속하여 이어진다. 접속사 생략절이나 종속절은 마치 혼자 서 있을 수도 있지만 종종 많은 차량(즉, וְ[베]로 결합된 절들)이 딸린 기차와 같다. 텍스트 블록은 단 하나의 절로 이루어졌을 수도 있지만, 여러 개의 절이나 단락, 심지어 성경 본문의 장(chapter)으로 확장되는 경우가 매우 많다. 여기서 파악해야 하는 주된 요점은 이것이다. 즉 절 앞머리에서 וְ(베)를 볼 때, 우리는 그것이 연결된 절이나 더 큰 텍스트가 무엇인지를 결정해야 한다는 것이다.

신명기 7장 2-4절에서 우리는 서너 개의 텍스트 블록을 발견한다. 우선 7장 4절만 생각해 보자. 기초가 되는 접속사 כִּי(키, '왜냐하면')는 다른 종교를 믿는 사람과 혼인하는 것을 금지하는 이유를 제시하는 네 절로 된 텍스트 블록을 소개한다. 그러한 혼인은 자연스레 여호와를 배교하는 결과를 가져와서, 하나님의 의로운 진노 아래 멸망당하기 때문이다.

표2.3에 나오는 신명기 5장 1, 32-33절에서 나온 또 다른 예문을 생각해 보라. וְ(베)절은 언제나 앞에 나오는 사고와 연관된다는 것을 기억할 것이다. 그런데 그 특정 절은 바로 앞 절이 아닐 수도 있다. 신명기 5장에서 2-31절은 (처음에 접속사가 생략되어 있고 모두 들여쓰기로 표시된) 역사적-내러티브 여담이다. 그 구절들은 함께 이스라엘이 모세를 통한 여호와의 음성에 귀를 기울여야 하는 이유를 명확하게 해준다. 40년 전에 이스라엘은 모세가 언약 중재자이자 하나님의 대변인이 되도록 해달라고 요청했고, 여호와는 그 요청에 동의하셨던 것이다. 그리고 나서 32절은 설교를 시작하는 지시 강화로 돌아간다. 32a에 나오는 וְ(베)절은 실제로는 멀리 1e까지 거슬러 올라간다! 일단 모세는 역사적 이야기를 마치고, 5장 1절에서 시작된 권고로 되돌아가 원래 텍스트 블록을 계속 이어가는 것이다.

שְׁמַע יִשְׂרָאֵל אֶת־הַחֻקִּים וְאֶת־הַמִּשְׁפָּטִים אֲשֶׁר אָנֹכִי דֹּבֵר בְּאָזְנֵיכֶם הַיּוֹם	1c	Ø	이스라엘아 오늘 내가 너희의 귀에 말하는 규례와 법도를 들으라.
וּלְמַדְתֶּם אֹתָם	d	וְ	**그리고** 너는 그것을 배우며
וּשְׁמַרְתֶּם לַעֲשֹׂתָם׃	e	וְ	**그리고** 그것을 삼가 행해야 한다.
[중간에 끼어 있는 역사적 여담]			……
וּשְׁמַרְתֶּם לַעֲשׂוֹת	32	וְ	**그리고** 너희는 삼가 행해야 한다.
כַּאֲשֶׁר צִוָּה יְהוָה אֱלֹהֵיכֶם אֶתְכֶם	b	כַּאֲשֶׁר	여호와 너희 하나님께서 너희에게 명하신 대로
לֹא תָסֻרוּ יָמִין וּשְׂמֹאל׃	c	Ø	너희는 좌로나 우로나 치우치지 말아야 한다.
בְּכָל־הַדֶּרֶךְ אֲשֶׁר צִוָּה יְהוָה אֱלֹהֵיכֶם אֶתְכֶם תֵּלֵכוּ	33	Ø	여호와 너희 하나님께서 너희에게 행하라고 명하신 모든 도를 행해야 한다.
לְמַעַן תִּחְיוּן	b	לְמַעַן	그리하면 너희가 살 것이고,
וְטוֹב לָכֶם	c	וְ	**그리고** 너희가 형통할 것이고,
וְהַאֲרַכְתֶּם יָמִים בָּאָרֶץ אֲשֶׁר תִּירָשׁוּן׃	d	וְ	**그리고** 너희가 차지한 땅에서 너희의 날이 길 것이다.

표2.3. 텍스트 계층 구조_ 신명기 5장 1, 32-33절

32c는 해설을 표시한다. 이어서 33a은 이 진술에 설명을 추가하고 있다. לְמַעַן(레마안, '그리하면'[so that])이라는 부사형 접속사는 33b에 나오는 목적 진술을 시작한다. 그러고 나서 그 목적 진술은 33cd로 이어지는데, 둘 다 וְ(베)로 시작한다. 모세는 이스라엘 백성이 여호와의 명령대로 행해야 하는 세 가지 이유를 제시한다. **그리하면** 너희가 살 것이고, **그리하면** 너희가 형통할 것이고, **그리하면** 너희의 날이 길 것이기 때문이다.[4]

강화에서 וְ(베, 해설을 나타내는 '그리고')와 접속사 생략의 기능을 추적하는 것은 문학적 단위를 결정하는 첫 단계다. 접속사 וְ(베)는 연이은 연결을 통해 독자들을 텍스트로 단호하게 밀어 붙인다. 그러나 연결부가 없으면 잠시 쉴 수밖에 없다. 그렇게 해서 텍스트와 분리된 부분을 만들어 내고 중요한 것을 표시하는 것이다.

4 신명기 5-11장 전체에 대한 발전된 강화 분석으로는 DeRouchie, *A Call to Covenant Love*, 227-67쪽을 보라.

텍스트 블록, 그리고 창세기의 구조와 메시지

종종 텍스트 블록은 짧다. 그리고 많은 블록이 상위 수준의 텍스트 블록 안에 끼워져서 앞에 나온 것을 설명하는 역할을 한다. 하지만 앞서 이미 말했듯이, 성경의 최상위 수준에 있는 텍스트 블록은 여러 장에 이르기까지 확대될 수 있다. 우리는 창세기에서 그 예를 볼 수 있다. 창세기에서 가장 흔한 구조적 특징은 אֵלֶּה תּוֹלְדוֹת(엘레 톨레돗)으로, 열 번 정도 나오며 종종 "이것이 ……의 내력이니" 또는 "……의 족보는 이러하니라"(창 2:4, 5:1, 6:9, 10:1, 11:10, 27, 25:12, 19, 36:1, 37:2)로 번역된다.[5] 이 말이 반복해서 나온다는 것은 저자가 글을 형성하는 장치로 그 말을 사용했음을 시사한다.

표2.4에서 보는 것처럼 주석가들은 일반적으로 열 개의 톨레돗(족보) 관용 표현을 모두 대등하고 독립된 것으로 다룬다.

	서론(창 1:1-2:3)
1	하늘과 땅의 **톨레돗**(2:4-4:26)
2	아담의 **톨레돗**(5:1-6:8)
3	노아의 **톨레돗**(6:9-9:29)
4	노아의 아들들의 **톨레돗**(10:1-11:9)
5	셈의 **톨레돗**(11:10-26)
6	데라의 **톨레돗**(11:27-25:11)
7	이스마엘의 **톨레돗**(25:12-18)
8	이삭의 **톨레돗**(25:19-35:29)
9	에서의 **톨레돗**(36:1-37:1)
10	야곱의 **톨레돗**(37:2-50:26)

표2.4. 창세기의 구조에 대한 일반적 견해

하지만 반복해서 나타나는 이 관용 표현을 면밀히 살펴보면 몇몇 톨레돗 앞에는 וְ(베, 해설을 나타내는 '그리고')가 나오는 반면, 다른 톨레돗 앞에는 그렇지 않은 것을 볼 수

5 אֵלֶּה תּוֹלְדוֹת(엘레 톨레돗) 유형은 창세기 36장 9절에도 나온다. 하지만 여기에 나온 이 말은 책의 전반적인 구조에 부차적인 것으로 보인다. 가나안에서 태어난 에서의 후손에 대한 서두 목록(36:1-8)을 에돔 족속으로 태어난 사람들을 포함하여 더 완전하게 정리한 에서의 후손 목록(36:9-43)과 구분하는 것처럼 보일 뿐이다. 그 문제에 대해 더 알려면 Jason S. DeRouchie, "The Blessing-Commission, the Promised Offspring, and the *Toledot* Structure of Genesis," *JETS* 56, 2(2013): 219쪽 각주1을 보라.

있다. 이것은 저자가 별도 단위를 열 개가 아닌 다섯 개로 의도하고 있음을 시사한다. 여기서 살펴볼 텍스트 블록의 수준은 거시적이다. 바로 성경의 특정 책 전체의 구조를 판별하는 것이다.

		서문(창 1:1-2:3)
1	Ø	이것이 하늘과 땅의 **톨레돗**이다(2:4-4:26).
2	Ø	이것은 아담의 **톨레돗**을 적은 책이다(5:1-6:8).
3	Ø	이것은 노아의 **톨레돗**이다(6:9-9:29).
	וְ	그리고 이것은 노아의 아들들의 **톨레돗**이다(10:1-11:9).
4	Ø	이것은 셈의 **톨레돗**이다(11:10-26).
	וְ	그리고 이것은 데라의 **톨레돗**이다(11:27-25:11).
	וְ	그리고 이것은 이스마엘의 **톨레돗**이다(25:12-18).
	וְ	그리고 이것은 이삭의 **톨레돗**이다(25:19-35:29).
	וְ	그리고 이것은 에서의 **톨레돗**이다(36:1-37:1).
5	Ø	이것은 야곱의 **톨레돗**이다(37:2-50:26).

표2.5. 창세기의 톨레돗에서 앞에 나오는 연결어

연결어 וְ(베)는 구문적으로 대등한 단위들을 연결하는 반면, 접속사 생략은 텍스트에서 분리되는 부분을 표시한다. 이 예문에서 앞에 접속사가 없는 **톨레돗** 표제는 모두 새로운 내러티브가 시작되는 것을 밝혀 주는 반면, וְ(베)로 시작하는 표제들은 이전 단위를 부연한다. 이러한 연구 결과에서 우리는 세 가지 해석적 함축을 끌어낼 수 있다.

1. **톨레돗**이 다양한 길이로 구분된 것은 창세기라는 책 안에서 족장들과 하나님이 맺으신 언약을 부각시킨다(창 11:10-37:1).
2. 셈의 **톨레돗**은 종종 **원시 역사**(Primeval History)라고 불리는 것을 마무리하기보다는 족장 시대를 소개하는 역할을 한다. 보통 학자들은 창세기 1-11장을 12-50장과 구분한다. 그렇게 하는 데는 나름의 장점이 있다. 족장 시대에 이르면 내러티브의 시간이 극도로 느려지기 때문이다. 그럼에도 11장 27절 시작 부분에 나오는 וְ(베)는 족장 시대의 실제 시작이 12장이 아니라 11장 10절이라는 것을 시사한다. 셈의 (두 번째) 족보가 우리를 노아 시대에서 아브라함 시대로 이동시키는 것이다.
3. 다섯 개의 주요 **톨레돗** 구분은 그 범위를 점점 좁혀 하나님 나라 건설 계획에서

약속의 계열과 이스라엘의 중심성에 초점을 맞추는 것을 입증한다. 천지에서(창 2:4) 아담으로(5:1), 노아로(6:9), 셈으로(11:10), 야곱으로(37:2) 바뀌는 것은 (a) 모든 피조물에서 (b) 인간 전반으로 (c) (나머지를 처형하고 난 후) 살아남은 모든 인류로 (d) (족보로 초점이 옮겨지면서) 살아 있는 인류의 부분 집합으로, 그리고 마지막으로는 (e) 이스라엘로 이동하는 것을 상세히 묘사한다. 그렇기 때문에 선택받은 계열에게 하나님의 탁월성을 반영하고, 닮고, 대표하라는 명령은 전 세계를 배경으로 하는 것이다.

KJV와 NASB처럼 형식을 중시하는 일부 번역은 영어에서 וְ(베)로 시작하는 톨레돗과 그렇지 않은 톨레돗을 충실히 구분하지만, NRSV, ESV, NIV, CSB와 같이 매우 대중적인 번역은 거의 또는 전혀 구분하지 않는다. 이 역본들은 어떤 식으로도 접속사를 보여 주지 않는다. 그렇기 때문에 이 역본들은 모세가 자기 책의 개요를 이해시키기 위해 우리에게 보도록(또는 듣도록) 의도한 구조적 표시를 알려 주지 못한다.[6] 다시 한 번, 히브리어를 아는 것이 유용하다는 것을 알 수 있다.

	2:4 Ø	5:1 Ø	6:9 Ø	10:1 וְ	11:10 Ø	11:27 וְ	25:12 וְ	25:19 וְ	36:1 וְ	37:2 Ø
KJV				이제		이제	이제	그리고	이제	
NASB				이제		이제	이제	이제	이제	
NRSV, ESV						이제				
NIV, CSB										

표2.6. 몇몇 현대 역본이 창세기의 톨레돗에 나오는 וְ와 접속사 생략을 번역한 방식

6 히브리어에서 וְ(베)는 단지 기본 연결어일 뿐이지만, 영어에서 '그리고'(and)라는 말은 실제로 대등한 관계를 표시한다. 따라서 히브리어의 וְ(베)는 영어의 '그리고'와 같지 않다. 즉 영어 번역자들이 같은 식으로 וְ(베)를 번역하려 하면 실제로 히브리어를 잘못 전달할 수도 있다는 뜻이다. 궁극적으로 성경 해석자들은 스스로 히브리어 텍스트를 평가해야만 구약에 나오는 몇몇 구조적 특징을 제대로 판별할 수 있다. 창세기의 구조와 메시지를 더 알려면, DeRouchie, "The Blessing-Commission, the Promised Offspring, and the *Toledot* Structure of Genesis," 219-47쪽을 보라. 그리고 DeRouchie, *These Are the Generations: Identity, Covenant, and the "Toledot" Formula*의 논평, by Matthew A. Thomas, BBR 22, 3 (2012): 412-15쪽을 참조하라.

텍스트 블록에서 하위 단위 분별하기_ 단락 구분

어떤 텍스트 블록은 여러 단락을 포함한다. 그리고 내용 변화뿐 아니라 단어 순서와 동사 유형의 의도적인 변화에 따라서도 한 단락에서 다른 단락으로 바뀌는 것을 보여 준다.[7] 구약이 어떻게 단락을 구분하는지 분별하려면, 먼저 단락 구분을 표시해 주는 텍스트 유형과 동사 유형을 이해해야 한다.

1. 텍스트 유형과 동사 유형

텍스트 유형이란 간단히 말해서 다양한 종류의 히브리어 강화를 말한다. 가장 흔한 세 가지 유형은 **역사적 강화**(과거 이야기), **예상적 강화**(미래의 약속과 예언), **지시적 강화**(명령 또는 지시) 유형이다.[8] 텍스트 블록들은 대체로 특정한 텍스트 유형을 지닌다. 그래서 성경 저자들은 보통 (접속사 생략이나 종속 접속사로 표시되는) 새로운 텍스트 블록을 시작하는 것을 통해 한 유형의 강화에서 다른 유형으로 넘어가는 것을 표시한다. 이러한 특징은 예를 들면, 신명기 5장에서 분명하게 볼 수 있다. 이 텍스트에서 주요 텍스트 유형은 지시적 강화다(5:1, 32-33). 하지만 그 안에는 광범위한 역사적 강화가 새겨져 있다(5:2-31). 시내 광야에서 이스라엘이 경험한 것을 회상하는 것(역사적 강화)은 백성이 현재 모세를 통해 주어지는 하나님 말씀에 주의를 기울여야 하는 이유를 제공한다(=지시적 강화).

특정 동사 유형들이 무리 지어 모여서 형식적으로 모든 텍스트 유형을 표시한다. 그렇게 무리 지어 있는 동사 유형들은 기본적으로 정해진 텍스트 유형 안에서 시간적 또는 논리적 연속을 표현한다. 즉 달리 지시하는 표시가 없으면 이러한 **미표시 동사 유형**이 텍스트 안에 있는 연속성을 읽도록 이끌어 준다. 미표시 동사 유형들은 단락

---

7 이 자료 중 일부는 Duane A. Garrett and Jason S. DeRouchie, *A Modern Grammar for Biblical Hebrew* (Nashville: Broadman & Holman, 2009), 291-93(§ 37.F), 296-301(§ 38.A), 312-14(§ 39.A), 330-33쪽(§ 40.B) 내용을 수정한 것이다. 허락을 받고 사용하였다.

8 어떤 학자들은 다른 칭호를 사용한다. 이를테면 '내러티브적'(narrative) 강화, '약속적'(promissory) 강화, '권고적'(hortatory) 강화 등이다.

히브리어 본문	절	표지	번역	텍스트 유형
שְׁמַע יִשְׂרָאֵל אֶת־הַחֻקִּים וְאֶת־הַמִּשְׁפָּטִים אֲשֶׁר אָנֹכִי דֹּבֵר בְּאָזְנֵיכֶם הַיּוֹם	1c	Ø	이스라엘아 오늘 내가 너희의 귀에 말하는 규례와 법도를 들으라.	지시적 강화
וּלְמַדְתֶּם אֹתָם	d	וְ	**그리고** 너는 그것을 배우며	
וּשְׁמַרְתֶּם לַעֲשֹׂתָם׃	e	וְ	**그리고** 그것을 삼가 행해야 한다.	
יְהוָה אֱלֹהֵינוּ כָּרַת עִמָּנוּ בְּרִית בְּחֹרֵב׃	2	Ø	여호와 우리 하나님께서 호렙산에서 우리와 언약을 세우셨나니	역사적 강화
לֹא אֶת־אֲבֹתֵינוּ כָּרַת יְהוָה אֶת־הַבְּרִית הַזֹּאת	3	Ø	이 언약은 그가 우리 조상들과 세우신 것이 아니라,	
כִּי אִתָּנוּ אֲנַחְנוּ אֵלֶּה פֹה הַיּוֹם	b	כִּי	오늘 여기 살아 있는 우리 곧 우리와 세우신 것이다.	
פָּנִים ׀ בְּפָנִים דִּבֶּר יְהוָה עִמָּכֶם בָּהָר מִתּוֹךְ הָאֵשׁ׃	4	Ø	여호와께서 산 위 불 가운데에서 너희와 대면하여 말씀하시매	
[5장 31절까지 중간에 끼워진 내러티브 여담이 계속됨]				
וּשְׁמַרְתֶּם לַעֲשׂוֹת	32	וְ	**그리고** 너희는 삼가 행해야 한다.	지시적 강화
כַּאֲשֶׁר צִוָּה יְהוָה אֱלֹהֵיכֶם אֶתְכֶם	b	כַּאֲשֶׁר	여호와 너희 하나님께서 너희에게 명하신 대로	
לֹא תָסֻרוּ יָמִין וּשְׂמֹאל׃	c	Ø	너희는 좌로나 우로나 치우치지 말아야 한다.	

표2.7. 텍스트 블록들과 텍스트 유형들_ 신명기 5장 1-4, 32절

구분처럼 문학적 특징을 표시하는 기본 동사 유형이 바뀐 것이다(표시절의 다양한 기능에 대해 더 발전된 목록으로는 5장에 나오는 '표시절과 미표시절에 대한 더 깊은 연구'를 보라). 다음에 나올 동사 유형에 대한 논의를 읽는 독자들을 돕기 위해 필자는 표2.8에 다양한 동사 활용에 사용되는 용어들을 정리해 놓았다.

a. **역사적 텍스트 유형**

앞서 말했듯이, **역사적 텍스트**(historical texts)는 구약의 이야기들이다. 구약의 약 65퍼센트가 역사적 내러티브이며, 보통 과거에 일어난 일련의 부수적 사건들을 잇따라 전달한다. 역사적 텍스트 유형에서, 바익톨(바브 연속 미완료) 절은 미표시 동사 유형이나 기본 동사 유형 역할을 한다. 텍스트의 특징들이 다른 것을 말해 주지 않는다면, 우리는 자동으로 모든 바익톨이 단순히 줄거리를 계속 이어가고 있다고 예상한다(연속

형태 명칭	전통 명칭	일반 기능
바익톨(*wayyiqtol*)	바브 연속 미완료	문맥에 의해 결정되는 시제, 완료상, 직설법 또는 비직설법
카탈(*qatal*)	완료	문맥에 의해 결정되는 시제, 완료상, 직설법 또는 비직설법
베카탈(*weqatal*)	바브 연속 완료	문맥에 의해 결정되는 시제와 상, 직설법 또는 비직설법
(베)익톨(장형) ([*we*]*yiqtol*)	미완료	문맥에 의해 결정되는 시제, 미완료상, 직설법 또는 비직설법
분사	분사	문맥에 의해 결정되는 시제, 진행상
(베)익톨(단형) ([*we*]*yiqtol*)	간접 명령형	문맥에 의해 결정되는 시제, 완료상, 보통은 의지적, 비직설법
명령형(imperative)	명령형	의지적, 비직설법

표2.8. 이 책에서 동사 어형 변화에 대해 사용하는 명칭들[9]

성). 하나의 절이 바익톨 유형에서 벗어날 때, 우리는 종종 단락의 시작이나 끝을 발견한다. 예를 들어, 여호수아 24장 2-3절에 나오는 내러티브에 기록된 연설(표2.9)을 생각해 보자.

'접속사 생략 + 전치사구 + 카탈(완료)' 절은 새로운 텍스트 블록을 시작하며, 단락이 시작되는 것을 표시한다. 다음은 여호수아 24장 2b-3d절에 나오는 연속적인 바익톨 절들이다. 이 단위의 시작은 하나의 비-바익톨 절(이 단위 또한 접속사가 생략되었다)에 의해 강조되며, 그 다음에 바익톨 동사들이 이야기를 이끌고 가면서 자연스럽게 시간상 연속된 사건들을 표현하는 것으로 읽힌다.

בְּעֵבֶר הַנָּהָר יָשְׁבוּ אֲבוֹתֵיכֶם מֵעוֹלָם תֶּרַח אֲבִי אַבְרָהָם וַאֲבִי נָחוֹר	2	옛적에 너희의 조상들 곧 아브라함의 아버지, 나홀의 아버지 데라가 강 저쪽[유브라데]에 거주하였다.
וַיַּעַבְדוּ אֱלֹהִים אֲחֵרִים׃	b	**그리고** 그들은 다른 신들을 섬겼다.
וָאֶקַּח אֶת־אֲבִיכֶם אֶת־אַבְרָהָם מֵעֵבֶר הַנָּהָר	3	**그러면** 내가 너희의 조상 아브라함을 강 저쪽에서 이끌어 내고
וָאוֹלֵךְ אוֹתוֹ בְּכָל־אֶרֶץ כְּנָעַן	b	**그리고** 가나안 온 땅으로 그를 인도하였다.
וָאֶרֶב [וָ][אַרְבֶּה] אֶת־זַרְעוֹ	c	**그리고** 나는 그의 자손을 번성시켰고
וָאֶתֶּן־לוֹ אֶת־יִצְחָק׃	d	**그리고** 그에게 이삭을 주었다.

표2.9. 동사 유형들_ 여호수아 24장 2-3절

9 어떤 사람들은 '일반 기능'에 이의를 제기할지 모르지만, 필자는 다양한 어형 변화를 설정했다. 필자의 결정들을 더 알려면, 5장에 나오는 '히브리어 동사에 대한 중간 검토'를 보라.

b. 예상적 텍스트 유형

예상적 강화(anticipatory discourse)는 다가오는 사건들을 예언하거나 약속한다. 그 사건들은 때로 우연히 잇따라 일어나기도 한다. 우리는 과거 시제 내러티브를 가지고 있는 것과 마찬가지로 미래 시제 내러티브도 가질 수 있다. 때로는 그 말 다음에 일어날 일을 묘사하는 것이다. 예상을 표현하기 위해 사용되는 기본 동사 유형은 베카탈(바브 연속 완료)이며, 이 유형에서 벗어난 단일 절(single-clause)은 보통 단락의 시작과 끝을 표시한다. 예를 들어, 미가 4장 1-2절에 서론적인 **וְהָיָה**(베하야, '그리고 이 일이 일어날 것이다', 개역개정에는 이 말이 번역되어 있지 않다_ 옮긴이)라는 말이 나온 뒤, 익톨(미완료) 절 다음에 연속적인 베카탈 절들이 나오는 것을 볼 수 있다. 익톨 동사는 미래를 향하는 문맥을 표시하며, 그 다음에 미표시 베카탈 동사 형태가 더 많은 예상들을 계속 이어간다.

וְהָיָה ׀	1	**그리고** 이 일이 일어날 것이다.
בְּאַחֲרִית הַיָּמִים יִהְיֶה הַר בֵּית־יְהוָה	b	끝날에 이르러 여호와의 전의 산이 산들의 꼭
נָכוֹן בְּרֹאשׁ הֶהָרִים		대기에 굳게 설 것이고,
וְנִשָּׂא הוּא מִגְּבָעוֹת	c	**그리고** 작은 산들 위에 들어 올려진 것이다.
וְנָהֲרוּ עָלָיו עַמִּים׃	d	**그러면** 백성들이 그리고 몰려갈 것이고,
וְהָלְכוּ גּוֹיִם רַבִּים	2	**그리고** 많은 열방이 갈 것이다.

표2.10. 동사 유형들_ 미가 4장 1-2절

c. 지시적 텍스트 유형

지시적 강화(directive discourse)는 명령이나 권고를 포함한다. 이 강화는 때로 주어진 과업에 대한 점진적 명령 형식을 띤다. 지시적인 말은 보통 처음에 명령어가 나오거나 다른 결의적 형태로 표시된다. 그 다음에는 (신명기 5장 1, 32절처럼) 미표시 베카탈이나 기본 베카탈이 나온다. 출애굽기 3장 16절은 하나님이 모세에게 삼중 명령을 하시는 것으로 시작한다. 먼저는 명령법으로("가라"), 그리고 그 다음 둘은 베카탈 절들로("모으라, …… 이르라") 명령하시는 것이다.

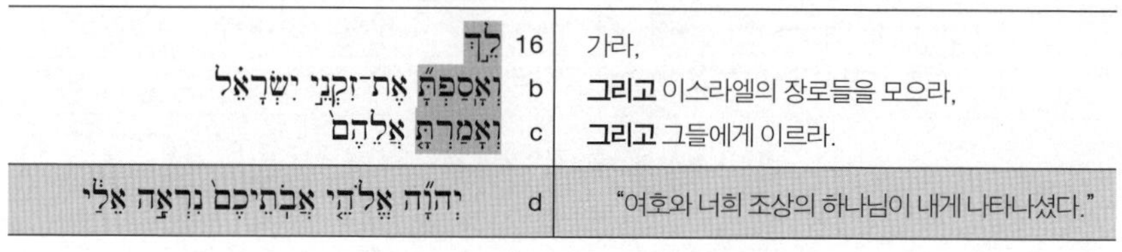

לֵךְ	16	가라,
וְאָסַפְתָּ אֶת־זִקְנֵי יִשְׂרָאֵל	b	**그리고** 이스라엘의 장로들을 모으라,
וְאָמַרְתָּ אֲלֵהֶם	c	**그리고** 그들에게 이르라.
יְהוָה אֱלֹהֵי אֲבֹתֵיכֶם נִרְאָה אֵלַי	d	"여호와 너희 조상의 하나님이 내게 나타나셨다."

표2.11. 동사 유형들_ 출애굽기 3장 16절

우리는 룻이 이삭을 주운 후에 보아스가 룻에게 자신과 함께 먹으라고 촉구할 때 비슷한 구조를 본다. 보아스는 처음에 명령형("오라")을 사용하고, 그 다음에는 두 개의 베카탈 동사("먹으라, …… 찍으라")로 자신의 요청을 이어간다. 이 말은 더 큰 역사적 강화 안에 끼워져 있다. 그것은 14a, e-i절에 나오는 연속된 바익톨 절들을 통해 표시된다.

וַיֹּאמֶר לָה בֹעַז לְעֵת הָאֹכֶל	14	**그리고** 보아스가 식사 시간에 그녀에게 말했다.
גֹּשִׁי הֲלֹם	b	"이리로 오라,
וְאָכַלְתְּ מִן־הַלֶּחֶם	c	**그리고** 떡을 먹으라,
וְטָבַלְתְּ פִּתֵּךְ בַּחֹמֶץ	d	**그리고** 네 떡 조각을 초에 찍으라."
וַתֵּשֶׁב מִצַּד הַקּוֹצְרִים	e	**그래서** 그녀가 곡식 베는 자 곁에 앉았고,
וַיִּצְבָּט־לָהּ קָלִי	f	**그리고** 그가 볶은 곡식을 그녀에게 주었다.
וַתֹּאכַל	g	**그리고** 그녀가 먹고
וַתִּשְׂבַּע	h	**그리고** 배를 채웠다.
וַתֹּתַר׃	i	**그리고** 그녀는 조금 남겼다.

표2.12. 동사 유형들_ 룻기 2장 14절

지시적 강화에서 서술부 유형들은 단정적 강도에 대해 상대적인 우선순위를 보여준다. 명령형(또는 'אַל/לֹא[로/알] + 익톨 금지들')은 지시적 의미가 가장 강하다. 그 다음이 '독립 부정사 + 익톨', 그 다음이 베카탈, 그리고 그 다음이 의지적 익톨이다. 이처럼 명령어가 지닌 비중의 경중을 따져 보면 귀결절을 밝히는 데 도움이 된다. 귀결절에서는 서로 다른 절들이 두 부분으로 된 통사적 구조의 '그러면'(then) 요소를 암시할 수 있다(예를 들어 신명기 6장 10-12절. 그 구절에서 6장 12a절에 나오는 명령형은 귀결절을 암시하며, 6장 11절에 나오는 베카탈 절들은 조건절을 계속 이어 나가는 것을 볼 수 있다).

2. 표시절과 단락 구분

구약 저자들은 자신들이 이야기를 하고 있는지, 약속을 하고 있는지, 명령을 하고 있는지 구분하기 위해 이미 알려진 언어 유형을 따라야 했다. 성서 히브리어는 텍스트 유형에 기초하여 미표시절(unmarked clause)과 표시절(marked clause)을 구분한다. 미표시절은 자연스럽게 연속성을 표현하지만, 표시절은 불연속성을 표시한다. 독자로서 당신은 미표시 동사들(역사적 강화에 나오는 바익톨과, 예상적 강화와 지시적 강화에 나오는 베카탈)이 무리지어 나오는 것을 항상 유념해야 한다. 이것은 표시절을 쉽게 판별하고 그 절의 기능을 고찰할 수 있게 해준다. 나중에 표시절들이 지닌 많은 기능을 개관할 것이다(5장에 나오는 '표시절과 미표시절에 대한 더 깊은 연구'를 보라). 지금은 정해진 텍스트 블록에서 단락의 시작이나 끝을 암시하는 것에 초점을 맞출 것이다.

단락들을 확인하는 법을 파악하도록 돕기 위해 레위기 14장 2-9절을 살펴볼 것이다. 그 구절은 나병 환자를 정결하게 할 설명을 제시하는 지시 발화다.[10] 필자는 각 절에 동사 유형을 표시한 곳에만 히브리어를 포함시켰다. 회색으로 표시된 부분은 단락 구분을 나타내며, [x]는 발화에서 주동사가 아닌 부분을 나타낸다.[11] 표2.13을 죽 읽으면서, 동사 유형 변화들을 찾아내고 필자가 각 구분을 해설한 내용을 확인하라.

			동사 유형	해설
2a	Ø	나병 환자가 정결하게 되는 날의 규례는 이러하다[זֹאת תִּהְיֶה].	Ø [x] + 익톨	의지적 기능, 접속사 생략 절로 텍스트 블록을 시작함
2b	וְ	**그리고** 그 사람을 제사장에게 데려가고[וְהוּבָא]	베카탈	**평가**를 위한 연속된 지시들이 시작됨
3a	וְ	**그리고** 제사장은 진영 바깥으로 나가야 한다[וְיָצָא הַכֹּהֵן].	베카탈	
3b	וְ	**그리고** 제사장은 진찰해야 한다[וְרָאָה הַכֹּהֵן].	베카탈	
3c	וְ	**그리고** 보라, 그 환자에게 있던 나병 환부가 나았다[וְהִנֵּה נִרְפָּא נֶגַע־הַצָּרַעַת].	וְ+ [x] + 카탈	하나의 비기본 절이 단락 종료를 표시함
4a	וְ	**그리고** 제사장은 명령하여[וְצִוָּה]	베카탈	이제 **준비**를 위한 지시들이 이어짐
4b	וְ	**그리고** 정결해질 자를 위하여 살아 있는 정결한 새 두 마리와 백향목과 홍색 실과 우슬초를 가져오게 해야 한다[וְלָקַח].	베카탈	
5a	וְ	**그리고** 제사장은 명령하여[וְצִוָּה]	베카탈	
5b	וְ	**그리고** 그 새 하나는 흐르는 물 위 질그릇 안에서 잡아야 한다[וְשָׁחַט].	베카탈	
6a	Ø	다른 새는 산 채로 백향목과 홍색 실과 우슬초와 함께 가져가야 한다[אֶת־הַצִּפֹּר הַחַיָּה יִקַּח אֹתָהּ].	Ø [x] + 익톨	6ab는 정결을 위한 주요 지시 전에 마지막으로 필요한 정보를 채워 주면서 내부 단락을 마무리함
6b	וְ	**그리고** 흐르는 물 위에서 잡은 새의 피를 그것들에 찍어야 한다[וְטָבַל].	베카탈	의미적 내용만으로 내부 단락이 끝났다는 것을 표시함

10 명령법은 하나도 없지만, 우리는 이것이 지시적 강화라는 것을 안다. 2a는 전체를 '규례'(law, תּוֹרָה[토라])라고 부르고, 2a에 나오는 처음의 익톨이 의지적 의미로 기능하며, 길게 연이어 나오는 대부분 베카탈 절이 단계별 지시들을 제공하기 때문이다.

11 구체적으로 말하면, [x]는 절의 어떤 주어나 목적어나 수식어를 나타낸다. [x]는 정형 동사나 접속사는 나타낼 수 없다.

12 "완전히 같은 쌍을 이룸"에 대해서는 5장에 나오는 '표시절과 미표시절에 대한 더 깊은 연구'를 보라.

7a	וְ	**그리고** 그는 나병에서 정결함을 받을 자에게 일곱 번 뿌려야 하고[וְהִזָּה]	베카탈	**정결**을 위한 주요 지시를 시작함 **1부**, (진영 밖)
7b	וְ	**그리고** 그는 그를 정하다 할 것이다[וְטִהֲרוֹ].	베카탈	결과를 표현함
7c	וְ	**그리고** 그 살아 있는 새는 들에 놓아야 한다[וְשִׁלַּח].	베카탈	
8a	וְ	**그리고** 정결함을 받는 자는 그의 옷을 빨고[וְכִבֶּס]	베카탈	
8b	וְ	**그리고** 모든 털을 밀고[וְגִלַּח]	베카탈	
8c	וְ	**그리고** 물로 몸을 씻고[וְרָחַץ]	베카탈	
8d	וְ	**그리고** 정하게 된다[וְטָהֵר].	베카탈	결과를 표현함
8e	וְ	**그리고** 그가 진영에 들어온 후에[וְאַחַר יָבוֹא]	וְ+ [x] + 익톨	하나의 비기본 절이 단락 시작을 표시함. **정결**을 위한 지시가 이어짐 **2부**, (진영 안)
8f	וְ	**그러면** 그는 자기 장막 밖에 이레를 머물어야 한다 [וְיָשַׁב].	베카탈	
9a	וְ	**그리고** 이 일이 일어날[וְהָיָה] 것이다.	베카탈 절정	지시의 정점을 알리는 절정 표지(완전한 정결)
9b	Ø	일곱째 날에 그는 모든 털, 즉 그의 머리와 수염과 눈썹을 밀되[יְגַלַּח]	[x]+익톨	
9c	וְ	**심지어** 머리털도 밀어야 한다[יְגַלֵּחַ].	וְ+[x]+ 익톨	아마도 극적 중단을 위해서 9b와 완전히 같은 쌍을 이룸[_V/_V][12]
9d	וְ	**그리고** 그의 옷을 빨고[וְכִבֶּס]	베카탈	
9e	וְ	**그리고** 몸을 물에 씻어야 한다[וְרָחַץ].	베카탈	
9f	וְ	**그러면** 그는 정할 것이다[וְטָהֵר].	베카탈	최종 결과

표2.13. 레위기 14장 2-9절의 단락 구분

본문 전체를 살펴보면, 제목이 달린 긴 텍스트 블록 하나와, 별개의 단락 단위 네 개를 볼 수 있다. 내용과 형식을 통해 각 단락을 확인할 수 있으며, 회색으로 번갈아 표시하였다.

- **제목: 나병 환자에 대한 율법**(2절)_ 접속사 생략과 제목 구조로 표시된다.
- **평가를 위한 지시**(3절)_ 3c에 나오는 동사 유형 변화는 단락이 끝난 것을 표시한다.
- **준비를 위한 지시**(4-6절)_ 6ab에 두 절로 된 안쪽 단락에 대한 언급은 단락이 끝났다는 것을 표시한다. 안쪽 단락이 시작된 것에 대한 언급은 (어느 표시절이나 그러한 언급을 암시할 수는 있지만) 접속사 생략절로 표시된다.
- **정결을 위한 지시, 1부**(진영 밖)(7-8절)_ 이 단락은 모두 베카탈 절들로 구성되어 있다.

• **정결을 위한 지시, 절정과 함께 나오는 2부**(진영 안)(9절)_ 단락 시작은 여기서 비기본 동사 유형(וְ[베] + [x] + 익톨)으로 표시된다. 그러고 나서 전체 지시들의 절정은 절정 표지인 וְהָיָה(베하야)로 표시된다. 이것이 필자가 다음 부분에서 개관할 강화 표지다.

전환 표지/절정 표지인 וַיְהִי와 וְהָיָה

이 장을 마무리하기 전에 이 부분과 다음 부분에서는 텍스트 형태를 명확히 설명하는 데 도움이 될 형식적 특징을 몇 가지 밝혀 볼 것이다. 그 특징들을 **강화 표지**(discourse markers)라고 하는데, 어의적 의미를 전달하기보다는 주로 텍스트에 나오는 구조적 특징을 표시하기 위한 히브리어 구성을 말한다. 독자들은 이미 절 차원에서는 직접 목적어를 표시하는 אֶת־(에트)를 번역하지 말아야 한다는 것을 알고 있다. 그것은 단지 신호 역할만 할 뿐이다. 마찬가지로 우리는 연결어인 וְ(베)가 어떻게 절들이나 더 큰 단위들 간의 관계(그 관계가 동격인지 종속인지는 명확하게 설명하지 않지만)를 밝혀 주는지 살펴보았다. 그 연결어의 주목적은 대등한 구문 요소들을 결합하는 것이다. 그러나 그것의 어의적 의미는 문맥을 살펴보아야 분명해진다. 히브리어에는 특정 텍스트에서 세분화된 부분을 표시하거나 여러 부분 간의 관계를 표시하는 것이 주요 목적인 단어들이 있다. 영어에도 강화 구조를 알려 주는 표시들이 있다. 대화할 때 '글쎄요' 또는 '그런데' 등을 사용하는 것이나, 동화책을 시작할 때 '옛날에'라는 말을 사용하는 것 등이다.

이 부분에서는 강화 표지인 וַיְהִי(바예히)와 וְהָיָה(베하야)를 설명한다. 이 표시들은 전환과 절정 모두, 또는 그중 하나를 나타내며, 새로운 단락이나 하위 단락을 시작한다.[13] 동사 וַיְהִי(바예히)는 היה(하야)의 칼 바익톨 3인칭 남성 단수로, 본동사는 '그리고

13 이 자료 중 많은 것은 Garrett and DeRouchie, *A Modern Grammar for Biblical Hebrew*, 327-30쪽(§ 40.A.4) 내용을 수정한 것이다. 허락을 받고 사용하였다.

그가/그것이/거기에 있었다'라는 뜻이다. 동사 וְהָיָה(베하야)는 היה(하야)의 칼 베카탈 3인칭 남성 단수로, 본동사는 '그리고 그가/그것이/거기에 있을 것이다'라는 뜻이다.

본동사로서 וַיְהִי	וַיְהִי־הֶבֶל רֹעֵה צֹאן וְקַיִן הָיָה עֹבֵד אֲדָמָה	그리고 아벨은 양 치는 자였다. 그러나 가인은 농사하는 자였다(창 4:2).
본동사로서 וְהָיָה	וְהָיָה זַרְעֲךָ כַּעֲפַר הָאָרֶץ	그리고 네 자손이 땅의 티끌같이 될 것이다 (창 28:14).

표2.14. 본동사로서의 וַיְהִי와 וְהָיָה

하지만 때로 이 형태들은 통상적인 동사로 기능하는 것이 아니라, 텍스트에서 전환이나 절정을 표시하면서 그 다음에 나오는 것이 앞에 나온 것과 여전히 연결되어 있음을 암시하는 강화 표지로 기능한다. 강화 표지로 기능할 때, וַיְהִי(바예히)와 וְהָיָה(베하야)는 종종 새로운 단락의 시작을 표시한다. 그 경우 וַיְהִי(바예히) 또는 וְהָיָה(베하야)는 문맥에서 분명하게 규정된 주어나 선행사가 전혀 없을 것이며, 보통 그 앞에는 두 부분으로 된 통사적 구조가 나올 것이다. 그 구조는 다른 말로 **조건절-귀결절**('만일-그렇다면', '……할 때-그러면', '왜냐하면-그렇기 때문에')이라고 불린다. 강화 표지로 작용할 때, 이 형태들의 '주어'(대상)는 그 다음에 나오는 전체 단락이나 하위 단락이 된다. 앞서 레위기 14장 2-9절을 살펴보면서 우리는 וְהָיָה(베하야)가 지시적 강화에서 절정을 표시하는 데 사용된다는 것을 알았다. 여기서는 역사적 강화에서 וַיְהִי(바예히)가 절정을 표시하는 데 사용되는 것을 살펴볼 것이다. 이번 예문은 사무엘상 4장 18절이다(표2.15).[14]

사신이 "하나님의 궤는 빼앗겼나이다"(삼상 4:17)라고 전한 진술의 심각성을 강조하기 위해 화자는 18절 내용을 덧붙인다. 동사 앞부분에는 וַיְהִי(바예히, '그리고 이 일이 일어났다')라는 말이 붙어 있다. 이 말은 새로운 시간 배경("그가 하나님의 궤를 말할 때에"[4:18b])을 소개하면서 그 끔찍한 소식을 들은 엘리 제사장의 극적인 반응이 시작되는 것을 보여 준다. וַיְהִי(바예히)에 명백한 주어도, 수와 성이 일치하는 선행사도 없는 것에 주목하라. 대신 그 다음에 나오는 전체 단락이 '선행사' 지시 대상이 된다. '일어난' 일은 무엇이었는가? 바로 그 다음에 나오는 모든 것이다. 분명한 주어나 선행사가 없다는

14 וַיְהִי(바예히) 및 וְהָיָה(베하야)와 함께, 우리는 룻기 3장 4절, 사무엘하 5장 24절, 역대상 14장 15절의 지시적 강화에서 베익톨 (명령형) 형태 וִיהִי('그리고 이 일이 일어났다')가 같은 역할을 하는 것을 본다. 필자에게 이 텍스트들을 보라고 해준 동료 존 벡맨(John Beckman)에게 감사한다.

사무엘상 4장 12-17절(개역개정)
당일에 어떤 베냐민 사람이 진영에서 달려 나와 자기의 옷을 찢고 자기의 머리에 티끌을 덮어쓰고 실로에 이르니라 그가 이를 때는 엘리가 길 옆 자기의 의자에 앉아 기다리며 그의 마음이 하나님의 궤로 말미암아 떨릴 즈음이라 그 사람이 성읍에 들어오며 알리매 온 성읍이 부르짖는지라 엘리가 그 부르짖는 소리를 듣고 이르되 이 떠드는 소리는 어찌 됨이냐 그 사람이 빨리 가서 엘리에게 말하니 그때에 엘리의 나이가 구십팔 세라 그의 눈이 어두워서 보지 못하더라 그 사람이 엘리에게 말하되 나는 진중에서 나온 자라 내가 오늘 진중에서 도망하여 왔나이다 엘리가 이르되 내 아들아 일이 어떻게 되었느냐 소식을 전하는 자가 대답하여 이르되 이스라엘이 블레셋 사람들 앞에서 도망하였고 백성 중에는 큰 살륙이 있었고 당신의 두 아들 홉니와 비느하스도 죽임을 당하였고 하나님의 궤는 빼앗겼나이다.

사무엘상 4장 18절			
וַיְהִ֗י	18	וַיְהִי 절정 표지	그리고 이 일이 일어났다.
כְּהַזְכִּירֹ֣ו ׀ אֶת־אֲרֹ֣ון הָאֱלֹהִ֗ים	b	시간적 조건절	그가 하나님의 궤를 말할 때에
וַיִּפֹּ֣ל מֵֽעַל־הַ֠כִּסֵּא אֲחֹרַנִּ֜ית בְּעַ֣ד ׀ יַ֣ד הַשַּׁ֗עַר	c	바익톨, 귀결절의 시작	그러자 그가 문 곁 의자에서 뒤로 넘어졌다.
וַתִּשָּׁבֵ֤ר מַפְרַקְתֹּו֙	d	바익톨	그리고 목이 부러지고
וַיָּמֹ֔ת	e	바익톨	그리고 죽었다.
כִּֽי־זָקֵ֥ן הָאִ֖ישׁ וְכָבֵ֑ד	f	כִּי 근거절	그 남자가 나이가 많고 비대했기 때문이다.
וְה֛וּא שָׁפַ֥ט אֶת־יִשְׂרָאֵ֖ל אַרְבָּעִ֥ים שָׁנָֽה׃	g	וְ + [x] + 카탈, 단락 끝	그리고 그가 이스라엘의 사사가 된 지 사십 년이었다.

표2.15. 절정 표지인 וַיְהִי_ 사무엘상 4장 18절

사실은 **וַיְהִי**(바예히)가 전환 표지/절정 표지로 기능하며, 본동사가 아니라는 것을 말해 준다. 이와 함께 **וַיְהִי**(바예히)는 조건절-귀결절 구문을 소개한다. 이것이 우리가 강화 표지를 보고 있다는 두 번째 표시다. **וַיְהִי**(바예히)는 사신의 메시지와 관련된 전체 내러티브가 우리를 이 지점으로 이끌도록 계획되었음을 말해 준다. 18절은 절정을 표시한다. 또한 새로운 단락의 시작을 나타낸다.

결론적으로 강화 표지로 기능할 때 **וַיְהִי**(바예히)와 **וְהָיָה**(베하야)는 보통 새로운 시간 상황을 소개하고, 앞 문맥에 나온 사건이나 활동, 개념에서 직접 생겨난 실질적인 무언가가 바야흐로 선포되리라는 것을 알린다. 우리는 분명한 주어나, 성과 수가 일치하는 선행사가 없을 때, 그 단어들이 강화 표지로 기능한다는 것을 알고 있다. 그 단어들의 '주어'(대상)는 그 다음에 나오는 전체 단락 또는 하위 단락이며, 대부분 문맥에서 그들의 강화 기능에는 (반드시 그런 것은 아니지만) 두 부분으로 된 통사적 구조(즉 조건절-귀결절)를 소개하는 것도 포함된다. 특정 주어를 판별할 수 있다면 **וַיְהִי**(바예히)와 **וְהָיָה**(베하

야)는 본동사로 작용하고 있는 것이며, 전환 표지/절정 표지로 작용하는 것이 아니다.

	전환 표지/절정 표지 기능	본동사 기능
וַיְהִי	וַיְהִי לְעֵת זִקְנַת שְׁלֹמֹה נָשָׁיו הִטּוּ אֶת־לְבָבוֹ אַחֲרֵי אֱלֹהִים אֲחֵרִים	וַיְהִי הַמֶּלֶךְ שְׁלֹמֹה מֶלֶךְ עַל־כָּל־יִשְׂרָאֵל
	그리고 그 일이 일어났다. 솔로몬의 나이가 많을 때에 그의 아내들이 그의 마음을 돌려 다른 신들을 따르게 하였다(왕상 11:4).	그리고 솔로몬 왕이 온 이스라엘의 왕이 되었다(왕상 4:1).
וְהָיָה	וְהָיָה ׀ בְּאַחֲרִית הַיָּמִים נָכוֹן יִהְיֶה הַר בֵּית־יְהוָה בְּרֹאשׁ הֶהָרִים	וְהָיָה בֵית־יַעֲקֹב אֵשׁ
	그리고 그 일이 일어날 것이다. 말일에 여호와의 전의 산이 모든 산꼭대기에 굳게 설 것이다(사 2:2).	그리고 야곱 족속은 불이 될 것이다(옵 18절).

표2.16. וַיְהִי와 וְהָיָה_ 절정 표지인가 본동사인가

표시된 일차 인용 형식과 표시된 이차 인용 형식

이 부분은 구약에서 발화의 시작을 어떻게 확인하는지를 다룬다.[15] 성서 히브리어는 영어와 달리 인용 부호를 사용하지 않는다. 대신 도입식 인용 형식을 사용한다. 그것은 발화가 시작되는 것을 알릴 뿐 아니라 종종 특별한 강화 표지를 사용하여 어떤 유형의 발화인지 명확하게 설명한다.

텍스트 유형을 논의하면서 미표시 동사 유형과 표시 동사 유형을 구분했다. 성서 히브리어는 인용문을 도입할 때 그와 비슷한 미표시-표시 체계를 사용한다. 때로 인용 유형은 표시되지 않는다. 그러나 또 때로는 성경 저자들이 일차적 또는 이차적으로 인용을 표시했다.[16]

15 이 자료 중 많은 것은 Garrett and DeRouchie, *A Modern Grammar for Biblical Hebrew*, 323-27쪽(§ 40.A.3) 내용을 수정한 것이다. 허락을 받고 사용하였다.

16 언어학자들은 '일차 인용'을 '원형적'(prototypical), '이차 인용'을 '비원형적'(non-prototypical)이라고 말한다. 이 문제에 대해 더 알려면, Cynthia L. Miller, "Discourse Functions in Quotative Frames in Biblical Hebrew Narrative,"

1. **일차 인용**에서는 다음과 같은 특징을 하나 또는 그 이상 찾아볼 수 있다.
   a. 일반적인 것으로 비슷한 강화들을 많이 보고하기보다는 단 한 사건을 보고한다.
   b. 참여자들이 집단을 이루어 일제히 한목소리로 말하기보다는 개인적으로 말한다.
   c. 이전 대화에서 나온 다른 누군가가 다시 언급되지 않는다.
   d. 대리자 또는 지지자보다는 이야기에 나온 정식 등장인물들을 다룬다.
   e. 직접 대화를 생생하게 이야기하는 기능을 한다.

2. **이차 인용**에서는 다음과 같은 특징을 적어도 하나는 찾아볼 수 있다.
   a. 서너 개의 비슷한 강화나 하나의 긴 강화를 요약하고 있다.
   b. 많은 사람의 진술을 하나의 진술로 제시한다.
   c. 이야기의 한 등장인물이 이전에 다른 등장인물이 한 진술을 인용한다.
   d. 정식 등장인물보다는 대리자 또는 지지자에게서 나온다. 또는 실제로 그 자리에 있지 않고 현재 대화에 참여하지 않는 사람에게서 나온다.
   e. 화자들이 주된 요점들을 공식적으로 기록하며, 대화는 덜 생생하다.

성서 히브리어는 다음 세 가지 가운데 한 가지로 직간접 화법을 시작한다. (1) 동사 하나로 된 형식, (2) 동사 두 개로 된 형식, (3) לֵאמֹר(레모르)형식 등이다. 다음 표2.17은 다양한 구조와 기능을 개관한다.

이 표에서 다음 특징들을 살펴보라. 첫째, (보통 אמר[아마르, "이르되"]를 어근으로 하는) 단 하나의 정형 동사로 인용문이 시작된다면, 그 인용문은 일차 인용일 수도 있고 이차 인용일 수도 있다. 그 인용문은 표시가 없다. 둘째, לֵאמֹר(레모르)가 있을 때, 그 인용문은 이차 인용으로 표시된다. 셋째, 두 개 이상의 정형 동사로 인용문이 시작될 때, 그 인용문은 일차 인용으로 표시된다. 성서 히브리어에서 거의 모든 보고된 직접 화

---

in *Discourse Analysis of Biblical Literature: What It Is and What It Offers*, Walter R. Bodine 편집, SBLSS (Atlanta: Scholars Press, 1995), 155-82쪽, Miller, *The Representation of Speech in Biblical Hebrew Narrative: A Linguistic Analysis*, HSM 55 (Winona Lake, IN: Eisenbrauns, 1999)를 보라.

범주	구조	기능	예
동사 하나로 된 형식	정형 발화 동사 (보통 אמר) + 인용문	미표시 _일차 인용이거나 이차 인용	사무엘하 18장 29절 וַיֹּאמֶר הַמֶּלֶךְ. . . "그리고 왕이 이르되……"
여러 동사로 된 형식	정형 동사(들)* + 정형 발화 동사(보통 אמר) + 인용문	표시 _일차 인용	신명기 9장 26절 וָאֶתְפַּלֵּל אֶל־יְהוָה וָאֹמַר. . . "그리고 내가 여호와께 간구하여 이르되……"
לֵאמֹר 형식	정형 동사(들)* (때로 אמר) 또는 동사가 없는 것 + לֵאמֹר + 인용문	표시 _이차 인용	창세기 1장 22절 וַיְבָרֶךְ אֹתָם אֱלֹהִים לֵאמֹר. . . "그리고 하나님이 그들에게 복을 주시며 이르시되……"

* 때로는 처음에 나오는 정형 동사 대신 부정사 구문이 나온다.

표2.17. 성서 히브리어의 인용 형식

법은 אמר(아마르, "이르되")의 형태로 소개된다. 따라서 발화 행위가 지닌 실제 성질을 명시하고 싶을 때, 성경 저자들은 또 하나의 동사를 추가한다.

- 창세기 18장 27절_וַיַּעַן אַבְרָהָם וַיֹּאמַר("그리고 아브라함이 대답하여 이르되")
- 창세기 28장 1절_וַיְצַוֵּהוּ וַיֹּאמֶר לוֹ("그리고 그가 그에게 당부하여 이르되")
- 출애굽기 32장 5절_וַיִּקְרָא אַהֲרֹן וַיֹּאמַר("그리고 아론이 공포하여 이르되")

중요한 사실은 두 개 이상의 동사를 사용했다고 해서 화자가 한 번 이상 말했다는 뜻은 아니라는 것이다. 표에 있는 신명기 9장 26절에 이어서 나오는 인용문은 모세의 기도 내용이다. 처음에 나오는 וָאֶתְפַּלֵּל(바에트팔렐, "간구하여") 다음에 나오는 두 번째 동사 וָאֹמַר(바오마르, "이르되")는 그 발화가 일차적임을 나타내는 강화 표지로 기능한다.

1. 표시된 '이차' 인용의 예

וַיֹּאמֶר אֲבִימֶלֶךְ וּפִיכֹל שַׂר־צְבָאוֹ אֶל־אַבְרָהָם לֵאמֹר אֱלֹהִים עִמְּךָ	그리고 아비멜렉과 그 군대 장관 비골이 아브라함에게 이렇게 말했다. "하나님이 너와 함께하신다."

표2.18. לֵאמֹר 형식_ 창세기 21장 22절

이 경우 인용문은 이차적이다. 실제로 한 사람에게서 나온 인용문이 아니기 때문이다. 이 말은 아비멜렉과 비골 모두에게서 나왔지만 하나의 발화로 제시된다. 동사 유형이 לֵאמֹר ...... וַיֹּאמֶר(바요메르 ...... 레모르, "말하여 이르되")임을 주목하라. 분명 לֵאמֹר(레모르)가 필요했던 것은 단지 이 말이 이차적임을 저자가 표시하길 원했기 때문이다.

וּבִשְׁלֹחַ יְהוָה אֶתְכֶם מִקָּדֵשׁ בַּרְנֵעַ לֵאמֹר	그리고 여호와께서 다음 말씀과 함께 너희를 가데스 바네아에서 떠나게 하실 때

표2.19. לֵאמֹר 형식_ 신명기 9장 23절

이 구절은 가데스 바네아에서 가나안으로 인도하실 때 하나님이 이스라엘 백성에게 주신 명령의 핵심을 이차적으로 자세히 이야기하거나 다시 말하고 있다. 이것은 특정 발화 행위를 직접 인용한 것이 아니다. 그래서 이 말은 이차적인 것으로 표시되어 있다.

2. 표시된 '일차' 인용의 예

וָאֶשְׁאַל אֹתָהּ וָאֹמַר בַּת־מִי אַתְּ	그리고 나서 내가 그녀에게 물으며 말했다. "네가 누구의 딸이냐."

표2.20. 여러 동사로 된 형식_ 창세기 24장 47절

이 구절에서 아브라함의 종은 리브가와 나눈 대화를 생생하게 전하고 있다. 그리고 이 인용문이 일차적임을 표시하기 위해 여러 동사로 된 형식이 사용되고 있다. 그는 묻고 대답하지 않았다. 그보다 "누구의 딸이냐"라고만 물었다.

וַיִּקְרָא מֹשֶׁה אֶל־כָּל־יִשְׂרָאֵל וַיֹּאמֶר אֲלֵהֶם	그리고 모세가 온 이스라엘을 불러 그들에게 말했다.

표2.21. 여러 동사로 된 형식_ 신명기 5장 1절

이 예에서 우리는 여러 동사로 된 발화 형식을 볼 수 있다. 이 형식은 말하는 것을 나타내는 וַיִּקְרָא('그리고 그가 불렀다')와 וַיֹּאמֶר('그리고 그가 말했다')라는 두 동사로 구성되어 있다. 이 인용 형식은 신명기에서 두 번째로 중요한 선지자적 연설을 소개한다. 그 뒤로 나오는 내용은 선지자가 말하는 방식으로 기록된 하나의 연설처럼 보인다(신 5:1-

26:19). 일차 화자인 모세는 4장 44절에서 시작된 내러티브를 계속 이끌어 간다. 그는 이 강화 내내 개인적으로 말하고 있다. 따라서 우리는 일차 인용을 보고 있는 것이다.

성서 히브리어에서 인용 형식들은 발화의 시작을 확인하는 것을 도와준다. 그 형식들은 그 발화가 일차적인 것인지 이차적인 것인지 알도록 도와주는 경우가 훨씬 많다. 일차 인용이 반드시 이차 인용보다 중요한 것은 아니라는 사실에 유의하는 것이 중요하다. 사실 그 반대일 때가 종종 있다. 예를 들어 출애굽기 20장 1절과 신명기 5장 5절 모두 모세는 이차 인용 형식으로 십계명을 소개한다. 게다가 이차 인용이 인용문의 요점만 제시한다고 생각해서는 안 된다. 이차 인용이 종종 요약을 담고 있기도 하지만, 반드시 그렇지는 않다. 그래서 일차적 발화 행위와 이차적 발화 행위는 모두 하나의 간접 화법를 글자 그대로 인용한 것을 전할 수 있다.[17]

문학적 단위 형성 연습_ 출애굽기 19장 4-6절

앞서 말했듯이 교육 도구로서 이 책 각 장은 출애굽기 19장 4-6절을 해석 단계의 해당 관점에서 분석할 것이다. 우리는 생각할 수 있는 거의 모든 각도에서 이 텍스트를 살펴보려 한다. 이렇게 해서 당신이 주해에서 신학에 이르는 전체 해석 과정을 통해 하나의 본문에 어떻게 접근할 것인지 더 잘 파악하게 되기를 바란다.

때로 문학 단위의 시작과 끝을 확증하는 것은 복잡한 시도일 수 있다. 하지만 유용

17 때로 성경 저자들은 집단적으로 말한 내용을 전하기 위해 일차 인용을 사용한다. 집단의 각 사람이 명백히 한목소리로 말하는 것이다. 이런 일이 일어나는 자연스러운 배경은 언약을 비준할 때 맹세하는 것과 같은 공식 경우들이다. 그런 경우에는 표준화된 표현이 사용되리라 예상할 수 있다(예를 들어 출 19:8, 24:3, 신 27:14-15). 하지만 이중 발화 형식으로 된 텍스트 기록이 특정 상황에 해당되는 한목소리로 된 긴 진술을 확장시킬 때는 이 규칙에 대한 잠재적 예외가 생겨난다(예를 들어 민 13:27-29, 신 1:41, 수 9:12, 24-25, 삼상 30:22, 스 10:12-14). 진술이 길고 그 상황이 특수할수록, 그리고 발화가 더 비공식적이고 그 집단이 즉석에서 모인 것일수록, 여러 화자에게서 나오는 말이 한목소리가 될 가능성은 더 적을 것이다. 필자의 동료 존 벡맨이 말했듯이, 그런 맥락에서 일차 인용 형식을 사용하는 것은 다큐멘터리 영화에 나올 만한 것이기보다는, (뮤지컬에서 사람들이 끼어들어 노래할 때와 같이) 일정한 형식에 맞춰 다시 말하는 것처럼 보인다. 이 사실은 그러한 문맥에 더 많은 것이 달려 있음을 시사할 수도 있다. 그럼에도 필자는 대부분의 경우에 미표시-표시 발화 형식 독법이 해당된다고 믿는다.

하게도 출애굽기 19장 4-6절의 경우는 그렇지 않다. 다음에 나오는 표는 다양한 히브리어 절들을 나누고, 그 본문에 대한 ESV(여기서는 한글 개역개정을 인용하였다_ 옮긴이)를 포함하고 있다. 세 가지 색은 서로 다른 수준의 관점을 표시한다. 화자의 목소리가 그 부분을 시작하고 끝낸다(흰색으로 강조되어 있다. 1-3b, 7절). 화자는 모세에게 하신 여호와의 말씀을 인용한다(연한 회색으로 강조되어 있다. 3cd, 6b절). 그 말씀에는 모세가 백성에게 전달해야 하는 말이 포함되어 있다(진한 회색으로 강조되어 있다. 4-6a절).

출애굽기 19장은 접속사 생략절로 시작되며, 그 절은 그 책 안에서 중대한 새로운 시작을 알린다. 3장 12절 이후로 모세는 이스라엘이 하나님의 산에 도착하여 그분을 예배할 날을 기대해 왔다. 그리고 드디어 19장에서 그 목적지에 이른다.

처음에 나오는 접속사 생략절 다음에, 2절에 바익톨 절이 연속으로 나오는 것을 볼 수 있다. 그리고 첫 단락은 3a에서 비-바익톨 절(즉 וְ[베] + 주어 + 카탈)로 결론을 맺는다. 첫째 단락은 화자의 음성만 담고 있다.

둘째 단락은 3b에서 새로운 주제와 함께 시작된다. 여호와가 산에서 모세에게 말씀하신다는 것이다. 그 강화는 לֵאמֹר(레모르) 형식을 사용한다. 이 형식은 이것이 이차 인용문임을 표시한다(앞서 나온 '표시된 일차 인용 형식과 표시된 이차 인용 형식'을 보라). 그것은 우리가 하나님이 모세에게 말씀하신 것의 종합만 가지고 있음을 의미할 것이다. 하지만 하나님이 "산에서" 말씀하신다는 것은 또한 어느 정도는 중재의 차원을 뜻할 수도 있다. 그러려면 또한 발화 형식이 필요할 수 있다. 여하튼 3c는 하나님의 말씀을 시작하며, 이어지는 두 절(clause)에서 하나님은 모세에게 그 다음 말들을 백성에게 직접 전하라고 말씀하신다. 그렇기 때문에 표에 강조되어 있는 것처럼 4-6절에는 발화 안의 발화가 나온다(연회색 안의 진회색). 6a는 안긴 발화의 결론이다. 그리고 6b에서 하나님은 이것이 모세가 선포해야 할 말이라고 재차 단언하신다. 그리고 나서 7절은 모든 직간접 발화 외의 화자의 목소리를 다시 기록한다.

이 책 모든 장은 이 성경 본문으로 다시 돌아올 것이다. 더 구체적으로 말하면, 하나님이 모세에게 백성들이 "제사장 나라가 되며 거룩한 백성이" 되리라고 명하신 그 안긴 말씀(출 19:4-6a)을 우리는 여러 각도에서 살펴볼 것이다.

בַּחֹ֙דֶשׁ֙ הַשְּׁלִישִׁ֔י לְצֵ֥את בְּנֵֽי־יִשְׂרָאֵ֖ל מֵאֶ֣רֶץ מִצְרָ֑יִם בַּיּ֣וֹם הַזֶּ֔ה בָּ֖אוּ מִדְבַּ֥ר סִינָֽי׃	1	1 이스라엘 자손이 애굽 땅을 떠난 지 삼 개월이 되던 날 그들이 시내 광야에 이르니라 2 그들이 르비딤을 떠나 시내 광야에 이르러 그 광야에 장막을 치되 이스라엘이 거기 산 앞에 장막을 치니라 3 모세가 하나님 앞에 올라가니
וַיִּסְע֣וּ מֵרְפִידִ֗ים	2	
וַיָּבֹ֙אוּ֙ מִדְבַּ֣ר סִינַ֔י	b	
וַֽיַּחֲנ֖וּ בַּמִּדְבָּ֑ר	c	
וַיִּֽחַן־שָׁ֥ם יִשְׂרָאֵ֖ל נֶ֥גֶד הָהָֽר׃	d	
וּמֹשֶׁ֥ה עָלָ֖ה אֶל־הָאֱלֹהִ֑ים	3	
וַיִּקְרָ֨א אֵלָ֤יו יְהוָה֙ מִן־הָהָ֣ר לֵאמֹ֔ר	b	여호와께서 산에서 그를 불러 말씀하시되
כֹּ֤ה תֹאמַר֙ לְבֵ֣ית יַעֲקֹ֔ב	c	너는 이같이 야곱의 집에 말하고 이스라엘 자손들에게 말하라
וְתַגֵּ֖יד לִבְנֵ֥י יִשְׂרָאֵֽל׃	d	
אַתֶּ֣ם רְאִיתֶ֔ם	4	4 내가 애굽 사람에게 어떻게 행하였음과 내가 어떻게 독수리 날개로 너희를 업어 내게로 인도하였음을 너희가 보았느니라 5 세계가 다 내게 속하였나니 너희가 내 말을 잘 듣고 내 언약을 지키면 너희는 모든 민족 중에서 내 소유가 되겠고 6 너희가 내게 대하여 제사장 나라가 되며 거룩한 백성이 되리라
אֲשֶׁ֥ר עָשִׂ֖יתִי לְמִצְרָ֑יִם	b	
וָאֶשָּׂ֤א אֶתְכֶם֙ עַל־כַּנְפֵ֣י נְשָׁרִ֔ים	c	
וָאָבִ֥א אֶתְכֶ֖ם אֵלָֽי׃	d	
וְעַתָּ֗ה אִם־שָׁמ֤וֹעַ תִּשְׁמְעוּ֙ בְּקֹלִ֔י	5	
וּשְׁמַרְתֶּ֖ם אֶת־בְּרִיתִ֑י	b	
וִהְיִ֨יתֶם לִ֤י סְגֻלָּה֙ מִכָּל־הָ֣עַמִּ֔ים	c	
כִּי־לִ֖י כָּל־הָאָֽרֶץ׃	d	
וְאַתֶּ֧ם תִּהְיוּ־לִ֛י מַמְלֶ֥כֶת כֹּהֲנִ֖ים וְג֣וֹי קָד֑וֹשׁ	6	
אֵ֚לֶּה הַדְּבָרִ֔ים אֲשֶׁ֥ר תְּדַבֵּ֖ר אֶל־בְּנֵ֥י יִשְׂרָאֵֽל׃	b	너는 이 말을 이스라엘 자손에게 전할지니라
וַיָּבֹ֣א מֹשֶׁ֔ה	7	7 모세가 내려와서 백성의 장로들을 불러 여호와께서 자기에게 명령하신 그 모든 말씀을 그들 앞에 진술하니
וַיִּקְרָ֖א לְזִקְנֵ֣י הָעָ֑ם	b	
וַיָּ֣שֶׂם לִפְנֵיהֶ֗ם אֵ֚ת כָּל־הַדְּבָרִ֣ים הָאֵ֔לֶּה אֲשֶׁ֥ר צִוָּ֖הוּ יְהוָֽה׃	c	

표2.22. 출애굽기 19장 1-7절에 나오는 문학 단위들_ MT와 개역개정

핵심 단어와 개념

문학적 단위

장면과 에피소드

텍스트의 계층 구조와 접속사 생략

텍스트 블록

텍스트 유형

미표시절과 표시절

바익톨, 카탈, 베카탈, 베익톨, 익톨, 명령법

조건절-귀결절

강화 표지

전환 표지/절정 표지

일차 인용 형식과 이차 인용 형식

더 생각해 보기 위한 질문

1. 내용과 형식 모두 본문의 경계를 정하고 문학적 단위를 형성하는 데 어떻게 도움을 주는가?
2. 역사적 내러티브에서 **장면**과 **에피소드**의 관계는 무엇인가? 왜 그 둘을 구분해야 하는가? 선지자들의 설교와 시에서 그 둘에 해당되는 것은 무엇인가?
3. 연결어 וְ(베, '그리고')로 시작되는 절과 접속사 생략절(즉 접속사가 없는 절)은 기능적으로 어떻게 다른가? 이 특징들은 텍스트의 계층 구조에 어떤 영향을 끼치는가?
4. 히브리어에서는 단락을 어떻게 표시하는가?
5. וַיְהִי(바예히)와 וְהָיָה(베하야)가 강화 표지인지 본동사인지 어떻게 구분하는가? 이 둘이 강화 표지로 작용한다면, 어떤 두 가지 기능을 담당할 수 있는가?
6. **일차 인용**과 **이차 인용**은 서로 어떻게 다르게 기능하며, 그것을 나타내는 표시는 무엇인가?
7. 십계명을 해석한 역사를 보면, 서로 다른 숫자 매기기 전통이 자그마치 세 가지나 된다(표2.23을 보라). 당신이라면 문학적 단위에 대해 새로 알게 된 지식을 활용하여 신명기 5장 6-21절에 나오는 십계명의 번호를 어떻게 정하겠는가?[18] 평가할 때는 반드시 신명기 본문을 사용하라. 신명기 본문에는 구조와 텍스트 경계를 이해하도록 인도해 줄 표시가 출애굽기 20장 2-17절에 비해 많이 포함되어 있기 때문이다. 또한

18 질문을 제대로 평가하려면 Jason S. DeRouchie, "Counting the Ten: An Investigation into the Numbering of the Decalogue," in *For Our Good Always: Studies on the Message and Influence of Deuteronomy in Honor of Daniel I. Block*, Jason S. DeRouchie, Jason Gile, and Kenneth J. Turner 편집 (Winona Lake, IN: Eisenbrauns, 2013), 93-125쪽을 보라.

히브리어 텍스트를 사용할 수 없다면, 반드시 ESV로 분석하라. 다른 현대 역본들은 대부분 연결어를 모두 번역하지는 않기 때문이다. 당신이 보기에는 다음 세 주요 전통 중 어느 것이 성경 본문을 가장 충실하게 나타내는 것 같은가? 이 질문을 생각할 때, 다음을 고려하라.

- 각 접속사 생략절의 기능을 결정하라. 새로운 명령의 시작을 나타내는지(즉 새로운 시작), 아니면 일종의 설명 형식을 암시하는지 답해 보라.
- 절 맨 앞에 나오는 연결 장치 וְ(베, 해설을 나타내는 '그리고')가 함께 읽어야 하는 단위를 판별하는 데 어떻게 기여하는지 보라.
- 문학적 단위를 결정하는 데 도움을 되도록 대명사의 인칭과 지시 대상을 평가해 보라.

MJ	C-L	O-R	출애굽기 20장 2-17절(신명기 5장 6-21절)
1			나는 네 하나님 여호와니라.
2	1	1	다른 신들을 두지 말라.
		2	새긴 우상을 만들지 말라.
3	2	3	여호와의 이름을 망령되게 부르지 말라.
4	3	4	안식일을 기억하라(지키라).
5	4	5	네 부모를 공경하라.
6	5	6	살인하지 말라.
7	6	7	(그리고) 간음하지 말라.
8	7	8	(그리고) 도둑질하지 말라.
9	8	9	(그리고) 거짓 증거 하지 말라.
10	9	10	(그리고) 네 이웃의 집(아내)을 탐내지 말라.
	10		(그리고) 이웃의 아내 등(집, 그의 밭 등)을 탐내지 말라(바라지 말라).

MJ = 대다수 유대인, C-L = 가톨릭-루터교, O-R= 정통 개혁파

표2.23. 해석 역사에서 십계명의 숫자 매기기

추가 연구 자료

Dawson, D. A. *Text-Linguistics and Biblical Hebrew*. JSOTSup 177. Sheffield, UK: Sheffield Academic, 1994.

Dempster, Stephen G. *Linguistic Features of Hebrew Narrative: A Discourse Analysis of Narrative from the Classical Period*. Ph.D. diss., University of Toronto, 1985.

de Regt, L. J., J. de Waard, and J. P. Fokkelman, eds. *Literary Structure and Rhetorical Strategies in the Hebrew Bible*. Winona Lake, IN: Eisenbrauns, 1996.

DeRouchie, Jason S. "The Blessing-Commission, the Promised Offspring, and the *Toledot* Structure of Genesis." *JETS* 56, 2(2013): 219-47.

________. *A Call to Covenant Love: Text-Grammar and Literary Structure in Deuteronomy 5-11*. Gorgias Dissertations 30/Biblical Studies 2. Piscataway, NJ: Gorgias, 2007.

________. "Counting the Ten: An Investigation into the Numbering of the Decalogue." In *For Our Good Always: Studies on the Message and Influence of Deuteronomy in Honor of Daniel I. Block* edited by Jason S. DeRouchie, Jason Gile, and Kenneth J. Turner, 93-125. Winona Lake, IN: Eisenbrauns, 2013.

★ Dorsey, David A. Pages 21-35 in *The Literary Structure of the Old Testament: A Commentary on Genesis-Malachi*. Grand Rapids: Baker, 1999.

Garrett, Duane A., and Jason S. DeRouchie. Pages 283-348(chs. 37-41) in *A Modern Grammar for Biblical Hebrew*. Nashville: Broadman & Holman, 2009.

Heller, Roy L. *Narrative Structure and Discourse Constellations: An Analysis of Clause Function in Biblical Hebrew Prose*. Harvard Semitic Studies 55. Winona Lake, IN: Eisenbrauns, 2004.

★ Kaiser, Walter C., Jr. Pages 87-104, 165-81 in *Toward an Exegetical Theology: Biblical Exegesis for Preaching and Teaching*. Grand Rapids: Baker Academic, 1981.

Longacre, Robert E. *Joseph: A Story of Divine Providence-A Text Theoretical and Textlinguistic Analysis of Genesis 37 and 39-48*. 2nd ed. Winona Lake, IN: Eisenbrauns, 2003.

Robar, Elizabeth. *The Verb and the Paragraph in Biblical Hebrew: A Cognitive-Linguistic Approach*. Studies in Semitic Languages and Linguistics 78. Leiden: Brill, 2014.

van Wolde, Ellen, ed. *Narrative Syntax and the Hebrew Bible: Papers of the Tilburg Conference 1996*. Biblical Interpretation 29. Leiden: Brill, 1997.

How to Understand and Apply the Old Testament

3장
본문 비평

목표_ 본문의 원래 표현이 무엇이었는지 확증한다.[1]

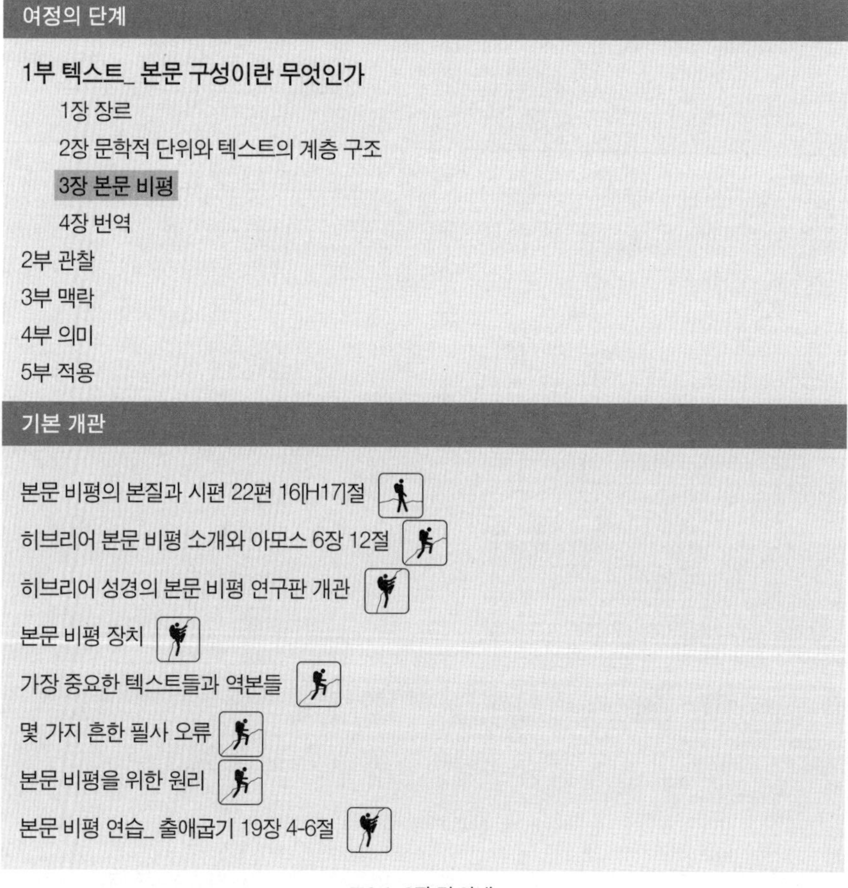

여정의 단계

1부 텍스트_ 본문 구성이란 무엇인가

- 1장 장르
- 2장 문학적 단위와 텍스트의 계층 구조
- **3장 본문 비평**
- 4장 번역

2부 관찰

3부 맥락

4부 의미

5부 적용

기본 개관

- 본문 비평의 본질과 시편 22편 16[H17]절
- 히브리어 본문 비평 소개와 아모스 6장 12절
- 히브리어 성경의 본문 비평 연구판 개관
- 본문 비평 장치
- 가장 중요한 텍스트들과 역본들
- 몇 가지 흔한 필사 오류
- 본문 비평을 위한 원리
- 본문 비평 연습_ 출애굽기 19장 4-6절

표3.1. 3장 길 안내

본문 비평과 본질과 시편 22편 16[H17]절

세부적인 것에 온갖 주의와 신경을 기울였지만 히브리 성경을 필사하고 재필사한 서기관들은 완벽하지 않았다. 필사하는 중에 실제로 오류를 범하기도 했다. 좋지 못한 기억력, 그릇된 판단, 잘못 들은 것, 잘못 보거나 잘못 이해한 것 등으로 종종 선의를 가진 서기관들도 몇 글자 또는 단어 전체를 빼먹거나, 다른 것으로 바꿔 쓰거나, 반복해서 기록하였다. 때로는 문제라고 인식한 부분을 바로잡기 위해 서기관들이 텍스트를 의도적으로 고친 것이 일을 더 악화시켰다. 궁극적으로는 의도치 않은 변형이나 의도적인 텍스트 수정이 잇따르면서 원래 텍스트에서 벗어나게 되었다.

그렇기 때문에 해석자들은 때로 본문 비평을 통해 서기관의 오류를 밝히고, 더 정확한 원래 독법이 무엇이었는지 논증해야 한다. **본문 비평**(text criticism)이란, 성경의 여러 필사본과 번역본을 비교하고 대조하여 성경 저자가 원래 사용한 말을 회복하는 학문 분야다. 이때 **비평**이라는 말은 '흠을 찾아낸다'는 뜻이 아니라 기존 필사본들을 '평가한다'는 뜻이다.

중요한 것은 성경 증거들 중에 실제로 텍스트 오류가 있긴 하지만, 그것이 성경의 신빙성이나 메시지를 파괴하지는 않는다는 것이다. 영리한 독자라면 인쇄 오류가 있는 책이나 글을 이해할 수 있는 것처럼, 하나님의 말씀은 필사 전달 과정에서 사소하게 변조되더라도 스스로 말할 수 있다. 성경 본문은 대부분 확실하며, 기존 사본에서 변형된 부분에서도 우리는 보통 원래 표현이 무엇이었는지 상당히 확실하게 결정할 수 있다. 많은 현대 역본은 각주를 사용하여 텍스트 어느 부분이 어려운지, 또는 어느 부분에 필사 오류가 있을 수 있는지를 알려 준다.

텍스트 문제로 잘 알려진 예는 시편 22편이다. 이 텍스트는 "내 하나님이여 내 하

---

1 다음에 나오는 것 가운데 일부는 Duane A. Garrett and Jason S. DeRouchie, *A Modern Grammar for Biblical Hebrew* (Nashville: Broadman & Holman, 2009), 349-65쪽(§ App. 1) 내용을 수정한 것이다. 허락을 받고 사용하였다. 또한 Jason S. DeRouchie, "Textual Criticism," "Texts of the Old Testament," and "The Ancient Translations," in *Archaeological Study Bible*, Walter C. Kaiser Jr. and Duane A. Garrett 편집 (Grand Rapids: Zondervan, 2005), 1151, 1491-92쪽을 보라.

나님이여 어찌 나를 버리셨나이까"라는 시다. 신약은 그리스도의 고난, 죽음, 부활과 관련하여 이 시편을 여러 번 언급한다.[2] ESV에는 16[H17]절이 "[그들이] 내 수족을 찔렀나이다"(They have pierced my hands and feet, 한글 번역은 개역개정을 참조하였다_ 옮긴이)라고 되어 있는데, 이것은 NET를 제외한 다른 주요 영역본에서도 선호하는 독법이다. NET에는 "사자처럼 **그들이** 내 수족을 **꼼짝 못하게 하나이다**"(Like a lion **they pin** my hands and feet, 옮긴이 번역)[3]라고 되어 있다. 이 두 번역은 어느 사본이 원본에 가까운 독법을 보존하고 있는지에 대한 서로 다른 의견을 반영하고 있다. ESV 각주는 독자들에게 자신의 번역이 몇몇 히브리어 사본, 헬라어 칠십인 역, 라틴어 불가타 역, 시리아어 페쉬타 역을 따른 반면, 대부분의 히브리어 사본은 "사자처럼, 내 수족"이라고만 되어 있다고 알려 준다.[4] NET 성경에 달린 주는 '문법적으로 어색한' 히브리어 표현이 있다고 인정한다. 그래서 번역자들이 "그들이 …… 꼼짝 못하게 하나이다"라는 표현을 넣어 절의 주어와 동사를 보완한 것이다. 그럼에도 그들은 그 어려운 구문이 "시편

---

2 마태복음 27장 39절에 나오는 시편 22편 7[H8]절, 마태복음 27장 43절에 나오는 시편 22편 8[H9]절, 요한복음 19장 28절에 나오는 시편 22편 15[H16]절, 누가복음 24장 40절과 요한복음 20장 25절에 나오는 시편 22편 16[H17]절, 요한복음 19장 24절과 마태복음 27장 35절에 나오는 시편 22편 18[H19]절, 히브리서 2장 12절과 마태복음 28장 10절, 요한복음 20장 17절, 로마서 8장 29절에 나오는 시편 22편 22[H23]절, 히브리서 5장 7절에 나오는 시편 22편 24[H25]절을 보라.

3 굵게 표시된 단어들은 히브리어 텍스트에 있는 것이 아니라, 그 구절의 의미가 통하도록 번역자들이 덧붙인 것이다.

4 *BHS*에서 볼 수 있는 레닌그라드 사본은 כָּאֲרִי יָדַי וְרַגְלָי('사자처럼 내 손과 내 발')이라고 되어 있다. 이에 반해 시편 22편 13-16[H14-17]절을 포함하고 있는 사해 문서 조각(4QPsf[4Q88 f1 2.25])에는 כר[ו] ידי ורגלי라고 되어 있으며, 시편 22편 대부분을 포함하는 나할 헤버 문서(Nahal Hever scroll) 조각(5/6HevPs[5/6Heb1b f8 9:12])에는 כארו ידיה ורגלי라고 되어 있다. 4QPsf에 나오는 כרו 형태는 분명 동사 I- כרה에서 나온 칼 카탈 3인칭 남성 복수다. 그 동사는 일관되게 '빌리다, 도려내다, 파다'라는 뜻을 나타내며, 우물(창 26:25), 웅덩이(cistern, 시 7:15[H16]), 웅덩이(pit, 시 57:6[H7]), 구덩이(시 94:13), 또는 묘실(대하 16:14) 등을 '파다'라는 표현에 사용되었다. I-כרה이 성경에서 인간의 몸을 언급하는 유일한 경우는 하나님 말씀을 듣기 위해 열린 귀를 비유할 때 사용된 반면(시 40:6[H7]), 그것은 그리스도의 손과 발을 '뚫다' 또는 '찌르다'라고 표현하는 동사로도 좋은 선택이다. 또 다른 자연스러운 단어는 דקר('찌르다')였을 것이다. 이 단어는 스가랴 12장 10절에서 동일한 예언을 뜻하는 데 사용되었다(요 19:37. 20장 25절, 누가복음 24장 40절을 참조하라). 5/6HevPs에 나오는 כארו에 대해서는 그 어근이 나훔 3장 6-7a절에 대한 비성경적 페세르(pesher, 4QpNah[4Qp169 f3 4iii:2와 4iii:4])에서만 나오며, 그 구절에서 이 단어는 '격퇴하다'(II-כאר)라는 뜻이다. 하지만 *DCH*는 시편 22편 16[H17]절에 대한 5/6HebPs에서 '수족을 절단하다'라는 의미라고 제안한다(*DCH* 4:349). 그렇게 볼 수도 있지만 4QPsf에 나오는 독법에 비추어 볼 때 5/6HevPs에 나오는 כארו는 I-כרה의 다른 형태이며, 따라서 '그들이 짐을 졌다/도려냈다/찔렀다'라고 번역하는 것이 더 그럴듯하다. 이것이 사해 문서 학자인 제임스 밴더캄(James C. VanderKam)과 피터 플린트(Peter Flint)의 관점으로 보인다. 그들은 나할 헤버 조각과 관련하여 "이 결정적 단어(כארו)의 히브리어 형태가 무엇이었는지는 문법적으로 어렵다. 그러나 그것은 분명 명사가 아니라 동사이며, '그들이 짐을 졌다'이거나 '그들이 팠다'이거나 '그들이 찔렀다'라는 의미다"(*The Meaning of the Dead Sea Scrolls: Their Significance for Understanding the Bible, Judaism, Jesus, and Christianity* [San Francisco: HarperSanFrancisco, 2004], 125쪽)라고 썼다.

기자가 느낀 공포와 두려움을 전달하기" 위한 "수사적 의도"일 수 있다고 시사한다.[5]

'문법적으로 어색'하지만 여전히 의미가 통하는 구문과, 전혀 이해하기 어려운 구문은 다르다. 현재 상태대로 보면, 대부분의 히브리어 사본에 나오는 시편 22편 16[H17]절의 단어들은 아무런 의미가 없다. 그렇기 때문에 아마 그 구절은 후대 유대인 서기관들이 기독교에 가지고 있던 편견 때문에 (의식적으로든 무의식적으로든) 히브리어 텍스트를 메시아적이지 않은 방식으로 표현한 구약의 많은 예 가운데 하나일 수 있다.[6] 이뿐 아니라, 16[H17]절에 "사자"를 포함시킨 것은 텍스트 안에서 의도적으로 도치된 것을 깨뜨린다. 12-18절에서 시편 기자는 그의 대적들을 "황소", "사자", "개", 그리고 무장한 "악한 무리"라고 열거한다(12, 13, 16[H13, 14, 17]절). 그 다음 20-21절에서는 이 대적들을 역순으로 재진술한다. "칼", "개", "사자", 뿔난 "들소" 등이다.[7] 십중팔구 시편 22편 16[H17]절은 ('찌르다'라는 의미의 다른 동사[דקר, 다카르]를 사용한) 스가랴 12장 10절과 함께 메시아의 죽음을 직접 예언하고 있는 것이다(마 27:35, 막 15:24, 눅 23:33). 그 구절에는 그분의 손과 발을 찌르는 것이 포함되었다(요 19:37. 요한복음 20장 25절, 누가복음 24장 40절 참조).

이 본문 비평 문제 때문에 주요 교리가 위태로워질 일은 전혀 없다. 시편 22편

---

5 W. Hall Harris III and Michael Burer 편집, *The NET Bible* (Richardson, TX: Biblical Studies Press, 1996-2006), Ps. 22:16 각주36을 보라.

6 성서 후기 유대적 해석들의 다양한 유형은 마소라 본문을 통해 분명하게 드러난다. 예를 들어 사사기 18장 30절에서 마소라 학자들은 נ라는 글자를 추가하여 '모세'(משה)를 '므낫세'(מנשה)로 바꿨다. 아마 선지자의 명예를 보호하기 위해 그런 듯하다. 마찬가지로 이방신의 호칭인 המלך(= '왕', הַמֹּלֶךְ)은 בֹּשֶׁת('수치')에 해당하는 모음을 사용하여 모두 הַמֹּלֶךְ('몰렉-신')이라고 표기했다(레위기 18장 21절, 20장 2-5절, 열왕기하 16장 3절, 21장 6절, 23장 10절, 예레미야 32장 35절을 보라). 메시아적 해석과 직접 관련된 것으로 제안된 다른 예로는 민수기 24장 7절에서 '아각' 대신 '곡'으로 읽는 것, 사무엘하 23장 1절에 나오는 다윗의 마지막 말을 다윗 자신이 아닌 '그리스도'에 관한 것으로 이해하는 것, 시편 72편 5절을 백성이 왕을 두려워하는 기도가 아니라 소망하던 왕의 끝없는 통치를 바라는 기도로 보는 것, 이사야 9장 6[H5]절에서 "전능하신 하나님"과 "영존하시는 아버지"를 하나님 아버지에 대한 호칭이 아니라 약속하신 자녀에 대한 호칭으로 간주하는 것, 다니엘 9장 25절에서 "기름부음을 받은" 자가 오시는 때를 훨씬 이른 시기의 다른 인물(예를 들어, 느헤미야)이 아니라 (일곱 이레와 예순두 이레 후를 더하여) 예수님이 나타나시는 때에 일치시키는 것 등이다. 이 후자의 텍스트들에 대한 개관으로는 특히 Michael Rydelnik, *The Messianic Hope: Is the Hebrew Bible Really Messianic?*, NAC Studies in Bible and Theology 9 (Nashville: Broadman & Holman, 2010), 34-46쪽과, Roger T. Beckwith, "Daniel 9 and the Date of the Messiah's Coming in Essene, Hellenistic, Pharisaic, Zealot, and Early Christian Computation," *RevQ* 40 (1981): 521-42쪽, John H. Sailhamer, *Introduction to Old Testament Theology: A Canonical Approach* (Grand Rapids: Zondervan, 1995), 204-5, 220-21쪽에 나오는 논의들을 보라.

7 칠십인 역의 독법을 지지하는 상세한 본문 비평적 논증으로는 Conrad R. Gren, "Piercing the Ambiguities of Psalm 22:16 and the Messiah's Mission," *JETS* 48, 2 (2005): 283-99쪽을 보라.

16[H17]절이 예언했든 하지 않았든 예수의 손과 발은 우리 죄로 인해 찔리셨다(이사야 53장 5절 참조). 이처럼 성경에 나타난 다른 필사 관련 문제가 포함하는 것은 대부분 텍스트의 사소한 사항들이다. 지금 이용할 수 있는 역본들이 선견자, 현자, 노래 작사가가 원래 쓴 것을 (결코 완벽하지는 않지만) 신실하게 반영하고 있다고 확신할 만한 이유는 충분하다. 필사 오류가 있다고 해서 성경이 믿을 만하지 못할 수 있다고 우려하거나, 믿을 만하지 않다고 생각해서는 안 된다. 그보다 우리는 하나님이 자신의 말씀을 대대로 보존하신 것과, 사본 상 이문(異文)이 존재할 때 가장 좋은 독법이 무엇인지 확증하는 것을 돕기 위해 우리 시대에 신실한 학자들을 일으키신 것을 기뻐해야 한다.

이 장 남은 부분에서는 본문 비평의 본질을 명확히 하고 실제로 본문 비평을 해보도록 도울 것이다. 특히 적어도 두 학기 동안 성서 히브리어를 배운 사람들에게 유용할 것이다. 히브리어를 모르지만 본문 비평을 더 알고 싶은 독자는 다음 부분을 읽고 난 뒤 '가장 중요한 텍스트들과 역본들'로 넘어 가라. 그 부분과 그 다음에 나오는 두 부분에서 필자는 가장 중요한 텍스트들과 역본들을 소개하고, 흔한 필사 오류를 개관한 뒤, 히브리어 본문 비평을 위한 지침을 제시할 것이다. 이미 감당할 수 있는 수준을 넘어섰다고 느낀다면, 4장 '번역' 부분으로 건너뛰라.

히브리어 본문 비평 소개와 아모스 6장 12절

히브리어 본문 비평은 많은 차원에서 도전적일 수 있다. 한 가지 어려움은 제안한 수정이 정당하다는 것을 합리적으로 증명하는 것이다. 본문 비평에서 **수정**이란 원형에 더 가까운 독법으로 돌아가기 위해서, 이미 알려진 텍스트를 변경하는 과정이다. 잘 알려져 있지만 논쟁할 여지가 있는 수정 텍스트로 아모스 6장 12절이 있다. 그 구절에서 선지자는 명백히 불합리하거나 불가능한 것들을 말하고 있다. "말들이 어찌 바위 위에서 달리겠으며 소가 어찌 밭 갈겠느냐(אִם־יַחֲרוֹשׁ בַּבְּקָרִים, 개역개정에는 "소가 어찌" 다음에 "거기서"라는 말이 들어가 있다_ 옮긴이) 그런데 너희는 정의를 쓸개로 바꾸며……." 물론 문제는 말들이 바위 위에서 질주하지 않더라도(또는 적어도 질주해서는 안 되더라도) 사람들은 소로 밭을 갈며, 그렇기 때문에 전체 비교가 불합리해 보인다는 것이다. 하지만 텍스트를 אִם־יֶחֱרוֹשׁ בַּבָּקָר יָם로 수정하면 우리는 "사람이 소를 부려 바다를 갈 수 있느냐"(새번역_ 옮긴이)라는 번역을 얻을 수 있다. 그 대답은 분명 "아니다!"이다. 많은 사람이 이 번역이 더 의미가 통한다고 주장한다.

우리에게는 성경 저자들이 쓴 원본(자필 문서[autographs])이 없기 때문에 (텍스트라고 하는) 히브리 성경의 고대 사본과 단편들, 그리고 (역본[versions]이라고 하는) 구약의 고대 번역들이 본문 비평의 기본 도구가 된다. 이 증거들은 수세기 동안 존재해 온 여러 다른 독법을 나타낸다.

물론 텍스트들과 역본들이 실제로 전혀 도움이 되지 않는 문제 본문도 있다. 이런 경우, 학자는 계속 의미를 해석하기 위해 문맥을 살피며 유추해야 한다. 아모스 6장 12절의 표현을 바꾸는 것에 대한 사본이나 역본상의 증거는 전혀 없다. 두 단어 בַּבָּקָר יָם(바바카르얌, "소로 바다를")가 우연히 합해져서 한 단어 בַּבְּקָרִים(바베카림, "소로")가 되었다는 것은 어떤 학자의 추측일 뿐이다.

이 책을 읽는 사람들 가운데 구약의 본문 비평과 관련될 만한 텍스트와 역본을 모두 접할 수 있는 사람은 거의 없을 것이다. 대부분은 표준 히브리어 판들(즉, 비블리아 헤브라이카 슈투트가르텐시아[*Biblia Hebraica Stuttgartensia, BHS*]와 비블리아 헤브라이카 퀸타[*Biblia Hebraica Quinta, BHQ.* '히브리어 성경 5판'이라고도 한다])의 본문 비평 장치(textual apparatus)와, 많은 주요 구약 주석에 나오는 본문 비평적 각주들로 충분할 것이다. 더불어 초보자에게 도움이 될 만한 세 가지 주요 자료가 있다. 우선, 세계성서공회연합회(United Bible Society)에서 출간한 다섯 권짜리 「히브리어 구약 텍스트 프로젝트에 대한 사전보고 및 중간보고」(*Preliminary and Interim Report of the Hebrew Old Testament Text Project*)[8]다. 이 자료는 브루스 메츠거(Bruce Metzger)의 「헬라어 신약에 관한 텍스트 주석」(*A Textual Commentary on the Greek New Testament*)[9]과 매우 비슷하게 구성되어 있다. 둘째 자료는 NET 성경에 나오는 주들이다. 그 주들은 특히 성경 본문에서 텍스트 상, 문법 상 문제되는 것들에

8 Dominique Barthélemy 외, *Preliminary and Interim Report of the Hebrew Old Testament Text Project*, 5 vols. (New York: United Bible Societies, 1974-80).

9 Bruce M. Metzger, *A Textual Commentary on the Greek New Testament*, 2판 (Peabody, MA: Hendrickson, 2005).

초점을 맞춘다. 셋째 자료는 아직 완성되지는 않았지만, 번역자들이 씨름해야 하는 모든 주요 문제를 다루는 본문-비평적 주석이 담긴 「비블리아 헤브라이카 퀸타」라는 제목의 새로운 본문 비평 연구 판이다.

NET 성경은 제안된 수정을 따라 아모스 6장 12절에 나온 질문을 "소를 부려 바다를 갈 수 있느냐?"(Can one plow the sea with oxen?)라고 번역한다. 이에 반해, 「사전보고 및 중간보고」는 "B" 독법이 나오는 전통 히브리어 텍스트를 지지한다.[10] 마찬가지로, *BHQ* "열두 소선지서" 편집자는 그러한 수정을 경고한다.[11] 우리는 언제나 텍스트에서 뒷받침되지 않는 수정을 선뜻 따라서는 안 된다. 그리고 이 경우, 텍스트를 전혀 변경하지 않고도 해석할 수 있는 쉬운 해결책을 활용할 수 있다. 다시 한 번 아모스 6장 12절을 보자.

12 הַיְרֻצוּן בַּסֶּלַע סוּסִים
b אִם־יַחֲרוֹשׁ בַּבְּקָרִים (또는 בַּבָּקָר יָם)
c כִּי־הֲפַכְתֶּם לְרֹאשׁ מִשְׁפָּט

표3.2. 아모스 6장 12절_ MT

근거가 아무리 정당하더라도, 어느 텍스트에서도 나오지 않는 독법을 제안할 때는 매우 주의해야 한다. 텍스트를 바꾸지 않고 번역하는 좋은 방법이 있다면, 그렇게 해야 한다. 아모스 6장 12절이 그런 경우다. 우리는 텍스트를 수정하기보다는 전반부에 나오는 בַּסֶּלַע(바쎌라, "바위 위에서")라는 말이 두 절 모두에서 '두 가지 임무'를 수행하는 것으로 추정해야 한다. 그것은 시적 관행으로, 공백(gapping) 또는 생략(ellipsis)이라고 알려진 것이다. 이렇게 받아들인다면, 전체 구절은 "말들이 어찌 바위 위에서 달리겠으며 소가 어찌 (바위 위에서) 밭 갈겠느냐?"라는 뜻이 된다. 소를 부려 바다를 경작하려 애쓰는 사람의 이미지는 좋은 유추로 여기기에는 매우 터무니없고 받아들이기 어려워 보인다. 그러나 이 이미지는 매우 효과적이다. 이것은 돌을 제거할 시간을 들이지 않은 채 밭을 갈려 애쓰는 어리석은 농부를 그리고 있다. 이 번역은 ESV에서 선호하는 것으로, 그 번역에서는 "말들이 어찌 바위 위에서 달리겠으며 소가 어찌 거기서

10 Dominique Barthélemy 외, *Preliminary and Interim Report on the Hebrew Old Testament Text Project*, vol. 5, *Prophetical Books II-Ezekiel, Daniel, Twelve Minor Prophets* (New York: United Bible Societies, 1980), 289쪽.

11 Anthony Gelston, "Introduction and Commentaries on the Twelve Minor Prophets," in *The Twelve Minor Prophets, BHQ* 13 (Stuttgart: Deutsche Bibelgesellschaft, 2010), 85*.

발 갈겠느냐 그러나 너희는 정의를 쓸개로 바꾸며"(한글 개역개정에는 이렇게 번역되어 있다_ 옮긴이)라고 번역한다.

히브리어 성경의 본문 비평 연구 판 개관

본문 비평을 하려면 히브리어 성경에 정통해야 한다. 주후 6세기까지 히브리어 텍스트에는 자음만 있었다. 유대인들은 구전으로 모음을 전달하면서 기록해 놓지는 않았다. 하지만 주후 500년과 1000년 사이에 마소라 학자(Masoretes, '넘겨주다, 전달하다'라는 מסר에서 나옴)로 알려진 한 무리의 유대인 학자들이 모음 점 찍기 체계, 영창 기호, 음조, 그밖에 신성한 텍스트를 더 정확하게 독해하고 전달하기 위해 다른 규칙들을 고안했다. 그들의 작업은 마소라 본문(Masoretic Text, MT)이라고 알려진 것으로 여전히 권위를 지니고 있으며, 우리가 성서 히브리어라고 부르는 것은 마소라 전통에서 나온 것이다.

오늘날 표준 히브리어 텍스트는 연이어 출간된 비블리아 헤브라이카 슈투트가르텐시아(*BHS*)와 비블리아 헤브라이카 퀸타(*BHQ*)로, 가장 초기의 완전한 마소라 필사본인 레닌그라드 사본(Leningrad Codex, 주후 1008)을 기저본문으로 한다.[12] 1977년에 *BHS*가 완성된 후, 본문 비평에서 새로운 발견과 진전이 이루어지면서 개정된 *BHQ*를 만들어 내는 것이 정당화되었다. *BHQ*는 수많은 학자가 한 번에 한 책(보통 성경에 나오는 하나의 책)씩 만들어 내고 있으며, 언젠가 *BHS*를 대체할 것이다. 초보자는 전체 *BHQ*가 한 권으로 완성되기까지 *BHS*를 쓰겠지만, 두 성경 판의 구조와 구성에 정통해지는 것이 좋다.

---

12 흥미롭게도, *BHS*와 *BHQ*는 모두 레닌그라드 사본의 '텍스트'를 사용하지만, 둘 다 그 사본의 배열을 따르지는 않는다. 레닌그라드 사본에서는 역대상하를 시편 앞 시가서 앞머리에 둔다.

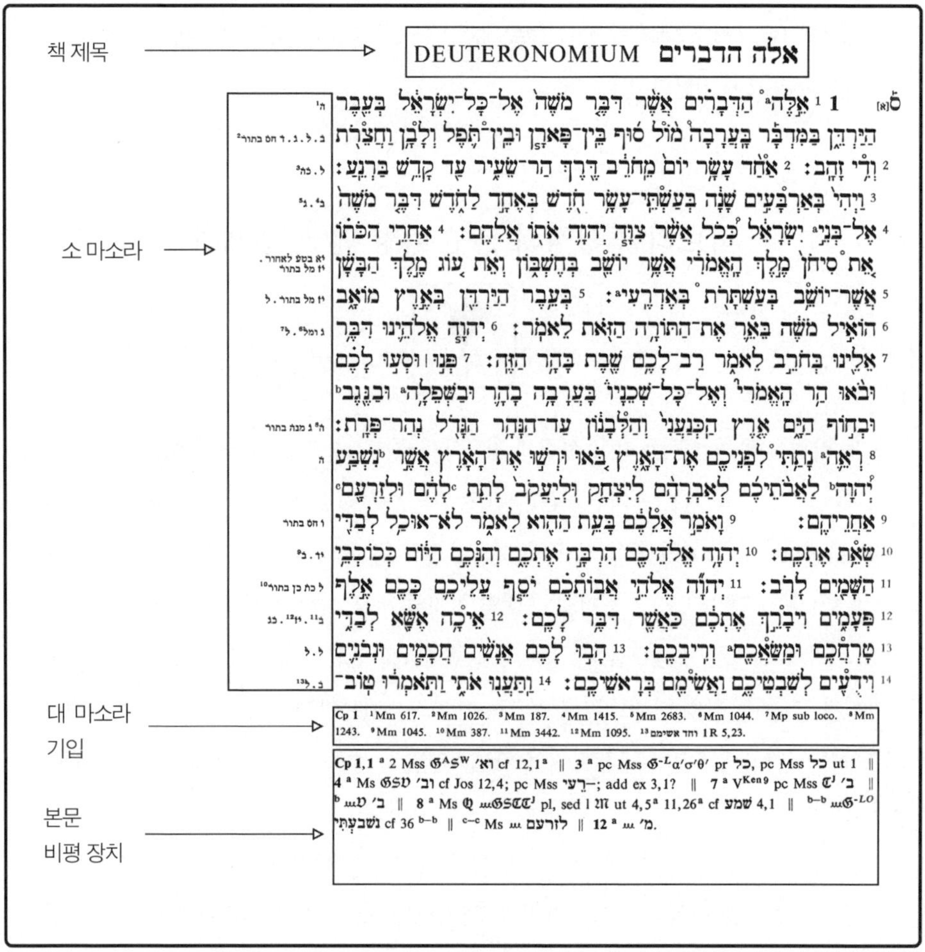

책 제목 → DEUTERONOMIUM אלה הדברים

소 마소라 →

대 마소라 기입 →

Cp 1 [1]Mm 617. [2]Mm 1026. [3]Mm 187. [4]Mm 1415. [5]Mm 2683. [6]Mm 1044. [7]Mp sub loco. [8]Mm 1243. [9]Mm 1045. [10]Mm 387. [11]Mm 3442. [12]Mm 1095. [13]וחד אשימם 1R 5,23.

본문 비평 장치 →

Cp 1,1 [a] 2 Mss 𝔊^A𝔖^W ואי' cf 12,1[a] ‖ 3 [a] pc Mss 𝔊^-L α′σ′θ′ pr כל, pc Mss כל ut 1 ‖ 4 [a] Ms 𝔊𝔖𝔙 ובי' cf Jos 12,4; pc Mss רֵעִי—; add ex 3,1? ‖ 7 [a] V^Ken9 pc Mss 𝔗^J בי' ‖ [b] 𝔐𝔙 בי' ‖ 8 [a] Ms 𝔔 𝔐𝔊𝔖𝔗𝔗^J pl, sed l 𝔐 ut 4,5[a] 11,26[a] cf שמע 4,1 ‖ [b–b] 𝔐𝔊^-LO נשבעתי cf 36 [b–b] ‖ [c–c] Ms 𝔐 לזרעם ‖ 12 [a] 𝔐 מ'.

표3.3. *BHS* 예시[13]

책 제목과 배열

*BHS*를 한 권 가지고 있다면, 신명기 첫 페이지를 열어 보라(283쪽). 가지고 있지 않다면, 위에 나오는 예시(표3.3-3.4)를 보라.[14] 그 쪽을 펼쳐 보면, *BHS*에서는 성경의 책 제

13 *BHS*, 283쪽. 허락을 받고 사용하였다.

14 독일성서공회(German Bible Society)에서 *BHS*와 *BHQ* 모두에서 나온 페이지를 이 책에 복사할 수 있게 허락

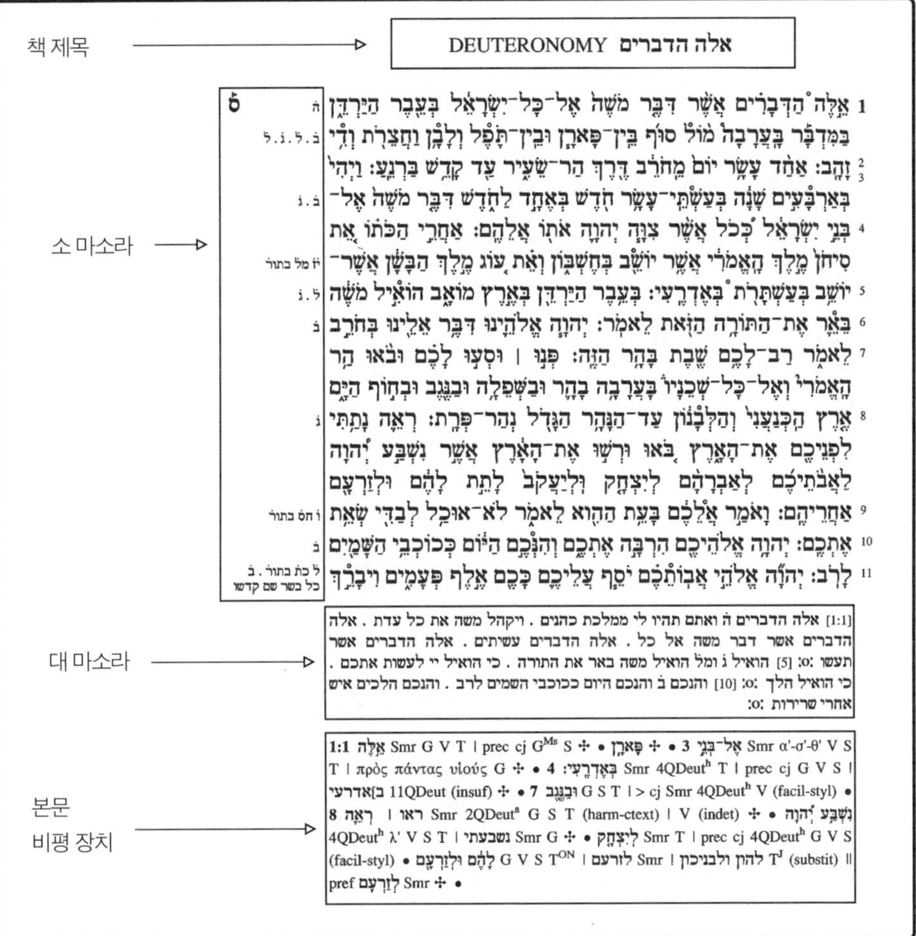

표3.4. *BHQ* 예시[15]

목이 각 면 상단 가운데에 있는 것을 보게 된다. 히브리어 제목은 짝수 면에, 라틴어 제목은 홀수 면에 나온다. *BHQ*도 형식은 같다. 라틴어 대신 영어 제목이 나오는 것이 다를 뿐이다. 즉, 각 책 첫 면에는 히브리어 제목과 라틴어(*BHS*) 또는 영어(*BHQ*) 제목이 같이 나온다.

앞서 말했듯이, 영어 구약과 히브리어 구약 모두 성경을 이루는 책의 목록은 같지

해 준 것에 감사를 표한다.

15 Carmel McCarthy 편집, *Biblia Hebraica Quinta, Fascicle 5: Deuteronomy* (Stuttgart: Deutsche Bibelgesellschaft, 2007), 3쪽. 허락을 받고 사용하였다.

만, 순서는 다르다. 그리고 어떤 책은 히브리어 성경에 한 권으로 되어 있는데 영어 성경에는 나뉘어 있다. 그래서 히브리어 구약은 서른아홉 권이 아니라 스물네 권이다. 표3.5는 *BHS*와 *BHQ*에 나오는 성경 책들의 배열을 보여 준다. 이 표를 살펴보면 1장에서 언급한 바바 바트라 14b의 순서와 조금 다르다는 것을 알 수 있다.

율법서	전기 선지서와 후기 선지서		전기 시가서와 후기 시가서	
창세기 출애굽기 레위기 민수기 신명기	여호수아서 사사기 사무엘상하 열왕기상하	이사야서 예레미야서 에스겔서 열두 선지서	시편 욥기 잠언 룻기 아가 전도서 예레미야 애가	에스더서 다니엘서 에스라-느헤미야서 역대상하

표3.5. *BHS*와 *BHQ*의 배열

단락, 단원, 구절, 장 구분

히브리어 성경에는 수많은 구분이 표시되어 있다. 장 구분을 제외한 모든 것은 오랫동안 유대인 사이에서 어떤 형태로든 존재해 왔다. 우리는 다음과 같은 구분 장치들을 알아야 한다.

1. 단락

전체 히브리어 구약 성경(시편 제외)은 광범위한 단락으로 나뉜다. 적절하게 배치된 전례 텍스트에서 '열린' 단락, 곧 פ가 앞에 작게 붙어 있고 '페투카'(*Pethuchah*, פְּתוּחָא = '열린')라고 알려진 단락은 비어 있는 행이나 완성되지 않은 행 다음에 새로운 행으로 나오는 단락이다. 이에 반해 '닫힌' 단락, 곧 ס가 작게 표시되어 있고 '세투마'(*Sethumah*, סְתוּמָא = '닫힌')라고 알려진 단락은 행 안에 짧은 여백을 두어 앞 단락과 구분된다. 이 책에 인용된 신명기 1장 부분에는 단락 표시가 하나도 없지만, 신명기 5장 1절에서는 페투카를 볼 수 있다(*BHS*, 294쪽). 또한 5장 6-22절에 나오는 십계명 사이마다 많은 세투마가 나온다(*BHS*, 295쪽). *BHS*는 모든 페투카를 새로운 행으로 시작하는 반면, *BHQ* 유형은 세투마처럼 여백을 둔다. 단락 사이에 여백을 두는 경향은 사해 문서 때부터 이미 분명하게 볼 수 있다. 왜 어떤 단락은 세투마이고 어떤 단락은 페투카인지는 오늘날 누구도 확실히 알지 못하지만, 그 두 가지가 존재하기 때문에 때로 문학적 구조를 명확하게 설명하는 데 도움이 된다.

2. 단원

역사 내내 유대인들은 히브리어 성경 독법을 인도하기 위해 특정 텍스트들을 분류하였다. 팔레스타인 유대인들은 '세다림'(*Sedarim*, '순서, 차례'라는 의미의 סֵדֶר[세데르]에서 나옴)이라고 해서 읽을 분량을 452개로 나누어 3년짜리 강의 주기를 만들어 냈다. 히브리어 성경에서 각 세데르(*sedar*, 세다림의 단수형)의 시작은 큰 ס(세투마와 혼동해서는 안 된다) 위에 카메츠(*Qamets*, 히브리어 모음 중 하나)가 옆으로 누운 것처럼 보이는 것이 붙어 있는 문자로 표시된다. 이 표시의 예는 신명기 1장 첫째 줄 다음에 나오는 여백에서 볼 수 있다(*BHS*에서는 안쪽, *BHQ*에서는 바깥쪽). 마찬가지로, 바벨론에 있던 유대인들은 해마다 토라를 통독했는데, 처음 다섯 권을 '파라쇼트'(*Parashoth*)라는 54개(또는 53개)의 주별 단원으로 나누었다. 그 시작은 여백에 나오는 פרש라는 글자로 표시된다(*BHS*에서는 안쪽, *BHQ*에서는 바깥쪽). 이 표시의 예로는 *BHS*에서 신명기 3장 23절을 보라(290쪽).

3. 구절

성서 히브리어에서 '소프 파수크'(*Sof Pasuq*, 문자적으로는 '구절 끝')는 영어의 콜론과 비슷해 보이는 것(׃)으로, (문장 끝은 아닐지라도) 한 구절이 끝나는 것을 표시한다. 유대인 서기관들은 아마 탈무드 시대(약 주후 135-500)에 구절을 분리하기 시작했을 것이다. 하지만 실제로 구절에 숫자를 표기한 것은 16세기에 와서야 이루어졌다. *BHS*와 *BHQ*에서 구절 숫자는 안쪽 여백에 위첨자로 표시된다. 또한 *BHS*는 각 소프 파수크 다음에도 위 첨자로 숫자를 넣는다. 이따금, 특히 시편에서는 히브리어 구절과 영어 구절이 서로 맞지 않는다.

4. 장

주후 14세기까지 히브리어 성경에는 장이 포함되지 않았다. 흥미롭게도 이 구분들은 라틴어 불가타 역의 기독교 전통에서 유래되었다. 로마 교회는 스티븐 랭튼이 개발한 체계를 채택했으며, 이것은 현재까지 거의 모든 성경 본문과 역본에서 사용되고 있다. *BHS*나 *BHQ*에서 안쪽 여백에 있는 큰 숫자는 새로운 장이 시작되는 것을 표시한다.

단락 구분은 예외일지 모르지만, 단원, 구절, 장의 주된 목적은 언제나 히브리어 성경을 더 쉽고 간편하게 읽고 참고하기 위해서였다. 그러나 목적이 해석을 좌우해서는 안 된다. 그렇기 때문에 해석자들은 텍스트의 구성 경계와 메시지를 이해할 때 표시된 구분에 영향을 받지 말아야 한다.

마소라

마소라 학자들이 기여한 것 가운데 하나는 일련의 주(note)를 만든 것이다. 그 주들은 서기관들이 변경하지 않은 성경 본문을 보존하는 데 도움을 주기 위해 만들어졌다. **마소라**라고 알려진 이 주들은 사본의 여백이나 각 책 또는 정경 부분 끝(예를 들어, 율법서 끝)에 위치한다. 난외주들은 '마소라 파르바'(*Masorah parva*, '소 마소라')와 '마소라 마그나'(*Masorah magna*, '대 마소라')로 구분되며, 결론부의 주는 '마소라 피날리스'(*Masorah finalis*, '마지막 마소라')라고 한다. 마소라는 자음(보통 아람어)으로만 쓰인 반면, *BHS*와 *BHQ*는 서론에 일반 용어를 풀이해 주어 독자들의 이해를 돕는다. 아람어/히브리어의 용어 풀이 번역은 *BHS*에는 라틴어로, *BHQ*에는 영어로 되어 있다. 게다가 *BHQ*는 각 책의 별도 부분에 소 마소라와 대 마소라에 대한 영어 번역과 주석을 제공한다(*BHQ*가 완성될 때, 후자의 요소들은 별도의 책에 포함될 것이다).

우리의 목적을 위해 **마소라 파르바**(또는 '소 마소라')를 좀 더 소개하려고 한다. 마소라 파르바는 *BHS*와 *BHQ*에서 페이지 바깥 여백에 위치하며, 단어 수, 단어 배치(즉,

책 한가운데), 철자 특성 등에 관한 통계적 세부 사항들을 열거한다. 그러한 것들은 모두 텍스트를 필사 오류에서 보호하기 위한 것이다. 텍스트에서 어떤 단어나 구 위에 있는 작은 동그라미(°)는 독자들에게 난외 설명이 있다는 것을 표시한다. 예를 들어, 신명기 1장 1절에서 אֵ֣לֶּה הַדְּבָרִ֗ים(엘레 드바림, "이는 …… 말씀이니라")이라는 문구 위에 동그라미가 있으면 난외주를 살펴보라는 뜻이며, 난외에서 글자 'ה' 위에 점이 찍힌 글자(ה̇)는 그 구가 히브리어 구약에 총 다섯 번 나온다는 것을 알려 준다(신명기 1장 1절과 출애굽기 19장 6절, 35장 1절, 이사야 42장 16절, 스가랴 8장 16절). (성경 본문을 편집한 중세 유대인들은 모든 자모에 숫자를 대응시켰다. א-ט는 그 단위[1-9]를 나타낸다. 예를 들어 א는 1을, ה는 5를 나타내는 식이다.) 이런 정보가 있었기 때문에 서기관들은 그 구가 자신이 필사한 텍스트에 그만큼 나오는지 확인할 책임이 있었다.

소 마소라에 나오는 주는 대부분 해석자에게 큰 가치가 없지만, 두 개의 주에는 좀 더 주의를 기울여야 한다. 케티브-케레(Kethiv-Qere)와, 하팍스 레고메나(*hapax legomena*)라고 알려진 유일무이한 유형이다.

1. 케티브-케레

서기관들이 한 가지 방식으로 기록된(케티브[16]) 단어를 다른 방식으로 읽어야(케레[17]) 한다고 생각한 경우가 있었다. 그런 경우, 그들은 케티브의 자음을 남겨 놓고 케레의 모음으로 그 단어에 점을 찍었다. 그러고 나서 케레의 자음을 소 마소라에 기록하고, 보통 위에 점이 찍힌 ק로 표시하였다(ק̇, 아람어 קְרֵי[케레]의 단형). 신명기 1장 예문에는 케티브-케레 문제가 없지만, 신명기 2장 33절(*BHS*, 288쪽)에 하나가 기록되어 있다. 그 난외주는 בנו("그의 아들", בְּנוֹ[브노])을 בָּנָיו(바나이브, "그의 아들들")로 읽어야 한다고 설명한다.

2. 유일한 유형

소 마소라는 히브리어 성경에서 특정 유형이 단 한 번만 나오는 경우를 표시하기 위해 ל̇(아람어 לֵיתָא['다른 곳에는 없다']의 단형)을 사용한다. 하팍스 레고메논(*hapax legomonen*)이라는 이 특징은 그 단어가 유일하다는 뜻일 수도 있고, 단지 그 철자가 유일하다는

16 아람어 כְּתִיב(케티브), 히브리어 어근 כתב('쓰다')와 관련된다.

17 아람어 קְרֵי(케레), 히브리어 어근 קרא('부르다, 암송하다, 읽다')와 관련된다.

뜻일 수도 있다. 한 예는 신명기 1장 1절에 나온다. 소 마소라는 מוּל(몰, "맞은 편")이 두 번만 나온다(בׄ)고 설명한 뒤, 모세가 신명기 설교를 전하는 동안 이스라엘이 머문 장소와 관련된 지명인 תֹּפֶל(토펠, "도벨")이라는 유형은 성경 본문에서 여기에만 나온다고 알려 준다.

본문 비평 장치

비평 연구 판이 단 하나의 필사본에 기초할 때, 그 비평 연구 판은 **전사**(轉寫) **텍스트**(diplomatic text)라고 불린다. 이것은 **절충 텍스트**(eclectic text)과 대조된다. 절충 텍스트는 표제나 주석을 제외한 텍스트가 하나의 필사본에 매여 있지 않다. 그것은 이미 본문 비평적 연구 결과를 나타내며, 어떤 것이 원문에 가장 가깝다고 생각하는지에 대한 편집자의 결정을 제시한다. 신약의 본문 비평 연구 판은 절충 텍스트를 따르는 반면, 지금까지 나온 모든 비블리아 헤브라이카는 레닌그라드 사본(주후 1008)을 기초로 사용하는 전사 텍스트다.[18] 전사 텍스트는 각 면 하단에 본문 비평 장치를 포함한다. 그것은 번역과 주해에 가장 중요한 사본 상 이문들을 논한다. 앞서 말했듯이, *BHQ*의 좋은 특징은 해석자가 비평 장치 자료를 끝까지 읽어 나가도록 도와줄 본문-비평적 주석이 추가된다는 것이다.

*BHS*에서든 *BHQ*에서든 특정 성경 책을 편집한 당시 학자가 비평 장치를 마련한 사람이 된다. 텍스트의 주에는 다음 세 가지 종류가 포함되어 있다.

---

18 현재 세 집단에서 히브리어 구약에 대한 비평 연구 판을 만들고 있다. 처음 두 집단은 주후 900-925년 것으로 추정되나 불완전한 알레포 사본을 활용한 전사 텍스트다. 알레포 사본에는 아가, 전도서, 애가, 에스더서, 다니엘서, 에스라서 일부 또는 전부뿐 아니라 모세오경 거의 전부가 빠져 있다. 그 두 집단은 (1) The Hebrew University Bible Project(http://www.hum.huji.ac.il/english/units.php?cat=4980), (2) Miqraot Gedolot HaKeter(http://www1.biu.ac.il/indexE.php?id=6261&pt=1&pid=43&level=3&cPath=6261)이다. 이 두 집단과 대조적으로 세 번째 프로젝트는 비판적인 절충 텍스트다. (3) Ronald Hendel 편집, The Hebrew Bible: A Critical Edition(HBCE. 이전의 The Oxford Hebrew Bible Project[http://hbceonline.org/]).

- 레닌그라드 사본에서 다른 마소라 필사본들과 구별되는 사소한 불규칙성을 인용한 것들
- 편집자가 제안하는 텍스트 수정을 제시하는 것들
- 다른 히브리어 텍스트나 고대 번역에서 대체할 만한 다른 독법을 보여 주는 것들. 이러한 주들이 단연 가장 중요하다.

영어가 모국어인 사람들은 비교적 *BHQ* 비평 장치를 이해하기 쉽다. 텍스트의 증거와 주에 영어 약자를 사용하기 때문이다. 하지만 *BHS*는 그렇지 않다. *BHS*에 나오는 비평 장치는 상징과 라틴어 약자를 섞어 사용한다. *BHS*와 *BHQ* 서론에서 기호 일람표와 라틴어 정의를 정리한 완전한 목록을 볼 수 있다. 하지만 두 특징 모두 여전히 *BHS* 비평 장치를 온전히 이해하는 것을 어렵게 만든다. *BHS*와 *BHQ*는 비평 장치 기호법을 제시하는 방식이 서로 다르다. 필자가 두 비평 장치를 개관하면서 제시한 표3.3와 3.4를 주의해서 살펴보고, 모든 기호 일람표를 다 암기하지 않아도 된다는 것에 안심하라.

1. *BHS* 비평 장치

BHS 본문을 보면 비평 장치에서 단어나 문구를 다룬다는 것을 나타내기 위해 위 첨자로 된 알파벳을 사용한다. 한 단어를 논할 때는 위 첨자로 소문자 영어가 앞에 나온다. 신명기 1장 1절 첫 단어인 [a]אֵ֣לֶּה(엘레, "이는") 같은 경우다. 둘 이상의 단어를 한 묶음으로 논할 때는 괄호를 치듯이 앞뒤에 위 첨자로 같은 소문자를 둔다. 1장 8절에서 [b]נִשְׁבַּ֣ע יְהוָ֡ה[b](니슈바 아도나이, "내가[여호와가] …… 맹세하여")와 같은 경우다. 이 경우들 가운데 신명기 1장 1절의 주는 두 개의 히브리어 사본(Mss), 한 개의 헬라어 사본(𝔊[A]), 한 개의 시리아어 사본(𝔖[W])에서 그 단어 앞에 연결어를 더한 것(= וְאֵ֫לֶּה[베엘레])을 말해 준다. 1장 8절 예문에서 우리는 문맥상 여호와께서 말씀하고 계시다는 사실에 근거하여 사마리아 모세오경(𝔐)과 두 개의 헬라어 역본(𝔊[-LO])에는 동사가 일인칭으로 되어 있는 것을 볼 수 있다. 확인할 수 있듯이 비평 장치는 Cp라는 약자로 장을 구분하고, 양쪽을 한 칸씩 띄어 분리한 구절 숫자를 포함하여 구절을, 두 개의 세로 수직선(‖)으로 주를 구분한다.

2. *BHQ* 비평 장치

*BHS*에 나오는 유형과 대조적으로, *BHQ*는 비평 장치에 설명이 나와 있다는 사실을 나타내는 표시가 텍스트 안에 전혀 없다. 하지만 *BHQ* 본문 비평 장치에 새로 삽입된 각 항목들은 레닌그라드 사본에서 다루는 단어나 문구의 목록으로 시작된다. 예를 들어 אֵלֶּה(엘레)는 비평 장치에서 1장 1절 다음에 처음으로 나오며, 뒤이어 레닌그라드 사본과 일치하는 증거들이 나온다. 사마리아 오경(Smr), 고대 헬라어(G), 불가타 역(V), 탈굼 역(T) 등이다. 한 개의 수직선(그 뒤에 나오는 것은 레닌그라드 사본의 독법과 일치하지 않는다는 표시)이 나오고 한 개의 헬라어 사본(G^{Ms})과 시리아어 사본(S)에는 אֵ֫לֶּה(엘레)에 접속사(cj)가 앞에 나온다(prec)는 설명이 뒤따른다. 십자가 모양(✣)은 그 비평 장치 주석이 이 경우를 논의한다는 것을 나타내며, 검은 점(●)은 그 주를 맺는다는 표시다. 가끔은 주를 결론 맺기 전에 두 개의 수직선(‖)으로 그 경우의 결론을 표시하고, 이어서 편집자가 선호하는(pref) 독법을 상세히 해설하기도 한다. 예를 들어, 신명기 1장 8절 마지막 주는 편집자가 사마리아 오경이 원래 독법에 가장 가깝다고 생각한다는 것을 드러낸다. 그 주에서는 לְזַרְעָם("그들의 후손에게")라는 말 앞에 ו לָהֶם("그들과")라는 말을 포함시키지 않는다.

가장 중요한 텍스트들과 역본들

성경이 기원한 가장 이른 때부터 하나님의 백성은 후대를 위해 텍스트를 보존하며, 히브리어 원고, 철자에서 새로 발견된 것, 지리적 자료 등을 갱신하는 경향이 있었다. 유대인들은 성경을 영원하고 권위 있는 하나님 말씀으로 보았다. 그래서 대단히 주의를 기울여 사본을 필사했을 뿐 아니라 (마소라를 통해) 텍스트를 설명하고 (앞서 말한 방식들로) 갱신하고 번역해서 의미가 보존되도록 애썼다.

성경 사본의 원본은 현재 하나도 존재하지 않는다. 하지만 오랜 세월 동안 신실한 서기관들, 번역가들, 해설자들이 성경을 보존해 왔다. 구약에 대해서는 히브리어, 헬라어, 아람어, 시리아어, 라틴어로 된 오래된 사본들이 있다. 또한 가죽과 파피루스로 된 두루마리 단편이 수천 개나 된다. 그중 어떤 것은 2,000년이 넘었다. 이 자료들은 구약 '원본'(original old testament)의 증거다. 히브리어 증거들은 **텍스트**(texts)라고 불리는 반면, 번역된 문서는 **역본**(versions)이라고 불린다. 이제 그중에서 중요한 것들을 개관해 보고자 한다.

히브리어 텍스트

구약 원본의 주요 증거는 히브리어로 기록된 사본들이다. 이 텍스트들에서 가장 중요한 것은 **마소라 본문**(들), **사해 문서**, **사마리아 오경**이다.

1. 마소라 본문(들)(𝔐[*BHS*], M[*BHQ*])

마소라 본문은 히브리어 성경의 표준 텍스트로 받아들여진다. 그것이 **마소라**(Masoretic)라고 불리는 이유는 **마소라 학자**로 알려진 유대인 학자들의 텍스트 전통이기 때문이다. 마소라 학자들은 주후 500년에서 1000년 사이에 자음으로 이루어진 히브리어 텍스트에 모음 체계, 강세, 주를 더해서 성경 본문을 더 정확하게 전달하려고 애썼다. 고대에 기록된 다른 어느 텍스트도 마소라 본문만큼 주의 깊게 보존된 것은 없다. 그 전통은 권위 있는 것으로 여겨졌으며, 우리는 여전히 그것을 매우 믿을 만한 것으로 간주할 수 있다. 오늘날에는 가장 이른 시기에 완성된 마소라 사본인 레닌그라드 사본(주후 1008)이 히브리어 구약의 표준으로 사용된다. 또 다른 오래된 필사본인 알레포 사본(Aleppo Codex)은 시기가 더 이르지만(주후 925), 오경의 일부가 분실되었다.

2. 사해 문서(𝔔, 쿰란을 뜻하는 Q)

1947년에 사해 문서(Dead Sea Scrolls, DSS)가 발견되기 전까지 가장 이른 시기로 알려진 히브리어 성경 사본은 중세에 마소라 학자들이 만든 사본이었다. 그러나 약 주전 250

년에서 주후 135년의 것으로 추정되고 에스더서를 제외한 모든 성경 책을 포함한 두루마리 800개가 유대 광야에서 발견되면서, 구약 텍스트에 대한 우리의 지식은 적어도 1,000년 전으로 거슬러 올라가게 되었다! 사해 문서는 히브리어, 헬라어, 아람어 필사본과 단편들을 포함하고 있는데, 그중 많은 것이 매우 성경적이다. 대단히 많은 수의 구약 필사본이 발견된 것은 본질적으로 마소라 학자들이 같은 텍스트를 물려받았다는 것을 반영하며, 그것은 마소라 본문이 오래되고 권위 있는 것임을 확증해 준다. 가장 유명한 사해 문서 텍스트는 큰 이사야서 두루마리(1QIsa[a])로, 이사야서 전체를 담고 있다.

3. 사마리아 오경(ⅿ, Smr)

사마리아 오경은 사마리아 공동체의 모세오경이다. 그들은 앗시리아 점령 후 사마리아 지역에서 서서히 생겨난 반(半)유대적 이탈 집단으로(왕하 17:29), 예수께서는 사역하시면서 이들을 서너 번 만나셨다(예를 들어, 요한복음 4장). 사마리아인들은 모세오경만 정경으로 인정했다. 사마리아 오경에는 사마리아인들의 신학을 뒷받침하기 위해 의도적으로 변경한 것으로 보이는 부분이 몇 군데 보인다. 그러나 사마리아 오경과 마소라 본문 사이에 차이가 나는 부분들 가운데 대부분은 단순히 철자와 관련된 것(철자법)이며, 따라서 우리는 여전히 그 사본을 본문 비평적 목적으로 사용할 수 있다.

역본들/번역들

사해 문서가 발견된 이래, 성경의 고대 역본들(또는 번역들)은 구약 텍스트 원본을 확증하는 데 덜 중요해졌다. 그럼에도 적어도 네 개의 초기 역본에서는 마소라 본문과 다른 독법들이 여전히 평가받고 있다. 그 네 가지 역본은 헬라어로 된 **칠십인 역**(Septuagint), 아람어로 된 **탈굼 역**(Targums), 시리아어로 된 **페쉬타 역**(Peshitta), 라틴어로 된 **불가타 역**(Vulgate)이다.

1. 칠십인 역(𝔊, G)

모든 역본 가운데 가장 중요한 칠십인 역은 구약을 헬라어로 번역한 것으로 초대 교회의 성경이었다. 기원에 대해서는 논란이 있지만, 번역 과정은 아마 주전 3세기 중반경 이집트의 알렉산드리아에서 시작되었을 것이다. 칠십인 역은 어느 한 번역가, 또는 심지어 한 번역가 집단의 작품으로 보이지는 않는다. 칠십인 역은 번역들의 모음집으로 불리고 있다. 칠십인 역에서 어떤 책들은 솜씨 있고 정확하게 번역되어 있지만, 욥기를 비롯한 다른 책들은 매우 자유롭게 번역되어 있다. 칠십인 역은 우리가 구약 텍스트 원본을 확증하도록 돕는 면에서 가장 유용한 역본이다. (a) 가장 이른 시기에 구약 전체를 번역한 역본이고, (b) 수많은 사본에서 잘 입증되어 있으며, (c) 다른 어느 역본보다 중대한 이문을 많이 담고 있기 때문이다. 그럼에도 칠십인 역을 마소라 본문보다 우월하게 여기는 학자는 거의 없다. 심지어 그 독법 중 일부가 쿰란 자료들에서 뒷받침되고 있는데도 말이다.

2. 탈굼 역(𝔗, T)

탈굼이란 아람어로 '번역' 또는 '해석'을 뜻하는 말로, 아람어를 모국어로 사용하는 포로 시기 이후 유대인들을 위해 히브리어 성경을 아람어로 번역한 역본이다. 탈굼 역은 자유롭게 풀어 쓰는 경향이 있는데, 때로 지나칠 정도다. 온켈로스 탈굼(Targum Onkelos)은 율법서에 대한 공식 탈굼이고, 요나단 탈굼(Targum Jonathan)은 선지서에 대한 공식 탈굼이다. 그러나 비공식 탈굼도 매우 많다. 탈굼 역들은 마소라 본문과 매우 비슷한 텍스트를 번역한 것으로 보인다. 그러나 대단히 해석적이고 부정확하게 번역되었으며 해설로 가득 차 있어서, 탈굼 역으로 히브리어 텍스트 원본을 입증하기는 어렵다.

3. 페쉬타 역(𝔖, 시리아어를 뜻하는 S)

시리아어로 '단순한' 또는 '간단한'이라는 뜻을 지닌 페쉬타 역은 시리아 교회의 공인성경이다. 시리아어는 아람어의 후기 방언이다. 시리아어 텍스트의 역사는 복잡하고 논란의 여지가 있지만, 기독교보다는 유대교에서 기원한 듯하며, 주후 4세기 전의 것으로 보인다. 페쉬타 역은 히브리어를 비교적 문자적으로 번역하였다. 따라서 여전히 본문 비평에 도움이 될 수 있다.

4. 불가타 역(𝔙, V)

불가타는 라틴어로 '일반적인' 또는 '대중적인'이라는 뜻이다. 4세기 후반부터 불가타 역은 서방 교회에서 표준 성경으로 사용되었다. 구약 부분은 교부 히에로니무스(Jerome)가 히브리어 텍스트를 라틴어로 번역한 것으로 구성되어 있다. 히에로니무스는 대체로 칠십인 역에 의지했고 그의 번역은 각 부분마다 어구에 대한 충실도가 다양하기 때문에, 구약 불가타 역을 히브리어 원본에 대한 증거로 사용할 때는 주의를 기울여야 한다.

몇 가지 흔한 필사 오류

가장 중요한 텍스트들과 역본들을 살펴보았으니, 이제 흔한 필사 오류 몇 가지를 살펴보고 본문 비평을 직접 연습해 보자. 본문 비평을 하려면, 서기관들이 범하기 쉬운 오류들을 어느 정도 알아야 한다. 학자들은 여러 텍스트와 역본을 서로 관련시켜 주의 깊게 분석하고, 서기관들의 경향을 판별하며, 자료를 보고 심사숙고한 결론들을 내려서 이 오류들을 분류했다. 보거나, 이해하거나, 듣거나, 판단하거나, 기억하는 것에서 일어난 오류들 때문에 종종 좋은 의도를 지닌 서기관들도 글자나 전체 단어를 빼먹거나, 대체하거나, 반복하였다. 일부러 오류를 범한 경우는 거의 없겠지만, 서기관들은 무심코 또는 의도적으로 텍스트를 바꾸었으며 그것은 궁극적으로 원본에서 벗어나게 만들었다.

우리는 텍스트가 변경된 세 가지 주된 유형을 발견할 수 있다. **우발적인 것, 비의도적인 것, 의도적인 것**이다.[19]

---

19 이 논의 구조와 내용 중 일부는 Ellis R. Brotzman and Eric J. Tully, *Old Testament Textual Criticism: A Practical Introduction*, 2판 (Grand Rapids: Baker Academic, 2016)(『구약 본문 비평의 이론과 실제』, 기독교문서선교회), 117-

1. 우발적 변경

사본이 물리적으로 손상되면서 생겨난 오류다.

2. 비의도적 변경

(a) 사본을 필사하면서 생기는 오류, (b) 서기관이 저지를 수 있는 오기(fallibility)로 인한 오류, (c) 구술/잘못 들은 것과 관련된 오류, (d) 서기관의 판단에 의한 오류 등이다.

a. 사본을 필사하면서 생기는 오류

- **비슷한 글자들을 혼동함_** 히브리어를 공부하는 학생들은 이 문제를 매우 잘 이해할 것이다. 고어 문자에서든 히브리어 강좌에서 배울 만한 후대의 사각형 문자에서든, 쉽게 혼동되는 특정 문자들이 있다. 사각형 문자에서 (역대상 17장 20절에 나오는) ב와 כ, (이사야 30장 4절에 나오는) י와 ו, (출애굽기 34장 19절에 나오는) ה와 ת, (시편 49편 15절에 나오는) ה와 ת를 생각해 보라.
- **잘못된 단어 구분_** 고대 사본에는 문자들이 매우 가까이 붙어 있어서 읽기 어려운 경우가 많다. 영어에서 흔한 예는 띄어쓰기를 하지 않은 GODISNOW HERE라는 문구다. 이 문구는 'GOD IS NOW HERE'(하나님은 지금 여기 계시다)라고 띄어 읽을 수도 있고, 'GOD IS NOWHERE'(하나님은 어디에도 계시지 않다)라고 띄어 읽을 수도 있다. 아모스 6장 12절을 בבקרים(즉 בַּבְּקָרִים[바베카림, "소를 가지고"])에서 בבקר ים(즉 בַּבָּקָר יָם[바바카르얌, "소를 가지고 바다를"])으로 수정하라는 제안이 그 예다. 학자들은 이 단어들이 정확하지 않게 결합되었다고 주장한다.
- **모음을 잘못 붙임_** 모음을 정확하지 않은 곳에 붙이거나 모호한 모음을 잘못 읽으면, 서기관이 단어를 잘못 판정하거나 잘못 번역할 수 있다.
- **약어_** 초기 서기관이 사용한 약어를 후기 서기관이 잘못 이해할 수도 있다.
- **유사문미**(類似文尾, homoioteleuton)**_** 유사문미란 '비슷한 결말'을 뜻하며, 인접한 단어들의 어미가 비슷해서 하나를 빼먹는 오류를 말한다. 예를 들어 두 개의 문구가 같은 단어로 끝난다면, 필사자의 눈은 두 번째 문구에 나오는 단어들을 필

29쪽에서 가져온 것이다. 초보 학생은 이 서론이 구약 본문 비평의 과학과 예술로 향하는 훌륭한 첫걸음으로 안내한다는 것을 발견할 것이다.

사하지 않은 채 첫 번째 문구의 끝부분에서 두 번째 문구의 끝부분으로 건너뛸 수도 있다. 손으로 필사해 본 사람이라면 텍스트와 필사본을 왔다 갔다 하면서 볼 때 이런 오류가 얼마나 쉽게 일어날 수 있는지 알 것이다.

- **유사문두**(類似文頭, homoioarcton)_ 유사문두란 '비슷한 시작'을 뜻하며, 인접한 단어의 어두가 비슷해서 하나를 빼먹는 오류를 말한다.

b. **서기관이 저지를 수 있는 오기로 인한 오류**

- **중자탈오**(重字脫誤, haplography)_ 어떤 단어나 글자를 두 번 써야 하는데 한 번 쓴 것이다.
- **중복오사**(重複誤寫, dittography)_ 어떤 단어나 글자를 한 번 써야 하는데 두 번 쓴 것이다.
- **자순도치**(字順倒置, metathesis)_ 서기관이 무심코 두 글자의 위치를 바꿔 놓은 것이다. 정관사 'the'를 'teh'로 쓰는 것과 같은 경우다.

c. **구술/잘못 들은 것과 관련된 오류**

- **말한 텍스트를 잘못 이해함**_ 때로 서기관들은 다른 서기관이 큰 소리로 읽어 주는 대로 텍스트를 기록한 듯하다. 어떤 사람들은 비슷하게 들리는 단어들에 기초해서 실수를 저질렀을 것이다. 예를 들어 우리는 가끔 텍스트에서 לוֹ이 나와야 하는 곳에 לֹא이 나오거나, 그 반대의 경우를 볼 수 있다.

d. **서기관의 판단에 의한 오류**

- **잘못된 기억**_ 때로 서기관들은 자기 앞에 놓인 사본(들)을 필사하기보다 잘못 기억하고 있는 내용을 자기도 모르게 필사했다.
- **유사한 이문에 부적절하게 일치시킴**_ 어떤 경우는 서기관들이 무심코 한 텍스트를 유사한 이문에 일치시킨 것으로 보인다.
- **난외주를 끼워 넣음**_ 어떤 학자들은 이따금 텍스트의 난외주가 우연히 텍스트 자체에 끼어 들어갔다고 주장한다.

3. 의도적 변경

(a) 고의적인 내용 변경, (b) 고의적인 단어나 문구 누락, (c) 설명적 해석 등이 포함된다.

a. **고의적인 내용 변경**

히브리어 구약 성경의 사본들을 비교하면서 우리는 초기 서기관들이 텍스트 수정에 관여했다는 증거를 가끔 보게 된다. 예를 들어 서기관들은 철자, 심지어 문법상 이상한 부분을 고치거나, 구식이거나 분명하지 않은 단어나 문구를 갱신하고 명확히 하거나, 신학적으로 미심쩍거나 하나님께 무례하다고 생각되는 독법을 개작하거나, 서로 다른 독법들을 유사한 텍스트들에 일치시키거나, 역사적으로나 지리적으로 문제가 된다고 여겨진 것을 바로잡았을 것이다. 이러한 변경들은 상당히 드물 뿐 아니라 특정한 경우에는 정당화되지만, 그렇게 변경한 탓에 필사된 텍스트와 원본이 서로 멀어질 수도 있었다.

b. **고의적인 단어나 문구 누락**

유대 자료들에서 우리는 구약 전체에서 서기관들이 특정 단어들이 맞지 않거나 문맥상 부적절하다고 느낀 경우가 열일곱 가지였다는 것을 알 수 있다.

c. **설명적 해석**

일부 학자들은 서기관들이 이따금 텍스트에 설명을 돕는 주를 추가했다고 주장한다.

d. **완곡어법**

몇몇 경우, 서기관들은 기록된 것이 거슬리거나 불쾌하다고 여겨지는 텍스트를 덜 불쾌하게 바꾼 것이 분명해 보인다.

텍스트를 변경하여 결국 오류를 범하게 된 경우가 성경 증거들 간에 분명히 존재한다. 또한 사무엘서와 예레미야서 같은 일부 구약 책들을 보면 마소라 본문과, 다른 텍스트들 및 역본들 간에 중대한 차이가 있음을 알 수 있다. 그러나 대부분의 텍스트

변형은 상당히 미미하며 텍스트의 신빙성이나 텍스트 메시지에 거의 영향을 끼치지 않는다.[20] 대부분의 성경 본문은 의심할 바 없이 확실하며, 성경 증거들 가운데 존재하는 의문들에 대해서도 학자들은 대체로 원래 어법을 매우 확실하게 입증할 수 있다. 그들은 입수할 수 있는 사본들과 문맥을 철저히 알고 있기 때문이다.

해석자로서 독자들은 많은 사람이 이 과정에 함께하고 있다는 사실을 기억하면 좋을 것이다. 우리에게는 견고한 본문 비평 작업에 기초한 탁월한 번역이 많을 뿐 아니라, 전문 주석과 NET 성경의 주처럼 다양한 문제를 해결하도록 돕는 훌륭한 도구들이 있다.

본문 비평을 위한 원리

히브리어 구약 독자들은 종종 다양한 독법을 만나며, 특정 수정 부분을 따라야 할지 말지를 결정하기 위해 그 독법들을 평가해야 한다. 이 문제는 피할 수 없다. 초보 독자들에게는 당황스러운 일일 것이다. 그러나 다음 지침들이 도움이 될 것이다.

지침

"원본에 더 가까운 독법은 다른 독법들이 어떻게 나타난 것인지를 가장 잘 설명해 준다."

해석자는 어느 독법이 가장 먼저인지, 다른 독법들은 어떻게 나타난 것인지를 평가해야 한다. 그러면서 본문 비평가는 외적 증거와 내적 증거를 모두 평가해야 한다. **외적 증거**(external evidence)는 사본의 연대와 질을 다룬다. 오래된 사본일수록 원본에 가깝다. 하지만 그 사본들은 초기 오류들을 담고 있을 수도 있다. 그렇기 때문에 주의를 기울여야 한다. **내적 증거**(internal evidence)와 씨름하는 내용에는 저자가 무엇을 썼

20 이러한 문제들과 다른 많은 문제들에 대한 논의로는 이 장 끝에 나오는 '추가 연구 자료'를 보라.

을지, 서기관이 우발적으로 또는 의도적으로 변경했을 때 어느 이문들이 가장 잘 설명될지를 결정하는 것이 포함된다.

이런 측면들을 염두에 둘 때, 텍스트 수정을 정당화하기 위해서는 적어도 다음 중 한 가지에 해당되어야 한다.

- 공인된 텍스트의 히브리어가 이해되지 않거나 적어도 매우 이상하다. 때로 문제가 되는 행에 대한 해석이 본질상 지나치게 추리된 것이어서, 텍스트에 대해서나 그 텍스트에 기초하고 있다고 추정되는 번역을 확신하기가 어렵다.
- 제안된 수정을 뒷받침하는 증거가 히브리어 사본들에 존재한다.
- 역본들 또는 해석사(예를 들어, 신약)에 제안된 수정을 뒷받침하는 증거가 있다. 그리고 그 역본에 반영된 올바른 독법이 어떻게 훼손되어 마소라 본문에 나오게 되었는지 분명하게 설명할 수 있다.
- 수정을 뒷받침하는 문맥상 증거가 명백하다.

이 원리들을 주목하고 나서 구약 본문 비평의 또 다른 기초 규칙에 주의를 기울이면 좋을 것이다. 그 규칙은 '주의하여 수정하라!'는 것이다. 왜 그런가? 일곱 가지 이유가 있다.

1. 우리는 다름 아닌 하나님 말씀을 다루고 있다. 이것은 평범한 인간의 책이 아니다.
2. 마소라 학자들은 대단히 주의 깊었지만, 흠 없이 완벽한 사람들은 아니었다. 때로는 기독교에 대한 그들의 편견 때문에 (의식적으로든 무의식적으로든) 비-메시아적인 독법을 선호했을 수도 있다. 그럼에도 텍스트를 연구한 마지막 수백 년을 보면 그들이 텍스트를 놀라울 만큼 잘 보존했다는 것을 알 수 있다.
3. 텍스트를 수정하는 것에 대한 모든 논증은 반격을 받을 수 있다. 예를 들어, 우리는 히브리어가 분명하지 않다고 주장할 수 있다. 그러나 이해할 수 없는 것처럼 보이는 그 히브리어가 단순히 우리가 알지 못하는 어떤 관용구를 사용하는 것일 수도 있다. 우리는 자신이 고대 이스라엘의 문화와 방언을 거의 알지 못한다는 사실을 유념해야 한다.

4. 역본들(칠십인 역 등)은 저마다 많은 문제를 가지고 있다(서툴거나 편견에 사로잡힌 번역자, 훼손된 사본, 풀어쓰기를 사용한 것 등).
5. 수정은 때로 신학적 고찰 사항이나 다른 몇 가지 의제에 의해 이루어진다. 어떤 학자는 자신이 추구하고자 하는 논제와 상충되기 때문에 텍스트를 수정하고 싶을 수도 있다. 그런 수정은 권할 만한 것이 거의 없다.
6. 수정은 역동적인 텍스트를 단조롭거나 따분하게 만드는 경향이 있다. 히브리어 텍스트를 대폭 수정한 역본은 종종 일반적인 히브리어처럼 읽히고, 문학적 힘이 결여되어 있다. 게다가 텍스트를 있는 그대로 작업하려고 하다 보면, 종종 텍스트가 의도하는 심오한 의미, 적어도 명백한 의미를 깨닫게 된다.
7. 지나치게 수정된 텍스트는 새로운 성경이다! 텍스트를 마음대로 수정하는 사람은 성경 본문의 편집자(공동 저자라고도 말할 수 있을 것이다) 역할을 하려는 것이다. 학자가 얼마나 많이 수정하는가와 사람들이 그 학자의 결과들을 얼마나 많이 확신하는가는 반비례한다.

이 지침들을 염두에 두었다면, 이제 직접 본문 비평을 시작할 준비가 되었다. 이 장을 마무리하기 전에 출애굽기 19장 4-6절에서 제기되는 본문 비평적 문제들을 살펴보자.

본문 비평 연습_ 출애굽기 19장 4-6절

BHS 비평 장치는 출애굽기 19장 4-6절과 연관된 세 가지 텍스트 문제를 열거한다. 세 가지 모두 중대한 문제는 아니다.

출애굽기 19장 4절의 문제 'a'에서, 우리는 여러 중세 히브리어 사본(mlt Mss)과 하나의 탈굼 사본(𝕿Ms)이 לְמִצְרָ֑יִם(레미츠라임, '애굽에')보다는 בְּמִצְרָ֑יִם(베미츠라임, '애굽에서')이라고 읽는다는 것을 볼 수 있다. ESV는 מִצְרָ֑יִם(미츠라임)을 '애굽 사람들'(Egyptians)이

<table>
<tr>
<td>4 אַתֶּם רְאִיתֶם אֲשֶׁר עָשִׂיתִי לְמִצְרָיִם[a] וָאֶשָּׂא
אֶתְכֶם֙ עַל־[b]כַּנְפֵי נְשָׁרִים וָאָבִא אֶתְכֶם אֵלָֽי׃
5 וְעַתָּה אִם־שָׁמוֹעַ תִּשְׁמְעוּ֙ בְּקֹלִי וּשְׁמַרְתֶּם
אֶת־בְּרִיתִי וִהְיִיתֶם לִי[a] סְגֻלָּה֙ מִכָּל־הָעַמִּים
כִּי־לִי כָּל־הָאָֽרֶץ׃ 6 וְאַתֶּם תִּהְיוּ־לִי מַמְלֶכֶת
כֹּהֲנִים וְגוֹי קָדוֹשׁ אֵלֶּה הַדְּבָרִים אֲשֶׁר
תְּדַבֵּר אֶל־בְּנֵי יִשְׂרָאֵֽל׃</td>
<td>4 내가 애굽 사람에게 어떻게 행하였음과 내가 어떻게 독수리 날개로 너희를 업어 내게로 인도하였음을 너희가 보았느니라 5 세계가 다 내게 속하였나니 너희가 내 말을 잘 듣고 내 언약을 지키면 너희는 모든 민족 중에서 내 소유가 되겠고 6 너희가 내게 대하여 제사장 나라가 되며 거룩한 백성이 되리라</td>
</tr>
</table>

4 [a] mlt Mss 𝔗^{Ms} בְּמִ׳ || [b] 𝔊(𝔖𝔗𝔗^{JP}) ὡσεὶ ἐπί
5 [a] 𝔊(𝔗^{P}) + λαός

표3.6. *BHS*에 나오는 출애굽기 19장 4-6절의 본문 비평 문제들_ 개역개정

라고 번역하지만, 복수 종족(gentilic)인 '애굽 사람들'은 사실 מִצְרִים(미츠림)이다(예를 들어, 창 12:12, 14, 43:32, 신 26:6).[21] מִצְרָ֫יִם(미츠라임)은 '애굽'이라는 고유명사로, 장소를 말할 수도 있고(그래서 '애굽에서'[בְּמִצְרָ֫יִם, 베미츠라임], 출애굽기 12장 40절을 보라), 집단적인 민족을 나타낼 수도 있다(18장 8-10절 참조). ב(베트)와 ל(라메드)는 정자체 히브리어에서나 고어체 (𐤁와𐤋)에서나 쉽게 혼동되지 않기 때문에, 여러 히브리어 사본과 탈굼 번역자들은 아마 '애굽'을 사람들보다는 장소를 나타내는 말로 읽었을 것이며, 그렇기 때문에 전치사를 לְ(레, '……에게')에서 בְּ(베, '……안에')로 바꿔야 한다고 생각한 듯하다.

출애굽기 19장 4절의 문제 'b'에서 우리는 헬라어 칠십인 역(𝔊), 시리아어 페쉬타 역(𝔖), 그리고 오경에 대한 위(僞) 요나단 탈굼(𝔗^{J})과 팔레스타인 탈굼(𝔗^{P})을 포함하는 전체 탈굼 전통(𝔗)이 하나의 전치사 עַל(알, '……위에'[on])보다는 복합 전치사 כְּעַל(케알, '……위에처럼'[as on])이라고 읽는 것을 볼 수 있다. 이 이문은 실제 히브리어 텍스트에서 나온 것은 아닌 듯하며, 더 단순하게는 번역자가 암시된 직유를 명시적으로 표현한 것에서 나온 듯하다. 독자들이 그 비유 언어를 인식했다는 것과, 톨킨(Tolkien)의 「반지의 제왕」(*Lord of the Rings*)에 나오는 큰 독수리 같은 것이 이스라엘 사람들을 애굽 사람들의 손아귀에서 구해 주러 온 것으로 상상하지 않았다는 것을 확실히 하기 위해 그렇게 명시적으로 표현한 것이다!

출애굽기 19장 5절의 문제 'a'는 칠십인 역(𝔊)과 팔레스타인 탈굼(𝔗^{P})이 סְגֻלָּה(세굴라, '보배로운 소유')라는 말 앞에 텍스트 안에 עַם(암, '백성')이라는 말을 덧붙인다고 말한

21 *gentilic*(또는 데모님[*demonym*])이라는 용어는 명사적 형용사로 문법에서는 특정 장소 거주자나 토박이를 지칭하는 말과 관련된다. 그들의 호칭은 특정 장소의 이름에서 유래된다(예를 들어, *Egyptians*은 *Egypt*에서 나온 *gentilic*이다).

다. סְגֻלָּה(세굴라)를 번역하기 위해 일관되게 사용된 헬라어는 περιούσιος(페리우시오스, '특별한')라는 형용사이며 명사가 아니다. 따라서 절의 뜻을 통하게 하려면 반드시 λαός(라오스, '백성')를 포함시켜야 했다. 히브리어와 헬라어는 등가 언어가 아니다. 그렇기 때문에 히브리어에서 한 단어로 표현된 것을 풀어내려면 두 단어가 필요했다. 앞 텍스트 문제들처럼 여기에는 עַם(암)을 포함하는 다른 히브리어 텍스트가 칠십인역에 나오는 것을 지지한다는 증거가 없다. 헬라어는 단지 히브리어의 동적 등가물을 만들 뿐이다.

본문 비평은 지루한 작업일 수 있다. 하지만 그 과정은 하나님이 우리에게 주신 성경 본문 원본을 신실하게 주해하고 있다는 확신을 준다. 그리고 그것이 바로 우리가 원하는 것이다. 즉, 우리는 사람의 말이 아닌 하나님의 말씀을 원한다. 앞서 말했듯이 신약 연구에서 UBS와 네슬 알란트(Nestle Aland) 비평 연구 판은 절충 텍스트로, 단일 헬라어 사본에 기초한 것이 아니라 이미 본문 비평적 재구성에 애썼다는 것을 보여준다. 히브리어 구약에 대한 우리의 연구는 그렇지 않다. *BHS*와 *BHQ*는 단 하나의 중세 히브리어 사본인 레닌그라드 사본을 복제한 것이다. NASB 같은 번역은 단순히 이 텍스트를 번역한 반면, ESV와 NIV와 같은 역본의 번역 팀은 실제로 그들 나름대로 텍스트를 평가했다. 이에 대한 예로 ESV 각주에는 히브리어 대신 칠십인역이나 불가타 역을 따라 번역했다는 설명이 있는 것이다(예를 들어, 삼상 10:5, 14:41).

출애굽기 19장 4-6절에 나오는 각 텍스트 문제들의 경우처럼 우리가 성경에서 직면하는 문제는 대부분 텍스트 자체 메시지와는 거의 관련이 없다. 하지만 언제나 그런 것은 아니다. 그러므로 독자들은 더 실질적인 문제가 있는지 잘 살펴보고, 그 다음에 자신만의 본문 비평 작업을 해야 한다.

핵심 단어와 개념

본문 비평

수정

자필 문서

텍스트와 역본

소 마소라

케티브-케레

하팍스 레고메논

전사 텍스트와 절충 텍스트

마소라 본문, 사해 문서, 사마리아 오경

칠십인 역, 탈굼 역, 페쉬타 역, 불가타 역

우발적 변경, 비의도적 변경, 의도적 변경

외적 증거와 내적 증거

더 생각해 보기 위한 질문

1. 우리가 가지고 있는 현대 역본들의 배경을 이루는 성경 사본들 안에 필사 오류가 있을 수 있다는 것을 알 때, 어떻게 반응해야 하는가?
2. 이번 주에 아모스 6장 12절을 가르친다면, 당신은 어떤 텍스트 독법이 가장 좋다고 결론 내릴 것인가? 대답할 때, 논증의 양 측면을 모두 설명하라.
3. 레닌그라드 사본에서 중요한 것은 무엇인가?
4. 가장 중요한 텍스트들과 역본들은 무엇인가? 그것들이 본문 비평에서 어떻게 유용한지, 또는 어떻게 유용하지 않은지 평가해 보라.
5. 서기관들이 필사하면서 오류를 범한 방식을 몇 가지 설명해 보라.
6. "원본에 더 가까운 독법은 다른 독법들이 어떻게 나타난 것인지를 가장 잘 설명해 준다"는 자명한 이치를 설명해 보라.
7. 수정을 제안할 때 왜 주의해야 하는가?

추가 연구 자료

편람 도구

Barthélemy, Dominique, et al. *Preliminary and Interim Report of the Hebrew Old Testament Text Project*. 5 vols. New York: United Bible Societies, 1974-80.

"Commentary on the Critical Apparatus." In *BHQ*.

Comprehensive Aramaic Lexicon. http://cal1.cn.huc.edu/.

Evangelical Textual Criticism(blog). http://www.evangelicaltextualcriticism.blogspot.com/.

Harris, W. Hall, III, and Michael H. Burer, eds. *The NET Bible*. Richardson, TX: Biblical Studies Press, 1996-2006. https://bible.org/netbible/.

Judaica Electronic Texts. http://www.library.upenn.edu/cajs/etexts.html.

Latin Vulgate. http://www.latinvulgate.com/.

Septuagint Online. http://www.kalvesmaki.com/LXX/.

Text-critical notes in series such as Anchor Bible Commentary, Hermeneia, and Word Biblical Commentary.

Tov, Emanuel, ed. *Electronic Resources Relevant to the Textual Criticism of Hebrew Scripture*. http://rosetta.reltech.org/TC/vol08/Tov2003.html.

컴퓨터 자료: *Accordance*(http://www.accordancebible.com/), *BibleWorks*(http://www.bibleworks.com/), *Logos Bible Software*(https://www.logos.com/).

이 분야에 대한 개관들

Barthélemy, Dominique. *Studies in the Text of the Old Testament: An Introduction to the Hebrew Old Testament Text Project*. Textual Criticism and the Translator 3. Winona Lake, IN: Eisenbrauns, 2012.

Gentry, Peter J. "The Text of the Old Testament." *JETS* 52, 1(2009): 19-45쪽.

Soderland, S. K. "Text and MSS of the OT." *ISBE* 4:798-814.

✪ Tov, Emanuel. "Textual Criticism (OT)." *ABD* 4:393-412.

Waltke, Bruce K. "Old Testament Textual Criticism." In *Foundations for Biblical Interpretation*, edited by David S. Dockery, Kenneth A. Mathews, and Robert B. Sloan, 156-86. Nashville: Broadman & Holman, 1994.

________. "Textual Criticism of the Old Testament." In *Introductory Articles*, vol. 1 of Expositor's Bible Commentary, edited by Frank E. Gaebelein, 211-28. Grand Rapids: Zondervan, 1979.

Wolters, Al. "The Text of the Old Testament." In *The Face of Old Testament Studies: A Survey of Contemporary Approaches*, edited by David W. Baker and Bill T. Arnold, 19-37. Grand Rapids: Baker Academic, 2004.

방법론에 대한 소개

Barthélemy, Dominique. *Studies in the Text of the Old Testament: An Introduction to the Hebrew Old Testament Text Project*. Textual Criticism and the Translator 3. Winona Lake,

IN: Eisenbrauns, 2012.

◎ Brotzman, Ellis R., and Eric J. Tully. *Old Testament Textual Criticism: A Practical Introduction*. 2nd ed. Grand Rapids: Baker Academic, 2016. 「구약 본문 비평의 이론과 실제」, 기독교문서선교회.

McCarter, P. Kyle, Jr. *Textual Criticism: Recovering the Text of the Hebrew Bible*. Guides to Biblical Scholarship, Old Testament. Minneapolis: Augsburg Fortress, 2001.

◎ Tov, Emanuel. *Textual Criticism of the Hebrew Bible*. 3nd ed. Minneapolis: Fortress, 2011.

Wegner, Paul D. *A Student's Guide to Textual Criticism of the Bible: Its Methods and Results*. Downers Grove, IL: InterVarsity Press, 2006.

주요 텍스트, 역본, 본문 비평 연구 판 소개

일반

Birdsall, J. Neville. "Versions, Ancient(Introduction)." *ABD* 6:787-93.

Danker, Frederick W. *Multipurpose Tools for Bible Study*. 2nd ed. Minneapolis: Fortress, 2003.

Eissfeldt, Otto. Part 5 in *The Old Testament: An Introduction*. New York: Harper & Row, 1965.

Harrison, R. K. Part 4 in *Introduction to the Old Testament*. Grand Rapids: Eerdmans, 1969; repr., Peabody, MA: Hendrickson, 2016. 「구약 서론」 1, 2, 크리스천다이제스트.

◎ Würthwein, Ernst, and Alexander Achilles Fisher. *The Text of the Old Testament: An Introduction to the Biblia Hebraica*. Translated by Errol F. Rhodes. 3nd ed. Grand Rapids: Eerdmans, 2014.

마소라 본문과 마소라

Biblia Hebraica Quinta: General Introduction and Megilloth. Stuttgart: Deutsche Bibelgesellschaft, 2004.

Garrett, Duane A., and Jason S. DeRouchie. Pages 349-65 in *A Modern Grammar for Biblical Hebrew*. Nashville: Broadman & Holman, 2009.

Ginsburg, Christian D. *Massorah*. 4 vols. 1865-1905; repr., New York: Ktav, 1975.

Kelley, Page H., Daniel S. Mynatt, and Timothy G. Crawford. *The Masorah of Biblia Hebraica Stuttgartensia: Introduction and Annotated Glossary*. Grand Rapids: Eerdmans, 1998. 「히브리어 성서의 마소라 해설」, 비블리카아카데미아.

Scott, William R., Harold Scanlin, and Hans Peter Rüger. *A Simplified Guide to BHS: Critical Apparatus, Masora, Accents, Unusual Letters and Other Markings*. 4nd ed. N. Richland Hills, TX: D&F Scott Publishing, 2007.

Wonneberger, Reinhard. *Understanding BHS: A Manual for the Users of Biblia Hebraica*

Stuttgartensia. 2nd ed. Rome: Pontifical Biblical Institute, 1990.

사해 문서

Flint, Peter W., ed. *The Bible at Qumran: Text, Shape, and Interpretation*. Studies in the Dead Sea Scrolls and Related Literature. Grand Rapids: Eerdmans, 2001.

Henze, Matthias, ed. *Biblical Interpretation at Qumran*. Studies in the Dead Sea Scrolls and Related Literature. Grand Rapids: Eerdmans, 2004.

Orion Center for the Study of the Dead Sea Scrolls and Associated Literature at Hebrew University of Jerusalem. http://orion.mscc.huji.ac.il/.

Schiffman, Lawrence H., and James C. VanderKam, eds. *Encyclopedia of the Dead Sea Scrolls*. 2 vols. New York: Oxford University Press, 2000.

Tov, Emanuel. *Scribal Practices and Approaches Reflected in the Texts Found in the Judean Desert*. Studies on the Texts of the Desert of Judah 54. Atlanta: SBL, 2009.

__________, ed. *The Texts from the Judaean Desert: Indices and an Introduction to the Discoveries in the Judaean Desert Series*. DJD 39. Oxford: Clarendon, 2002.

Ulrich, Eugene. *The Dead Sea Scrolls and the Origins of the Bible*. Studies in the Dead Sea Scrolls and Related Literature. Grand Rapids: Eerdmans, 1999.

VanderKam, James C. *The Dead Sea Scrolls and the Bible*. Grand Rapids: Eerdmans, 2012.

칠십인 역

Dines, Jennifer M. *The Septuagint*. Understanding the Bible and Its World. London: Bloomsbury, 2004.

Greenspoon, Leonard J. "Versions, Ancient(Greek)." *ABD* 6:793-94.

Jellicoe, Sidney. *The Septuagint and Modern Study*. Winona Lake, IN: Eisenbrauns, 1978; repr., 2014.

Jobes, Karen H., and Moisés Silva. *Invitation to the Septuagint*. 2nd ed. Grand Rapids: Baker Academic, 2015. 『70인 역 성경으로의 초대』, 기독교문서선교회.

Marcos, Natalio Fernández. *The Septuagint in Context: Introduction to the Greek Version of the Bible*. Atlanta: SBL, 2009.

Septuagint Online. http://www.kalvesmaki.com/LXX/.

Swete, Henry Barclay. *An Introduction to the Old Testament in Greek*. 2nd ed. Cambridge: Cambridge University Press, 1914; repr., Eugene, OR: Wipf & Stock, 2003.

Theological and Academic Resources for the Septuagint. http://www.kalvesmaki.com/.

Tov, Emanuel. *The Text-Critical Use of the Septuagint in Biblical Research*. 3nd ed. Winona Lake, IN: Eisenbrauns, 2015.

United Bible Societies. *Septuagint Bibliography*. http://www.ubs-translations.org/cgi-bin/dbman/db.cgi?db=lxxbib&uid=default.
칠십인 역/성서 연구를 돕는 컴퓨터 보조 도구: http://ccat.sas.upenn.edu /rs/rak/catss.html.

사마리아 오경

Crown, Alan D., and Terry Giles. "Samaritan Pentateuch." *NIDB* 6:73-74.
Waltke, Bruce K. "Samaritan Pentateuch." *ABD* 5:932-40.

페쉬타 역과 탈굼 역

Alexander, Philip S. "Targum, Targumim." *ABD* 6:320-31.
Brock, S. P. "Versions, Ancient(Syriac)." *ABD* 6:794-99.
Reviews of Peshitta and Targum scholarship. http://www.targum.info/biblio/reviews.htm.

불가타 역과 옛 라틴어 역

Bogaert, P.-M. "Bulletin de la Bible latine. VII. Première série." *RBén* 105(1995): 200-38쪽.
__________. "Bulletin de la Bible latine. VII. Deuxième série." *RBén* 106(1996): 386-412쪽.
__________. "Bulletin de la Bible latine. VII. Troisième série." *RBén* 108(1998): 359-86쪽.
__________. "Versions, Ancient(Latin)." *ABD* 6:799-803.
Hartman, L. F., B. M. Peebles, and M. Stevenson. "Vulgate." *NCE* 14:591-600.

본문 비평 연구 판들과 번역들

컴퓨터 보조 자료

Comprehensive Aramaic Lexicon. http://cal1.cn.huc.edu/.
Evangelical Textual Criticism(blog). http://www.evangelicaltextualcriticism.blogspot.com/.
Judaica Electronic Texts. http://www.library.upenn.edu/cajs/etexts.html.
Septuagint Online. http://www.kalvesmaki.com/LXX/.
Tov, Emanuel, ed. *Electronic Resources Relevant to the Textual Criticism of Hebrew Scripture*. http://rosetta.reltech.org/TC/vol08/Tov2003.html.
컴퓨터 자료: *Accordance*(http://www.accordancebible.com/), *BibleWorks*(http://www.bibleworks.com/), *Logos Bible Software*(https://www.logos.com/).

마소라 본문

Elliger, Karl, et al., eds. *Biblia Hebraica Stuttgartensia*. 5th rev.ed. Stuttgart: Deutsche Bibelgesellschaft, 1983.

Hebrew University Bible Project. http://www.hum.huji.ac.il/english/units.php?cat=4980.

Hendel, Ronald, ed. The Hebrew Bible: A Critical Edition (HBCE). Formerly The Oxford Hebrew Bible Project. http://hbceonline.org/.

Miqraot Gedolot HaKeter. http://www1.biu.ac.il/indexE.php?id=6261&pt=1&pid=43&level=3&cPath=6261.

Schenker, Adrian, et al., eds. *Biblia Hebraica Quinta.* Stuttgart: Deutsche Bibelgesellschaft, 2004-.

사해 문서

Abegg, Martin G., Jr., James E. Bowley, and Edward M. Cook, eds. *The Dead Sea Scrolls Concordance. Vol. 3, The Biblical Texts from Qumran and Other Sites.* Leiden: Brill, 2009.

Abegg, Martin G., Jr., Peter Flint, and Eugene Ulrich. *The Dead Sea Scrolls Bible.* San Francisco: HarperSanFrancisco, 1999.

Discoveries in the Judaean Desert. 32 vols. Oxford: Oxford University Press, 1951-2011.

Martínez, Florentino García, and Eibert J. C. Tigchelaar. *The Dead Sea Scrolls Study Edition.* 2 vols. Grand Rapids: Eerdmans, 1997-98.

Vermes, Geza. *The Complete Dead Sea Scrolls in English.* 7th ed. London: Penguin Books, 2012.

Wise, Michael, Martin Abegg Jr., and Edward Cook. *The Dead Sea Scrolls: A New Translation.* San Francisco: HarperSanFrancisco, 2005.

사마리아 오경

Tal, Abraham, ed. *The Samaritan Pentateuch: Edited according to MS 6 of the Shekem Synagogue.* Tel-Aviv: Tel-Aviv University Press, 1994.

Von Gall, August, ed. *Der hebräische Pentateuch der Samaritaner: Genesis-Deuteronomy.* 5 vols in 1. Giessen: Töpelmann, 1918; repr., Berlin: de Gruyter, 1965.

칠십인 역

Brenton, Lancelot C. *The Septuagint with Apocrypha: Greek and English.* 1844; repr., Peabody, MA: Hendrickson, 1986.

Brooke, Alan E., Norman McLean, and Henry St. J. Thackeray, eds. *The Old Testament in Greek.* 3 vols. Cambridge: Cambridge University Press, 1906-40.

Pietersma, Albert, and Benjamin G. Wright. *A New English Translation of the Septuagint.* Oxford: Oxford University Press, 2007.

Rahlfs, Alfred, and Robert Hanhart, eds. *Septuaginta.* Stuttgart: Deutsche Bibelgesellschaft, 2007.

Septuaginta: Vetus Testamentum Graecum Auctoritate Societatis Litterarum Gottingensis Editum. 24

vols. Göttingen: Vandenhoeck & Ruprecht, 1931-2006.

Septuagint Online. http://www.kalvesmaki.com/LXX/.

페쉬타 역과 탈굼 역

The Aramaic Bible. 19 vols. Collegeville, MN: Liturgical Press, 1987-2007.

Comprehensive Aramaic Lexicon. http://cal1.cn.huc.edu/.

Etheridge, J. W. *The Targums of Onkelos and Jonathan ben Uzziel on the Pentateuch*. 2 vols. 1862-65; repr., Piscataway, NJ: Gorgias, 2005.

Grossfeld, Bernard, ed. *The Targum to the Five Megilloth*. New York: Hermon, 1973.

Judaica Electronic Texts. http://www.library.upenn.edu/cajs/etexts.html.

Kiraz, George A., ed. *The Antioch Bible: The Syriac Peshitta Bible with English Translation*. 35 vols. Piscataway, NJ: Gorgias, 2012-.

Lamsa, George M. *The Holy Bible from Ancient Eastern Manuscripts*. Philadelphia: Holman, 1957.

Peshitta Institute of Leiden, ed. *The Old Testament in Syriac*. Leiden: Brill, 1972-.

Sperber, Alexander, ed. *The Bible in Aramaic*. 4 vols. Leiden: Brill, 1959-73.

Vetus Testamentum Syriace et Neosyriace. 1852; repr., London: Trinitarian Bible Society, 1954.

불가타 역과 옛 라틴어 역

Colunga, Alberto, and Laurentio Turrado, eds. *Biblia Vulgata*. Madrid: Biblioteca de Autores Cristianos, 1953; repr., 1977.

Knox, Ronald Arbuthnott. *The Old Testament: Newly Translated from the Vulgate Latin*. 2 vols. New York: Sheed & Ward, 1950.

Latin Vulgate. http://www.latinvulgate.com/.

Vetus latina: Die Reste der altlateinischen Bibel nach Petrus Sabatier neu gesammelt und in Verbindung mit der Heidelberger Akademie der Wissenschaften herausgegeben von der Erzabtei Beuron. Freiburg: Herder, 1949-.

Weber, Robert, and Roger Gryson, eds. *Biblia sacra: Iuxta Vulgatam versionem*. 4th ed. Stuttgart: Deutsche Bibelgesellschaft, 1994.

4장
번역

목표_ 텍스트를 번역하고 다른 번역들과 비교해 본다.

여정의 단계

1부 텍스트_ 본문 구성이란 무엇인가
- 1장 장르
- 2장 문학적 단위와 텍스트의 계층 구조
- 3장 본문 비평
- 4장 번역

2부 관찰
3부 맥락
4부 의미
5부 적용

기본 개관

성경 번역에 대한 선교적 비전
성경 연구에서 여러 개의 영어 역본이 주는 유익
서로 다른 번역들과 번역 이론들
자신만의 번역본을 만드는 법
자신만의 번역본을 만드는 것이 지닌 가치에 대한 세 가지 예
번역 연습_ 출애굽기 19장 4-6절

표4.1. 4장 길 안내

성경 번역에 대한 선교적 비전

위클리프 성경번역 선교회(Wycliffe Global Alliance)는 현재 세계에 있는 약 7,000개의 언어 중 단 2,932개만이 적어도 성경 일부를 가지고 있으며, 3,955개 언어는 성경을 전혀 접하지 못하고 있다고 추산한다.[1] "믿음은 들음에서 나며 들음은 그리스도의 말씀으로 말미암[기]"(롬 10:17) 때문에, 하나님 말씀을 번역하는 작업은 필수다.

기독교는 그 경전이 다른 언어로 번역되어도 모든 능력을 그대로 지니고 있다는 면에서 독특하다. 구약은 원래 구약 선지자들과 이스라엘 민족의 모국어인 히브리어[2]로(주로) 기록된 반면, 신약 사도들은 헬라어를 사용하는 청중을 위해 칠십인 역으로 설교하기를 주저하지 않았다. "무엇이든지 전에 기록된 바는 우리의 교훈을 위하여 기록된 것"(롬 15:4. 로마서 15장 3절에 나오는 시편 69편 9[H10]절에 대한 칠십인 역 인용을 참고하라)이라고 확신했기 때문이다. 마찬가지로 에스라와 레위 사람들은 히브리어를 사용하지 않는 청중이 "율법을 깨닫게" 도와주었다. 그러기 위해 아마 그 율법을 번역하였을 것이다(느 8:7-8. 13장 24절 참조). 그리고 오순절에 하나님은 "천하 각국으로부터" 온 유대인들이 "자기의 방언으로" "하나님의 큰 일"을 듣게 하셨다(행 2:5-6, 11).

바벨탑이 무너진 것에 대해 여호와는 노아 자손의 칠십 "족속"(families)을 온 지면에 "흩으셨[다]"(창 10:32, 11:9). 하나님이 아브라함과 그의 씨로 말미암아 "복"을 주리라고 약속하신 이들이 바로 이 "족속"들이며(12:3, 22:18), 하나님이 언젠가 그들의 "입술을 깨끗하게 하여 그들이 다 여호와의 이름을 부르며 한 가지로 섬기게" 하시겠다는 약속은 이 "흩은 자의 딸" 공동체에 하신 것이다(습 3:9-10). 요한계시록에서 하늘을 묘사하는 내용은 땅의 모든 나라에서 온 여러 나라 말을 하는 공동체를 나타낸다. 그것은 한 목소리로 "구원하심이 보좌에 앉으신 우리 하나님과 어린양에게 있도다"라고 선언하

---

1 위클리프 성경번역 선교회, "2015 Bible Translation Statistics FAQ: Going Deeper," http://resources.wycliffe.net/statistics/WycliffeGA_stats_2015_FAQs_EN.pdf에서 내려받음. 통계 수치는 2015년 10월 1일자 자료다.

2 구약에는 고전 히브리어와 더불어 아람어가 조금 포함되어 있다. 가장 두드러진 곳은 다니엘서와 에스라-느헤미야서다. 그 책들은 아람어가 일반적인 외교 언어일 때 기록되었다(단 2:4b-7:28, 스 4:8-6:18, 7:12-26. 창세기 31장 47절, 예레미야 10장 11절 참조).

는 공동체다(계 7:9-10. 5장 9-10절, 스가랴 14장 9절 참조). 이처럼 바벨 사건은 역전되었다! 요한계시록 5장 9절과 7장 9절은 모두 하나님이 영원토록 여러 언어로 찬양받으실 것을 시사한다. 그래서 저주를 극복하는 하나님의 권능을 영원히 증거하는 것이다.

우리가 이러한 소망을 품고, 21세기에 성경 번역 사역이 왕성하게 일어나는 것을 보려는 열망이 그리스도 예수의 교회 안에 더 커지기를 기도한다. 우리는 또한 언어와 문화의 변화에 비추어 현재 번역을 최신으로 갱신하도록 격려해야 한다. 그러나 그리스도가 다시 오실 때까지 우리는 예수를 신적 존재이자, 십자가에 달리셨고 부활하신 메시아, 세상의 유일하신 구주로 선포하기 위해 이미 전 세계 많은 사람이 성경에 접근할 수 있다는 점을 활용해야 한다. 또한 하나님이 많은 새로운 일꾼(어쩌면 당신)을 일으키셔서 전도되지 않은 사람들(the unreached)과 믿음을 갖지 않은 사람들(the unengaged)에게 사역하도록 기도해야 한다. 그 일을 하려면 종종 성경을 번역해야 한다.[3] "아름답도다 좋은 소식을 전하는 자들의 발이여"(롬 10:15).

성경 연구에서 여러 개의 영어 역본이 주는 유익

전 세계에는 모국어로 된 성경이 없는 사람이 많다. 따라서 영어 사용자는 자신이 지닌 엄청나게 많은 충실한 성경 번역본에 경외감을 느껴야 한다. 당신이 성경의 언어를 알든 알지 못하든, 좋은 역본이 서너 개 있다면 성경 연구와 가르치는 준비에 큰 도움이 될 것이다. 성경 연구와 관련하여 생각해 볼 때, 원어를 알지 못하는 사람들과 전적으로 번역에 의지하는 사람들은 번역자(들)에 좌우된다. 그 번역자들은 히브리어나 헬라어 텍스트의 의미에 대해 해석적인 결정을 내린다(서론에 나온 '히브리어 주해가 주는 유익'을 보라). 독자가 단 하나의 역본만 가지고 있다면, 여러 해석이 제시될 때 판별하고 평가할 수 있는 능력은 더 제한받을 것이다. 이번에는 가르치는 것과 관련하여 생

3 중요한 이 선교적 필요를 더 알려면 위클리프 성경번역 선교회 웹사이트를 보라. http://www.wycliffe.net/en/.

각해 보자. 당신의 청중이 사용하는 역본은 십여 개 정도 될 수 있는데, 대부분 조금씩 다를 것이다. 그러므로 당신이 다양한 역본에 익숙할수록 주해적으로 최선의 선택을 했다고 확신할 수 있고, 제기되는 질문에 대답할 준비를 더 잘 갖출 수 있을 것이다.

예를 들어 표 4.2에서 신명기 6장 4절의 쉐마에 대한 다양한 번역을 생각해 보라.

4 3 2 1 שְׁמַע יִשְׂרָאֵל יְהוָה אֱלֹהֵינוּ יְהוָה ׀ אֶחָד		1 2 3 4 이스라엘아 들으라 여호와 우리 하나님 여호와 하나	
A	B	역본	독특한 의미
1. God our God, 1. 하나님 우리 하나님,	God the one and only! 유일하신 하나님!	MSG	구호_ 여호와에 대한 유일한 충성을 강조
2. The LORD our God, 2. 여호와 우리 하나님은	is one LORD. 유일한 여호와이시다.	ASV, KJV, BBE	많은 여호와가 있다는 사상(poly YHWHism)과 대결함
3. The LORD our God, 3. 여호와 우리 하나님,	the LORD is one. 여호와는 유일하시다.	NKJV, ESV, NIV, CSB	여호와의 우월성과 유일무이성을 강조
4a. The LORD is our God, 4a. 여호와는 우리 하나님이시다.	the LORD alone. 여호와만 홀로	NRSV	여호와를 우리의 유일한 하나님으로 밝힘
4b. Our God is the LORD, 4b. 우리 하나님은 여호와이시다.	only the LORD! 오직 여호와만!	CEB	우리의 유일한 하나님은 여호와라고 주장
5. The LORD is our God, 5. 여호와는 우리 하나님이시다.	the LORD is one. 여호와는 유일하시다.	NASB, WEB, NET Bible	3과 4를 결합

표4.2. 쉐마_ 신명기 6장 4절에 대한 여러 번역들

히브리어를 사용하지 못하는 독자도 이 역본들을 재빨리 살펴보면, 하나의 역본만 봤을 때 놓칠 수 있었을 몇 가지 핵심 문제를 판별할 수 있을 것이다. 예를 들어, 쉐마의 구조를 어떻게 이해해야 할 것인가? 동사가 없는 구호인가(#1), 하나의 문장인가(##2, 3, 4), 아니면 두 개의 문장인가(#5)? 이 결정은 우리가 전체를 이해하는 데 영향을 끼칠 것이다. 또한 여호와의 유일하심(oneness)이라는 말은 무슨 뜻인가? 하나님의 본성과 관련된 것인가(#2, 3, 5), 아니면 우리의 충성 방향을 가리키는 것인가(#4)? 당신이 이 본문을 가르치려 한다면, 단순히 역본들을 비교해 보기만 해도 텍스트 메시지를 제대로 이해하기 위해서는 몇 가지 중요한 주해 작업을 해야 한다는 것을 알 수 있을 것이다. 여러 이유(그중 몇 가지는 5장 '동사 없는 절' 부분에서 논의할 것이다)에서 ESV와 NIV의 번역이 이 단어들을 주해적으로 가장 건전하게 해석하였다. 그러나 독자가 NRSV나 NASB만 사용한다면, 그렇게 해석할 수도 있다는 사실을 결코 알지 못했을 것이다.

성경 암송과 일관된 가르침을 위해서는 잘 번역된 하나의 역본을 사용하는 것이 가장 좋다. 필자가 사역하면서 가장 자주 사용하는 역본은 NASB, ESV, NIV, CSB이지만, 믿을 만한 다른 역본들도 있다. 하지만 성경 **연구**를 위해 여러 역본을 잘 선택해서 사용한다면, 해석자가 여러 가지 가능한 주해를 인식하여 영어권 세계에서 사역하는 데 잘 준비할 수 있을 것이다.

서로 다른 번역들과 번역 이론들

성경 번역은 형식 중심인지, 의미 중심인지, 개념 중심인지, 그리고 어느 정도 성별 포괄적인지(gender-inclusive)에 따라 다르다. 여러 역본의 배후에는 실제로 서로 다른 번역 이론이 자리하고 있다. 따라서 어휘적, 문법적, 역사적 대응을 어떻게 다루는지에 기초하여 (표4.3에 나타난) 대응 정도를 보여 준다. **어휘적 대응**(lexical correspondence)은 번역가들이 원본 텍스트에 나오는 단어 하나하나를 대상 언어에 있는 개별 단어들로 얼마나 유사하게 번역하는가와 관련된다. **문법적 대응**(grammatical correspondence)은 원어에 나오는 단어 순서와 구문이 번역어의 단어 순서와 구문에 얼마나 유사하게 맞춰지는지를 다룬다. 마지막으로, **역사적 대응**(historical correspondence)은 번역가들이 성경 시대와 연관된 사실적, 문화적 요소들을 얼마나 유사하게 유지하는지와 관련된다. 어휘적, 문법적, 역사적으로 엄격하게 대응될수록 번역이 더 '성경적'이거나 더 충실해지리라고 생각할지 모른다. 그러나 자유주의 대 보수주의 신학은 학자들이 선호하는 번역 이론에서 아무런 역할을 담당하지 않는 것처럼 보인다. 번역에 대한 다양한 접근법들은 저마다 장점과 약점을 지니고 있으며, 종종 다른 접근법이 아닌 어느 하나의 접근법을 택하는 것은 별개의 목적들에 따라 결정된다.

1. 형식 등가

형식 등가(form-equivalence)에 맞추려고 애쓴 역본들은 원어와 수용 언어의 단어, 문법,

형식 등가			의미 등가			개념 등가	
YLT	KJV/NKJV NASB/NASU	RSV/NRSV ESV	CSB NET Bible NIV	NAB NJB	JB GNB REB NLT	NEB CEB	TLB MSG

표4.3. 성경 번역들의 대응 정도

역사를 되도록 많이 대응시키려고 노력한다. 어떤 사람들은 이것을 '축자' 번역(직역)이라고 말한다. 그러나 그것은 잘못된 명칭이다. 모든 면에서 서로 일대일로 대응되는 언어들은 없으며, 종종 수용 언어가 원문의 의미를 그대로 포착하도록 해당 어구를 더 역동적으로 번역해야 할 때도 있다. 오래된 역본인 'YLT'(Young's Literal Translation, 1862)는 실제로 이 점을 인식하지 못했다. 완벽한 문법적, 어휘적 동의어를 언제나 찾을 수 있다고 생각한 것이다. 그 결과, 이 역본은 통상적인 영어 구조를 무시하는 경우가 많아 거의 말이 통하지 않게 되어 버렸다.

형식 대응적 번역으로 가장 좋은 두 번역본은 NASB(New American Standard Bible, 1995)와 ESV(English Standard Version, 2016)이다. NASB는 저자의 사고 흐름을 추적할 때 특히 유용하다. 거의 모든 접속사를 번역하기 때문이다. 접속사들은 텍스트 구조를 표시하는 역할을 한다(2장에 나온 '히브리어의 문학적 단위와 텍스트의 계층 구조 소개'와 6장에 나오는 '1b단계: 논증 도표 만들기'를 보라). 이런 유형의 번역들은 가장 덜 해석적이며, 그렇기 때문에 필자는 성경을 연구할 때는 형식적 등가 번역을 주된 영어 역본으로 택한다. 형식 중심 번역은 이해되기는 하지만, 한편으로 종종 현대 영어보다는 번거롭고 부담스러운 영어를 사용한다. 또한 그 역본들을 사용하면 교사들이 의미를 명확하게 설명해 줘야 할 경우가 많다. ESV는 형식과 의미 사이에서 유용하게 균형을 유지한다. 하지만 구약에 나오는 많은 접속사를 번역하지 않으며, 따라서 그 역본으로는 논증을 추적하기가 어렵다.

2. 의미 등가

NIV(New International Version, 2011)와 NLT(New Living Translation, 2004) 같은 **의미 등가**(sense-equivalence) 역본은 아름답고 의미 있는 현대 영어를 제공한다. 그 역본들은 기능적/역동적 대응을 추구한다. 텍스트의 역사적-사실적 특징을 유지하면서 히브리어와 헬라어의 의미를 파악하는 반면, 단어와 문법과 문체를 일반 영어의 단어와 구조, 관용 표현으로 과감하게 번역하였다. 이 역본에서는 더 많은 해석이 이루어진다. 그러나 번역자들이 제대로 작업한다면, 모든 사람, 특히 성경 진술의 의미를 이해하는 데 더 많은 도움이 필요한 사람들을 섬길 수 있도록 하나님 말씀이 분명하고 충실하게 번역될 것이다.

하지만 번역에 해석이 많을수록 설교자나 교사가 번역자의 선택에 동의하지 않을 가능성도 높아진다. 게다가 의미 등가를 추구하는 번역은 종종 접속사와 강화 표지(그 중 일부는 2장에 나온 '표시된 일차 인용 형식과 표시된 이차 인용 형식'처럼 해당되는 영어 표현이 없다) 같은 텍스트의 중요한 특징들을 제시하지 못한다. 이러한 구조 표시들이 없으면, 해석자는 저자의 논증을 쉽게 따라갈 수 없다. 따라서 그만큼 해석자는 고대의 책에서 거리가 멀어지게 된다.

3. 개념 등가

TLB(The Living Bible, 1971)와 MSG(The Message[메시지], 2002)처럼 **개념 등가**(idea-equivalence)를 추구하는 역본들은 의역(paraphrases)이라고 표현하는 것이 더 낫다. 이 역본들은 어휘적, 문법적, 역사적 대응을 유지하려는 시도는 거의 없고, 성경 개념을 전달하는 데만 애쓰기 때문이다. 이러한 역본들은 하나님의 말씀을 현대화하는 일에서 나름의 역할을 한다. 그러나 성경 연구나 가르침에는 그다지 유용하지 않다. 원문과 매우 멀리 떨어져 있기 때문이다.

등가 정도의 한 예로 YLT, NASB, ESV, NIV, NLT, TLB, MSG에서 시편 119편 105절을 어떻게 번역했는지 비교해 보라(표4.4를 보라). 오른쪽 항목은 어휘적(L), 문법적(G), 역사적(H) 특징과 관련하여 그 번역이 히브리어와 얼마나 유사하게 대응되는지를 밝혀 준다. 5는 가장 잘 대응되었음을 나타내며, 1은 가장 대응되지 못했음을 나타낸다.

번역들에 대한 개관을 보면, 어떤 번역은 매우 다르지만 또 어떤 번역은 별로 그렇지 않다는 것을 알 수 있다. 형식 등가 번역에서 YLT는 'Nun'(히브리어 알파벳 열네 번째 글자_ 편집자)이라는 단어를 앞에 써서 시편 119편 105절이 알파벳 순으로 된 이합체 시의 일부이며, 시의 행들이 히브리어 철자 נ(눈)이 시작되는 부분에 들어간다는 것을 표시한다. YLT는 그 구절이 동사 없는 절이라는 것을 밝혀 주고, 'is'(……이요)를 괄호 안

			L	G	H
	마소라 본문	נֵר־לְרַגְלִי דְבָרֶךָ וְאוֹר לִנְתִיבָתִי			
형식 등가	YLT	[Nun] A lamp to my foot [is] Thy Word, And a light to my path. [Nun] 내 발의 등은 주의 말씀[이요], 그리고 내 길에 빛이니이다.	5	5	5
	NASB	Your word is a lamp to my feet and a light to my path. 주의 말씀은 내 발들에 등이요 그리고 내 길에 빛이니이다.	4	4	5
	ESV	Your word is a lamp to my feet and a light to my path. 주의 말씀은 내 발들에 등이요 그리고 내 길에 빛이니이다.	4	4	5
의미 등가	NIV	Your word is a lamp for my feet, a light on my path. 주의 말씀은 내 발들을 위한 등, 내 길 위에 빛이니이다.	3	3	5
	NLT	Your word is a lamp to guide my feet and a light for my path. 주의 말씀은 내 발들을 인도하는 등이요 그리고 내 길을 위한 빛이니이다.	2	3	5
개념 등가	TLB	Your words are a flashlight to light the path ahead of me and keep me from stumbling. 주의 말씀들은 내 앞에 있는 길을 비추는 손전등이며 그리고 나를 넘어지지 않게 지켜 줍니다.	1	1	2
	MSG	By your words I can see where I am going, they throw a beam of light on my dark path. 주님의 말씀, 나의 갈 바를 보여 주고, 그 말씀, 내 어두운 길에 한 줄기 빛을 비춥니다.	1	1	3

표4.4. 시편 119편 105절에 대한 다양한 번역들

에 넣어 놓으며, 단수 히브리어 그대로 'foot'(발)을 유지한다(다른 역본들에서는 'foot'이 복수 'feet'으로 되어 있다_ 옮긴이). 또한 히브리어 단어 순서를 유지하고, 모든 히브리어 형태(즉 언어 형식)에 대응하는 말을 제시한다. 하지만 그렇다 보니 영어가 매끄럽지 않은 대가를 치른다. NASB와 ESV는 영어가 더 매끄러우면서도 접속사 '그리고'(and, וְ[베])와, 반복되는 전치사 '……에'(to, לְ[레])를 그대로 지닌다. 그러나 그 역본들은 첫째 절 앞에서 단어 순서를 뒤집어 영어로 더 자연스럽게 표현하며, '발'이라는 단수를 집합 명사인 '발들'로 해석한다. 그 역본들은 역사적 대응을 온전히 유지하는 반면, 어휘적, 문법적 대응은 어느 정도 최소화한다. 영어에서 더 효과적으로 소통하기 위해서다.

NIV와 NLT는 의미 중심 번역으로, 영어를 훨씬 매끄럽게 만들려고 애쓴다. NIV 역시 '발'을 '발들'로 번역한다. 하지만 이 역본은 접속사를 빼놓으며, 두 번째 전치사를 바꾸었다. 아마 문체를 변형하기 위해서일 것이다. NLT는 접속사를 유지하지만 두 번째 전치사를 바꾸었고, 더 명확하게 이해할 수 있도록 역동적 부정사인 '인도하는'(to guide)이라는 말을 그 뒤에 추가하였다. NIV와 NLT는 역사적 대응을 온전히 그대로 지니고 있지만, 두 역본 모두 읽기 쉽게 하려고 ESV보다 훨씬 과감하게 어휘적, 문법적 대응을

빼놓았다. 그 역본들이 축자성을 희생시키는지 아닌지는 논란의 여지가 있다.

TLB와 MSG 둘 다 단어 수가 더 많다는 단순한 사실에서 두 역본이 단어나 문구가 아니라 개념을 번역하고 있다는 것을 알 수 있다. TLB는 어휘적, 문법적, 역사적 대응이 거의 없는 완벽한 의역이다. 구약 시대에 '손전등'이 있었는가? 하나님의 '말씀'(word)은 '말씀들'(words)로 바뀐다. 그리고 절의 구조와 단어 순서가 모두 바뀌었다. MSG 역시 완전한 의역으로, 두 개의 독립된 절을 만들어 내고 어휘적, 문법적 대응이 거의 모두 사라졌지만 역사적 대응은 유지하고 있다.

모든 성경 번역 이론에는 장점과 과제가 있다. 우리는 번역의 질을 판단할 때 단순히 그 번역이 히브리어나 헬라어 원어에 충실한지에 따라서만 평가하는 것이 아니라, 대상 청중과 소통 목적에 비추어서도 평가해야 한다. 공적인 성경 낭독을 할 때는 NLT처럼 더 의미 중심적 번역이 유익할 것이다. 그러한 번역은 종종 원문의 의미를 새롭게 환기하는 방식으로 파악하게 도와줄 것이다. 개념 등가적 역본들은 성경을 거의 또는 전혀 접해 보지 못했거나 영어에 대한 이해가 제한된 사람들, 이를테면 아이들이나 영어를 제2외국어로 사용하는 학생들에게 도움이 될 수 있다.

개인 연구와 강의 준비를 위해서는 대응 정도가 서로 다른 역본을 적어도 세 개 정도 참고할 것을 권한다. 필자가 선호하는 역본은 NASB, ESV, NIV다. 히브리어를 모르는 사람이 형식 중심적 번역을 읽으면 접속사와 강화 표지를 더 많이 발견해 낼 수 있을 것이다. 그렇기 때문에 저자가 의도한 사고의 흐름을 더 잘 추적할 수 있다. 반면 역동적 등가에 맞춘 역본을 읽으면, 주어진 절과 구의 의미를 파악하는 데 더욱 유용할 것이다. 성경을 가르치는 경우에는 청중이 주로 사용하는 역본이 무엇인지 확인하라.

자신만의 번역본을 만드는 법

본문의 장르, 문학적 단위, 원래 표현 등을 확증하고 하면, 히브리어를 아는 사람은 이제 텍스트를 시험 삼아 번역해 볼 준비가 된 것이다. 히브리어를 알지 못하고 자신만

의 번역본을 만들어 볼 생각이 없다면, 바로 5장으로 넘어가도 된다.

은혜롭게도 하나님은 영어권 사람들에게 다양한 상황에서 여러 목적에 기여할 수 있도록 충실한 번역본을 여러 개 주셨지만, 당신 자신이 연구하는 히브리어 원문을 충분히 알고 자신의 말로 충실하게 번역해 보는 작업을 대신할 만한 것은 없다. 그럴 때에만 다른 번역본들과 주석가들의 의견을 공정하게 평가할 수 있을 것이다. 필자가 권하는 과정은 다음과 같다.

1. **모든 단어의 의미와 관계를 파악하는 작업 초안을 만들라**. 시작할 때, 영어 역본을 참고하지 말고 스스로 새롭게 번역해 보라. 쾰러(Koehler)와 바움가트너(Baumgartner)의 HALOT[4] 같은 표준 히브리어 사전을 사용해서 확실한 의미를 충분하게 알지 못하는 단어를 모두 찾아보라. 모든 단어의 기능과, 그 단어와 다른 모든 단어의 관계를 확실히 이해하라.
2. **모든 질문을 기록하라**. 번역본을 만드는 과정에서 온갖 유형의 해석적 질문이 생길 것이다. 앞으로 참고하기 위해 그것들을 메모해 놓으라. 더 연구해야 할 주요 단어나 개념을 표시해 두라. 다시 살펴봐야 할 구문이나 역사적 배경, 신학적 질문을 모두 기록하라.
3. **자신만의 번역본을 다른 역본들과 비교하라**. 일단 작업 초안을 만들었다면 원문 대응 정도가 서로 다른 현대 역본을 적어도 세 개 정도와 비교해 보며 모든 면에서 자신의 결정들을 평가해 보라. 이제 자신의 번역을 수정하라. 주해가 끝날 때까지 계속 수정하면서 단계마다 더 갈고 닦으라.

어떤 본문에 대해 주류와는 다른 자신만의 번역을 제시하려면 미묘한 균형이 필요하다. 한편으로 이 책을 읽는 독자들은 대부분 학자가 아니다. 적어도 아직까지는 말이다! 그래서 독자들은 "내가 ESV나 NIV 번역자들과 다른 독법을 제시할 권리가 있는가?"라고 물을 것이다. 이 질문은 타당하다. 그러나 자신이 먼저 번역해 보는 작업

---

4 Ludwig Koehler, Walter Baumgartner, and Johann Jakob Stamm 편집, *The Hebrew and Aramaic Lexicon of the Old Testament: Study Edition*, M. E. J. Richardson 옮김, 2 vols. (Leiden: Brill, 2001). 가장 일반적인 어휘 사전을 보려면 7장에 나오는 '단어 색인, 어휘 사전, 신학 용어집 개관'을 보라.

이 지닌 가치나, 다른 사람들이 보지 못한 무언가를 자신이 알아 낼 가능성을 경시해서는 안 된다. 성경 번역과 관련하여 당신이 좀 더 마음 편히 자신만의 본문을 새롭게 고찰해 보게 해줄 요소는 매우 많다.

첫째, 모든 현대 역본은 마감 시간을 정해 놓고 일하는 위원회나, 모든 점에서 흠없는 번역을 만들어 낼 만큼 성경 전체를 원어로 충분히 잘 알 수는 없는 개인이 만든 것이다. 독자가 특정 텍스트에 들이는 시간의 양은 성경 번역가(들)가 들인 양보다 많을 수도 있다.[5]

둘째, 현대의 성경 출간 사업에서는 번역이 '다를수록' 판매되지 않을 위험이 크다. 그래서 번역 작업을 하는 사람들은 되도록 익숙하게 번역하면서도 원어에 충실하라는 압박을 받는다. 매우 많은 사람이 시편 23편 4절을 KJV에 나온 것처럼 "내가 사망의 그늘진 골짜기를 다닐지라도"(흠정역)라고 암송하기 때문에 일부 번역 팀은 '깊은 어둠의 골짜기로' 다닌다고 말하기 위해 고군분투한다. 그 번역이 히브리어 의미를 더 정확하게 전달하는데도 말이다.[6]

셋째, 전체 영어권에서 작업된 번역이 새로운 번역을 제시하는 것은 아니다. 또한 번역은 거의 언제나 신중을 기하는 쪽으로, 그리고 역사적 전통 쪽으로 후퇴한다. 이로 인해 회중을 위해 성경 본문의 의미를 정확하게 전달하는 일이 독자와 필자 같은 사역자들에게 맡겨진다.

번역 작업을 할 때, 회중은 하나님 말씀의 의미를 명확히 깨닫기 위해 당신을 바라보고 있다는 것만 기억하라. 당신 혼자 힘으로 씨름해 보라. 그리고 당신의 청중이 어떤 역본들로 연구할지를 잘 알아보라. **선택한 역본을 사용하여 원문을 충실하게 해설할 수 있다면, 그렇게 하라.** 그렇게 하는 것은 당신의 말을 듣는 사람들에게 성경에 대

---

5 "ESV Bible Translators Debate the Word 'Slave' at Tyndale House, Cambridge"를 매혹적으로 묘사한 것으로 https://www.youtube.com/watch?v=Mx06mtApu8k를 보라. 필자의 동료 앤디 나셀리(Andy Naselli)가 내게 이 4분짜리 영상을 알려 주었으며, 필자는 성경을 영어로 번역하는 작업이 얼마나 복잡한지 보여 주기 위해 강의 시간에 그 영상을 사용한다. 질문은 "히브리어 עֶבֶד(에베드)와 헬라어 δοῦλος(둘로스)를 영어로 옮기는 가장 좋은 방법은 무엇인가?"이다. 이 영상은 몇 시간에 걸친 토론을 압축해서 보여 준다. 이 영상에 나오는 위원회 위원들 중에는 잭 콜린스(Jack Collins), 피터 윌리엄스(Peter Williams), 고든 웬함(Gordon Wenham), 폴 하우스(Paul House), 웨인 그루뎀(Wayne Grudem), 레인 데니스(Lane Dennis)가 포함되어 있다.

6 NRSV, NET Bible, 2011 NIV, CSB는 실제로 전통적 독법에서 벗어나 있는 반면, NASB, 1984 NIV, ESV는 전통적 독법을 그대로 지니고 있으며 대안이 되는 번역을 각주에 달아 놓았다.

한 믿음을 북돋아 줄 것이기 때문이다. 하나님 말씀을 제대로 읽기 위해 학자가 되어야 하는 것은 아니라는 사실을 그들이 배울 것이다. 하지만 일반적인 역본에서 벗어나야 한다면, 당신의 번역을 뒷받침할 다른 역본을 한번 찾아보라. 여하튼, 자신의 추론을 명확히 하라. 그러고 난 다음 자신이 하나님 말씀이라고 믿는 것을 "하나님의 말씀을 하는 것같이"(벧전 4:11) 담대하고 분명하게 선포하라.

자신만의 번역본을 만드는 것이 지닌 가치에 대한 세 가지 예

여섯 째 날의 중요성_ 창세기 1장

이제 히브리어 텍스트를 새롭게 번역하는 것과 다른 역본들과 비교하는 것이 어떻게 유용한 통찰을 주는지 보여 주는 몇 가지 예를 소개하고자 한다. 첫 번째 예는 창세기 1장에서 날이 끝날 때마다 반복해서 나오는 표현이다. 이 텍스트는 매우 익숙해서 여섯째 날에 추가된 사소한 표현을 놓치기 쉽다. 대부분의 영어 번역에서도 그런 듯하다. 우리가 읽는 텍스트는 표 4.5와 같다.

וַיְהִי־עֶרֶב וַיְהִי־בֹקֶר . . .	저녁이 되고 아침이 되니
יוֹם אֶחָד	첫째 날이니라(Day one/A first day[1:5])
יוֹם שֵׁנִי	둘째 날이니라(A second day[1:8])
יוֹם שְׁלִישִׁי	셋째 날이니라(A third day[1:13])
יוֹם רְבִיעִי	넷째 날이니라(A fourth day[1:19])
יוֹם חֲמִישִׁי	다섯째 날이니라(A fifth day[1:23])
יוֹם הַשִּׁשִּׁי	**그** 여섯째 날이니라(The sixth day[1:31])

표4.5. 창세기 1장에서 날이 끝나는 것에 대한 표현

NKJV, NRSV, ESV, NIV, CSB를 포함하여 대부분의 영어 역본은 여섯 날 모두 각각 정관사를 가지고 있는 것처럼 번역하였다("the first day …… the second day" 등). 그러나 NASB와 NET Bible은 둘 다 여섯째 날만 그렇게 설명되어 있다는 것("그 여섯째

날"[the sixth day])을 인식하였다. 정관사를 사용한 것은 독자들이 창조 주간의 여섯째 날에 주목하도록 창세기 1장 저자가 사용한 수많은 특징 중 하나다.

1. 여섯째 날에는 하나님의 창조 사역이 절정에 달한다. 그날에 하나님은 인류를 창조하시고 자신과 그들의 관계를 규정하시기 때문이다.
2. 여섯째 날은 지면을 가장 많이 차지하며 가장 긴 발화를 포함한다.
3. 여섯째 날 끝에 가서야 하나님은 창조가 "심히 좋았더라"(창 1:31)고 말씀하신다.
4. 이 날에야 날을 끝내는 표현에 정관사 'the'가 추가되었다.

여섯째 날은 인류를 하나님의 창조 사역의 절정으로 묘사한다. 그러나 인간 독자들이 창조 주간에서 자신을 발견하자마자, 그들의 초점은 그들 자신에게서 하나님께로 향한다! 인간은 **하나님**의 형상이 되어야 한다(창 1:26-27). 우리가 "생육하고 번성하여 땅에 충만하라 땅을 정복하라"(1:28)고 부름 받은 것은 **그분**을 반영하고, 닮고, 대표하는 목적을 향한 것이다. 궁극적 목적은 "물이 바다를 덮음같이 여호와의 영광을 인정하는 것이 세상에 가득[해지는]"(합 2:14. 민수기 14장 21절, 시편 72편 19절, 이사야 11장 9절 참조) 것이다. 인류는 **하나님을 위해** 존재한다. 그리고 여섯째 날에 정관사를 사용한 것은 우리에게 그것을 인정하도록 촉구한다.

완전한 평강으로 지키심_ 이사야 26장 3절

예수께서 새 창조를 시작하신 이래, 그리스도 안에서 "예"가 되는(고후 1:20) 위대한 약속 중 하나가 이사야 26장 3절에 나온다(오늘날 구약의 약속들을 주장하는 것에 대해 더 알려면 12장 '그리스도인들과 구약의 약속들'을 보라). 필자는 이 약속을 새롭게 번역해서 우리가 무엇을 발견하는지 보기 원한다. 이 부분은 히브리어를 알지 못하는 사람에게는 매우 전문적일 수 있다. 그러나 계속 읽으면 유익을 얻으리라 믿는다.

בָּטוּחַ׃	בְּךָ	כִּי	שָׁלוֹם ׀ שָׁלוֹם	תִּצֹּר	סָמוּךְ	יֵצֶר	주께서 그 마음이 주께 머물러 있는 자를 완전한 평강으로 지키시리니 이는 그가 주를 신뢰함이니이다(옮긴이 번역)
형용사	전치 사구	접속사	명사 – 대격	동사 (주어)	수동 분사	직접 목적어	

표4.6. 이사야 26장 3절_ MT와 ESV

문장 시작 부분에 나오는 직접 목적어를 제외하면, 주절과 종속절은 함께 "주께서 평강하고 평강하도록[= 완전한 평강으로] 지키시리니/보존하시리니[נצר의 칼 익톨 이인칭 남성 단수] 이는 주를 [그가] 신뢰함이니이다"라고 읽을 수 있다. 하나님은 누구를 위해 평강을 보존하시는가? ESV는 "그 마음이 주께 머물러 있는" 사람이라고 말한다. ESV는 왜 그렇게 번역하는가? יֵצֶר(예체르)는 직접 목적어다. סָמוּךְ(사무크)는 סמך의 수동 분사로, '지지받는 것'이라는 뜻이다. סָמוּךְ(사무크)는 동격어로서 직접 목적어를 재진술한다. 그렇다면 직접 목적어 יֵצֶר(예체르)는 무엇을 의미하는가?

명사 יֵצֶר(예체르)는 동사 יצר('형성하다, 만들어 내다')에서 나온 단어다. 토기장이가 토기를 만들어 내는 것과 같은 의미다. 이사야 29장 16절에서 ESV는 יֵצֶר(예체르)를 "빚음을 받은 물건"(the thing formed)이라고 번역한다. 여기서 우리는 또한 '토기장이'와 '빚은 이' 둘 다로 번역된 동사의 실명사 분사를 본다. "토기장이(הַיֹּצֵר[하요체르])를 어찌 진흙같이 여기겠느냐 지음을 받은 물건이 어찌 자기를 지은 이에게 대하여 이르기를 그가 나를 짓지 아니하였다 하겠으며 빚음을 받은 물건(וְיֵצֶר[베예체르])이 자기를 빚은 이(לְיֹצְרוֹ[레요체로])에게 대하여 이르기를 그가 총명이 없다 하겠느냐"(같은 동사 형태에 대해서는 45장 9절을 참조하라).

יֵצֶר(예체르)가 수동 분사 סָמוּךְ(사무크)와 연결되어 있다면 '지지를 받아 빚어진 것'이라고 번역할 수 있다. 이것은 토기장이가 자신이 빚고 있는 진흙을 손으로 받치고 있는 모습이다. 빚어지고 있는 것, 지지를 받고 있는 것은 진흙이다. 토기장이의 손에서 진흙은 지켜지고, 들어 올려지고, 받쳐진다. 그렇게 되면 전체 문장은 "지지를 받아 빚어진 것을 주께서 완전한 평강으로 지키시리니 이는 주를 [그가] 신뢰함이니이다"라고 번역할 수 있다. 하나님을 신뢰하는 것은 하나님의 손이 우리를 붙잡으시는 수단이다. 우리가 하나님의 약속들을 믿을 때, 하나님은 우리 주위에 보호의 벽을 세우셔서 우리를 안전하게 지키신다. 그리고 결과적으로 우리는 평강을 얻는다. 완전한 평강이다. 이 구절은 빌립보서 4장 6-7절을 생각나게 한다. 그 구절에서 바울은 "아무

것도 염려하지 말고 다만 모든 일에 기도와 간구로, 너희 구할 것을 감사함으로 하나님께 아뢰라 그리하면 모든 지각에 뛰어난 하나님의 평강이 그리스도 예수 안에서 너희 마음과 생각을 지키시리라"고 주장한다. ESV는 יֵצֶר סָמוּךְ(예체르 사무크)를 "그 마음이 [주께] 머물러 있는 자"라고 번역한다. 이것은 적절한 역동적 등가일지 모른다. 하지만 필자는 이사야의 신학에, 그리고 이 단어의 의미적 범주에 더 가까운 번역은 '지지를 받아 빚어진 것'이라고 제안한다.

새로운 번역이 문맥에 얼마나 잘 맞는지 주목해 보면서 이 부분을 마무리하고자 한다. 이사야 26장 1-4절은 이렇게 읽을 수 있다.

> [죽음이 패하고 여호와가 승리로 서 계신] 그날에 유다 땅에서 이 노래를 부르리라 "우리에게 견고한 성읍이 있음이여 여호와께서 구원을 성벽과 외벽으로 삼으시리로다 너희는 문들을 열고 신의를 지키는 의로운 나라가 들어오게 할지어다 지지를 받아 빚어진 것을 주께서 완전한 평강으로 지키시리니 이는 그가 주를 신뢰함이니이다 너희는 주 여호와를 영원히 신뢰하라 주 여호와 하나님은 영원한 반석이심이로다."

예수 안에서 지옥의 권세가 이미 정복되었다. 그래서 이 노래는 많은 면에서 이미 불려졌다. 우리의 은혜로운 승리의 창조주께서 자신을 신뢰하도록 도우시는 사람들 가운데 우리도 있기를, 우리가 그분의 평강을 알기를 기도한다.

찬양을 위해 지음 받음_ 스바냐 3장 20절[7]

앞선 예와 마찬가지로 이 논의는 대단히 전문적이다. 이 논의를 따라가려면 히브리어

7 이 신학적 성찰은 필자가 이전에 출판한 글에서 개작한 것이다. *Devotions on the Hebrew Bible: 54 Reflections to Inspire and Instruct*, Milton Eng and Lee M. Fields 편집. Copyright © 2015 by Milton Eng and Lee M. Fields. Zondervan의 허락을 받고 사용하였다. www.zondervan.com.

지식이 있어야 할 것이다. 독자가 히브리어를 모른다면 이 부분을 그냥 읽어도 되고 5장으로 건너뛰어도 된다.

בָּעֵת הַהִיא אָבִיא אֶתְכֶם וּבָעֵת קַבְּצִי אֶתְכֶם כִּי־אֶתֵּן אֶתְכֶם לְשֵׁם וְלִתְהִלָּה בְּכֹל עַמֵּי הָאָרֶץ בְּשׁוּבִי אֶת־שְׁבוּתֵיכֶם לְעֵינֵיכֶם אָמַר יְהוָה׃	내가 그때에 너희를 이끌고 그때에 너희를 모을지라 내가 너희 목전에서 너희의 사로잡힘을 돌이킬 때에 너희에게 천하 만민 가운데서 명성과 칭찬을 얻게 하리라 여호와의 말이니라

표4.7. 스바냐 3장 20절_ MT와 개역개정

언약을 반역한 유다에 곧 심판이 임할 것 같은 상황에서 여호와는 스바냐 선지자를 세워 하나님의 신실하심을 끈기 있게 신뢰하게 하셔서 하나님을 믿는 남은 자들을 보존하시고 궁극적으로 만족시키셨다. 스바냐가 함께 하나님을 "찾고" "기다리도록"(2:1, 3, 3:8) 부여하는 가장 큰 동기는 믿음 안에서 견디는 모든 사람에게 영광스럽게 나타날 미래의 소망이다.

이 약속의 일부는 이 책 마지막 절(습 3:20)에서 찾아볼 수 있다. 그 구절은 בָּעֵת הַהִיא (바에트 하히, "그때에")라는 말로 시작된다. 구체적으로 말해서 여호와께서 교만한 자들을 제거하시고 하나님을 의지하는 자들을 보존하시는 주님의 날(3:11-13), 구원하시는 왕의 뒤집힐 수 없는 승리로 구원받은 사람들이 기쁨의 함성을 외치는 때(3:14-15), 여호와께서 자신의 남은 자들을 구원하시고 그들을 기뻐하시는 때(3:16-19)다. "그때에" 여호와께서는 중요한 이유에서 그 구속받은 자들을 함께 모으실 것이다(3:20). כִּי־אֶתֵּן אֶתְכֶם לְשֵׁם וְלִתְהִלָּה בְּכֹל עַמֵּי הָאָרֶץ(키엣텐 에트켐 레쉠 베리트힐라 베콜 암메 하아레츠). NASB, ESV, NIV 모두 보존된 남은 자들을 구경하는 세상이 그들에게 존경과 칭송(שֵׁם[쉠, '명성']과 תְּהִלָּה[테힐라, '칭찬'])을 주는 것으로 여긴다. "내가 너희에게 천하 만민 가운데서 명성/명예와 칭찬을 주리라"(I will give you renown/honor and praise among all the peoples of the earth[NASB/NIV]). "내가 너희를 천하 만민 가운데서 명성을 얻고 칭찬을 받게 하리라"(I will make you renowned and praised among all the peoples of the earth[ESV]).

다른 곳에서 하나님은 세상 사람들이 보는 자리에서 자신의 백성을 높이겠다고 분명히 약속하신다. 하지만 이 텍스트는 그저 여호와께서 자신의 구속받은 자들에게 명예와 칭송을 주겠다고 말씀하시는 것만이 아니다. 대신 그 구절은 전치사 לְ(레, '……에게/위하여')를 사용하여 여호와가 "이름을 **위하여** 그리고 칭찬을 **위하여**"(לְשֵׁם וְלִתְהִלָּה[레쉠 베리테힐라]) 그분의 백성을 세상 한가운데 두신다고 선언한다. YLT에 번역된 것처럼, "땅의 모든 백성들 가운데서 이름을 위하여, 그리고 칭찬을 위하여 내가 너에게 주기 때문이다"(For I give you for a name, and for a praise, among all peoples of the land). 스바냐는 누구의 이름과 누구의 칭찬을 말하는 것인가? 가장 유사한 텍스트는 **여호와**의 가치와 영예가 새 창조의 궁극적 목적임을 시사한다. 하나님의 성도들의 삶에서 높임 받아야 하는 것은 하나님의 이름, 하나님의 영광이다.

구체적으로 말하면, 스바냐와 동시대 사람이던 예레미야를 통해 여호와께서는 원래 자기 백성을 구별하여 "그들로 **나를 위해**(for me, לִי[리]) 백성, 이름, 명예, 영광이 되게 하려 하였으나 그들이 듣지 아니하였느니라"(렘 13:11, 옮긴이 번역. 신명기 26장 19절 참조)고 선언하셨다. 그럼에도 새 언약에서 죄를 용서받고 충성할 수 있게 될 때, 여호와께서는 자신의 백성이 "세계 열방 앞에서 **내게**(to me, לִי[리]) 기쁜 이름이 될 것이며 찬송과 영광이 될 것"(렘 33:9)이라고 단언하셨다. 후에 에스겔이 입증했듯이, 여호와께서는 "나의 거룩한 이름을 위[해]" 열방 앞에서 자신의 백성을 구하실 것이다(겔 36:22-23). 스가랴 선지자는 하나님께 구원받은 양 떼가 하나님의 "형통함"(goodness)과 하나님의 "아름다움"을 빛나게 할 "왕관의 보석"과 같을 것이라고 주장하면서 그 의미를 잘 포착했다(슥 9:16-17).

새 언약이 변혁된 궁극적 목적은 예배다. 만물이 하나님에게서 나오고, 하나님으로 말미암고, 하나님께로 돌아간다(롬 11:36). 이제 그리스도와 그분의 교회를 통해 새 창조가 시작되었으며(고후 5:17, 갈 6:15), 이 새 창조는 하나님에 대한 것이다. 즉, 그분의 영광, 그분의 아들, 그분의 위대하심, 세상 사람들 가운데서 그분의 높임 받으심에 대한 것이다. 우리의 삶이 그리스도 안에서 비할 바 없는 하나님의 귀하심을 드러내기를, 그리고 우리 모두 "너희 착한 행실을 보고 하늘에 계신 너희 아버지께 영광을 돌리[기를]"(마 5:16) 기도한다.

번역 연습_ 출애굽기 19장 4-6절

이제는 출애굽기 19장 4-6절을 번역하는 첫 단계를 지나 그 구절을 많은 영어 번역과 비교해 볼 차례다. 히브리어를 모르는 사람들은 이 부분에서 별로 유익을 얻지 못할 것이다. 그러니 5장으로 바로 넘어가도 된다.

번역 초안은 주해를 다하고 나서 최종으로 나오는 마지막 원고와 매우 다른 경우가 많다는 사실을 유의하는 것이 중요하다. 새롭게 관찰하고 새로운 것을 발견하면서 그러한 것들은 우리가 처음에 내린 결정들에 도전할 것이다. 바로 지금, 시간을 내어 이 구절들을 독자 스스로 번역해 보라. 번역을 하면서 주요 관찰 사항과 질문을 모두 적어 보라. 그 다음에 독자의 번역을 필자가 처음 해놓은 작업과, 그리고 다른 많은 현대 역본과 비교해 보라. 관찰 사항들과 질문들을 더 살펴보고, 필요하면 독자의 번역을 조정해 보라. 이 단계에서 하는 모든 작업은 임시적인 것이다. 표4.8에 필자가 관찰할 사항들과 질문들을 적어 놓았다.

1. 출애굽기 19장 4-6절에 대한 핵심 관찰 사항

a. 4절 앞부분에 나오는 명백한 2인칭 남성 복수 대명사 אַתֶּם(앗템, "너희")는 구문적으로 불필요하지만, 표시된 비 기본 동사 유형([x] + 카탈)[8]을 이용하여 단락이 시작되는 것을 표시하기 위해 나와 있을 것이다. 또한 그 단어는 하나님의 일하심을 본 사람들이 **이스라엘 사람들**("너희!")이었다는 것을 추가로 강조할 것이다.

b. 4절에서 일인칭 공성 단수 바익톨(바브 연속 미완료) 동사 וָאֶשָּׂא(바엣사, "그리고 내가 들어 올렸다"[and I lifted])와 וָאָבִא(바아비, "그리고 내가 데려갔다"[and I brought])는 카탈(완료) 일인칭 공성 단수 상대절인 אֲשֶׁר עָשִׂיתִי(아쉐르 아시티, "내가 한 것"[what I did])를 기반으로 하고 있는 것으로 보인다. 즉 이스라엘은 하나님이 무엇을 행하였는

8 표시절과 기본절 유형에 대해서는 2장에 나온 '텍스트 블록에서 하위 단위 분별하기_ 단락 구분'과 5장에 나오는 '표시절과 미표시절에 대한 더 깊은 연구'를 보라. [x]는 절 안에 어떤 주어나 목적어, 수식어를 나타낸다. [x]는 정형 동사나 접속사는 나타낼 수 없다.

마소라 본문	개역개정
4 אַתֶּ֣ם רְאִיתֶ֔ם אֲשֶׁ֥ר עָשִׂ֖יתִי לְמִצְרָ֑יִם וָאֶשָּׂ֤א אֶתְכֶם֙ עַל־כַּנְפֵ֣י נְשָׁרִ֔ים וָאָבִ֥א אֶתְכֶ֖ם אֵלָֽי׃ 5 וְעַתָּ֗ה אִם־שָׁמ֤וֹעַ תִּשְׁמְעוּ֙ בְּקֹלִ֔י וּשְׁמַרְתֶּ֖ם אֶת־בְּרִיתִ֑י וִהְיִ֨יתֶם לִ֤י סְגֻלָּה֙ מִכָּל־ הָ֣עַמִּ֔ים כִּי־לִ֖י כָּל־הָאָֽרֶץ׃ 6 וְאַתֶּ֧ם תִּהְיוּ־לִ֛י מַמְלֶ֥כֶת כֹּהֲנִ֖ים וְג֣וֹי קָד֑וֹשׁ	4 내가 애굽 사람에게 어떻게 행하였음과 내가 어떻게 독수리 날개로 너희를 업어 내게로 인도하였음을 너희가 보았느니라 5 세계가 다 내게 속하였나니 너희가 내 말을 잘 듣고 내 언약을 지키면 너희는 모든 민족 중에서 내 소유가 되겠고 6 너희가 내게 대하여 제사장 나라가 되며 거룩한 백성이 되리라.
YLT	**NASB**
4 Ye—ye have seen that which I have done to the Egyptians, and I bear you on eagles" wings, and bring you in unto Myself. 5 "And now, if ye really hearken to My voice, then ye have kept My covenant, and been to Me a peculiar treasure more than all the peoples, for all the earth [is] Mine, 6 and ye—ye are to Me a kingdom of priests and a holy nation	4 You yourselves have seen what I did to the Egyptians, and how I bore you on eagles" wings, and brought you to Myself. 5 Now then, if you will indeed obey My voice and keep My covenant, then you shall be My own possession among all the peoples, for all the earth is Mine, 6 and you shall be to Me a kingdom of priests and a holy nation.
ESV	**NIV**
4 You yourselves have seen what I did to the Egyptians, and how I bore you on eagles" wings and brought you to myself. 5 Now therefore, if you will indeed obey my voice and keep my covenant, you shall be my treasured possession among all peoples, for all the earth is mine, 6 and you shall be to me a kingdom of priests and a holy nation.	4 You yourselves have seen what I did to Egypt, and how I carried you on eagles" wings and brought you to myself. 5 Now if you obey me fully and keep my covenant, then out of all nations you will be my treasured possession. Although the whole earth is mine, 6 you will be for me a kingdom of priests and a holy nation.
필자의 번역 초안(영문)	**필자의 번역 초안(한글)**
4 You have seen what I did to Egypt, and [how] I lifted you on wings of eagles, and [how] I brought you to myself. 5 And now, if you will indeed listen unto my voice and [then(?)] keep my covenant and [then(?)] be my [for me a (?)] treasured possession from [more than (?)] all the peoples, for [though(?)] all the earth is mine [for me (?)], 6 and [then(?)] you will be for me a [my(?)] kingdom of priests and a holy nation.	4 너희는 내가 애굽에 행한 것과, 그리고 [어떻게] 독수리 날개 위로 너희를 들어 올렸는지, 그리고 [어떻게] 내가 너희를 내게 인도했는지 보았느니라 5 그리고 이제, 만일 너희가 내 음성을 잘 듣고, 그리고(그러면[?]) 내 언약을 지키고, 그리고(그러면[?]) 모든 민족으로부터(민족보다 더[?]) 나의(나를 위한[?]) 보배로운 소유가 되리라 왜냐하면(비록[?]) 모든 세계가 나의(나를 위한[?]) 것이니 6 그리고(그러면[?]) 너희는 나를 위해 (나의[?]) 제사장 나라와 거룩한 백성이 되리라.

표4.8. 출애굽기 19장 4-6a절의 번역들

지뿐 아니라 어떻게 그 백성을 들어 올리셨는지, 어떻게 그들을 그분 자신께로 데려가셨는지를 보았다.

c. 5절에 나오는 וְעַתָּה(베앗타, "그리고 이제"[And now])는 추론 표지다(5장에 나오는 '추론 표지인 לָכֵן[라켄]와 וְעַתָּה[베앗타]'를 보라). 그리고 추론 자체는 표시된 조건절(אִם־[임], '만일'[if])과 표시되지 않은 귀결절('그렇다면'[then])을 모두 가지고 있다.

2. **출애굽기 19장 4-6절에 대한 핵심 질문들**

a. 앞서 살펴보았듯이, 5절 시작 부분에 나와 있는 אִם־(임, '만일')은 조건절을 표시한다. 귀결절은 어디서 시작하는가? YLT는 첫 번째 베카탈(바브 연속 완료)로 귀결절을 시작한다(וּשְׁמַרְתֶּם[우쉐마르템], "그리고 너희가 지키리라"[and you shall keep]). 하지만 다른 영어 역본들은 대부분 그것을 두 번째 베카탈(וִהְיִיתֶם[비히이템], "그리고 너희가 되리라"[and you shall be]. KJV, NKJV, NRSV, NASB, NET Bible, ESV, NIV, CSB 참조)에 둔다. 많은 견해가 16세기부터 이어진 것이라는 사실은 주목할 만하다. 그 사실은 이러한 번역이 주의 깊은 주해적 평가보다는 확고하게 고정된 전통임을 시사할 수 있다.

b. ESV에서 "보배로운 소유"(treasured possession)라고 번역된 5절의 סְגֻלָּה(세굴라)는 무엇인가?

c. 5절 מִכָּל־הָעַמִּים(미콜 하암밈)이라는 구에서 맨 앞 전치사 מִן(민, '……로부터'[from])은 분리(즉 '모든 민족으로부터')를 표현하는가, 아니면 비교(즉 '모든 민족보다 더')를 표현하는가?

d. 5절에 나오는 כִּי(키)절은 앞에 나오는 것의 근거 역할(= '왜냐하면/……때문에'[for/because])을 하는가, 아니면 앞이나 뒤에 나오는 것에 대한 양보 역할(= '비록/……하지만'[though/although], NIV에는 그렇게 되어 있다)을 하는가?

e. 4절 앞부분에서 그랬듯이 6절에 나오는 וְאַתֶּם(베앗템, "그리고 너희"[and you])은 끼어든 것이며 문법적으로 필요하지 않다. 왜 그것이 이 부분에서 발화에 들어가는가?

f. "제사장 나라와 거룩한 백성"이라는 말은 무슨 의미인가?

g. 5-6절에 나오는 여러 לִי(리) 전치사구는 신적 소유(즉 '내 것'[mine])를 표현하는가,

아니면 신적 우세(즉, '나에게/나를 위해'[to/for me])를 표현하는가? 대부분의 영어 역본들은 5절에 두 번 나오는 것은 소유를 표시하는 것으로, 그리고 6절에 한 번 나오는 것은 우세함을 표현하는 것으로 여긴다.

주해를 거쳐 신학으로 나아갈 때, 이 관찰 사항들과 질문들을 유념하길 바란다. 우리에게는 초벌 번역과, 기반으로 삼을 만한 좋은 관찰 사항과 질문 목록이 있다. 이제 '텍스트' 단계에서 '관찰' 단계로 넘어갈 준비가 되었다.

핵심 단어와 개념

어휘적 대응, 문법적 대응, 역사적 대응

형식 등가, 의미 등가, 개념 등가

더 생각해 보기 위한 질문

1. 이 장은 아직 자신의 모국어로 하나님 말씀을 접하지 못한 사람들에게 성경 번역이 중요하다는 점을 이야기하면서 시작되었다. 하나님이 이 선교 사역에 당신을 어떤 모습으로 부르고 계시는지 기도하는 마음으로 생각하고 묵상해 보라. 당신은 준비를 갖추고 나서 이 과업에 삶을 바치겠는가? 아니면 이 일에 자신을 드릴 다른 사람들을 보내기 위해 현재 자리에서 열심히 일하겠는가? 하나님이 당신에게 주시는 마음의 감동은 무엇인가?
2. 성경을 연구할 때, 여러 역본을 사용하는 것은 어떤 면에서 유익한가?
3. 성경 역본들 간의 차이는 무엇을 설명하는가?
4. 여러 유형의 성경 역본이 지닌 강점과 약점을 기술해 보라.
5. 이미 훌륭한 번역 성경들이 있는데도 본문을 연구할 때 직접 번역해 보는 것이 좋은 이유는 무엇인가?
6. 자신만의 번역본을 만드는 단계는 무엇인가?
7. 어째서 주류 번역들과 다른 번역이 때로 정당화되는가?

추가 연구 자료

번역 이론과 실제

Beekman, John, and John Callow. *Translating the Word of God*. Dallas: Summer Institute of Linguistics, 1974.

★ Brunn, Dave. *One Bible, Many Versions: Are All Translations Created Equal?* Downers Grove, IL: InterVarsity Press, 2013.

Dewey, David. *A User's Guide to Bible Translations: Making the Most of Different Versions*. Downers Grove, IL: InterVarsity Press, 2005.

"ESV Bible Translators Debate the Word 'Slave' at Tyndale House, Cambridge," https://www.youtube.com/watch?v=Mx06mtApu8k.

★ Fee, Gordon D., and Mark L. Strauss. *How to Choose a Translation for All Its Worth: A Guide to Understanding and Using Bible Versions*. Grand Rapids: Zondervan, 2007.

Fee, Gordon D., and Douglas Stuart. Pages 36-56 in *How to Read the Bible for All Its Worth*. 4th ed. Grand Rapids: Zondervan, 2014. 「성경을 어떻게 읽을 것인가」, 성서유니온선교회.

Köstenberger, Andreas J., and David A. Croteau, eds. *Which Bible Translation Should I Use? A Comparison of 4 Major Recent Versions*. Nashville: Broadman & Holman, 2012.

Kubo, Sakae, and Walter Specht. *So Many Versions?* Grand Rapids: Zondervan, 1975.

Metzger, Bruce M. *The Bible in Translation: Ancient and English Versions*. Grand Rapids: Baker Academic, 2001.

Nida, Eugene A. "Theories of Translation." *ABD* 6:512-15.

Nida, Eugene A., and Charles R. Taber. *The Theory and Practice of Translation*. Leiden: Brill, 1969; repr, 2003.

Porter, Stanley E., and Richard S. Hess, eds. *Translating the Bible: Problems and Prospects*. Sheffield, UK: Sheffield Academic, 1999.

Wegner, Paul D. *The Journey from Texts to Translations: The Origin and Development of the Bible*. Grand Rapids: Baker, 2004.

번역 난제들

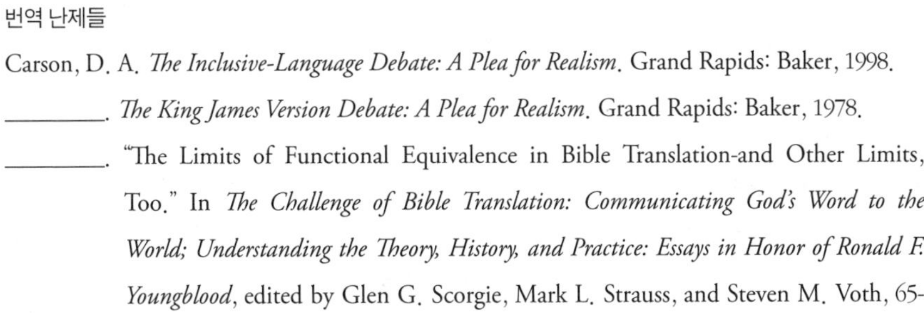

Carson, D. A. *The Inclusive-Language Debate: A Plea for Realism*. Grand Rapids: Baker, 1998.

________. *The King James Version Debate: A Plea for Realism*. Grand Rapids: Baker, 1978.

________. "The Limits of Functional Equivalence in Bible Translation-and Other Limits, Too." In *The Challenge of Bible Translation: Communicating God's Word to the World; Understanding the Theory, History, and Practice: Essays in Honor of Ronald F. Youngblood*, edited by Glen G. Scorgie, Mark L. Strauss, and Steven M. Voth, 65-

113. Grand Rapids: Zondervan, 2003.

Combs, William W. "The History of the NIV Translation Controversy." *DBSJ* 17(2012): 3-34.

Decker, Rodney J. "An Evaluation of the 2011 Edition of the New International Version." *Themelios* 36, 3(2011): 415-56.

"The Development and Use of Gender Language in Contemporary English: A Corpus Linguistic Analysis; Prepared for the Committee on Bible Translation by Collins Dictionaries." September 2010. http://www.thenivbible.com/wp-content/uploads/2015/02/Collins-Report-Final.pdf.

Moo, Douglas J., ed. "Updating the New International Version of the Bible: Notes from the Committee on Bible Translation." August 2010. Available at http://www.thenivbible.com/wp-content/uploads/2014/11/2011-Translation-Notes.pdf.

________. *We Still Don't Get It: Evangelicals and Bible Translation Fifty Years after James Barr*. Grand Rapids: Zondervan, 2014. Available at http://www.thenivbible.com/wp-content/uploads/2014/11/We-Still-Dont-Get-It.pdf.

Nida, Eugene A. "The Sociolinguistics of Translating Canonical Religious Texts." *Traduction, Terminologie, Rédaction* 7, 1(1994): 191-217.

Nida, Eugene A., and Jan de Waard. *From One Language to Another: Functional Equivalence in Bible Translation*. Nashville: Thomas Nelson, 1986.

Poythress, Vern S., and Wayne A. Grudem. *The TNIV and the Gender-Neutral Bible Controversy*. Nashville: Broadman & Holman, 2004.

Ryken, Leland. *The ESV and the English Bible Legacy*. Wheaton, IL: Crossway, 2011.

Scorgie, Glen G., Mark L. Stauss, and Steven M. Voth, eds. *The Challenge of Bible Translation: Communicating God's Word to the World*. Grand Rapids: Zondervan, 2003.

Strauss, Mark L. "Why the English Standard Version(ESV) Should Not Become the Standard English Version: How to Make a Good Translation Much Better." Paper presented at the National Meeting of the Evangelical Theological Society, Providence, RI, November 21, 2008. Available at http://zondervan.typepad.com/files/improvingesv2.pdf.

White, James R. *The King James Only Controversy: Can You Trust Modern Translations?* 2nd ed. Minneapolis: Bethany House, 2009.

번역 보조 자료

히브리어-영어 행간 번역

Blair, Thom, ed. *The Hebrew-English Interlinear ESV Old Testament: Biblia Hebraica Stuttgartensia (BHS) and English Standard Version(ESV)*. Wheaton, IL: Crossway, 2014.

Green, Jay Patrick, ed. *The Interlinear Bible: Hebrew, Greek, English*. Peabody, MA: Hendrickson, 2005.

Kohlenberger, John R., III, ed. *The Interlinear NIV Hebrew-English Old Testament*. Grand Rapids: Zondervan, 1993.

Reader's Edition. Logos Bible Software.

Scripture 4 All: Hebrew Interlinear Bible(OT). http://www.scripture4all.org/OnlineInterlinear/Hebrew_Index.htm.

히브리어 분석적 어휘 사전과 독자용 성경

Brown, A. Philip, II, and Bryan W. Smith. *A Reader's Hebrew Bible*. Grand Rapids: Zondervan, 2008.

Busby, Douglas L., Terry A. Armstrong, and Cyril F. Carr. *A Reader's Hebrew-English Lexicon of the Old Testament*. Grand Rapids: Zondervan, 1989.

Davidson, Benjamin. *The Analytical Hebrew and Chaldee Lexicon*. 2nd ed. 1848; repr., Grand Rapids: Zondervan, 1993.

Owens, John Joseph. *Analytical Key to the Old Testament*. 4 vols. Grand Rapids: Baker Academic, 1989.

Vance, Donald A., George Athas, and Yael Avrahami, eds. *Biblia Hebraica Stuttgartensia: A Reader's Edition*. Peabody, MA: Hendrickson, 2015.

히브리어 어휘 사전과 아람어 어휘 사전

Brown, Francis, S. R. Driver, and Charles A. Briggs. *The New Brown-Driver-Briggs Hebrew and English Lexicon*. Peabody, MA: Hendrickson, 1979.

Clines, David J. A., ed. *The Concise Dictionary of Classical Hebrew*. Sheffield, UK: Sheffield Phoenix, 2009.

_________, ed. *The Dictionary of Classical Hebrew*. 9 vols. Sheffield, UK: Sheffield Phoenix, 1993-2014.

Comprehensive Aramaic Lexicon. http://cal1.cn.huc.edu/.

Einspahr, Bruce. *Index to Brown, Driver & Briggs Hebrew Lexicon*. 2nd ed. Chicago: Moody, 1976.

Holladay, William L. *A Concise Hebrew and Aramaic Lexicon of the Old Testament*. Grand Rapids: Eerdmans, 1988.

Jastrow, Marcus. *A Dictionary of the Targumim, the Talmud Babli and Yerushalmi, and the Midrashic Literature*. 2nd ed. 2 vols. in 1. 1926; repr., New York: Judaica, 1996.

Available at http://www.tyndalearchive.com/tabs/jastrow/.

○ Koehler, Ludwig, Walter Baumgartner, and Johann Jakob Stamm, eds. *The Hebrew and Aramaic Lexicon of the Old Testament: Study Edition*. Translated by M. E. J. Richardson. 2 vols. Leiden: Brill, 2001.

★ Mounce, William D., ed. *Mounce's Complete Expository Dictionary of Old and New Testament Words*. Grand Rapids: Zondervan, 2006.

Sokoloff, Michael. *A Dictionary of Jewish Babylonian Aramaic*. Baltimore: Johns Hopkins University Press, 2003.

_________. *A Dictionary of Jewish Palestinian Aramaic of the Byzantine Period*. 2nd ed. Baltimore: Johns Hopkins University Press, 2002.

Vine, W. E., Merrill F. Unger, and William White Jr. *Vine's Complete Expository Dictionary of Old and New Testament Words*. London: Oliphants, 1939; repr., Nashville: Thomas Nelson, 1996.

Vogt, Ernesto. *Lexicon Linguae Aramaicae Veteris Testamenti Documentis Antiquis Illustratum*. Rome: Pontifical Biblical Institute, 1991.

사해 문서

Abegg, Martin G., Jr., James E. Bowley, and Edward M. Cook, eds. *The Dead Sea Scrolls Concordance. Vol. 3, The Biblical Texts from Qumran and Other Sites*. Leiden: Brill, 2009.

Abegg, Martin G., Jr., Peter Flint, and Eugene Ulrich. *The Dead Sea Scrolls Bible*. San Francisco: HarperSanFrancisco, 1999.

Martínez, Florentino García, and Eibert J. C. Tigchelaar. *The Dead Sea Scrolls Study Edition*. 2 vols. Grand Rapids: Eerdmans, 1997-98.

Vermes, Geza. *The Complete Dead Sea Scrolls in English*. 7th ed. London: Penguin Books, 2012.

Wise, Michael, Martin Abegg Jr., and Edward Cook. *The Dead Sea Scrolls: A New Translation*. San Francisco: HarperSanFrancisco, 2005.

칠십인 역

Brenton, Lancelot C. *The Septuagint with Apocrypha: Greek and English*. 1844; repr., Peabody, MA: Hendrickson, 1986.

Danker, Frederick W., et al. *Greek-English Lexicon of the New Testament and Other Early Christian Literature*. 3th ed. Chicago: University of Chicago Press, 2000.

Liddell, H. G., and R. Scott. *Greek-English Lexicon with a Revised Supplement*. 9th ed. Oxford: Clarendon, 1996.

Louw, Johannes P., and Eugene A. Nida, eds. *Greek-English Lexicon of the New Testament: Based on Semantic Domains*. 2nd ed. 2 vols. New York: United Bible Societies, 1989.

Moulton, Harold K., ed. *The Analytical Greek Lexicon Revised*. 1852; repr., Grand Rapids: Zondervan, 1979.

Muraoka, T. *A Greek-English Lexicon of the Septuagint*. Leuven: Peeters, 2010.

Pietersma, Albert, and Benjamin G. Wright. *A New English Translation of the Septuagint*. Oxford: Oxford University Press, 2007.

Septuagint Online. http://www.kalvesmaki.com/LXX/.

Thesaurus Linguae Graecae. http://stephanus.tlg.uci.edu/.

페쉬타 역과 탈굼 역

앞에 있는 '히브리어 어휘 사전과 아람어 어휘 사전'을 참조하라.

The Aramaic Bible. 19 vols. Collegeville, MN: Liturgical Press, 1987-2007.

Comprehensive Aramaic Lexicon. http://cal1.cn.huc.edu/.

Etheridge, J. W. *The Targums of Onkelos and Jonathan ben Uzziel on the Pentateuch*. 2 vols. 1862-65; repr., Piscataway, NJ: Gorgias, 2005.

Grossfeld, Bernard, ed. *The Targum to the Five Megilloth*. New York: Hermon, 1973.

Judaica Electronic Texts. http://www.library.upenn.edu/cajs/etexts.html.

Kiraz, George A., ed. *The Antioch Bible: The Syriac Peshitta Bible with English Translation*. 35 vols. Piscataway, NJ: Gorgias, 2012-.

Lamsa, George M. *The Holy Bible from Ancient Eastern Manuscripts*. Philadelphia: Holman, 1957.

Smith, R. Payne, ed. *A Compendious Syriac Dictionary*. Oxford: Clarendon, 1903; repr., Eugene, OR: Wipf & Stock, 1999.

라틴어 불가타 역과 고대 라틴어 역

Glare, P. G. W., ed. *Oxford Latin Dictionary*. 2nd ed. 2 vols. Oxford: Oxford University Press, 2012.

Knox, Ronald Arbuthnott. *The Old Testament: Newly Translated from the Vulgate Latin*. 2 vols. New York: Sheed & Ward, 1950.

Latin Vulgate. http://www.latinvulgate.com/.

Morwood, James, ed. *The Oxford Latin Desk Dictionary*. Oxford: Oxford University Press, 2005.

Simpson, D. P., ed. *Cassell's Latin Dictionary*. New York: Macmillan, 1968.

2부. 관찰 — 본문은 어떻게 전달되는가

5장

절과 텍스트 문법

목표_ 단어, 구, 절, 그리고 그보다 큰 텍스트 단위의 구성과 관계를 평가한다.

여정의 단계

1부 텍스트

2부 관찰_ 본문은 어떻게 전달되는가

　5장 절과 텍스트 문법

　6장 논증-추적

　7장 단어 연구와 개념 연구

3부 맥락

4부 의미

5부 적용

기본 개관

"나한테는 온통 히브리어야!"

문법의 중요성: "하나님의 마음에 맞는 사람?"_ 사무엘상 13장 14절

문법이란 무엇인가

절과 문장

출애굽기 19장 4-6절에서 절을 구분하는 것과 19장 4절 텍스트의 계층 구조

히브리어 동사에 대한 중간 검토

주요 내용 예고 표지인 הִנֵּה와 הֵן

추론 표지인 לָכֵן와 עַתָּה

텍스트 문법의 예_ 창세기 12장 1-3절

동사 없는 절

렉스햄 강화 구약 성경_ 개관

텍스트 블록, 직접 화법, 삽입 강화에 대한 더 깊은 연구

표시절과 미표시절에 대한 더 깊은 연구

텍스트 문법 연습_ 출애굽기 19장 4-6절

표5.1. 5장 길 안내

"나한테는 온통 히브리어야!"

문법은 학생들이 언제나 좋아하는 과목은 아니다. 그럼에도 전치사와 분사, 어형 변화표, 진술 간의 논리 관계 같은 것들은 모두 기분 좋은 고통이다. 그런 것들을 통해 하나님의 책을 올바로 이해하는 데 가까이 갈 수 있다는 사실을 인식한다면 말이다.

히브리어를 모르는 사람들은 히브리어 자모를 배우고 히브리어 명사, 동사, 그리고 다른 단어들이 서로 어떻게 관련되고 작동하는지에 대해 기본 사항만 파악해도, 완전히 새로운 고급 성경 공부 도구의 세계가 열릴 것이며, 주석에 나오는 논의들을 더 잘 따라가는 데 도움을 받을 것이다. 리 필즈(Lee Fields)의 「일반인을 위한 히브리어」(*Hebrew for the Rest of Us*)는 이러한 목적에 유용한 안내서다. 그 책은 히브리어 구문과 기능의 기초를 개관하며, 단어 연구, 번역 선택, 도구들 등을 간략하게 안내한다.[1]

이번 장에서는 문법이 주해에 얼마나 중요한지, 그리고 저자의 사고 흐름을 따라가도록 어떻게 도와주는지 보여 주고자 한다. 이 장에 나오는 내용들은 적어도 두 학기 동안 히브리어를 배운 사람들을 대상으로 한다. 그러나 대부분의 논의는 누구나 분명하게 이해할 수 있을 것이다. 당신이 "도무지 무슨 말인지 모르겠어"라는 의미로 "나한테는 온통 히브리어야"(It's all Hebrew to me)라고 말하는 사람이라면, 그리고 필자가 **문법**이라는 단어를 언급했다는 이유로 이미 두드러기가 나기 시작한다면, 6장으로 건너뛰어도 무방하다.

1 Lee M. Fields, *Hebrew for the Rest of Us: Using Hebrew Tools without Mastering Biblical Hebrew* (Grand Rapids: Zondervan, 2008).

문법의 중요성: "하나님의 마음에 맞는 사람?" _사무엘상 13장 14절

1993년에 필자는 이스라엘에서 연구하며 한 학기를 보냈다. 그리고 그곳에 갔을 때, 필자를 점차 '하나님의 마음에 맞는 사람'(a man after his heart, NASB)으로 만들어 달라고 하나님께 기도했다. 그 기도는 사무엘상 13장 14절에 나오는 말을 따라 한 것이었다. 그 구절에서 선지자는 사울을 대신할 사람에 대해 "여호와께서 그의 마음에 맞는 사람을 구하[셨다]"고 선언했다. 이것은 무엇을 의미하는가? 당신이 이렇게 기도한다면, 하나님께 무엇을 구하고 있는 것인가? 필자에게는 이런 것이었다. "하나님, 제 바람, 생각, 기쁨, 미움이 하나님의 것과 같게 해주시옵소서. 제 마음이 하나님의 마음과 같게 해주시옵소서." 아니면 "제가 하나님의 마음을 추구하는 사람이 되도록 도와주시옵소서"라는 의미였을지도 모른다.

두 기도 모두 본질은 선하다. 그러나 분명한 점은 필자가 특정 방식으로 본문을 해석하고 있었다는 것이다. 실제로 필자는 그 사실을 의식적으로 생각해 본 적이 한 번도 없었지만, 사무엘상 13장 14절 문법에 대해 추정하는 것이 있었다. "그의 마음에 맞는/같은/따르는"(after/like/according to his heart, כִּלְבָבוֹ[킬바보])라는 전치사구가 그 "사람"(man)에 대해 뭔가를 묘사하고 있다는 것이다. 그러나 이것이 그 구를 이해할 수 있는 유일한 해석은 아니다. 텍스트를 행간에 비추어 살펴보면서, 동사(V), 주어(S), 직접 목적어(DO), 수식어(M) 등을 찾아내 보자.[2] 히브리어는 오른쪽에서 왼쪽으로 읽는다는 것을 기억하라.

---

2 히브리어를 알지 못하는 사람들에게는 히브리어-영어 행간 번역이 문법적 논의를 추적하는 데 유용한 도구가 될 수 있다. 필자가 아는 가장 좋은 행간 번역은 로고스 바이블 소프트웨어(Logos Bible Software)의 보강판(*Reader's Edition*)으로, 독자가 이미 배운, 정해진 단어 목록이나 성경에 나오는 숫자 등에 기초하여 단어를 포함시키기 위한 변수들을 정하게 해준다. 또한 그 외에 다른 행간 번역도 많이 출간되어 있다. John R. Kohlenberger III 편집, *The Interlinear NIV Hebrew-English Old Testament* (Grand Rapids: Zondervan, 1993), Jay Patrick Green 편집, *The Interlinear Bible: Hebrew, Greek, English* (Peabody, MA: Hendrickson, 2005), Thom Blair 편집, *The Hebrew-English Interlinear ESV Old Testament: Biblia Hebraica Stuttgartensia(BHS) and English Standard Version(ESV)* (Wheaton, IL: Crossway, 2014) 등이다.

וְעַתָּה מַמְלַכְתְּךָ לֹא־תָקוּם	14	지금은 왕의 나라가 길지 못할 것이라
בִּקֵּשׁ יְהוָה לוֹ אִישׁ כִּלְבָבוֹ	b	여호와께서 그의 마음에 맞는 사람을 구하여
וַיְצַוֵּהוּ יְהוָה לְנָגִיד עַל־עַמּוֹ	c	여호와께서 그를 그의 백성의 지도자로 삼으셨느니라
כִּי לֹא שָׁמַרְתָּ אֵת אֲשֶׁר־צִוְּךָ יְהוָה׃	d	여호와께서 왕에게 명령하신 바를 왕이 지키지 아니하였으므로

כִּלְבָבוֹ	אִישׁ	לוֹ	יְהוָה	בִּקֵּשׁ
수식어	직접 목적어	수식어	주어	동사
그의 마음에 맞는/같은/따르는	사람을	그분 자신을 위해	여호와께서	구하여

표5.2. 사무엘상 13장 14절_ MT, 개역개정, 히브리어-영어 행간 번역

영어에서 '……에 맞는'(after)이라는 전치사는 '추구하다, 좇다'라는 의미를 지닐 수 있다. '경찰이 강도를 좇다(went after)'와 같은 경우다. 그러나 히브리어 전치사 כְּ(케, '……같은/따르는')는 그런 식으로 기능하는 경우가 전혀 없다. 따라서 אִישׁ כִּלְבָבוֹ(이쉬 킬바보)라는 구조는 '하나님의 마음을 추구하는 사람'을 뜻할 수 없다. 그렇다면 필자가 수십 년 전에 이 진술을 해석하면서 활용했을지 모르는 방식 하나는 배제된다. 대신 כְּ(케)는 흔히 (1) 대응이나 동일 관계('……같은/처럼') 또는 (2) 종류, 방식, 기준의 일치('……을 따르는')를 표현한다.[3]

그 다음으로 인식해야 할 점은 전치사구가 수식어로서, (형용사로 기능하는) 명사나 (부사로 기능하는) 동사 중 하나의 특성을 묘사한다는 것이다. 히브리어에서 대부분의 전치사구는 부사적이다. 그러나 사무엘상 13장 14절에서 전치사구 כִּלְבָבוֹ(킬바보)는 전통적으로 형용사적으로 해석한다. 사무엘상 13장 14절은 세 가지로 해석할 수 있다. 각 해석을 살펴보자.

첫째, כִּלְבָבוֹ(킬바보, '……에 맞는/같은/따르는')가 형용사로 기능해서 직접 목적어인 '사람'(אִישׁ[이쉬])을 수식한다면, 그리고 '마음'(לֵבָב[레바브])이 하나님의 성품이나 성실하심을 말한다면, 그 구절은 '여호와께서 어떤 점에서든 하나님의 성품이나 성실함에 상응하는 사람을 찾는다'라는 뜻일 것이다. 이것이 전통적 독법이며, 여러 역본이 이 견해를 분명하게 보여 준다. "주님이, 모든 면에서 그를 기쁘시게 하는 사람을 찾아"(The Lord, searching for a man who is pleasing to him in every way[BBE]), "주 여호와께서 자신을 위

3 *IBHS* 202-5, § 11.2.9.

해 그에게 충성스러운 사람을 찾으셨다"(The LORD has sought out for himself a man who is loyal to him[NET Bible]), "주 여호와께서 그에게 충성된 사람을 발견하셨다"(The LORD has found a man loyal to him[HCSB]).[4] "주 여호와께서 여호와 자신의 마음을 따르는 사람을 찾으실 것이다"(The LORD will search for a man following the Lord's own heart[CEB]).

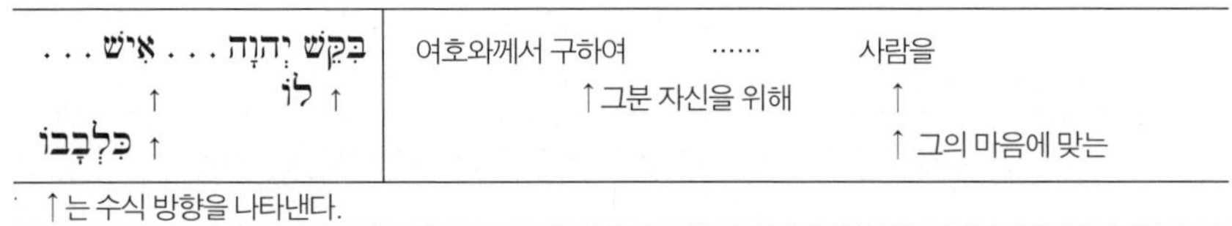

בִּקֵּשׁ יְהוָה . . . אִישׁ . . .	여호와께서 구하여 …… 사람을
↑ לוֹ ↑	↑그분 자신을 위해 ↑
↑ כִּלְבָבוֹ	↑ 그의 마음에 맞는

↑는 수식 방향을 나타낸다.

표5.3. 사무엘상 13장 14절에 나오는 כִּלְבָבוֹ를 형용사로 보는 견해

둘째, כִּלְבָבוֹ(킬바보)를 형용사로 읽을 때 '마음'이 하나님의 성품이 아닌 그분의 '바람'이나 '선택'을 말한다면, 또 다른 가능성이 생긴다. 이때 하나님이 선택하시는 목적은 그 '사람'과 부합하거나 그 사람 안에서 성취된다. 맥카터(McCarter)는 사무엘상에 대한 「앵커 성경 주석」(Anchor Bible Commentary)에서 이 견해를 널리 보급시켰으며, 오늘날 많은 학자가 이 해석을 따르고 있다.[5] 여기서 기본 개념은 "여호와께서 그분 자신을 위해 그분 자신의 선택과 일치하는 사람을 찾고 계셨다"가 될 것이다. 일부 현대어 역은 이 해석을 사용한다. "이제 하나님께서는 왕을 대신할 자를 찾고 계십니다. 이번에는 그분께서 직접 택하실 것입니다"(God is out looking for your replacement right now. This time he'll do the choosing[MSG]). "주 여호와는 그분 자신이 선택하는 사람을 찾으실 것이다"(The LORD will search for a man of his own choosing[CEBA]).

본문을 해석하는 세 번째 방법이 있다. 필자는 그 해석을 선호한다. 바로 전치사구 כִּלְבָבוֹ(킬바보)가 형용사로 기능해서 '사람'을 수식하는 것이 아니라, 부사로 기능해서 주동사 בִּקֵּשׁ(비케쉬, '그가 구했다')를 수식한다는 것이다. 이 경우, 여호와의 '마음/의지'는 그분이 새로운 왕을 찾는 표준이나 기준이 된다. '여호와께서 자신을 위해 자신의 뜻에 따라 사람을 구했다'는 것이다. 이렇게 해석할 때 이 구절은 그 사람의 성품이나 충성에 대해서는 어느 것도 명확하게 말하지 않는다. 대신 여호와께서 다윗을 택하신

4 새로 나온 CSB는 더 전통 번역으로 돌아간다. "주 여호와께서 그분 자신의 마음에 맞는 사람을 발견하셨다"(The LORD has found a man after his own heart)는 것이다.

5 P. Kyle McCarter Jr., *1 Samuel: A New Translation with Introduction and Commentary*, AB 8 (New York: Doubleday, 1980), 229쪽.

재량적 행위가 어떻게 이전의 의지적 행위에서 나온 것인지에 초점을 맞춘다. 즉 여호와께서 자신이 마음속에 품으신 이미지에 따라 찾으셨다는 것이다.

בִּקֵּשׁ יְהוָה . . . אִישׁ . . .	여호와께서 구하여 …… 사람을
לוֹ ↑	↑ 그분 자신을 위해
כִּלְבָבוֹ ↑	↑ 그의 마음에 맞게

↑는 수식 방향을 나타낸다.

표5.4. 사무엘상 13장 14절에 나오는 כִּלְבָבוֹ를 부사로 보는 견해

부사로 해석하는 견해를 지지하는 증거는 문법적으로 유사한 구문들, 이에 필적하는 고대 근동 자료들(8장에서 '사무엘상 13장 14절의 역사적 맥락' 부분을 보라), 성경 신학 등에서 찾을 수 있는데, 그것들 모두 필자가 다른 곳에서 다룬 바 있다.[6] 그런데 부사로 해석하는 것이 맞다면, 그 구절은 사울을 대신할 사람에 대해 명시적으로 어느 것도 말하지 않는다 해도, 여전히 암시적으로는 무언가를 말할 수 있다. 부분적으로 다윗의 삶이 사울의 삶보다는 하나님이 마음속으로 생각하신 왕권 이미지에 밀접하게 부합되기 때문에 여호와께서 다윗을 택하신 것이라면(즉, 신 17:14-20), 부사로 해석한다 해도 우리는 다윗의 성품이나 충성에 대해 뭔가를 배울 수 있다.

사무엘상 15장 28절에서 사무엘은 사울에게 여호와께서 나라를 "왕보다 나은 왕의 이웃에게 주셨나이다"라고 말한다. 그 다음에 16장 7절에서 하나님은 다윗의 다른 형제들이 왕위에 오르는 것을 거부하시고 다윗이 왕좌의 상속자가 될 것이라고 선언하신다. 그러면서 "내가 보는 것은 사람과 같지 아니하니 사람은 외모를 보거니와 나 여호와는 중심을 보느니라"고 단언하신다. 여호와는 신명기 17장 14-20절에 묘사된 왕권에 대한 하나님의 이상과 가장 밀접하게 부합하는 사람을 찾으셨다. 다윗은 완전하지 않았다. 실로 그는 완전함과는 전혀 거리가 멀었다. 그러나 다윗의 내적 성향은 사울의 성향보다 하나님의 바람에 정확히 맞춰져 있었다. 더구나 다윗의 삶은 하나님의 더 위대한 아들이신 예수를 가리켰다. 그 예수는 왕권에 대한 하나님의 이상적 이미지에 완벽하게 들어맞는 분이었다.[7]

---

6 Jason S. DeRouchie, "The Heart of YHWH and His Chosen One in 1 Samuel 13:14," *BBR* 24, 4 (2013): 467-89쪽.

7 사도 바울은 1차 선교 여행 동안 비시디아 안디옥의 회당에서 유대인들에게 설교하면서 사무엘상 13장 14절을 암시했다(행 13:22). 바울의 설교가 다윗이 왕위에 오른 지 천 년도 더 지난 후에 선포된 것이라는 사실은 다윗의 정체성을 포함한 이유와, 동사가 '구했다'(sought)에서 '만났다'(found)로 바뀐 이유를 모두 설명해 준다. 이처럼 '내 마

이 예에서 필자가 강조하고자 하는 것은 히브리어 문법을 아는 것이 지닌 가치다. 사무엘상 13장 14절을 살펴볼 때, 전치사구가 형용사로 기능할 수도 있고 부사로 기능할 수도 있다는 것을 알면, 질문과 해석에 대한 새로운 길이 열릴 것이다.

문법이란 무엇인가

문법(grammar)은 한 언어가 효과적으로 소통하기 위해 사용하는 전체 체제와 구조이기 때문에 중요하다. 문법은 하나님이 자신의 말씀을 주기 위해 사용하신 수단이다. 1년간 성서 히브리어를 열심히 배운 사람들은 철자론, 음운론, 어형론, 구문론이라는 네 영역을 공부했을 것이다. **철자론**(orthography)은 자모에 대한 공부 및 글자들이 어떻게 결합하여 소리를 나타내고 단어를 형성하는지에 대한 연구다. **음운론**(phonology)은 어떤 언어의 소리 체계(음소[phonemes])에 대한 연구다. **어형론**(morphology)은 단어 형성에 대한 연구다. 1년차 때부터 나오는 모든 어형 변화표는 어형론의 일부다. 강세 변화 규칙과 모음 변화 등도 마찬가지다. **구문론**(syntax)은 단어들이 어떻게 결합하여 구, 절, 문장, 심지어 더 큰 강화 구조를 이루는지를 다룬다. 소구문론(micro-syntax)은 절과 문장들의 형성에 초점을 맞추고, 대구문론(macro-syntax)은 전체 텍스트의 형성을 다룬다.

주해 과정에서는 철자론적인 것이든, 어형론적인 것이든, 구문론적인 것이든, 텍스트에 나오는 모든 문법적 주요 쟁점을 밝혀내야 한다. 이 쟁점들과 관련된 질문에는 다음과 같은 것들이 포함된다.

- 문법을 다르게 해석하면 어떤 절이나 절들의 집합이 다르게 이해될 수 있는가?

음에 맞는'이라는 전치사구는 형용사적인 것이 될 수도 있고, 부사적인 것이 될 수도 있다. 사도는 단지 텍스트를 있는 그대로 인용하고 있을 뿐이다. 필자는 바울이 사무엘상 13장 14절에 나오는 כִּלְבָבוֹ(킬바보)에 대해 전통적인 형용사적 독법을 따랐다고 주장할 증거가 충분하다고 생각하지 않는다. 이에 대해 더 알려면 같은 책 488-89쪽을 보라.

- 나는 모든 철자의 불규칙성을 설명했는가?
- 왜 다른 어간 대신 특정 어간이 선택되었는가? 예를 들어 왜 니팔이 아니라 히트파엘이 선택되었는가?
- 나는 모든 대명사의 선행 지시 대상과 모든 동사의 주어를 밝혀냈는가?
- 나는 모든 종속 접속사와 접속사 생략절의 기능을 이해하는가? 그리고 모든 연쇄적 등위 וְ(베, '그리고') 절이 어디에서 시작되는지 정했는가?
- 나는 모든 강화 표지의 역할과 모든 표시절의 기능을 파악했는가?
- 나는 영창 기호가 유대인들의 해석에 대해 무엇을 말하는지 아는가?

아마 독자는 히브리어를 공부할 때 거의 오로지 어형론과 소구문론(단어 형성 및 그 단어들이 절과 문장을 만드는 것)에 초점을 맞추었을 것이다. 어떤 언어를 공부하든 반드시 그 단계에서 시작해야 한다. 하지만 거기서 끝낼 수는 없다. 성경 해석자들은 절 이상의 것을 주해해야 한다. 우리는 단락과 인용구 같은 텍스트를 주해한다. 그리고 이 장에서는 바로 그것을 다룬다. 이것은 2장의 '문학적 단위와 텍스트의 계층 구조'에서 이미 다룬 것을 기반으로 한다.

절과 문장[8]

문법을 평가할 때, 우리는 절에서 시작해야 한다. 절은 텍스트 분석에서 기본이 되는 구성 요소이기 때문이다. 절(clause)은 주어와, 그 주어의 술어로 구성된 문법 구문이다. 예를 들어, '그는 기도했다'라는 말은 하나의 절로, '그는'이 주어이고 '기도했다'가 술어다. 이에 반해, '집 안에서'라는 말은 그냥 하나의 구(phrase)일 뿐이다. 이 단어들의 모음에는 주어와 술어가 없으며, 그래서 절이 아니기 때문이다.

---

8 이 자료는 A. Garrett and Jason S. DeRouchie, *A Modern Grammar for Biblical Hebrew* (Nashville: Broadman & Holman, 2009), 283-84쪽(§ 37.B) 내용을 수정한 것이다. 허락을 받고 사용하였다.

술어(predicate)는 절의 일부로, 주어와 관련된 상태나 진행, 행동을 말한다. 히브리어에서 술어는 하나의 정형 동사와 그것의 모든 보어(우리는 그것을 동사절이라고 부른다)이거나, 명백한 동사가 없는 또 다른 명사나 형용사(그것을 우리는 동사 없는 절이라고 부른다)이거나 둘 중 하나일 수 있다. 주어와, 그 주어의 술어는 절(Cl)에서 필수 핵심(Nuc)을 구성한다. 절의 핵심과 함께 다양한 수식어(Mod)와 연결어(Con), 이를테면 접속사, 감탄사, 부사, 전치사구 등이 나올 수 있다.

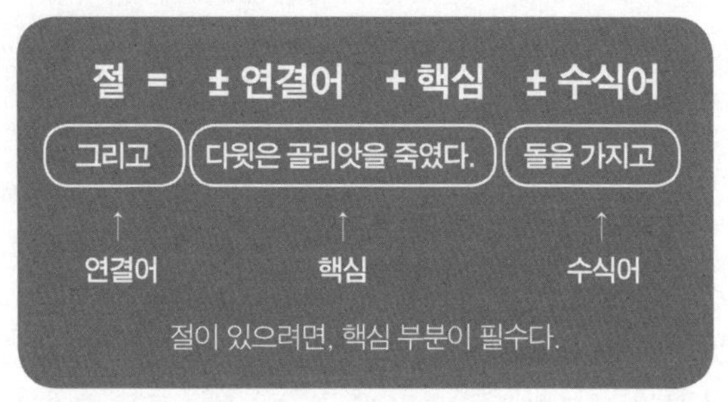

당신은 하나의 절이 여러 개의 문법적 자리(grammatical slots)를 가지고 있다고 생각할 수 있다. 한 자리는 임의의 연결어를 위한 것이고, 한 자리는 필수 핵심(주어와 술어)을 위한 것이며, 임의적 수식어를 위해 몇 개의 자리가 있을 수 있다. 수식어를 위한 자리는 (부사와 같은) 한 단어, (전치사구와 같은) 한 구, 또는 (관계절과 같은) 절 전체로도 채워질 수 있다. 표5.5는 여러 종류의 수식어에 대해 몇 가지 예를 보여 준다.

1. 단어	"**어제** 다윗은 골리앗을 죽였다"(**Yesterday** David slew Goliath).
	여기에서 '어제'(yesterday)는 부사적 수식어다.
2. 구	"다윗은 **오후에** 골리앗을 죽였다"(David Slew Goliath **in the afternoon**).
	'오후에'(in the afternoon)는 집합적으로 수식어 역할을 하는 부사적 전치사구다.
3. 절	"**소년에 불과한** 다윗은 골리앗을 죽였다"(David, **who is but a boy**, slew Goliath).
	'소년에 불과한'이라는 말에는 주어와 술어가 포함된다. 하지만 이것은 관계절을 형성하며 '다윗'의 수식어 역할을 한다. 이 말은 종속적 위치에 있다.

표5.5. 단어, 구, 절로 이루어진 수식어

우리의 문법 연구는 다음과 같은 정의들로 시작한다.

1. **구**(phrase)는 절에서 단일 자리를 차지하는 단어들의 모음이다.
2. **종속절**(subordinate clause)은 수식어 역할을 하는 절로, 더 높은 차원의 절(주절)에 내포되어 있다. 앞서 나온 예에서 '소년에 불과한'이라는 절이 종속절이다.
3. **주절**(main clause, 모체 '어미'절)은 문법적으로 더 높은 차원의 다른 절에 종속되지 않는다.[9] "소년에 불과한 다윗은 골리앗을 죽였다"라는 구문에서 '다윗은 골리앗을 죽였다'라는 절이 주절을 형성한다.
4. **문장**(sentence)은 주절과, 그에 딸린 모든 종속절을 말한다.

구약 주해 과정에서, 문법과 구조를 평가하는 데 좋은 첫 단계는 텍스트를 별개의 절로 나누는 것이다. 이렇게 하면, 그 절들이 모여 어떻게 텍스트를 형성하는지 평가하는 작업에 착수할 수 있다. 다음 부분에서는 출애굽기 19장 4-6절을 절로 나눈 뒤, 번역하는 동안 제기된 문법적 질문들을 몇 가지 살펴볼 것이다.

출애굽기 19장 4-6절에서 절을 구분하는 것과 19장 4절 텍스트의 계층 구조

먼저 모든 절을 구분하여 출애굽기 19장 4-6절을 계속 살펴보려고 한다. 계속 읽어 나가기 전에, 당신 스스로 이 본문에 나오는 다양한 절들의 범위를 정해 보라. 히브리어를 모르더라도 이 작업을 할 수 있다. 절을 만드는 데 주어와 술어가 필요하다는 점을 기억하라. 절을 제대로 판별해 냈는지 시험해 보려면, 모든 연결어와 수식어를 빼버리고 독자적으로 말이 통하는지 살펴보면 된다. 모든 절의 핵심은 완전한 생각을 전달해야 한다. 작업을 마치면 당신이 한 것을 표5.6과 비교해 보라.

9 몇몇 주절은 여전히 어느 정도 종속적일 수 있다. 주어나 목적 대명사가 다른 곳에 진술된 선행사를 가지고 있는 경우와 같다.

אַתֶּם רְאִיתֶם	4	너희는 보았느니라
אֲשֶׁר עָשִׂיתִי לְמִצְרָיִם	b	내가 애굽에 행한 것과,
וָאֶשָּׂא אֶתְכֶם עַל־כַּנְפֵי נְשָׁרִים	c	그리고 어떻게 독수리 날개 위로 너희를 들어 올렸고
וָאָבִא אֶתְכֶם אֵלָי׃	d	그리고 내가 너희를 내게 인도했는지
וְעַתָּה	5	그리고 이제
אִם־שָׁמוֹעַ תִּשְׁמְעוּ בְּקֹלִי		만일 너희가 내 음성을 잘 듣고
וּשְׁמַרְתֶּם אֶת־בְּרִיתִי	b	그리고(그러면[?]) 내 언약을 지키고
וִהְיִיתֶם לִי סְגֻלָּה מִכָּל־הָעַמִּים	c	그리고(그러면[?]) 모든 민족으로부터(민족보다 더[?]) 나의(나를 위한[?]) 보배로운 소유가 되리라
כִּי־לִי כָּל־הָאָרֶץ׃	d	왜냐하면(비록[?]) 모든 세계가 나의(나를 위한[?]) 것이니
וְאַתֶּם תִּהְיוּ־לִי מַמְלֶכֶת כֹּהֲנִים וְגוֹי קָדוֹשׁ	6	그리고(그러면) (?) 너희가 나를 위해 (나의[?]) 제사장 나라와 거룩한 백성이 되리라.

표5.6. 출애굽기 19장 4-6절에서 절들의 범위 정하기

필자는 구절을 표기하는 숫자로 각 구절의 시작부를 표시했으며, 구절 안에서 뒤이어 나오는 모든 절은 알파벳으로 표시했다. 5a에서 필자는 '그리고 이제'(וְעַתָּה[베앗타])를 '만일'(אִם־[임]) 절과 분리시켰다. וְעַתָּה(베앗타)가 5-6절 전체 문장을 수식하기 때문이다. 5a는 두 줄로 나뉘지만, 사실 한 절(clause)이다.

그 다음에는 절들이 서로 어떻게 관련을 맺는지 살펴보자. 특히 텍스트의 계층 구조를 이루어 관련을 맺는다(2장에 나온 '히브리어의 문학적 단위와 텍스트의 계층 구조 소개'와 '텍스트 블록'을 보라). 들여쓰기는 어느 절이 주된 절인지(덜 들여 쓴 것) 또는 종속된 절인지(더 들여 쓴 것)를 나타낸다는 점을 기억하라. 4절은 텍스트의 계층 구조를 시작하기가 비교적 쉽다. 4a에 주절이 나오고 그 다음 4b에서 (אֲשֶׁר[아쉐르, what, '……한 것']라는 말로 시작되는) 관계적 목적절이 나온다. 목적절이 주절을 보완하기 때문에 4b를 왼쪽으로(영어에서는 오른쪽으로) 한 칸 들여 쓴다.

אַתֶּם רְאִיתֶם	4	너희는 보았느니라
אֲשֶׁר עָשִׂיתִי לְמִצְרָיִם	b	내가 애굽에 행한 것과,
וָאֶשָּׂא אֶתְכֶם עַל־כַּנְפֵי נְשָׁרִים	c	그리고 어떻게 독수리 날개 위로 너희를 들어 올렸고
וָאָבִא אֶתְכֶם אֵלָי׃	d	그리고 내가 너희를 내게 인도했는지

표5.7. 출애굽기 19장 4절 텍스트의 계층 구조

다음으로 4cd라는 두 동사절이 이스라엘이 애굽에서 '본 것' 또는 경험한 것을 더 묘사하는 것을 알 수 있다. 즉, 4cd에 나오는 바익톨 동사들 앞에 나오는 וְ(베) 연결어들(וָאֶשָּׂא[바아샤, '그리고 내가 들어 올렸다'], וָאָבִא[바아비, '그리고 내가 인도했다'])는 또한 관계사

אֲשֶׁר(아쉐르, '……한 것'[which, that, what])를 기반으로 하며, 그렇기 때문에 그곳에 연결되어야 하고, 그래서 역시 한 번 들여 써야 한다. 관계적 불변화사 אֲשֶׁר(아쉐르)는 처음에 '……한 것'(what)이라고 번역되었는데, 4b뿐만 아니라 4cd까지 지배한다. 4cd 앞에 나오는 וָ(베) 연결어가 그 부분에 연결되어 있기 때문이다. 동사의 의미가 변화하면서 첫째 절은 '무엇을'(what)으로, 다음 두 절은 '어떻게'(how)로 번역해야 한다. 하지만 세 절은 모두 합하여 4a에 나오는 주동사 רְאִיתֶם("너희가 보았느니라")의 목적어 역할을 한다. 하나님의 백성은 하나님이 하신 것(what)과 **그리고 어떻게**(and how) 그분이 그들을 들어 올렸는지, **그리고 어떻게**(and how) 그분이 그들을 하나님 자신께로 인도하셨는지를 보았다.

5절에서 우리는 우리의 번역에서 제기된 문법적 문제들에 직면하기 시작한다. 대답해야 하는 주요 질문 두 개는 (1) 5-6절에서 귀결절(즉, '그러면')을 어디서 시작할 것인가, (2) 5d에 나오는 종속 접속사 כִּי(키)는 앞에 나오는 것의 근거/이유('왜냐하면/…… 때문에'[ESV])를 제공하는가, 아니면 앞에 나오는 것이나 뒤에 나오는 것을 소개하는 양보의 의미('비록'[NIV])인가다. 이 질문들은 이 장 뒷부분에서 씨름해 보겠다.

히브리어 동사에 대한 중간 검토[10]

표5.8은 성서 히브리어에서 사용되는 다양한 동사 어형 변화를 개관한 것이다.[11] 이번 부분에서 필자는 이 개념들을 발전시키기 원한다.

---

10 이 자료 중 일부는 Garrett and DeRouchie, *A Modern Grammar for Biblical Hebrew*, 33-40, 64-66, 220-23쪽(§§ 6, 10.D, 30) 내용을 수정한 것이다. 허락을 받고 사용하였다.

11 Peter J. Gentry, "The System of the Finite Verb in Classical Biblical Hebrew," *HS* 39 (1998): 7-39쪽, John A. Cook, "The Hebrew Verb: A Grammaticalization Approach," *ZAH* 14, 4 (2001): 117-43쪽을 보라.

영역	형태 명칭	전통 명칭	일반 기능
과거/ 완료	바익톨	바브 연속 미완료	문맥에 의해 결정되는 시제, 완료상, 직설법 또는 비직설법
	카탈	완료	문맥에 의해 결정되는 시제, 완료상, 직설법 또는 비직설법
	베카탈	바브 연속 완료	문맥에 의해 결정되는 시제와 상, 직설법 또는 비직설법
미완료/ 진행	(베)익톨 (장형)	미완료	문맥에 의해 결정되는 시제, 미완료상, 직설법 또는 비직설법
	분사	분사	문맥에 의해 결정되는 시제, 진행상
의지적 법성[12]	(베)익톨 (단형)	간접 명령형	문맥에 의해 결정되는 시제, 완료상, 보통은 의지적, 비직설법
	명령형	명령형	의지적, 비직설법

표5.8. 히브리어 동사

용어 정의

영어 사용자들은 먼저 **시제**라는 면에서 동사를 생각하고, 그러고 나서 **태**와 **법**을 생각하도록 배웠다. 성서 히브리어에서는 **상**과 **동작류**도 알아야 한다.

시제(tense)는 동사가 표현하는 상황이 과거인지, 현재인지, 미래인지를 말해 준다. 예를 들면 영어는 단순 과거('바니가 그것을 먹었다')와 미래('모세가 그것을 먹을 것이다')를 사용한다.

태(voice)는 동사의 주어가 행동을 하는지, 행동을 받는지를 말해 준다. 영어에는 **능동태**('조이가 공을 쳤다')와 **수동태**('공이 조이에 의해 쳐졌다')가 있다.

법(mood 또는 modality)은 동사로 표현된 행동이나 상태가 실제인지(……이었다[was], ……이다[is], ……일 것이다[will]), 그저 가능한 것인지(……일 것이다[may, should, would, could]) 를 말해 준다. **직설법**(indicative mood)은 실제 상황과 사실을 전달한다('루시는 과자를 먹

12 의지적 법성(volitional modality)은 도덕적 영역과 관련되며, 책임과 허용의 논리를 말한다. 학자들은 이것을 보통 의무적 법성(deontic modality)이라고 부른다(David A. Crystal, *A Dictionary of Linguistics and Phonetics*, 5판, Language Library [Malden, MA: Blackwell, 2003], 130쪽).

는다[eats]'). 반면 **다양한 비직설법**(nonindicative mood)은 잠재적인지만 실현되지 않은 상황을 나타낸다(예를 들어, '루시는 야채를 먹을 수도 있을 것이다[could eat]'). 어떤 비직설법에는 **의지적**(volitive)이라는 말이 붙어 있다. 화자의 의지나 뜻을 표현하기 때문이다. 이중에는 명령('뛰어, 에스라!') 또는 금지('뛰지 말아 주세요, 에스라!')를 형성하는 명령형이 있다. 또한 이중에는 가정형이 있는데, 의심, 소망, 요청, 바람을 표현한다(예를 들어, '조이가 노래를 좀 할 수 있을까?'[*May Joy sing*] 또는 '조이는 노래했어야 한다'[Joy *should sing*]). 어떤 비직설법들은 조건이나 우발성을 표현하는데, 이때 한 명제의 타당성이나 실현은 어떤 조건이 충족되는 것에 좌우된다('만일 ……한다면'). 다른 비직설법들은 목적을 표현한다('제이슨은 테레사가 지나가는 것을 보려고[would see] 길옆에 서 있었다').

상(aspect)은 화자가 행동을 묘사하는 방식과 관련된다. 그것이 전체 사건으로 제시되는지('그 일이 일어났다'), 과정으로 제시되는지('그 일이 일어나고 있었다')인 것이다. 우리는 두 가지 상에 관심이 있다. 완료상과 미완료상이다. **완료상**(perfective aspect)은 하나의 행동 전체를 묘사한다. 완료상의 초점은 어떤 행동이 일어났다는 사실에 맞춰져 있다. 어떤 활동이 일어날 때나 일어났을 때, 진행 중으로 보는 것과 대조된다. 영어에서 완료상의 예는 다음과 같다.

- '이삭은 사과를 먹었다(ate the apples).' 이것은 과거의 행동을 하나의 전체로 본 것으로, 과거에 일어난 단순한 행동으로 진술되어 있다.
- '이삭은 사과를 먹었었다(has eaten the apples).' 이것은 완료된 행동이다.
- '이삭은 사과를 먹는다(eats apples).' 이때 시제는 현재이지만, 행동은 진행하는 것으로 묘사되기보다는 하나의 전체로 묘사된다. 이 문장은 "내가 이삭 먹으라고 사과를 줘야 하나?"라는 질문에 대한 대답이 될 수 있으며, "그래, 하나 줘. 이삭은 사과를 좋아하거든"이라는 것을 암시할 수 있다. 이 문장은 '그가 사과를 먹고 있다'는 문장과는 다르다. 그 문장은 현재 진행되는 활동을 나타낸다. 또한 '그는 사과를 먹는다'는 말은 완료적이지만 완결된 행동을 암시하지는 않는다는 사실에도 주목하라. 이 문장은 단지 그러한 행동이 일어난다는 것을 진술한다.

미완료상(imperfective aspect)은 하나의 전체보다는 **진행 중인** 행동을 묘사한다. 때로 결과에 열려 있으며, 습관적인 것이거나 반복적인 것일 수 있다.

- '자니는 일을 마친 후에 운전해서 집으로 오고 있었다(Janie was driving home after work).' 이때 초점은 운전해서 집으로 오고 있는 과정이다. 그것은 열린 결말이다. 우리는 자니가 집에 도착했는지 안 했는지 알지 못하기 때문이다. '그는 일을 마친 후에 운전해서 집으로 왔다'는 말과 대조해 보라. 이 말은 그 행동을 하나의 전체로 묘사하며 결말을 암시한다. 그가 자기 집에 도착했다는 결말이다.
- '자니는 운전해서 집으로 오곤 했다(Janie used to drive home).' 이것은 과거에 습관적으로 일어난 일을 묘사한다.

동작류(*aktionsart*, '행동의 종류'를 뜻하는 독일어)는 주로 (각 동사의 고유 의미와 연관된) 언어의 어휘적 특징으로, 동사구가 가지고 있는 것으로 여겨지는 실제적인 (그리고 단순한 묘사가 아닌) 절차적 특성들과 관련되어 있다. **역동성**('역동적' 대 '정적'), **계속성**('계속적' 대 '특정 시점'), **목적성**('목적을 나타내는' 대 '목적이 없는')은 모두 **동작류**의 특징이다.[13] 이 용어들은 보통 어휘적으로 결정된 행동이나 상태의 특질을 표현하며, 그래서 전달자의 관점이나 사건에 대한 묘사(즉 상[aspect])와는 거의 관계가 없다. 예를 들어 영어에서는 '치다'(strike)라는 동사의 **동작류**는 문맥이나 어형론과 관계없이 특정 시점에 일어난 것이다. 하지만 문법과 문맥만으로도 이 사건에 대한 저자의 관점이 드러난다. '그가 쳤다'는 것은 완료상이며 완성된 실체로 묘사되는 반면, '그가 치고 있다'는 미완료상이며 하나의 과정으로 묘사된다.

---

13 John A. Cook, *The Biblical Hebrew Verbal System: A Grammaticalization Approach* (Ph.D. diss., University of Wisconsin-Madison, 2002), 26쪽. Cook, *Time and the Biblical Hebrew Verb: The Expression of Tense, Aspect, and Modality in Biblical Hebrew*, LSAWS 7 (Winona Lake, IN: Eisenbrauns, 2012)을 참조하라.

시제, 동작류, 법, 상_ 익톨, 카탈, 바익톨

1. 서론

프랑스어, 라틴어, 헬라어 등 많은 서구 언어는 과거와 현재 시제, 또는 직설법과 가정법 등으로 그 동사들을 명백히 표시하는 정교한 어형 변화 체계를 갖고 있다. 이에 반해, 성서 히브리어의 정형 동사는 시제나 법에 따라 명확하게 어형이 변화되지는 않는다. 어느 히브리어 동사 형태도 오로지 '미래 시제' 또는 '직설법'으로만 사용되지는 않는다. 하지만 '익톨', '카탈', '바익톨'에는 다음과 같은 일반 규칙이 적용된다.

- **시제_** 익톨은 미래일 가능성이 많다. 그리고 바익톨과 카탈은 과거일 가능성이 많다. 셋 다 특정 문맥에서는 현재 시제가 될 수 있다.
- **태_** 히브리어는 동사가 익톨이든 카탈이든 바익톨이든 상관없이 수동태를 표시한다. 칼 수동 분사에 따라 니팔, 푸알, 호팔, 히트파엘은 모두 수동성을 표현할 수 있다.
- **법_** 카탈과 바익톨은 직설법(실제 상황)일 가능성이 훨씬 많다. 하지만 둘 다 부수적 문맥에서는 비직설법이 될 수 있다(예를 들어 민 5:27, 삼상 25:34, 욥 9:16). 익톨은 직설법이 될 수도 있고 비직설법(가능하거나 바람직한 상황)이 될 수도 있다. 앞으로 살펴보겠지만, 비직설법은 보통 동사가 맨 처음 위치에 나오는 것으로 표시된다.
- **상_** 완료상을 묘사하고 싶은 화자는 보통 카탈과 바익톨을 사용한다. 그들은 통상 익톨을 통해 미완료 행동을 나타낸다. 그렇다고 해서 모든 익톨이 계속되거나 반복되는 행동을 의미한다는 것은 아니다. 익톨은 과거 시제나 현재 시제로 되어 있고(미래는 아니다) 직설법인 경우에 미완료적일 것이다.
- **동작류_** 동작류는 개별 동사들의 어휘적 특징으로, 주어진 문맥에서 다양한 어형 변화에 있을 수 있는 미묘한 차이에 영향을 끼친다. 이를 더 알려면 다음을 보라.

2. 히브리어 동사에서 시제와 동작류

a. 개관

다양한 히브리어 어형 변화는 특정 시제에만 해당되는 것이 아니다. 그럼에도 특정한 동사 어형 변화는 과거 문맥이나 비과거 문맥에 더 자연스럽게 일치된다.

익톨 동사는 종종 미래 시제다. 이 때문에 יִפֹּל(입폴, '넘어지다'[נפל]의 칼 익톨 3인칭 남성 단수) 같은 형태는 '그는 **넘어질 것이다**(will fall)'로 해석된다. 하지만 익톨은 계속되는 현재 활동(예를 들어, '그는 넘어진다[falls]') 또는 반복되거나 습관적인 과거 행동(예를 들어, '그는 넘어지곤 했다[used to fall]')을 표시할 수 있다. 익톨이 '그는 넘어졌다'와 같은 단순 과거로 번역되는 경우는 매우 드물다. יִפֹּל(입폴)을 동사로 사용할 수 있는 경우는 다음 세 가지다. (1) 미래 시제_ '1년 안에, 그 악한 사람은 **넘어질**(will fall) 것이다.' 이때 익톨은 (반복되거나 진행 중인 행동이 아니라) 미래의 단순한 행동이다. (2) 현재 시제_ '그 노인은 걸어 보려고 할 때 보통 **넘어진다**(falls).' 현재를 나타내는 문맥에서 나오는 행동 동사들은 익톨을 취할 수 있다. (3) 과거 미완료_ '그 노인은 걸어 보려고 했을 때 넘어질 것이다(would fall).' 번역이 미완료적이며 '그는 걸어 보려고 할 때 넘어졌다'(fell)처럼 단순 과거 시제가 아니라는 것을 주목하라.

카탈 동사는 가장 흔하게 과거 시제를 나타낸다. 따라서 קָם(캄)은 '그가 일어났다'라고 해석한다. 하지만 카탈이 늘 과거 시제인 것은 아니다. 현재 상태, 현재의 결과나 의미를 지니고 있는 과거 사건도 표현할 수 있기 때문이다(즉 계속적 현재 완료). 또한 카탈은 완성된 행동을 묘사할 수도 있고, 묘사하지 않을 수도 있다. 다음 예들을 살펴보라. (1) 단순 과거 시제_ '그는 젊은 나이에 권세를 **얻었다**(rose).' 단순 과거가 기본 번역이다(해설). (2) 완료된 행동을 나타내는 과거 시제_ '그는 **일어났다**(has arisen).' (3) 계속적 현재 완료_ 이때 완료된 행동은 현재 지속되는 의미를 지닌다. 종종 일반적 관행을 밝히는 것으로, '왕이 방에 들어올 때 백성들은 자리에서 **일어났다**(has arisen, 즉 "종종 일어난다"[often rise]).'

바익톨 동사는 단순 과거 행동을 표현하는 경우(또한 '그리고'라는 연결어를 가지고 있는 경우)가 가장 많다. 그래서 וַיָּסָב(바야싸브)는 '그리고 그는 **둘러싸였다**(encircled)'라고 해석한다. 이것이 기본 해석이다. 하지만 현재를 나타내는 문맥에서는 계속적 현재 완료 역할도 해서, 계속적인 결과를 지닌 완료 행동을 표현할 수도 있다(예를 들어, '그리고 그는 둘러싸였었다[*has encircled*]').

b. 시제를 결정하는 데 문맥과 동작류의 역할[14]

우리는 יִפֹּל(입폴)이 '그는 넘어질 것이다' 또는 '그는 넘어지곤 했다'를 의미할 수 있다는 것을 보았다. 두 의미 모두 직설법이다. 하지만 יִפֹּל(입폴)의 의미가 미래인지 과거인지는 어떻게 알 수 있는가? 한 가지 대답은 문맥이다. 문맥은 어떤 진술이 이루어지는 상황을 묘사한다. 과거에 대한 내러티브 안에 있다면, יִפֹּל(입폴)은 과거 미완료다('그는 넘어지곤 했다[use to fall]'). 미래의 문맥 안에 있다면, יִפֹּל(입폴)은 미래의 의미를 갖는다. 익톨은 과거 미완료보다는 미래를 의미하는 경우가 훨씬 일반적이다. 카탈 동사의 시제도 문맥에 따라 결정된다. 어떤 사람이 생각하거나 느끼는 것을 묘사하는 동사들에서 카탈은 종종 현재 완료 시제다. 예를 들어, "그들은 여호와의 길, 자기 하나님의 법을 안다(have known, 카탈 동사)"(렘 5:5), "내가 주께서 계신 집과 주의 영광이 머무는 곳을 사랑하오니(have loved, 카탈 동사)"(시 26:8). 하지만 보통 카탈은 과거 시제다.

문맥과 함께, 시제를 결정할 때 지침이 될 또 다른 특징은 **동작류**다. 앞서 말했듯이, 동작류란 히브리어 동사가 표현하는 '행동의 종류'와 관련된 어휘적 명칭이다. (지속 동사라고도 하는) **동작 동사**(dynamic verbs)는 행동 동사로, 계속되거나 진행 중인 주어의 행동을 보여 준다. 이에 반해, **상태 동사**(stative verbs)는 행동보다는 주어의 상태를 묘사하며, 종종 생각, 감정, 관계, 느낌, 존재 상태와 관련된다. 표5.9는 동작류가 어떻게 카탈과 익톨의 어형 변화와 함께 작용하여 시제를 표현하는지 보여 준다.

동작류	시제-상		
	과거	현재	미래
동작 동사	카탈 익톨(되풀이하는 행동)	익톨 카탈(계속적 완료)	익톨
상태 동사	카탈	카탈	익톨

표5.9. 카탈 동사와 익톨 동사에서 시제와 동작류

히브리어 동사의 시제는 문맥에 따라 결정된다. 하지만 어형 변화 측면과 관련하여 동사의 동작류에 지배되는 용법에는 여전히 한계가 있다. 예를 들어, 동작 동사와

14 필자는 이 논의 가운데 많은 부분을 두 가지 연구에 기초했다. 그 연구는 Brian L. Webster, *The Cambridge Introduction to Biblical Hebrew* (Cambridge: Cambridge University Press, 2009), 295-305쪽, Webster, "The Perfect Verb and the Perfect Woman in Proverbs," in *Windows to the Ancient World of the Hebrew Bible: Essays in Honor of Samuel Greengus*, Bill T. Arnold, Nancy L. Erickson, John H. Walton 편집 (Winona Lake, IN: Eisenbrauns, 2014), 261-71쪽이다.

상태 동사 모두에서 성경 저자들은 단순 과거 시간을 표현하기 위해 통상적인 카탈을 사용하는 반면, 현재 상태 동사로는 흔히 카탈만 사용한다. 하지만 앞서 예레미야 5장 5절과 시편 26편 8절에서 우리는 카탈 동작 동사가 계속적 완료 역할을 할 때, 즉 과거 행동이 현재에 계속적인 결과나 의미를 지닐 때(예를 들어, '적들이 성벽을 허물었다[have torn down]') 현재 시제로 간주할 수 있다는 것을 보았다. 바익톨에서도 같은 일이 일어날 수 있다(예를 들어 시편 41편 13절이나 나훔 3장 16절).[15] 하지만 동작 동사들은 현재를 나타낼 때 익톨을 사용하는 경우가 더 흔하다. 익톨은 동작 동사와 상태 동사 모두의 미래 표현을 나타내는 어형 변화이기도 하다. 그리고 익톨은 행동이 반복해서 나타나거나 진행되고 있을 때 과거 시제의 맥락에서도 사용될 수 있다.

이러한 구분들은 히브리어의 시적 대구법에서 일어나는 일을 이해하는 데 큰 도움을 준다. 시편과 잠언서의 번역자들은 명백히 현재에 대응되는 진술들이 어떻게 익톨 형태와 카탈 형태를 모두 포함할 수 있는지 분별하느라 오랫동안 분투했다.[16] 필자의 판단으로 그 대답은 동사의 동작류가 어떻게 어형 변화 유형과 함께 작용하여 시제를 알려 주는지 인식하는 것에서 찾을 수 있다. 필자는 히브리어 동사가 산문에서

---

15 윌키와 오코너는 일반적인 견해를 따른다. 카탈과 바익톨이 현재 상태 동사 및 계속적 현재 완료 시제 역할을 하면서 동시에 지속적이거나 습관적인 금언적 완료형 역할을 할 수 있다는 것이다. 잠언이나, 그와 유사한 짧고 간결한 금언 또는 경구에서 현재 시제로 나온다(*IBHS* §§ 30.4b, 30.5.1c, 33.3.1.b [485, 488, 555-56]). 카탈에 대해 그들이 말하는 예에는 예레미야 8장 7절("산비둘기 …… 는 그들이 올 때를 지키거늘[observes]")과 이사야 40장 7절("풀은 마르고[withers] 꽃이 시듦은[fade]")이 포함된다. 바익톨에 대해서는 이사야 40장 24절("하나님이 입김을 부시니 그들은 말라[and they wither]"), 욥기 7장 9절("구름이 사라져 없어짐[vanishes]"), 잠언 11장 2절("교만이 오면 욕도 오거니와[so does]")을 예로 드는데, 이 모든 구절에는 그들이 주장한 금언적 카탈도 포함된다. 하지만 필자는 이 각 예에서 카탈 형태와 바익톨 형태 모두에 대해 계속적 현재 완료 독법을 적용하지 않아야 할 아무런 이유를 발견하지 못한다. 예레미야 8장 7절("산비둘기 …… 는 그들이 올 때를 지켰거늘[have observed]"), 이사야 40장 7절("풀은 말랐고[has withered] 꽃이 시들었음[has faded]"), 이사야 40장 24절("하나님이 입김을 부셨으니[has blown] 그들은 말랐고[and they have withered]"), 욥기 7장 9절("구름이 사라져 없어졌음[wasted away and has vanished]"), 잠언 11장 2절("교만이 왔으면[has come] 욕도 왔거니와[and disgrace has come]") 등이다. 필자가 따르는 접근법에 대해 더 알려면 앞 각주에 명시한 자료들을 보라.

16 많은 학자가 히브리 시에서 동작 동사들의 카탈 형태는 종종 현재의 의미와 미래의 의미를 지닌다고 추정한다. 그것은 산문에서의 용법과 매우 대조된다. 산문에서는 그 형태가 기본적으로 과거 시제나 현재 완료 시제를 표현하기 때문이다(앞 각주에서 윌키와 오코너가 설명하는 인용문을 보라). 알비에로 니카치(Alviero Niccacci)는 학자들이 보통 "산문과 비교할 때 시에서 동사 형태들은 해석자가 문맥에 대한 자신의 이해에 따라 적절하다고 생각하는 모든 것을 더 강하게 의미한다고 볼 수 있다"("The Biblical Hebrew Verbal System in Poetry," in *Biblical Hebrew in Its Northwest Semitic Setting: Typological and Historical Perspectives*, Steven Ellis Fassberg and Avi Hurvitz 편집 [Winona Lake, IN: Eisenbrauns, 2006], 247쪽)고 말하면서 이러한 접근법을 요약한다. 이와 달리 필자는 성경의 시에서 히브리어 동사는 산문에서와 같은 작용을 하며, 카탈 동사는 결코 '금언적' 현재를 표현하지 않고, 어근이 상태적이지 않은 한 모든 문맥에서 언제나 과거나 계속적 현재 완료를 표시한다고 생각한다. 앞서 말한 웹스터(Webster)의 연구를 보라.

작용하는 것과 같은 방식이 시에서도 작용한다고 생각한다. 익톨 동작 동사, 카탈 상태 동사, 카탈 동작 동사는 모두 현재를 나타내는 연에서 (동사 없는 절들과 함께) 서로 관련을 맺고 있을 수 있다. 우리가 각 어형 변화 유형이 표현되는 방식을 제대로 인식하는 한 그렇다는 것이다.

	마소라 본문	필자 사역	ESV(개역개정)
1	잠언 12장 21절		
	לֹא־יְאֻנֶּה לַצַּדִּיק כָּל־אָוֶן וּרְשָׁעִים מָלְאוּ רָע׃	No disaster befalls the righteousness; but the wicked are full of trouble. 의인에게는 어떤 재앙도 임하지 않지만 악인은 괴로움으로 가득하다.	No ill befalls the righteous, but the wicked are filled with trouble. 의인에게는 어떤 재앙도 임하지 아니하려니와 악인에게는 앙화가 가득하리라.
	현재로서의 익톨 동작 동사, 현재로서의 카탈 상태 동사		
2	잠언 14장 1절		
	חַכְמוֹת נָשִׁים בָּנְתָה בֵיתָהּ וְאִוֶּלֶת בְּיָדֶיהָ תֶהֶרְסֶנּוּ׃	She has built her house with the widsom of wives, but folly with her own hands tears it down. 그녀는 아내의 지혜로 자기 집을 세웠다. 하지만 그 손의 어리석음이 그것을 헌다.	The wisest of women builds her house, but folly with her own hands tears it down. 지혜로운 여인은 자기 집을 세우되 미련한 여인은 자기 손으로 그것을 허느니라.
	계속적 현재 완료로서의 카탈 동작 동사, 현재로서의 익톨 동작 동사		
3	시편 50편 19절		
	פִּיךָ שָׁלַחְתָּ בְרָעָה וּלְשׁוֹנְךָ תַּצְמִיד מִרְמָה׃	You have loosed your mouth with evil, and your tongue frames deceit. 네 입을 악에게 내어 주었고 네 혀는 거짓을 꾸민다.	You give your mouth free rein for evil, and your tongue frames deceit. 네 입을 악에게 내어 주고 네 혀로 거짓을 꾸미며.
	계속적 현재 완료로서의 카탈 동작 동사, 현재로서의 익톨 동작 동사		

표5.10. 대구법에서 현재 시제 카탈과 익톨의 예

c. 시제의 사례 연구_ 잠언 31장 10-31절

잠언서의 결어는 고상한 성품을 지닌 아내의 모습으로 구현된 지혜를 묘사한 것으로 잘 알려져 있다(잠 31:10-31). 그러나 이러한 모습에 어떻게 도달할 수 있는가? 필자 자신은 사역을 하면서 여성들이 대부분 이 텍스트로 씨름하는 것을 보았다. 그 구절에 묘사된 이상적인 모습에 부합할 수 없다고 느끼기 때문이다. 게다가 이 텍스트를 읽으면서 많은 독신 남학생이 자신은 절대 그런 여자를 만나지 못할 것이라고 생각한다.

이 시는 답관체(alphabet acrostic)로 되어 있다. 스물두 행으로 구성되어 있으며, 각

행은 히브리어 자모 순서대로 첫 글자가 시작된다. 탁월한 아내를, 그리고 남성은 이러한 여성을 가까이 해야 할 필요를 강조하는 온갖 단어 형태가 사용된다.

듀안 개럿(Duane A. Garrett)은 이 시의 내용이 교차 대구 유형으로 되어 있다고 말했다. 단계마다 그에 대응하는 주석이 달려 있다는 것이다(표5.11을 보라). 이러한 구조 안에서, 잠언의 주요 청중인 젊은 귀족과, 장차 남편이 될 사람들은 23절에서 자신이 중심에 있는 것을 발견한다. 그 구절은 이 시에서 놀라운 여인에게 초점을 맞추지 않는 유일한 진술이다.

A: 훌륭한 아내의 고귀한 가치(10절)
B: 남편이 아내에게 유익을 얻었다(11-12절)
C: 아내가 열심히 일했다(13-19절)
D: 아내가 가난한 사람들에게 베풀었다(20절)
E: 아내가 눈을 두려워하지 않았다(21a절)
F: 아이들은 자색 옷을 입었다(21b절)
G: 아내는 아름다운 이불을 짓고 세마포를 입었다(22절)
H: 남편에 대한 대중의 인정(23절)
G′: 옷과 띠를 팔았다(24절)
F′: 아내가 존귀로 옷을 입었다(25a절)
E′: 아내가 후일을 두려워하지 않았다(25b절)
D′: 아내가 지혜를 말했다(26절)
C′: 아내가 열심히 일했다(27절)
B′: 남편과 자식들이 아내를 칭찬했다(28-29절)
A′: 훌륭한 아내의 고귀한 가치(30-31절)

Duane A. Garrett, *Proverbs, Ecclesiastes, Song of Songs*, NAC 14(Nashville: Broadman & Holman, 1993), 248쪽 수정.

표5.11. 잠언 31장 10-31절의 교차 대구 구조

번역가들은 보통 잠언 31장 10-31절 전체를 현재 시제로 번역한다. 하지만 이 텍스트는 카탈 형태와 바익톨 형태가 지배하며, 그 형태들은 다른 곳에서 통상 과거로 번역된다. 서론적 해설(10절)과 결론적 진술(30-31절)을 빼면, 열아홉 개의 카탈과 아홉 개의 바익톨 형태가 남는다. 이에 반해, 틀을 제외하면 다섯 개의 익톨 형태가 있는데, 과거를 나타내는 문맥에서 나올 때는 모두 습관적이거나 반복되는 과거 행동으로 번역해도 무방하다. 다섯 개의 익톨 형태에 기초하여 스물여덟 개의 카탈과 바익톨이 통상 과거를 언급한다는 것을 뒤엎기보다는, 익톨 동사를 카탈과 바익톨 동사에 비추어 이해해서 본론에 있는 모든 동사를 과거 시제로 번역하는 것이 더 낫다.

개역개정	필자가 수정한 번역
10 누가 현숙한 여인을 찾아 얻겠느냐 그의 값은 진주보다 더 하니라	10 누가 현숙한 여인을 찾아 얻겠느냐 그의 값은 진주보다 더 하니라
11 그런 자의 남편의 마음은 그를 **믿나니**(trusts) 산업이 **핍절하지 아니하겠으며**(will have no lack of) 12 그런 자는 살아 있는 동안에 그의 남편에게 선을 **행하고**(does) 악을 행하지 아니하느니라 13 그는 양털과 삼을 **구하여**(seeks) 부지런히 손으로 ***일하며***(and works)	11 그런 자의 남편의 마음은 그를 **믿었나니**(trusted) 산업이 **핍절하지 않았으며**(had no lack of) 12 그런 자는 살아 있는 동안에 그의 남편에게 선을 **행했고**(did) 악을 행하지 아니하였느니라 13 그는 양털과 삼을 **구하였으며**(sought) 부지런히 손으로 ***일했으며***(and worked)
14 상인의 배와 **같아서**(is like) 먼 데서 양식을 **가져오며**(brings) 15 밤이 새기 전에 **일어나서**(rises) 자기 집안사람들에게 음식을 ***나누어 주며***(and provides) 여종들에게 일을 정하여 맡기며 16 밭을 **살펴보고**(considers) **사며**(and buys) 자기의 손으로 번 것을 가지고 포도원을 **일구며**(plants) 17 힘 있게 허리를 **묶으며**(dresses) 자기의 팔을 **강하게 하며**(and makes strong) 18 자기의 장사가 잘 되는 줄을 **깨닫고**(perceives) 밤에 등불을 끄지 **아니하며**(does not go) 19 손으로 솜뭉치를 **들고**(puts) 손가락으로 가락을 **잡으며**(hold) 20 그는 곤고한 자에게 손을 **펴며**(opens) 궁핍한 자를 위하여 손을 **내밀며**(reaches) 21 자기 집 사람들은 다 홍색 옷을 입었으므로 눈이 와도 그는 자기 집 사람들을 위하여 **염려하지 아니하며**(is not afraid) 22 그는 자기를 위하여 아름다운 이불을 **지으며**(makes) 세마포와 자색 옷을 입으며	14 상인의 배와 **같았으므로**(was like) 먼 데서 양식을 **가져왔으며**(would brought) 15 **그리고** 밤이 새기 전에 **일어났고**(rose) 자기 집안사람들에게 음식을 ***나누어 주었으며***(and provided) 여종들에게 일을 정하여 맡기며 16 밭을 **살펴보았고**(considered) **샀으며**(and bought) 자기의 손으로 번 것을 가지고 포도원을 **일구었으며**(planted) 17 힘 있게 허리를 **묶었으며**(dressed) 자기의 팔을 **강하게 하였으며**(and made …… strong) 18 자기의 장사가 잘 되는 줄을 **깨달았고**(perceived) 밤에 등불을 끄지 **아니하였으며**(did not go out) 19 손으로 솜뭉치를 **들었고**(put) 손가락으로 가락을 **잡았으며**(held) 20 그는 곤고한 자에게 손을 **폈으며**(opened) 궁핍한 자를 위하여 손을 **내밀었으며**(reached) 21 자기 집 사람들은 다 홍색 옷을 입었으므로 눈이 와도 그는 자기 집 사람들을 위하여 **염려하지 아니하였으며**(was not afraid) 22 그는 자기를 위하여 아름다운 이불을 **지었으며**(made) 세마포와 자색 옷을 입으며
23 그의 남편은 그 땅의 장로들과 함께 성문에 앉으며 사람들의 인정을 받으며	23 그의 남편은 그 땅의 장로들과 함께 성문에 앉으며 사람들의 인정을 받으며
24 그는 베로 옷을 **지어**(makes) **팔며**(and sells) 띠를 만들어 상인들에게 **맡기며**(delivers) 25 능력과 존귀로 옷을 삼고 후일을 **웃으며**(and laughs) 26 입을 **열어**(opens) 지혜를 베풀며 그의 혀로 인애의 법을 말하며 27 자기의 집안일을 보살피고 게을리 얻은 양식을 **먹지 아니하나니**(does not eat) 28 그의 자식들은 **일어나**(rise) ***감사하며***(and call her blessed) 그의 남편은 ***칭찬하기를***(and praises) 29 **덕행 있는**(have done) 여자가 많으나 그대는 모든 여자보다 **뛰어나다**(surpass) 하느니라	24 그는 베로 옷을 **지었고**(made) **팔았으며**(and sold) 띠를 만들어 상인들에게 **맡겼으며**(delivered) 25 능력과 존귀로 옷을 삼고 후일을 **웃었으며**(and laughed) 26 지혜로 입을 **열었으며**(opened) 그의 혀로 인애의 법을 말하였으며 27 자기의 집안일을 보살피고 게을리 얻은 양식을 **먹지 아니하였나니**(did not eat) 28 그의 자식들은 **일어나**(arisen) ***감사했으며***(and called) 그의 남편은 ***칭찬하였기를***(and praises) 29 **덕행 있는**(have done) 여자가 많으나 그대는 모든 여자보다 **뛰어났다**(have surpassed) 하느니라
30 고운 것도 거짓되고 아름다운 것도 헛되나 오직 여호와를 경외하는 여자는 칭찬을 받을 것이라 31 그 손의 열매가 그에게로 돌아갈 것이요 그 행한 일로 말미암아 성문에서 칭찬을 받으리라	30 고운 것도 거짓되고 아름다운 것도 헛되나 오직 여호와를 경외하는 여자는 칭찬을 받을 것이라 31 그 손의 열매가 그에게로 돌아갈 것이요 그 행한 일로 말미암아 성문에서 칭찬을 받으리라

주_ 열아홉 개의 카탈 동사는 굵은 글자로 되어 있고, 아홉 개의 바익톨은 굵은 이탤릭체로 되어 있으며, 다섯 개의 익톨은 굵은 글자에 밑줄이 그어져 있다.

표5.12. 잠언 30장 10-31절_ 개역개정과 필자가 수정한 번역

브라이언 웹스터(Brian L. Webster)는 이러한 관점의 변화가 지니는 의의를 다음과 같이 유용하게 요약한다.[17]

> 하지만 이것은 우리가 그 여성을 어떻게 이해해야 한다는 의미인가? 그 묘사는 그 여성이 무엇을 하는지를 말하는 대신, 무엇을 했으며 무엇을 하곤 했는지를 말한다. 마찬가지로 그 여성의 자식들은 일어나 감사했다. 그 여성의 장성한 자식들이 일어나 감사했다면, 이 구절은 젊은 미혼 남자가 찾아서 결혼하고 싶어 하는 배우자감을 이야기하고 있는 것이 아니다. 그 여성은 심지어 그런 여성이 되어 가는 과정에 있을 만한 젊은 아내도 아니다. 본문은 그 일을 이미 이룬 성숙한 여성을 묘사한다. 남편과 가정이 그 여성의 성품과 수고로 유익을 얻었다. 그 여성은 날마다 밤늦게까지 깨어 있거나 날마다 아침 일찍 일어나지는 않았다. 그러나 필요할 때는 필요한 일을 무엇이든 했다. 그 여성은 부동산, 농업, 가죽 무두질, 직물 사업 등을 동시에 계속하지는 않았다. 그러나 그 일들을 오랜 세월에 걸쳐 했다. 그 행동들은 끊임없이 동시에 한 것이 아니라 대표적으로 행한 것이다. 우리는 그 여성의 매일 일정 계획표가 아니라 평생에 걸쳐 이룬 업적에 대한 치하를 읽고 있다.
>
> 현재 시제 번역을 바꾸면, 그 여성이 일중독자임을 함축할 수 있는 가능성이 사라지며, 끈기 있는 신실함이라는 특성이 더해진다. 그 여성은 여전히 이상적이다. 중요한 것을 삶으로 살아 내어, 아름다움이 헛되다는 것을 보여 주었다. 그 여성은 하나님을 경외하고, 지혜로 말하며, 부지런하고, 유용하며, 용감하다. 하지만 그 여성은 아마 약간 더 인간적인, 약간 더 닮아 갈 수 있는 가능성이 많은 존재가 될 것이다. 완료 [카탈] 동사를 과거 시제와 완료 시제로 번역한다면, 완벽한 여성을 현재에 찾을 수 있는 가능성이 더 많아진다.

3. 히브리어 동사에서 법_ 익톨

앞서 설명한 것처럼, 화자는 상황을 실제적인 것으로(직설법) 또는 그저 바람직하거나 가능한 것으로(비직설법) 묘사할 수 있다. 비직설법적 진술에서 히브리어는 카탈이나

17 Webster, "The Perfect Verb and the Perfect Woman in Proverbs," 271쪽.

바익톨보다는 익톨(또는 베카탈)을 사용할 가능성이 훨씬 높다. 히브리어에서 비직설법에 카탈을 사용하는 유형이 있다. 이를테면 사실과 반대되는 진술 같은 경우다("우리가 소돔 …… 같았으리로다"[사 1:9]). 하지만 이러한 진술들은 일반적인 것이 아니다. 여기서 우리는 익톨을 사용하는 비직설법적 진술에 초점을 맞출 것이다.

기본 질문은 "יִפֹּל(입폴)과 같은 익톨이 미래 직설법인 '그는 넘어질 것이다'인지, 아니면 비직설법인 '그는 넘어져야 한다'인지 어떻게 알 수 있는가?"다. 우리는 다시 한 번 문맥을 의식해야 한다. 그러나 구문 역시 살펴봐야 한다. 문맥은 어떤 진술이 이루어지는 상황이다. 그리고 구문은 그 문장이 어떻게 결합되어 있는지(즉, 문장의 단어 순서와, 문장에 '아마' 또는 '……하기 위해'와 같은 특정 수식어를 사용하는 것)를 보여 준다.

문맥이 익톨 동사를 이해하는 데 중요하다는 사실에 놀라지 말라. 많은 언어에서 문맥은 중요하다. 예를 들어, 영어에서 우리는 '……(할) 것이다'(will [do])를 미래 시제라고 말한다. 하지만 실제로는 그보다 복잡하다. 다음과 같은 것을 생각해 보라.

- 투자 상담가가 고객에게 "걱정 마십시오. 고객님은 올해 돈을 벌 것입니다(you will make money)"라고 말한다. 상담가는 예측을 하고 있다(미래 시제).
- 부사관이 부대원들에게 "흩어지지 말 것. 그리고 말하지 말 것!(You will stay together and you will not talk)"이라고 말한다. 그는 예측이 아니라 명령을 내리고 있다.
- 종업원이 동료에게 "사장님에게 봉급을 인상해 달라고 할 거야(will ask)!"라고 말한다. 그는 실제로 예측을 하고 있는 것이 아니라, 뭔가를 하겠다는 결심을 표현하고 있다.

문법적으로 이 세 문장을 구분해 주는 것은 아무것도 없다. 하지만 문장마다 '……(할) 것이다'(will [do])의 의미는 다르다. 중요한 점은 **문맥이 종종 동사의 법을 결정하는 데 핵심 역할을 한다**는 것이다.

구문과 관련하여 한 가지 일반 규칙이 원어를 잘 번역하는 데 도움을 줄 수 있다. 익톨 동사가 문장에서 어디에 자리하고 있는지에 주의를 기울이라는 것이다. 이것은 그 동사가 직설법인지 비직설법인지 결정하는 데 도움이 될 것이다.

- 익톨이 문장에서 첫 번째 단어라면, 아마 비직설법일 것이다. 따라서 익톨 동사가 문장의 첫 단어일 때는 보통 '그는 ……해야 한다' 또는 '그는 ……할 수 있을 것이다'라는 뜻이며, 아니면 무언가를 하기 위한 가능성이나 결정을 표현한다.
- 익톨 동사가 문장에서 첫 번째 단어가 아니라면, 아마 직설법일 것이다. 기억하라. 문맥에 따라 그 동사는 미래('그는 ……할 것이다')일 수도 있고, 과거 미완료('그는 ……하곤 했다')일 수도 있다. 미래인 경우가 가장 흔할 것이다. 그리고 이것이 기본 번역이 되어야 한다.

이 규칙들에는 몇 가지 예외가 있다. 예를 들어, 의문문에서는 익톨 동사가 위치와 상관없이 비직설법일 수 있다. 의문문으로서 אִשָּׁה תִּפֹּל בְּצָבָא(이샤 팁폴 베차바)는 '여자가 전투에서 전사할 것인가(should)?'라는 의미가 될 수 있다. 또한 이따금 익톨은 문장 처음에 오지 않을 때라도 비직설법이다. 하나님이 주어일 때, 종종 그렇다. 그렇기 때문에, אֱלֹהִים יִתֵּן אוֹת(엘로힘 잇텐 오트)와 같은 문장은 '하나님이 표적을 주실 것이다'(God will give s sign)라는 의미가 될 수 있는 반면, '하나님이 표적을 주시기를!'(May God give a sign!)이라는 의미도 될 수 있다. 마지막으로 익톨이 조건적 진술이라면, 문맥에 따라 직설법적 질문인지, 비직설법적 질문인지 결정된다. 조건적 진술은 '만일 ……하면'이라는 문장이다. '만일'(if) 절을 **조건절**이라고 하고, '그러면'(then) 절은 **귀결절**이라고 한다.

- 조건절_ '만일 너희가 다른 신들을 예배한다면'(If you worship other gods)
- 귀결절_ '그러면 너희는 죽을 것이다.'(then you will die.)

조건문이 시간을 나타내거나('……할 때, 그러면') 원인을 나타낼 때('왜냐하면……, 그러므로'), 비슷한 유형이 발견된다. 그런 경우, 단어의 위치는 익톨이 직설법인지 비직설법인지를 나타내지 않는다. 단지 조건적인 것이다. 그리고 당신이 적용하는 번역은 문맥에 좌우될 것이다.

4. 히브리어 단어에서 상_ 익톨

미완료상으로는 카탈과 바익톨보다 익톨이 사용될 가능성이 훨씬 많다. 그러나 많은 경우에는 익톨조차도 반복되거나 습관적인 행동을 묘사하지 않는다. 그리고 그것이 하나의 과정을 묘사한다고 생각할 만한 이유는 없다. 익톨이 미래 시제거나 비직설법인 경우에는 특히 그렇다. 다음 두 가지 예에서 보는 것과 같다.

- **미래**_ "가까운 데 있는 자는 칼에 엎드러지고(will fall, **יִפֹּל**[입폴])"(겔 6:12).
- **비직설법**_ "천 명이 네 왼쪽에서 …… 엎드러지나(may fall, **יִפֹּל**[입폴])"(시 91:7).

그 절이 과거나 현재 시제이고 직설법이라면, 익톨의 미완료상일 가능성이 많다. 다음 두 가지 예에서 보는 바와 같다.

- **현재 미완료**_ "너희는 어찌하여 서로 바라보고만(keep looking[익톨 동사]) 있느냐" (창 42:1).
- **과거 미완료**_ "구름이 성막 위에서 떠오를 때에는 이스라엘 자손이 그 모든 행진하는 길에 앞으로 나아갔고(would move out[익톨 동사])"(출 40:36).

요약하면, 표5.13은 익톨 동사의 시제, 법, 상을 결정하는 몇 가지 기본 지침을 개관한다.

1. 익톨은 기본적으로 미래 직설법이다.	מֶ֫לֶךְ יִפֹּל	왕이 **넘어질 것이다**(will fall).
2. 문장 맨 처음에 나올 때, 익톨은 보통 비직설법이다.	יִתֵּן אֱלֹהִים אוֹת	하나님이 표적을 **주시기를!**(May …… give)
3. 문장 맨 처음에 나오지 않을 때, 익톨은 보통 직설법이다.	כֹּהֵן יִתֵּן בְּרָכָה	제사장이 **축복할 것이다**(will give).
4. 의문문에서 맨 처음에 나오지 않은 익톨은 비직설법일 것이다.	אִשָּׁה תִּפֹּל בְּצָבָא	여자가 **전사해야 하는가**(Should fall)?
5. 하나님이 주어이면, 문장 맨 처음에 나오지 않은 익톨은 비직설법일 것이다.	אֱלֹהִים יִתֵּן אוֹת	하나님이 표적을 **주시기를!**(May …… give)
6. 익톨이 직설법이라면, 문맥이 그 시제를 결정한다.	. . . יִפֹּל . . .	내일 그는 **넘어질 것이다**(will fall). 어렸을 때 그는 **넘어지곤 했다**(used to fall).
7. 익톨이 직설법이고 과거 또는 현재라면, 아마 미완료일 것이다.	. . . יִפֹּל . . .	그는 스키를 탈 때 **많이 넘어지곤 했으나**(used to fall) 지금은 좀 낫다.
8. 조건문_ 조건절 귀결절	אִם יֶחֱטָא אִישׁ יִפֹּל	사람이 **죄를 짓는다면**(should sin) 그는 **넘어질 것이다**(will fall).

표5.13. 익톨의 시제, 법, 상

베카탈

형태로 볼 때, 베카탈은 앞에 단지 וְ(베) 연결어가 붙어 있는 카탈일 뿐이다(וְקָטַל[베카탈]). 그렇기 때문에, 학자들은 때로 베카탈을 '결합된 완료'(conjoined perfect)라고 불렀다. 언제나 그런 것은 아니지만, 베카탈의 강세는 일반적으로 이인칭 남성 단수와 일인칭 공성 단수에서 끝음절로 이동한다(וְקָטַלְתָּ[베카탈타]와 וְקָטַלְתִּי[베카탈티], 단순 카탈 קָטַ֫לְתָּ[카탈타]와 קָטַ֫לְתִּי[카탈티]와 대조해 보라). 강세 변화는 베카탈의 모음에 영향을 끼치지 않는다. 모음은 규칙적 카탈에서와 같다.

베카탈은 히브리어를 공부하는 많은 학생이 대부분 놀랍게 여기는 방식으로 작용한다. 다음 문장을 생각해 보라. הַמֶּ֫לֶךְ יֵשֵׁב בֶּחָצֵר וְשָׁפַט אֶת־הָעָם(함멜렉 예셰브 바하체르 베샤파트 에트 하암, '왕은 뜰에 앉아서 백성들을 심판하곤 했다[would sit …… and judge]'). 문맥에 따라, 이 문장은 (앞에서처럼) 과거 미완료로 번역할 수도 있고, 미래('왕은 뜰에 앉아서 백성들을 심판할 것이다[will sit …… and judge]')로 번역할 수도 있다. וְשָׁפַט(베샤파트)가 베카탈이며 그것이 익톨 동사 יֵשֵׁב(예셰브)와 같지는 않다 해도 비슷한 의미를 지니고 있다는 것에 주목하라. 번역에 따라 두 동사 모두 과거에 반복적으로 행한 행동을 말하거나, 두 동사 모두 미래의 행동을 말할 수 있다.

또 다른 예를 살펴보자. יִשְׁמַע הַמֶּ֫לֶךְ אֶת־הַתּוֹרָה וְשָׁפַט אֶת־הָעָם(이슈마 함멜렉 에트 토라 베샤파트 에트 하암, '왕은 율법을 듣고 백성을 심판해야 한다[should hear …… and judge]')이라는 말이다. 이 경우 יִשְׁמַע(이슈마)는 분명 비직설법이며(문장 맨 처음에 나온 것에 주목하라) 무엇을 해야 하는지 묘사한다. 하지만 이 문장에서 וְשָׁפַט(베샤파트)가 같지는 않아도 비슷한 기능을 하는 것처럼 보인다는 것에 주목하라. 그것 역시 비직설법으로, 화자의 미래 바람 또는 그가 '들어야'(hear) 하는 궁극적 목적을 표현한다.

이제 다음과 같은 문장을 생각해 보라. אִם יָשׁוּב הַמֶּ֫לֶךְ וְשָׁפַט אֶת־הָעָם(임 야슈브 함멜렉 베샤파트 에트 하암, '왕이 돌아온다면, 그러면 그는 백성들을 심판할 것이다[If …… will judge]'). 여기서 우리는 익톨 יָשׁוּב(야슈브)가 조건절을, 베카탈 וְשָׁפַט(베샤파트)가 귀결절을 표시하는 조건적 진술을 보게 된다. 그 때문에 וְשָׁפַט(베샤파트)가 '그러면 그는 심판할 것이다'라고 번역되는 것이다.

마지막으로, 이 예를 살펴보라. לֵךְ וְשָׁפַטְתָּ אֶת־הָעָם(레크 베샤파트타 에트 하암, '가서 백성들을 심판하라!' 또는 '가라, 네가 백성들을 심판할 수 있도록!'). לֵךְ(레크)는 미완료로, 명령하기 위해 사용된 단어고, '가라!'라는 뜻이다. 베카탈은 이인칭이다(וְשָׁפַטְתָּ[베샤파트타]). 명령은 본질상 이인칭 진술이기 때문이다. וְשָׁפַטְתָּ(베샤파트타)는 단순히 또 다른 명령의 의미를 갖고 있거나(첫 번째 번역), 목적을 표현할 수도 있다(두 번째 번역). 어떤 것이든, 그것의 의미는 명령어 לֵךְ(레크, '가라!')와 밀접하게 결합되어 있다.

어떻게 베카탈이 이 모든 의미를 가지고 있을 수 있는가? 그리고 접속어 없는 보통의 카탈과는 왜 그렇게 다른가? 보통의 카탈은 그저 단순 과거 시제, 직설법, 완료상을 표현할 뿐인데 말이다. 왜 וְשָׁפַט(베샤파트)는 앞에서 말한 어떤 문장에서도 '그리고 그는 심판했다'(and he judged)라고 번역되지 않는가? 학자들은 이 문제를 놓고 오랫동안 토론해 왔다. 그리고 확실한 대답은 없다. 여기에 몇 가지 가능성이 있다.

1. **전환시키는 וְ(베)_** 전통적 견해는 연결어 וְ(베)가 카탈을 '전환시켜서' 그 앞에 있는 동사와 같은 의미를 지니게 만든다는 것이다. 그래서 미래 시제 익톨 다음에 베카탈이 나온다면, 그 베카탈 역시 미래다. 어떤 명령법 다음에 베카탈이 나온다면, 그 베카탈 역시 명령이다. 경험상, 통상적으로는 그렇다. 하지만 종종 베카탈은 앞에 나오는 동사와 다른 의미를 지니기도 한다. 게다가 오늘날 학자들은 더 이상 וְ(베)가 '전환시키는' 힘을 갖고 있다고 믿지 않는다.
2. **부수적 법성_** 어떤 학자들은 베카탈이 일종의 비직설법 유형이라고 생각한다. 베카탈이 절에서 언제나 첫 번째로 나오는 단어라는 사실이 그것을 표시해 준다. 이 경우, 그 법성은 가정형이지만 부수적(contingent)이다. 이때 베카탈은 언제나 처음 동사의 부산물로, 잠재적, 목적적, 결과론적, 명령적 취지를 표현한다.
3. **미표시 형태_** 앞서 말한 것과 어느 정도 비슷한 것으로, 다른 학자들은 카탈이 기본적으로 시제, 태, 상이라는 관점에서 '미표시'(unmarked) 형태로 간주되어야 한다고 생각한다. (연결어 וְ[베] 없이) 카탈만 있을 때는 보통 과거 시제, 직설법, 완료상이라는 기본 의미를 지닌다. 그러나 카탈에 연결어가 있을 때는 의미가 문맥과 일치한다. 그래서 베카탈은 텍스트에서 어디에 위치하는지에 따라 미래,

과거 미완료, 귀결절, 목적절, 명령형이 될 수 있다.

베카탈을 읽는 법을 이해하기 위해 베카탈에 대한 정확한 이론을 결정하지는 않아도 된다는 것을 인식하는 것이 중요하다. 영어에도 우리가 늘 사용하는 비슷한 유형이 있다. 표5.14에 나오는 예들을 보라.

1. 귀결절로서	이 율법을 지키라, **그러면 살리라(and live)**, 그것을 지키지 말라, **그러면 죽으리라(and die)**.
2. 가정형으로서	그는 이 율법을 배워야 한다. **그리고** 그것을 **지키고(and keep) 그리고** 그의 자녀들에게 **가르쳐야(and teach)** 한다.
3. 일련의 명령들에서	가라. **그리고** 너희 집에 **머물라(and stay)**. **그리고** 너희 가족을 **보살피라(and watch over)**.
4. 예측으로서	니느웨 왕이 이곳에 올 것이다. **그리고** 이 성읍을 **파괴하고(and destroy)**, **그리고** 그 백성들을 **데리고 갈 것이다(and take away)**.

표5.14. 베카탈에 비교할 수 있는 영어의 예

첫 번째 예는 실제로 두 개의 조건적 문장이다. '그러면 살리라 …… 그러면 죽으리라'라는 문구는 각 조건적 진술의 귀결절 부분을 형성한다. 사실상 이 예는 '너희가 이 율법을 지키면, 너희는 살 것이다. 너희가 그것을 지키지 않으면, 너희는 죽을 것이다'라고 말하고 있다. 두 번째 예에서 '그는 …… 배워야 한다'는 가정형으로 도덕적 의무를 암시하며, '그리고 …… 지키고, …… 그리고 …… 가르치라'는 문구도 비슷한 취지를 지닌다. 후자의 동사들은 첫 번째 행동의 궁극적 목적을 표현하는 것으로 이해할 수 있다. 세 번째 예에서 '그리고 …… 머물라, 그리고 …… 보살피라'는 '가라'는 명령에 따라 나온 것이며, 사실상 처음 명령에서 발전하여 나온 명령이다. 네 번째 예에서 '그리고 …… 파괴하고, 그리고 …… 데리고 갈 것이다'는 본질적으로 미래 시제이며 '니느웨 왕이 올 것이다'라는 말로 시작된 예측을 이어간다.

'그리고 살리라(and live)' 또는 '그리고 가르치라(and teach)'와 같은 구의 의미는 그 자체만 볼 때는 분명하지 않다. 그리고 사실상 아무 특색이 없다. 하지만 문맥 안에 있으면, '그리고(and)'라는 말이 붙은 각 동사의 의미는 상당히 명백해진다. 히브리어 베카탈은 이런 면에서 영어와 비슷하다. 이것을 염두에 두라. 그러면 베카탈과 관련해서 아무 문제도 없을 것이다.

비직설법적 익톨과 베익톨

1. 의지적 익톨

학자들은 종종 명령형을 **의지형**(volitives)이라고 부른다. 언제나 화자의 뜻(즉, 의지[volition])을 전달하기 때문이다. 특히 절 안에서 첫 번째 위치에 있을 때 그렇다. 일반적으로 학자들은 일인칭 의지적 익톨 형태를 **청유형**(cohortative, '이것을 하자!')이라고 칭하고, 삼인칭 의지적 익톨 형태를 **간접 명령형**(jussive, '그가 이것을 하기를!')이라고 칭한다.

칼에서 대부분의 일인칭 의지형은 어미음 첨가(paragogic)의 **헤**(ָה) 접미사를 포함한다는 것을 기억할 것이다. 이러한 결말부는 아마 그것이 의지적 익톨이라는 표시일 것이다. 하지만 반드시 인식해야 할 것은 '청유형', 특히 III-ה 어근을 지닌 청유형은 어미음 첨가 헤(ָה)를 취하지 않으며, 형식상 비직설법 일인칭 익톨과 같다는 것이다. 마찬가지로 초급 학생들은 보통 '간접 명령형'이 '어미음 소실'(apocopate)의 삼인칭 의지적 익톨 형태라고 배우는 반면, 이러한 형태 축약은 할로우 동사(두 개의 자음으로 이루어진 동사)나 III-ה 동사, 원래의 I-י 동사에서만 나온다. 대부분의 삼인칭 의지형은 단순 익톨과 정확하게 같은 방식으로 형성되며, 문맥과 구문을 통해서만 의지적 의미를 나타낸다. יִקְטֹל(익톨)은 '그는 죽일 것이다'(he will kill) 또는 '그가 죽이기를'(may he kill)이라는 의미일 수 있다.

그렇기 때문에 문장 분석에서는 그냥 형태를 익톨이라고 밝히고 그 다음에 그것이 어미음 첨가 ה를 포함하는지 어미음 소실인지를 적어 놓는 것이 가장 좋다. 그러면 당신의 번역에서 익톨이 직설법으로 작용하는지(예를 들어, '그는 죽일 것이다'), 비직설법으로 작용하고 있는지(예를 들어, '그는 죽여야 한다')를 밝혀 줄 수 있다.

2. 부정 명령

히브리어에서 부정 명령(금지)은 이인칭 익톨 형태 앞에 부정적 불변화사(לֹא[로] 또는 אַל[알])를 붙여 만든다. לֹא(로)는 보통 단순 (장형) 익톨 동사를 사용하며, 일반적으로 영구적 금지를 표현한다(예를 들어, לֹא תִּנְאָף[로 틴아프, '절대 간음을 저지르지 말라!']). אַל(알)

은 일반적으로 단형 익톨 동사와 함께 나오며 구체적인 상황에 적용되는 즉각적 명령을 표현한다(예를 들어, אַל־תַּבִּיט אַחֲרֶיךָ[알 탑비트 아하레카, '네 뒤를 돌아보지 말라!']). 이러한 구분은 장형 익톨은 미완료상일 가능성이 많은 반면, 단형 익톨(그것이 관련되어 있을 수 있는 바익톨 형태처럼)은 완료상일 가능성이 많다는 것을 시사한다.

3. 베익톨

익톨에 연결어 וְ(베)를 더하는 것은 일반적으로 단순히 '그리고'(and)라는 말을 더하는 것 이상이다. 종종 그것은 독특한 용법과 의미를 지닌다. 우리는 이 형태를 베익톨이라 부를 수 있다.

베익톨의 형태와 (언제나 첫 번째 위치에 있는) 배치는 그것이 직설법의 익톨이기보다는 비직설법이라는 것을 시사한다. 베익톨은 종종 의지적 문맥에서 목적이나 의도를 표현하기 위해 나타난다. 그 형태가 어미음 소실(즉 단축된)인지 아닌지는 상관없다. 예를 들어, 열왕기상 22장 20절에는 "누가 아합을 꾀어 그를 …… 올라가서(so that he will go up)"라고 되어 있다(어미음 소실 형태인 וְיַעַל[베야알]을 사용). 하지만 열왕기상 15장 19절에는 "이스라엘의 왕 바아사와 세운 약조를 깨뜨려서 그가 나를 떠나게(so that he will go up)"라고 되어 있다(단순 וְיַעֲלֶה[베야알레]를 사용). 베익톨은 적어도 네 가지로 사용된다.

1. 베익톨은 의지적 문맥에 자주 나온다. 명령적 또는 의지적 익톨 다음에 나올 때, 종종 목적이나 결과를 나타낸다. '그가 ……하도록'(so that he may do)에서와 같은 경우다. 창세기 1장 6절은 "하나님이 이르시되 물 가운데에 궁창이 있어 [두] 물로 나뉘도록(so that there may be[וִיהִי, 비히] a divider) 하라 하시고"라고 번역할 수 있다.
2. 일련의 의지적 익톨 형태들에 이어서 나오는 베익톨은 주제상 매우 두드러진다(그 베익톨들은 중요하다). 이것은 일련의 의지적 익톨들에 이어 나오는 베카탈들과 대조를 이룬다. 그 베카탈들은 일반적으로 주제상 별로 두드러지지 않는다.
3. 베익톨은 그냥 단순 미래인 경우가 드물다. 보통 목적을 내포하며, 만일 미래를 말하고 있다면 단순 익톨이나 베카탈보다 극적이고 두드러진 선포를 한다. 창세기 12장 2절에는 세 개의 베익톨 형태가 나온다. 그것은 두드러진 미래를 표현할 수도 있지만, 목적을 표현할 가능성이 많다. "내가 너로 큰 민족을 이루도

록 하고, 그리고 내가 네게 복을 주도록 하고, 그리고 내가 네 이름을 창대하도록 하려고"(옮긴이 번역).

4. 이따금 베익톨은 동사에 '그리고' + 의지적 의미를 전달한다. '그리고 그가 하게 하라'처럼 말이다. 창세기 9장 27절이 한 예다. וְיִשְׁכֹּן בְּאָהֳלֵי־שֵׁם וִיהִי כְנַעַן עֶבֶד לָמוֹ(베이쉐 베오홀레 셈 비히 크나안 에베드 라모, "셈의 장막에 거하게 하시고 가나안은 그의 종이 되게 하시기를 원하노라").

주요 내용 예고 표지인 הִנֵּה와 הֵן[18]

2장에서 필자는 히브리어가 텍스트에서 구조적 특징을 표시하는 것을 주요 목적으로 하는 단어들을 사용한다고 말했다. 우리는 그러한 강화 표지 두 가지를 살펴보았다. (1) 전환 표지/절정 표지와 (2) 인용을 나타내는 관용 표현들이다. 셋째 유형은 제시적 불변화사(presentative particle)인 הִנֵּה(힌네)와 (וְ[베, 해설의 '그리고']가 있거나 없는) הֵן(헨)이다. 필자는 이것을 **주요 내용 예고 표지**(markers of immediate significance)라 부른다. הִנֵּה(힌네)와 הֵן(헨)이라는 단어는 강화에서 이어질 내용을 가리키는 절 수식어로, 그 다음에 나오는 내용에 주의를 집중시킨다. 이 불변화사들은 언제나 실제 의사소통 순간과 특별히 관련된 사건이나 상황을 소개한다. 이 단어들은 곧 나올 진술이나 명령을 위한 근거를 마련하거나, 이어지는 절을 위한 시간적 연관이나 원인, 조건을 제시한다. 이 단어들은 전통적으로 옛말투 '보라'(Behold)라고 번역되지만, 필자는 보통 '여기를 보라'(Look here) 또는 '그런데'(Well, now) 등과 같은 현대적 말투로 번역하려고 애쓴다.

18 이 자료는 Garrett and DeRouchie, *A Modern Grammar for Biblical Hebrew*, 321-22쪽(§ 40.A.1) 내용을 수정한 것이다. 허락을 받고 사용하였다.

23 וַתִּקְרְב֣וּן אֵלַ֔י כָּל־רָאשֵׁ֥י שִׁבְטֵיכֶ֖ם וְזִקְנֵיכֶֽם 24 וַתֹּאמְר֗וּ **הֵ֣ן** הֶרְאָ֜נוּ יְהוָ֤ה אֱלֹהֵ֙ינוּ֙ אֶת־כְּבֹד֣וֹ וְאֶת־גָּדְל֔וֹ וְאֶת־קֹל֥וֹ שָׁמַ֖עְנוּ מִתּ֣וֹךְ הָאֵ֑שׁ . . . 25 וְעַתָּה֙ לָ֣מָּה נָמ֔וּת כִּ֣י תֹֽאכְלֵ֔נוּ הָאֵ֥שׁ הַגְּדֹלָ֖ה הַזֹּ֑את	23 그리고 너희 지파의 수령과 장로들이 나[모세]에게 나아와 24 그리고 말하였다. "**이제 보라**, 여호와 우리 하나님이 그의 영광과 그의 있는 그대로의 위엄을 우리에게 보이셨다. 그리고 불 가운데서 나오는 그의 음성을 우리가 들었다. …… 25 그리고 이제 이 큰 불이 우리를 삼키려고 하는 것 때문에 우리가 왜 죽어야 합니까?"

표5.15. 주의를 집중시키는 הֵן_ 신명기 5장 23-25절

이 예에서 הֵן(헨)은 지도자들이 최근에 여호와를 만난 간증에 청중을 주목시키며, 그 과거 사건을 자신들이 현재 모세와 나누는 대화에 결합시킨다. 즉, 그들이 하나님과 만난 것은 "이제 …… 우리가 왜 죽어야 합니까"라고 질문하는 근거가 된다.

הִנֵּה(힌네) 형태도 어떤 것이 등장인물의 눈을 통해 어떻게 보이는지를 나타내어 어떤 사건이나 상황의 즉각적 중요성을 표시할 수 있다.

וַיִּשָּׂ֤א עֵינָיו֙ וַיַּ֔רְא **וְהִנֵּה֙** שְׁלֹשָׁ֣ה אֲנָשִׁ֔ים נִצָּבִ֖ים עָלָ֑יו	그리고 그가 그의 눈을 들어 보았다. 그리고, **잘 들으라**, 세 남자가 그 앞에 서 있었다!

표5.16. 하나의 관점을 소개하는 הִנֵּה_ 창세기 18장 2절

이 구절에서 화자는 아브라함이 본 것에 주의를 집중시키기 위해 **וְהִנֵּה**(베힌네)를 사용한다. **שְׁלֹשָׁה אֲנָשִׁים נִצָּבִים עָלָיו**(슐로샤 아나쉼 닛차빔 알라이브, "세 남자가 그 앞에 서 있었다"). 마치 잠시 동안 독자들이 아브라함의 눈을 통해 아브라함이 보고 있는 것을 보게 하는 것이다.

추론 표지인 לָכֵן와 עַתָּה

이 부분은 네 번째 강화 표지 쌍을 소개한다. 추론 표지인 לָכֵן(라켄, therefore[그러므로])과 וְעַתָּה(베앗타, and now[그리고 이제])다. 미시적 차원에서 이 형태들은 두 문장 사이에서 일반적인 부사적 어구로 기능할 수 있다. 그 안에서 לָכֵן(라켄)은 규정된 근거 진술

에서 나온 즉각적 결론을 밝히고, וְעַתָּה(베앗타)는 '그때'와 '그리고 이제' 사이의 대조를 나타낸다. 하지만 더 거시적 차원에서는 둘 다 더 큰 문학적 문맥에서 끌어낸 논리적 추론을 표시할 수 있다. 여기서는 후자의 기능을 살펴본다.

추론 표지인 לָכֵן

לָכֵן(라켄, '그러므로')은 강화 표지로, 보통 긴 강화가 나온 후에 그 강화의 근거나 이유 역할을 하는 선언이나 명령을 소개한다. 스바냐 3장 8-10절에서 이에 대한 예를 볼 수 있다. 그 구절에서 여호와는 의로운 남은 자들에게 그분이 행동하시기를 "기다리라"고 명하시기 위해 복수 명령형을 사용하신다. 먼저는 그분의 원수들을 벌하는 자로, 그 다음에는 그분의 신실하신 자들의 구주로 행동하신다는 것이다. 인내하라는 그 명령은 앞서 나온 2장 5절-3장 7절의 긴 부분에서 나온 추론이다. 그 부분에서 그는 이방 나라들(2:5-15)과 예루살렘(3:1-7)에 있는 반역자들의 통탄할 상태와 운명을 풀어 놓는다. 따라서 논리는 이렇다. '하나님이 여전히 그분의 대적들을 멸하기로 하신다면, 의로운 남은 자들은 어떻게 반응해야 하는가?'

לָכֵן חַכּוּ־לִי נְאֻם־יְהוָה לְיוֹם קוּמִי לְעַד[19]	**그러므로** 나를 기다리라. 여호와의 말이다. 내가 증인으로서 나설 날까지.

표5.17. 추론 표지인 לָכֵן_스바냐 3장 8절

19 마소라 본문은 실제로 לְעַד(레아드)를 '먹이를 위해'(for prey[=2-עַד[아드]])라고 해석한다. 하지만 칠십인 역은 그 문구를 εἰς μαρτύριον(에이스 마르튀리온, '증인으로서')으로 번역하여 עֵד(에드, '증인')이라고 해석한다. 선지서 곳곳에 나오는 비슷한 문맥(렘 29:23, 42:5, 미 1:2, 말 3:5)에서 עֵד(에드)의 용법에 비추어 볼 때, 그것이 가장 가능성 있는 해석인 듯하다. 그 구절은 언약에 대한 세상의 (불)충실함에 대해 하나님이 언약 증인으로 일어나시는 것을 말하고 있다(NIV도 마찬가지다).

추론 표지인 וְעַתָּה와 출애굽기 19장 5절에서 그 단어의 용법[20]

וְעַתָּה(베앗타)는 단순히 '그때'였던 것과 대조하여 행동의 현재 시간(='그리고 이제')을 나타낼 수도 있지만, 현재의 사건이나 상황이 바로 앞에 나온 사건이나 주제의 자연스러운 결과이거나 논리적 결론임을 나타내는 경우가 더 많다. 출애굽기 10장 16-17절에서 이에 대한 예를 볼 수 있다. 바로는 자신의 죄를 인정하고 나서 이제 여호와의 대리인인 모세와 아론에게 자신을 용서해 달라고 청한다.

16 וַיְמַהֵר פַּרְעֹה לִקְרֹא לְמֹשֶׁה וּלְאַהֲרֹן וַיֹּאמֶר חָטָאתִי לַיהוָה אֱלֹהֵיכֶם וְלָכֶם 17 וְעַתָּה שָׂא נָא חַטָּאתִי	16 그리고 바로가 모세와 아론을 급히 불렀다. 그리고 그는 말했다. "내가 여호와 너희 하나님과 너희에게 죄를 지었다. 17 **그리고 이제** [내가 내 잘못을 깨닫고 시인했으니] 제발 내 죄를 용서해 달라!"

표5.18. 바로 인접한 문맥에서 나온 추론인 וְעַתָּה_ 출애굽기 10장 16-17절

이 예에서 보여 준 것처럼, 보통 이유와 그 추론은 같은 단락에서 나온다. 하지만 때로 원인을 나타내는 근거는 그 추론이 나오기 전 서너 장에 걸쳐 나올 수 있다. 신명기 10장 12절이 그런 경우다. 이 구절은 9장 1절에서 시작된 자료로부터 추론을 구축한다(또한 4장 1절이 1장 5절-3장 29절에서 추론을 끌어내는 것을 참고하라). 신명기 9장 1절-10장 11절에서 모세는 이스라엘에게 여호와를 맹렬한 불로 알라고(9:3), 그리고 백성들 마음의 완악함 때문에, 하나님이 그들에게 주시는 모든 유익은 오로지 자비에 의해서만 온다는 것을 알라고(9:6) 명한다. 그리고 9장 7절-10장 11절에 이르는 나머지 모든 부분은 수많은 예를 통해 이런 점들의 진리를 분명하게 설명한다. 그 다음에 10장 12절에서 추론을 이끌어 낸다.

וְעַתָּה יִשְׂרָאֵל מָה יְהוָה אֱלֹהֶיךָ שֹׁאֵל מֵעִמָּךְ כִּי אִם־לְיִרְאָה אֶת־יְהוָה אֱלֹהֶיךָ לָלֶכֶת בְּכָל־דְּרָכָיו	**그리고 이제**, 이스라엘아, 여호와 너희 하나님이 내게 요구하시는 것이 무엇이냐, 그의 모든 길을 따라 행하여 여호와 너희 하나님을 경외하는 것이 아니냐?

표5.19. 확장된 문맥에서 나온 추론인 וְעַתָּה_ 신명기 10장 12절

20 이 자료는 Garrett and DeRouchie, *A Modern Grammar for Biblical Hebrew*, 322-23쪽(§ 40.A.2) 내용을 수정한 것이다. 허락을 받고 사용하였다.

אַתֶּם רְאִיתֶם	4	너희는 보았느니라
אֲשֶׁר עָשִׂיתִי לְמִצְרָיִם	b	내가 애굽에 행한 것과,
וָאֶשָּׂא אֶתְכֶם עַל־כַּנְפֵי נְשָׁרִים	c	그리고 [어떻게] 독수리 날개 위로 너희를 들어 올렸는지
וָאָבִא אֶתְכֶם אֵלָי׃	d	그리고 [어떻게] 내가 너희를 내게 인도했는지
וְעַתָּה	5	**그리고 이제**
אִם־שָׁמוֹעַ תִּשְׁמְעוּ בְּקֹלִי	a	만일 너희가 내 음성을 잘 듣고
וּשְׁמַרְתֶּם אֶת־בְּרִיתִי	b	그리고(그러면[?]) 내 언약을 지키고
וִהְיִיתֶם לִי סְגֻלָּה מִכָּל־הָעַמִּים	c	그리고(그러면[?]) 모든 민족으로부터(민족보다 더[?]) 나의(나를 위한[?]) 보배로운 소유가 되리라
כִּי־לִי כָּל־הָאָרֶץ׃	d	왜냐하면(비록[?]) 모든 세계가 나의(나를 위한[?]) 것이니
וְאַתֶּם תִּהְיוּ־לִי מַמְלֶכֶת כֹּהֲנִים וְגוֹי קָדוֹשׁ	6	그리고(그러면[?]) 너희는 나를 위해 (나의[?]) 제사장 나라와 거룩한 백성이 되리라

표5.20. 추론 표지인 וְעַתָּה_ 출애굽기 19장 4-6절

וְעַתָּה(베앗타)는 출애굽기 19장 5절 앞부분에서 추론 표지 역할을 한다(표5.20을 보라). 19장 4절에서 우리는 출애굽을 통해 하나님이 이스라엘에 위대한 해방을 주신 것을 알게 된다. 그 다음에 5-6절은 하나님이 이스라엘 사람들을 구원하셨기 **때문에**, 그들은 제사장 나라와 거룩한 백성으로 섬기면서 열방 가운데 하나님의 이름을 영화롭게 해야 한다고 주장한다. וְעַתָּה(베앗타)가 강화에서 중대한 책임을 맡고 있고, 앞서 나온 내용을 하나님의 가치를 증거하라는 명령의 근거로 삼기 때문에, 필자는 4절 전체를 추론 표지보다 한 칸씩 더 들여 썼다. 나머지 텍스트의 계층 구조는 뒷부분에서 확증하겠다.

텍스트 문법의 예_ 창세기 12장 1-3절

우리는 이제 성경의 가장 중요한 본문에서 텍스트의 계층 구조를 살펴볼 준비가 되었다. 창세기 12장 1-3절은 아브람(즉 아브라함)에게 위임하는 장면을 상세히 말하며, 표5.21은 이 세 구절에 대한 필자의 절 구분과 번역을 보여 준다.

וַיֹּאמֶר יְהוָה אֶל־אַבְרָם	1	그리고 여호와께서 아브람에게 말씀하셨다.
לֶךְ־לְךָ מֵאַרְצְךָ וּמִמּוֹלַדְתְּךָ וּמִבֵּית אָבִיךָ אֶל־הָאָרֶץ אֲשֶׁר אַרְאֶךָּ׃	b	너의 고향과 너희 친척과 너의 아버지의 집을 떠나 내가 너에게 보여 줄 땅으로 **가라.**
וְאֶעֶשְׂךָ לְגוֹי גָּדוֹל	2	내가 너로 큰 민족을 이루기 위해서
וַאֲבָרֶכְךָ	b	그리고 너를 축복하기 위해서
וַאֲגַדְּלָה שְׁמֶךָ	c	그리고 너의 이름을 창대하게 하기 위해서.
וֶהְיֵה בְּרָכָה׃	d	**그러면** 복이 **되라.**
וַאֲבָרְכָה מְבָרְכֶיךָ	3	내가 너를 축복하는 자들을 축복하기 위해서
וּמְקַלֶּלְךָ אָאֹר	b	그러나 너를 저주하는 자들을 저주하기 위해서,
וְנִבְרְכוּ בְךָ כֹּל מִשְׁפְּחֹת הָאֲדָמָה׃	c	그 결과 너로 말미암아 이 땅의 모든 족속이 복을 얻게 하기 위해서다.

표5.21. 창세기 12장 1-3절 텍스트의 계층 구조

1절 시작부에 나오는 발화 구조(연회색 부분)는 표시가 되어 있지 않다. 그렇기 때문에 그 부분은 이어서 기록된 화법이 일차 인용인지, 이차 인용인지 말해 주지 않는다(2장에 나온 '표시된 일차 인용 형식과 표시된 이차 인용 형식'을 보라). 발화 자체는 하나의 텍스트 블록이다(2장에 나온 '히브리어의 문학적 단위와 텍스트의 계층 구조 소개'와 '텍스트 블록'을 보라). 1b에서 접속사 생략 명령형 לֶךְ־(레크, "가라!") 이후로 וְ(베, '그리고')가 앞에 붙은 절들이 연속해서 나오는 것에서 분명히 알 수 있다.

모든 절이 같은 텍스트 블록에 속하지만, 하나님이 아브람에게 위임하신 것에는 분명한 두 가지 부분이 있다. 둘 다 명령형으로 구분된다. 첫 번째 명령형 לֶךְ(레크, "가라!") 다음에는 세 개의 베익톨(바브 + 청유형) 동사 형태가 나오는데, 히브리어에서 흔히 목적이나 결과를 표현하는 유형이다.[21] 그래서 필자는 2a-c에 나오는 베익톨 형태들을 "내가 너로 큰 민족을 이루기 위해서, 그리고 너를 축복하기 위해서, 그리고 너의 이름을 창대하게 **하기 위해서**(so that I may)"라고 번역했다. 종종 영어 번역은 두 번째 명령어 וֶהְיֵה(베흐예, And be! [그리고 되라!])를 설명하지 못한다. 일반적인 견해는 두 명령어가 וְ(베)로 결합되어 있을 때, 두 번째 명령어는 첫 번째 명령어의 결과 역할을 한다는 것이다.[22] 하지만 두 번째 명령어 형태는 처음 명령어에 달려 있는 반면, 두 번째 명령어

21 *GKC* 320쪽(§ 108d), Paul Joüon and T. Muraoka, *A Grammar of Biblical Hebrew*, Subsidia Biblica 27 (Rome: Pontifical Biblical Institute, 2006)(「성서 히브리어 문법」, 도서출판 기혼), 352-54쪽(§ 116a-b), Thomas O. Lambdin, *Introduction to Biblical Hebrew* (New York: Scribner's Sons, 1971), 119쪽(§ 107c).

22 *GKC* 325쪽(§ 110f, i), Joüon and Muraoka, *A Grammar of Biblical Hebrew*(「성서 히브리어 문법」), 355-56쪽

도 명령적 의미를 잃어버리지 않는다.[23]

2d에 나오는 "복이 되라"는 명령 다음에 3절에 목적을 표현하는 한 개의 베익톨(청유형) 형태와, 아브람이 위임받은 것의 궁극적 결과를 제공하는 한 개의 베카탈 형태가 나온다. 처음에 동사가 나오는 첫 절은 3a에서 동사로 시작되며(V_), 즉시 처음에 동사 아닌 것이 나오는 절(_V)인 3b가 따라 나온다. 그래서 'V_ + _V' 유형이 나타나는데, 이것은 대조적 결합(contrastive matching, 뒤에 나오는 '표시절과 미표시절에 대한 더 깊은 연구'를 보라)을 나타낼 수 있다. 즉, 인접한 두 절이 하나의 사건이나 개념의 대조적 부분을 보여 주는 것이다. "내가 너를 축복하는 자들을 축복하기 위해서, 그러나 너를 저주하는 자들을 저주하기 위해서"라는 식이다. 처음에 동사가 나오는 절 중 마지막 절만이 베카탈을 사용하고 의지적 베익톨을 사용하지 않는다는 사실은 3c가 궁극적 결과 역할을 하고, 그에 따라 요구되는 모든 순종의 궁극적 목표임을 시사한다. "땅으로 가라 …… 그러면 복이 되라 …… 그 [궁극적인] 결과 너로 말미암아 이 땅의 모든 족속이 복을 얻게 하기 위해서다"라는 것이다.

문법을 분석하여 우리는 창세기 12장 1-3절이 두 개의 별개 단위를 가지고 있다는 것을 알 수 있다. 두 번째 부분은 첫 번째 부분의 성취에 달려 있다. 아브람이 민족을 이루기 위해서는 그 땅으로 '가야' 한다. 그리고 그곳에서 창세기 3장의 저주를 극복하고 온 세상이 복을 받도록 '복이 되어야' 한다. 구약은 이스라엘 민족으로 알려진 족장들의 후손이 모세 언약 시대에 첫 번째 단계를 성취했다는 사실을 분명하게 밝힌다. 족장들의 약속(예를 들어 창 15:13-14, 17:8)은 이 언약(예를 들어 출 2:24, 6:4-8, 신 1:8, 9:5)이 시작되는 데 기초가 되었다. 그리고 여호수아와 다윗/솔로몬의 사역은 그 언약들이 성취된 것을 확인해 주었다(창세기 15장 18절, 17장 8절, 22장 17절과 여호수아 21장 43절, 열왕기상 4장 20-21절 참조. 또한 느헤미야 9장 8절을 보라). 이 기간(예를 들어, 요셉[창 39:5, 41:56-57]과 다윗[삼

(§ 116f).

23 Peter J. Gentry and Stephen J. Wellum, *Kingdom through Covenant: A Biblical-Theological Understanding of the Covenants* (Wheaton, IL: Crossway, 2012)(『언약과 하나님 나라』, 새물결플러스), 230-34쪽에서도 그렇게 말한다. Paul R. Williamson, *Sealed with an Oath: Covenant in God's Unfolding Purpose*, NSBT 23 (Downers Grove, IL: InterVarsity Press, 2007), 78-79쪽을 참조하라. 어떤 사람들은 의지적 익톨 형태를 통해 목적의 의미론이 이미 확증되어 있을 때, 'וְ(베) + 명령법'은 명령(예를 들어, 창 34:12, 47:19, 출 33:13)이나 목적(예를 들어, 창 18:5, 19:8, 34, 45:18)이 될 수 있다고 반격할 것이다. 필자는 설사 목적 역시 존재한다 해도, 이 모든 문맥 안에는 명령법적 취지가 여전히 명백하다고 제안한다.

상 17:43-54]이 살던 시기)에 어느 정도는 대표로 순종하고 세계적으로 복을 받은 것이 분명하긴 하지만, 모세, 이스라엘 역사, 후기 선지서는 두 번째 단계(세상에 복이 되는 것)가 궁극적으로 실현되는 것을 보려면 그리스도가 오실 때까지 기다려야 한다는 것을 분명히 한다(시 72:17, 사 49:6, 암 9:11-12. 창세기 22장 17b-18절과 사도행전 3장 25-26절, 갈라디아서 3장 8, 14, 16, 29절 참조). 간결하게 말해서, 아브라함의 위임 전반부는 모세 언약에서 성취된 것(첫 번째 단계의 성취)에 초점을 맞추는 반면, 후반부는 새 언약 때 예수 그리스도를 통해서만 성취되는 신적 회복 역사를 다룬다(두 번째 단계의 성취).

창세기 나머지 부분은 이 결론을 뒷받침한다. 아브라함이 단 하나의 민족의 아버지로 섬기는 것과, 그가 장차 맡을 "여러 민족의 아버지"(창 17:4-5)라는 역할을 구분하는 것이다. 또한 처음에 경험한 축복의 시대와 (가나안[창 17:8, 부족들에게 분배된 땅들]과 종주국으로 감독하는 더 큰 지역[15:18. 열왕기상 4장 20-21절 참조]으로 구성된) 약속의 **땅**(단수)에서의 삶과, 아브라함의 후손이 "하늘의 별"처럼 많아지고 "천하 만민이 복을 받[을]"(창 26:3-4. 15장 5절 참조) 때 물려받을 더 넓은 **땅들**(복수)을 구분한다. 그 나라는 한 남성 해방자가 일어나서만 이러한 식으로 확장될 것이다. 그 해방자는 대적의 성문을 차지하며 세상에 하나님의 복을 전하는 대행자 역할을 할 것이다(22:17b-18. 3장 15절, 24장 60절 참조).[24]

게다가 바울은 어떻게 아브라함 언약의 두 번째 단계가 이미 예수의 교회를 통해 예수 안에서 성취되고 있는지 강조한다. 그리스도 예수의 구속 사역은 아브라함을 그리스도 안에 있는 유대인과 이방인 모두의 아버지로 만들었다(롬 4:16-18. 갈라디아서 3장 29절 참조). 그리고 "그리스도 예수 안에서 아브라함의 복이 이방인에게 미치게 하고 또 우리로 하여금 믿음으로 말미암아 성령의 약속을 받[았다]"(갈 3:14. 사도행전 3장 25-26절 참조). 하나님의 영은 "우리 기업의 보증"(엡 1:14)이시다. 그분은 "아브라함이나 그 후손에게 세상의 상속자가 되리라고 하신 언약"(롬 4:13)을 완전히 성취하실 것이다. 창세기 12장 1-3절의 거시 구조는 구원사에서 중대한 언약적 진전을 가리킨다.

---

24 아브라함 언약이 이렇게 두 단계로 성취되는 것을 더 알려면, Jason S. DeRouchie, "Counting Stars with Abraham and the Prophets: New Covenant Ecclesiology in OT Perspective," *JETS* 58, 3 (2015): 445-85쪽, DeRouchie, "Father of a Multitude of Nations: New Covenant Ecclesiology in OT Perspective," in *Progressive Covenantalism: Charting a Course between Dispensational and Covenant Theologies*, Stephen J. Wellum and Brent E. Parker 편집 (Nashville: Broadman & Holman, 2016), 7-38쪽을 보라.

동사 없는 절

동사 없는 절에서 주어 대 술어[25]

1. 동사 없는 절의 기본 이해하기

성서 히브리어의 한 가지 특징은 정형 동사 없이도 절이 완전할 수 있다는 것이다. 우리는 이것을 **동사 없는 절**(verbless clause, 또는 명목상 절[nominal clause])이라고 부른다. 예를 들어, הָאִשָּׁה טוֹבָה(하이샤 토바, '여자는 착하다')라는 표현에서는 형용사가 술어로 사용될 수 있다. 분사도 비슷한 기능을 할 수 있다. מֹשֶׁה רֹעֶה אֶת־צֹאן אָבִיו(모쉐 로에 에트 촌 아비브, '모세가 아버지의 양떼를 치고 있었다')에서 볼 수 있는 것과 같다. 이러한 절들에서 술어는 '**존재하다/있다**'(to be)로 이해된 동사(우리는 번역할 때 그 말을 보충한다)에 보어가 더해져서 구성된다. 그 보어는 명사일 수도 있고, 형용사, 전치사구, 분사, 부정사 구문, 또는 다른 명목상의 형태나 구일 수 있다. 우리는 이 보어를 술어라고 부른다.

(눈에 보이게 존재하든 아니든[즉 어휘화된 것이든 어휘화되지 않은 것이든]) 존재 동사를 가진 절은 '있음, 존재, 일어남' 등을 표현한다. 그 동사는 그 절들을 대부분의 다른 절들과 구분해 준다. 히브리어에서 존재 동사로 번역되는 동사들은 무엇보다도 주어를 장소나 소유, 신분, 계층, 지위와 연결시킨다. '그 여자는 착하다'라는 예에서, '그 여자'는 '착한' 사람으로 분류되거나 묘사된다. '모세가 아버지의 양떼를 치고 있었다'라는 예에서 '모세'는 이드로의 양을 '치는' 것으로 확인되거나 그 특성이 규정된다.

2. 동사 없는 절에서 주어와 술어 구분하기

동사 없는 절은 단 두 개의 명사류(예를 들어, 명사, 대명사, 형용사 등)가 나란히 나와 있는 것일 수 있다. 동사 없는 절에서는 명백한 동사로 술어를 확인할 수 없기 때문에, 때로는 주어(S)와 술어(P)를 구분하기가 어렵다. 명목상 절에서 기본적인 단어 순서는 '주어-술

---

25 이 자료는 Garrett and DeRouchie, *A Modern Grammar for Biblical Hebrew*, 314-15, 371-72쪽(§§ 39.B.1-2, App. 3) 내용을 수정한 것이다. 허락을 받고 사용하였다.

어'(S-P)로 보이지만,[26] 청중이 더 큰 문맥을 향하도록 돕기 위해서든(=문맥에 맞추는 요소), 두드러진 정보를 강조하기 위해서든(=초점),[27] 종종 순서가 반대인 유형도 있다. 그 경우, 독자들은 어느 명사가 주어이고, 어느 명사가 술어인지 어떻게 아는가?

지침

"의사전달 상황에서 보통 주어는 술어보다 더 규정할 수 있거나 알려져 있다."

어떤 특정한 종류의 명확성은 정관사 같은 특정 형태와 연관되어 있지만, 모든 명사류는 서로에 대해 어느 정도 상대적 명확성을 지닌다. 예를 들어, '룻'과 같은 고유명사는 '집'과 같은 명확하지 않은 일반 명사보다 더 규정할 수 있거나 알려져 있다. 반면, '집'은 '빨간'과 같은 형용사보다는 더 규정된다.

일반적으로 더 명확한 명사나 명사구가 주어가 된다. 몇 가지 예를 살펴보자.

- וְעַבְדִּי דָוִד מֶ֫לֶךְ(베아붓디 다비드 멜렉, 겔 37:24)이라는 절에서 주어는 명확한 명사구인 וְעַבְדִּי דָוִד(베아붓디 다비드, '그리고 내 종 다윗')이며, 술어는 명확하지 않은 명사인 מֶ֫לֶךְ(멜렉, '왕')이다. 이 절은 '내 종 다윗이 왕[이 될 것이다]'라는 의미다.
- כִּי אֵל רַחוּם יְהוָה אֱלֹהֶ֫יךָ(키 엘 라훔 아도나이 엘로헤카, 신 4:31)와 같은 절에서, 우리는 명확하지 않은 명사구(אֵל רַחוּם[엘 라훔, '자비하신 하나님'])과 고유명사(יְהוָה אֱלֹהֶ֫יךָ[아도나이 엘로헤카, '여호와 네 하나님'])가 나란히 나오는 것을 보는데, 고유명사는 더 규정되거나 명시되어 있기 때문에 주어일 것이다. 따라서 이 절은 ('자비

26 Randall Buth, "Word Order in the Verbless Clause: A Generative-Functional Approach," in *The Verbless Clause in Biblical Hebrew: Linguistic Approaches*, Cynthia L. Miller 편집, LSAWS 1 (Winona Lake, IN: Eisenbrauns, 1999), 79-108쪽에서는 그렇게 말한다.

27 Randall Buth, "Topic and Focus in Hebrew Poetry-Psalm 51," in *Language in Context: Essays for Robert E. Longacre*, S. J. J. Hwang and W. R. Merrifield 편집, SIL and University of Texas at Arlington Publications in Linguistics 107 (Dallas: SIL, 1992), 83-96쪽, Buth, "Functional Grammar, Hebrew, and Aramaic: An Integrated, Textlinguistic Approach to Syntax," in *Discourse Analysis of Biblical Literature: What It Is and What It Offers*, Walter R. Bodine 편집, SBLSS (Atlanta: Scholars Press, 1995), 84-85쪽. Christo H. J. van der Merwe, Jackie A. Naudé, Jan H. Kroeze가 "주제화의 초점"("focus of topicalization", *A Biblical Hebrew Reference Grammar*, Biblical Languages: Hebrew 3 [Sheffield, UK: Sheffield Academic, 2002], 347-48쪽[§ 47.2(ii)])이라고 언급한 것을 부스(Buth)는 "초점"과는 다른 "상황화하는 요소"라고 말한다.

하신 하나님은 여호와 네 하나님이기 때문이다'보다는) '여호와 네 하나님은 자비하신 하나님이기 때문이다'라는 의미다.

때로 두 명사류 중 어느 것이 더 규정되어 있는지, 그래서 술어 아닌 주어인지가 분명하지 않거나 논쟁할 여지가 있을 수 있다. 출애굽기 9장 27절을 보면 יְהוָה הַצַּדִּיק (아도나이 핫차디크)라는 말이 나온다. 이것은 '여호와는 의로우**시다**'라고 번역할 수도 있고, '의로우신 분은 여호와**시다**'라고 번역할 수도 있다.

표5.22에 나오는 목록은 명목상 절에서 다양한 구 유형으로 표현된 상대적 명확성 수준에 대해 하나의 안을 보여 준다.[28] 숫자가 높을수록 상대적 명확성 정도도 높아진다. 이 숫자 표시를 이용해서 주어와 술어를 구분할 수 있다.

언제나 주어인 경우
10. יֵשׁ, אַיִן, הִנֵּה, עוֹד 또는 처격에 붙은 대명사적 접미사
주어 또는 술어인 경우
9. 지시 대명사
8. 인칭 대명사
7. 명확한 명사구나 명확한 분사
6. 고유명사나 이름
5. 명확하지 않은 명사구나 명확하지 않은 분사
4. 의문 대명사나 의문 명사구
3. 부정사 구문
2. 형용사
언제나 술어인 경우
전치사구나 처격(예를 들어, שָׁם)

표5.22. 절들에서 상대적 명확성

표5.22와 동사 없는 절을 함께 사용하여 당신의 절에 나오는 두 요소를 목록에서 찾아보라. 어느 요소든 가장 높은 숫자를 가지고 있는 것이 주어일 것이다. 그 요소는 명확성이나 구체성 정도가 더 높기 때문이다. 예를 들어, 우리는 출애굽기 16장 15절에서 다음과 같이 (수식하는 관계절이 있는) 동사 없는 절을 본다.

---

28 Janet W. Dyk and Eep Talstra, "Paradigmatic and Syntagmatic Features in Nominal Clauses," in *The Verbless Clause in Biblical Hebrew: Linguistic Approaches*, Cynthia L. Miller 편집, LSAWS 1 (Winona Lake, IN: Eisenbrauns, 1999), 152쪽 내용을 수정한 것이다.

הוּא הַלֶּחֶם אֲשֶׁר נָתַן יְהוָה לָכֶם לְאָכְלָה	이는 여호와께서 너희에게 양식으로 주신 빵이다.

표5.23. 주어 대 술어_ 출애굽기 16장 15절

표 5.23에서 הוּא(후, "이는"[That])가 주어이며 הַלֶּחֶם(할레헴, "빵")이 술어다. הוּא(후)는 지시 대명사이고(목록에서 레벨9), הַלֶּחֶם(할레헴)은 명확한 명사(레벨7)이기 때문이다.

필자가 여기에 제시한 것은 동사 없는 절을 해석하기 위한 일반 지침으로, 이 문제를 이해하면 텍스트를 더 영리하게 분석하는 데 도움이 될 것이다. 그러나 학자들이 여전히 이 문제들을 조사 연구하고 있으며, 예외나 의견이 일치하지 않을 여지가 있다는 것을 알아야 한다. 무엇보다 절을 색다른 방식으로 해석하는 것은 주의해야 한다. 그러한 해석은 종종 무리한 것이거나 부자연스러운 것이기 때문이다.

쉐마의 문법과 의미_ 신명기 6장 4절

앞서 동사 없는 절을 살펴보았으므로 이제 구약에서 가장 중요하다고 여겨지는 동사 없는 구문을 살펴볼 수 있을 것이다. 번역을 다룬 4장에서 필자는 이미 신명기 6장 4절에 나오는 쉐마를 여러 다른 번역으로 강조하였다.

4 3 2 1 שְׁמַע יִשְׂרָאֵל יְהוָה אֱלֹהֵינוּ יְהוָה ׀ אֶחָד		이스라엘아 들으라 여호와(1) 우리 하나님(2) 여호와(3) 하나(4)	
A	B	역본	독특한 의미
1. 하나님 우리 하나님,	유일하신 하나님!	MSG	구호_ 여호와에 대한 유일한 충성을 강조
2. 여호와 우리 하나님은	유일한 여호와이시다.	ASV, KJV, BBE	많은 여호와가 있다는 사상(poly YHWHism)과 대결함
3. 여호와 우리 하나님,	여호와는 유일하시다.	NKJV, ESV, NIV, CSB	여호와의 우월성과 유일무이성을 강조
4a. 여호와는 우리 하나님이시다.	여호와만 홀로	NRSV	여호와를 우리의 유일한 하나님으로 밝힘
4b. 우리 하나님은 여호와이시다.	오직 여호와만!	CEB	우리의 유일한 하나님은 여호와라고 주장
5. 여호와는 우리 하나님이시다.	여호와는 유일하시다.	NASB, WEB, NET Bible	3과 4를 결합

표5.24. 쉐마_ 신명기 6장 4절에 대한 여러 번역들

네 개의 명사적 요소가 나란히 놓여 있는데, 어느 독법이 옳은지 어떻게 구별하는가? 먼저 두어 가지를 살펴보고, 그 다음에 가장 그럴듯한 독법을 결정하기 위해 필자가 한 일을 검토해 보자.

앞서 나온 표5.22는 다양한 명사류의 상대적 명확성을 밝히고, 이에 따라 동사 없는 절에서 주어와 술어를 구별하도록 돕는다. 동사 없는 구문에서 두 요소가 인접해 있다면 더 높은 숫자가 붙어 있는 요소가 가장 잘 규정된 것이고, 따라서 주어일 가능성이 높다. 쉐마에서 처음 두 명사류 יְהוָה אֱלֹהֵינוּ(아도나이 엘로헤누, '여호와 우리 하나님')가 실제로 하나의 절이라면, 표5.24는 '우리 하나님'이 주어이고 '여호와'가 술어라는 것을 시사할 것이다. 표를 보면, 명확한 명사구(레벨7)가 고유명사(레벨6)보다 명확도가 높기 때문이다. 이에 따라 번역한 것이 CEB의 "우리 하나님은 여호와이시다"이다. 그 번역은 NRSV와 NASB의 "여호와는 우리 하나님이시다"라는 번역과 대조된다.

쉐마에 나오는 두 번째 쌍의 단어들은 전혀 모호하지 않다. 고유명사 '여호와'(레벨6)는 형용사 '유일한'(레벨2)보다 분명 명확하게 규정되어 있기 때문이다. 그것이 절이라면, 우리는 ESV, NIV, NASB에서 보는 것처럼 후반부를 "여호와는 유일하시다"와 같이 번역할 것이다. 물론 אֶחָד(에하드, '유일한'[one])라는 말의 의미 역시 고려해야겠지만 말이다.

이제 우리는 어떤 번역을 따라야 하는가? 먼저 처음 나오는 단어 쌍인 יְהוָה אֱלֹהֵינוּ(아도나이 엘로헤누)에 초점을 맞춘다. 그 단어들이 절을 형성하는지("우리 하나님은 여호와시다") 아닌지("여호와 우리 하나님")를 결정하기 위해, 필자는 신명기에서 'אֱלֹהִים(엘로힘, 하나님[God]) + 접미사'가 나오는 모든 경우를 분류해 보았다. "그의 하나님", "너의 하나님", "나의 하나님", "그들의 하나님", "우리 하나님" 같은 구가 신명기에 총 321번 나오는데, 이들은 유형을 살펴볼 수 있을 만큼 많은 자료를 제공한다. 여기서 세세한 것을 모두 파고들 수는 없다. 하지만 필자가 발견한 것들을 요약하고, 신명기 6장 4절을 이해하기 위해 그것들이 함축하는 바를 주목할 수는 있다.

신명기에는 'אֱלֹהִים(엘로힘, 하나님[God]) + 접미사'가 총 321번 나온다. 10번은 다른 '신들'을(gods) 말하고[29] 311번은 יְהוָה('여호와')를 말한다. 후자의 경우에서 3번만 바로 앞에 יְהוָה가 나오지 않는다(10장 21절, 31장 17절, 32장 3절을 보라). 나머지 308번은 'אֱלֹהִים(엘

29 삼인칭 남성 단수 접미사_ 신 32:37, 삼인칭 남성 복수 접미사_ 7:16, 25, 12:2, 3, 30[2×], 31[2×], 20:18.

로힘) + 접미사' 바로 앞에 신적 이름이 나온다. 그리고 4번을 제외한 모든 경우에 '여호와'와 동격으로 '하나님'이라는 말이 분명하게 나온다.[30] 예를 들어, 6장 15절에는 "너희 중에 계신 주 여호와 너희의 하나님은 질투하시는 하나님이신즉"(כִּי אֵל קַנָּא יְהוָה אֱלֹהֶיךָ בְּקִרְבֶּךָ[키 엘 칸나 아도나이 엘로헤카 베키르베카], 옮긴이 번역)이라는 말이 나온다. 여기에서 אֱלֹהֶיךָ(엘로헤카, "너희의 하나님")는 '여호와'라는 말에 인접하면서, 문법적 위치가 동일하다. 두 용어는 같은 분을 말하며, 어떠한 술어도 허용하지 않는다. 이것은 신명기 내내 볼 수 있는 일반 유형으로, 그로 인해 필자는 다음과 같은 결론을 내렸다.

- 신명기에서 'יְהוָה אֱלֹהִים(아도나이 엘로힘) + 접미사'가 나오는 308번 중 304번은 명백하게 동격이므로(=98.7%), 쉐마의 첫 번째 쌍은 '우리 하나님은 여호와시다' 등이 아니라 '여호와 우리 하나님'으로 번역해야 할 가능성이 높다.
- 신명기에는 'אֱלֹהִים(엘로힘, '하나님') + 접미사'가 여호와를 말하는 대명사를 보완하는 술어 역할을 할 수도 있는 경우가 4번 있는 반면(예를 들어, "나는 네 하나님이라"[신 5:6, 9, 10:21, 29:5(6)]), 'אֱלֹהִים + 접미사'가 고유명사 יְהוָה('여호와') 자체와 술어 관계에 있는 경우는 없다. 즉 신명기에 있는 307개의 유사한 구문 중 '우리 하나님은 여호와시다'라거나 '여호와는 우리 하나님이시다'라는 번역을 포함하는 것은 단 하나도 없다(=0.0%). 그렇기 때문에 쉐마를 이런 식으로 번역하는 것을 뒷받침해 주는 것은 거의 없다.

쉐마 전반부에 대한 가장 좋은 번역은 ESV와 NIV에 나오는 것처럼 "여호와 우리 하나님"이다. CEB에 나오는 "우리 하나님은 여호와이시다"와 NRSV, NASB, NET Bible에 나오는 "여호와는 우리 하나님이시다"라는 번역은 신명기에 유사한 것이 없다.

이러한 이해를 염두에 두고, 이제 우리는 쉐마 후반부를 평가할 준비가 되었다. יְהוָה אֶחָד(아도나이 에하드, '여호와 하나')를 어떻게 번역해야 할까? 이에 답하려면 문법을 넘어, 이 책 나머지 부분에서 가르치는 것처럼 주해적, 신학적으로 더 깊이 씨름해야

30 신명기 6장 5절과 함께, 의심스러운 다른 경우들에도 אָנֹכִי יְהוָה אֱלֹהֶיךָ/אֱלֹהֵיכֶם(아노키 아도나이 엘로헤카/엘로헤켐)이 나온다. 그것은 '나는 여호와 너희의 하나님이다'(=אֱלֹהִים[엘로힘] + יְהוָה의 동격 접미사) 또는 '나, 여호와는 너희의 하나님이다'(אֱלֹהִים[엘로힘] + 명백한 대명사에 대한 술부 보어 역할을 하는 접미사. 그 대명사 자체가 יְהוָה의 동격이다)라고 번역할 수 있다(5:6, 9, 29:6[H5]을 보라).

한다. 여섯 가지 관찰 사항은 ESV와 NIV의 "여호와 우리 하나님, [그] 여호와는 유일하시다"(The LORD our God, **the** LORD **is one**)가 가장 좋은 번역임을 강력하게 뒷받침한다(#3).

첫째, אֶחָד(에하드, '하나')를 한정 형용사(='한 여호와')로 번역한 KJV는 יְהוָה('여호와')를 신적 이름 대신 하나의 호칭으로 여기거나(예를 들어, 에베소서 4장 5절의 "주도 한 분이요"), 성경적 증거를 찾을 수 없는 다-여호와교(poly-YHWHism, 많은 여호와가 존재한다) 문제가 있었다고 추정한다. 어떤 이스라엘 사람들은 지방 특유의 우상들을 여호와에 대한 별개의, 심지어는 대조적 표현으로 볼 수도 있었겠지만, 텍스트에는 영감을 받은 성경 저자들이 그렇게 생각하고 있었다고 시사할 만큼 여호와를 특정 지역과 동일화하는 것이 전혀 없다.[31]

둘째, 동사가 없는 표어들은 매우 드물기 때문에, 그리고 의사소통은 절들로 이루어지기 때문에, MSG의 번역(#1)은 별로 신빙성이 없다. 마찬가지로 쉐마가 온전한 절을 표현한다고 기대한다면, 그리고 전반부를 "여호와 우리 하나님"이라고 번역하는 것이 가장 좋다면, 후반부에는 반드시 술어가 포함되어야 한다. 그렇게 본다면 NRSV의 "여호와 홀로"(#4a)라는 번역과 CEB의 "오직 여호와만"(#4b)이라는 번역은 맞지 않는다.

셋째, 형용사 אֶחָד(에하드, '하나')는 양적인 면(즉 숫자 하나, 단 한 개. 예를 들어 창 11:1, 신 32:30)이나 질적인 면(즉 독특한, 별개의, 유일한. 예를 들어 삼하 7:23, 아 6:9) 모두 '하나임'을 말할 수 있는 반면,[32] "여호와 홀로"(NRSV)라는 말과 "오직 여호와만"(CEB)이라는 말은 문법적으로 상당히 부자연스러우며, לְבַדּוֹ(레밧도, '여호와께서 홀로[only him]', 사 2:11, 17. 열왕기하 19장 19절 참조)에서처럼 복합 부사 'לְבַד(레바드) + 접미사'를 통해 표현될 가능성이 더 많다.

넷째, NRSV와 CEB는 신명기 6장 4절을 유일신론적 고백이 아니라 충성의 외침으로 여긴다.[33] 이에 반해, 필자는 신명기 6장 4절이 여호와만의 우월하심과 독점적 주

---

31 예를 들어, 여호와는 벧엘(창 31:13, 35:7), 시내산(신 33:2, 삿 5:5), 세일산(신 33:2), 바란산(신 33:2, 합 3:3), 실로(삼상 1:3, 4:4), 데만(합 3:3), 시온산(사 8:18, 18:7, 24:23), 예루살렘(슥 8:22) 등에서 하나님이다. 하지만 이 텍스트들에서 각 장소가 같은 신의 다른 현현들 또는 같은 이름을 가진 다른 신들을 포함했음을 시사하는 것은 아무것도 없다. 한 분인 하나님 여호와는 단지 이 여러 장소에서 예배를 받으시거나 어떤 식으로든 그 장소들과 연관되어 있었다.

32 *DCH* 1:179-81, אֶחָד(에하드)를 보라. Frederick W. Danker 외, *Greek-English Lexicon of the New Testament and Other Early Christian Literature*, 3판 (Chicago: University of Chicago Press, 2000), 291쪽, εἷς(헤이스)를 참조하라.

33 Daniel I. Block, "How Many Is God? An Investigation into the Meaning of Deuteronomy 6:4-5," *JETS* 47,

권을 큰 소리로 선언한다고 믿는다. 그리고 백성들에게 이 주장을 들으라고 명하고 나서야(6:4) 비로소 모세는 하나님의 백성에게 모든 것을 다해 여호와를 사랑하고 오직 그분만 섬기라고 지시한다(6:5). 이 주장을 지지하는 것으로, 쉐마가 신명기에 나오는 성경적 세계관의 기초 진리를 강조하는 수많은 텍스트와 유사하다는 것을 들 수 있다. 즉 하늘의 만신전 안에 여호와가 홀로 계시다는 것이다. 그분은 유일한 원인자, 우두머리 권위, 우주의 최고 주권자로 작용하신다. 그분은 하늘의 모임을 통해 역사하실 수 있지만(예를 들어 왕상 22:19-22, 욥 1:6-12, 2:1-7, 시 82:1, 89:5-7[H6-8]), 이 '천사들' 또는 '신들' 중 어느 것도 여호와와 대등하지 않다. 그들은 모두 여호와께 종속되어 복종한다. 그분을 섬기고(왕상 22:19), 그분께 절하며(시 29:2), 그분께 순종하고(103:20-21), 그분을 찬양한다(148:2-5). 여호와는 "신 가운데 신이시며 주 가운데 주시요 크고 능하시며 두려우신 하나님"(신 10:17)이다. 그렇기 때문에 우리는 "나 외에는 다른 신이 없다"(신 4:35, 39, 5:7, 32:39)는 여호와의 주장을 단언해야 한다. "나 외에는 다른 신들을 네게 두지 말지니라"(5:7)는 말은 우선순위를 말하는 것이 아니라 공간적 여지를 말하는 것이다. 그래서 하나님은 우리가 하늘의 만신전 안에 오직 그분만 계신 모습을 상상하라고 명하신다.[34] 이런 의미에서 "여호와는 유일하시다."

다섯째, 성경 나머지 부분 곳곳에 인용된 쉐마와 암시들은 한결같이 신명기 6장 4절을 충성이 아닌 (양과 질 모두에서 하나인) 유일신론에 대한 단언으로 해석하는 듯하다.[35] 예를 들어, 바울은 새 언약의 날에 온갖 부류의 사람들이 구원받을 것이라고 말한다. "하나님은 한 분이시오(εἷς θεός[헤이스 테오스]) 또 하나님과 사람 사이에 중보자도 한 분이시니(εἷς μεσίτης[헤이스 메시테스]) 곧 사람이신 그리스도 예수"(딤전 2:5. 로마서 3장 29-30절, 갈라디아서 3장 20절 참조)이기 때문이다. 마찬가지로 어떤 관점에서 보면 "많은 신

2(2004): 193-212쪽에서도 그렇게 말한다.

34 쉐마에 반영된 십계명 가운데 첫째 계명에 대한 이런 해석에 대해서는 John H. Walton, "Interpreting the Bible as an Ancient Near Eastern Document," in *Israel: Ancient Kingdom or Late Invention?*, Daniel I. Block 편집 (Nashville: Broadman & Holman, 2008), 305-9쪽, Jason S. DeRouchie, "Making the Ten Count: Reflections on the Lasting Message of the Decalogue," in *For Our Good Always: Studies on the Message and Inf luence of Deuteronomy in Honor of Daniel I. Block*, Jason S. DeRouchie, Jason Gile, and Kenneth J. Turner 편집 (Winona Lake, IN: Eisenbrauns, 2013), 422-23쪽을 보라.

35 예를 들어, 욥 31:15, 전 12:11, 겔 34:23, 37:22, 24, 슥 14:9, 말 2:10, 마 19:17, 23:9, 막 2:7, 12:29, 32, 34, 요 10:16, 롬 3:29-30, 고전 8:4-6, 갈 3:20, 엡 4:4-6, 딤전 2:5, 히 2:11, 약 2:19, 4:12을 보라.

과 많은 주가 있[다]"고 단언한 후에 바울은 이렇게 강조한다. "그러나 우리에게는 한 하나님(εἷς θεὸς[헤이스 테오스]) 곧 아버지가 계시니 만물이 그에게서 났고 우리도 그를 위하여 있고 또한 한 주(εἷς κύριος[헤이스 퀴리오스]) 예수 그리스도께서 계시니 만물이 그로 말미암고 우리도 그로 말미암아 있느니라"(고전 8:6). 바울의 요점은 그리스도인에게 한 방향을 향해 충성하라는 강조가 아니라, 참되신 하나님이신 아버지는 유일하게 자존하시는 분이며 예수께서 그 하나님과 밀접한 관계를 맺고 계시다는 사실이다.[36]

마지막으로, 마가복음 12장에서 한 서기관이 예수께 가장 중요한 계명이 무엇인지 묻는다. 예수께서는 신명기 6장 5절을 칠십인 역에서 글자 그대로 인용하여 대답하신다. "이스라엘아 들으라 주 곧 우리 하나님은 유일한 주시라"(ἄκουε Ἰσραήλ, κύριος ὁ θεὸς ἡμῶν κύριος εἷς ἐστιν[아쿠에 이스라엘 퀴리오스 호 테오스 헤몬 퀴리오스 헤이스 에스틴], 막 12:29). 이에 서기관은 예수의 진술을 긍정하고 그분 말씀을 해석하며 답한다. "선생님이여 옳소이다 하나님은 한 분이시요 그 외에 다른 이가 없다 하신 말씀이 참이니이다"(12:32). 그 다음에 우리는 "예수께서 그가 지혜 있게 대답함을 보시고 이르시되 네가 하나님의 나라에서 멀지 않도다 하시니"(12:34)라는 말씀을 읽는다. 예수의 관점에서 쉐마를 "지혜 있게" 읽는 것이란 하나님 "외에 다른 이가 없다"는 진술로 여기는 것이다. 이것이 신명기 6장 4절에 나오는 쉐마의 뜻이다. 그리고 이에 비추어, 주님은 이어서 자신의 백성에게 "너는 마음을 다하고 뜻을 다하고 힘을 다하여 네 하나님 여호와를 사랑하라"(신 6:5)고 명하신다.

신명기 6장 4절은 엄격하게 문법과 씨름하는 것이 어떻게 의미를 분명하게 해주며, 주해적, 신학적으로 더 진보된 해석을 위한 문을 열어 주는지를 보여 주는 좋은 예다. 여호와가 유일하시다(one)는 것은 성경적 세계관의 가장 기본이다. 주님은 유일하게 자존하시는 분이다. 궁극적 심판자이시자 만물의 유일한 원천, 유지자, 목표이시다(롬 11:36, 골 1:16). 그리고 이 때문에 그분은 우리의 최고 존경과 복종을 받으실 만하다. 하나님은 가장 작은 자의 모든 염려를 돌보시는 분이다. 그러므로 우리가 그분을 찬양하고, 그분을 사랑하고, 그분을 위해 살기를 기도한다.

---

36 이 문제에 대해서는 N. T. 라이트(Wright)의 말이 옳다. "바울은 이스라엘의 하나님이 한 분이며 유일하신 하나님, 세상의 창조주라는 명백한 진술 안에 예수를 두었다. …… 바울은 [쉐마를] 기독론적으로 재규정해서 우리가 일종의 기독론적 유일신론이라고 부를 수밖에 없는 것을 만들어 냈다"(*The Climax of the Covenant: Christ and the Law in Pauline Theology* [Minneapolis: Fortress, 1993], 129쪽).

렉스햄 강화 구약 성경_ 개관

이 시점에서 필자는 로고스 바이블 소프트웨어(Logos Bible Software, http://www.logos.com/)에서만 제공하는 중요한 자료를 강조하고자 한다. 바로 "렉스햄 강화 구약 성경"(*The Lexham Discourse Hebrew Bible*)과 그에 수반되는 "렉스햄 하이 데피니션 구약: ESV판"(*High Definition Old Testament: ESV Edition*)이다.[37] 이 도구는 스티븐 룽게(Steven E. Runge) 박사와 조슈아 웨스트버리(Joshua R. Westbury) 박사가 만든 것으로, 예수의 성경 모든 페이지에 대한 강화 문법 일부를 시각적으로 묘사한다. 그것은 간단한 문장들을 복잡한 문장들 및 부차적 요점들, 입증 정보, 상세한 설명 등과 구분한다. 그 다음에 핵심적인 강화 특징들에 주의를 집중시키기 위해 (쉽게 접근할 수 있는 팝업 정의들과 함께) 다양한 맞춤형 상징을 사용한다. 주석가들이 종종 놓치지만 하나님 말씀의 메시지를 올바로 듣는 것을 도와줄 수 있는 강화 특징들이다.

독자가 설교를 준비하든, 성경을 번역하든, 엄밀하게 직접 연구 조사를 하든, 강의실에서 가르치든, "렉스햄 강화 구약 성경"은 그 작업을 도와줄 것이다. 그 도구가 신명기 6장 4절에서 명확하게 설명해 주는 내용을 살펴보자.

문장 4 שְׁמַ֖ע ‹ יִשְׂרָאֵ֑ל › [LD יְהוָ֥ה [T] אֱלֹהֵ֖ינוּ T] LD] [T יְהוָ֥ה|T] אֶחָֽד׃

들으라 이스라엘 여호와 우리 하나님 여호와 유일한

표5.25. 신명기 6장 4절_ 렉스햄 강화 구약 성경

룽게와 웨스트버리는 오른쪽 위 앞에 신명기 6장 4절이 MSG 의역에 나오는 것과 같은 하나의 표어가 아니라 '문장'이라고 써 놓았다. 그 다음에 יִשְׂרָאֵל(이스라엘) 양 옆에 있는 손 확성기 표시는 '**주제적 호격**(thematic Address): 추가 서술 정보를 포함하는 호격 또는 주격을 사용하는 것. 그러한 추가 정보는 수신인(들)의 정체를 확인하는 데 꼭 필요하지는 않다. 그 정보는 화자가 수신인(들)을 어떻게 인식하는지에 기초하여 수신

37 Steven E. Runge and Joshua R. Westbury, *Lexham Discourse Hebrew Bible and High Definition Old Testament: ESV Edition* (Bellingham, WA: Lexham, 2012).

인들의 특성을 묘사한다'는 것을 나타낸다. 이 경우 יִשְׂרָאֵל(이스라엘)은 호격이다.

그 다음에 יְהוָה אֱלֹהֵינוּ(아도나이 엘로헤누, '여호와 우리 하나님')를 둘러싼 괄호 안에 있는 'LD'는 '**좌향-전위**(Left-Dislocation): 구문적으로 주절 밖에 있지만(즉 이동되었지만), 주절 안 어디선가 대명사나 다른 포괄적 언급을 사용하여 반복되는 정보를 소개하는 것. 좌향-전위는 일반적으로 주절에 포함시키기에는 매우 복잡한 것을 소개한다. 주절에 포함하면 혼란을 일으킬 수도 있기 때문이다. 정보를 다시 시작하는 좌향-전위 요소는 본질적으로 새로운 내용을 요약하면서, 필자가 새로운 실상을 쉽게 논평하도록 해준다'는 뜻이다. 히브리어에서 **좌향-전위**는 전위된 자료를 오른쪽으로 움직여야 한다는 사실을 유의하는 것이 중요하다. **좌향-전위**는 영어처럼 왼쪽에서 오른쪽으로 쓰는 언어에서 일반적인 언어학 용어다. 따라서 그런 언어에서는 어떤 자료를 절 밖에 놓으려면 왼쪽으로 움직여야 한다. 하지만 히브리어에서는 오른쪽으로 움직이는 것을 뜻한다. 히브리어는 오른쪽에서 시작하기 때문이다.

אֱלֹהֵינוּ(엘로헤누, '우리 하나님')를 둘러싼 괄호 안에 있는 'T'는 이 구절에 대한 마지막 주를 소개한다. 그 주는 이렇게 되어 있다. '**주제**(topic): 정형 동사 형태가 존재하지 않는 절의 주제나 주어를 밝히는 표시.' 의미심장하게도, 룽게와 웨스트버리는 יְהוָה אֱלֹהֵינוּ(아도나이 엘로헤누)를 주절 바깥에 있는 것으로 해석하기 때문에(=좌향-전위), 그들은 텍스트를 하나의 표어나(MSG) 독립된 두 개의 절로 해석하는 것이 아니라(NASB, NET Bible), (NRSV나 CEB와는 반대로) ESV나 NIV에 나오는 것처럼 하나의 독립적인 절로 해석하고 있는 것이 분명하다. 그렇게 되면 אֱלֹהֵינוּ(엘로헤누)는 주제를 제공하고, יְהוָה는 주절의 주어를 제공한다. '여호와는 유일하시다'라는 것이다.

필자는 "렉스햄 강화 구약 성경"을 독자들에게 강력히 추천한다. 이 도구는 문법에 대한 무오한 안내서는 아니지만 매우 좋은 안내서다. 구약을 그저 멀리서 보기만 하는 것이 아니라 깊이 있게 알기 위해 읽고자 한다면, 이 자료가 장기적으로 유익할 것이다.

텍스트 블록, 직접 화법, 삽입 강화에 대한 더 깊은 연구[38]

다음 몇 부분에서 우리는 거대 구문을 더 살펴볼 것이다. 거대 구문이란 다양한 절들이 모여 텍스트들을 만드는 방식이다. 이미 문학적 단위들에 대한 논의(2장에 나온 '히브리어의 문학적 단위와 텍스트의 계층 구조 소개'와 '텍스트 블록')에서 필자는 히브리어가 텍스트 블록, 곧 함께 읽어야 하는 일련의 분리된 절들을 만들기 위해 연결어 וְ(베, 해설의 '그리고')와 접속사 생략(Ø)을 어떻게 사용하는지 말했다. 연결어 וְ(베)는 가치가 대등한 문법적 단위들을 연결시키면서, 특정 묶음 안에 있는 모든 절이 어떤 식으로든 관련되어 있다는 것을 강조한다. וְ(베)는 등위 접속사이며, 이 연결어가 있다는 것은 선행 구조가 있다는 것을 추정한다. 그렇기 때문에 우리는 וְ(베)가 새로운 단위의 시작 부분에 나올 것이라고 예상하지 않는다. 이에 반해 접속사 생략(asyndeton, 접속어가 없는 것)은 분리를 표시한다. 접속사 생략은 새로운 강화 단위가 시작되는 것을 나타내기 위해서인 경우도 있고(=새로운 시작), 이전 텍스트 단위를 재진술하거나 명확히 하거나 뒷받침하기 위해서인 경우도 있다(=설명). 접속사 생략이 어떤 기능을 수행하는지는 대부분 문맥을 보아야만 명확하게 알 수 있다.

필자가 지금 주목하고자 하는 것은 어떻게 텍스트 블록들이 종종 다른 **삽입 강화 단위**들에 의해 중단되느냐다. 이것은 특히 인용문에서 흔하다. 이 경우는 우리가 **직접 화법**이라고 부르는 것으로, 실제 발언이 전혀 수정되지 않은 채 텍스트 안에 나오는 것이다. 영어에서 다음과 같은 경우를 생각해 보라.

> 밤은 더디게 흘러갔다. 그리고 느헤미야는 잠자리에 들 준비가 되었다고 생각했다. 그래서 엄마에게 말했다. "저 이제 갈게요." 그리고 그는 일어나 안마당을 떠났다.

38 이 자료는 Garrett and DeRouchie, *A Modern Grammar for Biblical Hebrew*, 285-87쪽(§ 37.D) 내용을 수정한 것이다. 허락을 받고 사용하였다.

이 예에서 "저 이제 갈게요"라는 인용 발화는 더 큰 강화 안에 들어 있다. 하지만 직접 화법 자체는 독립된 텍스트 단위다. 화자의 더 큰 강화가 있고, 그 안에 느헤미야의 인용 발화가 나온다. 우리는 이미 신명기 5장에서 이 유형을 보았다(2장에 나온 '히브리어의 문학적 단위와 텍스트의 계층 구조 소개'). 그 본문에서 십계명을 포함하는 인용문(신 5:6-21)이나 모세가 상기하는 다른 많은 발화들(5:24b-27, 28c-31)은 더 높은 수준의 강화에 삽입되어 있으면서 그 강화와는 구별된다.

신명기 5장에 나온 예에서 살펴봤듯이 때로 화자들은 인용 발화가 없더라도 하나의 강화 유형을 또 다른 강화에 내포시킨다. 우리는 5장 2-31절에 나오는 역사적 강화가 5장 1, 32-33절에 나오는 지시적 강화에 주의를 기울일 만한 근거를 제시하고 뒷받침하는 데 기여하는 것에서 그 경우를 보았다. 마찬가지로 이야기 전달자는 간략한 여담을 말할 수도 있다. 그러한 여담은 배경 정보를 제공하지만 실제로 주요 내러티브에 속하지는 않는다.

다음에 나오는 두 가지 예는 더 큰 텍스트 블록들이 삽입 강화를 어떻게 포함할 수 있는지 보여 준다. 특히 접속사 생략(Ø)과 וְ(베)가 합쳐져 삽입 단위들의 시작과 끝을 알리는 방식을 주목하라.

אֱמֹר לָהֶם	–	Ø	30b
שׁוּבוּ לָכֶם לְאָהֳלֵיכֶם׃	–	Ø	30c
וְאַתָּה פֹּה עֲמֹד עִמָּדִי	↑	וְ	31a
וַאֲדַבְּרָה אֵלֶיךָ אֵת כָּל־הַמִּצְוָה וְהַחֻקִּים וְהַמִּשְׁפָּטִים	↑	וְ	31b

30b	그들에게 말하라.
30c	"각기 장막으로 돌아가라."
31a	그러나 너는 여기 내 곁에 서 있으라.
31b	그리고 내가 모든 명령과 규례와 법도를 네게 말할 것이다.

표5.26. 인용된 직접 화법_ 신명기 5장 30-31절

신명기 5장 30-31절에 나온 이 예에서, 절 31ab는 30b에서 시작된 단일 텍스트 블록의 일부다. 이것은 31ab 둘 다 계속해서 이인칭 남성 단수를 말하고 연결어 וְ(베)로 30b와 연결되어 있다는 사실에서 알 수 있다. 하지만 30c에 나오는 절은 직접 화법으로, 독립된 강화다. 그 절은 앞에 나오는 어떤 것과도 직접 연결되어 있지 않다. 말의 시작 부분이기 때문이다. 그렇기 때문에 30c는 접속사 생략절이다. 인용 발화가 나온

다음에, 31a는 앞의 강화(30b)를 다시 이어가기 때문에 연결어 וְ(베)로 시작한다.

그런데 하나의 텍스트 블록이 인용 발화 없이 다른 텍스트 블록에 삽입된 경우, 삽입된 자료는 종종 더 큰 텍스트 단위 안에 있는 것을 설명하거나 강조한다.

וַיִּשְׁכַּב דָּוִד עִם־אֲבֹתָיו	↑	וְ	10a
וַיִּקָּבֵר בְּעִיר דָּוִד׃	↑	וְ	10b
וְהַיָּמִים אֲשֶׁר מָלַךְ דָּוִד עַל־יִשְׂרָאֵל אַרְבָּעִים שָׁנָה	↑	וְ	11a
בְּחֶבְרוֹן מָלַךְ שֶׁבַע שָׁנִים	–	Ø	11b
וּבִירוּשָׁלַם מָלַךְ שְׁלֹשִׁים וְשָׁלֹשׁ שָׁנִים׃	↑	וְ	11c

10a	그리고 다윗이 그의 조상들과 함께 누웠다.
10b	그리고 그는 다윗 성에 장사되었다.
11a	그리고 다윗이 이스라엘을 다스린 지 사십 년인 날이었다.
11b	헤브론에서 그는 칠 년을 다스렸다.
11c	그리고 예루살렘에서 그는 삼십삼 년을 다스렸다.

표5.27. 삽입 단락 언급_ 열왕기상 2장 10-11절

역사적 강화에서 나온 이 예가 어떻게 내러티브를 지닌 두 바익톨 절로 시작하는지 주목하라. 바익톨은 역사적 텍스트 유형에서 기본 동사나 미표시 동사 유형이다. 그 다음에 11a에서 우리는 비-바익톨(non-wayyiqtol) 절을 보게 된다. 이것은 아마 이 특정 단락이 끝난다는 것을 표시할 것이다. 하지만 그 단락이 완전히 끝나기 전에 우리는 11bc에서 삽입 강화를 읽게 된다. 그 부분은 11a에 언급된 "사십 년"을 설명한다. 삽입된 텍스트 블록이 설명임을 표시하는 접속사 생략(Ø)으로 시작된다는 것을 주목하라.

텍스트에서 주제상 가장 중요한 것이 반드시 텍스트가 전개되는 주요 행에서 발견되지는 않는다는 사실을 인식해야 한다. 실제로 보통 본문의 요점은 텍스트에 삽입된 자료에서 발견될 것이다. 예를 들어 역사적 내러티브에서 주요 줄거리는 삽입되어 있지 않지만, 이야기를 어떻게 읽어야 하는지 이해하게 해주는 핵심 메시지는 보통 등장인물들의 행동이 아니라 그들의 발화 행위에서 찾아볼 수 있다. 발화 행위는 늘 삽입되어 있다. 하나님이 말씀하실 때, 우리는 잘 들어야 한다. 그리고 하나님의 발화는 보통 다른 자료에 삽입되어 있다.

표시절과 미표시절에 대한 더 깊은 연구[39]

2장에 나온 문학적 단위에 대한 논의에서 우리는 (역사적이든, 예상적이든, 지시적이든) 다양한 텍스트 유형에서 미표시 기본 동사 유형의 변화가 어떻게 강화에서 중대한 것을 표시하는지 보았다('텍스트 블록에서 하위 단위 분별하기_ 단락 구분'). 단락 구분은 성경 저자들이 기본 유형을 벗어나는 한 가지 이유일 뿐이다. 다른 가능성도 많은데, 이제 그것을 개관하고자 한다. 구약에서 (기본이 아닌) 표시된 술어 유형이나 절 구조를 발견할 때마다, 그것은 보통 네 가지 중 한 가지 방식으로 작용하고 있다.

1. 배경 정보를 제공하기 위해

기본 유형에서 바뀐 절은 주요 행동이 일어난 때의 배경이나 상황을 묘사할 수 있다.

וַיָּ֣קָם ׀	10	그리고 그[엘리야]는 일어났다.
וַיֵּ֣לֶךְ צָרְפַ֗תָה	b	그리고 그는 사르밧으로 갔다.
וַיָּבֹא֙ אֶל־פֶּ֣תַח הָעִ֔יר	c	그리고 그는 성문에 이르렀다.
וְהִנֵּה־שָׁ֥ם אִשָּׁ֛ה אַלְמָנָ֖ה מְקֹשֶׁ֣שֶׁת עֵצִ֑ים	d	그리고 보라, 한 과부가 그곳에서 나뭇가지를 모으고 있었다.
וַיִּקְרָ֤א אֵלֶ֙יהָ֙	e	그리고 그가 그녀를 불렀다.
וַיֹּאמַ֔ר . . .	f	그리고 말했다……

표5.28. 배경 정보_ 열왕기상 17장 10절

이 예에서 앞에 וַ(베)가 붙은 절들이 연속으로 나오는 것은 전체 구절이 같은 텍스트 블록에 속한다는 것을 알려 준다. 10d만 빼고 모든 구절에 바익톨 동사가 나온다. 내러티브는 10a-c까지 중단 없이 이어진다. 하지만 그러고 나서 וְהִנֵּה־שָׁם(베힌네 샴, '그리고 보라, 그곳에서')이라는 말로 시작되는 표시된 명사적 분사절을 통해 독자의 주의를 사로잡는다. 주요 내용 예고 표시를 사용하는 것이다. 10d는 엘리야가 성문에 도착했을 때 무엇을 보았는지 말해 준다. 바로 나뭇가지를 모으고 있는 한 과부다. 10e("그리고 그가 그녀를 불렀다")가 새로운 단락을 시작하는 것으로 보이지 않기 때문에 10d는 그

39 이 자료는 같은 책, 287-90쪽(§ 37.E) 내용을 수정한 것이다. 허락을 받고 사용하였다.

가 누구를 불렀는지 알 수 있도록 필요한 배경 지식을 제공하고 있는 듯하다. 10d는 이야기에서 과부를 소개한다. 표시되지 않은 각 바익톨 절은 역사적 이야기를 진전시킨다. 표시된 비-바익톨 절은 내러티브를 이해하는 데 필요한 필수 배경 자료를 제공한다.

2. 같은 사건의 여러 측면을 결합하기 위해

한 사건이 두 개 이상의 요소나 측면을 가지고 있을 수 있다. 그것은 대조되는 것일 수도 있고, 동조적인 것일 수도 있다.

대조적 결합(contrastive matching)은 미표시절과, 그 절에 인접한 표시절이 함께 한 가지 사건이나 개념에 대해 대조적인 두 부분으로 간주되는 것이다. 이런 유형의 조화는 종종 동사가 처음에 나오는 기본 절(즉 바익톨 또는 베카탈 = V_)에 이어 비동사가 처음에 나오는 표시절(_V)이 뒤따를 때 표현된다. 그 결과 'V_ + _V' 유형이 되는 것이다. **동일한 결합**(identical matching)은 한 사건에 대해 두 개 이상의 동조적 요소를 묘사하는 일련의 표시절이 나올 때 일어난다. 여기서는 두 개 이상의 비동사가 처음에 나오는 표시절들이 인접하여 나오며, 그 결과 '_V + _V' 유형이 된다.

먼저 창세기 1장 4-5절에서 대조적 결합의 예를 살펴보자.

וַיַּרְא אֱלֹהִים אֶת־הָאוֹר כִּי־טוֹב	4	그리고 하나님이 보시기에 그 빛이 좋았다.
וַיַּבְדֵּל אֱלֹהִים בֵּין הָאוֹר וּבֵין הַחֹשֶׁךְ	b	그리고 하나님이 빛과 어둠을 나누셨다.
וַיִּקְרָא אֱלֹהִים לָאוֹר יוֹם	5	그리고 하나님이 빛을 낮이라고 부르셨다.
וְלַחֹשֶׁךְ קָרָא לָיְלָה	b	그러나 어둠은 그가 밤이라고 부르셨다.

표5.29. 대조적 결합_ 창세기 1장 4-5절

여기서 모든 절은 וְ(베)로 시작된다. 하지만 5b에서 'וְ(베) + 전치사구 + 카탈' 절로 바익톨 유형이 중단된다. קרא('부르다')라는 동사가 5a와 5b에서 반복되는 것은 실제로 여기에 하나의 조화를 이루는 쌍이 있다는 것을 시사한다. 어둠을 '밤'이라고 부르는 행동은 빛을 '낮'이라고 부르는 것과 개념적으로 동시적이면서 대조를 이룬다. 그렇기 때문에 이 구절에는 (네 개가 아닌) 세 개의 사건이 있는 것이다. (a) 하나님이 보시기에 좋았다. (b) 그러고 나서 하나님은 빛을 어둠과 나누셨다. (c) 그러고 나서 하나님은 빛을 '낮'이라고 부르시고, 어둠을 '밤'이라고 부르셨다. 빛과 어둠은 동등한 것이 아니라 반대되는 것이다. 그래서 저자는 대조적 결합을 사용하였다.

열왕기하 17장 29-30절에서는 동일한 결합을 볼 수 있다.

וַיִּהְיוּ עֹשִׂים גּוֹי גּוֹי אֱלֹהָיו	29	그리고 민족마다 자기의 신들을 만들었다.
וַיַּנִּיחוּ בְּבֵית הַבָּמוֹת אֲשֶׁר עָשׂוּ הַשֹּׁמְרֹנִים	b	그리고 그들은 민족마다 자신이 살고 있는 성읍에서
גּוֹי גּוֹי בְּעָרֵיהֶם אֲשֶׁר הֵם יֹשְׁבִים שָׁם		사마리아 사람들이 지은 신당들에 그 신들을 두었다.
וְאַנְשֵׁי בָבֶל עָשׂוּ אֶת־סֻכּוֹת בְּנוֹת	30	그리고 바벨론 사람들은 숙곳브놋을 만들었다.
וְאַנְשֵׁי־כוּת עָשׂוּ אֶת־נֵרְגַל	b	그리고 굿 사람들은 네르갈을 만들었다.
וְאַנְשֵׁי חֲמָת עָשׂוּ אֶת־אֲשִׁימָא׃	c	그리고 하맛 사람들은 아시마를 만들었다.

표5.30. 동일한 결합_ 열왕기상 17장 29-30절

다시 한 번 앞에 וְ(베)가 나오는 절이 연속으로 나오는 것을 주목하라. 29ab에서 두 개의 바익톨 절이 나온 후, 30a-c에서는 비동사가 처음에 나오는 세 개의 표시절로 바뀐다. 비기본적이자 끼어든 절인 이 세 절은 모두 신들을 만들어 성읍 신전에 둔 민족들을 다룬 이전 진술에 근거한다. 각 민족의 우상 숭배 행동은 다른 모든 민족의 행동과 동일하며, 그 행동들은 여기서 모두 한 사건으로 묘사되어 있다. 각 부분이 전체를 명확하게 설명하는 것이다. 삼중으로 비동사가 처음에 나오는 유형(_V + _V + _V)은 동일한 결합을 표시한다.

3. 중지나 변환을 나타내기 위해

극적인 중지를 표시하기 위해서든, 주제의 분리나 회상을 표시하기 위해서든 이 행동은 사고의 주요 흐름을 깨뜨린다. 우리는 표시절이 단락의 시작이나 끝을 밝히거나, 전적으로 새로운 텍스트 부분을 소개하여 전환점을 표시할 수 있다는 점에서 이미 이런 용법을 본 적이 있다. 또 어떤 경우에 그러한 절들은 주제 면에서 두드러진 자료를 표시한다. 텍스트 나머지 부분에서 그 절들의 내용이 중대한 것으로 눈에 띈다는 뜻이다. 그러한 절들은 대단히 중요할 수 있다. 우리는 요나 1장 3-4절에서 이러한 유형의 예를 볼 수 있다.

히브리어		번역
וַיָּקָם יוֹנָה לִבְרֹחַ תַּרְשִׁישָׁה מִלִּפְנֵי יְהוָה	3	그리고 그는 일어나 여호와의 임재를 피하려고 다시스로 도망하였다.
וַיֵּרֶד יָפוֹ	b	그리고 그는 욥바로 내려갔다.
וַיִּמְצָא אָנִיָּה בָּאָה תַרְשִׁישׁ	c	그리고 그는 다시스로 가는 배를 발견하였다.
וַיִּתֵּן שְׂכָרָהּ	d	그리고 그는 배삯을 치렀다.
וַיֵּרֶד בָּהּ לָבוֹא עִמָּהֶם תַּרְשִׁישָׁה מִלִּפְנֵי יְהוָה	e	그리고 그는 여호와의 임재를 피하여 그들과 함께 다시스로 가기 위해 배 안으로 내려갔다.
וַיהוָה הֵטִיל רוּחַ־גְּדוֹלָה אֶל־הַיָּם. . . .	4	그러나 여호와는 바다 위에 큰 바람을 내리셨다. ……

표5.31. 두드러진 주제_ 요나 1장 3-4절

이 예에서 우리는 3절에 다섯 개의 바익톨 절을 보게 된다. 각 사건은 자연스럽게 이전 사건에 기초하며, 요나의 도피 여정을 재빨리 훑어볼 수 있게 해준다. "그가 일어나 …… 그가 내려갔다. …… 그가 발견하였다. …… 그가 치렀다. …… 그가 내려갔다." 하지만 4절은 '표시된 וְ(베) + 주어 + 카탈' 절로, 이러한 전개에서 벗어난다. "[그러나] 여호와는 바다 위에 큰 바람을 내리셨다." 그 절은 여호와의 행동에 주의를 기울이며 이야기 흐름을 놀랍게 차단한다. 4a에 나오는 표시절은 주제 면에서 하나님의 행동을 요나의 행동보다 두드러지게 만든다. 요나의 행동은 3a-e에서 표시되지 않은 바익톨 절들을 통해 표현되어 있다. 표시절이 텍스트에 들어온 것은 돌연하고, 뜻밖이며, 중요하다.

4. 무산된 행동을 나타내기 위해

이때 행동은 이야기와 함께 움직이는 것이 아니라 일어나지 않은 일을 명확히 한다. 일반 규칙으로 부정은 텍스트에서 행동을 진전시키지 않는다. 그럼에도 부정 절은 강화에서 주제를 가장 두드러지게 하고 비평적인 자료를 제공한다. 우리는 사무엘하 11장 8-10절에서 좋은 예를 볼 수 있다.

히브리어		번역
וַיֵּצֵא אוּרִיָּה מִבֵּית הַמֶּלֶךְ	8	그리고 우리아가 왕궁에서 나갔다.
וַתֵּצֵא אַחֲרָיו מַשְׂאַת הַמֶּלֶךְ	b	그리고 왕의 선물을 그 뒤를 따랐다.
וַיִּשְׁכַּב אוּרִיָּה פֶּתַח בֵּית הַמֶּלֶךְ אֵת כָּל־עַבְדֵי אֲדֹנָיו	9	그리고 우리아는 왕궁 문에서 그의 주의 모든 부하들과 함께 잤다.
וְלֹא יָרַד אֶל־בֵּיתוֹ	b	그러나 그는 그의 집으로 내려가지 않았다.
וַיַּגִּדוּ לְדָוִד	c	그리고 그들이 다윗에게 말했다. ……

표5.32. 무산된 행동_ 사무엘하 11장 8-10절

여기서 연속으로 나오는 바익톨 절은 9b에서 'וְ(베) + 부정문(לֹא[로]) + 카탈' 절로 중단된다. 부정 절 유형은 일어나지 않은 일을 강조하며, 그 정보가 중요함을 표시한다. 당연히 화자는 밧세바가 임신한 것이 우리아가 아닌 다윗의 성적 죄로 인한 것임을 강조하기 위해 우리아가 "집으로 내려가지 않았다"고 역설한다.

요약하면, 표시되지 않은 기본 자료는 사고 흐름을 진전시키는 반면, 표시된 자료는 모종의 이유로 그 자료 자체에 주의를 집중시키면서 분리를 가져온다. 때로 표시 절이 단락 구분을 나타내는 반면, 다른 때에 그 절들의 목적은 배경 정보를 제공하거나 주제 면에서 두드러진 자료를 강조하는 것이다.

텍스트 문법 연습_ 출애굽기 19장 4-6절

출애굽기 19장 5-6절에서 조건절과 귀결절 결정하기

이 부분에서는 출애굽기 19장 5-6절에서 귀결절이 시작하는 부분을 생각해 보고자 한다. 조건절 또는 조건절과 귀결절로 된 구문론적 구조의 '만일'(if) 부분은 분명 5a의 אִם־(임, '만일')으로 시작된다("만일 너희가 내 음성을 잘 듣고"). 그렇다면 '그러면'(then) 부분은 어디서 시작되는가? 우리의 번역은 5b, 5c, 6a에서 세 가지 가능성을 드러냈다.

때로는 귀결절의 시작을 분별하기가 어렵다. 히브리어는 보통 '그러면'(then) 또는 '그러므로'(therefore) 같은 명백한 접속사를 사용하지 않기 때문이다. 대신 내용과 문법적 표시를 모두 고려하여 그것을 결정한다. 우리가 찾고 있는 것은 조건절에서 귀결절로 변화하는 분명한 형식적(즉 문법적) 단서다. 아마 새로운 동사 유형이나 주어 변화, 불필요하지만 명백한 대명사 사용 등일 것이다. 이에 따라 출애굽기 19장 5-6절에서 귀결절에 대해 우리가 제시한 세 가지 가능성을 살펴보자. 표5.33은 우리가 4절까지만 사고의 흐름을 마무리하고 어디서 텍스트의 계층 구조를 멈췄는지 보여 준다.

אַתֶּם רְאִיתֶם	4	너희는 보았느니라
אֲשֶׁר עָשִׂיתִי לְמִצְרָיִם	b	내가 애굽에 행한 것과,
וָאֶשָּׂא אֶתְכֶם עַל־כַּנְפֵי נְשָׁרִים	c	그리고 어떻게 독수리 날개 위로 너희를 들어 올렸는지
וָאָבִא אֶתְכֶם אֵלָי׃	d	그리고 어떻게 내가 너희를 내게 인도했는지
וְעַתָּה	5	그리고 이제
אִם־שָׁמוֹעַ תִּשְׁמְעוּ בְּקֹלִי	a	만일 너희가 내 음성을 잘 듣고
וּשְׁמַרְתֶּם אֶת־בְּרִיתִי	b	그리고(그러면[?]) 내 언약을 지키고
וִהְיִיתֶם לִי סְגֻלָּה מִכָּל־הָעַמִּים	c	그리고(그러면[?]) 모든 민족으로부터(민족보다 더[?]) 나의(나를 위한[?]) 보배로운 소유가 되리라
כִּי־לִי כָּל־הָאָרֶץ׃	d	왜냐하면(비록[?]) 모든 세계가 나의(나를 위한[?]) 것이니
וְאַתֶּם תִּהְיוּ־לִי מַמְלֶכֶת כֹּהֲנִים וְגוֹי קָדוֹשׁ	6	그리고(그러면[?]) 너희는 나를 위해 (나의[?]) 제사장 나라와 거룩한 백성이 되리라

표5.33. 임시적인 텍스트의 계층 구조_ 출애굽기 19장 4-6절

1. 첫째 안_ 귀결절을 5b에 둠

YLT 1862년판은 귀결절을 5a의 אִם־(임, '만일')에 바로 뒤이어 나오는 5b에 두었다. "그리고 이제 만일 너희가 참으로 내 음성에 귀를 기울이면, 그러면 너희는 내 언약을 지키고 내게 특별한 소유가 된다"(And now, if ye really hearken to My voice, then ye have kept My covenant, and been to me a peculiar treasure, 옮긴이 번역). 긍정적으로 이 견해는 5a 조건절의 익톨 תִּשְׁמְעוּ(티슈므우, '너희가 들을 것이다')에서 5b의 베카탈 וּשְׁמַרְתֶּם(우슈마르템, '그리고 너희가 지킬 것이다')으로 표시된 변화를 포함한다. 하지만 문제는 만일 5b가 조건절의 연속이었더라도, 정확하게 똑같이 보였으리라는 것이다. 조건절이 여러 절에 걸쳐 있을 때, 베카탈은 보통 익톨 뒤에 연이어 나오기 때문이다. 그래서 우리는 귀결절이 시작되는 것을 표시하기 위해서는 단순히 익톨에서 베카탈로 바뀌는 것보다 더 큰 전환이 표시되었으리라고 예상해야 한다.

2. 둘째 안_ 귀결절을 5c에 둠

KJV 1611년판 이래, 대부분의 영어 역본은 귀결절을 5c에 두었다. 예를 들어, NASB에는 "이제 만일 너희가 참으로 내 음성을 듣고 내 언약을 지키면, 그러면 너희는 모든 민족 가운데서 내 소유가 될 것이다. 왜냐하면 세계가 다 내게 속하였기 때문이다"(Now then, if you will indeed obey My voice and keep My covenant, then you shall be My own possession among all the peoples, for all the earth is Mine, 옮긴이 번역)라고 되어 있다. 하지만 5c

가 단지 베카탈 동사 וִהְיִיתֶם(비히이템, '그리고 너희는 ……될 것이다')로 시작되는 것을 주목하라. 그것은 5b에 나오는 וּשְׁמַרְתֶּם(우슈마르템, '그리고 너희는 지킬 것이다')에 묘사된 것과 어형 변화가 같다. 5b와 5c 사이에는 문법적으로 아무 변화가 없으며, 귀결절이 5c에서 시작해야 한다고 말하는 다른 표시도 없다. 이렇게 표시가 없는 것은 많은 견해에 의문을 제기한다. 실로, 이것은 대부분의 번역자가 주의 깊은 해석보다는 전통에 따라 번역한 경우일 것이다.

3. 셋째 안_ 귀결절을 6a에 둠

6a에서 주목할 만한 것은 동사 תִּהְיוּ(티흐이우, '너희가[남성 복수] ……될 것이다') 앞에 불필요한 대명사 וְאַתֶּם(베앗템, '그리고 너희[남성 복수]')가 명확하게 나온다는 것이다. "그리고 너희는 내게 제사장 나라와 거룩한 백성이 될 것이다." 어휘화된 불필요한 대명사를 포함한 것은 정확히 우리가 예상한 대로, 주요 주제가 바뀌지 않을 때 귀결절을 표시하기 위한 것이다.

신명기 26장 17-19절은 귀결절이 출애굽기 19장 6a절에서 시작된다고 보는 것을 뒷받침하는 유사 텍스트다. 신명기 26장 17-19절은 모압 언약의 절정으로, 그 구절에서 하나님은 시내산 이후 세대와 자신의 관계를 새롭게 하신다. 표5.34는 필자의 번역과 본문의 기본 개요를 보여 준다. 출애굽기 19장 4-6절을 암시하는 내용을 많이 볼 수 있을 것이다.

언약에는 두 당사자(여호와와 이스라엘)가 있다. 그리고 여기서 각 당사자는 언약을 맺을 준비에서 나아가 상대방이 그의 언약적 헌신(의무)과 기대(규정)를 공식화하게 한다. 한쪽 당사자의 헌신은 다른 쪽 당사자의 기대와 대등해야 한다. 출애굽기 19장 5-6절과 유사한 조건들에 초점을 맞춰, 우리는 신명기 26장에서 하나님이 이스라엘에 언약적 규례와 명령과 법도를 "지키[기를]", 그리고 자신의 소리에 "주의를 기울이[기를]"(순종하기를[ESV]) **기대**하시는 것을 본다(26:17). 또한 이스라엘이 "보배로운 백성"이 되고 언약 명령들을 "지키[기로]" **헌신**하는 것을 본다(26:18). 여호와는 이스라엘에 이러한 것들을 **행하라고** 명하신다. 그것은 이스라엘이 바라는 것들은 아니다. 이러한 신적 기대와 인간적 헌신은 출애굽기 19장 5절에 나오는 세 개의 주요 절이 모두 조건절 역할을 하며 19장 6a절에서만 귀결절에 이른다는 것을 시사한다. "만일 이스라엘이 분

17 오늘 너희는 여호와가 너희 하나님이 되신다고, 그리고 [너희가] 그의 도를 행하고, 그의 규례와 그의 명령과 그의 법도를 지키고 그의 소리에 주의를 기울이라고 선언하시게 했다. 18 그리고 오늘 여호와는 그분이 너희에게 선언하신 바로 그대로 너희가 보배로운 백성이 되겠다고 그리고 그의 모든 명령을 지키겠다고 19 그리고 [그분이] 찬송과 명예와 영광을 위해 너희를 모든 민족 위에 뛰어나게 하시고 그가 선언하신 대로 너희를 네 하나님 여호와께 거룩한 백성으로 만들어 달라고 선언하게 하셨다.

17 Today you have caused YHWH to declare to be your God and [for you] to walk in his ways, to keep his statutes, his commandments, and his judgments, and to heed his voice. 18 And today YHWH has caused you to declare to be a people of treasured possession, just as he declared to you, and to keep all his commandments, 19 and [for him] to place you high over all nations for praise and for fame and for beauty and to make you a people holy to YHWH your God, just as he declared.

1. 너희는 오늘 여호와가 선언하시게 했다(17절)
- a. 여호와의 '헌신'_ 너희에게 하나님이 되심
- b. 여호와의 '기대'
  - i. 그의 도를 행함
  - ii. 그의 규례와 그의 명령과 그의 법도를 지킴
  - iii. 그의 소리를 들음

2. 여호와는 오늘 너희가 선언하게 하셨다(18-19절)
- a. 이스라엘의 '헌신'(18절)
  - i. 여호와를 위해 보배로운 백성이 됨
  - ii. 그의 모든 명령을 지킴
- b. 이스라엘의 '기대'(19절)
  - i. 이스라엘을 모든 민족 위에 두심
  - ii. 여호와께 거룩한 백성이 됨

표5.34. 신명기 26장 17-19절에 대한 필자의 번역과 개요[40]

명 그의 음성에 귀를 기울이고 그의 언약을 지키고 (마치 하나님께 귀중히 여겨지는 것처럼 살아가는) 보배로운 백성이 된다면, 그러면 그들은 제사장 나라와 거룩한 백성이라는 그

40 신명기 26장 17-18절은 히브리어 구약에서 אמר('말하다')의 히필이 나오는 유일한 경우다. 히필에 깔린 기본 의미는 사역적(causative)이다. 하지만 대부분의 번역자는 그 형태를 단순히 서술적으로 번역한다(Walter T. Claassen, "The Declarative-Estimative Hiph'il," *JNSL* 2 [1972]: 5-16쪽을 보라). 그에 반해 필자의 번역은 사역적 의미를 그대로 지닌 채 언약적 비준이라는 맥락에서 그것을 해석한다. 그래서 이스라엘이 먼저 여호와로 하여금 의무와 규정을 둘 다 선언하시게 한다. 그 다음에 여호와가 이스라엘로 하여금 의무와 규정을 선언하게 하신다. 더 완곡한 번역은 이렇게 될 것이다. "오늘 너는 여호와의 선언을 비준했다. …… 오늘 여호와는 너희의 선언을 비준하셨다……." 필자의 제안은 스티븐 워드 게스트(Steven Ward Guest), *Deuteronomy 26:16-19 as the Central Focus of the Covenantal Framework of Deuteronomy* (Ph.D. diss., The Southern Baptist Theological Seminary, 2009), 72-129쪽, 특히 77-88쪽 내용을 수정한 것이다. 하지만 필자는 18절에 나오는 "보배로운 백성"(treasured possession)에 대한 게스트의 견해(118-119쪽)에는 동의하지 않는다. 필자의 번역은 NRSV와 어느 정도 비교할 만하다. "오늘 너희는 주님의 동의를 얻었다. …… 오늘 주님는 너희의 동의를 얻으셨다"(Today you have obtained the Lord's agreement …… Today the Lord has obtained your agreement[신 26:17-18]). 그것은 패트릭 D. 밀러(Patrick D. Miller), *Deuteronomy, Interpretation* (Louisville: John Knox, 1990)(『신명기』, 한국장로교출판사), 185-86쪽, 그리고 대니얼 I. 블록(Daniel I. Block), "The Privilege of Calling: The Mosaic Paradigm for Missions(Deu 26:16-19)," *BSac* 162, 648 (2005): 387-405쪽과 비슷하다.

들의 부르심을 성취할 것이다”(저자가 풀어쓴 것). 신명기 26장 19절에서 이스라엘이 “거룩한” 백성이 되는 것을 그들의 기대에 포함시킨 것을 주목하라. 이것 역시 출애굽기 19장 6절이 실로 귀결절이라는 것을 나타낸다. 그래서 우리는 출애굽기 19장 5-6절의 기본 개요를 다음과 같이 나타낼 수 있다.

1. 조건절_ “만일 너희가 ……하면”(5절)
   a. 하나님의 음성을 듣고
   b. 그의 언약을 지키고
   c. 그의 보배로운 백성이 되면
2. 귀결절_ “그러면 너희는 ……되리라”(6절)
   a. 제사장 나라
   b. 거룩한 백성

출애굽기 19장 4-6절 텍스트의 계층 구조

우리가 출애굽기 19장 5-6절의 조건절과 귀결절을 배치하는 문제를 제대로 하고 있다면, 텍스트의 계층 구조를 확장할 수 있을 것이다. 절들의 계층 구조를 배치해 보면 모든 부분의 관계를 시각화하는 데 도움이 된다. 또한 종속, 삽입, 다양한 텍스트 블록을 구별하는 데도 유용하다.

텍스트의 계층 구조를 통해 구조 분석을 시각적으로 제시할 때 반드시 기억해야 할 것은 들여 넣기로 종속을 표시한다는 것과, 주어진 텍스트 블록들에서 앞에 וְ(베, ‘그리고’)가 나오는 절이 연이어 나오면 언제나 그 절들의 원천을 따라갈 수 있어야 한다는 것이다. 그것이 접속사 생략절이든, 종속 접속사로 표시된 종속절이든 말이다. 지금까지 우리가 내린 주해적 결정들에 따르면 표5.35처럼 분류할 수 있다.

אַתֶּם רְאִיתֶם	4	너희는 보았느니라
אֲשֶׁר עָשִׂיתִי לְמִצְרָיִם	b	내가 애굽에 행한 것과,
וָאֶשָּׂא אֶתְכֶם עַל־כַּנְפֵי נְשָׁרִים	c	그리고 어떻게 독수리 날개 위로 너희를 들어 올렸는지
וָאָבִא אֶתְכֶם אֵלָי׃	d	그리고 어떻게 내가 너희를 내게 인도했는지
וְעַתָּה	5	그리고 이제
אִם־שָׁמוֹעַ תִּשְׁמְעוּ בְּקֹלִי	a	만일 너희가 내 음성을 잘 듣고
וּשְׁמַרְתֶּם אֶת־בְּרִיתִי	b	그리고(그러면[?]) 내 언약을 지키고
וִהְיִיתֶם לִי סְגֻלָּה מִכָּל־הָעַמִּים	c	그리고(그러면[?]) 모든 민족으로부터(민족보다 더[?]) 나의(나를 위한[?]) 보배로운 소유가 되리라
↓↑ כִּי־לִי כָּל־הָאָרֶץ׃	d	↓↑ 왜냐하면(비록[?]) 모든 세계가 나의(나를 위한[?]) 것이니
וְאַתֶּם תִּהְיוּ־לִי מַמְלֶכֶת כֹּהֲנִים וְגוֹי קָדוֹשׁ	6	그리고(그러면[?]) 너희는 나를 위해 (나의[?]) 제사장 나라와 거룩한 백성이 되리라

표5.35. 출애굽기 19장 4-6절 텍스트의 계층 구조

필자가 제시한 텍스트의 계층 구조에서 언급할 만한 한 가지 특징은 5a의 **וְעַתָּה**(베앗타, '그리고 이제')와 6a에 나오는 **וְאַתֶּם**(베앗템, '그리고 너희[남성 복수]') 모두 접속어 **וְ**(베, '그리고')가 그 앞에 나오는 어떤 것과도 연결되어 있지 않다는 것이다. 학자들은 이것을 '귀결절의 바브'라고 부른다. 귀결절의 바브는 보통 종속적 조건절에 따라 나오는 주된 결과절을 선택적으로 표시하는 역할을 한다. '만일-**그러면**', '……할 때-**그때**', '왜냐하면-**그렇기 때문에**' 등이다. **וְ**(베)가 귀결절을 나타낼 때, 이 등위 접속사는 구문적 가치가 대등한 요소들을 결합하지 않는다. 조건절은 언제나 귀결절에 종속된다. 따라서 필자는 4절의 표시되지 않은 조건절과 5절의 삽입된 **אִם**(임)-조건절을 둘 다 들여 써서 이러한 종속을 밝혔다.[41]

41 리처드 C. 슈타이너(Richard C. Steiner)는 심지어 조건문들에서도 '귀결절의 바브'는 실제로 단축된 논리 형태를 통해 여전히 등위 접속사가 될 수 있다고 주장했다. 그는 '만일 A라면, 그렇다면 B다'는 '만일 A라면, 그렇다면 A 그리고 B다'와 같다고 주장했다. 그것은 영어와 히브리어에서 모두 '만일 A라면, 그러면 또한 B다'라고 표현할 수 있다(레위기 6장 21절을 예레미야 31장 37절, 33장 20-21절, 스가랴 3장 7절과 비교해 보라. "Does the Biblical Hebrew Conjunction -ו Have Many Meanings, One Meaning, or No Meaning at All?," *JBL* 119, 2 [2000]: 264쪽). 슈타이너의 제안은 '귀결절의 바브'의 기원에 대해 가능성 있는 설명을 제시하긴 하지만, 우리는 성서 히브리어에서 귀결절의 바브를 사용한 것이나 사용하지 않은 것에 대한 명백한 유형을 찾아보려고 애써야 한다. 두 부분으로 된 대부분의 구문 분석에서 그것이 있거나 없는 것은 선택적인 것으로 보인다. 슈타이너의 글에 대한 종합으로는, Jason S. DeRouchie, *A Call to Covenant Love: Text-Grammar and Literary Structure in Deuteronomy 5-11*, Gorgias Dissertations 30/Biblical Studies 2 (Piscataway, NJ: Gorgias, 2007), 108-10쪽을 보라.

출애굽기 19장 5-6절에 나오는 מִן과 לְ의 기능

이제 출애굽기 19장 5-6절에 나오는 하나의 전치사 מִן(민)과 세 개의 전치사 לְ(레)의 기능을 분명하게 설명할 준비가 되었다. 이스라엘은 땅의 모든 민족**으로부터**(from, 분리의 מִן[민]) 구별되어 하나님의 보배로운 소유가 되어야 했는가, 아니면 땅의 모든 백성**보다 더**(more than, 비교의 מִן[민]) 하나님의 소유가 되어야 했는가? 두 가지 논거가 이것을 비교로 해석하는 것을 반대하며, 그렇기 때문에 그 전치사가 이스라엘과 나머지 민족들의 구별 관계를 표현한다는 견해를 지지한다. 첫째, 성경 다른 곳에서는 옛 언약 이스라엘과 교회를 오직 하나님과 관련해서만 '보배로운 소유'(treasured possession)라고 지칭한다(신 7:6, 14:2, 26:18, 시 135:4, 말 3:17, 딛 2:14, 벧전 2:9). 7장에서 보겠지만, סְגֻלָּה(세굴라, '보배로운 소유')라는 말 자체가 유일무이하고 독특한 지위를 암시한다. '……보다 더'라고 번역하려면 땅의 백성들이 좀 더 낮은 의미에서이긴 하지만 여전히 하나님의 특별한 소유여야 한다. 하지만 이것은 성경 나머지 부분에서 가르치는 것이 **아니다**. 둘째, מִן(민)을 비교 의미로 해석하면 כִּי(키)를 양보 진술(즉, '비록 ……이긴 하지만')로 해석해야 한다. 그 결과, 이렇게 번역될 것이다. '비록 세계가 다 내게 속하긴 했지만, 너희는 내게 모든 민족보다 더 보배로운 소유가 될 것이라.' 다음 부분에서 강조하겠지만, כִּי(키)를 '비록 ……이긴 하지만'과 같이 양보로 번역하는 것은 대단히 바람직하지 않다. 그리고 사실과 반대되는 진술 없이 מִן(민)을 '……보다 더'라고 번역하는 것은 별 의미가 없다. 우리는 מִן(민)을 '……으로부터'라고 번역하여 이스라엘은 열방들에게서 구분되라는 여호와의 명령을 강조해야 한다.

전치사구 לִי(리)는 5cd와 6a에 나오는데, 각 경우는 아마 신적 소유('내 것')나 신적 유리함('내게/나를 위해')을 표현할 것이다. 이스라엘은 **여호와의**(YHWH's) 보배로운 소유가 되어야 하는가, 아니면 **여호와께**(to YHWH) 보배로운 소유가 되어야 하는가? 세계는 다 **하나님의**(God's) 것인가, 아니면 세계는 다 **하나님을 위한**(for God) 것인가? 이스라엘의 순종은 그들이 **여호와의**(YHWH's) 제사장 나라와 거룩한 백성이 되는 결과를 가져올 것인가, 아니면 하나님의 백성은 **하나님을 위해**(for God's sake) 제사장 나라와 거룩한 백성이 되어야 하는가? 여기서 주해적 결정을 내리는 것은 쉽지 않다. 그러나 감사하게도 우리는 이 모든 선택지가 성경에 나오는 참된 가르침이라고 말할 수 있다. 그럼에도 문제는 '**이 본문에서** 여호와는 정확하게 무엇을 요구하고 계시는가?'다.

주요 번역들에서 시사하듯이 5절에 두 번 나오는 לִי(리)는 아마 소유격으로, 이스라엘이 **하나님의**(God's) 특별한 소유로 존재해야 한다는 것과 세계가 다 **여호와의**(Lord's) 것임을 강조할 것이다. 이 해석만이 '너는 **여호와께**(to YHWH) 보배로운 소유가 되라. 세계가 다 **나를 위해**(for me) 존재하기 때문이다'라는 불필요한 중복에 반대한다. 하지만 6a에서 사용한 לִי(리)는 다르다. 이스라엘의 제사장직은 언제나 **여호와를** 섬기기 **위한**(for YHWH's) 것으로(출 28:1, 대상 23:13), 그분의 거룩함을 증진하고 그분의 아름다움을 나타낸다. 대부분의 번역가는 6a를 '너희는 **내게**(to me) 제사장 나라가 되고 거룩한 백성이 되라'고 번역한다. 그리고 이렇게 하는 것이 안전한 듯하다.

출애굽기 19장 5절에 나오는 כִּי의 기능

출애굽기 19장 5절의 마지막 주요 문법적 문제는 불변화사 כִּי(키)가 5d가 앞에 나오는 것에 대한 논리적 근거(즉 '왜냐하면, ……때문에')를 표시하는가, 아니면 앞에 나오는 것이나 뒤에 나오는 것과의 양보 관계(즉 '비록, ……이긴 하지만')를 나타내는가와 관련된다. ESV와 NIV 번역을 비교해 보라.

NIV는 5d에 있는 절(כִּי־לִי כָּל־הָאָרֶץ[키 리 콜 하아레츠])를 다음과 같이 양보적으로 번역한다. "**비록 세계가 다 내 것이긴 하지만** 너희는 나를 위해 제사장 나라와 거룩한 백성이 될 것이다." 히브리어에서는 גַּם כִּי(감 키, '비록 ……할지라도')라는 말로 양보를 표현하는 것이 더 자연스럽지만(예를 들어 시 23:4, 사 1:15), 학자들은 כִּי(키)절이 주절 앞에 나올 때 양보적 의미를 지닐 수 있다고 인정한다(예를 들어, 렘 51:53, 겔 11:16).[42] NIV 번

42 Joüon and Muraoka, *A Grammar of Biblical Hebrew*(『성서 히브리어 문법』), 602쪽(§ 171b).

마소라 본문	ESV	NIV
5 וְעַתָּה אִם־שָׁמוֹעַ תִּשְׁמְעוּ בְּקֹלִי b וּשְׁמַרְתֶּם אֶת־בְּרִיתִי c וִהְיִיתֶם לִי סְגֻלָּה מִכָּל־הָעַמִּים d כִּי־לִי כָּל־הָאָרֶץ׃ 6 וְאַתֶּם תִּהְיוּ־לִי מַמְלֶכֶת כֹּהֲנִים וְגוֹי קָדוֹשׁ	5 Now therefore, if you will indeed obey my voice and keep my covenant, you shall be my treasured possession among all peoples, *for all the earth is mine*, 6 and you shall be to me a kingdom of priests and a holy nation. 그러므로 너희가 정말로 내 음성을 순종하고 내 언약을 지키면 너희는 모든 민족 가운데서 내 보배로운 소유가 될 것이다. *세계가 다 내 것이기 때문이다*. 그리고 너희는 내게 대하여 제사장 나라와 거룩한 백성이 될 것이다(옮긴이 번역).	5 Now if you obey me fully and keep my covenant, then *out of all nations* you will be my treasured possession. ***Although the whole earth is mine***, 6 you will be for me a kingdom of priests and a holy nation. 너희가 내게 온전히 순종하고 내 언약을 지키면, *모든 민족으로부터* 너희는 내 보배로운 소유가 될 것이다. ***비록 세계가 다 내 것이긴 하지만*** 너희는 나를 위해 제사장 나라와 거룩한 백성이 될 것이다(옮긴이 번역).

표5.36. 출애굽기 19장 4-6절에서 כִּי의 기능

역의 한 가지 강점은 6a에 나오는 명백한 주어 וְאַתֶּם(베앗템, '그리고 너희는')을 앞에 나온 것과의 대조를 강조하는 것으로 설명한다는 것이다. 마치 하나님이 '비록 세계가 다 내 것이긴 하지만, 오직 너희만이 내 제사장 나라다'라고 말하는 것처럼 보는 것이다. 게다가 5d-6a에 대한 NIV 번역은 이 마지막 문장을 5c의 삽입 단락 재진술로 취급하여 매끄럽게 넘어간다. 이러한 해석에서 하나님의 "보배로운 소유"(5c)가 되는 것은 이스라엘이 "제사장 나라와 거룩한 백성"(6a)이 되는 것과 유사한 반면, "모든 민족으로부터"(5c)는 "세계가 다 내 것이다"(5d)와 유사하다.

이러한 강점들에도 NIV의 독법은 5c에 나오는 "보배로운 소유"라는 진술을 귀결절의 시작으로 보는 것에 전적으로 의존한다. 그리고 필자는 이런 독법이 별로 바람직하지 않다는 것을 이미 보여 주었다. 5c에는 중요한 변화가 일어났다는 것을 나타내는 문법적 표시가 없기 때문이다(앞에 나온 '출애굽기 19장 5-6절에서 조건절과 귀결절 결정하기'를 보라). 6a에 나오는 명백한 주어 וְאַתֶּם(베앗템, '그리고 너희가')은 귀결절 시작을 표시하며, 그렇기 때문에 우리는 כִּי(키)를 앞에 나온 것을 뒷받침하는 것으로 보아야 한다. 학자들은 כִּי(키)가 주절 뒤에 이어서 나올 때마다 양보 의미일 가능성이 별로 없다

고 생각한다.[43] 그래서 우리는 매우 견고한 근거에서 כִּי(키)를 원인적인 것으로(즉 '……때문에, 왜냐하면') 여긴다. 이스라엘이 보배로운 소유로 살아야 하는 이유를 제공한다는 것이다.

아브라함의 후손은 자신이 모든 민족으로부터 하나님의 보배로운 소유라는 것을 의식하면서 존재해야 했다. 세상은 모두 여호와의 것이기 **때문이다**. 온 세상에 대한 하나님의 소유권이 어떻게 이스라엘이 보배로운 소유가 되는 이유를 제공하는가? 그것은 분명 이스라엘 사람들이 하나님 앞에서 자신의 특별한 지위를 인식하면서 살아가는 것이 하나님의 전 세계적 주권을 재실현하는 수단 역할을 했으리라는 것을 뜻한다. 전체를 이렇게 풀어쓸 수 있을 것이다. '내가 온 세상에게서 충성을 받을 자격이 있기 때문에, 나는 너희에게 신성한 임무를 준다. 그 임무 중 일부는 너희가 모든 민족 가운데 보배로운 소유로 존재하는 것이다. 너희가 나와 가까이 있는 것을 즐거워하고 아들 된 것을 기뻐할 때, 너희는 또한 나머지 세상 사람들에게 유일하신 구주, 주권자, 만족시키시는 분을 가리킬 것이다. 그러면 그들은 너희의 선행을 보고 하늘에 계신 너희 아버지께 영광을 돌릴 것이다.' 이 해석이 이 구절들의 문법에 가장 잘 맞는다.

우리는 출애굽기 19장 5절에 나오는 כִּי(키)를 원인적으로('……때문에, 왜냐하면') 해석하는 것이 가장 좋다는 결론을 내렸다. 마지막 세 부분에서 나온 결론들을 합해 본 결과, 출애굽기 19장 5-6절에 대해 다음과 같은 텍스트의 계층 구조와 번역을 얻을 수 있다.

וְעַתָּה	5	그리고 이제
אִם־שָׁמוֹעַ תִּשְׁמְעוּ בְּקֹלִי	a	만일 너희가 내 음성을 잘 듣고
וּשְׁמַרְתֶּם אֶת־בְּרִיתִי	b	그리고 내 언약을 지키고
וִהְיִיתֶם לִי סְגֻלָּה מִכָּל־הָעַמִּים	c	그리고 모든 민족으로부터 나의 보배로운 소유가 된다면,
כִּי־לִי כָּל־הָאָרֶץ׃ ↑	d	↑ 왜냐하면 모든 세계가 나의 것이기 때문에
וְאַתֶּם תִּהְיוּ־לִי מַמְלֶכֶת כֹּהֲנִים וְגוֹי קָדוֹשׁ	6	그러면 너희는 나를 위해 제사장 나라와 거룩한 백성이 되리라.

표5.37. 출애굽기 19장 5-6절 텍스트의 계층 구조

43 같은 책, 602쪽 각주1, Anneli Aejmelaeus, "Function and Interpretation of כִּי in Biblical Hebrew," *JBL* 105, 2 (1986): 198-9, 205-7쪽.

핵심 단어와 개념

문법

철자론, 음운론, 어형론, 구문론

절

술어

구, 종속절, 주절, 문장

시제, 태, 법, 상, 동작류

완료상과 미완료상

동작 동사와 상태 동사

주요 내용 예고 표시

추론 표시

동사 없는 절

상황화시키는 성분 및 초점

삽입 강화 단위들과 직접 화법

대조적 결합 및 동일한 결합

더 생각해 보기 위한 질문

1. 이 장의 목표는 '문법이 주해에 얼마나 중요한지, 그리고 저자의 사고 흐름을 따라가는 것을 어떻게 도와주는지 보여 주는 것'이었다. 이 장을 읽고, 문법이 주해를 위해 중요하다는 것을 어떻게 말하겠는가?
2. 문법적 자리를 지닌 절의 개념을 설명하라.
3. 문맥과 동작류는 과거, 현재, 미래 시제에서 카탈 동사와 익톨 동사를 명확하게 설명하는 일에서 어떤 역할을 하는가?
4. 익톨이 직설법적으로나 비직설법적으로(예를 들어, 의지적으로) 기능하고 있는지 여부를 구분하는 데 도움이 되는 구문론적 단서들은 무엇인가?
5. לֹא(로)와 אַל(알) 부정의 차이는 무엇인가?
6. 어떤 절에 나오는 상대적 명확성(표5.22를 보라)은 동사 없는 절에서 주어를 술어와

구분하는 것을 어떻게 돕는가?

7. 삽입의 개념을 설명해 보라. 그것은 주해에 어떤 도움을 주는가?

8. 표시절의 다양한 목적들은 무엇인가?

추가 연구 자료

(히브리어를 알지 못하는 사람들을 위한) 히브리어 도구 안내서

★ Fields, Lee M. *Hebrew for the Rest of Us: Using Hebrew Tools without Mastering Biblical Hebrew*. Grand Rapids: Zondervan, 2008.

Goodrick, Edward W. *Do It Yourself Hebrew and Greek: A Guide to Biblical Language Tools*. Grand Rapids: Zondervan, 1980.

본문별 참고 편람

Baylor *Handbooks on the Hebrew Bible*. Waco, TX: Baylor University Press, 2006-.

Runge, Steven E., and Joshua R. Westbury. *Lexham Discourse Hebrew Bible and High Definition Old Testament: ESV Edition*. Bellingham, WA: Lexham, 2012. Available from Logos Bible Software.

초급 히브리어 문법

Cook, John A., and Robert D. Holmstedt. *Beginning Biblical Hebrew: A Grammar and Illustrated Reader*. Grand Rapids: Baker Academic, 2013.

Fuller, Russell T., and Kyoungwon Choi. *An Invitation to Biblical Hebrew: A Beginning Grammar*. Grand Rapids: Kregel, 2006.

Futato, Mark D. *Beginning Biblical Hebrew*. Winona Lake, IN: Eisenbrauns, 2003. 「구약 성서 히브리어 시작하기」, 기독교문서선교회.

Garrett, Duane A., and Jason S. DeRouchie. *A Modern Grammar for Biblical Hebrew and Workbook*. Nashville: Broadman & Holman, 2009.

Hackett, Jo Ann. *A Basic Introduction to Biblical Hebrew*. Peabody, MA: Hendrickson, 2010.

Pratico, Gary D., and Miles V. Van Pelt. *Basics of Biblical Hebrew: Grammar and Workbook*. 2nd ed. Grand Rapids: Zondervan, 2007. 「베이직 비블리칼 히브리어」, 도서출판 대서.

Ross, Allen P. *Introducing Biblical Hebrew*. Grand Rapids: Baker Academic, 2001.

Webster, Brian L. *The Cambridge Introduction to Biblical Hebrew*. Cambridge: Cambridge University Press, 2009.

중급 히브리어 문법

Arnold, Bill T., and John H. Choi. *A Guide to Biblical Hebrew Syntax*. Cambridge: Cambridge University Press, 2003.

Fuller, Russell T., and Kyoungwon Choi. *An Invitation to Biblical Hebrew Syntax: An Intermediate Grammar*. Grand Rapids: Kregel, 2016.

Garrett, Duane A., and Jason S. DeRouchie. Pages 33-40, 64-66, 273-374(chs. 6, 10.D, 36-41 + Appendixes 1-4) in *A Modern Grammar for Biblical Hebrew*. Nashville: Broadman & Holman, 2009.

◎ Merwe, Christo H. J. van der, Jackie A. Naudé, and Jan H. Kroeze. *A Biblical Hebrew Reference Grammar*. Biblical Languages: Hebrew 3. Sheffield, UK: Sheffield Academic, 2002.

Waltke, Bruce K., and M. O'Connor. *An Introduction to Biblical Hebrew Syntax*. Winona Lake, IN: Eisenbrauns, 1990.

◎ Williams, Ronald J., and John C. Beckman. *Williams' Hebrew Syntax*. 3rd ed. Toronto: University of Toronto Press, 2007.

고급 히브리어 문법

Joüon, Paul, and T. Muraoka. *A Grammar of Biblical Hebrew*. 2nd ed. Subsidia Biblica 27. Rome: Gregorian & Biblical, 2011. 「성서 히브리어 문법」, 도서출판 기혼.

Kautzsch, E., ed. *Gesenius' Hebrew Grammar*. Translated by A. E. Cowley. 2nd ed. Oxford: Clarendon, 1910.

아람어 문법

Greenspahn, Frederick E. *An Introduction to Aramaic*. 2nd ed. Atlanta: SBL, 2003. 「성경 아람어 길라잡이」, 기독교문서선교회.

Johns, Alger F. *A Short Grammar of Biblical Aramaic*. 2nd ed. Berrien Springs, MI: Andrews University Press, 1982.

Jumper, James N. *A Short Grammar of Biblical Aramaic: An Annotated Answer Key*. Berrien Springs, MI: Andrews University Press, 2003.

Rosenthal, Franz. *A Grammar of Biblical Aramaic*. Index of Biblical Citations compiled by Daniel M. Gurtner. 7th ed. Leipzig: Harrassowitz, 2006.

Stevenson, William B. *Grammar of Palestinian Jewish Aramaic*. Oxford: Clarendon, 1962; repr., Eugene, OR: Wipf & Stock, 2000.

Van Pelt, Miles V. *Basics of Biblical Aramaic: Complete Grammar, Lexicon, and Annotated Text*. Grand Rapids: Zondervan, 2011.

히브리어 역사 문법과 셈어 비교 문법

Bauer, Hans, and Pontus Leander. *Historische Grammatik der hebräischen Sprache des Alten Testamentes*. 2 vols. Halle: Niemeyer, 1918-22.

Bennett, Patrick R. *Comparative Semitic Linguistics: A Manual*. Winona Lake, IN: Eisenbrauns, 1998.

Bergsträsser, Gotthelf. *Hebräische Grammatik*. 2 vols. in 1. Leipzig: Hinrichs, 1929; repr., Hildesheim: Olms, 1962.

Goldenberg, Gideon. *Studies in Semitic Linguistics: Selected Writings*. Jerusalem: Magnes, 1998.

Lipiński, Edward. *Semitic Languages Outline of a Comparative Grammar*. 2nd ed. Orientalia Lovaniensia Analecta 80. Leuven: Peeters, 2000.

________. *Semitic Linguistics in Historical Perspective*. Orientalia Lovaniensia Analecta 230. Leuven: Peeters, 2014.

O'Leary, De Lacy. *Comparative Grammar of the Semitic Languages*. London: Routledge, 2001.

Sperber, Alexander. *A Historical Grammar of Biblical Hebrew*. Leiden: Brill, 1966.

선별된 특별 연구

Andersen, Francis I. *The Hebrew Verbless Clause in the Pentateuch*. JBLMS 14. Nashville: Abingdon, 1970.

________. *The Sentence in Biblical Hebrew*. Janua Linguarum, Series Practica 231. The Hague: Mouton, 1974.

Bergen, R. D., ed. *Biblical Hebrew and Discourse Linguistics*. Summer Institute of Linguistics. Winona Lake, IN: SIL, 1994.

Bodine, Walter, R., ed. *Discourse Analysis of Biblical Literature: What It Is and What It Offers*. SBLSS. Atlanta: Scholars Press, 1995.

Carson, D. A. "Grammatical Fallacies." In *Exegetical Fallacies*, 65-86. 2nd ed. Grand Rapids: Baker Academic, 1996.

Cook, John A. *Time and the Biblical Hebrew Verb: The Expression of Tense, Aspect, and Modality in Biblical Hebrew*. LSAWS 7. Winona Lake, IN: Eisenbrauns, 2012.

Dawson, D. A. *Text-Linguistics and Biblical Hebrew*. JSOTSup 177. Sheffield, UK: Sheffield Academic, 1994.

Dempster, Stephen G. *Linguistic Features of Hebrew Narrative: A Discourse Analysis of Narrative from the Classical Period*. Ph.D. diss., University of Toronto, 1985.

de Regt, L. J., J. de Waard, and J. P. Fokkelman, eds. *Literary Structure and Rhetorical Strategies in the Hebrew Bible*. Winona Lake, IN: Eisenbrauns, 1996.

DeRouchie, Jason S. *A Call to Covenant Love: Text-Grammar and Literary Structure in Deuteronomy 5-11*. Gorgias Dissertations 30/Biblical Studies 2. Piscataway, NJ: Gorgias, 2007.

Exter Blockland, A. F. den. *In Search of Syntax: Towards a Syntactic Text-Segmentation Model for Biblical Hebrew*. Amsterdam: VU University Press, 1995.

Gentry, Peter J. "The System of the Finite Verb in Classical Biblical Hebrew." *HS 39*(1998): 7-39.

Heimerdinger, Jean-Marc. *Topic, Focus and Foreground in Ancient Hebrew Narratives*. JSOTSup 295. Sheffield, UK: Sheffield Academic, 1999.

Heller, Roy L. *Narrative Structure and Discourse Constellations: An Analysis of Clause Function in Biblical Hebrew Prose*. Harvard Semitic Studies 55. Winona Lake, IN: Eisenbrauns, 2004.

Longacre, Robert E. *Joseph: A Story of Divine Providence-A Text Theoretical and Textlinguistic Analysis of Genesis 37 and 39-48*. 2nd ed. Winona Lake, IN: Eisenbrauns, 2003.

Lunn, Nicholas P. *Word-Order Variation in Biblical Hebrew Poetry: Differentiating Pragmatics and Poetics*. Paternoster Biblical Monographs. Eugene, OR: Wipf & Stock, 2006.

Miller, Cynthia L. *The Representation of Speech in Biblical Hebrew Narrative: A Linguistic Analysis*. HSM 55. Winona Lake, IN: Eisenbrauns, 1999.

__________, ed. *The Verbless Clause in Biblical Hebrew: Linguistic Approaches*. LSAWS 1. Winona Lake, IN: Eisenbrauns, 1999.

O'Connor, Michael Patrick. *Hebrew Verse Structure*. 2nd ed. Winona Lake, IN: Eisenbrauns, 1997.

Robar, Elizabeth. *The Verb and the Paragraph in Biblical Hebrew: A Cognitive-Linguistic Approach*. Studies in Semitic Languages and Linguistics 78. Leiden: Brill, 2014.

van Wolde, Ellen, ed. *Narrative Syntax and the Hebrew Bible: Papers of the Tilburg Conference 1996*. Biblical Interpretation 29. Leiden: Brill, 1997.

6장

논증-추적

목표_ 문학적 논증을 모두 추적하여 끝내고, 본문의 주된 요점과 연결된 메시지 중심의 개요를 만든다.

여정의 단계
1부 텍스트
2부 관찰_ 본문은 어떻게 전달되는가
5장 절과 텍스트 문법
6장 논증-추적
7장 단어 연구와 개념 연구
3부 맥락
4부 의미
5부 적용

기본 개관
문학적 논증 파악과 전달
1a단계: 문학적 특징과 배열을 분석하기
1b단계: 논증 도표 만들기
논증 도표의 세 가지 예
2단계: 주해적 개요 만들기_ 서론
주해적 개요 초안 만드는 법_ 창세기 12장 1-3절 사례 연구
주해적 개요에 대한 다른 두 가지 예

표6.1. 6장 길 안내

문학적 논증 파악과 전달

텍스트의 장르, 문학적 단위, 텍스트의 계층 구조를 확증하고(1-2장), 원래 표현이 무엇인지 결정하며(3장), 번역을 하고 문법을 평가했으니(4-5장), 이제 각 부분의 구성적 특징과 배열을 더 자세히 연구할 준비가 되었다. 아마 주해 과정의 다른 어느 단계보다 이 단계가 본문 메시지를 파악하는 데 도움을 줄 것이다. 이 구조 분석 단계는 두 부분으로 이루어진다.

1. 문학적 특징과 배열을 분석하고, 논증 도표를 만든다

장르와 문학적 단위의 평가에서 이미 시작한 것에 따라 사고 흐름에 대한 이해를 마무리하려면 이제 문학적 논증의 세부 사항에 대한 추적을 끝내야 한다. 여기서 우리는 저자가 어떻게 자신의 메시지를 전달하고 모든 부분의 상호 관계와 발전을 확증하는지 파악하고자 한다. 필자가 말하는 **문학적 논증**은 독자로 하여금 저자의 의도대로 어떤 실상을 보도록 전달하기 위해서 저자가 자신의 생각들을 조직한 방식을 뜻한다. 이러한 실상을 올바로 보는 것은 우리를 **변화시킨다**. 논증은 믿음이나 행동을 강요하며, 내러티브 구성, 권유적 설교, 시적 기도 등 모든 장르에서 볼 수 있다.

논증-추적을 할 때는 종종 본문을 그림 도표로 만들면 도움이 된다. 뒤에서 실례를 들어 보이겠지만, **호 그리기**(arching)와 **괄호 묶기**(bracketing)는 그림 도표를 만드는 데 유용한 두 가지 방법이다. 이 논증 도표는 다양한 **명제**(즉 어떤 본문에 나오는 별개의 생각들) 간의 관계를 시각적으로 포착한다.

2. 주해적 개요를 작성한다

일단 사고의 전체 흐름을 파악하면, 주해에 근거하고 메시지를 중심으로 하는 개요를 가지고 본문 구조를 명확히 표현해야 한다. 가장 좋은 개요는 단순히 내용만이 아니라 메시지에 초점을 맞추고, 본문이 그 주요 개념에 어떻게 살을 붙여 나가는지 명확하게 설명하는 것이다.

1a단계: 문학적 특징과 배열을 분석하기

성경 저자들은 자신의 말을 글로 쓸 때 단지 눈으로 보도록 쓴 것만이 아니라 귀로도 듣도록 썼다는 것을 인식하는 것이 중요하다. 모세는 제사장들에게 7년마다 "이 율법을 **낭독하여** 온 이스라엘에게 듣게" 하라고 위임하면서 이러한 유형을 확립하였다(신 31:9-11). 텍스트에 표기된 율법은 구전 율법이 될 것이며, 이와 더불어 "오늘" 하나님의 음성에 귀를 기울이라는 모세의 명령(예를 들어 4:39-40, 6:6, 8:1)은 대대로 새로운 위임령이 될 것이다.

이러한 맥락에서 청중은 히브리어 절 맨 앞에 대부분 연결어 'וְ(베, 해설의 "그리고") + 동사'가 반복되는 것을 확실하게 들었을 것이다. 그래서 이러한 유형에서 벗어나면 그들은 잠시 한숨을 돌렸을 것이다. 이것은 그들이 문학적 구조, 저자의 강조점과 의제, 주된 요점 등을 이해하는 데 지침이 되어 주었다.[1] 게다가 텍스트의 문법적 특징(접속사, 강화 표지, 동사 유형 등)은 거의 언제나 내용과 문체의 변화를 수반한다. 성경 저자들은 청중이 본문의 사고 흐름과 메시지를 분별하도록 돕기 위해 형식적 요소와 문학적 요소를 모두 사용했다. 이 기술적인 표면적 특징으로는 반복, 수미상관 구조(또는 덮개 구조), 간명함, 생략(공백), 각운 또는 다른 소리 유형과, 조직화하는 특징인 대구법 등이 있다(1장에 나온 '시편을 해석하기 위한 지침'을 보라).

문학적 특성과 배열에 대한 예로, 요나서를 살펴보자. 요나서는 다른 선지서들과 달리 전기의 특성을 지닌다. 이야기 전체의 뼈대는 요나 선지자가 하나님에게서 도망한 것(1:3)과, 그가 도망한 이유(4:2)로 이루어져 있다. 니느웨 사람들이 회개한 직후,

1 로버트 알터(Robert Alter)는 창세기 주석에서 번역에 "모든 '그리고'와 모든 병렬 요소"를 그대로 놔두었다. 그는 성경 저자들이 청중에게 연결어 וְ(베)가 반복되는 것을 들려주려 했다고 확신했기 때문이다. 그는 이렇게 말한다. "현대 영어 번역가들이 '그리고'라는 말이 동사에 붙어 있을 때 그것을 감추는 일반적 관행은 성경 내러티브에서 박자, 리듬, 사건의 구성을 바꿔 놓는 결과를 가져온다. …… 바브의 언어학적 기능이 무엇이라고 주장하든 그것은 히브리어 텍스트의 음성학에서 귀에 들리지 않는 요소가 절대 아니다. 우리는 이 내러티브들이 눈으로 읽고 해독하기 위해서가 아니라 귀로 들려지기 위해 작성된 것임을 반드시 계속 염두에 두어야 한다. 그렇다면 반복되는 '그리고'라는 말은 이야기의 리듬을 만들어 내는 데, 음성학적으로는 이야기가 앞으로 나아가는 움직임을 중단시키는 데 있어 중요한 역할을 한다"(*Genesis: Translation and Commentary* [New York: Norton, 1996], xix-xx).

요나는 “여호와여 내가 고국에 있을 때에 이러하겠다고 말씀하지 아니하였나이까 그러므로 내가 빨리 다시스로 도망하였사오니 주께서는 은혜로우시며 자비로우시며 노하기를 더디 하시며 인애가 크시사 뜻을 돌이켜 재앙을 내리지 아니하시는 하나님이신 줄을 내가 알았음이니이다”(4:2)라고 단언한다. 여호와의 선지자가 여호와의 성품을 좋아하지 않는 것이다. 그리고 이러한 역설은 요나서에 나오는 다른 수많은 문학적 특징과 조화를 이룬다. 예를 들어, 이교도 선원들은 제물을 드려 하나님을 공경한다(1:16). 반면 여호와의 선교사는 반항적이다. 요나는 구원의 노래 끝부분에서 “구원은 여호와께 속하였나이다”(2:9[H10])라고 선언하는데, 그 뒤 이 진리는 니느웨가 회개한 것과 여호와께서 벌을 내리지 않으시는 것 모두에서 입증된다(3:6-10). 그럼에도 하나님은 니느웨를 죽음에서 구하시는 반면, 결국에 요나는 살기보다 죽기를 바란다(4:8). 하나님이 니느웨 사람들을 죽이는 대신 살리셨기 때문이다(3:10). 요나는 여호와의 선지자이면서도, 하나님의 “변함없는 사랑”(4:2, steadfast love. 개역개정에는 “인애가 크시사”로 번역되었다_ 옮긴이)을 받아들이지 못한다. 그 사랑을 받는 자가 자신이 아니라면 말이다(2:8-9[H9-10]).

I. 여호와의 변함없는 사랑에 대한 요나의 첫 번째 경험(1:1-2:10[H11])
- A. 여호와께서 변함없는 사랑의 메시지를 전하라고 처음 부르심(1:1-2)
- B. 요나가 개인적으로 변함없는 사랑을 간구함(1:3-16)
- C. 여호와께서 변함없는 사랑을 보이심(1:17[H2:1])
- D. 여호와의 변함없는 사랑에 대한 요나의 긍정적 반응(2:1-10[H 2:2-11])

II. 여호와의 변함없는 사랑에 대한 요나의 두 번째 경험(3:1-4:11)
- A. 여호와께서 변함없는 사랑의 메시지를 전하라고 두 번째로 부르심(3:1-2)
- B. 니느웨가 공동체적으로 변함없는 사랑을 간구함(3:3-9)
- C. 여호와께서 변함없는 사랑을 보이심(3:10)
- D. 여호와의 변함없는 사랑에 대한 요나의 부정적 반응(4:1-3)
- E. 결론_ 변함없는 사랑에 대한 여호와의 교훈(4:4-11)

표6.2. 요나서의 주해적 개요

요나 이야기는 A-B-C-D-A'-B'-C'-D'-E라고 제시할 만한, 직선적이면서도 대응되는 유형을 증거한다. 마지막 부분이 지닌 예기치 않은 특성 때문에 우리는 그 부분에서 이야기의 요점을 발견하게 된다. 바로 변치 않는 사랑에 대한 여호와의 교훈이다.

저자는 이 극 처음부터 끝까지 독자가 여호와를 경외하도록, 그리고 요나처럼 되고 싶어 하지 않도록 밀고 나간다. **여호와**가 요나를 니느웨로 부르신다(1:2). 요나가 불순종할 때 **그분**이 폭풍을 보내신다(1:4). 선원들이 요나를 배 밖으로 던질 수밖에 없도록 **그분**이 폭풍을 더 강하게 하신다(1:13). **그분**은 선원들이 찬송하는 대상이시다(1:16). **그분**이 요나를 구하기 위해 큰 물고기를 보내신다(1:17[H2:1]). **그분**은 물고기 배 속으로부터 나오는 요나의 찬송의 대상이시다(2:2-9[H3-10]). **그분**이 고기를 이동시키사 요나를 육지에 토하게 하신다(2:10[H11]). **그분**이 니느웨에 회개하도록 명하라고 은혜롭게 요나를 다시 보내신다(3:1-2). **그분**이 니느웨 사람들의 회개에 반응하셔서 그들에게 임할 벌을 내리지 않으신다(3:10). 그분께 부르짖는 사람들을 향한 **그분**의 변함없는 사랑은 요나를 화나게 만든다(4:1-2). **여호와**는 요나에게 자신의 방식을 가르치기 위해 식물, 벌레, 뜨거운 동풍을 보내신다(4:6-8). **그분**은 선지자에게 사람의 생명을 귀중히 여기라고, 그리고 그분이 변함없는 사랑을 베푸는 것을 경축하라고 명하신다. 여호와가 이 극의 주인공이시다. 요나는 여호와와, 그분의 변함없는 사랑을 높이고 돋보이게 하는 존재일 뿐이다.

텍스트의 메시지를 결정하기 위해서는 본문의 구성적 특징과 배열을 주의 깊게 평가해야 한다. 그렇게 하면 저자의 의제와 요점을 더 잘 파악하는 데 도움이 된다.

1b단계: 논증 도표 만들기

본문의 구조를 이해하기 위해서는 모든 명제와 절, 더 큰 텍스트 단위의 관계를 반드시 평가해야 한다. 이러한 평가 유형은 논증이 연대적으로나 논리적으로 대응(A-B-C-A'-B'-C')되거나 대칭적(A-B-C-B'-A')일 때와 달리 직선적(A-B-C-D-E)일 때 가장 자연스럽다. 여하튼 각 구조에서 모든 명제는 본문의 요점을 전개하는 데 나름의 방식으로 기여한다. 명제 간의 관계는 등위적일 수도 있고, 종속적일 수도 있다.

1. **등위 관계**는 나란히 나온 명제들을 말한다. 이 요소들은 독립하여 **연속적**으로,

점진적으로 절정을 가리키며, 주어진 상황에 대한 **대안적** 가능성으로서, 또는 **둘 다** 참되거나 **둘 다** 거짓된 것으로서 작용할 수 있다.

2. **종속 관계**에는 늘 주절이나 주요 텍스트 단위가 있으며, 이어서 주절이나 텍스트를 재진술하거나, 그와 구분되거나 반대되는 다른 절이나 텍스트 단위가 나온다.

   a. 다음과 같은 경우, **재진술**이 존재한다.
      i. 진술된 행동 다음에 그 행동을 성취하는 방식이 나올 때
      ii. 두 개 이상의 독립체를 비교할 때
      iii. 같은 것을 부정적으로든 긍정적으로든 진술할 때
      iv. 질문과 대답이 나올 때
      v. 어떤 개념이 그 다음에 설명될 때
      vi. 일반적 진술이 그 다음에 구체적으로 나올 때
      vii. 어떤 사실이 그 다음에 해석될 때
   b. 다음과 같은 경우, **별도 진술**이 분명하게 등장한다.
      i. 한 진술이 다른 진술의 근거나 이유를 제공할 때
      ii. 한 진술이 다른 진술에서 추론을 끌어낼 때
      iii. 어떤 진술이 그것의 틀을 형성하는 서로 다른 두 개의 진술에 쌍방으로 근거할 때
      iv. 행동과 그 결과, 또는 행동과 그 목적이 있을 때
      v. 더 큰 목적을 충족하기 위한 조건이 있을 때
      vi. 구체적인 시간이나 장소를 나타내는 표시가 있을 때
      vii. 약속을 통한 기대가 성취될 때
   c. 다음과 같은 경우, **대조 진술**이 존재한다.
      i. **비록**(although)과 같은 용어로 양보 관계가 표시될 때
      ii. 진술된 상황에 이어 반응이 나올 때

성경의 산문이든, 예언이든, 시든, 필자는 주해하는 모든 본문의 모든 절과 텍스트 단위를 평가할 때, 이 범주들을 활용한다. 표6.3은 텍스트에 존재하는 가장 일반적인

등위 관계 유형과 종속 관계 유형을 열거한다. 당신이 자신의 본문에 교정 사항을 표시할 때 도움이 될 만한 약어나 상징을 포함시켰다.[2]

등위 관계

- **연속적**(Series, **S**)_ 각 명제가 전체에 독자적으로 기여한다(한글[영어] 표시: 그리고[and], 더구나[moreover], 마찬가지로[likewise], 어느 쪽도 아니다[neither, nor]).
- **점진적**(Progression, **P**)_ 연속적인 것과 마찬가지이지만, 각 명제가 절정으로 한 걸음 더 나아간다(한글[영어] 표시: 그러면[then], 그리고[and], 더구나[moreover], 또[furthermore]).
- **대안적**(Alternate, **A**)_ 각 명제가 한 상황에서 생겨날 만한 다른 가능성을 표현한다(한글[영어] 표시: 또는[or], 그러나[but], 한데[while], 다른 한 편[on the other hand]).
- **둘 다**(Both-And, **B&**)_ 놀랄 만큼 둘 다 참되거나 둘 다 거짓된 두 개의 명제(한글[영어] 표시: 둘 다[both……and], 둘 다 아니다[neither……nor]).

종속 관계
재진술

- **행동-방식**(Action-Manner, **Ac/Mn**)_ 하나의 행동과, 그 행동이 수행되는 방법이나 방식을 나타내는 더 정확한 진술('방법-목적'[Way-End]이라고도 한다)(한글[영어] 표시: ……인 점에서[in that], '……에 의한[by]+ 분사').

---

2 구약과 신약 모두에서 강화를 분석하고 논증을 추적하는 필자의 접근법은 대니얼 P. 풀러(Daniel P. Fuller[1925-])의 가르침과, 미출간된 성경 해석학에 크게 도움을 입었다. 그는 풀러 신학교(Fuller Theological Seminary)의 명예교수이며, 그 학교 공동 설립자인 찰스 E. 풀러(Charles E. Fuller)의 외아들이다. 필자가 처음 방법론을 접하게 된 것은 영어 성경과 헬라어 신약 연구와 직접 관련되어 있으며, 대니얼 풀러에게 배운 학생들의 글과 강의실에서 이루어졌다. 그 학생들은 테드 도먼(Ted Dorman, Taylor University, 1993), 스코트 J. 해프먼(Scott J. Hafemann, Gordon-Conwell Theological Seminary, 1995), 존 파이퍼(John Piper, *Biblical Exegesis: Discovering the Meaning of Biblical Texts* [Minneapolis: Desiring God, 1999], http://cdn.desiringgod.org/pdf/booklets/BTBX.pdf), 토머스 R. 슈라이너(Thomas R. Schreiner, *Interpreting the Pauline Epistles*, 2판 [Grand Rapids: Baker Academic, 2011]『바울 서신 석의 방법론』, 기독교문서선교회], 97-124쪽) 등이다. 파이퍼(11쪽)와 슈라이너(98쪽 각주2)는 모두 풀러의 가르침에 큰 도움을 받았다고 공개적으로 인정한다. 그 다음에 필자는 박사 학위 논문에서 구약 산문(거의 모든 절이 연결어 ו[베, 해설의 '그리고']로 시작되는 문맥)의 인용 발화에서 사고 흐름을 따라가는 법과 논증을 추적하는 법을 발견하려 애썼다. 이 시기에 필자는 구약 강화 분석의 아버지인 로버트 E. 롱에이커(Robert E. Longacre) 역시 풀러의 1959 해석학 노트 덕에 처음으로 그 분야에 뛰어들게 되었다고 인정한 것을 알았다(*Joseph: A Story of Divine Providence-A Text Theoretical and Textlinguistic Analysis of Genesis 37 and 39-48*, 2판 [Winona Lake, IN: Eisenbrauns, 2003], 60쪽). 수많은 구약학자와 신약학자가 비슷한 범주들을 제안했지만, 필자는 풀러의 범주와 접근법이 단순하고 명료하기 때문에 그것을 사용한다(Francis I. Andersen, *The Sentence in Biblical Hebrew, Janua Linguarum*, Series Practica 231 [The Hague: Mouton, 1974], 24-28, 36쪽, L. J. de Regt, *A Parametric Model for Syntactic Studies of a Textual Corpus, Demonstrated on the Hebrew of Deuteronomy 1-30* and *Supplement*, 2 vols. [Assen: Van Gorcum, 1988], 1:10, 34-43, Longacre, *Joseph*, 83, 107쪽, George H. Guthrie and J. Scott Duvall, *Biblical Greek Exegesis: A Graded Approach to Learning Intermediate and Advanced Greek* [Grand Rapids: Zondervan, 1998], 43-52쪽을 참조하라). 신명기 5-11장에서 필자가 그 모델을 적용한 것에 대해서는 Jason S. DeRouchie, *A Call to Covenant Love: Text-Grammar and Literary Structure in Deuteronomy 5-11*, Gorgias Dissertations 30/Biblical Studies 2 (Piscataway, NJ: Gorgias, 2007), 특히 87-92, 217-67쪽을 보라. 텍스트의 구조를 확증하는 이 방식에 대한 훈련과 연습을 해보려면 www.Biblearc.com을 방문해 보라.

- **비교**(Comparison, **Cf**)_ 하나의 행동과, 그것이 어떤 모습인지를 보여 주어 그 행동을 명확하게 설명하는 진술(한글[영어] 표시: 마침 ……할 때[even as], ……한 것처럼[as……so], 꼭 ……처럼[just as]).
- **부정적-긍정적**(Negative-Positive, **-/+**)_ 두 개의 진술로, 그중 하나를 역설하기 위해 다른 하나를 부정함. 대조적 진술에 암시되어 있는 관계이기도 하다(한글[영어] 표시: ……이 아니고……[not……but]).
- **질문-대답**(Question-Answer, **Q/A**)_ 질문과, 그 질문의 대답에 대한 진술(한글[영어] 표시: ?).
- **개념-설명**(Idea-Explanation, **Id/Exp**)_ 어떤 진술과, 하나의 단어나 전체 개념을 해설하여 그 진술의 의미를 명확하게 하는 또 다른 진술 간의 관계(한글[영어] 표시: 즉[that is], 다시 말해[in other words]).
- **일반적-구체적**(General-Specific, **Gn/Sp**)_ 전체를 진술하는 하나의 명제와, 그 전체의 한두 부분을 진술하는 두 번째 명제(한글[영어] 표시: 이를테면[such as], 예를 들어[for example]).
- **사실-해석**(Fact-interpretation, **Ft/In**)_ 어떤 진술과, 그것에 대한 해석(한글[영어] 표시: 즉[that is], 곧[which is], 그 말은[meaning]).

별도 진술

- **근거**(Ground, **G**)_ 어떤 진술과, 그 진술에 대한 논증이나 이유(뒷받침하는 명제가 뒤따라 나온다)(한글[영어] 표시: 왜냐하면[for], ……때문에[because], ……이므로[since]).
- **추론**(Inference, ∴)_ 어떤 진술과, 그 진술에 대한 논증이나 이유(뒷받침하는 명제가 앞에 나온다)(한글[영어] 표시: 그러므로[therefore], 따라서[accordingly], 그래서[so]).
- **쌍방**(Bilateral, **BL**)_ 하나는 앞에 나오고 하나는 뒤에 나오는, 서로 다른 두 명제를 지지하는 하나의 명제(한글[영어] 표시: 왜냐하면[for], ……때문에[because], 그러므로[therefore], 그래서[so]).
- **행동-결과**(Action-Result, **Ac/Res**)_ 어떤 행동과, 그 행동에 수반되는 결말이나 결과('원인-결과'[Cause-Effect]라고도 한다)(한글[영어] 표시: ……하도록[so that], ……인[that], ……라는 결과로[with the result that]).
- **행동-목적**(Action-Purpose, **Ac/Pur**)_ 어떤 행동과, 그 행동이 의도한 결과('목적-수단'[End-Means]이라고도 한다)(한글[영어] 표시: ……하기 위해[in order that], ……하도록[so that], ……인[that], ……하지 않도록[lest]).
- **조건적**(Conditional, **If/Th**)_ 행동-결과와 같은 것으로, 다만 그 행동의 존재가 잠재적이며, 결과는 그 행동에 달려 있다는 것만 다르다(한글[영어] 표시: 만일 ……하면, 그러면[If……then], ……라면[provided that], ……을 제외하고[except], ……하지 않는다면[unless]).
- **시간적**(Temporal, **T**)_ 어떤 진술과, 그것이 해당되거나 일어날 수 있는 경우(한글[영어] 표시: ……할 때[when], ……할 때마다[whenever], ……후에[after], ……전에[before]).
- **장소적**(Locative, **L**)_ 어떤 진술과, 그것이 해당되거나 일어날 수 있는 장소(한글[영어] 표시: ……에서[where], ……에서나[wherever]).
- **기대-성취**(Anticipation-Fulfillment, **Ant/F**)_ 약속과, 그에 따르는 성취(한글[영어] 표시: 그래서[and so]).

대조 진술

- **양보적**(Concessive, **Csv**)_ 반대 진술이 있는데도 나오는 주절('반의적'[Adversative]이라고도 한다)(한글[영어] 표시: 비록[although], ……이지만[though], 그렇지만[yet], 그럼에도 불구하고[nevertheless], 하지만[but], 그러나[however]).
- **상황-반응**(Situation-Response, **Sit R**)_ 어떤 상황과, 놀라운 또는 직관에 반한 반응(한글[영어] 표시: 그리고[and]).

이 모든 정의는 http://Biblearc.com에서 가져온 것이다.

표6.3. 다양한 명제적 관계들에 대한 정의

이 모든 관계는 http://Biblearc.com에 유용하게 정의되어 있어서 확인할 수 있다. Biblearc.com은 개인 성경 연구에 매우 좋은 온라인 자료이며, 본문의 사고 흐름과 명제적 관계를 분석하는 두뇌 노동을 할 때 필자가 즐겨 사용하는 도구다. 여기서 우리는 **구문**(phrasing) 모듈을 통해 텍스트의 계층 구조를 만들어 낼 수 있다. 그러고 나서 **강화** 모듈에서는 호 그리기나 괄호 묶기를 통해 독자가 연구하는 본문 여러 부분의 논리적 관계를 밝힐 수 있다. 한 본문에 호 그리기나 괄호 묶기를 하는 과정은 적어도 다섯 가지 면에서 우리의 해석을 돕는다.

- 호 그리기나 괄호 묶기는 성경이 그저 관련되지 않은 진리의 주요 항목들이 아니라 심오하고 종종 복잡하기도 한 논증을 제시한다는 것을 인식시킨다.
- 호 그리기나 괄호 묶기는 모든 연결어를 진지하게 생각해 보도록 만든다.
- 호 그리기나 괄호 묶기는 어떤 절이나 명제도 검토하지 않고 넘어가는 일이 없도록 보장해 준다.
- 호 그리기나 괄호 묶기는 그 작업이 없었다면 생각하지 않았을 많은 질문을 던지게 해준다.
- 호 그리기나 괄호 묶기는 본문의 요점으로 이동하게 해준다.

당연한 말이지만, 논증을 정확하게 추적하고 있다고 확신할 수 있는 가장 좋은 방법은 히브리어를 사용하는 것이다. 하지만 NASB 같은 형식-등가(form-equivalent) 번역도 매우 효과적이다. 영어로 접근하는 방법의 한 예로 신명기 7장 2-4절을 살펴보자. 2장에서 우리가 이미 살펴본 텍스트다.

표6.4에 나오는 텍스트의 계층 구조는 일반적인 사고 흐름과 강화 단위를 나타낸다. 가운데 항은 다양한 접속사를 나타내며(공집합 표시[Ø]는 어떤 접속사도 없다는 것을 나타낸다), 맨 오른쪽 항은 그 접속사들이 표시하는 관계 유형을 나열한다.

2a에서 모세는 이스라엘에서 가나안 사람들을 진멸하라고 명하는 말로 본문을 시작한다. 2b에 접속사가 없는 것은 2b에서 시작되는 단위가 그 명령을 설명한다는 것을 나타낸다. 필자는 2b와, 그와 대등한 절들을 오른쪽으로 한 칸 들여 썼다. 2a에 종속되어 있다는 것을 표시하기 위해서다. 2a는 **개념**(Id)을 나타내며, 그 다음에 나오는

		연결어	관계
2	그때에 너는 그들을 진멸해야 한다.	"그때에"	시간적 표지
b	너는 그들과 어떤 언약도 맺지 말아야 한다	Ø	2a 설명
c	그리고 그들에게 호의를 보이지 말아야 한다.	"그리고"	2a 설명 계속
3	또, 너는 그들과 혼인하지 말아야 한다.	"또"(furthermore)	2a 설명 계속
b	너는 네 딸들을 그들의 아들에게 주지 말아야 한다.	Ø	3a 설명
c	그리고 너는 네 아들들을 위해 그들의 딸을 데려오지 말아야 한다.	"그리고 …… 말아야 한다"(nor)	3a 설명 계속
4	왜냐하면 그들이 네 아들을 유혹하여 나를 떠나 다른 신들을 섬기게 할 것이기 때문이다.	"왜냐하면"	3bc의 이유
b	그러면 주 여호와의 진노가 너에게 임할 것이다.	"그러면"	3bc의 또 다른 이유
c	그리고 그는 너를 재빨리 멸하실 것이다.	"그리고"	3bc의 또 다른 이유

표6.4. 신명기 7장 2-4절 텍스트의 계층 구조_ NASB(옮긴이 번역)

2b-4c는 **설명**(Exp)을 나타낸다. 구체적으로 말해서 가나안 사람들을 진멸한다는 것(2a)은 적어도 세 가지를 의미한다. 이스라엘은 그들과 언약을 맺지 말아야 하고, 그들에게 호의를 보이지 말아야 하며, 그들과 혼인하지 말아야 한다는 것이다(2b-3a). 그 세 명령은 **연속적**(S)으로 나온다. 처음 두 개(2b와 2c)는 '그리고'라는 말로 연결되어 있고, 나중 두 개(2c와 3a)는 '또'라는 말로 연결되어 있다. 그리고 나서 3b 첫 부분에 접속사가 없는 것과 3bc 내용은 3bc가 3a에서 제시된 **개념**(Id)을 **설명**(Exp)한다는 것을 나타낸다. 필자는 그에 따라 그 구절들을 적절히 들여 썼다. 혼인하지 않는다는 것은 자기 딸을 그들의 아들에게 주지 않고, 자기 아들을 위해 그들의 딸들을 데려오지 않는다는 의미다. 그리고 나서 4a에 나오는 접속사 '왜냐하면'은 이스라엘 사람들이 가나안 사람들과 혼인하면 안 되는 이유 또는 **근거**(G)를 세 절에 걸쳐 길게 말하기 시작한다(4a-c). 이교도들은 이스라엘 사람들을 유혹하여 여호와를 떠나게 할 것이고, 그러면 그분이 진노하실 것이며, 그러면 그분이 그들을 멸하시는 결과를 가져올 것이기 때문이다.

우리는 본문을 괄호로 묶거나(표6.5 왼쪽) 호를 그려(표6.5 오른쪽) 표시하여 다양한 관계를 시각화하는 데 도움을 받을 수 있다. 괄호와 호 모두 중요한 두 부분을 밝혀 주는 것을 주목하라. 2a에 나오는 처음 명령은 **개념**(Id)을 제공하는 반면, 2b-4c에 나오는 나머지 부분은 **설명**(Exp)을 전달한다. 설명 안에서, 2b와 2c는 **연속적**(S)으로 독립된 논평들을 제공하는 반면, 3a는 나름의 **설명**(Exp)을 포함한다. 그와 유사한 금지 사

표6.5. 신명기 7장 2-4절의 괄호와 호

항(3bc)들이 연속적(S)으로 나오고 그 다음에 근거(G)가 나오며, 근거 자체는 사고가 점진(P)되는 것을 포함한다(4a-c).

성경 저자의 논증을 추적하는 법을 보여 주는 더 많은 정의와 예, 그리고 다양한 연습 비디오는 http://Biblearc.com에서 찾아볼 수 있다. 바이블아크(Biblearc)에는 영어만 사용하는 해석자와, 원어를 사용하는 해석자 모두에게 알맞은 연습이 나온다. 이 장 나머지 부분에서는 본문 여러 부분의 등위 관계와 종속 관계를 분별하는 것이 왜 그리 중요한지를 명확하게 설명하는 데 도움이 될 만한 몇 가지 예를 제시하고자 한다. 히브리어가 포함되어 있지만, 모든 내용을 다 번역해 놓을 것이다. 그러니 모두 계속 읽어 나갈 것을 권한다. 주해하는 데 대단히 유익할 것이다.

등위	종속	
	재진술	별도 진술
연속적(S) 점진적(P) 대안적(A) 둘 다(B&)	행동-방식(Ac/Mn) 비교(Cf) 부정적-긍정적(-/+) 질문-대답(Q/A) 개념-설명(Id/Exp) 일반적-구체적(Gn/Sp) 사실-해석(Ft/In)	근거(G) 추론(∴) 쌍방(BL) 행동-결과(Ac/Res) 행동-목적(Ac/Pur) 조건적(If/Th) 시간적(T) 장소적(L) 기대-성취(Ant/F)
	대조 진술	
	양보적(Csv) 상황-반응(Sit/R)	

표6.6 명제적 관계의 유형

논증 도표의 세 가지 예

창세기 12장 1-3절의 논증 도표

앞 장에서 다룬 주제(5장에 나온 '텍스트 문법의 예_ 창세기 12장 1-3절'을 보라)에 이어 이 부분에서는 창세기 12장 1-3절의 사고 흐름에 대한 추적을 끝낼 것이다. 논리적 관계들에

대한 우리의 연구는 본문의 거시 구조에 대한 이해에 기초하고 있으므로, 먼저 필자가 말한 텍스트의 계층 구조와 본문 번역을 상기해 보자. 독자는 1b와 2d에 나오는 "가라"(לֶךְ[레크])와 "그러면 복이 되라"(וֶהְיֵה[베흐예])라는 두 명령어가 별개의 두 부분을 구별해 주며, 각 부분 다음에는 일련의 동사들이 나온다는 것(처음 동사 무리에서는 2a-c에서 세 개의 베익톨 형태가 나오고, 그 다음 무리에서는 3a, c에서 한 개의 베익톨과 베카탈이 나온다는 것)을 기억할 것이다. 이러한 것들은 아브람이, 또는 언약의 우두머리로서 그가 대표하는 사람들이 명령에 순종할 때 얻을 결과를 표현한다.

"가라"는 명령에 동기를 부여하는 약속은 모두 아브라함의 후손이 명성 있는 민족이 되는 것과 관련된다. 이것이 아브라함 언약의 1단계이며, 이스라엘이 약속의 땅을 처음 보유하는 동안 모세 언약 아래 실현된다. 그 다음에 나오는 명령은 "복이 되라"라는 것으로, 아브라함 언약의 2단계를 마무리하는 (우리가 새 언약으로 알고 있는) 약속들에 의해 동기가 부여된다. '복이 된다는 것'은 하나님이 자신의 백성에게 은총과 보호를 베푸시는 결과를 낳으며(3ab), 궁극적으로는 땅의 모든 족속이 복을 얻는 결과를 가져온다(3c). 그것은 아담의 저주를 뒤집는 것이다.

וַיֹּאמֶר יְהוָה אֶל־אַבְרָם	1	**그리고 여호와께서 아브람에게 말씀하셨다.**
לֶךְ־לְךָ מֵאַרְצְךָ וּמִמּוֹלַדְתְּךָ וּמִבֵּית אָבִיךָ אֶל־הָאָרֶץ אֲשֶׁר אַרְאֶךָּ׃	b	너의 고향과 너희 친척과 너의 아버지의 집을 떠나 내가 너에게 보여 줄 땅으로 **가라.**
וְאֶעֶשְׂךָ לְגוֹי גָּדוֹל	2	내가 너로 큰 민족을 *이루기 위해서*
וַאֲבָרֶכְךָ	b	그리고 너를 축복하기 위해서
וַאֲגַדְּלָה שְׁמֶךָ	c	그리고 너의 이름을 창대하게 하기 위해서.
וֶהְיֵה בְּרָכָה׃	d	**그러면** 복이 **되라.**
וַאֲבָרְכָה מְבָרְכֶיךָ	3	내가 너를 축복하는 자들을 *축복하기 위해서*
וּמְקַלֶּלְךָ אָאֹר	b	그러나 너를 저주하는 자들을 *저주하기 위해서,*
וְנִבְרְכוּ בְךָ כֹּל מִשְׁפְּחֹת הָאֲדָמָה׃	c	그 *결과* 너로 말미암아 이 땅의 모든 족속이 복을 얻게 하기 위해서다.

표6.7. 창세기 12장 1-3절 텍스트의 계층 구조

이 시점에서 우리의 목표는 모든 부분이 서로 어떻게 상관관계가 있는지 밝히는 것이다. 그러기 위해 우리는 표6.5과 표6.6에서 강조된 등위 관계와 종속 관계의 범주에 의지할 것이다. 그리고 필자는 호(표6.8을 보라)와 괄호(표6.9)를 모두 만들 것이다. 그것은 추적하기 쉬운 개요도 안의 다양한 관계를 나타내는 데 도움이 될 것이다. 연구하는 본문을 호로 표시하든 괄호로 표시하든, 그것은 단순히 취향 문제다. 둘 다 같은 목적을 성취하기 때문이다. 필자가 여기에 둘 다 포함시킨 것은 단지 각 도구가 명제적 관계를 나타내는 서로 다른 방식들을 시각적으로 표현하도록 돕기 위해서다. 앞서 말했듯이 www.Biblearc.com에서는 이러한 유형의 주해적 분석에 필요한 것들을 한 곳에서 모두 구할 수 있다.

호 그리기와 괄호 묶기의 목표는 주어진 본문 모든 부분의 관계를 시각적으로 표현하도록 돕는 것이다. 먼저 가장 중요한 단위들을 밝혀내고, 그 단위들 간의 논리 관계를 평가해 보려고 한다. 창세기 12장 1-3절에서 우리는 1a에서 발화의 틀을, 1b-3c에서 발화 그 자체를 본다. 1a에 **개념**(Id)이 제시되어 있고, 발화는 그 개념을 **설명**(Exp)한다. 필자는 각 단위를 '개념/설명'(Id/Exp)로 표시했다.

1a	וַיֹּאמֶר יְהוָה אֶל־אַבְרָם	그리고 여호와께서 아브람에게 말씀하셨다.	Id
1b	לֶךְ־לְךָ מֵאַרְצְךָ וּמִמּוֹלַדְתְּךָ וּמִבֵּית אָבִיךָ אֶל־הָאָרֶץ אֲשֶׁר אַרְאֶךָּ׃	너의 고향과 너희 친척과 너의 아버지의 집을 떠나 내가 너에게 보여 줄 땅으로 가라.	Ac
2a	וְאֶעֶשְׂךָ לְגוֹי גָּדוֹל	내가 너로 큰 민족을 이루기 위해서	P
2b	וַאֲבָרֶכְךָ	그리고 너를 축복하기 위해서	P, Pur
2c	וַאֲגַדְּלָה שְׁמֶךָ	그리고 너의 이름을 창대하게 하기 위해서.	P
2d	וֶהְיֵה בְּרָכָה׃	그러면 복이 되라.	Ac
3a	וַאֲבָרְכָה מְבָרְכֶיךָ	내가 너를 축복하는 자들을 축복하기 위해서	S
3b	וּמְקַלֶּלְךָ אָאֹר	그러나 너를 저주하는 자들을 저주하기 위해서.	Ac, Pur
3c	וְנִבְרְכוּ בְךָ כֹּל מִשְׁפְּחֹת הָאֲדָמָה׃	그 결과 너로 말미암아 이 땅의 모든 족속이 복을 얻게 하기 위해서다.	Res, Exp

표6.8. 창세기 12장 1-3절의 호

'설명' 부분에서 1b과 2d에 나오는 두 명령형은 별개의 두 단위가 시작되는 것을 표시한다. 두 명령형이 연결어 וְ(베, 해설의 '그리고')로 연결되어 있으면, 두 번째 명령형은 첫 번째 것의 결과 또는 점진의 역할을 한다는 것을 기억할 것이다. 그래서 필자는 각 명령형 단위를 하나의 호로 묶어 놓았다(1b-2c와 2d-3c). 그리고 그 둘 사이에 점

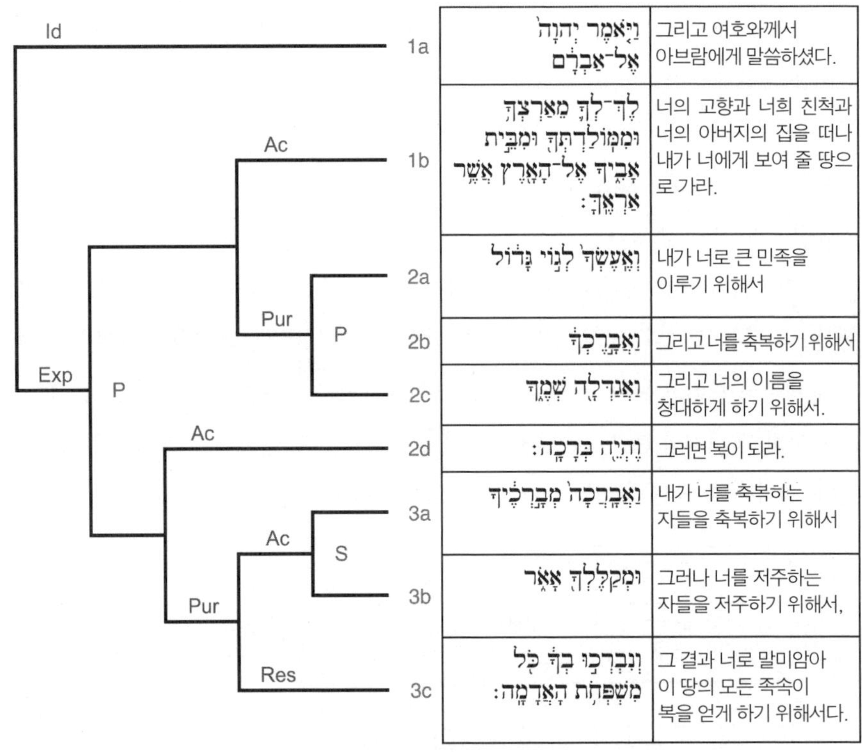

표6.9. 창세기 12장 1-3절의 괄호

진(Progression)을 나타내는 'P'를 두었다. 점진은 연속처럼 등위 관계다. 하지만 점진 안에서 각 명제는 절정을 향해 한 걸음 더 나아간다. 영어에서는 종종 '그러면'(then), '그리고'(and), '더구나'(moreover), '또'(furthermore) 등으로 표시한다. 필자는 '그러면'(then)으로 번역하였다.

그 다음에는 1b-2c에 나온 첫 번째 명령형 단위를 살펴보자. 그 부분에서 우리는 명령형 행동이 나온 뒤, 세 가지 결과가 나오는 것을 보았다. 그리고 그것은 목적이나 결과를 표현할 수 있다. 필자는 1b를 행동(Ac)으로, 2a-c를 목적(Pur)으로 불렀다. 또한 필자는 목적 안에서 세 개의 호 아래 세 개의 등위적 진술을 두었다. 그 진술들 자체가 점진하고 있는 것처럼 보였기 때문에 필자는 호들 사이에 'P'를 추가하였다. 하나님이 아브라함을 큰 민족으로 만드신 것은 복으로 이끌 것이며, 그 복은 창대한 이름으로 이끌 것이다.

1b-2c에 나오는 첫 번째 명령형 단위에서 그랬듯이, 두 번째 단위 역시 2d에서 행

동(Ac)이, 3a-c에서 **목적**(Pur)이 나온다. 여기서는 세 가지 약속이 아닌, 3a에 단 하나의 주요 약속만 나오며, 3c에서 궁극적 결과를 제공한다. 구절 3ab는 대조적 결합에 의해 하나의 단위를 형성한다(V_ + _V, 5장에 나온 '표시절과 미표시절에 대한 더 깊은 연구'를 보라). 필자는 3a와 3b를 'S'로 표시되는 **연속** 안에 두었다. 순서는 논리와 아무 관련이 없기 때문이다. 게다가 필자는 3c에서 베익톨에서 베카탈로 바뀐 것은 세상이 복을 받는다는 기대가 모든 순종의 궁극적 결과이며 목표임을 나타낸다고 생각하기 때문에, 3ab와 3c의 관계를 **결과**(Res)로 표기하여 절정을 강조하였다.

호나 괄호 둘 중 하나를 얼핏 보면서, 필자는 **설명**(Exp)에 나오는 두 부분 중 둘째 부분이 수사학적으로 더 중요하다는 것을 보게 된다. 2d에 나오는 **점진**(P)이 이것을 표시한다. 그 다음에 3c의 **결과**(Res)는 전체 본문에서 절정에 이르는 목표는 땅의 모든 족속이 아브람 안에서 복을 받으리라는 것임을 즉시 보여 준다. 필자는 이제 개요에서 본문 메시지와 흐름을 포착할 준비가 되었다. 호와 괄호로 표시하는 과정을 보여 주는 예를 두 개 더 살펴본 다음에 그 작업을 해보겠다.

하박국 3장 17-19절의 논증 도표

구약에서 끈기 있는 믿음을 보여 주는 위대한 표현이 하박국 3장 17-19절에 나온다. 필자는 필자가 만든 텍스트의 계층 구조를 살펴보고자 한다. 그 다음에 호와 괄호를 통해 논리 관계를 추적해 볼 것이다.

필자의 번역문(표6.10)을 읽으면서, 당신은 본문이 두 부분으로 되어 있다는 것을 볼 수 있다. 17절에서 **כִּי**(키, '……할 때'[when]. 개역개정은 '……할지라도'라고 번역되어 있다_ 옮긴이)로 시작되는 시간적 조건절과, 18절에서 명백한 일인칭 단수 대명사 **וַאֲנִי**(바아니, '그러면 나는'[then I]. 개역개정에는 '그러면'이 없다_ 옮긴이)로 시작되는 선언적 귀결절이다. 조건절 자체도 두 부분으로 되어 있다. 17a-d의 농업적 황폐화와, 17e-f의 가축 몰락이다. 귀결절은 18a에서 '그러면 나는 여호와로 즐거워할 것이다"(וַאֲנִי בַּיהוָה אֶעְלוֹזָה[바아니 바도

כִּֽי־תְאֵנָה לֹֽא־תִפְרָח	17	무화과나무가 무성하지 못할 때
וְאֵין יְבוּל֙ בַּגְּפָנִים	b	그리고 포도나무에 열매가 없을 때
כִּחֵשׁ֙ מַעֲשֵׂה־זַיִת	c	감람나무에 소출이 없을 때
וּשְׁדֵמוֹת לֹא־עָשָׂה אֹכֶל	d	그리고 밭에 먹을 것이 없을 때
גָּזַר מִמִּכְלָה֙ צֹאן	e	우리에 양이 없을 때
וְאֵין בָּקָר בָּרְפָתִים׃	f	그리고 외양간에 소가 없을 때
וַאֲנִי בַּיהוָה אֶעְלוֹזָה	18	그러면 나는 여호와로 즐거워할 것이다.
אָגִילָה בֵּאלֹהֵי יִשְׁעִי׃	b	나는 나의 구원의 하나님으로 기뻐할 것이다.
יְהוִה אֲדֹנָי֙ חֵילִי	19	여호와 나의 주님은 나의 힘이시다.
וַיָּשֶׂם רַגְלַי֙ כָּאַיָּלוֹת	b	그리고 그는 나의 발을 사슴과 같게 하셨다.
וְעַל בָּמוֹתַי יַדְרִכֵנִי	c	그리고 그는 나를 높은 곳으로 다니게 하셨다.

표6.10. 하박국 3장 17-19절 텍스트의 계층 구조

나이 에울로자]))라는 진술로 시작된다. 그 다음에 그 말은 18b에서 설명된다. "나는 나의 구원의 하나님으로 기뻐할 것이다"(אָגִילָה בֵּאלֹהֵי יִשְׁעִי[아길라 벨로헤 이슈이])). 그 설명은 접속사 생략으로 표시된다. 그러고 나서 19절에 이어서 나오는 것은 또 다른 삽입 단락 언급으로, 역시 접속사 생략으로 표시되며, 하박국이 하나님을 경축하는 일에 헌신하는 이유를 표현하는 듯하다. 하박국이 그렇게 하는 것은 "여호와 나의 주님은 나의 힘"(יְהוִה אֲדֹנָי חֵילִי[엘로힘 아도나이 헬리, 19a])이기 때문이며, 그 하나님이 믿음을 통해 그의 역경을 헤치고 일어날 능력을 주셨기 때문이다(19bc).

이러한 기본적인 사고의 흐름을 기반으로 이제 텍스트에 명백하게 나오는 논리 관계들을 고찰하면서, 논증 도표를 만들어 보자. 필자는 다시 한 번 호(표6.11)와 괄호(표6.12)를 모두 사용하여 본문을 표시할 것이다. 독자들은 이중 하나만 선택하면 된다.

먼저 17a-f의 시간적 조건절을 18a-19c의 선언적 귀결절과 구분해야 한다. 필자는 조건절의 시간적 성질을 표시하기 위해 'T'라고 표시하였다. 시간적 단위는 17a-d에 나오는 농작물에 대한 하나님의 저주와, 17e-f에 나오는 가축에 대한 하나님의 저주를 구분한다. 그래서 필자는 여러 부분을 호나 괄호로 표시했다. 각 단위의 구조가 유사하다는 것을 주목하라. 17a와 17e의 정형 동사절 다음에 부정적 분사 אֵין(에인, '없다')이 나오는 것이다. 이 두 무리는 등위적이고 서로 교환될 수 있다. 그래서 필자는 'S'라는 기호로 그 관계를 연속적으로 표시한다. 필자는 또한 이중 첫 번째 단위에서 17cd를 17ab에 제시된 개념(Id)에 대한 설명(Exp)으로 취급했다. 두 번째로 쌍을 이루는 절들은 처음 두 절의 내용을 근거로 농업적 황폐함이라는 개념을 발전시킨다. 따라서 이

표6.11. 하박국 3장 17-19절의 호

렇게 번역할 수 있을 것이다. "무화과나무가 무성하지 못할 때, 그리고 포도나무에 열매가 없을 때, 즉 내 말은 감람나무에 소출이 없을 때, 그리고 밭에 먹을 것이 없을 때를 뜻한다."

18-19절의 선언적 귀결절에 이르면, 18ab에서 **개념-설명**(Id/Exp)이 시작된다. 하박국은 "그러면 나는 여호와로 즐거워할 것이다"(**וַאֲנִי בַּיהוָה אֶעְלוֹזָה**[바아니 바도나이 에을로자])라고 선언하고 나서, 자신의 말이 "나는 나의 구원의 하나님으로 기뻐할 것이다"(**אָגִילָה בֵּאלֹהֵי יִשְׁעִי**[아길라 벨로헤 이슈이])라는 뜻임을 분명하게 설명한다. 그 설명은 접속사 생략으로 표시된다.

이어서 19절에서 나오는 내용은 선지자가 하나님으로 말미암아 기뻐할 이유를 더 풀어서 해설한다. 그리고 비록 **כִּי**(키, '……때문에, 왜냐하면') 등과 같은 공식적인 원인 접속사가 없어도, 18절과 19절은 **근거**(G) 관계로 보인다. "**왜냐하면**(because) 주 여호와는 나의 힘이시고 내게 모든 도전에 맞서 일어날 능력을 주시기 때문에, **그러므로**(therefore) 나는 나의 구원의 하나님으로 기뻐할 것이다"라는 것이다. 우리가 한창 시험을 받는 중에도 우리 구주를 만끽하기를(마 5:11-12, 롬 5:3, 약 1:2)! 마지막 두 절은 주제

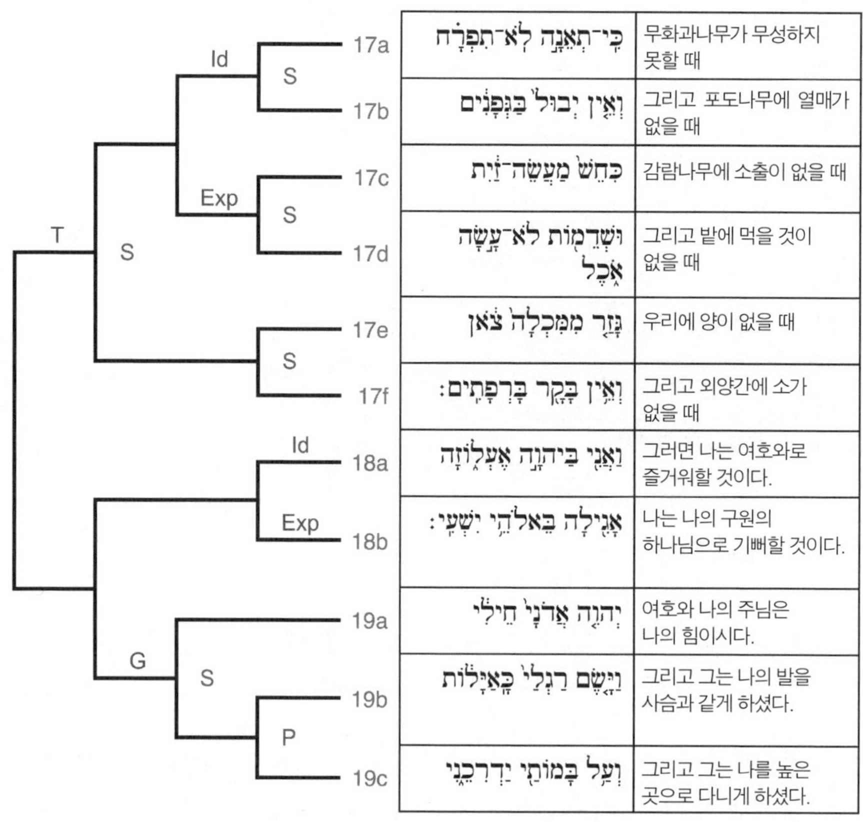

17a	כִּי־תְאֵנָה לֹא־תִפְרָח	무화과나무가 무성하지 못할 때
17b	וְאֵין יְבוּל בַּגְּפָנִים	그리고 포도나무에 열매가 없을 때
17c	כִּחֵשׁ מַעֲשֵׂה־זַיִת	감람나무에 소출이 없을 때
17d	וּשְׁדֵמוֹת לֹא־עָשָׂה אֹכֶל	그리고 밭에 먹을 것이 없을 때
17e	גָּזַר מִמִּכְלָה צֹאן	우리에 양이 없을 때
17f	וְאֵין בָּקָר בָּרְפָתִים׃	그리고 외양간에 소가 없을 때
18a	וַאֲנִי בַּיהוָה אֶעְלוֹזָה	그러면 나는 여호와로 즐거워할 것이다.
18b	אָגִילָה בֵּאלֹהֵי יִשְׁעִי׃	나는 나의 구원의 하나님으로 기뻐할 것이다.
19a	יְהוִה אֲדֹנָי חֵילִי	여호와 나의 주님은 나의 힘이시다.
19b	וַיָּשֶׂם רַגְלַי כָּאַיָּלוֹת	그리고 그는 나의 발을 사슴과 같게 하셨다.
19c	וְעַל בָּמוֹתַי יַדְרִכֵנִי	그리고 그는 나를 높은 곳으로 다니게 하셨다.

표6.12. 하박국 3장 17-19절의 괄호

면에서 결합되어 있으며, 점진(P)을 표현하는 듯하다. 하나님이 먼저 하박국의 발을 사슴처럼 만드시고, 그 다음에 그를 높은 곳으로 다니게 하신다는 것이다.

필자는 텍스트의 계층 구조를 살피면서 밝혀낸 논리 관계들 중 일부를 이제 구체화하고, 본문을 호와 괄호로 표시하여 나타낼 수 있었다. 당신이 등위 관계와 종속 관계를 밝힐 때 얻는 유익을 깨달을 수 있기를 바란다. 호나 괄호로 표시하는 것은 적절한 질문을 던지게 만들며, 텍스트의 모든 부분이 서로 관계되어 있는 방식을 즉시 시각화할 수 있게 해준다.

출애굽기 19장 4-6절의 논증 도표

이제 출애굽기 19장 4-6절에 나오는 논증 추적을 마무리할 준비가 되었다(표6.13). 이 단계를 밟기 전에, 본문의 주요 부분들을 상기하기 위해 텍스트의 계층 구조를 살펴보는 것이 도움이 될 것이다.

אַתֶּם רְאִיתֶם	4	너희는 보았느니라.
אֲשֶׁר עָשִׂיתִי לְמִצְרָיִם	b	내가 애굽에 행한 것과,
וָאֶשָּׂא אֶתְכֶם עַל־כַּנְפֵי נְשָׁרִים	c	그리고 어떻게 독수리 날개 위로 너희를 들어 올렸는지
וָאָבִא אֶתְכֶם אֵלָי׃	d	그리고 어떻게 내가 너희를 내게 인도했는지
וְעַתָּה	5	그리고 이제
אִם־שָׁמוֹעַ תִּשְׁמְעוּ בְּקֹלִי	a	만일 너희가 내 음성을 잘 듣고
וּשְׁמַרְתֶּם אֶת־בְּרִיתִי	b	그리고 내 언약을 지키고
וִהְיִיתֶם לִי סְגֻלָּה מִכָּל־הָעַמִּים	c	그리고 모든 민족으로부터 나의 보배로운 소유가 된다면,
כִּי־לִי כָּל־הָאָרֶץ׃ ↑	d	↑ 왜냐하면 모든 세계가 나의 것이기 때문에
וְאַתֶּם תִּהְיוּ־לִי מַמְלֶכֶת כֹּהֲנִים וְגוֹי קָדוֹשׁ	6	그러면 너희는 나를 위해 제사장 나라와 거룩한 백성이 되리라.

표6.13. 출애굽기 19장 4-6절 텍스트의 계층 구조

4절은 이스라엘을 애굽에서 구해 주신 여호와의 위대한 구원을 상기시킨다는 것을 주목하라. 그러고 나서 5a에서 추론 표지인 **וְעַתָּה**(베앗타, '그리고 이제', 개역개정에는 번역되어 있지 않다_ 옮긴이)와 함께, 5-6절은 이스라엘의 신성한 과업과 관련된 큰 구원에서 결론을 끌어낸다. 추론 부분 자체는 두 개의 단위로 되어 있다. 5절에 나오는 조건절('만일 ……하면'[if])과 6절에 나오는 귀결절('그러면'[then])이다(5장에 나온 '출애굽기 19장 5-6절에서 조건절과 귀결절 결정하기'를 보라). 하나님이 이스라엘을 구원하셨기 때문에 사람들이 그분의 음성을 잘 듣고, 그분의 언약을 지키고, 모든 민족으로부터 그분의 보배로운 소유가 **된다면, 그러면** 그들은 제사장 나라와 거룩한 백성으로 그분을 위해 섬길 것이다. 우리는 이제 호(표6.14)나 괄호(표6.15)를 통해 이런 다양한 관계를 나타낼 수 있다.

첫 단계는 4절에 나오는 이해 근거(G)를 5-6절에 나오는 추론(∴)과 구분하는 것이다. 4절에는 **כִּי**(키, '……때문에, 왜냐하면')이 없다. 하지만 우리는 5절에서 **וְעַתָּה**(베앗타, '그

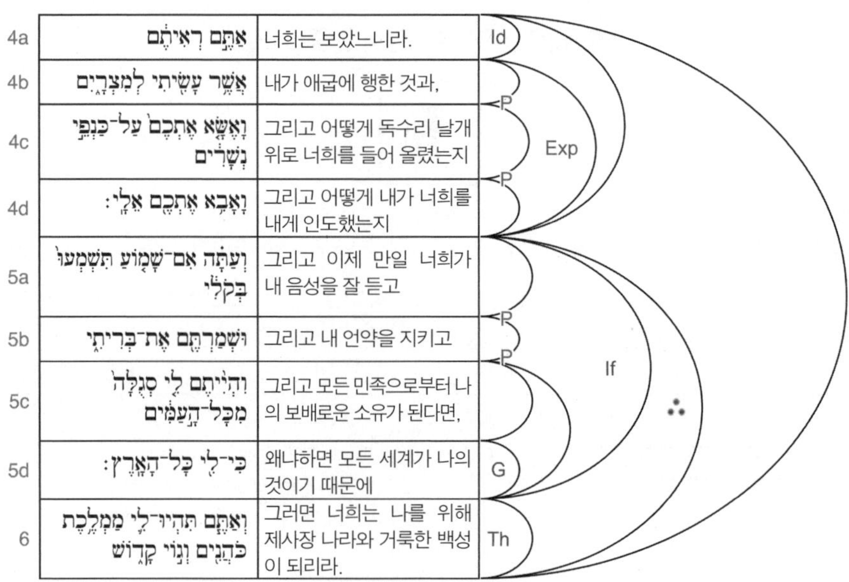

4a	אַתֶּם רְאִיתֶם	너희는 보았느니라.	Id
4b	אֲשֶׁר עָשִׂיתִי לְמִצְרָיִם	내가 애굽에 행한 것과,	
4c	וָאֶשָּׂא אֶתְכֶם עַל־כַּנְפֵי נְשָׁרִים	그리고 어떻게 독수리 날개 위로 너희를 들어 올렸는지	
4d	וָאָבִא אֶתְכֶם אֵלָי׃	그리고 어떻게 내가 너희를 내게 인도했는지	
5a	וְעַתָּה אִם־שָׁמוֹעַ תִּשְׁמְעוּ בְּקֹלִי	그리고 이제 만일 너희가 내 음성을 잘 듣고	
5b	וּשְׁמַרְתֶּם אֶת־בְּרִיתִי	그리고 내 언약을 지키고	
5c	וִהְיִיתֶם לִי סְגֻלָּה מִכָּל־הָעַמִּים	그리고 모든 민족으로부터 나의 보배로운 소유가 된다면,	
5d	כִּי־לִי כָּל־הָאָרֶץ׃	왜냐하면 모든 세계가 나의 것이기 때문에	G
6	וְאַתֶּם תִּהְיוּ־לִי מַמְלֶכֶת כֹּהֲנִים וְגוֹי קָדוֹשׁ	그러면 너희는 나를 위해 제사장 나라와 거룩한 백성이 되리라.	Th

표6.14. 출애굽기 19장 4-6절의 호

리고 이제')를 발견할 수 있으며, 그것은 추론을 밝혀 준다.

4a 안에는 처음에 모세의 청중이 무언가를 보았다는 진술이 나온다. 이것은 **개념**(Id)으로, 뒤이은 4b-d의 복합 관계절에 나오는 **설명**(Exp)을 통해 전개된다. **점진**(P)은 분명하다. 그들은 (1) 하나님이 애굽에 무엇을 행하셨는지, 그리고 (2) 그분이 어떻게 그들을 들어 올리셨는지, 그러고 나서 (3) 그분이 어떻게 그들을 그분 자신께로 인도하셨는지를 보거나 경험했다. 이제 그들은 하나님과 함께 그분의 산에 있다. 그리고 5-6절에서 그분은 이 실상이 함축하는 바들을 밝히신다.

추론 부분은 5절에 조건절이 나오고 6절에 귀결절이 나온다. 그것은 **만일-그러면**(If-Th)이라는 말로 확인된다. '만일'이라는 부분은 세 가지 행동의 점진을 포함한다. 그 행동들은 이스라엘 사람들이 하나님의 목표, 곧 이스라엘 백성이 제사장 나라와 거룩한 백성으로 섬기는 데 이르는 수단 역할을 하는 듯하다. 이 과업이 실제로 무엇을 의미하는지는 후에 더 상세히 살펴보겠다. 여기서는 다만 명백한 조건의 유형을 말하고자 한다. 우리는 "비행기를 타고 간다면, 나는 시카고에 도착할 것이다"라고 말할 수 있다. 여기서 '시카고에 도착하는 것'은 비행이 완전히 끝날 때까지는 누리지 못하는 궁극적 목표다. 이와 달리 "비행기를 타고 간다면, 책을 읽을 만한 충분한 시간을 얻을

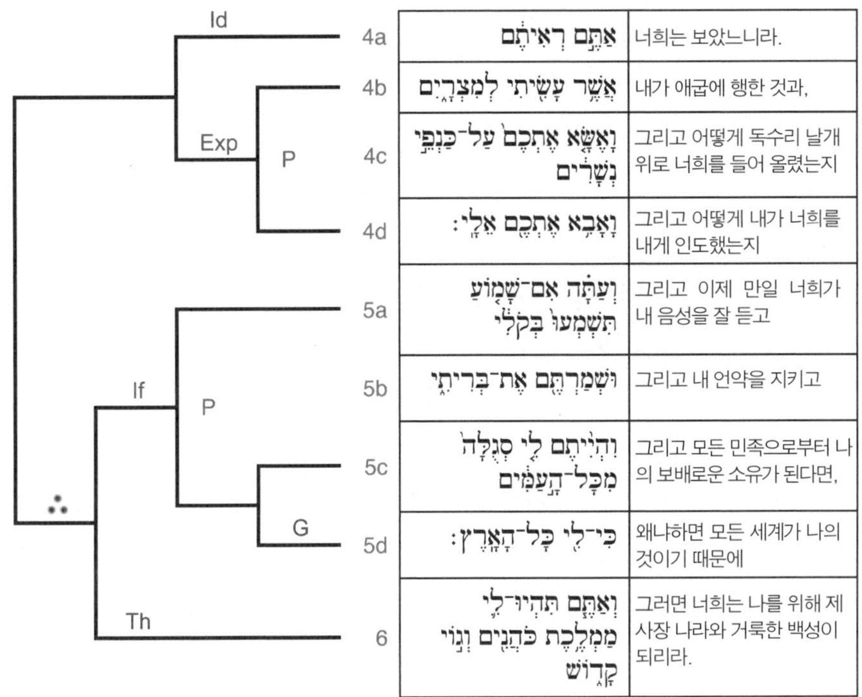

4a	אַתֶּם רְאִיתֶם	너희는 보았느니라.
4b	אֲשֶׁר עָשִׂיתִי לְמִצְרָיִם	내가 애굽에 행한 것과,
4c	וָאֶשָּׂא אֶתְכֶם עַל־כַּנְפֵי נְשָׁרִים	그리고 어떻게 독수리 날개 위로 너희를 들어 올렸는지
4d	וָאָבִא אֶתְכֶם אֵלָי׃	그리고 어떻게 내가 너희를 내게 인도했는지
5a	וְעַתָּה אִם־שָׁמוֹעַ תִּשְׁמְעוּ בְּקֹלִי	그리고 이제 만일 너희가 내 음성을 잘 듣고
5b	וּשְׁמַרְתֶּם אֶת־בְּרִיתִי	그리고 내 언약을 지키고
5c	וִהְיִיתֶם לִי סְגֻלָּה מִכָּל־הָעַמִּים	그리고 모든 민족으로부터 나의 보배로운 소유가 된다면,
5d	כִּי־לִי כָּל־הָאָרֶץ׃	왜냐하면 모든 세계가 나의 것이기 때문에
6	וְאַתֶּם תִּהְיוּ־לִי מַמְלֶכֶת כֹּהֲנִים וְגוֹי קָדוֹשׁ	그러면 너희는 나를 위해 제사장 나라와 거룩한 백성이 되리라.

표6.15. 출애굽기 19장 4-6절의 괄호

것이다"라고 말할 수도 있다. 여기서 귀결절은 조건이 충족된 후가 아니라 충족되고 있는 동안 성취된다. 비행을 하고 있는 동안에 읽는 것이다. 후자의 예는 출애굽기 19장 5-6절에 분명하게 나오는 조건적 관계의 유형을 명료하게 설명해 준다. 이스라엘이 하나님의 음성을 잘 듣고 그분의 언약을 지키고 그분의 보배로운 소유로 존재하면서 하나님을 추구하는 바로 그 동안, 그 백성은 세상을 위해 하나님을 대표하여 제사장 나라와 거룩한 백성으로 섬길 것이다. 귀결절은 하나님을 높이는 부르심을 확인하며, 조건절은 그 부르심을 성취하는 수단을 확인한다.

마지막 호는 5cd 사이에 있다. 5d는 5c의 **근거**(G) 또는 이유를 제공한다. 이스라엘은 세상 가운데서 하나님의 특별한 소유 역할을 해야 한다. **왜냐하면** 세계가 다 주님께 속하였기 때문이다. 이미 말한 것처럼, 여기서 논리는 이스라엘 사람들이 하나님을 높이는 부르심을 지니고 있다는 것과, 하나님의 소유된 백성으로서 그분을 섬기는 그들의 역할은 여호와께서 세상에 인정받고 찬양받는 주님으로 합당한 위치를 되찾는 수단의 일부라는 것인 듯하다. 온 세상은 실로 그분께 속하였으므로, 이스라엘은 세상에 여호와의 우월하심을 반영하고 나타내는 목적을 반드시 완수해야 한다. 이것이 출애굽기 19장 4-6절의 논리적 관계다. 이제 우리는 사고 흐름에 대한 이해를 마무리하는 작업에서 2단계로 넘어간다.

2단계: 주해적 개요 만들기_ 서론

일단 본문에 대한 논증 도표를 만들었으면, 그 다음 자연스러운 단계는 메시지 중심의 주해적 개요를 만드는 것이다. 주석이나 해설 성경을 보면, 성경의 책이나 본문에 대한 개요들은 대부분 내용만 다룬다. 그 개요들은 책이나 본문이 무엇인지를 재진술할 뿐, 그 책이 왜 그 순서에 위치하는지, 그 본문이 무엇을 의미하는지, 그리고 하나의 주요 개념이나 전체를 위한 주제 진술을 형성하기 위해 각 부분이 서로 어떻게 관련되어 있는지는 보여 주지 않는다.

「ESV 스터디 바이블」(*ESV Study Bible*)의 룻기 개요[3]를 「뉴 아메리칸 주석」(*New American Commentary, NAC*)에 실린 대니얼 I. 블록(Daniel I. Block)의 개요[4]와 비교해 보라.

내용 개요_ ESV 스터디 바이블	주해적 개요_ D. I. 블록
1. 서론_ 나오미가 가족을 떠남(1:1-5) 2. 장면 1_ 나오미가 룻과 함께 베들레헴으로 돌아옴(1:6-22) 3. 장면 2_ 룻이 보아스의 밭에서 이삭을 주움(2:1-23) 4. 장면 3_ 룻이 타작마당에서 보아스에게 결혼해 달라고 청함(3:1-18) 5. 장면 4_ 보아스가 성문에서 기업을 무름(4:1-12) 6. 결론_ 나오미가 새로운 가족으로 축복 받음(4:13-17) 7. 계보_ 확장된 복(4:18-22)	1. 1막_ 왕적 혈통이 위기(1:1-21) 2. 2막_ 왕적 혈통에 비친 소망의 빛(1:22-2:23) 3. 3막_ 왕적 혈통이 복잡해짐(3:1-18) 4. 4막_ 왕적 혈통의 탈환(4:1-17) 5. 결어_ 왕적 혈통의 계보(4:18-22)

표6.16. 내용 개요 대 주해적 개요_ 룻기

3 Ronald Bergey, "Ruth" notes in *ESV Study Bible*, Lane T. Dennis and Wayne Grudem 편집 (Wheaton, IL: Crossway, 2008)(「ESV 스터디 바이블」, 부흥과개혁사), 477쪽.

4 Daniel I. Block, *Judges, Ruth: An Exegetical and Theological Exposition of Holy Scripture*, NAC 6 (Nashville: Broadman & Holman, 1999), 621쪽.

내용 중심 개요는 룻기의 줄거리를 알려 주는 반면, 내러티브의 '논증'(이야기 배후의 설교)을 평가하는 데는 도움이 되지 않는다. 이에 반해, 블록의 개요를 읽어 보면 이미 룻기가 약속된 왕적 혈통에 대한 책으로, 위기, 소망, 복잡화, 탈환을 포함한다는 것을 알게 된다. 블록은 **룻기의 요점**을 "어두운 사사 시대에 이스라엘의 왕적 혈통을 보존하시는 하나님의 섭리적 손길"[5]이라고 요약한다. 메시지 중심 개요는 성경으로서 구약이 지닌 본질을 더 온전히 파악한다.

표6.17은 스바냐서에 대한 필자의 최근 연구에서 나온 또 다른 예다. 존더반(Zondervan) 출판사의 「NIV 스터디 바이블」(*NIV Study Bible*)에 나오는 스바냐서 개요[6]와, 「존더반 구약 강해 주석」(Zondervan Exegetical Commentary on the Old Testament, ZECOT)에 실린 필자의 개요[7]를 비교해 보라.

내용 개요_ NIV 스터디 바이블	주해적 개요_ J. S. 드루치
1. 서론(1:1-3) 2. 유다와 열방에 주의 날이 임함(1:4-18) 3. 열방들에 대한 하나님의 심판(2:1-3:8) 4. 남은 자들의 구속(3:9-20)	1. 만족하라는 구주의 명령을 나타내는 표제(1:1) 2. 만족하라는 구주의 명령의 배경_ 앞으로 올 주님의 심판에 비추어 하나님을 경외하라는 명령(1:2-18) 3. 만족하라는 구주의 명령의 내용_ 벌을 피하고 만족시키는 구원을 누리기 위해 함께 인내하며 주님을 추구하라는 지시(2:1-3:20)

표6.17. 내용 개요 대 주해적 개요_ 스바냐서

한 개요는 단지 내용에 초점을 맞춘다. 다른 개요는 전체 논증과 메시지를 포착하려 애쓴다. **스바냐서의 요점**에 대해 필자가 종합한 내용은 '주님은 자신의 임박한 진노의 날에 비추어, 자신의 신실한 남은 자들에게 함께 인내하며 그분을 추구하라고 명하신다. 벌을 피하고 만족시키는 구원을 누리기 위해서다. 이 모두는 하나님의 기쁨과 영광을 위한 것이다'라는 것이다. 그래서 필자는 개요에서 스바냐서 안의 각 단계를 만족하라는 구주의 명령과 연관시켰다.[8]

블록과 필자가 이러한 책 수준의 예들에서 하고 있는 것은 실제로 각 부분을 주의 깊게 평가하는 것에서 시작한다. 필자는 주해하는 모든 본문, 설교하는 모든 본문에 대해

5 같은 책, 620쪽.

6 R. K. Harrison, "Zephaniah" notes in *NIV Study Bible*, Kenneth L. Barker 편집 (Grand Rapids: Zondervan, 2002)(「NIV 스터디 바이블」, 부흥과개혁사), 1418-19쪽.

7 Jason S. DeRouchie, *Zephaniah*, ZECOT (Grand Rapids: Zondervan, 출간 예정).

8 스바냐서 전체를 완전히 검토하려면 9장에 나오는 '스바냐서_ 만족하라는 구주의 권유'를 보라.

주요 개념을 한 문장으로 포착하고, 그에 맞는 메시지 중심 개요를 만들려고 애쓴다.

오래전, 사무엘서의 역사적 내러티브를 가르치고 있을 때다. 필자는 1-2장에 나오는 처음 두 이야기가 이스라엘의 삶에서 일어난 두 사건을 대조하면서 그 책의 메시지를 소개한다는 것을 알게 되었다. 처음 사건은 한나가 하나님을 존중하며 자식을 달라고 간청하는 것과 주님이 은혜를 베푸셔서 사무엘을 주시는 것을 이야기하면서 '거룩하신 여호와께서 그분을 존중하는 사람들을 도우신다'는 원리를 전개한다(삼상 1:1-2:11). 이에 반해, 두 번째 사건인 엘리의 반역적인 아들들 이야기는 '거룩하신 여호와께서는 그분을 존중하지 않는 사람들을 멸하신다'(2:12-36)는 것을 강조한다. 두 내러티브 모두 긴 드라마(1:1-28//2:12-26) 다음에 나오는 긴 강화(2:1-11//2:27-36)를 포함하는데, 그 강화는 오시는 메시아적 왕-제사장에 대한 진술에서 절정에 이른다(2:10//2:35). 이 긴 발화들은 이 책의 주제를 포착한다. 한나는 "그[여호와]가 그의 거룩한 자들의 발을 지키실 것이요 악인들을 흑암 중에서 잠잠하게 하시리니"(2:9)라고 말한다. 마찬가지로 하나님은 엘리에게 "나를 존중히 여기는 자를 내가 존중히 여기고 나를 멸시하는 자를 내가 경멸하리라"(2:30)고 주장하신다. 한나가 높임 받는 것과 홉니와 비느하스가 몰락하는 것에 대한 두 이야기는 이 진리들에 대한 서론적 예를 제공한다. 이에 비추어 필자는 내러티브의 요점에 충실한 주해적, 메시지 중심적 개요를 만들어 보았다. 그 결과는 다음과 같다. 큰 제목들만 말해 보겠다.

1. **거룩하신 여호와께서는 그분을 존중하는 자들을 도우신다**(1:1-2:11)
   a. 여호와께서 그분을 존중하는 자를 도우시는 것에 대한 서언_ 과거의 날들(1:1-3)
   b. 여호와께서 그분을 존중하는 자를 도우시는 것의 배경_ 실로에서의 한 날(1:4-19)
   c. 여호와께서 그분을 존중하는 자를 도우시는 것의 본질_ 실로에서의 새로운 날(1:20-2:11)

2. **거룩하신 여호와께서는 그분을 존중하지 않는 자들을 멸하신다**(2:12-36)
   a. 그분을 존중하지 않는 자들을 멸하시겠다는 여호와의 약속의 배경_ 실로에서의 어두운 날들(2:12-26)
   b. 그분을 존중하지 않는 자들을 멸하시겠다는 여호와의 약속의 본질_ 실로에

서 예언된 치명적 폭풍(2:27-36)

그렇다면 우리는 어떻게 논증에서 메시지 중심 개요로 넘어가는가? 다음에서 창세기 12장 1-3절, 하박국 3장 17-19절, 출애굽기 19장 4-6절과 함께 그것을 살펴보겠다.

주해적 개요 초안 만드는 법
_ 창세기 12장 1-3절 사례 연구

이 부분에서는 본문에 대한 주해적 개요와 주요 개념 진술을 형성하는 네 단계를 개관할 것이다. 우리는 창세기 12장 1-3절을 한 예로 살펴볼 것이다. 시작하기 전에, 표 6.18에서 그 본문의 호를 상기해 보자.

1a	וַיֹּאמֶר יְהוָה אֶל־אַבְרָם	그리고 여호와께서 아브람에게 말씀하셨다.	Id
1b	לֶךְ־לְךָ מֵאַרְצְךָ וּמִמּוֹלַדְתְּךָ וּמִבֵּית אָבִיךָ אֶל־הָאָרֶץ אֲשֶׁר אַרְאֶךָּ׃	너의 고향과 너희 친척과 너의 아버지의 집을 떠나 내가 너에게 보여 줄 땅으로 가라.	Ac
2a	וְאֶעֶשְׂךָ לְגוֹי גָּדוֹל	내가 너로 큰 민족을 이루기 위해서	P
2b	וַאֲבָרֶכְךָ	그리고 너를 축복하기 위해서	Pur / P
2c	וַאֲגַדְּלָה שְׁמֶךָ	그리고 너의 이름을 창대하게 하기 위해서.	P
2d	וֶהְיֵה בְּרָכָה׃	그러면 복이 되라.	Ac / Exp
3a	וַאֲבָרֲכָה מְבָרְכֶיךָ	내가 너를 축복하는 자들을 축복하기 위해서	S / Ac
3b	וּמְקַלֶּלְךָ אָאֹר	그러나 너를 저주하는 자들을 저주하기 위해서,	Pur
3c	וְנִבְרְכוּ בְךָ כֹּל מִשְׁפְּחֹת הָאֲדָמָה׃	그 결과 너로 말미암아 이 땅의 모든 족속이 복을 얻게 하기 위해서다.	Res

표6.18. 창세기 12장 1-3절의 호

텍스트를 두 주요 부분으로 구분한 것을 기억할 것이다. 각 부분은 먼저 명령 형태(즉 명령형)가 나오고, 그 다음에 그 족장이 순종하는 목적(또는 결과)을 밝히는 정형 동사 진행형이 뒤따른다. 아브람은 하나님의 축복을 받은, 창대한 이름을 가진 민족이 되기 위해(2a-c) 약속의 땅으로 '가야' 했다(1b). 그리고 일단 그곳에 가면 하나님이 다른 사람들을 축복하시도록 '복이 되어야'(2d) 했다. 그 결과, 궁극적으로 땅의 모든 족속이 하나님 안에서 복을 얻을 것이다(3a-c). 이것을 염두에 두고 이제 주해적 개요를 만드는 단계들을 따라가 보자.

1. 기본적인 논리적 개요를 만들라

호나 괄호를 통해 시각화된 추적 논증에 근거하여, 첫 단계는 명제적 관계가 등위인지 종속인지에 따라서 크고 작은 절의 묶음을 구분하는 본문 개요를 대략적으로 적어 보는 것이다. 개요에서 주요 제목과 소제목의 범위는 도표에 나오는 주요 호와 그 안에 포함된 호들과 맞아야 한다. 창세기 12장 1b-3절에서 우리는 먼저 명령과 약속이라는 두 개의 주요 단위를 구분한다(1b-2c, 2d-3c). 첫 번째 단위는 아브람이 창대한 이름을 지닌, 하나님의 복을 받는 나라가 되는 것을 다루고, 두 번째 단위는 그가 복의 중개인으로 섬기는 것에 초점을 맞춘다. 이 두 단위는 또다시 각각 두 부분으로 되어 있다.

I. 그 땅으로 가라는 여호와의 처음 명령(12:1b-2c)

- A. 그 땅으로 가라는 여호와의 명령(12:1b)
- B. 그 결과로 생겨나는 나라에 대한 여호와의 약속(12:2a-c)
  1. 여호와께서 민족을 이루는 것을 선물로 주심(12:2a)
  2. 여호와의 은총/복(12:2b)
  3. 여호와께서 이름이 창대해지는 것을 선물로 주심(12:2c)

II. 세상에 복의 중개인이 되라는 여호와의 결과적 명령(12:2d-3)

- A. 복이 되라는 여호와의 명령(12:2d)
- B. 복의 중개인이라는 결과적 역할에 대한 여호와의 약속(12:3)
  1. 여호와께서 아브람을 축복하는 모든 사람을 축복하고 저주하는 사람을 저주하심(12:3ab)
  2. 궁극적 결과_ 여호와께서 아브람으로 말미암아 땅의 모든 족속을 축복하심(12:3c)

표6.19. 창세기 12장 1-3절의 기본적인 논리적 개요

2. 주요 목적을 명확하게 설명하라

일단 대략적인 개요를 세웠으면, 본문의 주요 목적을 규정하라. 저자가 자신의 말로

이루려는 것은 무엇이었는가? 이것은 주요 요점과 다르다. 그는 정보를 주려 했는가, 가르치려 했는가, 동기를 일으키려 했는가, 도전하려 했는가, 경고하려 했는가, 간청하려 했는가, 격려하려 했는가, 또는 다른 어떤 것을 하려 했는가?

창세기 12장 1-3절에서 분명한 것은 여호와께서 아브람에게 행동하라고 명하시기는 하지만, 여전히 주로 움직이시는 분은 여호와 자신이라는 것이다. 그분이 명령을 내리시고, 그분의 명령이 순종을 자극하며, 그분이 궁극적으로 약속들을 성취하실 분이다. 무엇이 우상 숭배자의 가정에 태어난(수 24:2) 아브람 같은 사람을 가족과 친구와 익숙한 것에서 떠나 인간의 힘으로는 성취할 수 없는 약속들을 추구하게 했을까? 아브람은 어떻게 자기가 유업으로 받지 않은 땅을 누릴 것이라고, 아내가 불임인데도 큰 민족을 이룰 것이라고, 세상의 저주와, 하나님과 사람 간의 적의가 복과 화해에 압도될 것이라고 참으로 기대할 수 있었을까? 사도행전 7장 2절에서 스데반은 아브라함에게 "영광의 하나님이 보였다"고 대답한다. 메소포타미아에서 그 족장은 매우 아름답고 매혹적이어서 따를 수밖에 없는 무언가를 만났다. 그는 소망으로 발을 내디뎠다. 약속하신 분이 자신은 믿을 수 있는 분임을 보이셨고, 그분의 약속이 몹시 탐나는 것이었기 때문이다. 하나님의 약속에 대한 믿음은 아브람이 순종하는 모든 단계에 동기를 부여했을 것이다. 믿음이 뿌리이고, 그 열매가 순종이다. "믿음으로 아브라함은 부르심을 받았을 때에 순종하여 장래의 유업으로 받을 땅에 나아갈새 갈 바를 알지 못하고 나아갔으며"(히 11:8).

그렇다면 하나님 말씀에 나타난 그분의 목적을 어떻게 이해해야 하는가? 우리는 이것을 단순히 명령으로만 보아서는 안 된다. 그것은 명령과 목표를 모두 포함하는 위임령이다. 그 목표는 아브람이 전심을 다해 순종하도록 고취하고 자극할 만한 놀라운 약속들을 통해 명확하게 설명된다. 하나님은 이 위임령으로 족장 아브람이 행동하지 않을 수 없게 하셨다. 하나님은 오직 은혜로만 아브람에게 명령과 약속을 주셨다. 그 명령들은 아브람의 발걸음을 인도했으며, 미래의 약속들은 아브람이 전격적으로 나아가고 급진적으로 증거하도록 부추겼다.

아브람에게 나라를 성장시키고 영향을 끼치게 함

표6.20. 창세기 12장 1-3절의 주요 목적

3. 주요 개념을 진술하라

3단계는 본문의 주요 개념을 한 문장으로 포착하는 것이다. 목적 진술은 저자의 목표를 포착하는 반면, 주요 개념 진술은 저자의 요점을 포착한다. 주요 개념 진술은 (a) 본문의 주요 주제를 뒷받침하는 보완 요소와 관련시키면서 그 주제를 강조하고, (b) 단지 본문 내용이 아니라 본문 메시지에 초점을 맞추며, (c) 본문의 주요 목적에 동조하고, (d) 관계들의 본질이 명확해지도록 표시 단어(signal words)를 사용해야 한다.

명제적 관계	제기된 질문	표시 단어
행동-방식(Ac/Mn)	어떻게?	'……의 방법/방식/수단'
근거(G)/쌍방(BL)	왜?(어떤 근거로?)	'……의 이유/원인/근거'
추론(∴)	그래서 어떻다는 것인가?	'……의 결론/의의'
행동-목적(Ac/Pur)	왜?(어떤 목적으로?)	'……의 목적/목표/동기'
행동-결과(Ac/Res)	결과는 무엇이었는가?	'……의 결과/영향/성과'
조건적(If/Th)	만일 이것이라면, 그러면 무엇인가?	'……를 위한 조건/배경'
시간적(T)	언제?	'……의 시간/배경'
장소적(L)	어디서?	'……의 장소/위치'

표6.21. 명제적 관계를 표현하는 몇 가지 표시 단어

창세기 12장 1-3절에 관한 한, "가라"는 명령과 "복이 되라"라는 명령이 주제를 형성한다. 반면 아브람에게 한 약속들, 곧 창대한 이름을 가진 민족을 이루게 하고 그를 복의 도구로 삼겠다는 약속들은 아브람의 충성과 증거를 자극하여 주제를 보완한다. 명령과 약속이 함께 그 족장에게 철저히 순종하며 살도록 위임한다. 그래서 필자는 다음의 주요 개념 진술을 제안한다.

> 하나님은 아브람에게 (높임 받는 나라가 되는 목적을 따르라고 명하셔서) 나라를 성장시키도록 위임하시고, 그 결과로 (그가 세상의 복의 중개인으로 섬기는 목적을 위해 복이 되라고 명하셔서) 나라가 영향을 끼치도록 위임하신다.

표6.22. 창세기 12장 1-3절의 주요 개념

4. 기본 개요를 메시지 중심 개요로 바꾸어 보라

마지막 단계는 대략적인 논리적 개요를 주해에 근거한 메시지 중심적 개요로 바꿔 보는 것이다. 메시지 중심 개요는 본문의 목적과 맞아야 하며, 본문이 주요 개념을 어떻

게 전달하는지 밝혀야 한다. 세 단계가 있다. (a) 가능하다면, 사실 진술을 원리 진술로 바꾸라. (b) 각 진술을 본문의 주요 개념과 관련시키라. (c) 만든 진술/결론을 제목 형태로 만들라. 이때, 정형 동사보다는 주로 표시 단어(표6.21)를 사용하여 다양한 명제적 관계를 표현하라. 이 단계들을 밟아 나갈 때, 주요 제목에서 나온 단어를 소제목에 반복하여 제목들이 일관되게 하라.

그리고 여호와께서 아브람에게 말씀하셨다. 너의 고향과 너희 친척과 너의 아버지의 집을 떠나 내가 너에게 보여 줄 땅으로 가라. 내가 너로 큰 민족을 이루기 위해서 그리고 너를 축복하기 위해서 그리고 너의 이름을 창대하게 하기 위해서. 그러면 복이 되라. 내가 너를 축복하는 자들을 축복하기 위해서 그러나 너를 저주하는 자들을 저주하기 위해서, 그 결과 너로 말미암아 이 땅의 모든 족속이 복을 얻게 하기 위해서다.

I. 나라를 성장시키라는 여호와의 처음 위임(12:1b-2c)
- A. 나라를 성장시킬 땅으로 가라는 여호와의 명령(12:1b)
- B. 나라를 성장시키도록 동기를 일으키는 여호와의 약속(12:2a-c)
  1. 여호와께서 나라를 이루게 하심(12:2a)
  2. 여호와의 은총/복(12:2b)
  3. 여호와께서 명성을 주심(12:2c)

II. 나라가 영향을 끼치게 하라는 여호와의 결과적 위임(12:2d-3)
- A. 나라가 영향을 끼치게 하라는 여호와의 명령(12:2d)
- B. 나라가 영향을 끼치도록 동기를 부여하는 여호와의 약속(12:3)
  1. 여호와께서 아브람을 축복하는 사람들은 축복하시고, 저주하는 사람들은 저주하심(12:3ab)
  2. 아브람으로 말미암아 땅의 모든 족속에게 복을 주시겠다는 여호와의 궁극적 헌신(12:3c)

표6.23. 창세기 12장 1-3절의 주해적 개요

주해적 개요의 목표는 당신이 연구하는 본문 메시지를 분명하고 논리적인 방식으로 포착하는 것이다. 그렇게 하는 단 하나의 '옳은 길'은 없다. 이 본문에 대한 당신의 개요는 필자의 것과 다르게 보일 것이다. 하지만 그 개요에도 공통 줄거리와, 본문의 전반적 구조와 메시지에 대한 비슷한 이해를 보여 주는 요소는 있어야 한다.

주석들은 대부분 내용 개요만 제공하며, 전반적인 논증 흐름은 거의 생각하지 않으면서 구절별 또는 구문별로 본문을 훑어나간다. 이 유형에서 벗어난 주석이 ZECOT다. 이 전체 시리즈는 여러 책 안에서 논증을 추적하기 위해 매우 애쓴다. 각 본문에 대한 논의에는 주요 개념 진술과, 주의 깊게 만든 메시지 중심 개요가 포함되어 있다. 그 개요는 모든 절과 텍스트 단위가 주요 개념에 어떻게 기여하는지를 분명하게 밝힌다. 이 시리즈를 살펴보길 강력하게 권한다.

주해적 개요에 대한 다른 두 가지 예

하박국 3장 17-19절의 주해적 개요

이 부분에서는 하박국 3장 17-19절에 대한 주해적 개요를 만들고자 한다. 앞서 본문에 대한 호를 만들었을 때, 별개의 두 부분이 있었다는 것을 기억할 것이다. 앞으로 올 저주의 잠재적 실상을 다루는 시간적인 '……할 때'(when, 개역개정은 '비록 ……할지라도'라고 번역되어 있다_ 옮긴이) 부분과, 그 다음에 무엇이 오더라도 자신은 구원의 하나님으로 항상 기뻐하겠다는 선지자의 단언이다.

절	히브리어	번역
17a	כִּֽי־תְאֵנָה לֹֽא־תִפְרָח	무화과나무가 무성하지 못할 때
17b	וְאֵין יְבוּל בַּגְּפָנִים	그리고 포도나무에 열매가 없을 때
17c	כִּחֵשׁ מַעֲשֵׂה־זַיִת	감람나무에 소출이 없을 때
17d	וּשְׁדֵמוֹת לֹא־עָשָׂה אֹכֶל	그리고 밭에 먹을 것이 없을 때
17e	גָּזַר מִמִּכְלָה צֹאן	우리에 양이 없을 때
17f	וְאֵין בָּקָר בָּרְפָתִים׃	그리고 외양간에 소가 없을 때
18a	וַאֲנִי בַּיהוָה אֶעְלוֹזָה	그러면 나는 여호와로 즐거워할 것이다.
18b	אָגִילָה בֵּאלֹהֵי יִשְׁעִי׃	나는 나의 구원의 하나님으로 기뻐할 것이다.
19a	יְהוִה אֲדֹנָי חֵילִי	여호와 나의 주님은 나의 힘이시다.
19b	וַיָּשֶׂם רַגְלַי כָּאַיָּלוֹת	그리고 그는 나의 발을 사슴과 같게 하셨다.
19c	וְעַל בָּמוֹתַי יַדְרִכֵנִי	그리고 그는 나를 높은 곳으로 다니게 하셨다.

표6.24. 하박국 3장 17-19절의 호

주해적 개요를 만들기 위해 우리는 앞부분에서 필자가 제안한 네 단계를 따를 것이다.

1. 본문의 기본적인 논리적 개요를 만들라

I. 하박국이 하나님으로 말미암아 기뻐하는 것에 대한 시간적 배경(17절)
- A. 농작물이 황폐함(17a-d절)
- B. 가축이 황폐함(17e-f절)

II. 하박국이 하나님으로 말미암아 기쁨을 선언함(18-19절)
- A. 하나님으로 말미암은 기쁨을 단언함(18절)
- B. 하나님으로 말미암은 기쁨의 기초(19절)

표6.25. 하박국 3장 17-19절의 기본적인 논리적 개요

2. 본문의 주요 목적을 명확하게 하라

언약의 저주로 인한 결과를 맛볼 때에라도 하박국을 따라 구원의 하나님으로 말미암아 기뻐하도록 다른 신자들에게 동기를 부여하는 것. 그들은 시련 속에서도 그들을 강하게 하시고 궁극적으로는 살아가게 하시는 여호와의 능력과 신실하심을 확신할 수 있기 때문이다.

표6.26. 하박국 3장 17-19절의 주요 목적

3. 본문의 주요 개념을 한 문장으로 진술하라

모든 신자는 시련 가운데서도 구원의 하나님으로 말미암아 기뻐해야 한다. 주님은 강하게 하시고 살아가게 하실 수 있고, 또 그 일에 헌신하고 계시기 때문이다.

표6.27. 하박국 3장 17-19절의 주요 개념

4. 기본 개요를 주해에 근거한, 메시지 중심 개요로 바꾸어 보라

무화과나무가 무성하지 못할 때 그리고 포도나무에 열매가 없을 때 감람나무에 소출이 없을 때 그리고 밭에 먹을 것이 없을 때 우리에 양이 없을 때 그리고 외양간에 소가 없을 때 그러면 나는 여호와로 즐거워할 것이다. 나는 나의 구원의 하나님으로 기뻐할 것이다. 여호와 나의 주님은 나의 힘이시다. 그리고 그는 나의 발을 사슴과 같게 하셨다. 그리고 그는 나를 높은 곳으로 다니게 하셨다.	**I. 신자가 구원의 하나님으로 말미암아 기뻐하기 위한, 시간적으로 저주받은 맥락(17절)** A. 세상의 공급이 결여됨_ 농작물의 황폐화(17a-d절) B. 세상의 공급이 결여됨_ 가축의 황폐화(17e-f절) **II. 구원의 하나님으로 말미암아 지속적으로 기뻐한다는 신자의 선언(18-19절)** A. 구원의 하나님으로 말미암은 기쁨을 단언함(18절) B. 구원의 하나님으로 말미암은 기쁨의 기초_ 강하게 하시고 살아가게 하시는 그분의 능력과 헌신(19절)

표6.28. 하박국 3장 17-19절의 주해적 개요

출애굽기 19장 4-6절의 주해적 개요

이 장 마지막 부분에서는 출애굽기 19장 4-6절에 대한 주해적 개요를 만들어 보려고 한다. 네 단계를 거치기 전에, 필자가 만든 그 본문의 호를 상기해 보자.

4a	אַתֶּם רְאִיתֶם	너희는 보았느니라.	Id
4b	אֲשֶׁר עָשִׂיתִי לְמִצְרָיִם	내가 애굽에 행한 것과,	
4c	וָאֶשָּׂא אֶתְכֶם עַל־כַּנְפֵי נְשָׁרִים	그리고 어떻게 독수리 날개 위로 너희를 들어 올렸는지	
4d	וָאָבִא אֶתְכֶם אֵלָי׃	그리고 어떻게 내가 너희를 내게 인도했는지	
5a	וְעַתָּה אִם־שָׁמוֹעַ תִּשְׁמְעוּ בְּקֹלִי	그리고 이제 만일 너희가 내 음성을 잘 듣고	
5b	וּשְׁמַרְתֶּם אֶת־בְּרִיתִי	그리고 내 언약을 지키고	
5c	וִהְיִיתֶם לִי סְגֻלָּה מִכָּל־הָעַמִּים	그리고 모든 민족으로부터 나의 보배로운 소유가 된다면,	
5d	כִּי־לִי כָּל־הָאָרֶץ׃	왜냐하면 모든 세계가 나의 것이기 때문에	G
6	וְאַתֶּם תִּהְיוּ־לִי מַמְלֶכֶת כֹּהֲנִים וְגוֹי קָדוֹשׁ	그러면 너희는 나를 위해 제사장 나라와 거룩한 백성이 되리라.	Th

표6.29. 출애굽기 19장 4-6절의 호

1. 본문의 기본적인 논리적 개요를 만들라

I. 하나님은 이스라엘을 애굽에서 구원하셨다(4절)

II. 함축('그리고 이제')_ 이스라엘은 하나님을 중시하라는 부름을 받는다(5-6절)

- A. 조건('만일 ……하면')(5절)
  1. 하나님의 음성에 주의를 기울이라
  2. 하나님의 언약을 지키라
  3. 세상이라는 맥락에서 하나님의 보배로운 소유가 되라
- B. 결과('그러면')(6절)
  1. 제사장 나라가 되리라
  2. 거룩한 백성이 되리라

표6.30. 출애굽기 19장 4-6절의 기본적인 논리적 개요

2. 본문의 주요 목적을 명확하게 하라

하나님의 은혜로운 구원에 대한 반응으로, 그리고 급진적인 하나님 중심성이라는 생활 방식으로 이스라엘이 하나님의 위대하심과 가치를 전달하고 나타내도록 동기를 부여함.

표6.31. 출애굽기 19장 4-6절의 주요 목적

3. 본문의 주요 개념을 한 문장으로 진술하라

하나님의 은혜로운 구원에 대한 반응으로, 주님은 하나님을 높이는 과업, 곧 철저히 하나님 중심적인 삶을 통해 세상에 자신의 위대함과 가치를 전달하고 나타내 보이는 과업으로 자신의 백성을 부르신다.

표6.32. 출애굽기 19장 4-6절의 주요 개념

4. 기본 개요를 주해에 근거한, 메시지 중심 개요로 바꾸어 보라

본문	개요
너희는 내가 애굽에 행한 것과 그리고 어떻게 독수리 날개 위로 너희를 들어 올렸는지 그리고 어떻게 내가 너희를 내게 인도했는지 보았느니라. 그리고 이제 만일 너희가 내 음성을 잘 듣고 그리고 내 언약을 지키고 그리고 모든 민족으로부터 나의 보배로운 소유가 된다면, 왜냐하면 모든 세계가 나의 것이기 때문에 그러면 너희는 나를 위해 제사장 나라와 거룩한 백성이 되리라.	**I. 하나님의 백성을 향한 하나님의 부르심의 기초_ 하나님의 구해 주심(4절)** **II. 하나님의 백성을 향한 하나님의 부르심의 본질_ 세상에서 하나님을 높이기 위해(5-6절)** A. 세상에서 하나님을 높이라는 부르심을 성취하는 수단_ 철저히 하나님 중심적인 삶(5절) 1. 하나님 음성에 주의를 기울이라 2. 하나님의 언약을 지키라 3. 세상이라는 맥락에서 하나님의 보배로운 소유로 존재하라 B. 세상에서 하나님을 높이라는 부르심의 본질(6절) 1. 제사장 나라로 섬김_ 하나님의 위대하심과 가치를 전달함 2. 거룩한 나라로 섬김_ 하나님의 위대하심과 가치를 나타내 보임

표6.33. 출애굽기 19장 4-6절의 주해적 개요

이것에 대해서는 후에 더 논평하겠지만, 이 시점에서는 옛 언약의 은혜 구조와 새 언약의 은혜 구조가 유사하다는 사실을 주목하는 것이 중요하다. 옛 언약에서 하나님은 은혜를 베푸셔서 이스라엘을 애굽에서 구원하셨으며, 오직 이에 비추어서만 사람들에게 철저하게 순종하며 세상에서 증거의 삶을 살도록 부르셨다. 순종으로 하나님을 따르는 것은 종살이에서 구원받는 수단이 아니라 구원받은 데 대한 적절한 반응이었다. 이것은 새 언약에도 나타나는 은혜 구조다. 하나님은 그리스도 안에서 은혜로 우리를 구속하시며, 그러고 나서야 우리를 철저하게 그리스도 중심적인 삶으로 부르신다. 처음에 우리가 받는 구원에 우리는 어느 것도 보탤 것이 없다. 중생하고 난 다음에야 제자는 예수께서 명하신 모든 것을 순종하며 따르는 사람이 된다.

이제 우리는 구약 텍스트에서 사고 흐름을 추적하는 것에 대한 서론이 견고해졌다. 텍스트의 계층 구조를 만드는 법을 배웠고, 호 그리기와 괄호 묶기 도구를 통해 등위 관계와 종속 관계를 주의 깊게 평가하여 성경의 논증을 추적하는 법을 배웠다. 또한 주해적, 메시지 중심적 개요도 알게 되었다. 이제 우리는 해석 과정에서 일곱째 단계로 넘어갈 준비가 되었다. 바로 단어 연구와 개념 연구다.

핵심 단어와 개념

문학적 논증

명제

등위 관계와 종속 관계

더 생각해 보기 위한 질문

1. 본문의 사고 흐름을 파악하고 전달하기 위한 두 단계는 무엇인가?
2. 우리는 성경 내러티브가 '논증'을 담고 있다는 것을 어떤 방식으로 생각할 수 있는가?
3. 저자의 사고 흐름을 파악하는 데 도움을 주는 언어학적, 문학적 특징은 어떤 유형인가?
4. 본문에 대한 호나 괄호를 개발하여 표6.3에 나오는 다양한 명제적 관계를 평가하는 것은 어떤 유익이 있는가?
5. 이 논증 추적 과정은 책 전체에 어떻게 사용될 수 있는가? 대답할 때, 룻기나 스바냐서의 내용 중심 개요와 메시지 중심 개요의 차이를 분명히 설명해 보라.
6. 주요 목적을 명확하게 하는 것과 주요 개념을 진술하는 것은 어떻게 다른가?

추가 연구 자료

문학적 분석

Alter, Robert. *The Art of Biblical Narrative*. 2nd ed. New York: Basic Books, 2011.

________. *The Art of Biblical Poetry*. 2nd ed. New York: Basic Books, 2011.

Block, Daniel I. "Tell Me the Old, Old Story: Preaching the Message of Old Testament Narrative." In *Giving the Sense: Understanding and Using Old Testament Historical Texts: Essays in Honor of Eugene Merrill*, edited by David M. Howard and Michael A. Grisanti, 409-38. Grand Rapids: Kregel, 2003.

de Regt, L. J., J. de Waard, and J. P. Fokkelman, eds. *Literary Structure and Rhetorical Strategies in the Hebrew Bible*. Winona Lake, IN: Eisenbrauns, 1996.

Dorsey, David A. *The Literary Structure of the Old Testament: A Commentary on Genesis-Malachi*. Grand Rapids: Baker, 1999.

Fokkelmann, J. P. *Reading Biblical Narrative: An Introductory Guide*. Louisville: Westminster John Knox, 2000.

________. *Reading Biblical Poetry: An Introductory Guide*. Louisville: Westminster John Knox, 2001.

Hayes, John H., and Carl R. Holladay. "Literary Criticism: The Composition and Rhetorical Style of the Text." In *Biblical Exegesis: A Beginner's Handbook*, 90-103. 3rd ed. Louisville: Westminster John Knox, 2007.

House, Paul R., ed. *Beyond Form Criticism: Essays on Old Testament Literary Criticism*. SBTS 2. Winona Lake, IN: Eisenbrauns, 1992.

Kaiser, Walter C., Jr. Pages 87-104, 149-81 in *Toward an Exegetical Theology: Biblical Exegesis for Preaching and Teaching*. Grand Rapids: Baker Academic, 1981.

Longman, Tremper, III. "Literary Approaches to the Old Testament." In *The Face of Old Testament Studies: A Survey of Contemporary Approaches*, edited by David W. Baker and Bill T. Arnold, 97-115. Grand Rapids: Baker Academic, 2004.

Ryken, Leland. *How to Read the Bible as Literature*. Grand Rapids: Zondervan, 1984.

________. *The Literature of the Bible*. Grand Rapids: Zondervan, 1974.

Ryken, Leland, and Tremper Longman III, eds. *A Complete Literary Guide to the Bible*. 2nd ed. Grand Rapids: Zondervan, 1993.

논증-도표 만들기

★ *Biblearc*. http://www.Biblearc.com/.

DeRouchie, Jason S. Pages 87-92, 217-67 in *A Call to Covenant Love: Text-Grammar and*

Literary Structure in Deuteronomy 5-11. Gorgias Dissertations 30/Biblical Studies 2. Piscataway, NJ: Gorgias, 2007.

Piper, John. Appendix in *Reading the Bible Supernaturally: Seeing and Savoring the Glory of God in Scripture*. Wheaton, IL: Crossway, 2017. 「존 파이퍼의 초자연적 성경 읽기」, 두란노.

Schreiner, Thomas R. "Tracing the Argument." In *Interpreting the Pauline Epistles*, 69-124. 2nd ed. Grand Rapids: Baker Academic, 2011. 「바울 서신 석의 방법론」, 기독교문서선교회.

주해적 개요

Block, Daniel I. "Tell Me the Old, Old Story: Preaching the Message of Old Testament Narrative." In *Giving the Sense: Understanding and Using Old Testament Historical Texts: Essays in Honor of Eugene Merrill*, edited by David M. Howard and Michael A. Grisanti, 409-38. Grand Rapids: Kregel, 2003.

DeRouchie, Jason S. Pages 87-92, 217-67 in *A Call to Covenant Love: Text-Grammar and Literary Structure in Deuteronomy 5-11*. Gorgias Dissertations 30/Biblical Studies 2. Piscataway, NJ: Gorgias, 2007.

Kaiser, Walter C., Jr. Pages 87-104, 149-81 in *Toward an Exegetical Theology: Biblical Exegesis for Preaching and Teaching*. Grand Rapids: Baker Academic, 1981.

Zondervan Exegetical Commentary on the Old Testament. Grand Rapids: Zondervan, 2015-.

How to Understand and Apply the Old Testament

7장

단어 연구와 개념 연구

목표_ 핵심 단어, 구, 개념의 의미를 명확히 밝힌다.

여정의 단계
1부 텍스트
2부 관찰_ 본문은 어떻게 전달되는가
5장 절과 텍스트 문법
6장 논증-추적
7장 단어 연구와 개념 연구
3부 맥락
4부 의미
5부 적용

기본 개관
단어 연구와 개념 연구의 필요성
단어 색인, 어휘 사전, 신학 용어집 개관
단어 연구와 개념 연구를 위한 원리들
단어 또는 개념을 연구하는 법
단어 연구와 개념 연구의 세 가지 예
마지막 한마디

표7.1. 7장 길 안내

단어 연구와 개념 연구의 필요성

어떤 단어는 의미가 광범위하다. 필자가 'trunk'(트렁크)라고 말하면, 마음에 갖가지 이미지가 떠오를 것이다. (1) 나무의 주요 줄기, (2) 사람이나 동물의 몸통, (3) 코끼리의 긴 코, (4) 뚜껑 달린 큰 상자, (5) 차 뒤쪽에 있는 짐칸 등이다.

단어의 의미는 중복될 수 있기 때문에, 어떤 문맥에서든 저자는 같은 실상을 전달하기 위해 다른 단어를 선택할 수 있다. 심지어 특정 단어가 나와 있지 않아도, 여전히 개념은 있을 수 있다. 성경에 있는 모든 본문의 메시지는 단어, 구, 개념의 의미에 좌우되기 때문에 그러한 의미를 어떻게 파악하는지 아는 것은 해석에서 매우 중요하다. 이 장에서는 히브리어를 알든 알지 못하든 누구나 구약의 단어와 개념을 연구할 수 있도록 핵심 도구와 원리, 과정을 개관할 것이다.

단어 색인, 어휘 사전, 신학 용어집 개관

단어 연구와 개념 연구를 위한 도구에서 시작해 보자. 세 가지 주요 도구가 있다. 단어 색인, 어휘 사전, 신학 용어집이다.

1. 단어 색인

히브리어 단어 색인은 단어/용어 연구 도구 상자에서 가장 중요한 도구다. **단어 색인**(concordance)은 어떤 단어나 구가 구약이나 신약에 나오는 경우를 모두 열거한 뒤, 보통은 특정 문맥에서 그 단어가 사용된 예를 보여 준다. 단어 색인 검색은 컴퓨터에서 다음 프로그램 중 하나를 이용하는 것이 단연 효과적이고 상세하다. "어코던스"(*Accordance*,[1] http://www.accordancebible.com/), "바이블웍스"(*BibleWorks*,[2] http://www.bibleworks.com/), "로고스 바이블 소프트웨어"(*Logos Bible Software*,[3] https://www.logos.com/) 등이다. 여전히 인쇄물로 출간된 것을 선호하는 사람들에게 가장 좋은 두 가지 도구는 이븐-쇼산(Evan-Shoshan)의 「히브리어와 아람어 텍스트를 사용한 새로운 구약 성경 색인」(*A New Concordance of the Old Testament Using the Hebrew and Aramaic Text*)[4]과 콜렌버거(Kohlenberger)와 스완슨(Swanson)의 「구약 히브리어-영어 단어 색인」(*The Hebrew-English Concordance to the Old Testament*)[5]이다. 후자는 특히 히브리어를 전혀 모르는 사람들에게 유용하다. 모든 성경 번역을 NIV에서 인용했기 때문이다.

당신이 히브리어를 배운 적이 전혀 없어도, 히브리어 단어에 기초한 단어 색인을 사용하는 법은 배워야 한다. 왜 그런가? 영어 단어 검색에 기초한 단어 색인은 주어진 영어 단어가 하나의 영어 역본에서 사용된 용법만 보여 준다. 또한 히브리어 단어는 나름의 의미 범위가 있기 때문에, 영어로만 된 단어 색인에 나온 본문 목록은 그 히브리어가 다른 본문에서 다르게 번역된 경우가 모두 빠져 있다. 게다가 영어로만 된 단어 색인에 나오는 구절 목록은 보통 서로 다른 히브리어임에도 영어 번역자들이 본문에서 우연히 같은 영어 용어로 번역한 구절도 포함할 것이다. 그렇기 때문에 모든 사람이 단어와 개념을 원어로 연구하는 법을 배우는 것은 대단히 중요하다. 감사하게도 히브리어를 모르는 사람들에게 길을 안내해 주는 유용한 도구들이 있다. 단어와 개념을 연구하는 과정을 상세히 다룰 때, 이러한 도구들에 더 자세히 초점을 맞추겠다(뒤에 나오는 '단어 또는 개념을 연구하는 법'을 보라).

---

1 Oak Tree Software에서 나온 *Accordance*(Mac, Windows, mobile devices), http://www.accordancebible.com/. *Accordance 11 Ultimate Collection*에 대한 필자의 긍정적 논평으로는 BBR 25, 2 (2015): 225-26쪽을 보라.

2 BibleWorks에서 나온 *BibleWorks*(Mac, Windows), http://bibleworks.com/. *BibleWorks 10*에 대한 데이비드 인스톤 브루어(David Instone Brewer)의 긍정적 논평으로는 http://tyndaletech.blogspot.com/2015/07/bw10.html을 보라.

3 Faithlife Corporation에서 나온 *Logos Bible Software*(Mac, Windows, mobile devices), https://www.logos.com/. *Logos 6*에 대한 제프리 크란츠(Jeffrey Kranz)의 긍정적 논평으로는 http://overviewbible.com/batmobile-bible-study-logos-bible-software-6/4를 보라.

4 Abraham Evan-Shoshan 편집, *A New Concordance of the Old Testament Using the Hebrew and Aramaic Text* (Grand Rapids: Baker Academic, 1989).

5 John R. Kohlenberger III and James A. Swanson, *The Hebrew-English Concordance to the Old Testament* (Grand Rapids: Zondervan, 1998).

2. 어휘 사전

어휘 사전(lexicon)은 일반 사전과 비슷하다. 보통 알파벳순으로 되어 있으며, 다른 언어에서 같은 의미를 지닌 단어들을 통해 의미의 범위를 제시한다. 히브리어 어휘 사전에서 특정 성경 참고 문헌들은 보통 다양한 단어 해설을 수반한다. 그래서 어휘 사전은 사전의 역할과 일종의 단어 색인의 역할을 모두 하게 된다. 어휘 사전은 해석 과정에서 시간을 절약시키는 귀한 도구가 될 수 있으며, 믿을 만한 히브리어 어휘 사전을 갖고 있는 것은 주해에 반드시 필요하다. 그럼에도 어휘 사전은 무오한 자료가 아니라는 것과, 그 목적은 주로 그 단어가 가질 수 있는 의미의 범위를 열거하는 것임을 알아야 한다. 그렇기 때문에 해석자들은 어떤 의미가 가장 잘 맞는지 결정하기 위해 모든 단어의 용법을 반드시 문맥 안에서 평가해 보아야 한다.

표준적인 히브리어-영어 어휘 사전은 쾰러(Koelher)와 바움가트너(Baumgartner)의 「구약의 히브리어와 아람어 어휘 사전」(*The Hebrew and Aramaic Lexicon of the Old Testament*, *HALOT*)[6]이다. 2001년에 브릴(Brill)에서 두 권짜리 연구판을 발간했으며, 전자책 형태로 구비해 놓을 만하다. 장기적으로 볼 때 사역에 매우 가치 있게 사용될 것이기 때문이다. *HALOT*과 함께 할러데이(Holladay)의 「구약의 히브리어와 아람어 어휘 축약사전」(*A Concise Hebrew and Aramic Lexicon of the Old Testament*)이 있는데, *HALOT* 이전 판에 기초하고 있다.[7] 더 큰 판형에 이미 나온 어휘들만 제시하고 있지만, *HALOT*을 입수할 때까지 사용할 만한 어휘 사전이 필요하다면 더 저렴한 가격에 사용할 수 있다. 그 다음은 클라인즈(Clines)의 「고전 히브리어 축약 사전」(*The Concise Dictionary of Classical Hebrew*, *CDCH*)[8]이 있다. 이것은 아홉 권짜리 대작 「고전 히브리어 사전」(*The Dictionary of Classical Hebrew*, *DCH*)[9] 축약판으로, 구약, 사해 문서, 벤 시라, 고대 히브리어 비문을 포함하여 고전 히브리어 문학을 전부 망라한 최초 히브리어 사전이다.

HALOT, 할러데이, *CDCH*, *DCH*는 모두 첫 글자의 자모순으로 항목을 나열하여 단어의 자모만 기억할 수 있다면 어느 단어든 찾아보기 쉽게 만들어 놓았다. 그러

---

6 Ludwig Koehler, Walter Baumgartner, and Johann Jakob Stamm 편집, *The Hebrew and Aramaic Lexicon of the Old Testament: Study Edition*, M. E. J. Richardson 옮김, 2 vols. (Leiden: Brill, 2001).

7 William L. Holladay, *A Concise Hebrew and Aramaic Lexicon of the Old Testament* (Grand Rapids: Eerdmans, 1988).

8 David J. A. Clines 편집, *The Concise Dictionary of Classical Hebrew* (Sheffield, UK: Sheffield Phoenix, 2009).

9 David J. A. Clines 편집. *The Dictionary of Classical Hebrew*, 9 vols. (Sheffield, UK: Sheffield Phoenix, 1993-2014).

나 어떤 주해학자들은 여전히 더 오래된 기준을 선호한다. 지금은 보통 「브라운-드라이버-브릭스 히브리어와 영어 어휘 사전」(*The Brown-Driver-Briggs Hebrew and English Lexicon*[보통 BDB라는 약자로 표기한다])[10]이라고 부르는 사전이다. BDB는 다른 어휘 사전들과 달리 자모순으로 되어 있지 않다. 적어도 명사를 다룰 때는 그렇다. 대신 어휘 사전 안에 있는 모든 단어를 어근의 자모에 따라 배열해 놓는다. 예를 들어, 히브리어 명사 מִזְבֵּחַ(미즈베, '제단')는 מ로 시작하는 항목에 나오지 않고 히브리어 동사 זבח 항목에 나온다. 그 동사의 피엘 어간은 '제물을 바치다'(זִבַּח[지바흐])라는 뜻이다. BDB를 효과적으로 사용하려면 모든 명사 배후에 있는 어근을 알거나, 단어를 컴퓨터에 입력해서 자모순으로도 검색할 수 있거나, 아인스파르(Einspahr)의 「브라운-드라이버-브릭스 히브리어 어휘 사전 색인」(*Index to Brown, Driver & Briggs Hebrew Lexicon*)을 구해야 한다. 이 어휘 사전 색인은 BDB에 나오는 모든 히브리어 단어의 자음 형태를 순서대로 나열한 뒤, 일반적 의미를 제시하고 어휘 사전에서 그 단어의 위치를 알려 준다.[11]

당연히 히브리어 자모를 알지 못하면, 이러한 최고의 어휘 사전들을 사용할 수가 없다. 성경 언어들을 알지 못하는 사람들에게 유용할 만한 이차 도구는 「마운스의 신구약 단어 완전 해설 사전」(*Mounce's Complete Expository Dictionary of Old and New Testament Words, MCED*)[12]이다. 더 오래된 평신도용 수준의 「바인의 신구약 단어 완전 해설 사전」(*Vine's Complete Expository Dictionary of Old and New Testament Words*)[13]과 달리, *MCED*는 최고의 현대 복음주의 학문을 기반으로 스트롱 코드와 구드릭/콜렌버거(Goodrick/Kohlenberger, G/K) 코드를 모두 사용한다. 후자는 종종 전자 대신 히브리어 단어와 헬라어 단어를 확인하는 표준 도구로 사용된다.[14] 그래서 독자가 히브리어나 헬라어 단어와 연관된 숫자를 안다면, 구약 또는 신약 전체에서 그 단어가 지닌 의미의 범주를

---

10 Francis Brown, S. R. Driver, and Charles A. Briggs, *The New Brown-Driver-Briggs Hebrew and English Lexicon* (Peabody, MA: Hendrickson, 1979).

11 Bruce Einspahr, *Index to Brown, Driver & Briggs Hebrew Lexicon*, 2판 (Chicago: Moody, 1976).

12 William D. Mounce 편집, *Mounce's Complete Expository Dictionary of Old and New Testament Words* (Grand Rapids: Zondervan, 2006).

13 W. E. Vine, Merrill F. Unger, and William White Jr., *Vine's Complete Expository Dictionary of Old and New Testament Words* (London: Oliphants, 1939, 개정판, Nashville: Thomas Nelson, 1996).

14 스트롱 코드를 오랫동안 표준으로 여겨 왔지만, 최신 히브리어 어휘 사전들에 공통으로 나타나듯이 G/K 코드가 동음이의어의 존재와 더 잘 어울린다.

포함하는 정의를 찾을 수 있다.

3. 신학 용어집

어휘 사전과 더불어 매우 유용한 단어 연구 사전도 몇 개 알아야 한다. 그러한 사전들을 **신학 용어집**(theological wordbooks)이라고도 한다. 여러 권으로 된 이 도구들은 대부분 전자 성경 소프트웨어로도 구할 수 있으며, 성경 전체에 나오는 용어의 모든 주요 용도를 살펴보는 항목들이 포함되어 있다. 여기서 필자는 구약 연구에 가장 실속 있는 도구들을 살펴볼 것이다.

소개할 도구들 가운데 처음 두 자료는 대체로 복음주의 관점에서 쓰였다. 가장 눈에 띄는 것은 다섯 권으로 된 밴게메렌(VanGemeren)의 「구약 신학과 주해에 대한 새 국제 사전」(*New International Dictionary of Old Testament Theology and Exegesis, NIDOTTE*)[15]이다. *NIDOTTE*는 필자가 첫손가락으로 꼽는 구약 신학 용어집이다. 각 항목은 보통 설교 준비에 적절한 분량으로 되어 있으며, 모든 내용은 G/K 코드(5권 뒷부분에 Strong's-to-G/K 코드 색인이 나와 있다)를 통해 찾을 수 있다. 각 연구는 주어진 히브리어 용어가 구약 전체 곳곳에서 어떻게 사용되었는지를 유용하게 종합하며, 대부분의 항목은 신학적 궤적을 신약으로 향하게 한다. 이 자료는 소장할 가치가 있다. 좀 더 오래되고 더 짧지만, 이와 비슷한 것으로 해리스(Harris), 아처(Archer), 월키(Waltke)가 만든 「구약 신학 용어집」(*Theological Wordbook of the Old Testament, TWOT*)[16]이 있다. 앞서 소개한 자료들처럼 이 도구도 스트롱 코드와 연결되어 있어서 성경 언어들을 모르는 사람들도 이용할 수 있다.

필자가 그 다음으로 추천하는 두 용어집도 비슷한 구조로 되어 있다. 하지만 둘 다 성경 저작과 연대, 권위에 대해 대단히 비정통적인 견해를 지닌 독일 자유주의 학자들이 쓴 것이다. 하나는 제니(Jenni)와 베스터만(Westermann)의 세 권짜리 책인 「구약 신학 어휘 사전」(*Theological Lexicon of the Old Testment, TLOT*)[17]이다. 상당히 비판적인

---

15 Willem A. VanGemeren 편집, *New International Dictionary of Old Testament Theology and Exegesis*, 5 vols. (Grand Rapids: Zondervan, 1997).

16 R. Laird Harris, Gleason L. Archer Jr., and Bruce K. Waltke, *Theological Wordbook of the Old Testament*, 개정판, 1-vol. 편집 (Chicago: Moody, 2003).

17 Ernst Jenni and Claus Westermann 편집, *Theological Lexicon of the Old Testament*, Mark E. Biddle 옮김, 3 vols.

성향만 빼면, 이 자료도 *NIDOTTE*의 유익을 모두 갖추고 있다. 다른 하나는 보터벡(Botterweck), 링그렌(Ringgren), 파브리(Fabry)의 열다섯 권으로 된 「구약 신학 사전」(*Theological Dictionary of the Old Testament*, *TDOT*)[18]이다. 이 사전은 부피가 크고 대단히 철두철미한 저술로, 다른 전제들이 있다는 것을 계속 염두에 둘 수 있다면 상세한 주해 연구에 큰 도움이 될 수 있다.

우리는 모두 이와 같은 도구들이 필요하다. 그러나 이 도구들은 초기 관점을 제공하거나, 우리가 이미 독자적으로 행한 단어 연구와 개념 연구를 비교하는 데 사용하는 것이 가장 좋다.

단어 연구와 개념 연구를 위한 원리들

어휘 사전은 어떤 단어가 지닌 의미의 범위를 빨리 훑어보고, 한 본문에 나오는 용어의 용법을 다른 본문들에 나오는 용법과 관련시키는 데 대단히 유용한 도구다. 안타깝게도 해석자들은 종종 단어의 의미를 확증할 때 오류를 범한다. 몇 가지 인도 원리에 주의를 기울이지 않기 때문이다.[19] 그 원리란 (1) 한 단어의 역사와 구조는 의미에 대한 지침으로 신뢰할 만하지 못하다, (2) 문맥에서의 용법이 의미를 결정한다, (3) 의미를 결정할 때는 저자 대응, 역사적 대응, 지리적 대응, 형식적 대응이 중요하다는 것이다. 당신이 히브리어를 모르고 많은 히브리어 단어와 그에 대한 번역들을 별로 보고 싶지 않다면, '단어 또는 개념을 연구하는 법'으로 바로 넘어가라.

(Peabody, MA: Hendrickson, 1994).

18 G. Johannes Botterweck, Helmer Ringgren, and Heinz-Josef Fabry 편집, *Theological Dictionary of the Old Testament*, 15 vols. (Grand Rapids: Eerdmans, 1974-2006).

19 처음 두 원리와 몇 가지 예는 John H. Walton, *Chronological and Background Charts of the Old Testament*, 2판 (Grand Rapids: Zondervan, 1994), 94-95쪽 내용을 수정한 것이다. 그는 *NIDOTTE* 1:158-68에 있는 "Principles for Productive Word Study"라는 제목의 글에서 이 정보를 확장시켰다.

1. 한 단어의 역사와 구조는 의미에 대한 지침으로 신뢰할 만하지 못하다

a. 과거 용법이 반드시 현재 용법과 같은 것은 아니다

단지 과거 사람들이 어떤 단어를 특정 방식으로 사용했다고 해서 사람들이 여전히 그 단어를 같은 방식으로 사용하고 있다는 의미는 아니다. 단어의 원래 의미(어원)는 그 단어의 현재 용법에 대해 믿을 만한 지침은 아니다. 예를 들어, 영어에서 '두려운'(awful)이라는 말은 종종 경외감을 표현하기 위해 사용된다(즉 '경외감이 가득하다'[full of awe]). 그러나 대단히 나쁘거나 불쾌한 무언가를 묘사하는 경우도 매우 흔하다. 마찬가지로 히브리어에서 זָקָן(자칸, '수염')은 원래 늙었다는 개념(동사 זקן[칼], '늙어지다', 형용사 זָקֵן[자켄], '늙은' 참조)과 관계되어 있는 반면, 이런 연관이 성경에 반드시 분명하게 나타나지는 않는다.

b. 어근이 비슷하다고 해서 의미도 비슷한 것은 아니다

어근이 같은 동사와 명사가 의미론적으로 늘 같은 의미를 공유하는 것은 아니다. 영어에서 한 예로 'undertake'(떠맡다)라는 동사와 'undertaker'(인도자)라는 명사가 있다. 이 명사는 용법의 범위가 훨씬 제한된다. 히브리어에서 מִדְבָּר(미드바르, '광야')라는 명사는 דִּבֵּר(디베르, '말하다')라는 피엘 동사와 의미상 아무 관련이 없다. 게다가 특정한 동사 어근의 다양한 어간들이 반드시 의미상 관련되어 있는 것도 아니다. 영어의 동사 용법에서는 비슷한 사례가 없지만, 'adult'(어른)이라는 명사는 'adultery'(간음)이라는 명사와 직접적인 관련이 전혀 없다. 마찬가지로 히브리어에서 칼 동사 כָּפַר(카파르, '덮다')는 피엘인 כִּפֶּר(킵페르, '속죄하다')와 직접적으로 아무 관련이 없을 것이다.

c. 비교 언어들은 신뢰할 만한 지침이 아니다

마찬가지로 관련 언어(즉, 어원이 같은 언어)에서 나온 어휘는 의미에 대한 지침으로 신뢰할 만하지 못하다. 어원이 같은 헬라어 δύναμις(뒤나미스, '권능')에서 영어 'dynamic'(역동적인)이라는 단어의 의미를 결정할 수가 없는 것처럼, 창세기 3장 16절과 4장 7절에 나오는 히브리어 תְּשׁוּקָה(테슈카, '원하다')의 명확한 의미를 아랍어 용법에 비추어서 확실하게 결정할 수는 없다.[20] 어떤 용어의 가능한 의미를 평가하기 위해서 어원이 같

20 BDB는 תשׁוקה를 아랍어 어근 *šāqa*('바라다, 욕구를 자극하다')와 관련시킨다. 하지만 히브리어 שׁ(*š*)의 음소적 등가물은 아랍어에서는 s다. 그렇게 되면 아랍어 *sāqa*('축구하다, 몰고 가다, 추진시키다')가 적절한 어원이 된다

은 단어들을 살펴봐야 할 때가 있다. 그러나 어떠한 결론도 잠정적인 것으로 인식해야 한다.

2. 문맥에서의 용법이 의미를 결정한다

a. 문맥이 가장 중요하다

역사적, 문학적 맥락은 의미를 파악할 때 늘 결정적인 역할을 한다. 가장 중요하게는 특정 단어에 서로 다른 의미가 서너 개 존재할 때 그렇다. 예를 들어 영어에서 'minutes'는 한 시간의 일부일 수도 있고, 모임에서 나온 회의록일 수도 있다. 문맥을 보아야 그 단어가 어떤 의미로 사용되었는지 명확하게 알 수 있다. 히브리어에서 רוּחַ(루아흐)는 문맥에 따라 '바람'(wind)을 의미할 수도 있고, '영'(spirit)을 의미할 수도 있다. 해석자들은 특정 단어에 자신이 원하는 의미를 아무거나 마음대로 택할 수가 없으며, 반드시 저자가 의도한 의미가 무엇인지 결정해야 한다.

문맥에서 특정 단어의 중요성을 이해하기 위해 우리는 저자에게 어떠한 선택들(동의어)이 가능했는지, 그가 한 선택이 무엇을 의미하는지 알아야 한다. 영어 용법에서 'stallion'(수말)이라는 용어를 선택한 것은 특정한 결론으로 이끈다. 저자가 'steed'(말)나 'charger'(군마)라는 단어를 사용하지 않았기 때문이다. 마찬가지로 히브리어에서 עַלְמָה(알마, '결혼할 수 있는 여자아이, 흔히 처녀'), בְּתוּלָה(베툴라, '아이를 낳을 만큼 나이든 여자'), נַעֲרָה(나아라, '결혼한[하지 않은] 젊은 여자')라는 말은 의미가 중복된다. 그러나 각 용어는 나름의 의미 범위를 가지고 있다. 해석자는 이 범위를 결정해야 할 뿐 아니라, 특정 단어가 선택된 이유가 특별한 의미를 지닌 것인지 아닌지 분명히 밝혀야 한다(이사야 7장 14절에 나오는 עַלְמָה[알마]를 보라).[21]

(Susan T. Foh, "What Is the Woman's Desire?," *WTJ* 37, 3[1975]: 376-83쪽은 그렇게 주장한다). 여하튼 아랍어가 아니라 성경 문맥이 우리의 단어 연구 결정에 일차 안내자 역할을 해야 한다.

21 학자들은 창세기 24장 16절, 레위기 21장 14절, 신명기 22장 15-19절, 이사야 62장 5절을 인용하면서, 보통 בְּתוּלָה(베툴라)를 '처녀'(*HALOT*, 1:166-67)에 해당하는 구약 용어로 번역한다. 하지만 요엘 1장 8절에서 בְּתוּלָה(베툴라)로 언급된 사람은 젊었을 때 약혼한 남편을 간절히 바라는 과부다. 그러므로 그 여자는 아마 처녀가 아닐 것이다. 그 여자의 남자가 죽어서 다시 그 여자는 결혼하지 않은 상태가 되었지만 말이다. 게다가 창세기 24장 16절이 "남자가 가까이 하지 아니한"이라는 설명적 진술을 덧붙인 것은 그 용어 자체가 '처녀'(virgin)를 의미하는 것은 아니라는 사실을 시사한다. 그렇지 않다면 그러한 설명을 덧붙이지 않아도 될 것이다. 필자는 대신 בְּתוּלָה(베툴라)가 '자녀를 낳을 수 있을 만큼 나이든 여자'와 같은 의미라고 제안한다. 이와 대조적으로 학자들은 일반적으로 עַלְמָה(알마)를 '결혼할 수 있는 여자아이'(*HALOT*, 2:835-36)라고 번역했다. 그러나 그 말이 나온 일곱 번 모두 '처녀'라는 말로 번역할

어떤 단어가 일반적 의미와 전문적 의미를 모두 지니고 있을 때, 저자가 무엇을 의도했는지는 문맥을 통해서만 결정해야 한다. 예를 들어, 영어에서 'reformed'라는 말은 일반 형용사('교화된 사람'[a reformed man])가 될 수 있다. 그러나 그 말은 또한 특정한 기독교 교리 체계를 나타내는 전문 용어('개혁 신학'[Reformed theology])가 될 수도 있다. 히브리어에서 שָׂטָן(사탄)은 일반적으로 인간이든(왕상 11:23) 천사든(민 22:22) '대적자, 참소하는 자'를 말할 수 있으나, 마귀의 왕인 '사탄'을 말할 수도 있다. 하지만 שָׂטָן(사탄)을 '사탄'으로 번역하려면 해석자는 문맥을 통해 그 번역을 변호해야 한다. 그것이 기본 의미는 아니기 때문이다.

b. 관용 표현을 찾아보라

우리는 '동사 + 전치사'의 결합이 특별한 의미를 지니는지 아닌지 고찰해야 한다. 영어에서 'just a minute'(잠깐만)이라는 관용 표현은 규정되지 않은 기간을 말하며, 예를 들어 '수업은 오십 분이 될 것이다'라는 진술에는 적용될 수 없다. 마찬가지로 '여호와의 날'(the day of YHWH)이라는 히브리어 구에서 יוֹם(욤, '날')은 24시간을 말하는 것이 아니다. 다른 문맥에서는 분명 그러한 의미일지라도 말이다.

c. 부여된 의미들이 지나치게 한정된 것이어서는 안 된다

문맥은 의미를 결정하는 데 가장 중요하지만, 해석자는 어떤 용어의 의미를 모든 문맥에 적절하게 들어맞도록 충분히 광범위하게 추론해야 한다(관용적 또는 전문적 용법의 경우는 제외). 예를 들어 영어에서 'swim'(수영하다)이라는 동사를 '특정하게 한 번 팔 젓기'라고 정의해서는 안 된다. '여러 번 팔 젓기'도 '수영'이 될 수 있기 때문이다. 따라서 칼 동사 בָּרָא(바라, '창조하다')는 '무에서 창조하다'라는 의미가 될 수 없다. 하나님이 사람을 '창조하셨다'라고 나오는 창세기 5장 1절에는 그 의미를 적용할 수 없기 때문이다(창세기 2장 7절 참조).

수 있다(유일하게 예외가 될 만한 것은 잠언 30장 19절이다. 이 구절에서 19절의 "여자"[maiden]가 성적 경험이 없는 사람을 가리킨다면, 18-19절의 신비는 더욱 기이해지겠지만 말이다). עַלְמָה(알마)가 '처녀'를 의미한다고 말하는 자료는 충분하지 않지만, 이 의미는 아마 '처녀'의 어의적 범주에 들어갈 것이다.

3. 의미를 결정할 때는 저자 대응, 역사적 대응, 지리적 대응, 형식적 대응이 중요하다

a. 저자 대응

특정 저자가 어떤 용어를 사용한 것은 다른 저자들이 사용한 것보다 그 용어를 평가할 때 더 큰 영향을 끼치기도 한다. 예를 들어 창세기 15장 6절에 나오는 여성 명사 צְדָקָה(체다카, '의')의 의미를 고찰하고 있다면, 모세 율법에 그 말이 여덟 번 더 나온 것이 분석에서 우선순위를 지녀야 한다.[22] 또한 한 저자가 같은 책에서 그 용어를 사용할 때 비교적 의미가 증가한다.

b. 역사적 대응

언어는 시간이 지나면서 서서히 발전하므로, 동시대에 사는 저자들의 단어 용법을 비교하는 것이 서로 다른 역사적 시대를 살아간 저자들을 비교하는 것보다 유용하다. 예를 들어, 미가 5장 2절을 연구하면서 실명사적 칼 분사 מוֹשֵׁל(모셸, '다스릴 자'[ruler, ESV])의 의미를 더 잘 파악하고자 한다면, 동시대 선지자인 이사야의 글에 같은 동사가 열한 번 나온 것이 도움이 될 것이다. 그러나 여기에는 중요한 조건이 하나 있다. 저자가 자신의 말을 이전 성경에서 가져오고 있을 때는 이전의 성경적 용법이 종종 후대에 사용되는 의미를 통제한다는 것이다.[23]

c. 지리적 대응

언어학자들은 지리가 발화 유형에 영향을 끼친다는 것을 인정한다.[24] 사사기 12장 5-6절에서 우리는 조금 우스꽝스러운 이야기를 읽을 수 있다. "길르앗 사람이 에브라임

---

22 이러한 것들과 함께 צְדָקָה(체다카)의 다양한 용법을 모세오경에 열두 번 나오는 남성 명사 צֶדֶק(체데크, '의'), 열일곱 번 나오는 형용사 צַדִּיק(차디크, '의로운, 고결한'), 네 번 나오는 동사 צדק('정의롭다, 의롭다')와 비교 대조하면 도움이 될 것이다.

23 염두에 두어야 할 추가 요소는 극미하긴 하지만 전체 구약에서 텍스트가 약간 새롭게 수정된 모습을 보인다는 점이다. 그것은 아마 구히브리체(paleo-Hebrew)에서 아람어 정자체(Aramaic square script)와 플레네(*plene*, 모든 모음과 발음 부호를 세세히 쓴_ 옮긴이) 철자법으로 바꾼 것과, 지리, 문법, 어휘 등을 약간 새롭게 고친 것에 한정될 것이다. 그 결과 언어에서 역사적 구분이 최소화된다. 이에 대해 더 알려면 Bruce K. Waltke, "Old Testament Textual Criticism," in *Foundations for Biblical Interpretation*, David S. Dockery, Kenneth A. Mathews, and Robert B. Sloan 편집 (Nashville: Broadman & Holman, 1994), 156-86쪽, Peter J. Gentry, "The Text of the Old Testament," *JETS* 52, 1 (2009): 19-45쪽을 보라.

24 예를 들어, W. Randall Garr, *Dialect Geography of Syria-Palestine, 1000-586 B.C.E.* (Winona Lake, IN: Eisenbrauns, 2004).

사람보다 앞서 요단 강 나루턱을 장악하고 에브라임 사람의 도망하는 자가 말하기를 청하건대 나를 건너가게 하라 하면 길르앗 사람이 그에게 묻기를 네가 에브라임 사람이냐 하여 그가 만일 아니라 하면 그에게 이르기를 쉽볼렛(שִׁבֹּלֶת[쉽볼레트])이라 발음하라 하여 에브라임 사람이 그렇게 바로 말하지 못하고 십볼렛(סִבֹּלֶת[씹볼레트])이라 발음하면." 필자의 말투를 들은 사람은 누구나 필자가 미국 중서부 출신이며 남부나 영국 출신이 아니라는 것을 알 수 있다. 영어처럼 고전 히브리어 역시 나름의 방언이 있었으며, 이 지리적 특징은 억양뿐 아니라 단어 용법과 의미에도 영향을 끼쳤다. 그래서 북왕국 선지자의 글을 읽고 있는지 남왕국 선지자의 글을 읽고 있는지를 생각해 보는 것은 당신의 단어 연구에 영향을 끼칠 것이다.

d. **포괄적 대응 또는 형식적 대응**

여기서 우리는 특정 장르에서 단어의 특정 의미를 다른 의미보다 선호할 수 있다는 것을 알 수 있다. 예를 들어 찬양의 시인 시편 33편을 연구하고 있다면, תְּרוּעָה(테루아)라는 용어는 '전쟁의 경보'(렘 4:19)라기보다는 '기쁨의 외침'일 가능성이 더 많다. "새 노래로 그를 노래하며 즐거운 소리(בִּתְרוּעָה[비트루아])로 아름답게 연주할지어다"(시 33:3).

단어 또는 개념을 연구하는 법

효과적인 의사소통은 단어의 의미에 달려 있기 때문에, 단어와 개념의 연구는 해석 작업에서 중요한 부분이다. 어휘 사전이나 신학 용어집 등 다른 사람들이 행한 단어와 개념의 연구 결과를 제공하는 이차 자료에 곧바로 의지하기 전에, 언제나 스스로 단어를 연구해 볼 것을 생각해야 한다. 개인이 발견하는 과정은 교훈이 되면서 보람도 있을 수 있다. 또한 직접 알아낼 때 주의 깊은 연구 조사를 더 잘 인식하도록 도울 수 있다. 그 과정에는 세 단계가 있다. (1) 연구할 히브리어 단어를 택하라. (2) 택한 히브리어 단어에 대한 의미의 범위를 발견하라(외적 자료). (3) 대상 텍스트 안에서 그 히브리어 단어의 의미를 결정하라(내적 평가). 각 단계를 하나씩 살펴보자.

1. 연구할 히브리어 단어를 택하라

어떤 단어(들)를 연구 대상으로 삼을지는 본문마다 다를 것이다. 단어를 선택할 때, 염두에 두어야 하는 몇 가지 요소가 있다.

a. **본문을 이해하는 데 신학적으로 의미 있거나 결정적인 단어나 구를 연구하라.** 그 예로는 출애굽기 19장 5절에 나오는 명사 סְגֻלָּה(세굴라, 스트롱 코드[S] 5459, G/K 코드[G/K] 6035, '보배로운 소유'[treasured possession, ESV])나, 신명기 6장 5절에 나오는 동사 אהב(S 157, G/K 170, '사랑하다'[to love, ESV]) 등이 있다.

b. **어렵거나 분명하지 않은 단어나 구를 연구하라.** 이를테면 전도서 1장 2절에 나오는 הֶבֶל(헤벨, S 1892, G/K 2039, '헛됨'[vanity, ESV]) 등이다.

c. **비유적 의미를 지닌 단어나 구를 연구하라.** 신명기 30장 6절에 나오는 동사구 וּמָל אֶת־לְבָבְךָ(우말 에트 레바브카, '그리고 [주 여호와 네 하나님께서] 네 마음에 할례를 베푸사'[and (the LORD your God) will circumcise your heart, ESV]) 등이다.

d. **명백한 동의어나 반의어를 이루는 단어나 구를 연구하라.** 이를테면 사무엘상 2장 30절에 나온 כבד(피엘, '존중히 여기다'[to honor, ESV])와 קלל(S 7043, G/K 7837, '경멸하다'[to curse, ESV]) 등이다.

e. **본문의 의미에 분명히 중심이 되고 반복되는, 또는 그 둘 중 하나에 해당하는 단어나 구를 연구하라.** 한 예로 창세기 1장 4, 10, 12, 18, 21, 25, 31절에 반복되는 טוֹב(토브, S 2896, G/K 3202, '좋은'[good, ESV])가 있다.

f. **드물게 나오는 단어나 구를 연구하라.** 이를테면 스바냐 1장 2절(예레미야 8장 13절 참조)의 אָסֹף אָסֵף(아소프 아세프, '내가 진멸하리라'[I will utterly sweep away, ESV]) 구문 등이다.

아직 히브리어를 모른다면, 연구하는 단어와 관련된 G/K 코드와 스트롱 코드를 찾아봐야 할 것이다. 이 코드들이 최고의 단어 연구 도구를 많이 접하도록 이끌어 줄 것이기 때문이다. 이 코드들을 얻으려면 「최강 NIV 포괄적 단어 색인」(*The Strongest NIV Exhaustive Concordance*) 같은 자료에서 당신이 연구하는 단어와 본문을 찾아보면

된다. G/K 코드는 구절 오른쪽에 열거되어 있으며, 스트롱 코드는 「단어 색인」이나 *NIDOTTE* 같은 다른 도구 뒤에 나오는 'G/K-to-Strong 색인'에서 찾을 수 있다.

2. 택한 히브리어 단어에 대한 의미의 범위를 발견하라(외적 자료)

독자가 택한 단어의 의미를 정해진 본문 안에서 결정하기 전에, 전체 구약에서 그 단어가 지닌 의미의 범위를 분명하게 파악해야 한다. 앞서 '단어 연구와 개념 연구를 위한 원리들'에서 강조했듯이, 단어와 개념을 연구할 때 유념해야 하는 여러 차원의 대응이나 문맥이 있다. 초점의 중심은 (a) 우리가 택한 단어(예를 들어, צְדָקָה[체다카], '의'[S 6666, G/K 7407])가 나오는 대상 구절(예를 들어 창 15:6)이다. 그 다음은 (b) 전체 책(창세기)이라는 문맥, 그 다음에 (c) 같은 저자가 쓴 다른 책들(출애굽기-신명기)이다. 그 다음에는 (d) 같은 역사 시기, 장르(선지자적 설교들), 또는 정경으로 구분된 다른 책들을 살펴본다. 이것을 넘어 (e) 구약 나머지 전부가 있다. 철저한 단어 연구와 개념 연구는 또한 (f) 성경 외 히브리 문헌들이 그 단어를 어떻게 사용했는지, (g) 칠십인 역과 같은 고대 역본들이 그 단어를 어떻게 번역했는지, 마지막으로 (h) 비슷한 언어들은 어원이 같은 단어를 어떻게 번역했는지를 설명해야 한다. 마지막 세 요소에 대한 해설은 보통 좋은 어휘 사전에서 발견할 수 있다.

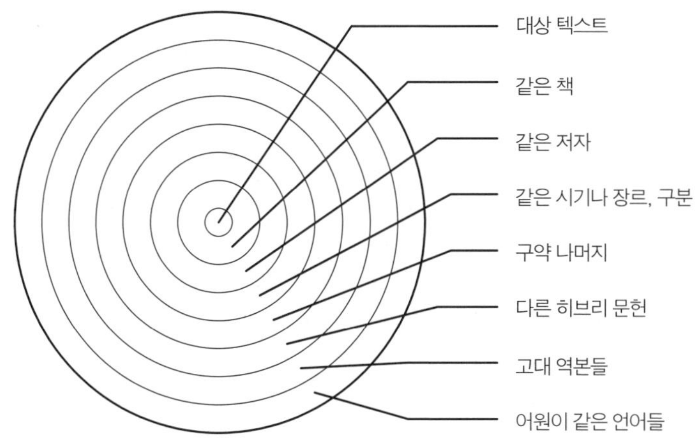

표7.2. 단어 연구와 개념 연구를 위한 배경들[25]

---

25 Lee M. Fields, *Hebrew for the Rest of Us: Using Hebrew Tools without Mastering Biblical Hebrew* (Grand Rapids: Zondervan, 2008), 222쪽에서 비슷한 이미지를 발견할 수 있다.

중심에서 바깥으로 이동할수록, 연구하는 단어의 문맥이 될 만한 경우도 늘어난다. 바로 앞뒤 문맥이 언제나 의미에 가장 결정적이기 때문에, 중심부를 향한 사례의 수가 더 커지면, 분주한 교사는 외적으로 검색을 더 확장할 필요가 줄어들 수도 있다. 그럼에도 철저하게 연구하려면 검색을 확장해야 하며, 그것을 위한 투자는 대단히 보람될 수 있다.

a. **텍스트 목록을 만들라**

단어 연구를 위해 필자는 먼저 모든 텍스트의 목록을 만든다. 이 작업은 어떤 주요 성경 소프트웨어 프로그램을 이용해도 쉽게 할 수 있다. 히브리어를 모르는 사람들에게 이 시점에서 가장 좋은 도구는 콜렌버거와 스완슨의 「구약 히브리어-영어 단어 색인」(앞에 나온 '단어 색인, 어휘 사전, 신학 용어집 개관'을 보라)이다. G/K 코드가 있으면 당신이 연구하는 단어의 위치를 간단히 찾을 수 있다. 그 다음에는 구약에서 그 단어를 포함하는 텍스트들의 완전한 목록이 나온다. 그리고 그 모든 것 다음에는 문맥을 이루는 NIV 번역이 나온다.

b. **의미들을 분류하라**

완전한 텍스트 목록이 나왔다면, 그 다음에 필자는 모든 본문을 연구하여 각 문맥에서 다양한 의미와 어감을 분류한다. 예를 들어 필자는 זֶ֫רַע(제라, '씨, 후손'[S 2233, G/K 2446])라는 명사가 구약에서 229번 나오는 것을 모두 이렇게 분류했다. 그 단어를 연구해 봐야겠다고 생각한 것은 바울이 로마서 4장 17-18절과 갈라디아서 3장 28-29절에서 새 언약에 참여하는 이방인들을 어떻게 구약에 나오는 '후손'에 대한 약속들의 성취로 묘사하는지 살펴볼 때였다. 그 약속들 자체는 적어도 처음에는 그 '후손'을 열방과 구분하는 것처럼 보였는데 말이다. 예를 들어, 하나님은 그 '씨' 안에서 그들을 통해 '열방/이방인들'을 복 주겠다고 약속하셨다. '네 씨로 말미암아 천하만민이 복을 받으리니'(창 22:18. 26장 4절, 28장 14절 참조).

c. **자료를 목록으로 만들고 평가하라**

기록된 단어를 연구하는 것은 그저 어휘 숙제가 아니라 노력의 산물이다. 필자는 모든 텍스트를 분류한 뒤, 발견한 것을 목록으로 만들고 평가한다. זֶרַע(제라, '씨, 후손')라는 단어를 연구하기 위해 필자는 다음 표를 만들었다.[26]

	합계
1. '씨를 심다' 또는 '파종기'	43(18.78%)
2. 동물의 자연 종자	3(1.31%)
3. 인간의 씨(후손)	
a. 남자의 정액	7(3.06%)
b. 자연적 씨(후손)(모든 것을 포함)	87(37.99%)
c. 특별한 자연적 씨(후손)_ 포로기 이전의 옛 언약 공동체	49(21.40%)
d. 특별한 자연적 씨(후손)_ 포로기 이후의 옛 언약 공동체	5(2.18%)
e. 특별한 자연적 씨(후손)_ 구속사에서 핵심 역할을 하는 한 남자 후손(예표와 원형)	9(3.93%)
f. 특별한, 중생하고 입양된 씨(후손)_ 구속받은 새 언약 공동체(인종적 이스라엘 사람들과 이방인들을 포함)	26(11.35%)
합	229

표7.3. 구약에 나오는 זֶרַע에 대한 분류

필자는 이 자료들에서 많은 특징을 주목했다. 첫째, 사람을 말할 때 זֶרַע(제라, '씨, 후손')의 몇몇 경우는 모든 것을 포괄하는 것이 아니라 제한적이다. 특정 집단의 '자손', 또는 더 큰 단위 안에 있는 개별적 후손과 관계된다. 그래서 예를 들어, 이스마엘이 아브라함의 "씨"라고 불렸더라도(창 21:13) 그는 약속의 땅을 유업으로 받을 '씨'에는 속하지 않았다(12:7, 17:20). 우리는 또한 그 단어의 삼인칭 남성 **단수** 대명사를 사용하는 창세기의 세 텍스트를 밝힐 수 있는데, 그 텍스트들에서는 아담의 저주와 원수의 적대감을 극복하고 세상에 복의 중개인 역할을 할 유일한 남성 해방자가 오실 것을 명백하게 예상한다(3:15, 22:17b-18, 24:60).[27]

26 첨부된 모든 성경 본문이 담긴 표를 포함하는 필자의 상세한 연구로는 Jason S. DeRouchie, "Counting Stars with Abraham and the Prophets: New Covenant Ecclesiology in OT Perspective," *JETS* 58, 3 (2015), 445-85, 448-49쪽에 나오는 표를 보라.

27 창세기 3장 15절에서 하나님은 뱀에게 "내가 너로 여자와 원수가 되게 하고 네 후손도 여자의 후손과 원수가 되게 하리니 [그](he[הוּא, 후], 개역개정에는 "여자의 후손"_ 옮긴이)는 네 머리를 상하게 할 것이요 너는 그의 발꿈치를 상하게 할 것이니라"고 단언하신다. 마찬가지로 창세기 22장 17b절에서 주님은 아브라함에게 "네 씨가 <u>그</u> 대적(<u>his</u> enemies[אֹיְבָיו, 오이바이브])의 성문을 차지하리라"고 단언하신다. זֶרַע(제라)에 대한 이러한 단수 언급들은 창세기 17장 9절에 나오는 저자의 삼인칭 남성 **복수** 접미사와 대조된다. "그런즉 너는 내 언약을 지키고 네 후손도 **대대로**

둘째, 구약에서 '씨'가 사람을 말할 때는 거의 언제나 친자녀를 나타낸다. 예를 들어 창세기에서, 다메섹 사람 엘리에셀은 아브람의 상속자이자 그 집의 일원이었으나 그의 '씨'는 아니었다(15:2-3). 반면 모압과 벤암미는 롯의 딸들의 생물학적 '후손'이었다(19:32, 34, 37-38). 인간 '씨'가 육체적 후손을 언급하는 것에 대한 유일한 예외는 새 언약 공동체의 구성을 다루는 구약의 약속 텍스트들에서 나온다(표7.3의 3f 분류). 필자의 연구를 통해 드러난 것은 옛 언약이 '씨'를 자연적 후손으로 국한시킨 것과 새 언약에 그런 제한이 없는 것을 결합하면, 옛 언약 공동체와 새 언약 공동체의 구성이 상당히 전진했다는 것을 강조하고 구속사에서 그리스도의 중심성에 초점을 맞추게 된다는 것이다.

셋째, 창세기와 서너 개의 구약 선지서 텍스트는 메시아 시대에 '아브라함의 씨'가 인종적 이스라엘과 열방 모두에서 구속받은 사람들을 포함하는 것으로 확장되리라고 내다본다. 그리스도는 아브라함의 "자손"(seed)이며(갈 3:16), 믿음으로 그리스도께 속한 모든 사람은 결과적으로 아브라함의 "자손"이 된다(3:29). 바울이 "후손"(seed)에 '많은 민족/이방인들'을 포함시킨 것(롬 4:16-18)은 구약의 종말론적 소망을 성취한다. 그 소망은 새 언약과 연결되어 있으며 약속된 왕적 해방자이신 메시아 예수의 대표적인 구원 사역과 직접 연관된다(갈 3:8, 14, 16, 29).

이 단어 연구 단계에서 외적 자료를 평가하다 보면 지칠 수 있다. 하지만 이 작업을 하다 보면 우리도 주님의 장엄한 계시로 인해 주 안에서 크게 기뻐할 수 있다.

d. 평가를 확장시키라

연구할 단어를 포함하는 다양한 텍스트를 깊이 연구할 때, 그 단어와 관련된 다른 단어들을 유념하라. 본문에 그 단어의 의미를 이해하도록 도와줄 만한 통상적인 동의어나, 밀접하게 관련된 용어들이 있는가? 당신의 연구는 텍스트에서 어떤 용어가 무엇을 의미할 수 없는지 명확히 하는 데 도움이 되는가? 예를 들어, 잠언 29장 18절("비전이 없으면 백성이 망한다"[KJV])은 오랫동안 선견지명에 근거해서 계획을 세우는 것과 관

(through <u>their</u> generations[לְדֹרֹתָם, 레도로탐]) 지키라." 모세는 자신이 원할 때 단수 "후손"(seed[창 3:15, 22:17b, 24:60])과 복수 "후손"(seed[17:9])을 구별할 수 있었다. 이에 대해 더 알려면 Jack Collins, "A Syntactical Note (Genesis 3:15): Is the Woman's Seed Singular or Plural?," *TynBul* 48, 1 (1997): 139-48쪽, T. Desmond Alexander, "Further Observations on the Term 'Seed' in Genesis," *TynBul* 48, 2 (1997): 363-67쪽, Jason S. DeRouchie and Jason C. Meyer, "Christ or Family as the 'Seed' of Promise? An Evaluation of N. T. Wright on Galatians 3:16," *SBJT* 14, 3 (2010): 36-48쪽을 보라.

련된 구절로 해석되어 왔지만, הָזוֹן(하존)은 다른 곳에 나오는 서른네 번 중 어느 경우에도 '계획'을 의미하지 않는다. 대신 참되거나 거짓된 신적 계시나 메시지를 일관되게 가리킨다(S 2377, G/K 2606, 예를 들어 삼상 3:1, 사 1:1, 렘 14:14, 단 1:17, 나 1:1). 마찬가지로 연구하는 단어가 동사라면, 그와 관련된 일반적인 주어나 목적어가 있는가? 예를 들어 전체 구약에서, 주님만이 ברא('창조하다'[S 1254, G/K 1343])의 주어다. 이는 분명 의미심장하다! 당신이 연구하는 단어가 형용사라면, 그 단어가 일반적으로 수식하는 특정 명사가 있는가? 예를 들어 형용사 גָּבֹהַּ(가보아, '높은'[S 1364, G/K 1469]) 또는 명사 גֹּ֫בַהּ(고바, '높이'[S 1363, G/K 1470])를 평가하고 있다면, 성경에 나온 모든 경우를 주의 깊게 살펴보라. 그러면 구약 전체에서 사울(삼상 9:2), 엘리압(16:7), 골리앗(17:4)의 키(높이)만 강조한다는 사실이 드러날 것이다. 그들은 모두 다윗을 돋보이게 하는 사람들이다. 그래서 사무엘서 맨 앞에 나오는 한나의 말은 의미심장해진다. "심히 교만한 말을 다시 하지 말 것이며(אַל־תַּרְבּוּ תְדַבְּרוּ גְּבֹהָה גְבֹהָה[테답브루 게보하 게보하 알 타릅부])[28] 오만한 말을 너희의 입에서 내지 말지어다 여호와는 지식의 하나님이시라 행동을 달아 보시느니라 용사의 활은 꺾이고 넘어진 자는 힘으로 띠를 띠도다"(삼상 2:3-4).

3. 대상 텍스트 안에서 그 히브리어 단어의 의미를 결정하라(내적 평가)

구약에서 당신이 연구하는 단어가 지닌 의미들의 범위를 발견하기 위해 부지런히 노력했다면, 이제 연구할 본문에서 그 단어의 명확한 의미를 결정할 준비가 되었다. 당신이 연구하는 단어의 의미가 지닌 함축들을 고찰하면서, 가장 가까운 문맥을 주의 깊게 평가해 보라. 그 단어를 사용한 저자는 그 책 다른 곳에서도 같은 용어를 사용하는가? 다른 구약 저자들은 그 용어를 비슷한 배경에서 또는 비슷한 쟁점들을 다룰 때 적절하게 사용하는가? 당신이 살펴보는 텍스트가 신약에 인용되거나 암시된 적이 있는가? 그렇다면, 그 해석은 조금이라도 명료한가? 그 텍스트의 저자는 그 단어를 다른 사람들과 다른 방식으로 사용하는 것처럼 보이는가?

연구 본문 안에서 당신이 연구하는 단어가 어떤 의미인지를 결정하라. 그 다음에 그것을 말로 정리해 보라. 그러면 생각을 다듬는 데 도움이 될 것이다. 그 과정에서 당

---

28 문자 그대로 번역하자면, "'높이! 높이!'라고 말하거나 배가하지 말 것이며."

신의 결정이 지닌 지속적인 신학적 의미를 고찰해 보라. 그것은 당신이 연구하는 본문의 전반적인 메시지에 어떤 영향을 끼치는가?

일단 결론에 이르면, 중요한 어휘 사전과 신학 용어집들을 확인하여 당신의 결정이 맞는지 확증해 보라(앞서 나온 '단어 색인, 어휘 사전, 신학 용어집 개관'을 보라). 기억하라. 다른 사람들이 말한 것을 보기 전에 **당신만의** 단어 연구 수행을 대신할 수 있는 것은 없다. 자신이 연구한 것을 갖고 있을 때에만 다른 사람들의 주장들을 평가할 수 있고, 그들의 주장에 대비하여 당신의 결정을 평가할 수 있다. 당신이 내린 결정을 글로 써서 마무리하라. 그러면서 당신이 연구한 특정 본문 안에서, 그리고 구약 안에서 그 단어가 갖는 의미의 전체 범위에 비추어 그 단어의 의미를 다른 사람들에게 명확하게 설명하라.

당신이 씨름하는 거의 모든 본문에는 본문의 의미를 완전히 파악하기 위해 이해해야 할 중요한 단어와 개념이 나올 것이다. 단어 색인에 나오는 자료를 가지고 어휘 사전과 신학 용어집을 참고하여 주의 깊게 직접 씨름하면, 당신이 연구하는 본문에 나오는 단어들의 의미를 분별하는 데 큰 도움을 받을 것이다.

이 장 나머지 부분에서 필자는 단어 연구와 개념 연구의 세 가지 예를 들 것이다. 히브리어를 모르는 사람도 필자가 앞에서 상세히 설명한 과정을 따라 히브리어를 기초로 단어를 연구하는 법을 배워야 하므로, 모든 독자가 이 부분을 계속 읽어 보길 권한다. 하지만 이번에는 히브리어를 더는 다루고 싶지 않다면, '개념 연구'의 예인 '"여호와"(YHWH)_ 스바냐서' 부분으로 건너뛰라. 그 부분에서 히브리어는 하나님의 이름을 추적하는 것에만 국한되어 있다.

단어 연구와 개념 연구의 세 가지 예

סְגֻלָּה('보배로운 소유')_ 출애굽기 19장 5절

출애굽기 19장 5절의 의미를 좌우하는 단어로 סְגֻלָּה(세굴라, S 5459, G/K 6035)가 있다. ESV는 이 단어를 '보배로운 소유'(treasured possession)라고 번역한다(개역개정에는 '소유'라

고 번역되어 있다_ 옮긴이). 앞선 장들에서 우리는 5절을 최종적으로 다음과 같이 번역하는 것으로 결론지었다. "만일 너희가 내 음성을 잘 듣고 그리고 내 언약을 지키고 그리고 모든 민족으로부터 나의 보배로운 소유가 된다면……." סְגֻלָּה(세굴라)라는 용어는 구약에 여덟 번 나온다(출 19:5, 신 7:6, 14:2, 26:18, 대상 29:3, 시 135:4, 전 2:8, 말 3:17). 성경에서 이 용어가 처음 사용된 곳은 우리가 살펴본 출애굽기 19장 텍스트다. 이제 보겠지만 이것이 다른 곳에서 사용된 대부분의 경우에 영향을 끼친 것으로 보인다. 따라서 이스라엘이 자기 이해를 형성하는 데 출애굽기 19장 4-6절이 기본 역할을 했음을 보여 준다.

1. 외적 자료

필자는 סְגֻלָּה(세굴라)를 포함하는 본문 여덟 개를 두 집단으로 분류했다. (a) 비신학적 용법과 (b) 신학적 용법이다. 이 구분은 중요하다. 우리가 살펴볼 텍스트에서 하나님이 그 용어를 신학적으로 사용하신 것은 아마 더 광범위한 사회에서 그 용어가 일상적으로 사용되는 법(더 일반적이거나 세속적인 용법)을 영적 또는 종교적 맥락에 적용하는 것이기 때문이다.

a. 비신학적 용법(두 번)

첫 번째 예는 전도서 2장 8절에 나온다. 그 구절에서 설교자는 예루살렘에서 자신의 왕권을 성찰하면서 이렇게 선언한다. "은금과 **왕들이 소유한 보배**(וּסְגֻלַּת מְלָכִים[우세굴라 멜라킴])와 여러 지방의 보배를 나를 위하여 쌓고 또 노래하는 남녀들과 인생들이 기뻐하는 처첩들을 많이 두었노라." 마찬가지로 역대상 29장 3절에서 다윗 왕은 성전에 대해 "성전을 위하여 준비한 이 모든 것 외에도 내 마음이 내 하나님의 성전을 사모하므로 내가 사유한 금, 은, [보배](סְגֻלָּה[세굴라], 개역개정에는 이 말이 번역되어 있지 않다_ 옮긴이)으로 내 하나님의 성전을 위하여 드렸노니"라고 주장한다.

두 텍스트 모두 סְגֻלָּה(세굴라)는 통상 왕 혼자만 사용하도록 비축해 놓은 것으로, 특별한 목적을 지닌 값비싸고 귀중하며 사적인 재산을 말하는 듯하다. 이뿐 아니라, 두 경우 모두 그 재산이 이동할 수 있는 것임을 보여 준다. 왕궁이 아니라, 다른 사람들에게서 모을 수 있거나 왕 자신의 특전으로 성전 건축을 위해 주어질 수 있는 보물이라는 것이다. 또한 전도서 2장 8절은 그 보배를 개인적으로 얻은 것이라고 덧붙일 수 있다.

סְגֻלָּה(세굴라)의 협소한 초점과 달리 역대상 27장 25-31절은 다윗 왕의 '재산'(רְכוּשׁ[레쿠쉬])을 맡은 모든 청지기를 열거한다. 그 용어는 어떤 사람의 소유나 재산을 나타내는 가장 광범위한 용어다. 다윗에게 이것은 왕으로서 그가 나라 전체에 가지고 있는 모든 재산을 의미했다. 거기에는 모든 보배, 땅을 경작하기 위한 밭의 일꾼들, 포도원, 포도주 곳간을 위한 포도원의 소산들, 평야의 감람나무와 뽕나무, 기름 곳간, 샤론에서 먹이는 소 떼와 골짜기의 소 떼, 낙타, 나귀, 양 떼 등이 포함된다. 텍스트는 "왕의 곳간"(אֹצְרוֹת הַמֶּלֶךְ[오츠로트 함멜렉])을 나라, 성읍, 마을, 망대에 있는 곳간과 구분하기 때문에, סְגֻלָּה(세굴라)는 다윗이 개인적인 "왕의 곳간"에 보유하고 있던 개인적인 물질적 비생물 재산에 국한된 듯하다.

종합_ 이 텍스트들에 기초해 볼 때, סְגֻלָּה(세굴라)의 일상 용법은 '값비싸고, 귀중하며, 사적이고, 이동할 수 있으며, 살아 있지 않고, 개인적으로 얻은 왕의 재산으로, 보통 왕이 혼자 사용하도록, 그리고 특별한 목적을 위해 비축되어 있는 것'으로 보인다.

b. **신학적 용법(다섯 번 + 출애굽기 19장 5절)**

먼저 **율법서**를 평가해 보자. 율법서는 정경에서 우리의 본문이 속한 부분이며, 그중 많은 부분은 모세의 저작이다. 출애굽기 19장 5절 외에 처음에 언급한 몇 가지 구절은 모두 신명기에 나온다. 처음 두 개는 거의 똑같이 표현되어 있고, 둘 다 거룩한 백성으로서 이스라엘의 정체성을 재차 단언하는 것으로, סְגֻלָּה(세굴라)와 함께 출애굽기 19장 5-6절을 암시한다. 신명기 7장 6절은 왜 이스라엘이 가나안의 모든 예배 도구를 진멸해야 하는지를 제시한다. "당신들은 주 당신들의 하나님의 거룩한 백성이요, 주 당신들의 하나님이 땅 위의 많은 백성 가운데서 선택하셔서, 자기의 보배로 삼으신(סְגֻלָּה[세굴라]) 백성이기 때문입니다"(새번역). 마찬가지로 신명기 14장 2절은 왜 하나님의 백성이 이교도의 예배 관행에 연루되면 안 되는지를 강조한다. "당신들은 주 당신들의 하나님의 거룩한 백성입니다. 주님께서 땅 위에 있는 많은 백성 가운데서 당신들을 선택하여, 자기의 귀중한(סְגֻלָּה[세굴라]) 백성으로 삼으셨습니다"(새번역). 출애굽기 19장 5절과 마찬가지로 이스라엘을 그분의 סְגֻלָּה(세굴라)로 삼으시려는 여호와의 의도는 지상의 다른 모든 백성에게는 해당되지 않는 그 무엇이다. 하나님은 이스라엘을 구별된 상태로 살도록 부르고 계시다. 텍스트는 여호와께서 이스라엘이 סְגֻלָּה(세굴라)가 되도록 **택하셨다**

고 강조한다. 그것은 여호와께서 자기 백성을 소중하게 생각하신다는 것을 강조한다.

우리는 이미 출애굽기 19장 5-6절에 나오는 조건절과 귀결절에 대한 문법적 논의에서 신명기 26장 18절을 살펴보았다(5장에 나온 '출애굽기 19장 5-6절에서 조건절과 귀결절 결정하기'를 보라). 신명기 26장 18절은 "그리고 주 여호와는 오늘 그분이 너희에게 선언하신 바로 그대로 너희가 보배로운 백성(סְגֻלָּה[세굴라])이 되고 그의 모든 명령을 지키겠다는 너희의 선언을 확증하셨다"(필자 번역)고 되어 있다. 여기서도 다시 한 번 하나님은 여호와의 סְגֻלָּה(세굴라)로 사는 것을 이스라엘에 기대하신다.

이번에는 선지서와 시가서를 평가해 보자. 여호와는 이스라엘을 거룩하라고, 그리고 전적으로 그분을 좇는 그분의 제사장 나라로 섬기라고 부르신 반면, 이스라엘 역사는 그 백성의 마음이 하나님에게서 멀어져 있다는 것을 보여 주었다. 그래서 그들이 하나님을 친밀하게 알지 못하기 때문에 하나님은 자신의 선지자 호세아를 통해 "내 백성이 지식이 없으므로 망하는도다 네가 지식을 버렸으니 나도 너를 버려 내 제사장이 되지 못하게 할 것이요"(호 4:6)라고 말씀하셨다. 하지만 우리가 마지막 두 텍스트에서 알 수 있는 것은, 이것이 최종 판결이 아니며 언젠가 여호와께서 이스라엘의 남은 자들이 그 나라의 힘으로는 되지 못하는, 바로 그런 존재가 되도록 능력을 부여하리라는 것이다.

첫째, 말라기 3장 17절에는 "만군의 여호와가 이르노라 나는 내가 정한 날에 그들을 나의 **특별한 소유**(סְגֻלָּה[세굴라])로 삼을 것이요 또 사람이 자기를 섬기는 아들을 아낌같이 내가 그들을 아끼리니"라는 말이 나온다. 하나님께 속한 사람들은 아무런 해도 입지 않을 것이다. 하나님이 그들을 보호하실 것이다. 그러나 하나님은 악한 자들은 벌하실 것이다. 이어서 말라기는 의인과 악인을 "하나님을 섬기는 자와 섬기지 아니하는 자"(3:18)로 구분한다. 하나님의 סְגֻלָּה(세굴라, '특별한 소유')가 된다는 것은 하나님을 섬기는 자가 된다는 뜻이다. 그러므로 출애굽기 19장 5절에서 여호와께서 이스라엘에 "나의 보배로운 소유가 되라"(וִהְיִיתֶם לִי סְגֻלָּה[비히이템 리 세굴라])고 명하실 때, 그분은 이스라엘에 그분을 섬기는 삶을 살라고 부르시는 것인 듯하다.

마지막 구약 텍스트는 시편 135편 3-4절이다. "여호와를 찬송하라 여호와는 선하시며 그의 이름이 아름다우니 그의 이름을 찬양하라 여호와께서 자기를 위하여 야곱 곧 이스라엘을 **자기의 특별한 소유**(לִסְגֻלָּתוֹ[리세굴라토])로 택하셨음이로다." 시편의 마지막 책은 자신의 다윗 왕국이 완전히 성취될 것을 내다보셔서 회복시키고 새롭게 하시는 하나님을 경축한다.[29] 시편 132편은 다윗 언약을 재단언하고, 시편 133편과 134편은 의인들의 연합과 하나님의 축복을 향한 소망을 경축한다. 이러한 맥락에서 시편 135편은 자신의 것에 대한 여호와의 주장을 재단언한다. "여호와께서 자기를 위하여 야곱 곧 이스라엘을 **자기의 특별한 소유**로 택하셨음이로다." 이 표현은 앞서 나온 텍스트들보다 더 구체적이고 개인적이다. 이스라엘이 **그분의** 것임을 강조하기 위해 삼인칭 남성 단수 접미사를 사용하고 있다.

2. 내적 평가_ 출애굽기 19장 5절에서 סְגֻלָּה의 의미

전도서 2장 8절과 역대상 29장 3절에서 סְגֻלָּה(세굴라)의 비신학적 용법은 '값비싸고, 귀중하며, 사적이고, 이동할 수 있으며, 살아 있지 않고, 개인적으로 얻은 왕의 재산으로, 보통 왕이 혼자 사용하거나 특별한 목적을 위해 비축되어 있는 것'이라는 의미를 가리켰다. סְגֻלָּה(세굴라)는 실로 왕의 '특별한 소유'였다.

סְגֻלָּה(세굴라)의 신학적 용법은 이스라엘 사람들이 하나님의 관계에서 자신을 바로 그렇게 생각해야 한다는 것을 시사한다. 그들은 하나님의 값비싸고, 귀중하며, 사적이고, 개인적으로 얻은 재산으로, 그분의 특별한 목적을 위한 존재다. 그들은 하나님의 특별한 보물로, 세상과 구별되었다(출 19:5, 신 7:6, 14:2). 그들의 책임은 그렇게 사는 것이다. 그것은 악을 피하고 여호와를 섬기는 삶을 의미했다(말 3:17). 조만간 이스라엘의 반역으로 그 백성은 제사장 지위를 잃어버린다(호 4:6). 그럼에도 하나님의 크심과 완전한 다윗 왕국 회복에 대한 소망을 찬양하는 맥락에서, 시편 기자는 이스라엘, 그분의 특별한 소유에 대한 여호와의 주장을 단언한다(시 135:4). 또한 주님은 언젠가 백성이 그들의 힘으로 이룰 수 없는 것을 하나님의 능력으로 이룰 것이라고 약속하신다(말 3:17). 그들은 하나님의 종으로 살 것이며, 그러면서 세상에 그분의 위대하심을 전하고 증대시킬 것이다.

칠십인 역은 출애굽기 19장 5절의 סְגֻלָּה(세굴라)를 λαὸς περιούσιος(라오스 페리우시

29 이 독법에 대해서는 Michael K. Snearly, "The Return of the King: Book V as a Witness to Messianic Hope in the Psalter," in *The Psalms: Language for All Seasons of the Soul*, Andrew J. Schmutzer and David M. Howard 편집 (Chicago: Moody Press, 2014), 209-17쪽을 보라.

오스)라고 번역한다. 이것은 바울이 디도서 2장 14절에서 사용한 것과 같은 구문이다. 그 구절에서 바울은 예수 그리스도가 "우리를 대신하여 자신을 주심은 모든 불법에서 우리를 속량하시고 우리를 깨끗하게 하사 선한 일을 열심히 하는 자기 백성(for his own possession[λαὸν περιούσιον, 라온 페리우시온])이 되게 하려 하심이라"고 강조한다. 그래서 교회는 이제 그리스도를 통해 공급된 능력에 힘입어 이스라엘의 하나님을 영화롭게 하는 부르심을 성취하고 있다. 예수께서 자신의 삶과 죽음과 높아지심에서 하나님의 엄위하심을 완벽하게 전달하고 증대시키셨으며, 이제 그리스도 안에서 우리도 같은 일을 할 수 있다.

마찬가지로 교회를 거룩함으로 부르시며(벧전 1:14-16) 그리스도께 나아오는 자들은 "세워지고 예수 그리스도로 말미암아 하나님이 기쁘게 받으실 신령한 제사를 드릴 거룩한 제사장이 될"(2:5) 것이라고 강조하는 맥락에서, 베드로는 περιποίησις(페리포이에시스)를 써서 출애굽기 19장 5절을 암시한다. 그것은 같은 것, 곧 하나님의 '보배로운 소유'를 의미한다. "그러나 너희는 택하신 족속이요 왕 같은 제사장들이요 거룩한 나라요 **그의 소유가 된 백성**(λαός εἰς περιποίησις[라오스 에이스 페리포이에시스])이니 이는 너희를 어두운 데서 불러내어 그의 기이한 빛에 들어가게 하신 이의 아름다운 덕을 선포하게 하려 하심이라"(벧전 2:9). 출애굽기 19장에서 이스라엘에게 '보배로운 소유'가 되라는 명령은 잠재적인 것일 뿐이었으나, 그리스도의 교회에서는 그것이 이미 실현되고 있다. 예수 안에서 우리는 하나님이 공급하시는 힘으로(벧전 4:11) 그분을 섬기는 그분의 '보배로운 소유'로 살 수 있으며, 이것에 의해 우리는 우리 왕의 영광스러운 은혜를 찬양하면서 그 왕 아래 제사장 나라와 거룩한 백성의 역할을 하고 있다.

הֶבֶל('헛됨?')_ 전도서

전도서 전체의 주제를 나타내는 표어는 1장 2절에서 포착된다. הֲבֵל הֲבָלִים אָמַר קֹהֶלֶת הֲבֵל הֲבָלִים הַכֹּל הָבֶל(하벨 하발림 아마르 코헬레트 하벨 하발림 하콜 하벨, ESV="헛

되고 헛되다, 설교자는 말한다. 헛되고 헛되다. 세상만사 헛되다"[공동번역]). 핵심 용어인 הֶבֶל(헤벨, S 1892, G/K 2039)은 이 한 구절에서 다섯 번, 그리고 전도서 전체에서는 결론부 바로 전에 나오는 12장 8절 마지막 후렴구를 포함해서 서른여덟 번 반복된다. 최근 번역자들은 대부분 라틴어로 된 불가타 성경의 '*vanitas*'라는 말을 따라, 그 용어를 '헛됨'(vanity[NASB, NRSV, ESV]), '무의미함'(meaningless[NIV]), '무익함'(futility[NET Bible, CSB]), '어리석음'(absurdity[다양한 주석가들[30]])이라고 부정적으로 번역한다. 전도자에 따르면 모든 것은 הֶבֶל(헤벨)이므로, 그 용어에 부정적 의미를 부여하면 이 책의 메시지는 어두운 빛깔로 물들게 된다. 실제로 어떤 사람들은 전도자인 코헬렛의 가르침이 비정통적이고, 비관적이며, 운명주의적이라고 보며, 그것을 하나님이 정죄하신 욥의 세 친구의 말과 비교한다(욥 42:7). 동일한 학자들이 이 잘못된 '음성'을 종종 최종 해설자의 음성과 대조시키는데, 최종 해설자 자신의 정통성은 그 책 마지막 구절들에서 강조된다. "일의 결국을 다 들었으니 하나님을 경외하고 그의 명령들을 지킬지어다"(전 12:13).[31]

모든 학자가 이 견해에 동의하는 것은 아니다. 실제로 많은 사람은 그 책 전체에서 신학적 통일성을 확인하며, 그 코헬렛을 "기쁨의 전파자",[32] "경건한 현자",[33] 또는 정통적 "현실주의자"[34]라고 칭한다. 종종 이러한 대안적 접근법은 הֶבֶל(헤벨)을 더 긍정적으로 정의하는 데 영향을 준다. 즉 한편으로 '일시적인, 임시적인, 또는 덧없는'이라고, 또 한편으로는 '신비한, 이해할 수 없는, 또는 불가해한'이라고 정의되는 것이다.

---

30 예를 들어, Michael V. Fox, "The Meaning of *Hebel* for Qohelet," *JBL* 105, 3(1986): 409-27쪽, Fox, *Qoheleth and His Contradictions*, JSOTSup 71 (Sheffield, UK: Almond Press, 1989), 29-46쪽, Duane A. Garrett, *Proverbs, Ecclesiastes, Song of Songs*, NAC 14 (Nashville: Broadman & Holman, 1993), 283쪽.

31 Tremper Longman III, *Ecclesiastes*, NICOT (Grand Rapids: Eerdmans, 1998), 32-36쪽, Gordon D. Fee and Douglas Stuart, *How to Read the Bible for All Its Worth*, 2판 (Grand Rapids: Zondervan, 1993)(『성경을 어떻게 읽을 것인가』, 성서유니온선교회), 214쪽은 그렇게 말한다.

32 R. N. Whybray, "Qoheleth, Preacher of Joy," *JSOT* 7, 23 (1982): 87-98쪽. Douglas Wilson, *Joy at the End of the Tether: The Inscrutable Wisdom of Ecclesiastes* (Moscow, ID: Canon, 1999)를 참조하라.

33 Ardel B. Caneday, "Qoheleth: Enigmatic Pessimist or Godly Sage?," *GTJ* 7, 1 (1986): 21-56쪽, Robert V. McCabe, "The Message of Ecclesiastes," *DBSJ* 1, 1 (1996): 85-112쪽('경건한 현자'라는 제목에 대해서는 87쪽을 보라).

34 Daniel C. Fredericks, "Ecclesiastes," in *Ecclesiastes and The Song of Songs*, by Daniel C. Fredericks and Daniel J. Estes, ApOTC 16 (Downers Grove, IL: InterVarsity Press, 2010), 40-41쪽.

	덜 추상적	더 추상적
הֶבֶל에 대한 부정적 견해	(1) (어떤 것의) 헛됨, 무의미함, (행동의) 무익함 — *"이 세상 모든 것은 가치 없거나, 하찮거나, 무익하다."*	(2) 불합리함, 무의미함, 부조리함 — *"이 세상 모든 것은 반이성적이거나 이성을 위반한다."*
הֶבֶל에 대한 긍정적 견해	(3) 일시적임, 임시적임, 쏜살같음, 덧없음 — *"이 세상 모든 것은 짧다."*	(4) 비밀, 이해할 수 없음, 파악할 수 없음, 수수께끼 — *"이 세상 모든 것은 사람의 능력으로는 완전히 이해할 수 없다."*

표7.4. 전도서에서 הֶבֶל에 부여된 의미의 범주들

1. 외적 자료_ 전도서 외에 나오는 הֶבֶל에 대한 개관

기본적으로 הֶבֶל(헤벨)은 '한 줌의 공기, 호흡, 수증기'를 의미한다. 처음의 기음 'h' 다음에 마찰음 'v' 소리가 나오는 것은 그 단어가 아마 의성어이리라는 점을 시사한다. 즉, 그 단어를 발음하는 것 자체로 그 단어가 의미하는 '호흡', 곧 '헤벨'(*hébel*)을 내쉬어서 이루어진다는 뜻이다. 실제 물리적 '호흡'을 나타내는 경우는 구약에 단 세 번 나온다. 심지어 이 경우들도 그 요점은 호흡과도 같은 악의 헛됨을 강조하는 것이다(시 62:9[H10], 잠 21:6, 사 57:13). 전도서에 나오는 서른여덟 번을 포함해서 나머지 경우도 모두 명사적 경우와 동사적 경우는 비유적이다.

전도서 외에 나오는 많은 경우는 '단명한' 또는 '덧없는'(예를 들어 욥 7:16, 시 39:6[H7], 11[H12], 144:4)이라는 의미를 그대로 지니고 있다. 다른 경우에서 그 명사는 '무가치함' 또는 '효과 없음'(그래서 '헛됨')을 나타낸다. 어떤 것이 암시적으로 약속하는 것을 성취하지 않는다거나 성취하지 못한다는 점에서 그렇다(예를 들어 욥 9:29, 사 30:7, 49:4, 렘 10:2). 따라서 הֶבֶל(헤벨)은 수많은 문맥에서 '무가치함'을 나타내는 듯하다. 그런 문맥들에서 그 말은 תֹּהוּ(토후, '아무것도 아님'), רִיק(리크, '공허함'), לֹא יוֹעִיל(로 요일, '그것은 유익하지 않다') 등과 같은 명사들과 유사하다(사 30:6-7, 49:4, 57:12-13, 렘 16:19). 게다가 הֶבֶל(헤벨)이 אָוֶן(아벤, '악행'), כָּזָב(카자브, '미혹'), מַעַל(마알, '신실하지 않음'), שָׁוְא(샤베, '무가치한, 결과가 없는'), שֶׁקֶר(세케르, '거짓됨') 등과 같은 명사들과 유사한 문맥에서는 '속임'이라는 의미를 지닌다(예를 들어 욥 21:34, 시 62:10, 잠 31:30, 슥 10:2). 이러한 것을 기초로 הֶבֶל(헤벨)은 거짓 신들의 호칭이 되기도 한다(예를 들어 신 32:21, 왕하 17:15, 렘 8:19, 14:22, 16:19, 욘 2:8[H9]).

마지막으로, 어떤 텍스트들에서 הֶבֶל(헤벨)은 '몰상식한, 어리석은, 또는 생각이 없는' 것을 표현하는 듯하다. 엘리후가 "욥이 헛되이(הֶבֶל[헤벨]) 입을 열어 지식 없는 말을 많이 하는구나"(욥 35:16. 시편 39편 6[H7]절, 예레미야 10장 3, 8절 참조)라고 말하는 때와 같은 경우다.

2. 내적 평가_ 전도서에서의 הֶבֶל

전도서는 הֶבֶל(헤벨)을 '모든 것'과 동일시한다(전 1:2, 12:8). 이 사실은 전도서 나머지 부분 여기저기에서 나오는 'הֶבֶל(헤벨)-판단'의 정형화된 특성들과 함께, 전도서에 다양하게 나오는 이 단어에 공통된 정의가 있으며 1장 2절과 12장 8절은 현실에 대한 전도자의 생각을 요약한다는 것을 시사한다.

전도자는 어떠한 유형의 것들을 הֶבֶל(헤벨)이라고 판단하는가? 첫째는 인간의 활동으로, 수고와 그 산물(전 2:11, 18-26, 4:4, 7-8, 15-16, 5:10, 6:1-2), 쾌락(2:1, 6:9), 지혜와 지혜로워지는 것(2:15, 7:15-16), 말(5:6-7, 6:10-11) 등이다. "그후에 내가 생각해 본즉 내 손으로 한 모든 일과 내가 수고한 모든 것이 다 *hébel*하여 바람을 잡는 것이며 해 아래에서 무익한 것이로다"(2:11). 그 다음에 그는 살아 있는 것들과 그들이 살아 있는 때를 הֶבֶל(헤벨)로 간주한다(3:18-19, 6:12, 7:15-16, 9:9, 11:10). "*hébel*한 생명의 모든 날을 그림자같이 보내는 일평생에 사람에게 무엇이 낙인지를 누가 알며 그후에 해 아래에서 무슨 일이 있을 것을 누가 능히 그에게 고하리요"(6:12). 마지막으로, 신적 행동이 הֶבֶל(헤벨)이다. 일어나는 '모든 것'이라고 광범위하게 묘사되든(1:2, 14, 2:17, 6:3-4, 11:8-9, 12:8), 특별히 신적 정의라고 묘사되든(2:15, 26, 6:1-2, 8:10, 14) 말이다. "세상에서 행해지는 *hébel*한 일이 있나니 곧 악인들의 행위에 따라 벌을 받는 의인들도 있고 의인들의 행위에 따라 상을 받는 악인들도 있다는 것이라 내가 이르노니 이것도 *hébel*하도다"(8:14).

특정 문맥들은 '헛됨, 공허함'(전 2:1, 11, 19, 21) 또는 '덧없음'(2:15, 3:19, 6:12)이라는 의미를 지지할지 모르지만, 이중 어느 것도 모든 경우에 들어맞는 것은 없다. 게다가 기뻐하라는 전도자의 명령과 하나님을 두려워하고 기억해야 한다는 단언에 비추어, 그가 인생을 '무의미한 것보다 더 나쁘고 부조리한' 것으로 본다고 믿기는 어렵다. 필자는 '수수께끼'(enigma, 즉 완전히 이해할 수는 없지만 여전히 의미 있는)라는 것이 전도서 곳곳에 나오는 모든 경우에서 הֶבֶל(헤벨)이라는 말의 전반적 취지를 포착한다고 생각한다.

a. '무의미함, 의미 없음, 부조리함'으로서의 הֶבֶל

הֶבֶל(헤벨)을 '무의미함, 의미 없음, 또는 부조리함'으로 번역해서는 안 되는 이유는 적어도 네 가지다. 첫째, הֶבֶל(헤벨)이라는 말이 '무의미함'이나 '무가치함'을 의미할 때 이 말과 공통된 동의어들이 전도서에는 전혀 나오지 않는다. 예를 들어, רֵיק(레크, '공허한, 무익한, 가치 없는'), רִיק(리크, '공허함'), שָׁוְא(샤베, '가치 없는, 결과가 없는'), תֹּהוּ(토후, '아무것도 아님') 등이다. 둘째, 전도자는 종종 어떤 것이 다른 것보다 '더 낫다'고 말한다(예를 들어, "두 사람이 한 사람보다 나음은 그들이 수고함으로 좋은 상을 얻을 것임이라"[4:9]. 3장 22절, 5장 1절, 7장 1-3, 5, 8, 10절, 9장 4, 16-18절 참조). 전도서에서 '더 낫다'는 진술들은 모두 삶에 의미가 있다는 것을 시사한다. 모든 것이 완전히 아무 의미도 없다면(즉 무의미하다면), 어떻게 어떤 것이 다른 것보다 더 무의미하거나 더 부조리할 수 있는가? 셋째, 모든 것이 '무의미'하거나 '부조리'한 것이라면, 왜 우리는 코헬렛 자신의 결론에 귀를 기울여야 하는가? 그 결론 자체가 무의미할 텐데 말이다. 그럼에도 전도자는 우리가 그의 가르침에서 배우고 그의 지혜에 주의를 기울이길 기대한다. 넷째, 전도자는 삶에 깊은 의미가 있음을 인정했다. 그는 이생에 있는 많은 것을 "악한 것"(9:3), "큰 폐단"(5:13, 16, 6:2), "큰 악"(2:21), "불행한 노고"(1:13, 4:8)라고 불렀기 때문이다. 모두가 진리와 의의 기준을 지지하는 선언들이며, 우주가 "바로잡아져야" 한다는 확신이다(1:14-15, 7:13). 고통이나 범죄는 정확한 것이든 잘못된 것이든 의미와 목적성에 대한 타고난 감각이 있음을 입증한다.

b. '덧없는, 일시적인, 쏜살같은'으로서의 הֶבֶל

또한 הֶבֶל(헤벨)을 '덧없는, 일시적인, 쏜살같은'이라고 번역해서는 안 되는 수많은 이유가 있다. 첫째, 전도자는 "범사"의 변치 않는 주기를 말하는데(전 3:1. 1장 4-11절, 3장 2-8절, 12장 2-7절 참조), 인생이 반복된다는 것과 심지어 짧다는 것을 단언하는 요점은 인생이 일시적이라는 것을 강조하기 위해서가 아니라 역사의 순환적 성질이 지닌 수수께끼와, 각 세대가 하나님의 이야기 범주 안에서는 상대적으로 사소하다는 것을 밝히기 위해서다. 예를 들어 코헬렛은 주께서 인간들에게 삶의 모든 때마다 지혜롭게 살라고 명하시는 것을 지켜본 후에(3:1-10), 시간에 따라 관찰한 내용의 요점을 명확하게 설명했다. 어느 누구도 처음부터 끝까지 하나님의 목적을 완전히 파악할 수는 없다는 것이다. "하나님이 모든 것을 지으시되 때를 따라 아름답게 하셨고 또 사람들에게는 영원을 사모하는 마음을 주셨느니라 그러나 하나님이 하시는 일의 시종을 사람으로 측량할 수 없게 하셨도다"(3:11). 둘째, 인생의 불행한 노고를 묘사할 때, 전도자는 절대 일시적인 것이 아닌 실존을 묘사한다. 적어도 인간이 경험하는 관점에서 보면 그렇다는 것이다. 예를 들어, 일중독자는 "모든 수고에는 끝이 없[고]" 그의 탐욕은 "족하게 여기지" 않는다. 또한 그는 "내가 누구를 위하여는 이같이 수고하고 나를 위하여는 행복을 누리지 못하게 하는가"라고 절대 묻지 않는다(4:8). 게다가 재물을 위해 결코 수고하지 않은 다른 사람에게 그 재물을 넘겨주는 것(2:19, 21, 23)은 단지 הֶבֶל(헤벨)이 아니라, 일평생 "슬픔"과 "근심", "해 아래에서 한 모든 수고에 대하여 실망"(2:20, 23)으로 이끄는 "큰 악"(2:21)이다.

c. '수수께끼 또는 좌절시키는 신비'로서의 הֶבֶל

전도자는 전도서 11장 7-8절에서 "빛은 실로 (무의미하거나 부조리하지 않은) 아름다운 것이라 눈으로 해를 보는 것이 (헛되거나 어리석은 것이 아닌) 즐거운 일이로다 사람이 (절대 짧지 않은) 여러 해를 살면 (절대 무의미하거나 부조리하지 않은) 그 모든 것 안에서 즐거워할지로다 그러나 캄캄한 날들이 (얼마 안 되고 쏜살같은 것이 아니라) 많으리니 그날들을 생각할지로다 다가올 일은 다 **수수께끼 같도다**(enigma, הֶבֶל[헤벨])"(개역개정 수정)라고 말한다. 다른 견해들이 도전받는 것과 함께 הֶבֶל(헤벨)을 '수수께끼'(enigma)라고 번역하는 것은 전도서에서 많은 지지를 받는다.

첫째, 코헬렛이 창조의 '모든 것'이 הֶבֶל(헤벨)이라고 주장할 때, 많은 구절은 그의 말이 영원의 이편에서는 우주의 어느 것도 좋든 나쁘든 완전히 이해할 수 없다는 의미라고 시사한다. "또 내가 하나님의 모든 행사를 살펴보니 해 아래에서 행해지는 일을 사람이 능히 알아낼 수 없도다 사람이 아무리 애써 알아보려고 할지라도 능히 알지 못하나니 비록 지혜자가 아노라 할지라도 능히 알아내지 못하리로다"(전 8:17). 요점은 진리란 '알 수 없거나' '이해하기 어려운' 것이 아니라 그 실재가 궁극적으로 '불가해하다'는 것이다. 우리가 진리를 일부 알거나 이해할 수는 있지만, 삶과 자연의 반복적 특성(1:4-7, 9-10), 영혼이 만족할 줄 모르는 것(1:8), 모든 새로운 세대가 과거에서 배우는 데 실패하는 것(1:11) 등의 실상은 현재 시대에서의 실존을 기껏해야 "피곤[한]" 것으로 만든다(1:8. 8장 17절, 시편 73편 16절 참조). 모든 것은 어느 정도의 비밀과 좌절을 지닌다. 그리고 이것이 הֶבֶל(헤벨)의 의미다. 이에 기초하여 전도자는 "하나님이 모든 것을 지으시되 때를 따라 아름답게 하셨고 또 사람들에게는 영원을 사모하는 마음을 주셨느니라 그러나 하나님이 하시는 일의 시종을 사람으로 측량할 수 없게 하셨도다"(전 3:11)라고 쓴다. "하나님께서 행하시는 일을 보라 하나님께서 굽게 하신 것을 누가 능히 곧게 하겠느냐 형통한 날에는 기뻐하고 곤고한 날에는 되돌아 보아라 이 두 가지를 하나님이 병행하게 하사 사람이 그의 장래 일을 능히 헤아려 알지 못하게 하셨느니라"(7:13-14). "바람의 길이 어떠함과 아이 밴 자의 태에서 뼈가 어떻게 자라는지를 네가 알지 못함같이 만사를 성취하시는 하나님의 일을 네가 알지 못하느니라"(11:5. 1장 17-18절, 6장 11-12절, 8장 5-7절 참조).

둘째로, 우리가 아는 세상은 무의미하거나 부조리하거나 쏜살같은 것은 전혀 아니지만, 코헬렛에게는 완전히 이해하는 것이 불가능하다. '악'과 '선'은 둘 다 정신적 딜레마를 일으킨다. 한편으로 전도자는 삶의 측면들을 עִנְיַן רָע(인얀 라, "괴로운 일, 불행한 노고"[전 1:13, 4:8, 5:13]), חֳלִי רָע(할리 라, "악한 병"[6:2]) 등과 같은 것으로 부른다. 인생이 '부당하게' 보일 때와 같다. "때로 지혜와 지식과 재주로 수고한 사람은 수고하지 않은 누군가가 누리도록 자신이 얻은 모든 것을 남겨 놓아야 한다. 이것은 **수수께끼**(הֶבֶל[헤벨])이며 **큰 악**(רָעָה רַבָּה[라아 라바])이다"(2:21, 필자 번역). 다른 한편으로 전도자는 인류의 완전한 타락을 단언하고(7:20. 4장 4절, 7장 29절, 9장 3절 참조) 저주가 온 세상에 끼치는 영향을 인정하면서(7:13, 11:5), 도대체 정의가 어떻게 일어날 수 있는지 이해하기 위해 씨름한다. "하나님은 자신을 기쁘시게 하는 자들에게 지혜와 지식과 기쁨을 주셨다. 그러나 죄인들에게는 모으고 쌓는 일을 주셨다. 하나님을 기쁘시게 하는 자들에게 그것을 주시기 위해서다. 이것은 **수수께끼**(הֶבֶל[헤벨])이며 바람을 잡는 것이다"(2:26, 필자 번역). 마찬가지로 새벽의 새로운 자비들과 하늘이 구름에 덮여 있는 동안의 즐거움들이 주는 달콤함(11:7-8)은 악인들이 취하는 부당한 이득만큼이나(8:14) הֶבֶל(헤벨)이다. 전도자에게 인생은 분명 의미를 지니고 있다. '악한 것'이 있고 '선한 것'이 있기 때문이다. 그럼에도 악과 선 모두의 존재는 마음에 의문을 제기하며, 이 내적 씨름의 실상은 הֶבֶל(헤벨)이 '수수께끼'를 의미함을 시사한다.

셋째, הֶבֶל(헤벨)을 '수수께끼'로 번역하는 것을 뒷받침하는 것은 보통 전도자의 'הֶבֶל(헤벨)-판단'에 첨부된, 반복되는 두 구문에서도 나온다. 문맥과 지시 대상이 같은 구들로, רְעוּת רוּחַ(레우트 루아흐, "바람을 잡는 것"[a shepherding of wind], 전 1:14, 2:11, 17, 26, 4:4, 6, 6:9)와 רַעְיוֹן רוּחַ(라이온 루아흐, "바람의 생각"[a thought of wind], 1:17, 4:16)다. ESV는 두 구 모두 "바람을 얻으려고 애쓰는 것"(a striving after wind)이라고 번역한다(개역개정에서도 "바람을 잡으려는 것" 또는 "바람을 잡는 것"이라고 비슷하게 번역하였다_ 옮긴이). 하지만 히브리어 텍스트에서 그 두 구가 서로 구별된다는 것은 우리가 그 구들을 서로 다르게 번역해야 한다는 것을 시사한다. 그럼에도 이 두 구의 요점은 같다. 세상이 왜 지금과 같은 식으로 작동하는지 파악하는 것은 바람의 꼬리를 잡으려 애쓰는 것과도 같다는 것이다. 그 일은 할 수가 없다.

전도서에 "바람을 잡는 것" 또는 "바람의 생각"이 총 아홉 번 나오는 것을 제외하고, 어근 רעה('목양하다'[to shepherd])가 단 한 번 더 나오는 곳은 전도서 12장 11절이다. 그 구절은 지혜자의 말씀들이 "한 목자(רֹעֶה אֶחָד[로에 에하드])가 주신" 것이라고 말한다. 많은 학자가 하나님을 '한 목자'라고 언급하는 것을 거슬려 하고 전도서의 문맥에 맞지 않는다고 생각했지만, 필자는 그보다 나은 호칭을 택할 수는 없었을 것이라고 생각한다. 실로 사람들이 거의 이해할 수 없는 세상(현실을 이해하려 애쓰는 것이 마치 바람을 잡는 것[shepherding the wind] 같던 세상)에서 필요한 것은 모든 때에 모든 것을 잘 인도해 주시는 한 목자(one Shepherd)에 대한 확신이다(3:11). 하나님은 모든 것을 창조하신다(12:1). 그러나 우리가 그분의 모든 목적을 파악할 수는 없게끔 창조하신다(11:5. 7장 13-14절 참조). 하나님이 이런 식으로 섭리하시는 이유는 "사람들이 그의 앞에서 경외하게 하려 하심"(3:14)이다. "하나님을 경외하는 자들은 잘될 것이요 악인은 잘되지 못하[기]"(8:12-13) 때문이다. 그 한 목자는 자신의 백성에게 위대한 공급자이자 보호자시다. 그리고 인생의 수수께끼들 속에서 그분을 경외하면, 이 고통스러운 실존 속에서 기쁨을 발견할 수 있다. 우리가 그의 '한 목자'를 통해 모든 악을 이기고 그분의 백성을 위한 평화를 확립할 그날을 기다릴 때, 그렇게 되는 것이다(겔 34:23, 37:24, 요 10:16).[35]

---

35 더 신학적인 성찰을 하면서, 그리고 다른 견해들을 주장하는 학자들과 직접 상대하면서 이 단어를 연구한 확대판으로는 Jason S. DeRouchie, "Shepherding Wind and One Wise Shepherd: Grasping for Breath in Ecclesiastes," *SBJT* 15, 3 (2011): 4-25쪽을 보라.

'여호와'(YHWH)_ 스바냐서

필자는 일반적인 단어 연구의 몇 가지 예를 제시했다. 이 부분에서는 단어 연구가 종종 한 용어와 관련된 개념으로 어떻게 가지를 쳐야 하는지 보여 주고자 한다. 필자가 말하는 **개념**이란, 우리가 단순히 하나의 단어만 찾아보아서는 안 되며 그 용어와 가장 많이 관련된 다른 단어나 개념 역시 고찰해 보아야 한다는 뜻이다. 스바냐 2장 3절에서 선지자는 "여호와의 규례를 지키는 세상의 모든 겸손한 자들아 너희는 여호와를 찾으며 공의와 겸손을 구하라 너희가 혹시 여호와의 분노의 날에 숨김을 얻으리라"고 촉구한다. 우리는 영어 번역에서 큰 대문자와 작은 대문자로 'LORD'라는 말을 사용할 때마다 그 단어가 하나님의 고유 명사인 '여호와'를 나타낸다는 것을 안다. 필자가 이 텍스트를 설교하고 있다면, 잠시 멈춰 이 하나님, 즉 우리가 찾아야 하고 주의 날에 분노를 쏟을 그분에 대해 스바냐서 자체가 무엇을 말해 주는지 살펴보고 싶을 것이다. 그러한 것들을 고찰하기 위해 필자는 단순한 단어 연구를 넘어서야 한다. 개념을 연구해야 하는 것이다. 여호와에 대해 알아야 하는 모든 것은 그 이름 자체 너머를 바라볼 때에만 얻을 것이기 때문이다. 필자는 어떤 호칭이 여호와와 관련되어 있는지, 그리고 어떤 문맥에서 그러한지 알아야 한다. 또한 스바냐서가 하나님에 대해 무엇을 말해 주는지, 그 책은 그분을 누구라고 말하는지 알아야 한다. 그래서 필자는 호칭들로 시작한다. 이제 살펴보겠지만, 스바냐서의 핵심 목적은 명확하다. 여호와 하나님을 모든 사람에게 공경받으실 만한 주권적인 심판자와 최고의 구주로 높이는 것이다.

고유 명사인 '여호와'(יהוה[YHWH], 34번 사용됨[S 3068, G/K 3378])는 가장 흔하게 사용되는 하나님의 호칭으로, 이중 열 번은 주님 자신이 말씀하신 것이다. 그 이름은 스바냐서를 모세 언약 안에 확고하게 들어맞게 한다(출애굽기 3장 14-16절, 6장 6-8절, 34장 6-7, 14절 참조). 여러 고발과 교훈, 저주, 축복에서 율법을 자주 언급한 것에 의해서도 그 사실은 강조된다. 그 이름은 아마 '되다'(to be, 존재) 동사인 היה(S 1961, G/K 2118)의 사역적 히필에서 나왔을 것이다. 그렇다면 '여호와'라는 이름은 유일하게 자존하는 분이며, 보이는 것과 보이지 않는 것, 물질적인 것과 비물질적인 것 모두를 창조하시고 주관하시는 분인 하나님 역시 강조한다(로마서 11장 36절, 골로새서 1장 16절, 히브리서 1장 3절을 보라). 스바냐서는 그 내용(습 1:1)과 하나님의 목적 있는 활동(2:5)을 "여호와의 말씀"이라고 요약해서, 그리고 주님의 "말"(1:2-3, 10, 2:9, 3:8)과, 그분이 "정하[신]"(3:7) 모든 것과 그분의 "뜻을 정하[여]"(3:8) 시행하시는 그분의 "명령"(2:2)을 강조해서 이 점을 확증하고 기초로 삼는다.

스바냐는 앞으로 올 회복을 언급할 때, '여호와'라는 이름을 "그들의/너희의 하나님"이라는 호칭과 결합한다(습 2:7, 3:17). 남은 자들을 위로하기 위해서다. 이에 반해, 선지자는 임박한 주님의 날에 비추어 경외하라고 요구할 때 그분을 "주 여호와"(the Sovereign YHWH[1:7])라고 부른다. 따라서 모압과 암논 자손의 교만과, 그들이 하나님의 백성을 공격한 것에 대해 징계할 때, 하나님은 자신을 "만군의 여호와"(2:9-10)라고 칭하시고, 이어서 "이스라엘의 하나님"(2:9)이라는 호칭으로 자신의 백성에 대한 은총을 강조하신다. 다른 곳에서 스바냐는 주님을 "자기[예루살렘의] 하나님"(3:2)이라고 지칭하며, 그 다음에 남은 자들의 구원이 확실함을 강조할 때 그분을 "이스라엘 왕"(3:15. 2장 5절 참조)과 "전능자"(3:17. 3장 14절 참조)라고 부른다. 이 호칭들과 함께 선지자는 여호와의 성품을 "의[롭다]"고(3:5a) 지칭하며, 충성을 요구하는 그분의 임재는 "두렵[고도]"(2:11a) "네[예루살렘의] 가운데"(3:15c, 17a) 계신다고 말한다.

주님과 관련하여 사용된 서로 다른 서른일곱 개의 동사 어근들은 모두 하나님의 행동에 초점을 맞추는 지속적인(fientive) 것이다. 필자는 두 번 넘게 사용된 모든 어근을 다른 몇 개와 함께 뒷부분에 종합해 놓았다. 예루살렘 안의 무사안일주의적인 사람들은 하나님이 "복도 내리지 아니하시며 화도 내리지 아니하시리라"고 단언했지만(습 1:12), 보응에 대한 스바냐의 메시지는 그와 다른 것을 강조한다. 여호와는 징벌(1:2-3, 3:8)과 회복(3:18-20)의 목적을 위해 "모으시고" "소집하시는" 분이다. 그분이 누군가에게 "주의를 기울이실" 때는 징벌(1:8-9, 12, 3:7) 또는 구속(2:7)이 있다. 자기 손을 "펴실" 때(1:4: 2:13), 그분은 "끊어지게"(1:3-4, 11, 3:6-7) 하거나 "멸하신다"(2:5, 13). 그분은 분노(3:8)와 피(1:17)를 둘 다 "쏟으신다." 모든 대적이 "삼켜지도록"(1:18, 3:8) 하기 위해서다. 왜 그런가? "그들이 여호와께 범죄하였[기]" 때문이다(1:17. 2장 9절 참조). 여호와께서는 언제나 의로운 일을 행하시며(3:5), 억압자들을 포함해서(3:19) 모든 악한 자를 "처리하실"(1:18) 것이다. 그분은 교만한 원수들을 "제거"하시겠지만(3:11, 15), 겸손하게 그분을 따르는 자들은 "구원"하시고(3:17, 19) 그들의 운명을 "돌이키실" 것이다(2:7, 3:20). 니느웨를 황폐하게 "만드실" 것이지만(2:13) 그분께 구속받은 자들은 칭찬과 명성을 얻게 하실 것이다(3:19). 실로 그분은 택하신 자들에게 명성과 칭찬을 "주실" 것이다(3:20). 그분의 의로운 자들에게 매일 빛을 "주는" 목적을 수행하시는 것과 마찬가지다(3:5). 3장 20절에서 선지자는 자신의 모든 말을 여호와가 "말[한]" 것이라고 표현한다. 하지만 중간에 삽입된 두 개의 하나님 말씀이 있다. 과거에 자신의 백성이 회개하기를 간절히 바라셨다고(3:7), 미래에 그분의 구속받은 자들을 완전히 구원하고 즐거워하실 것이라고(3:16) 선언한다.

최고의 주권자, 구주, 만족시키시는 분으로서 여호와는 가장 높은 충성을 받을 자격이 있으시며, 불경한 자들을 징벌할 희생의 불이 타오르게 하는 것은 그분 자신의 명성을 위한 그분의 의로운 "질투"다(습 1:18, 3:8. 출애굽기 34장 14절 참조). 그분은 "세상의 모든 신"을 쇠약하게 하셨으므로, 모든 무릎은 그분께 "꿇어야" 한다(습 2:11. 이사야 45장 23절, 로마서 14장 11절, 빌립보서 2장 10절 참조). 일부 사람들은 정죄받은 전쟁 포로로서(습 3:15, 19. 이사야 45장 14절, 에스겔 39장 6절, 미가 7장 16-17절 참조), 그리고 일부는 구속받은 예배자들로서(습 3:9-10. 이사야 2장 3절, 66장 20절, 스가랴 8장 22-23절 참조) 무릎을 꿇어야 한다는 것이다. 결국 여호와는 정결하게 된 신실한 남은 자들을 기뻐하실 것이다(습 3:17). 그분은 그들을 기쁨의 백성으로 변화시키신다(3:14). 온 땅에서 "칭찬"과 "명성"을 얻게 하기 위해서다(3:19-20. 예레미야 13장 11절, 33장 9절 참조).

스바냐가 청중에게 "여호와를 찾으[라]"(습 2:3)고 명할 때, 그가 초점을 둔 대상은 상당히 한정되어 있다. 필자는 책 전체를 한 구절씩 훑으면서 여호와에 대해 필자가 배운 것을 모두 기록하여 이 모든 정보를 얻었다. 모든 동사와 호칭을 분류했고, 비슷한 호칭과 동사가 어디에서, 어떤 맥락에서 사용되었는지 찾아보았다. 그 다음에 필자가 배운 것을 이어지는 개관에서 재진술하였다. 이 연구는 우리가 본문에 나오는 단 하나의 개념에 대해 알아야 할 것을 발견하기 위해서는 종종 하나의 단어 너머를 봐야 한다는 것을 보여 준다. 주어진 어느 단어도 많은 신학적 어조를 지닐 수 있으며, 우리는 우리가 연구하는 텍스트들을 평가할 때 동의어와 관련 개념을 깊이 숙고하여 많은 것을 얻을 것이다.

마지막 한마디

우리는 이제 해석 과정에서 그 다음 단계로, 그리고 '관찰' 단계에서 '맥락' 단계로 넘어갈 준비가 되었다. 텍스트 → 관찰 → **맥락** → 의미 → 적용이다. 이 시점부터는 히브리어를 알든 모르든 거의 모든 부분을 모든 독자가 읽을 수 있을 것이다.

핵심 단어와 개념

단어 색인, 어휘 사전, 신학 용어집

어원이 같은 언어

더 생각해 보기 위한 질문

1. 왜 단어 연구와 개념 연구가 중요한가?
2. 단어를 연구할 때 흔히 저지르는 오류를 몇 가지 나열해 보라.
3. 어떤 단어의 의미를 결정하는 데 문맥은 어떤 점에서 중요한가?
4. 서로 다른 본문에서 지닌 단어의 의미가 우리가 연구하는 본문에서 그 단어의 의미를 이해하는 데 얼마나 영향을 끼칠지 결정할 때, 생각해야 하는 가장 중요한 요소는 무엇인가? 우리의 연구에 가장 많은 영향을 끼쳐야 하는 경우가 무엇인지 우리는 어떻게 아는가?
5. 본문에서 어떤 단어를 연구할지 선택하는 몇 가지 요소는 무엇인가?
6. 단어 연구와 개념 연구의 세 가지 예 가운데 어느 것이 가장 유용하다고 생각했는가? 왜 그런가?

추가 연구 자료

단어-연구 이론과 방법론

Barr, James. *The Semantics of Biblical Language*. London: Oxford University Press, 1961; repr., Eugene, OR: Wipf & Stock, 2004.

Carson, D. A. "Word-Study Fallacies." In *Exegetical Fallacies*, 27-64. 2nd ed. Grand Rapids: Baker Academic, 1996.

★ Fields, Lee M. "What Do You Mean?-Hebrew Word Studies." In *Hebrew for the Rest of Us: Using Hebrew Tools without Mastering Biblical Hebrew*, 221-33. Grand Rapids: Zondervan, 2008.

Gibson, Arthur. *Biblical Semantic Logic: A Preliminary Analysis*. Sheffield, UK: Sheffield Academic, 2002.

Oxford English Dictionary. http://www.oed.com/.

Silva, Moisés. *Biblical Words and Their Meaning: An Introduction to Lexical Semantics*. 2nd ed. Grand Rapids: Zondervan, 1994.

________. "God, Language, and Scripture: Reading the Bible in the Light of General Linguistics." In *Foundations of Contemporary Interpretation*, edited by Moisés Silva, 193-280. Grand Rapids: Zondervan, 1996.

Walton, John H. "Principles for Productive Word Study." *NIDOTTE* 1:161-70.

히브리어 어휘 사전과 아람어 어휘 사전

Brown, Francis, S. R. Driver, and Charles A. Briggs. *The New Brown-Driver-Briggs Hebrew and English Lexicon*. Peabody, MA: Hendrickson, 1979.

Clines, David J. A., ed. *The Concise Dictionary of Classical Hebrew*. Sheffield, UK: Sheffield Phoenix, 2009.

________, ed. *The Dictionary of Classical Hebrew*. 9 vols. Sheffield, UK: Sheffield Phoenix, 1993-2014.

Comprehensive Aramaic Lexicon. http://cal1.cn.huc.edu/.

Einspahr, Bruce. *Index to Brown, Driver & Briggs Hebrew Lexicon*. 2nd ed. Chicago: Moody, 1976.

Holladay, William L. *A Concise Hebrew and Aramaic Lexicon of the Old Testament*. Grand Rapids: Eerdmans, 1988.

Jastrow, Marcus. *A Dictionary of the Targumim, the Talmud Babli and Yerushalmi, and the Midrashic Literature*. 2nd ed. 2 vols. in 1. 1926; repr., New York: Judaica, 1996. Available at http://www.tyndalearchive.com/tabs/jastrow/.

○ Koehler, Ludwig, Walter Baumgartner, and Johann Jakob Stamm, eds. *The Hebrew and Aramaic Lexicon of the Old Testament: Study Edition*. Translated by M. E. J. Richardson. 2 vols. Leiden: Brill, 2001.

★ Mounce, William D., ed. *Mounce's Complete Expository Dictionary of Old and New Testament Words*. Grand Rapids: Zondervan, 2006.

Sokoloff, Michael. *A Dictionary of Jewish Babylonian Aramaic*. Baltimore: Johns Hopkins University Press, 2003.

__________. *A Dictionary of Jewish Palestinian Aramaic of the Byzantine Period*. 2nd ed. Baltimore: Johns Hopkins University Press, 2002.

Vine, W. E., Merrill F. Unger, and William White Jr. *Vine's Complete Expository Dictionary of Old and New Testament Words*. London: Oliphants, 1939; repr., Nashville: Thomas Nelson, 1996.

Vogt, Ernesto. *Lexicon Linguae Aramaicae Veteris Testamenti Documentis Antiquis Illustratum*. Rome: Pontifical Biblical Institute, 1991.

히브리어 단어 색인과 히브리어-영어 단어 색인

Evan-Shoshan, Abraham, ed. *A New Concordance of the Old Testament Using the Hebrew and Aramaic Text*. Grand Rapids: Baker Academic, 1989.

★ Kohlenberger, John R., III, and James A. Swanson. *The Hebrew-English Concordance to the Old Testament*. Grand Rapids: Zondervan, 1998.

컴퓨터 자료: *Accordance*(http://www.accordancebible.com/), *BibleWorks*(http://www.bibleworks.com/), *Logos Bible Software*(https://www.logos.com/).

헬라어 칠십인 역 어휘 사전

Chamberlain, Gary Alan. *The Greek of the Septuagint: A Supplemental Lexicon*. Peabody, MA: Hendrickson, 2011.

Danker, Frederick W., et al. *Greek-English Lexicon of the New Testament and Other Early Christian Literature*. 3rd ed. Chicago: University of Chicago Press, 2000.

Liddell, H. G., and R. Scott. *Greek-English Lexicon with a Revised Supplement*. 9th ed. Oxford: Clarendon, 1996.

Louw, Johannes P., and Eugene A. Nida, eds. *Greek-English Lexicon of the New Testament: Based on Semantic Domains*. 2nd ed. 2 vols. New York: United Bible Societies, 1989.

Muraoka, T. *A Greek-English Lexicon of the Septuagint*. Leuven: Peeters, 2010.

Taylor, Bernard A. *Analytical Lexicon to the Septuagint*. 2nd ed. Peabody, MA: Hendrickson,

2009.

Thesaurus Linguae Graecae. http://stephanus.tlg.uci.edu/.

헬라어 칠십인 역 단어 색인

Hatch, Edwin, and Henry A. Redpath. *A Concordance to the Septuagint and the Other Greek Versions of the Old Testament*. 2nd ed. Grand Rapids: Baker Academic, 1998.

Morrish, George. *A Handy Concordance of the Septuagint: Giving Various Readings from Codices Vaticanus, Alexandrinus, Sinaiticus, and Ephraemi*. London: Bagster, 1887; repr., Eugene, OR: Wipf & Stock, 2008.

Muraoka, T. *Greek-Hebrew/Aramaic Two-Way Index to the Septuagint*. Leuven: Peeters, 2010.

________. *Hebrew/Aramaic Index to the Septuagint Keyed to the Hatch-Redpath Concordance*. Grand Rapids: Baker Academic, 1998.

컴퓨터 자료: *Accordance*(http://www.accordancebible.com/), *BibleWorks*(http://www.bibleworks.com/), *Logos Bible Software*(https://www.logos.com/).

사해 문서 단어 색인

Abegg, Martin G., Jr., James E. Bowley, and Edward M. Cook, eds. *The Dead Sea Scrolls Concordance*. 3 vols. Leiden: Brill, 2003-9.

컴퓨터 자료: *Accordance*(http://www.accordancebible.com/), *BibleWorks*(http://www.bibleworks.com/), *Logos Bible Software*(https://www.logos.com/).

신학 용어집

구약

Botterweck, G. Johannes, Helmer Ringgren, and Heinz-Josef Fabry, eds. *Theological Dictionary of the Old Testament.* 15 vols. Grand Rapids: Eerdmans, 1974-2006.

★ Harris, R. Laird, Gleason L. Archer Jr., and Bruce K. Waltke. *Theological Wordbook of the Old Testament*. Rev. 1-vol. ed. Chicago: Moody, 2003.

Jenni, Ernst, and Claus Westermann, eds. *Theological Lexicon of the Old Testament*. Translated by Mark E. Biddle. 3 vols. Peabody, MA: Hendrickson, 1994.

✪ VanGemeren, Willem A., ed. *New International Dictionary of Old Testament Theology and Exegesis*. 5 vols. Grand Rapids: Zondervan, 1997.

그 외

Alexander, T. Desmond, and Brian S. Rosner, eds. *New Dictionary of Biblical Theology: Exploring the Unity and Diversity of Scripture*. Downers Grove, IL: InterVarsity Press, 2000. 「IVP 성경 신학 사전」, IVP.

Bauer, Johannes B., ed. *Encyclopedia of Biblical Theology*. 3 vols. London: Sheed & Ward, 1970; repr., New York: Crossroad, 1981.

Kittel, Gerhard, and Gerhard Friedrich, eds. *Theological Dictionary of the New Testament*. Translated by Geoffrey W. Bromiley. 10 vols. Grand Rapids: Eerdmans, 1964-76.

Silva, Moisés, ed. *New International Dictionary of New Testament Theology and Exegesis*. 2nd ed. 5 vols. Grand Rapids: Zondervan, 2014.

Spicq, Ceslas, ed. *Theological Lexicon of the New Testament*. Translated by James D. Ernest. 3 vols. Peabody, MA: Hendrickson, 1993.

3부. 맥락

본문은 어디에 들어맞는가

8장
역사적 맥락

목표_ 저자가 텍스트를 쓴 역사적 상황을 이해하고, 저자가 언급하거나 추정하는 역사적 세부 사항을 모두 확인해 본다.

여정의 단계

1부 텍스트
2부 관찰
3부 맥락_ 본문은 어디에 들어맞는가
  8장 역사적 맥락
  9장 문학적 맥락
4부 의미
5부 적용

기본 개관

역사적 맥락을 평가하기 위한 핵심 질문들 
역사적 맥락을 활용하기 위한 핵심 영역들 
공유된 전제들과 성경의 명확성 
역사적 맥락을 연구할 때 흔히 저지르는 오류 
역사적 맥락을 연구하기 위한 지침 
역사적 맥락 연구의 세 가지 예 

표8.1. 8장 길 안내

역사적 맥락을 평가하기 위한 핵심 질문들

1장에서 우리는 성경 본문의 역사성 문제로 씨름했다('역사, 신화, 성경 내러티브'를 보라). 이제 우리는 다음과 같이 질문하면서 텍스트의 **역사적 맥락**을 살펴볼 것이다. "이 본문은 시공간 상 어디에 들어맞는가? 그리고 이 자료들의 요점은 우리가 연구할 본문에 대한 해석을 어떻게 형성하는가?" 여기서 우리는 저자가 텍스트를 쓴 시간적, 사회적, 물리적 상황의 본질과, 그것이 함축하는 바들을 이해하고, 저자가 언급하거나 추정하는 역사적-문화적-지리적 세부 사항을 확인해 볼 것이다. 우리가 던져야 할 질문으로는 다음과 같은 것들이 있다.

1. **누가?**_ 본문의 저자, 청중, 주요 인물과 권력자
2. **언제?**_ 주요 기간 및 정권과 관련된 메시지의 **원래 날짜**. (어느 쪽이든 잠재적 영향력에 대한 고찰과 함께) 어느 사건이 앞에 나오고 뒤이어 나오는지에 대한 평가가 포함된다.
3. **어디서?**_ 텍스트에서 가리키는 **물리적 장소와 지리**
4. **왜?**_ 메시지의 **원인과 목적**
5. **어떻게?**_ 본문의 **장르와 사고의 흐름**. 이것은 '왜 그는 그것을 그런 식으로 말했는가?'에 대한 대답에 달려 있다.

우리는 주로 성경 본문 자체를 면밀하게 읽어서 이러한 질문들에 대한 대답을 얻는다. 성경 전체를 깊이 이해할수록, 각 부분의 세부 사항도 잘 이해할 수 있다. 고대의 맥락을 잘 알수록, 현대 사회에서 고대 사회로 가는 다리를 더 쉽게 건너간다.

역사적 문제들에 대해 도움을 받으려면, 좋은 성경 사전이나 주석, 「ESV 스터디 바이블」, 「NIV 존더반 스터디 바이블」(*NIV Zondervan Study Bible*)과 같은 도구들을 언제든 참고할 수 있다. 대부분 다양한 글이나 해설을 쓴 학자들도 우리가 갖고 있는 것과 같은 자료(성경 본문, 단락, 책, 더 광범위한 정경)에 국한되어 있었다는 것을 기억하라. 고대

사회에 대한 우리의 지식은 비교적 적기 때문에, 역사적 맥락을 다루는 우리의 씨름은 성경 자체 안에서 나와야 하며, 텍스트에서 발견되는 자료에 검증받아야 한다. 우리는 성경을 읽고, 읽고, 또 읽어야 하는 것이다.

이 모든 정보가 역사적 맥락에 중요하지만, 이번 주해 단계에서 핵심은 저자와 그의 청중 사이에 공유된 전제들(shared assumptions)이다. 곧 그들에게는 분명했지만 우리에게는 분명하지 않을 수 있는 요소들이다. 그래서 필자는 앞에 나온 질문들과 관련되지만, 그 대답이 독자에게서 조금 더 많은 것을 추정하는 한 가지 질문을 추가하고자 한다. 하나님 말씀이 역사 속에서 인간의 언어로 선포될 때, 성경의 모든 책은 그 시대의 언어, 문화, 상황에 좌우되었다. 그중 일부는 우리 시대의 것들과 같지만, 대부분은 그렇지 않다. 21세기 해석자인 우리가 레위기에 나오는 '정결한 것과 부정한 것'에 관한 율법들을 어느 정도 파악하지 못한다면, 에스겔이 이스라엘을 월경 중에 있는 여인과 비교하는 것을 제대로 이해하기가 어려울 것이다(겔 36:17. 레위기 15장 19-33절 참조). 마찬가지로, 우리가 수혼제(죽은 자의 남자 형제가 그 죽은 자의 아내와 결혼하는 관습_ 편집자)에 대한 모세오경의 논의(예를 들어 신 25:5-10)를 알고 있지 않다면, 보아스가 룻을 구속하는 과정(룻 4:1-14)이 대단히 이상하게 보일 것이다. 어떤 사람이 신을 벗어서 다른 사람에게 주는 것이 어떻게 실제로 "증명하는 전례"(4:7)가 된단 말인가? 이러한 역사적 세부 사항들은 다음과 같은 것을 물을 때 설명된다.

6. 무엇을?_ 여기서 우리의 초점은 적어도 다음 일곱 분야의 상세한 지식과 관련하여 무엇을 말하는가보다는 무엇을 추정하는가에 집중된다.[1]

   a. **언어적 친숙함_** 모든 성경 저자는 상대방이 자신의 말을 이해한다고 추정했다. 그러려면 히브리어나 아람어, 헬라어를 공통으로 알고 있거나, 알려진 언어로 확실하게 번역되어 있어야 한다.
   b. **세계관_** 텍스트에 언급된 핵심 인물들, 기록자, 수신자 또는 사회에 공유된

---

1 Gordon D. Fee, *New Testament Exegesis: A Handbook for Students and Pastors*, 3판 (Louisville: Westminster John Knox, 2002)(『신약 성경 해석 방법론』, 크리스챤출판사), 96쪽, Craig L. Blomberg, *A Handbook of New Testament Exegesis* (Grand Rapids: Baker Academic, 2010), 84쪽 내용을 수정한 것이다.

가치관과 관점, 사고방식, 견해 등을 말한다.

c. **사회 체제와 경제 체제_** 매일의 삶을 결정하는 관계와 사회 구조를 말한다. 곧 가족이나 집단의 공동 역사, 결혼과 가족 유형, 남성과 여성의 역할, 사회 지위, 인종, 교역과 직업, 노예제, 부와 가난 등이다. 이 모든 것은 저자가 자신의 독자들이 이해하리라고 종종 추정하는 특징이지만, 우리는 원래 배경에서 매우 멀리 떨어져 있기 때문에 다양한 사회적, 경제적 구조를 이해하기가 어려울 수 있다.

d. **행동 유형_** 이를테면 의상, 공동체나 가족의 관습과 같은 것들이다.

e. **정치 풍토_** 정부의 권력 중심, 구조, 충성, 인력 등을 의미한다. 예를 들어 성경 저자들이 늘 관리와 재판관의 차이를 말하는 것은 아니며, 우리가 이미 그 차이를 알고 있다고 추정한다.

f. **종교 관행_** 이스라엘의 예배 및 그 이웃들의 예배와 관련된 신념, 의식, 소속, 인력, 신성한 구조 등이다.

g. **물리적 특징_** 이를테면 기후, 날씨, 지형, 건축, 교통, 동식물 등이다.

우리는 성경 본문 자체의 테두리 안에서 이 자료들에 대해 많은 것을 분명하게 알 수 있다. 그러나 때로 이러한 것들을 이해하려면 텍스트를 넘어 창조된 이 세상에서 살아가는 삶에 대한 지식이나 성경 외 자료까지 살펴봐야 한다. 필자는 다음 부분에서 다양한 이 영역들을 살펴볼 것이다. 그러나 지금은 이것을 기억하라. 역사적 맥락 문제를 연구할 때, 목표는 단순히 저자나 연대, 저작 동기를 밝히는 것이나 역사적 세부 사항들을 파악하는 것만이 아니라, 우리가 연구하는 텍스트의 해석에 이 자료들이 어떤 영향을 끼치는지를 명확히 하는 것이라는 점이다. 목표는 단지 그 책이나 본문이 가리키는 역사적 사건을 일반적으로 이해하는 것이 아니다. 하나님 말씀을 더 구체적으로 이해하는 것이다.

역사적 맥락을 활용하기 위한 핵심 영역들

역사적 맥락은 종종 저자와 그의 독자 사이에 공유된 전제들(이해하고 있지만 반드시 명확하게 진술하지는 않는 요소들)과 연관된다. 적어도 네 개의 광범위한 영역이 역사적 맥락이라는 문제와 교차된다. 처음 세 영역에서 역사적 맥락을 살펴보는 것이 타당한지를 의심하는 사람은 거의 없다. 하지만 넷째 영역은 많은 의문을 제기한다.

1. 언어적 표시에 대한 적절한 파악

기본적으로 성경을 제대로 읽으려면 해석자, 또는 적어도 번역자는 하나님이 자신의 말씀에서 우리에게 주신 언어적 표시를 제대로 이해해야 한다. 원어들은 역사적 맥락의 일부다. 그러므로 성경 해석의 초보 단계에서는 성경의 어떤 부분을 해석하고 있는지에 따라 히브리어나 아람어나 헬라어, 또는 이 세 언어 모두의 지식이 요구된다.

2. 성경의 인물, 제도, 사건에 대한 상세한 파악

성경 해석자는 성경의 인물, 제도, 사건에도 통달해야 한다. 우리는 성경을 이해할 수 있다. 그러나 그러려면 종종 많은 노력이 필요하다. 바울이 디모데에게 한 말처럼 우리는 "주께서 범사에 …… 총명을 주시리라"는 확신을 품고 성경을 "생각해" 보아야 한다(딤후 2:7). 이렇게 하나님을 의지하여 생각하는 것은 종종 혹독한 연구를 요구한다. 성경의 인물, 제도, 사건을 깊이 인식할수록 우리는 더 좋은 해석자가 될 것이다. 그리고 우리가 많이 알수록, 도움을 받기 위해 이차 자료에 의지할 필요는 적어질 것이다. 예를 들어 이스라엘의 언약 역사와, 그것과 이웃 나라들의 관계를 알면 선지자의 수많은 공개 정죄를 파악하는 데 도움이 된다. 마찬가지로 필자는 신명기를 좋아하는데, 신명기에서 제시하는 세계관과, 그것이 주는 다양한 교훈들, 그것이 묘사하는 미래 등은 모두 필자가 성경 나머지 부분을 잘 이해하는 데 도움을 주기 때문이다. 모세오경은 구약 선지자, 제사장, 시인, 그리고 모든 신약 저자들에게 토대가 되는 성경이었다. 그러므로 우리가 그 토대를 친숙하게 알수록, 그것을 기초로 세워진 구조물을 잘 인식할 것이다.

3. 창조된 이 세상의 삶에 대한 일반적 인식

주해자는 성경을 제대로 이해하기 위해 종종 주변 세상도 알아야 한다. “게으른 자여 개미에게 가서 그가 하는 것을 보고 지혜를 얻으라”(잠 6:6). 이 명령은 우리가 개미가 무엇인지를 아는 것과 “그가 하는 것을 보[는]” 능력을 지니고 있을 것을 요구한다. “하늘이 하나님의 영광을 선포하고 궁창이 그의 손으로 하신 일을 나타내는도다”(시 19:1). “너희는 눈을 높이 들어 누가 이 모든 것을 창조하였나 보라”(사 40:26). 예수께서는 “공중의 새를 보라 …… 들의 백합화가 어떻게 자라는가 생각해 보라”(마 6:26, 28)고 말씀하셨다. 이 모든 진술은 우리가 창조된 이 세상의 삶을 일반적으로 인식할 것을 요구한다. 이것이 역사적 맥락이다.

4. 성경 외 자료에 대한 적절한 접근

마지막으로 우리는 성경 외 자료를 어떻게 다룰지를 살펴보아야 한다. 새로운 텍스트와 고대 사회의 자료들(예를 들어, 명판에 적힌 비문이나 신전 무덤 벽에 그려진 그림)이 발견되면, 성경 저자와 원래 청중이 공유하고 있는 가정들을 우리가 더 분명하게 알 수 있는 가능성이 생긴다. 성경 외에 어떤 추가 텍스트나 문화 유물이 없어도 성경 자체가 충분히 명확하므로 우리에게 “생명과 경건에 속한 모든 것”(벧후 1:3)을 준다. 그럼에도 이런 종류의 성경 외 자료는 본문에 대해 알려 주고, 우리의 이해를 더해 준다. 사실적 자료들에서 빠진 부분(이를테면, 요셉 시대에 노예의 일반적인 값이나 시내 반도의 지형 등)을 채워 주는 것뿐 아니라, 텍스트의 수사적 영향을 분명하게 설명해 주는 것을 돕는 것으로도 그렇게 하는 것이다. 이 말이 무슨 의미인지 살펴보자.

성경에 나오는 창조 기사를 있는 그대로 보아도 일반적 의미와 메시지를 이해할 수 있지만, 그에 비교할 만한 창조 기사들은 논쟁적 신학(당시의 잘못된 세계관에 대한 비판)으로써 구약에 대해 새로운 가능성들을 가져다준다. 고대 근동의 성경 외 자료들은 성경 본문의 메시지 자체를 파악하는 데 필요한 세부 사항을 거의 제공하지 않는다. 그러나 우리의 해석에 필요한 정보를 제공하고, 그것이 없었다면 고려하지 않았을 새로운 수사적 가능성을 제기한다.

예를 들어, 에스겔 1장에서 선지자는 하나님의 영광에 대한 놀라운 환상을 펼쳐 보인다. 에스겔은 바벨론의 그발 강가에서 그 환상을 보았다. 그가 묘사한 것은 네 날개, 사람의 손, 각각 사람, 사자, 소, 독수리를 닮은 네 얼굴을 가진 천상의 존재들이다. 이 텍스트의 해석들은 모두 이 놀라운 생물들이 밝은 빛과 무지개 가운데 보좌 위에 앉으신, 높임 받은 하나님의 종이라고 증거한다. 어느 문화, 어느 시대든 분명한 점은 여호와의 영광이 크며 그분이 다른 모든 천상의 존재 위에, 그리고 사람이든 야생 동물이든 가축이든 날아가는 생명체든 창조된 모든 지상 존재 위에 높임 받으신다는 것이다. 하지만 지난 세기에 우리는 에스겔 시대에 바벨론 신들을 묘사한 수많은 부조와 상을 발굴했다. 그것들은 종종 사람, 사자, 소, 독수리를 포함하여 여러 얼굴을 지니고 여러 날개가 달린 생물로 묘사되어 있다. 이러한 발견물들이 있어야 에스겔 1장의 의미를 파악할 수 있는 것은 아니다. 그러나 그러한 것들이 있는 것으로 보아, 하나님은 에스겔에게 바벨론 포로들이 바벨론에서 직접 대면했을 만한 방식으로 자신을 나타내셨으며 그들에게 우상 숭배에서 떠나라고 명하셨을 가능성이 높아진다. 바벨론 이교도들은 여러 날개와 여러 얼굴을 지닌 신들을 섬겼다. 그러나 에스겔의 환상은 그러한 모든 실체가 최고의 하나님인 여호와께 복종한다는 것을 보여 준다. 그분은 보좌에 앉아 계시며, 그분의 모습은 어느 누구와도 비교할 수 없다!

필자가 보기에 성경 저자들은 자신의 글을 읽는 사람들이 성경 언어를 알고, 성경 본문 자체에 대한 지식이 확고하며, 창조된 이 세상의 실제 삶에 대해 일반적으로 알고 있다고 추정하는 것 같다. 따라서 성경 메시지를 제대로 파악하려면 그 정도는 필요하다. 그밖에 성경 메시지의 핵심이나 일반적 의미가 성경 외 자료들에서만 얻은 세부 사항의 여부를 따르는 경우는 극히 드물지만, 그러한 정보가 있으면 더 충분한 방식으로 성경의 의미를 명료하게 하는 데 도움이 될 것이다.

공유된 전제들과 성경의 명확성

앞서 말했듯이, 역사적 맥락은 저자와 그의 청중 사이에 **공유된 전제**에 대한 것이다. 즉 그들은 당연하게 여기지만 지금의 우리는 접근할 수 없는 지식이다. 예를 들어, 아모스는 언제 설교했는가? 그는 북왕국 선지자인가, 남왕국 선지자인가? '앗수르'는 누구인가? 포위 공격용 '누각'은 무엇인가? '규빗'은 얼마나 큰가? '세겔'의 가치는 얼마인가? 이러한 것들이 역사적 맥락의 질문들이다.

효과적인 의사소통이란, 진술되어 있지 않지만 추정할 수는 있는 화자와 수신자의 이해에 좌우된다. 성경 저자들이 자신의 독자에게 무엇을 기대하는지를 결정하는 일은 늘 쉽지만은 않다. 최근 한 학자가 이렇게 주장했다. "창세기 1-11장의 장르를 결정하는 것과 그것을 적절하게 해석하는 일은 극도로 어려운 과업이다. 그 작업을 유능하게 하려면 창세기를 히브리어와 헬라어로 읽을 수 있고, 그 책의 해석에 대한 역사를 알며, 비판적 방법과 결론에 정통하고, 다양한 역사 기록 이론은 물론 고대 저자들이 과거 이야기를 쓰는 방식을 이해하며, 창세기 1-11장을 유사 텍스트들과 비교하는 것과 같은 작업들을 할 수 있어야 한다."[2]

필자의 질문은 이것이다. "정말로 저자는 창세기 1-11장이 단지 역사적 내러티브라는 것을 파악하기 위해 우리가 그렇게 많은 것을 해야 한다고 추정했을 것인가?" 이것은 몇 백 년 전까지만 해도 창세기 1-11장의 장르를 제대로 아는 해석자가 없었다는 것을 의미한다. 필자는 역사적 맥락에 대한 이런 접근법에 의문을 갖는다.

그렇다면 우리가 성경 본문에 접근할 때는 어떤 역사적 정보가 얼마나 많이 필요할까? 우리는 우리가 알고 있는 특정한 역사적 사실이 저자가 전달하고자 하는 의미에 영향을 끼치는지, 그리고 어떤 식으로 영향을 끼치는지 살펴보는 것으로 이것을

2 Charles Halton, "Conclusion: We Disagree. What Now?," in *Genesis: History, Fiction, or Neither? Three Views on the Bible's Earliest Chapters*, Charles Halton 편집, Counterpoints (Grand Rapids: Zondervan, 2015), 160쪽. 이 책에 대한 필자의 논평으로는 Jason S. DeRouchie, *Genesis: History, Fiction, or Neither?* 논평 in *Themelios* 40, 3 (2015): 485-90쪽을 보라. 이 논평의 요약본은 http://www.thegospelcoalition.org/article/book-reviews-genesis-history-fiction-or-neither-three-views에서 볼 수 있다.

결정할 수 있다. 우리는 “문학적 맥락에서 특정 역사 자료가 중요하다는 단서가 있는가?”라고 물어야 한다.

예를 들어, 에스라가 바벨론에서 예루살렘으로 간 일을 읽을 때(스 7:9), 우리는 그 여정이 광야를 통해 가는 1,448킬로미터가량의 여정이라는 것을 염두에 두어야 하는가? 저자는 우리가 이것을 알길 기대했을까? 구체적인 거리는 필요 없을지 모르지만, 에스라-느헤미야서 나머지 부분은 바벨론과 예루살렘의 거리가 멀다는 것과, 이로 인해 수많은 장애물이 생겨났다는 것을 강조한다. 저자는 독자들이 그것을 느끼길 기대하는 것이다. 실로 에스라와 그의 동료들이 안전하게 예루살렘으로 갈 수 있었던 것은 오직 “하나님의 선한 손의 도우심을 입었기 **때문**(כִּי[키])”이다(7장 9절 참조). 게다가 에스라 자신은 8장 21-22절에 이렇게 쓰면서 어려움들을 강조한다.

> 그때에 내가 …… 금식을 선포하고 우리 하나님 앞에서 스스로 겸비하여 우리와 우리 어린아이와 모든 소유를 위하여 평탄한 길을 그에게 간구하였으니 이는 우리가 전에 왕에게 아뢰기를 우리 하나님의 손은 자기를 찾는 모든 자에게 선을 베푸시고 자기를 배반하는 모든 자에게는 권능과 진노를 내리신다 하였으므로 길에서 적군을 막고 우리를 도울 보병과 마병을 왕에게 구하기를 부끄러워하였음이라.

에스라가 바벨론에서 예루살렘으로 이동한 것은 도시 이쪽에서 저쪽으로 가는 여정이기보다는 다른 주(state)로 이동하는 것과 비슷했다. 게다가 낙타, 수레, 그리고 적어도 2,000명 정도 되는 사람들과 함께하는 여정이었다(8:1-20).[3] 이 텍스트는 우리가 이 여정의 무게를 느끼길 원한다. 그래서 이 거리가 1,448킬로미터라는 사실을 밝히기 위해 텍스트 외의 것을 참고하든 아니든, 텍스트 안에서는 거리가 어느 정도인지 알 것이라고 실제로 추정하고 그것을 인식하기를 기대한다.

독자가 얼마나 많은 것을 추정하는지를 저자가 아는 것이 언제나 쉬운 일은 아니지만, 하나님 말씀의 특성 자체는 그 메시지가 어느 문화, 어느 시대에서도 이해될 수 있기를 요구한다. 역사적으로 교회는 이것을 **성경의 명료성** 또는 명확성의 교리라고

---

3 에스라는 남자 1,496명, 레위인 38명, 성전 섬길 자 220명이 있었다고 강조한다(스 8:1-20). 우리는 여기에 여자와 어린아이도 더해야 한다.

불렀다. 성경은 충분히 분명하다. 하지만 그 안에 있는 모든 것이 동등하게 분명한 것은 아니다. 예수의 구원 사역에서 절정에 이르는, 무엇보다 중요한 하나님 나라 목적들과 하나님의 우월하심에 대한 묘사는 우리가 이해하기에 충분히 분명하지만, 성경의 몇몇 다른 요소는 덜 명료하다. 웨인 그루뎀은 "성경의 명료성"(The Perspicuity of Scripture)이라는 글에서 도움이 될 만한 설명을 제시한다. 즉 우리가 성경을 이해할 수 있다는 것을 성경 자체가 입증하지만[4]

- 모든 것을 한꺼번에 다
- 아무 노력 없이
- 통상적 수단 없이
- 독자가 기꺼이 순종하려는 마음 없이
- 성령의 도우심 없이
- 인간의 오해 없이
- 절대 완전하게

성경을 이해할 수 있는 것은 아니라는 것이다.

성경에서 덜 분명한 부분이어도 우리는 언제나 진리를 분별하고 생명을 주는 설교를 할 수 있다. 예를 들어, 스바냐서는 그리스도인들에게 주님 안에서 궁극적 만족을 찾으라고 명한다. 스바냐 선지자가 자신의 말을 듣는 사람들에게 지금 하나님을 참을성 있게 추구하도록 자극하는 한 가지 방법은 그들의 죄를 밝히고 여호와의 진노의 날이 가까이 왔음을 선언하는 것이다. "그날에 문턱을 뛰어넘어서 포악과 거짓을 자기 주인의 집에 채운 자들을 내가 벌하리라"(습 1:9). 성전 문턱은 성소 또는 지성소로 들어가는 토대 부분이다. 왜 사람들이 그것을 뛰어넘었으며, 무엇이 잘못되었는가? 우리는 알지 못한다. 이것은 우리가 잃은 역사 자료 중 하나다. 문턱을 뛰어넘는 것에 대해 말하는 다른 유일한 성경은 사무엘상 5장 5절이다. 그 구절에서는 아스돗 다곤의 블레셋 제사장들이 "다곤[신전]의 문지방을 밟지 아니[할]" 것이라고 말한다. 그

4 Wayne A. Grudem, "The Perspicuity of Scripture," *Themelios* 34, 3 (2009): 288-309쪽. 앤디 나셀리가 필자에게 이 참고 자료를 소개해 주었다.

러나 사무엘상에 나온 이야기는 스바냐의 신탁과 직접적 연관이 없는 듯하다. 그리고 이 이교의 미신이 스바냐의 비난 배후에 있는지도 확신할 수 없다. 앞으로 성경 외 자료들이 더 발견된다면, 이 텍스트를 이해하는 데 도움이 될 것이다. 그러나 그렇게 될 때까지 필자는 여전히 하나님이 자신의 백성이 하고 있는 일을 정죄하셨고, 그것이 이교의 종교 의식과 연관되었을 가능성이 많다는 생각으로 이 본문을 설교할 수 있다. 더 많은 정보를 알게 되면 필자의 해석에 도움이 될 것이다. 하지만 그것이 필자의 기본 이해를 바꾸지는 않을 것이다.

역사적 맥락을 연구할 때 흔히 저지르는 오류

우리는 잘못된 방식으로 접근하여 성경을 잘못 해석할 수 있다. 역사적 맥락을 다룰 때는 흔히 저지르는 세 가지 오류를 피해야 한다.

1. 텍스트의 요점을 놓친다

많은 학자와 목회자가 추측된 역사적 배경에 쉽게 매혹된 나머지, 텍스트가 실제로 최우선으로 말하는 것을 제대로 강조하지 못한다. 필자는 구약 개관이나 주석에서 이러한 것을 자주 접한다. 그런 개관이나 주석들은 메시지보다 배경과 내용에 집중적으로 관심을 쏟는 경우가 매우 많다. 텍스트의 요점을 놓치지 말라. 성경의 메시지를 들으라.

2. 텍스트를 밝히기보다 제거한다

미미하거나 논쟁할 여지가 있는 증거를 기초로, 한 텍스트의 의미에 대해 복잡한 이론을 형성하는 학자들도 있다. 예를 들어, 21세기 대부분의 기간에 시편 연구는 양식비평적 접근이 지배적이었다. 이 접근법은 서로 다른 각 장르에 대해 이스라엘 예배에서 정교한 삶의 배경을 상정하였다. 물론 문제는 실제로 우리가 제목이나 시편 자체에서 역사적 자료를 매우 조금만 발견한다는 것이다. 이론은 필요하며 도움이 될 수 있지만, 역사적 재구성은 (a) 그것이 텍스트 자체에서 나온 것일 때 (b) 그것이 텍스트의 명백한 의미를 방해하기보다는 강화할 때 (c) 그것이 텍스트에 나오는 어려운 진술들을 이해하도록 도울 때에만 타당한 듯하다.[5] 필자의 친구이자 동료인 앤디 나셀리의 말을 요약하면, 역사적 맥락에 대한 적법한 이론들은 성경 본문을 제거하기(eliminate)보다는 더 쉽게 밝혀 준다(illuminate).

3. 유사성을 강조하고 차이는 강조하지 않는다

일부 학자들은 성경과 성경 외 텍스트의 진정한 유사성들을 재빨리 찾아내는 듯이 보인다. 그러나 그들은 종종 성경을 구별해 주는 차이에는 주의를 기울이지 않는다. 성경 저자들이 단지 참된 교리를 제시하기 위해서뿐 아니라 이스라엘의 이웃 이교도들이 지닌 뒤틀린 견해들에 맞서기 위해서도 글을 썼음을 시사하는 것은 주로 이런 차이들이다. 가장 훌륭한 비교 작업은 유사성과 차이를 밝히고 각 의미를 살펴보는 것이다.

역사적 배경은 매혹적일 수 있다. 그럼에도 나는 독자들이 이 세 가지 오류에 빠지지 않도록 주의하길 권한다. 자신이 지닌 연약함을 종종 고백하라. 그리고 주해를 할 때 하나님께 지혜를 구하라.

역사적 맥락을 연구하기 위한 지침

주해 과정에서 이 단계에 도움이 될 다섯 가지 지침이 있다. '명확히 하라', '주의하라', '확실히 하라', '자제하라', '끈질기게 하라'다.

5 Walter C. Kaiser Jr. and Moisés Silva, *Introduction to Biblical Hermeneutics: The Search for Meaning*, 2판 (Grand Rapids: Zondervan, 2007)(『성경 해석학 개론』, 은성), 179쪽을 보라.

1. 당신이 평가하고 있는 역사적-맥락 정보 유형을 '명확히 하라'

그 정보는 '누가?', '언제?', '어디서?', '왜?', '어떻게?', '무엇을?'이라는 물음에 답하는가?

2. 비교 문헌 평가에 '주의하라'

성경 자료와의 유사성과 차이를 모두 검토하라. 그리고 성경 메시지의 수사적 목적을 분별하라. 성경은 이교적 관점, 권세, 관행으로 가득한 고대 배경에서 생겨났지만, 이교 신화, 개념, 정체성, 풍습을 자기 것으로 만들기보다는 논박하고 거부하는 경향이 있다. 필자가 1장에 나오는 장르에 대한 논의('역사, 신화, 성경 내러티브')에서 말한 것처럼, 성경은 종종 (a) 다신론, 마술, 폭력, 이교주의를 통해 품격이 떨어지고 왜곡된, 원래의 진정한 역사적 사건을 확증하거나 (b) 고대 사회에서 신화인 것이 실제 내용을 가지고 있으며 이스라엘 이야기에서 사실에 입각한 것임을 보여 주어 논박하고 거부한다. 비교 문헌을 평가할 때 주의하라.

3. 배경 정보의 적실성을 명확하게 할 수 있는지 '확실히 하라'

저자가 의도한 요점을 파악하는 데 역사적 세부 사항들이 어떻게 도움이 되는지 설명할 수 있어야 한다. 이것을 할 수 없다면, 역사적 자료는 본문 메시지를 파악하는 데 필요한, 공유된 전제 중 하나가 아닐 것이다. 역사적 맥락을 제시할 때 적절하고 필요한 정보만 포함시키라.

4. 역사적-맥락 자료를 사용할 때 '자제하라'

답을 찾기 위해 성경 밖으로 나가기 전에, 성경 자체 안에서 씨름하라. 저자의 메시지를 파악하기 위해 성경 전체를 고찰해 보는 것이다. 하나님 말씀을 설교하고 가르치는 우리의 목표는, 흥미롭기는 하지만 저자의 요점을 이해하는 데 궁극적으로 별 도움이 되지 않는 주변적인 것에 집중하기보다는 성경 메시지를 해독하는 것이다. 우리는 "성경은 충분한가, 그리고 우리는 삶과 경건에 필요한 모든 것을 가지고 있는가?"라고 물어야 한다. 당신이 바울의 대적들과 같이 되지 않기를 바란다. 그들은 구약의 교사가 되기를 바라면서도 다른 교리들을 가르쳤고, 하나님의 역사를 진전시키기보다는 추측을 촉진하는 신화와 끝없는 족보에 몰두했다(딤전 1:3-7). 그러므로 성경 본문

바깥에서 얻은 배경 지식에 의지할 때는 텍스트 자체의 흐름과 메시지에 맞추어 그것을 지지하는 자료들만 사용하라.

5. 텍스트에서 메시지를 끌어내는 일에 헌신할 때는 '끈질기게 하라'

역사적 맥락을 적절하게 사용하면 텍스트의 명백한 의미를 뒤집는 것이 아니라 지지해 줄 것이다. 역사적 적실성에 대한 주장들이 확실히 텍스트에서 나온 것인지 확인하는 한 가지 방법은 역사적 자료가 사용된 목적에 관한 저자의 단서를 찾아보는 것이다. 이것은 특정한 역사적 세부 사항들이 텍스트에 나온 이유를 평가하는 지침이 될 수 있다.

예를 들어, 열왕기는 거의 모든 장에서 북왕국과 남왕국이 언약에 반역한 것을 강조한다. 그 내용은 두 왕국 모두 그 땅에서 추방되어 포로로 잡혀가는 사건에서 절정에 이른다. 열두 지파 사람들이 왜 그토록 많이 죽었는지, 그리고 예루살렘이 왜 멸망했는지를 포로로 잡혀간 소수의 남은 자들이 아직 파악하지 못했다면, 열왕기하 17장은 그 원인을 분명히 설명하기 위해 명백한 언어를 사용할 것이다. 화자는 이렇게 쓴다. "이 일은 이스라엘 자손이 …… 하나님 여호와께 죄를 범하[였기]" 때문에 일어났다. 그들은 "여호와의 율례와 여호와께서 그들의 조상들과 더불어 세우신 언약과 경계하신 말씀을 버[렸다]"(왕하 17:7, 15). 화자는 열왕기 안에 모든 신실한 표현과 모든 반역 행동을 기록했다. 이스라엘 사람들이 죄를 지었기 때문에 포로로 잡혀갔다는 것을 분명하게 설명하기 위해서다. 하나님이 그들에게서 돌아서신 것은 그들이 먼저 그분에게 등을 돌렸기 때문이다. 열왕기에 나오는 역사적 세부 사항들은 어딘가를 향하고 있으며, 화자가 직접 그곳이 어디인지 우리에게 말해 준다. 역사적 자료를 해석할 때 우리는 화자의 인도를 따라야 한다.

또한 화자가 여호수아 13-21장에서 아홉 장에 걸쳐 공들여 상세히 묘사한 지파별 땅 분배 내용을 생각해 보라. 필자는 실제로 한동안 이 장들을 깊이 연구한 적이 있다. 그러면서 여러 지파의 경계선을 그린 지도를 만들었다. 이것은 좋은 훈련이다. 그러나 그렇게 하다 보면 화자가 각 세부 사항을 그토록 주의 깊게 제시한 이유에 대한 화자 자신의 단서를 쉽게 놓칠 수 있다. 우리는 그 단서를 여호수아 21장 43-45절에 나오는 결론부에서 읽을 수 있다.

여호와께서 이스라엘의 조상들에게 맹세하사 주리라 하신 온 땅을 이와 같이 이스라엘에게 다 주셨으므로 그들이 그것을 차지하여 거기에 거주하였으니 여호와께서 그들의 주위에 안식을 주셨으되 그 조상들에게 맹세하신 대로 하셨으므로 그들의 모든 원수들 중에 그들과 맞선 자가 하나도 없었으니 이는 여호와께서 그들의 모든 원수들을 그들의 손에 넘겨주셨음이니라 여호와께서 이스라엘 족속에게 말씀하신 선한 말씀이 하나도 남음이 없이 다 응하였더라.

이 구절들은 지파의 땅 분배를 논의하며 매우 많은 세부 사항을 알려 준 주요 이유가 단지 미래 세대에게 어느 지파가 어느 구역을 얻었는지를 분명히 알려 주기 위해서만이 아님을 말해 준다. 이 모든 정보는 여호와의 신실함이 크다는 것을 찬미하기 위해 주어진 것이다. 하나님의 선한 약속의 말씀이 "하나도 남음이 없이 다" 응했다. 하나님은 언제나 자신의 말씀에 신실하시다. 그리고 여호수아서는 이와 같은 예리한 질문을 던진다. "당신도 그럴 것인가? 하나님이 그러신 것처럼 당신도 하나님의 말씀에 신실할 것인가?"

역사적 맥락 연구의 세 가지 예

사무엘상 13장 14절의 역사적 맥락

절과 텍스트 문법에 대해 앞서 나온 부분(5장에 나온 '"하나님의 마음에 맞는 사람?" 문법의 중요성_ 사무엘상 13장 14절')에서 필자는 사무엘상 13장 14절을 어떻게 적절하게 번역하는지를 다루었다. 절 자체는 동사(V)-주어(S)-수식어(M)-직접 목적어(DO)-수식어(M) 형태를 띤다.

필자는 "하나님의 마음에 맞는"(a man after God's heart)이라는 번역이 적절하지 않으며 전치사구 כִּלְבָבוֹ(킬바보, '그의 마음에 맞는/따르는')가 직접 목적어 אִישׁ(이쉬, '사람')가 아니라 주동사 בִּקֵּשׁ(비케쉬, '그가 구했다')를 수식한다고 주장했다. 그것은 부사로 기능하

כִּלְבָבוֹ	אִישׁ	לוֹ	יְהוָה	בִּקֵּשׁ
수식어	직접 목적어	수식어	주어	동사
그의 마음에 맞는/같은/따르는	사람	그분 자신을 위해	여호와께서	구하여

표8.2. 사무엘상 13장 14절_ 히브리어-영어 행간 번역

여 여호와께서 사울을 대신할 사람을 찾는 기준을 명확히 한다. 필자는 그 절을 '여호와께서 자신을 위해 자신의 뜻에 따라 사람을 구했다'라고 번역했다.

이 부분에서 필자는 이러한 해석을 지지할 만한 고대 근동의 비교 자료를 제시하고자 한다. 필자가 제시하는 모든 텍스트는 우월한 존재가 왕을 선택하는 것을 다룬다. 각 문맥에서 **마음**(heart)이라는 관용 표현은 새 왕을 선택하는 기준과 관련하여 봉신이 품은 같은 마음이나 새 왕의 충성을 말하기보다는 영주나 신들이 새 왕에 대해 지닌 정신적 개념이나 선택을 말한다. 편의상, 다양한 텍스트들의 영어 번역문만 포함시키겠다(한글판은 영어 번역문이 포함된 부분을 굵게 표기하였다_ 편집자). 그것은 **마음**이라는 단어와 어근이 같은 말이 언제나 명확하지는 않다는 뜻이다.

1. 영주의 마음이 왕을 선택했다는 텍스트들

a. **히타이트 새 왕국 협정**(약 주전 1250-1225)_ "쿠룬타가 어떤 아들을 더 좋아하든지, 즉 자기 아내의 아들이든 다른 여인의 아들이든, 어떤 아들이든 간에 쿠룬타의 **선택**(choice)이다. 쿠룬타가 어떤 아들을 더 선호하든, [그가 타르훈타사 나라에서 그의 왕권을 대신하게 하라.]"

b. **바벨론 연대기**(약 주전 550-400)_ "제 칠 년: 키슬레브(기슬르) 월에 아카드(악갓) 왕 [느부갓네살 2세]은 자신의 군대를 소집해서 핫투로 전진했다. 그는 유다 성읍을 마주보고 진을 쳤으며 아달 월 둘째 날 그 성을 점령하고 [그 성의] 왕을 붙잡았다. 그 성[예루살렘]에서 **그 자신이 택한 왕을 그가 임명했으며**(A king of his own choice he appointed) [그리고] 속국의 공물을 바벨론으로 가져갔다."

2. 신의 '마음'이 왕을 선택했다는 텍스트들

a. **에안나툼 왕, 라가시 왕조**(약 주전 2500-2335)_ "[내] 이름은 엔릴을 떠올리게 한다. 닌기르수가 힘을 부여했고, **난쉬가 [그녀의] 마음에 상상한 것이며**(envisaged by

Nansh in [her] heart), 닌후르사가가 참으로 제대로 젖을 먹였고, 이난나가 이름을 지어 주었다."

b. **구데아 왕, 아카드 왕조**(약 주전 2335-2112)_ "**닌기르수가 [그의] 마음속에 목자를 상상했고**(Sheperd envisaged by Ningirsu in [his] heart), 난쉐가 확고부동하게 여겼으며, 닌다르가 힘을 부여했고, 바바가 그 사람을 만들었다[?]."

c. **구데아 왕, 악카드 왕조**_ "난쉐가 호의를 품고 보는 사람, **엔릴의 마음의 사람**(the man of the heart of Enlil), 구데아 닌기르수의 통치자……[?]로 가툼둑의 고귀한 성소에서 태어났다."

d. **슈-신 왕, 우르 제3왕조 기간**(약 주전 2112-2004)_ "슈-신은 안 신에게 이름이 불렸고, 엔릴 신에게 사랑받았으며, **엔릴 신이 그[자신]의 마음으로 택한 왕**(king whom the god Enlil chose in his [own] heart)으로 그 땅과 사방의 목자로 택함 받은 힘 있는 왕, 우르의 왕, 사방의 왕이다."

e. **신-앗시리아**(신-앗수르[Neo-Assyrian]) **거주자 징조**(약 주전 668-627)_ "현존하는 실재가 엉망이 된다면: **엔릴이 그 자신이 택한 왕을 세울 것이다**(Enlil will install a king of his own choice)."

f. **고레스 실린더**(약 주전 539)_ "[마르둑은] 온 땅을 조사하고 두루 살펴보면서 **그의 마음의 소망에 따라 올바른 왕을 찾아 자신의 손을 꼭 붙잡게 했다**(searching for a righteous king according to the desire of his heart, so as to grasp his hand). 그는 그 왕의 이름을 고레스, 안샨의 왕이라고 불렀다. 그는 [세상] 전체에 그의 이름을 왕이라고 선언했다."

이 모든 성경 외 텍스트들은 우월한 존재가 왕을 선택하는 것을 다룬다. 인간 영주든 신이든, 각 텍스트에서 마음이라는 관용 표현은 봉신이 자기 윗사람과 같은 마음을 가진 것이라거나 새 왕의 선택 기준으로서 새 왕의 충성을 언급하기보다는 주권자가 새 왕을 염두에 두거나 선택하는 것을 언급한다. 그렇기 때문에 성경과 비교되는 고대 근동 자료들은 כִּלְבָבוֹ(킬바보)에 대한 전통적인 형용사적 번역('그의 마음과 같은/그의 마음을 따르는')에 반대하고, 그 히브리어 표현이 사울을 대신할 사람에 대한 여호와의 선택에 더 초점을 맞춘다는 견해를 지지한다. 이 역사적 맥락의 자료는 절대 사무엘상 13장 14절의 의미를 결정하는 데 확실한 것은 아니다. 그러나 어떤 해석을 다른 해석보다 지지하는 정보는 제공한다.

신명기 1장 1절의 지리적 세부 사항

서구 사람들은 대부분 성경에 나오는 지리 표기를 깊이 생각하지 않는다. 그러나 독자들이 성경에 나오는 장소의 위치를 알 것이라는 저자의 가정은 우리가 한 본문이나 책을 이해하는 데 실제로 상당한 영향을 끼칠 수 있다.

우리는 광야에서 40년을 지낸 뒤 모세가 여리고를 건너온, 출애굽 이후 이스라엘 세대에게 말한 세 개의 설교와 하나의 경고 노래, 그리고 임종의 자리에서 주는 축복으로 신명기가 이루어져 있다는 것을 안다. 첫 번째 설교가 나오기 전에 신명기 1장 5절은 모세가 그 말을 어디서 했는지를 분명하게 말한다. "모세가 요단 저쪽 모압 땅에서 이 율법을 설명하기 시작하였더라 일렀으되." 두 번째 설교가 나오기 전에도 비슷한 것을 읽을 수 있다. "이스라엘 자손이 애굽에서 나온 후에 모세가 증언과 규례와 법도를 선포하였으니 요단 동쪽 벳브올 맞은편 골짜기에서 그리하였더라 이 땅은 헤스본에 사는 아모리 족속의 왕 시혼에게 속하였더니"(신 4:45-46). 마지막으로, 경고 노래가 나온 뒤 화자는 이렇게 말한다. "바로 그날에 여호와께서 모세에게 말씀하여 이르시되 너는 여리고 맞은편 모압 땅에 있는 아바림 산에 올라가 느보 산에 이르러 내가 이스라엘 자손에게 기업으로 주는 가나안 땅을 바라보라"(32:48-49). 모세가 요단 동편 모압 땅에서 신명기의 여러 메시지를 전했다는 것은 분명하다. 하지만 돌아가서 신명기 1장 1절을 읽어 보라.

אֵלֶּה הַדְּבָרִים אֲשֶׁר דִּבֶּר מֹשֶׁה אֶל־כָּל־יִשְׂרָאֵל בְּעֵבֶר הַיַּרְדֵּן בַּמִּדְבָּר בָּעֲרָבָה מוֹל סוּף בֵּין־ פָּארָן וּבֵין־תֹּפֶל וְלָבָן וַחֲצֵרֹת וְדִי זָהָב׃	이는 모세가 요단 저쪽 숩 맞은편의 아라바 광야 곧 바란과 도벨과 라반과 하세롯과 디사합 사이에서 이스라엘 무리에게 선포한 말씀이니라.

표8.3. 신명기 1장 1절_ MT와 개역개정

이것은 신명기 전체에 대한 서론적 진술이다. 이 구절에서 우리는 모세가 처음에 신명기의 메시지를 전한 곳들을 명확하게 설명하는 수많은 장소의 이름을 보게 된다. 놀랍게도 열거된 장소들은 모세가 모압 안에 있는 여리고 건너 사해 북쪽이 **아닌** 첫 세대가 약속의 땅으로 간 여정과 관련된 지역의 약간 남서쪽에서 하나님의 신명기 말씀을 선포했음을 시사한다.

1. "요단 저쪽"

이 칭호는 일반적으로 약속의 땅으로 들어가는 것과 가장 자주 연관된다. 고대 사회에서 다른 모든 신성한 장소와 마찬가지로, 약속의 땅의 주된 입구는 (적어도 신학적 관점에서) 동쪽이었다. 그래서 마지막 화자는 약속의 땅 안에서 글을 쓰면서, 모세가 바깥인 "요단 저쪽"에서 전했다고 말해 준다.

2. "광야"

이 표현 역시 일반적으로 모든 이스라엘 사람이 애굽을 떠나 약속의 땅 경계선으로 간 경험과 연관된다. 광야는 이스라엘이 애굽에서 시내산까지 여행한 지역(출 14:11), 시내산 지역 자체(민 1:1), 그리고 시내산 이후 모세가 죽기까지 이스라엘이 방황한 전체 장소를 말할 수 있다(14:32-33). 신명기 8장 2절에서 모세는 이렇게 말한다. "네 하나님 여호와께서 이 사십 년 동안에 네게 **광야** 길을(בַּמִּדְבָּר[밤미드바르]) 걷게 하신 것을 기억하라 이는 너를 낮추시며 너를 시험하사 네 마음이 어떠한지 그 명령을 지키는지 지키지 않는지 알려 하심이라."

3. "아라바"

신명기 1장 7절에서 우리는 아라바가 이스라엘이 가나안에 도달하기 위한 여정에서 처음으로 통과한 지역이라는 것을 알게 된다. "방향을 돌려 행진하여 아모리 족속의 산지로 가고 그 근방 곳곳으로 가고 아라바와(בָּעֲרָבָה[바아라바]) 산지와 평지와 네겝과 해변과 가나안 족속의 땅과 레바논과 큰 강 유브라데까지 가라." 아라바는 북쪽으로 사해에서 갈릴리까지 올라가고(신 3:17), 남쪽으로 사해에서 내려와 에돔을 거쳐 홍해와 그 너머까지 이르는(2:8) 건조한 저지 지역이다.

4. "숩 맞은 편"

우리는 "숩"(סוּף[수프])의 위치를 정확히 알지 못한다. 하지만 우리가 '홍해'라고 부르는 것을 성경에서는 יַם סוּף(얌 수프, '갈대 바다')라고 칭한다는 것은 안다. 이것은 숩이 갈대 바다(또는 홍해)와 직접 연관된 지역이라는 것을 시사할 수 있다. 숩은 모압에서 멀리 떨어진 남쪽 끝일 것이다.

5. "바란과 도벨과 라반과 하세롯과 디사합 사이"

이 장소 중 두 곳만 성경 다른 곳에 나온다. '바란'(פָּארָן[파란])은 시내산에서 머물렀다가 초기에 멈춘 장소다(민 10:12, 12:16, 13:3, 26). 이와 함께 하세롯은 후에 멈춘 장소다(11:35, 12:16, 33:17-18).

> 이는 모세가 요단 저쪽 숩 맞은편의 아라바 광야 곧 바란과 도벨과 라반과 하세롯과 디사합 사이에서 이스라엘 무리에게 선포한 말씀이니라 호렙산에서 세일산을 지나 가데스 바네아까지 열하룻길이었더라 마흔째 해 열한째 달 그 달 첫째 날에 모세가 이스라엘 자손에게 여호와께서 그들을 위하여 자기에게 주신 명령을 다 알렸으나.

표8.4. 신명기 1장 1-3절_ 개역개정

이 모든 것은 무엇을 의미하는가? 필자는 신명기 1장 1-3절을 다 같이 읽을 때 명확하게 알 수 있다고 생각한다.

필자는 신명기를 해석할 때 지리 표시가 세 가지 중요한 의미를 담고 있다고 본다. 첫째, 1장 1절에 나오는 지리 묘사는 2절에 나오는 "열하루"와 3절에 나오는 "마흔째 해"의 대조로 보완된다. 이것은 열 명의 정탐꾼과 그들을 따른 민족이 신실하지 못하던 40년 전에 첫 세대가 신명기의 핵심을 들었다는 것이다.

둘째, 이제 40년 후다. 첫 세대는 죄로 인해 죽었으며 하나님은 전 세계의 구원이라는 그분의 비전을 수행하도록 새 세대를 일으키셨다. 새 세대에 대한 하나님의 접근 방식은 이전 세대에 대한 접근 방식과 다를 바 없다. 그들은 같은 계시에 반응할 같은 책임을 갖고 있다. 문제는 '그들이 그렇게 할 것인가?'다.

셋째, 신명기에서는 자주, 현재의 모압 세대를 대할 때 마치 호렙산 언약이 그들의 언약이었던 것처럼 대한다. 마치 그들을 하나님의 산에 있던 사람들인 것처럼 여긴다는 것이다. 예를 들어, 5장 3-4절에서 모세는 "이 언약은 여호와께서 우리 조상들과 세우신 것이 아니요 오늘 여기 살아 있는 우리 곧 우리와 세우신 것이라 여호와께서 산 위 불 가운데에서 너희와 대면하여 말씀하시매"라고 쓴다(6장 20-25절 참조). 세대를 가로지르는 신명기의 특징은 맨 처음 구절들이 강조하는 점이다. 과거에 사실이던 것이 모세의 현재에도 똑같이 사실이다. 이전 세대는 신명기의 진수를 들었다. 하지만 그들은 그것을 거부했다. 새 세대는 어떻게 반응할 것인가?

이 짧은 연구는 어떻게 역사적-지리적 자료가 때로 우리가 하나님 말씀을 이해하는 데 도움이 되는지 강조한다. 필자는 성경 자체 안에서 여러 장소에 대한 정보를 발견했다. 신명기 화자는 필자가 이스라엘의 이야기를 알 것이라고 기대했다. 그리고 필자가 하나님이 이미 주신 것을 다시 읽은 뒤 지리를 공부하자, 신명기 시작부에 나오는 수사적 목적을 명료하게 설명하는 부분을 더 잘 이해할 수 있었다.

출애굽기 19장 4-6절의 역사적 맥락

출애굽기 19장 4-6절의 역사적 맥락을 생각해 보자. 이 책 시작부에서 필자는 모든 주해 단계를 분리할 때 직면하는 자연스러운 도전에 대해 언급했다. 예를 들어, 역사적-내러티브적 텍스트에서는 종종 역사적 맥락과 문학적 맥락의 차이를 분별하기가 어렵다. 역사가 내러티브 자체에 결합되어 있기 때문이다. 출애굽기 19장 4-6절에 접근할 때도 마찬가지다.

이러한 어려움에 비추어, 필자는 이 부분에서 가장 일반적인 역사적 자료만 다루려고 한다. 그리고 출애굽기 내러티브를 더 철저하게 분석하는 것은 '문학적 맥락'을 논의하는 다음 장에서 다루겠다. 역사적 맥락에 접근할 때 필자는 초점을 맞춰야 할 두 영역을 택했다. (1) 19장 4절에서 이스라엘이 하나님을 공경하라는 부르심의 근거라고 말하는 출애굽 사건과 (2) 19장 5절에 언급된 "언약"의 본질과 의의다.

1. 출애굽

이스라엘 사람들이 몇 세기 동안 애굽 동쪽 삼각주에 거주한 후(출 12:40-41),[6] 하나님은 모세에게 이스라엘과 세상이 보는 앞에서 그들을 이끌어 구해 내라고 위임하셨다. 이것은 하나님이 창세기 15장 13-14절에서 아브라함에게 하신 약속을 이루는 것이었다. "그때 여호와께서 아브람에게 말씀하셨다. '네가 반드시 알아야 될 일이 있다. 네 후손들이 외국 땅에서 나그네가 되어 400년 동안 종살이하며 학대를 받을 것이다. 그러나 그들이 섬기는 나라를 내가 벌할 것이니 그후에 네 후손들이 많은 재물을 가지고 그 나라에서 나올 것이다'"(현대인의성경).

출애굽 연대에 대해서는 학자마다 의견이 분분하다. 부분적으로는 출애굽 때 바로가 누구였는지 그 이름이 나와 있지 않기 때문이다. 성경 본문, 특히 열왕기상 6장 1절을 단순하게 읽으면 출애굽은 주전 1446년에 일어난 것이 된다. 아마 애굽 18대 왕조의 아멘호테프 2세(Amenhotep II)의 통치(약 주전 1450-1425) 때일 것이다. 이스라엘이

---

6 출애굽기 12장 40-41절은 이스라엘이 애굽에서 430년간 거주했으며, 그 다음에 430년이 끝나는 "그날에 여호와의 군대가 다 애굽 땅에서 나왔은즉"이라고 말한다. 많은 학자는 이 430년이 야곱이 애굽으로 들어간 때부터 애굽 땅에서 나온 때까지를 의미한다고 생각하지만, 유대 전승, 장 칼뱅, 그리고 존 빔슨(John Bimson)과 데이비드 롤(David Rohl) 같은 일부 현대 학자들은 그 기간이 단지 210년이었다고 제안한다. 성경 본문에 나온 계보 자료와 다른 구체적 진술들에 기초해서 그렇게 보는 것이다. 필자의 판단으로는 적어도 다섯 가지 사항이 짧은 기간에 대한 이 주장을 뒷받침한다. (1) 고핫은 애굽으로 들어가기 전에 태어났으며(창 46:12, 26), 그의 아들 아므람(출 6:18)은 모세와 아론의 아버지였다(6:20). 고핫은 133년간 살았고(6:18), 아므람은 137년간 살았으며(6:20), 모세는 출애굽 당시 80세였다(7:7). 이것은 이스라엘이 **아무리 많이 잡아도** 애굽에서 350년(133+137+80)간 있었음을 의미하는데, 그것은 각 사람이 자기가 죽은 해에 자기 아들을 낳았다는, 매우 있을 법하지 않은 가능성에서 추정한 것이다. 더 그럴듯한 사실은 그 민족이 애굽에 있던 기간이 훨씬 짧았다는 것이다. (2) 창세기 15장 13절에 약속된 400년은 아마도 애굽의 억압이 계속된 기간을 말하는 것이 **아니라**, 억압이 끝날 때까지의 기간(아브라함 언약에서 약 400년)을 말한다는 것이다. 실제로 우리는 억압이 430년이 아니었다는 것을 안다. 이스라엘은 요셉 치하에서 오랫동안 안식을 누리며 살았기 때문이다. (3) "아브라함에게 약속하신" 지 430년 후에 율법이 생겼다는 바울의 진술(갈 3:16-17)은 애굽에서 그보다 짧은 기간 있었다는 것을 암시한다. 바울의 출발점은 족장들 일반이나, 야곱과 그의 아들들이 애굽에 들어간 것이 아니라 **아브라함**에게 하신 약속들이기 때문이다. (4) 사도행전 13장 17-20절에서 바울은 족장들을 택하신 것에서 사사 시대까지 "이 모든 것"(개역개정에는 번역되어 있지 않다_ 옮긴이)이 "약 450년간"이라고 말한다. 그 450년이라는 시간에 대한 언급이 정말로 17-20절에 일어난 모든 것을 말한다면, 야곱이 애굽에 들어간 때부터 출애굽까지 실제 기간은 430년이 **아니라** 더 짧을 것이다. (5) 덜 구체적이기는 하지만, 사도행전 7장 17-19절은 이미 요셉의 죽음 이후면서 애굽이 실제로 이스라엘 사람들을 종으로 삼기 전에 "[창세기 15장 13절의] 약속[성취]하신 때가 가까우매"라고 말한다. 앞으로 수세기 더 종살이를 해야 한다면, 이것은 이상한 말일 것이다. 하지만 그 종살이가 애굽에서 거하던 시절 끝무렵에야 일어났다면, 그 성취가 '가깝다'는 스데반의 강조는 더 의미가 통한다. 그렇다면 출애굽기 12장 40-41절에 나오는 430년이라는 기간과 어떻게 조화되어야 하는가? 필자는 모세가 말한 '430년'은 그들 민족의 아버지(아브라함)가 처음 애굽에 거한 때부터 계산할 수 있다고 제안한다. 그것은 창세기 12장 10-20절에서 이미 아브람이 70세쯤 되었을 무렵, 그가 처음 가나안에 들어온 직후에 일어난다. 창세기 15장 13절에 나오는 400년에 대한 약속은 아브람의 특정 나이와 연관된 것이 아니라 그의 나이 75세에서 86세 사이 어느 때쯤에 임한 것이다(창 12:4, 16:16).

주전 1446년에 출애굽했다는 것을 뒷받침하는 증거가 많긴 하지만,[7] 애굽의 자료에는 지상 최대 제국이던 자신들이 많은 이방 노예 무리의 하나님께 철저히 굴욕당했다는 명백한 증거가 없다. 하지만 그런 자료가 있으리라고는 기대조차 하지 말아야 한다. 우리가 알기로 고대 사회의 어느 왕도 그들 자신이 굴욕당한 이야기를 후대를 위해 기꺼이 남겨 두지는 않기 때문이다. 우리가 아는 것은 성경에 애굽 문화와 관련된 세부 사항들이 완벽하게 정리되어 있으며, 애굽 역사 속 어떤 것도 성경의 주장과 반대되는 것은 없다는 점이다.[8] 마지막으로 우리는 아멘호테프 2세가 애굽의 권력과 영향력이 전 세계 최고였던 시기에 왕으로 다스리기 시작했다는 것을 안다. 그는 출세한 군인 전사였으며, 가나안에 서너 번 정도 군사 작전을 벌였다. 하지만 그러고 나서 어떤 이유에서인지 갑자기 군사 활동을 중단했다. 결정적인 것은 아니지만, 아멘호테프 2세의 아들이자 후계자인 투트모스 4세(Thutmose IV)가 세운 꿈의 석비(Dream Stele)를 보면, 투트모스 4세는 아멘호테프 2세의 장자가 아니라고 기록되어 있다. 그 기록은 애굽의 장자에게 닥친 열 번째 재앙을 암시하는 것일 수도 있다.

역사적 맥락의 이 부분과 관련하여 가장 중요한 것은 출애굽기 19장 4-6절이 성경 나머지 많은 부분과 함께 출애굽이 실제로 시공간 속에서 일어났다고 추정한다는 것, 즉 이스라엘의 하나님 여호와께서 기적과 같은 큰 능력으로 이스라엘 사람들을 직접 눈에 보이게 구해 주셔서 이후에 모든 해방이 확실히 이루어질 것임을 분명히 하셨다는 것이다.

2. 언약

피터 젠트리(Peter Gentry)는 공저자로 저술한 탁월한 책 「언약과 하나님 나라」(새물결플러스)에서 성경이 בְּרִית(베리트, '언약')라는 용어를 맹세와 결합된 많은 헌신에 적

---

7 Charles F. Aling, *Egypt and Bible History: From Earliest Times to 1000 B.C.*, Baker Studies in Biblical Archaeology (Grand Rapids: Baker, 1981)(이집트와 성경 역사」, 기독교문서선교회), John Bimson, *Redating the Exodus and Conquest*, 2판, JSOTSup 5 (Sheffield, UK: Almond Press, 1981), David Rohl, *Exodus: Myth or History*? (St. Louis Park, MN: Thinking Man Media, 2015), Timothy P. Mahoney with Steven Law, *Patterns of Evidence: Exodus* (St. Louis Park, MN: Thinking Man Media, 2015)를 보라.

8 특히 Aling, *Egypt and Bible History*(「이집트와 성경 역사」, James K. Hoffmeier, *Israel in Egypt: The Evidence for the Authenticity of the Exodus Tradition* (Oxford: Oxford University Press, 1996), K. A. Kitchen, *On the Reliability of the Old Testament* (Grand Rapids: Eerdmans, 2003), 241-312쪽을 보라.

용시킨다고 말했다. 국제 조약(수 9:6, 왕상 15:19), 씨족 간 동맹(창 14:13), 개인 협정(창 31:44), 민족 협정(렘 34:8-10), 결혼을 포함한 충성 맹세(삼상 20:14-17) 등이다.[9] 「언약으로서의 결혼」(*Marriage as a Covenant*)이라는 또 다른 빼어난 연구에서 고든 휴겐버거(Gordon Hugenberger)는 언약을 "자연스러운 것과 반대인 선택 관계로, 맹세로 맺은 의무의 관계"[10]라고 유용하게 정의한다. 이 정의는 우리가 성경과 고대 사회 모두 곳곳에서 보는 언약 관계의 본질에 잘 들어맞는다. 언약의 핵심에는 관계가 있다. 가족 관계를 본뜬 것이기는 하지만, 언약은 탄생에 의해서가 아니라 선택에 의해 확증된 관계다. 그래서 종주는 자신을 '아버지'로, 봉신은 '아들'로, 그리고 다른 봉신들은 '형제'로 칭했다. 이 언약 관계는 쌍방 모두에게 책임을 지운다. 그 쌍방은 약속 또는 맹세라는 맥락에서 이 관계를 확립한 것으로, 보통 신들(gods)을 저주 또는 축복의 증인으로 삼았다.

출애굽기 19장 5절에서 여호와는 이스라엘에 "내 언약을 지키[라]"고 명한다. 하나님이 노아를 상대하신 이래, 여호와는 인간과 자신의 다양한 관계를 '언약'으로 부르셨다(창 6:8, 9:9-17, 15:18, 17:2-22, 출 2:24, 6:4-5). 이것은 하나님의 아버지다우면서도 주권적인 권위와, 자신이 창조하신 사람들과 관계를 맺고자 하는 하나님의 의도를 모두 암시한다. 출애굽기 19장 5절에 이르러 '언약'이라고 이름 붙은 신과 인간의 관계는 단 두 가지로, 노아 언약과 아브라함 언약이다. 이제 출애굽기 19-20장에서 하나님은 자신이 후에 특별히 호렙산 또는 시내산과 연관된 '언약'(출 24:8, 34:10, 27-28)으로 부르는 것을 확립하신다(신 5:2, 29:1[H28:69]). 이제 던질 질문은 이렇다. "하나님은 출애굽기 19장 5절에서 어떤 역사적 언약을 가리키고 계시는가?" "너희가 …… 내 언약을 지키면……."

출애굽기에서 화자는 "하나님이 아브라함과 이삭과 야곱에게 세운 그의 언약을 기억하사"(출 2:24)라고 하면서 해방 이야기를 시작한다. 그 다음에 출애굽기 6장 4-5절에서는 여호와 자신이 "가나안 땅 곧 그들이 거류하는 땅을 그들에게 주기로 그들과 언약하였더니 이제 애굽 사람이 종으로 삼은 이스라엘 자손의 신음 소리를 내가 듣고 나의 언약을 기억하노라"라고 단언하신다. 여호와는 창세기 12장 2절에서 아브라함

---

9 Peter J. Gentry and Stephen J. Wellum, *Kingdom through Covenant: A Biblical-Theological Understanding of the Covenants* (Wheaton, IL: Crossway, 2012)(「언약과 하나님 나라」, 새물결플러스), 130-31쪽.

10 Gordon P. Hugenberger, *Marriage as a Covenant: Biblical Law and Ethics as Developed from Malachi* (Grand Rapids: Baker, 1998), 11쪽.

에게 창대한 민족을 이루어 주겠다고 약속하셨으며, 17장 7-8절에서는 "내가 내 언약을 나와 너 및 네 대대 후손 사이에 세워서 영원한 언약을 삼고 너와 네 후손의 하나님이 되리라 내가 너와 네 후손에게 네가 거류하는 이 땅 곧 가나안 온 땅을 주어 영원한 기업이 되게 하고 나는 그들의 하나님이 되리라"고 약속하셨다. 이 약속들은 시내산에서 맺은 모세 언약에서 성취된다.

윌리엄 덤브렐(William Dumbrell)은 이 시점까지는 출애굽기에서 아브라함 언약만 언급했기 때문에, 19장 5절에서 하나님은 이스라엘에 아브라함 언약을 지키라고 명하시는 것이라고 주장했다.[11] 다른 학자들도 이 문제로 씨름한다. 출애굽기 19-20장은 하나님이 시내산 언약을 맺으시는 바로 그 배경이기 때문이다. 참으로 19장 5절에서 "내[그분의] 말을 잘 듣고"라는 명령은 20장 1절에 십계명이 소개되는 것을 예상하는 듯 보인다. 그 소개말에서 우리는 "하나님이 이 모든 말씀으로 말씀하여 이르시되"라는 글을 읽는다.

필자는 우리가 그 둘 중 하나를 선택해야 하는 것은 아니라고 제안한다. 창세기는 시내산에서 맺은 하나님과 이스라엘의 관계는 실제로 하나님이 아브라함에게 하신 약속들의 1단계 성취라고 예상하기 때문이다. 그 약속들은 이스라엘이 민족을 이루는 것과, 그 땅을 보유하는 것과 직접 관련된다. 아브라함 언약의 2단계는 한 남자 해방자를 통해 열방에 복이 이르는 것(창 12:3, 22:17b-18)과, 아브라함이 수많은 민족의 아버지 역할을 하리라는 것(17:4-6)을 포함한다. 이것은 모세 언약으로 발전되지만, 그리스도 안에 있는 새 언약에서만 명백하게 성취된다(행 3:25-26, 롬 4:13-18, 갈 3:7-29. 5장에 나온 '텍스트 문법의 예_ 창세기 12장 1-3절'을 보라). 출애굽기 19장 5절에서 하나님은 이스라엘에 아브라함 언약의 1단계를 성취하라고 명하고 계시며, 그것은 십계명과 다른 모든 규정에 따라 살아야 한다는 것을 의미한다. 모두 하나님의 거룩하심을 세상에 전달하고 보여 주기 위해서 말이다.

11 William J. Dumbrell, *Covenant and Creation: An Old Testament Covenant Theology*, 2판 (Milton Keynes, UK: Paternoster, 2013), 110-11쪽.

핵심 단어와 개념

역사적 맥락

성경의 명료성

더 생각해 보기 위한 질문

1. 성경학자들은 역사적 맥락에 대한 정보 대부분을 어디에서 발견하는가?
2. 역사적 맥락 연구의 핵심은 무엇인가? 그리고 저자와 그의 청중 사이에 종종 공유된 전제들로는 어떤 영역이 있었는가?
3. 역사적 맥락을 연구할 때, 성경 외 저술이 차지하는 위치는 무엇인가?
4. 역사적 맥락을 연구할 때, 흔히 저지르는 세 가지 오류는 무엇인가? 당신이 가장 쉽게 빠질 만한 오류를 상세히 설명해 보라.
5. 역사적 맥락을 연구하기 위한 다섯 가지 지침은 무엇인가?
6. 사무엘상 13장 14절 또는 에스겔 1장을 이용해서, 어떻게 성경 외 자료가 텍스트의 요점을 이해하는 데 도움이 되지만 꼭 필요하지는 않은지를 명확하게 설명해 보라.

추가 연구 자료

역사적 맥락_ 성경의 책과 특정 본문

Hill, Andrew E., and John H. Walton. *A Survey of the Old Testament*. 2nd ed. Grand Rapids: Zondervan, 2000. 「구약 개론」, 은성.

House, Paul R., and Eric Mitchell. *Old Testament Survey*. 2nd ed. Nashville: Broadman & Holman, 2007.

★ Kaiser, Walter C., Jr., and Duane A. Garrett, eds. *NIV Archaeological Study Bible*. Grand Rapids: Zondervan, 2005.

LaSor, William Sanford, David Allan Hubbard, and Frederic William Bush. *Old Testament Survey: The Message, Form, and Background of the Old Testament*. 2nd ed. Grand Rapids: Eerdmans, 1996.

Longman, Tremper, III, and Raymond B. Dillard. *An Introduction to the Old Testament*. 2nd ed. Grand Rapids: Zondervan, 2006.

Merrill, Eugene H., Mark F. Rooker, and Michael A. Grisanti. *The World and the Word: An Introduction to the Old Testament*. Nashville: Broadman & Holman, 2011. 「현대인을 위한 구약 개론」, 기독교문서선교회.

✪ Walton, John H., ed. Zondervan Illustrated Bible Backgrounds Commentary: Old Testament. 5 vols. Grand Rapids: Zondervan, 2009.

★ Walton, John H., and Craig S. Keener, eds. *NIV Cultural Backgrounds Study Bible*. Grand Rapids: Zondervan, 2016.

★ Walton, John H., Victor H. Matthews, and Mark W. Chavalas, eds. The IVP Bible Background Commentary: Old Testament. Downers Grove, IL: InterVarsity Press, 2000.

역사적 맥락_ 일반적인 것

Beale, G. K. "The Relevance of Jewish Backgrounds for the Study of the Old Testament in the New." In *Handbook on the New Testament Use of the Old Testament: Exegesis and Interpretation*, 103-32. Grand Rapids: Baker Academic, 2012. 「신약의 구약 사용 핸드북」, 부흥과개혁사.

Chavalas, Mark W., and Murray R. Adamthwaite. "Archaeological Light on the Old Testament." In *The Face of Old Testament Studies: A Survey of Contemporary Approaches*, edited by David W. Baker and Bill T. Arnold, 59-96. Grand Rapids: Baker Academic, 2004.

Chavalas, Mark W., and Edwin C. Hostetter. "Epigraphic Light on the Old Testament." In *The Face of Old Testament Studies: A Survey of Contemporary Approaches*, edited by David W. Baker and Bill T. Arnold, 38-58. Grand Rapids: Baker Academic, 2004.

Chavalas, Mark W., and K. Lawson Younger Jr., eds. *Mesopotamia and the Bible: Comparative Explorations*. Grand Rapids: Baker Academic, 2002.

Coogan, Michael D., ed. *The Oxford History of the Biblical World*. Oxford: Oxford University Press, 1999.

Currid, John D. *Against the Gods: The Polemical Theology of the Old Testament*. Wheaton, IL: Crossway, 2013.

Frankfort, Henri. *Kingship and the Gods: A Study of Ancient Near Eastern Religion as the Integration of Society and Nature*. Chicago: University of Chicago Press, 1978.

Freedman, David Noel, ed. *The Anchor Bible Dictionary*. 6 vols. New York: Doubleday, 1992.

Hoerth, Alfred J., Gerald L. Mattingly, and Edwin M. Yamauchi, eds. *Peoples of the Old Testament World*. Grand Rapids: Baker, 1994.

Hoffmeier, James K., and Dennis R. Magary, eds. *Do Historical Matters Matter to Faith? A Critical Appraisal of Modern and Postmodern Approaches to Scripture*. Wheaton, IL:

Crossway, 2012.

InterVarsity Press에서 출간한 구약 관련 사전들

- Alexander, T. Desmond, and David W. Baker, eds. *Dictionary of the Old Testament: Pentateuch*. Downers Grove, IL: InterVarsity Press, 2003.
- Arnold, Bill T., and H. G. M. Williamson, eds. *Dictionary of the Old Testament: Historical Books*. Downers Grove, IL: InterVarsity Press, 2005.
- Boda, Mark J., and J. Gordon McConville, eds. *Dictionary of the Old Testament: Prophets*. Downers Grove, IL: InterVarsity Press, 2012.
- Longman, Tremper, III, and Peter Enns, eds. *Dictionary of the Old Testament: Wisdom, Poetry, and Writings*. Downers Grove, IL: InterVarsity Press, 2008.

Livingston, G. Herbert. *The Pentateuch in Its Cultural Environment*. 2nd ed. Grand Rapids: Baker, 1987. 『모세오경의 문화적 배경』, 기독교문서선교회.

Long, V. Philips. *The Art of Biblical History*. Foundations of Biblical Interpretation. Grand Rapids: Zondervan, 1994.

_________. "Historiography of the Old Testament." In *The Face of Old Testament Studies: A Survey of Contemporary Approaches*, edited by David W. Baker and Bill T. Arnold, 145-75. Grand Rapids: Baker Academic, 2004.

Matthews, Victor H. *Manners and Customs in the Bible: An Illustrated Guide to Daily Life in Bible Times*. 3rd ed. Peabody, MA: Hendrickson, 2006.

Matthews, Victor H., and James C. Moyer. *The Old Testament: Text and Context*. 3rd ed. Grand Rapids: Baker Academic, 2012.

Millard, A. R., James K. Hoffmeier, and David W. Baker, eds. *Faith, Tradition, and History: Old Testament Historiography in Its Near Eastern Context*. Winona Lake, IN: Eisenbrauns, 1994.

Niehaus, Jeffrey J. *Ancient Near Eastern Themes in Biblical Theology*. Grand Rapids: Kregel, 2008.

Sakenfeld, Katharine Doob, ed. *The New Interpreter's Dictionary of the Bible*. 5 vols. Nashville: Abingdon, 2009.

Sasson, Jack M., ed. *Civilizations of the Ancient Near East*. 2 vols. Peabody, MA: Hendrickson, 2001.

Snell, Daniel C. *Life in the Ancient Near East, 3100-332 B.C.E.* New Haven, CT: Yale University Press, 1998.

Soden, Wolfram von. *The Ancient Orient: An Introduction to the Study of the Ancient Near East*. Translated by Donald G. Schley. Grand Rapids: Eerdmans, 1994.

Tenney, Merrill C., and Moisés Silva, eds. *The Zondervan Encyclopedia of the Bible*. 2nd ed. 5

vols. Grand Rapids: Zondervan, 2009.

Vaux, Roland de. *Ancient Israel: Its Life and Institutions*. Grand Rapids: Eerdmans, 1997.

Walton, John H. *Ancient Near Eastern Thought and the Old Testament: Introducing the Conceptual World of the Hebrew Bible*. Grand Rapids: Baker Academic, 2006. 「고대 근동 사상과 구약 성경」, 기독교문서선교회.

_________. *Chronological and Background Charts of the Old Testament*. 2nd ed. Grand Rapids: Zondervan, 1994.

Yamauchi, Edwin M. *Persia and the Bible*. Grand Rapids: Baker, 1990.

Yamauchi, Edwin M., and Marvin R. Wilson. *Dictionary of Daily Life in Biblical and Post-Biblical Antiquity*. 4 vols. Peabody, MA: Hendrickson, 2014-16.

구약과 관련된 고대 근동 텍스트들(영문)과 사진들

★ Arnold, Bill T., and Bryan Beyer, eds. *Readings from the Ancient Near East: Primary Sources for Old Testament Study*. Encountering Biblical Studies. Grand Rapids: Baker Academic, 2002.

Beyerlin, Walter. *Near Eastern Religious Texts Relating to the Old Testament*. Philadelphia: Westminster, 1978.

⭘ Hallo, William W., and K. Lawson Younger Jr., eds. *The Context of Scripture*. Vol. 1, *Canonical Compositions from the Biblical World*. Leiden: Brill, 1997.

⭘ _______, eds. *The Context of Scripture*. Vol. 2, *Monumental Inscriptions from the Biblical World*. Leiden: Brill, 2000.

⭘ _______, eds. *The Context of Scripture*. Vol. 3, *Archival Documents from the Biblical World*. Leiden: Brill, 2002.

Hays, Christopher B. *Hidden Riches: A Sourcebook for the Comparative Study of the Hebrew Bible and Ancient Near East*. Louisville: Westminster John Knox, 2014.

Matthews, Victor H., and Don C. Benjamin. *Old Testament Parallels: Laws and Stories from the Ancient Near East*. 3rd ed. New York: Paulist, 2006.

★ Pritchard, James B., ed. *The Ancient Near East: An Anthology of Texts and Pictures*. Foreword by Daniel E. Flemming. Princeton, NJ: Princeton University Press, 2011. Reprinted from 2 vols. in 1958, 1975.

⭘ _______, ed. *Ancient Near Eastern Texts Relating to the Old Testament*. 3rd ed. Princeton, NJ: Princeton University Press, 1969.

_________, ed. *The Ancient Near East in Pictures Relating to the Old Testament*. 2nd ed. Princeton, NJ: Princeton University Press, 1994.

SBL Writings from the Ancient World. Atlanta: SBL, 1990-.

Sparks, Kenton L. *Ancient Texts for the Study of the Hebrew Bible: A Guide to the Background Literature*. Peabody, MA: Hendrickson, 2005.

Walton, John H. *Ancient Israelite Literature in Its Cultural Context*. Grand Rapids: Zondervan, 1994.

⊙ Younger, K. Lawson, Jr., ed. *The Context of Scripture*. Vol. 4, *Supplements*. Leiden: Brill, 2016.

이스라엘과 고대 근동의 역사

Bright, John. *A History of Israel*. 4th ed. Louisville: Westminster John Knox, 2000. 「이스라엘의 역사」, 은성.

Hallo, William W., and William Kelly Simpson. *The Ancient Near East: A History*. 2nd ed. New York: Harcourt, Brace, 1998.

★ Kaiser, Walter C., Jr., and Paul D. Wegner. *A History of Israel: From the Bronze Age through the Jewish Wars*. 2nd ed. Broadman & Holman, 2016.

★ Merrill, Eugene H. *Kingdom of Priests: A History of Old Testament Israel*. 2nd ed. Grand Rapids: Baker, 2008. 「제사장의 나라」, 기독교문서선교회.

⊙ Provan, Iain W., V. Philips Long, and Tremper Longman III. *A Biblical History of Israel*. 2nd ed. Louisville: Westminster John Knox, 2015. 「이스라엘의 성경적 역사」, 기독교문서선교회.

연대 문제

Freedman, David Noel, A. Dean Forbes, and Francis I. Andersen, eds. *Studies in Hebrew and Aramaic Orthography*. Winona Lake, IN: Eisenbrauns, 1992.

Robertson, David A. *Linguistic Evidence in Dating Early Hebrew Poetry*. Missoula, MT: Scholars Press, 1973.

Steinmann, Andrew E. *From Abraham to Paul: A Biblical Chronology*. St. Louis: Concordia, 2011.

Thiele, Edwin R. *The Mysterious Numbers of the Hebrew Kings*. 2nd ed. Grand Rapids: Zondervan, 1983.

Walton, John H. *Chronological and Background Charts of the Old Testament*. 2nd ed. Grand Rapids: Zondervan, 1994.

Young, Ian, Robert Rezetko, and Martin Ehrensvärd. *Linguistic Dating of Biblical Texts: An Introduction to Approaches and Problems*. 2 vols. London: Routledge, 2014.

Young, Rodger C. All his published essays found at http://www.rcyoung.org/papers.html.

역사적 지리

Aharoni, Yohanan. *The Land of the Bible: A Historical Geography*. 2nd ed. Philadelphia: Westminster, 1979.

⊙ Aharoni, Yohanan, Michael Avi-Yonah, Anson F. Rainey, Ze'ev Safrai, and R. Steven Notley. *The Carta Bible Atlas*. 5th ed. Jerusalem: Carta, 2011. 「카르타 성서 지도」, 아가페.

Beitzel, Barry J. *The New Moody Atlas of the Bible*. Chicago: Moody, 2009. 「NEW 무디 성서 지도」, 아가페.

Currid, John D., and David P. Barrett. *Crossway ESV Bible Atlas*. Wheaton, IL: Crossway, 2010. 「ESV 성경 지도」, 부흥과개혁사.

Curtis, Adrian. *Oxford Bible Atlas*. 4th ed. Oxford: Oxford University Press, 2009.

Hoppe, Leslie J. *A Guide to the Lands of the Bible*. Collegeville, MN: Glazier, 1999.

Monson, James M. *The Land Between: A Regional Study Guide to the Land of the Bible*. Highland Park, IL: Institute of Holy Land Studies, 1983.

⊙ Rainey, Anson F., and R. Steven Notley. *The Sacred Bridge: Carta's Atlas of the Biblical World*. 2nd ed. Jerusalem: Carta, 2015.

Rasmussen, Carl. *Zondervan Atlas of the Bible*. 2nd ed. Grand Rapids: Zondervan, 2010.

★ Schlegel, William. *The Land and the Bible: A Historical Geographical Companion to the Satellite Bible Atlas*. Available at http://www.bibleplaces.com/wp-content/uploads/2015/08/The-Land-and-the-Bible.pdf.

★________. *Satellite Bible Atlas*. Israel: William Schlegel, 2013.

Smith, George Adam. *The Historical Geography of the Holy Land*. London: Hodder and Stoughton, 1894; repr., New York: Harper & Row, 1966.

역사 기록

Arnold, Bill T., and Richard S. Hess, eds. *Ancient Israel's History: An Introduction to Issues and Sources*. Grand Rapids: Baker Academic, 2014.

Block, Daniel I., ed. *Israel: Ancient Kingdom or Late Invention?* Nashville: Broadman & Holman, 2008.

Fischer, David Hackett. *Historians' Fallacies: Toward a Logic of Historical Thought*. New York: Harper & Row, 1970.

★ Hoffmeier, James K., and Dennis R. Magary, eds. *Do Historical Matters Matter to Faith? A Critical Appraisal of Modern and Postmodern Approaches to Scripture*. Wheaton, IL: Crossway, 2012.

Kitchen, K. A. *On the Reliability of the Old Testament*. Grand Rapids: Eerdmans, 2003.

Kofoed, Jens Bruun. *Text and History: Historiography and the Study of the Biblical Text*. Winona Lake, IN: Eisenbrauns, 2005.

★ Long, V. Philips. *The Art of Biblical History*. Foundations of Biblical Interpretation. Grand Rapids: Zondervan, 1994.

Long, V. Philips, ed. *Israel's Past in Present Research: Essays on Ancient Israelite Historiography*. SBTS 7. Winona Lake, IN: Eisenbrauns, 1999.

Millard, A. R., James K. Hoffmeier, and David W. Baker, eds. *Faith, Tradition, and History: Old Testament Historiography in Its Near Eastern Context*. Winona Lake, IN: Eisenbrauns, 1994.

Miller, J. Maxwell, and John H. Hayes. *A History of Ancient Israel and Judah*. Philadelphia: Westminster, 1986. 「고대 이스라엘 역사」, 크리스천다이제스트.

고고학

Ben-Tor, Amnon, ed. *The Archaeology of Ancient Israel*. Translated by R. Greenberg. New Haven, CT: Yale University Press, 1994.

Currid, John D. *Doing Archaeology in the Land of the Bible: A Basic Guide*. Grand Rapids: Baker, 1999.

Harrison, R. K., and E. M. Blaiklock, eds. *The New International Dictionary of Biblical Archaeology*. Grand Rapids: Zondervan, 1983.

Hoerth, Alfred J. *Archaeology and the Old Testament*. Grand Rapids: Baker Academic, 2009.

Hoffmeier, James K. *The Archaeology of the Bible*. Oxford: Lion, 2008.

Kitchen, K. A. *The Bible in Its World: The Bible and Archaeology Today*. Downers Grove, IL: InterVarsity Press, 1977.

Mazar, Amihay, Ephraim Stern, Eric M. Meyers, and Mark A. Chancey. *Archaeology of the Land of the Bible*. 3 vols. New York: Doubleday, 1990.

McRay, John, and Alfred Hoerth. *Bible Archaeology: An Exploration of the History and Culture of Early Civilizations*. Grand Rapids: Baker, 2006.

Meyers, Eric M., ed. *The Oxford Encyclopedia of Archaeology in the Near East*. 5 vols. New York: Oxford University Press, 1997.

Stern, Ephraim, Ayelet Leyinzon-Gilbo'a, and Joseph Aviram, eds. *The New Encyclopedia of Archaeological Excavations in the Holy Land*. 4 vols. New York: Simon & Schuster, 1993-2008.

9장

문학적 맥락

목표_ 본문이 전체 책에서 담당하는 역할을 파악한다.

여정의 단계
1부 텍스트
2부 관찰
3부 맥락_ 본문은 어디에 들어맞는가
8장 역사적 맥락
9장 문학적 맥락
4부 의미
5부 적용

기본 개관
문학적 맥락의 파악
문학적 배치 및 구약 각 책의 신학적 메시지
문학적 맥락 연구의 네 가지 예

표9.1. 9장 길 안내

문학적 맥락의 파악

하나님은 수많은 책으로 이루어진 한 권의 책(Book) 안에서 자신의 말씀을 우리에게 주셨다. 우리는 성경 신학이 성경을 더 하나의 전체로 본다는 사실을 살펴볼 것이다. 그러나 문학적 맥락은 전반적인 정경의 맥락 안에서 우리가 만나게 되는 개별 부분들에 초점을 맞춘다. 그것은 조각보 전체를 보는 것과, 그 나름의 색과 짜임새와 이야기를 지닌 조각보의 사각형 조각 하나를 들여다보는 보는 것의 차이이다.

문학적 맥락에서 질문은 "본문은 전반적인 이야기나 그 책의 논증에 어떻게 기여하는가?"다. 이에 답하기 위해 우리는 그 책의 사고 흐름을 확실하게 파악해야 한다. 책 전체를 혼자 서너 번 읽어 보는 것으로 시작하는 것이 가장 좋다. 앉은자리에서 매번 책 전체를, 그리고 우리보다 그 책에 훨씬 많은 시간을 들인 사람들이 작성한 수많은 책 개요를 비교하면서 읽어 보는 것이다.

전체 책에 비추어 본문을 검토할 때, 적어도 세 분야를 유념하고 싶다. 문학적 배치, 문학적 기능, 문학적 세부 사항 등이다.

1. 문학적 배치

문학적 배치(Literary placement)는 연구하는 본문의 위치를 말한다. 그 본문은 시작, 중간, 끝을 분별할 수 있는 더 큰 문학적 분류의 일부인가? 그 본문으로 이끄는 것은 무엇인가? 그 본문에서 나오는 것은 무엇인가? 그 책은 어떻게 구성되어 있는가? 본문은 그 단락, 책, 정경 구분, 신약 또는 구약, 그리고 성경 안에서 (그 순서대로) 어떻게 조화를 이루는가?

예를 들어, 다니엘서는 매우 자연스럽게 두 부분으로 구성되어 있다. (a) 현재에 대한 하나님의 주권적 주관하심(1-6장)과 (b) 미래에 대한 하나님의 주권적 주관하심(7-12장)이다. 1부에서는 다니엘과 그의 세 친구가 높임 받는 것에 대한 왕실의 이야기가 펼쳐진다. 그 이야기들이 합쳐져서 (현재에 언제나 분명하지는 않지만) 이스라엘의 하나님이 만물을 다스리는 주권자이시며, 세상의 반역에 대항하여 자신의 백성을 위해 일하고 계시다는 것을 강조한다. 2부는 연이어 등장하는 제국들의 흥망성쇠를 묵시하는 일련의 환상들을 제공한다. 이 환상들이 합쳐져서 (미래에 언제나 명백하지는 않을지 모르지만) 이스라엘의 하나님이 자신의 목적에 따라 만물을 주관하시며, 끝내는 자신의 메시아를 통해 모든 악을 멸하시고 자신의 나라를 세우실 것임을 강조한다.

다니엘 3장에 나오는 풀무불 사건을 연구하고 있다면, 그것이 느부갓네살 왕의 신상에 대한 꿈 이야기(2장)와 느부갓네살 왕이 벌을 받고 회복한 이야기(4장) 사이에 자리하고 있다는 것을 알면 좋을 것이다. 또한 예수의 성경에서 하나님 나라에 대한 다니엘의 소망이 시가서의 마지막 내러티브 부분을 시작한다는 것도 알면 좋을 것이다. 그것은 포로 생활과 종살이를 겪고 있는 신자들에게(스 9:9, 느 9:36) 여호와의 권능과 하나님 나라 목적이 여전히 건재하다는 것을 상기시키려 했다. 이런 맥락에서 다니엘서는 애가 뒤에 나오며 "여호와여 주는 영원히 계시오며 주의 보좌는 대대에 이르나이다"(애 5:19)라는 결론적 진술을 긍정한다. 게다가 애가 저자의 마지막 부르짖음인 "우리의 날을 다시 새롭게 하셔서, 옛날과 같게 하여 주십시오. 주님께서 우리를 아주 버리셨습니까? 우리에게서 진노를 풀지 않으시렵니까?"(5:21-22, 새번역)라는 말에 대한 대답으로, 다니엘서는 하나님이 완전히 버리지 않으셨으며 회복시키고 새롭게 하시리라고 단언한다. 히브리 성경의 결론 부분에 나온 다니엘서는 우리의 눈이 신약을 향해 가는 데 중대한 역할을 한다. 신약 안에서 하나님 나라의 목적들은 실현되기 시작한다.

2. 문학적 기능

문학적 기능(Literary function)은 연구하는 텍스트의 목적과 기여를 다룬다. 책 전체의 주요 취지는 무엇이며, 이 특정 본문은 그 책의 줄거리나 추론에서 어떤 역할을 담당하는가? 본문은 그것이 속한 책의 부분을 채우는가? 아니면 추가하는가? 아니면 소개하는가? 결론을 맺는가? 또는 균형을 이루는가? 그 본문은 전반적인 묘사에 무엇을 더하는가? 전반적인 묘사는 그 본문에 무엇을 더하는가? 이 본문이 책에서 빠진다면, 무엇을 잃게 되는가?

다니엘서 전체가 전반적으로 하나님 나라에 대한 영광스럽고 소망 가득한 환상을 제공한다면, 다니엘 3장 이야기는 이 메시지에 어떻게 기여하는가? 다니엘 2장에서 느부갓네살 왕은 네 부분으로 된 신상에 대한 꿈을 꾸었다. 각 부분은 궁극적으로 영원히 망하지 않을(단 2:44) 하나님 나라에 전복될 지상 나라를 상징했다. 느부갓네살이 이끄는 바벨론이 그 나라 중 첫 번째였다(2:37-38). 다니엘 3장을 보면 느부갓네살은 2장부터 계속 자신의 꿈에 사로잡혀 있었던 것 같다. 그러나 그는 그저 금으로 된 머리만이 아니라 전체가 되기로 결심했다. 그는 거대한 자신의 형상을 세웠다. 모든 백성과 나라와 각 언어로 말하는 자들은 즉시 맹렬히 타는 풀무불에 던져 넣어지지 않으려면 그 신상에 절해야 했다(3:1-7). 다니엘의 세 친구인 사드락, 메삭, 아벳느고는 굽힘 없이 여호와께 헌신하고 있어서 절하기를 거절했고(3:16-18), 그 결과 벌을 받았다. 그러나 그들은 불에 타지 않았다. "신들의 아들과 같[은]" 분이 그들을 보호해 주었기 때문이다(3:25). 그렇기 때문에 느부갓네살은 그들이 "지극히 높으신 하나님의 종"(3:26)이라고 선언하고, 그들의 하나님의 능하신 행동으로 인해 그 하나님을 찬송했으며(3:28), 이어서 어느 누구도 그들의 하나님을 경솔히 말하지 말라고 공포했다(3:29).

이 사건은 그 당시 여호와께서 주권적으로 주관하시는 것에 대한 느부갓네살의 인식이 어떻게 성장하고 있었는지를 보여 주는 데 핵심 역할을 한다. 이러한 인식은 다니엘 4장 37절에서 우리가 "그러므로 지금 나 느부갓네살은 하늘의 왕을 찬양하며 칭송하며 경배하노니 그의 일이 다 진실하고 그의 행하심이 의로우시므로 교만하게 행하는 자를 그가 능히 낮추심이라"라는 말씀을 읽을 때까지 계속 성장할 것이다.

3. 문학적 세부 사항

문학적 세부 사항(Literary details)은 텍스트를 구별하고, 전반적으로 텍스트가 어떻게 기여하는지를 밝히는 데 도움을 주는 특별한 측면이나 특징들이다. 본문은 얼마나 포괄적인가, 아니면 얼마나 선택적인가? 이 본문을 특정한 문화적 또는 역사적 상황과 연관해서 썼는지 아닌지를 결정하는 데 도움을 주는 세부 사항은 어떤 것인가? 본문은 독특한 관점에서 자료를 전달하는가? 이것은 저자의 의도에 대해 무엇을 말하는가?

성경 저자는 분명 청중이 여호와의 위대하심과 가치, 그리고 고난에서 또는 고난을 통해 구원하실 수 있는 그분의 능력을 상기하도록 다니엘 3장을 썼다. 느부갓네살이 처음에 "능히 너희를 내 손에서 건져 낼 신이 누구이겠느냐"(3:15)라고 세 명에게 물을 때 보인 교만은 나중에 그가 "이같이 사람을 구원할 다른 신이 없음이니라"(3:29)고 선언하는 것과 대조된다. 또한 왕이 처음에 한 도전은 참되신 하나님에 대한 사드락,

메삭, 아벳느고의 굽힘 없는 헌신에 반격당한다. "왕이여 우리가 섬기는 하나님이 계시다면 우리를 맹렬히 타는 풀무불 가운데에서 능히 건져 내시겠고 왕의 손에서도 건져 내시리이다 그렇게 하지 아니하실지라도 왕이여 우리가 왕의 신들을 섬기지도 아니하고 왕이 세우신 금 신상에게 절하지도 아니할 줄을 아옵소서"(단 3:17-18). 그 세 사람은 자신들이 하나님의 뜻을 온전히 다 안다고 추정하지 않았다. 그러나 하나님이 무엇을 기뻐하든 상관없이 그들은 신뢰하고 순종할 것이다. 그러한 세부 사항들은 우리도 이 이야기에 나오는 최고 주권자이자 구주이신 분에게 똑같이 굴복할지를 결정하지 않을 수 없게 한다. 게다가 전체 책에 비추어 읽을 때, "신들의 아들과 같[은]" 분이 풀무 속에서 그 세 사람을 보호했음을 강조하는 것(3:25)에서 아마 7장 13-14절에 나오는 "인자 같은 이"를 예상했을 것이다. 그분은 하나님 나라를 다스릴 분이다. 후에 이 인물은 '메시아'라 불릴 것이다. 메시아가 사역하시는 동안, 하나님은 "허물이 그치며 죄가 끝나며 죄악이 용서되며 영원한 의가 드러나며 환상과 예언이 응하며 또 지극히 거룩한 이가 기름부음을 받[도록]"(9:24, 26) 하신다. 그렇기 때문에 다니엘 3장은 단순히 해방시키시는 하나님에 대한 일반적 소망을 더하는 것이 아니다. 그것은 메시아의 통치에 대한 기대에도 박차를 가한다.

문학적 맥락은 텍스트를 주해하는 데 필수 단계다. 한 책의 전반적 흐름에서 본문이 담당하는 고유한 역할을 밝히기 때문이다. 이것은 저자가 이런 식으로 우리에게 이런 말들을 하는 의도를 명백하게 하는 데도 도움을 준다.

문학적 배치 및 구약 각 책의 신학적 메시지[1]

성경은 하나님이 그리스도 안에서 그분의 영광을 위하여 언약을 통해 어떻게 통치하시고, 구원하시고, 만족케 하시는지 묘사한다.[2] 구약은 이러한 하나님 나라 메시지의

1 http://www.desiringgod.org/messages/the-old-testament-in-ten-minutes를 보라.

2 앤디 나셀리와 필자는 필자가 동료 제이슨 마이어(Jason Meyer)와 전에 나눈 대화를 기초로 하여 함께 이 진술

토대를 제공하며, 신약은 그것의 성취를 상세히 묘사한다. 예수의 성경은 구약이었다. 그것은 내러티브와 주석을 통해 모세의 옛 언약이 어떻게 율법서에서 확립되었고, 선지서에서 시행되었으며, 시가서에서 누려졌는지를 강조한다(1장에 나온 '성경의 문맥 안에서 장르 살펴보기'를 보라). 이 부분에서 필자는 구약 각 책의 신학적 메시지를 개관하고, 각 책이 전체 메시지에 어떻게 기여하는지를 보여 주고자 한다.

성경은 다섯 권으로 된 모세의 내러티브 책으로 시작된다. 그 책들은 함께 **율법서**(Law)라고 불린다. 이 율법서에서 하나님은 옛 언약을 **확립하신다**. **창세기**는 보편적 축복의 필요와 공급을 강조하여 하나님의 보편적인 하나님 나라 계획을 소개한다. 그것은 또한 온 세상을 대상으로 한 이스라엘의 선교 배경을 제공한다. 죄는 온 세상에 저주를 가져왔으며, 아브라함과 그의 자손이 유다 계열에서 나온 한 왕적 남자 후손에서 절정에 이르는 것은 저주가 축복에 압도당하는 수단이 된다. 그러고 나서 남은 율법서 네 권은 자손에 대한 약속과, 약속의 땅에 대한 소망이 어떻게 모세의 옛 언약에서 첫 열매를 맺었는지 명확하게 설명한다. 모두 왕적 구속자를 기대하는 가운데 그렇게 하는 것이다. **출애굽기**는 왕이신 여호와께서 이스라엘을 통해 온 세상에 이루실 목적을 강조한다. 그러면서 그분 임재의 중심성과 필요성을 강조하고, 이스라엘의 구원과 부르심을 모두 상세히 묘사한다. 이스라엘은 세상을 배경으로 제사장 나라와 거룩한 백성 역할을 해야 하는 것이다(출애굽기 19장 4-6절을 기억하라). **레위기**에서는 거룩하신 여호와께서 자신의 백성에게 거룩하라고 명하시며, 그들이 하나님을 추구하는 것은 그분의 거룩하게 하시는 임재와 축복과 저주의 약속들로 어떻게 그들에게 하나님을 추구하는 능력을 부여하는지를 명확하게 설명한다. **민수기**는 신실하신 여호와를 신실하지 않은 이스라엘과 대조하며, 그들이 광야에서 오랫동안 징계받은 것을 묘사한다. 그 기간에 이스라엘은 하나님을 기다리고 따르는 법을 배워야 했다. **신명기**는 '이스라엘 연합 지파들의 헌법'이며, 언약 관계를 지속시키는 순종을 요구한다. 그러나 또한 하나님은 이스라엘이 그 땅에 들어가고, 그 땅을 잃고, 그 땅을 회복한 후인 훗날까지도 이스라엘의 고집 센 반역을 꺾지 않으시고 사랑할 능력도 부여하지 않으시리라는 것을 분명하게 한다. 그 훗날에 가서야 하나님은 백성의 마음에 할례를

을 만들었다.

주사 그들이 모든 것을 다해 하나님을 사랑하도록 능력을 부여하실 것이다.

그 다음은 **선지서**(Prophets)다. 선지서는 모세 율법과 앞으로 오실 왕적 해방자에 대한 소망에 비추어 읽어야 한다. 여기서 하나님은 옛 언약을 **시행하신다**. 그리고 이 자료는 두 부분으로 나뉜다. 전기 선지서는 약속의 땅을 정복한 때부터 통일 왕국과 분열 왕국이 일어나는 것을 거쳐 그 땅에서 추방되어 포로가 되기까지 이스라엘에 일어난 일에 대한 내러티브 역사를 제공한다. 전기 선지서는 **여호수아서**부터 시작되는데, 그 책은 땅을 주신다는 언약에 대한 여호와의 신실하심을 강조하고, 이스라엘에게 언약에 신실할 것을 요구한다. 백성들은 밤낮으로 율법을 묵상할 것인가, 아니면 자기 멋대로 행동할 것인가? **사사기**는 여호수아의 질문에 대한 대답으로 이스라엘이 언약에 신실하지 못했다는 것을 상세히 서술하고, 그들이 혼란스럽고 죄 된 삶을 살아간 것은 부분적으로 이스라엘에 왕이 없었기 때문이라는 것을 강조한다. 그 다음에 **사무엘상하**는 왕정이 생겨나는 과정을 간략하게 이야기하고, 다윗 왕국에 대한 소망을 강조하며, 다른 무엇보다 여호와를 공경하는 것의 중요성을 분명하게 설명한다. 그것은 이스라엘 왕에게 특히 중요했다. 전기 선지서의 내러티브 부분은 **열왕기상하**로 끝난다. 그 책에서는 이스라엘이 언약에 실패한 것, 특히 왕들이 실패한 것을 강조한다. 그 실패는 결국 왕국이 분열되고 멸망하는 결과를 가져왔다. 그럼에도 그 보좌가 영원히 계속될 다윗 계열의 왕에 대한 소망은 계속 지니고 있었다.

이 시점에서 구약 내러티브는 잠시 중단된다. 그리고 후기 선지서는 이스라엘 역사가 포로 생활로 끝난 이유를 선지자적 관점으로 해설한다. **예레미야서**는 이스라엘에게 언약에 대한 충성이 부족하다는 것과, 새 언약 시대에 언약에 충성하리라는 종말론적 약속을 강조한다. 그 시대에 하나님은 자신의 율법을 마음에 쓰실 것이다. **에스겔서**는 이스라엘이 예루살렘에서 하나님의 임재를 상실하는 것과, 부활 시대에 그분의 영이 임재하시리라는 종말론적 약속에 초점을 맞춘다. **이사야서**는 이스라엘이 하나님의 왕권을 거부하는 것과, 평화를 확립하고 공의로 다스리는 종이신 왕을 통한 그분의 우주적 나라에 대한 종말론적 약속을 전개한다. 그 왕은 새 창조에서 변화된 인종적 이스라엘 사람들과 이방인들을 다스리실 것이다. **열두 소선지서**(호세아서, 요엘서, 아모스서, 오바댜서, 요나서, 미가서, 나훔서, 하박국서, 스바냐서, 학개서, 스가랴서, 말라기서)는 예수의 성경에서는 합하여 한 권이 된다. 이 선지서들은 죄, 벌, 회복이라는 주제를 통해 이스라엘의 영적 불신실과 신적 신실함에 대한 종말론적 약속을 상세히 말한다. 여기서 선지서는 마무리된다. 그리고 초점이 이스라엘의 죄에서 이제 하나님 나라의 소망으로 바뀐다.

시가서(Writings)에서 신실한 남은 자들은 여호와와의 옛 언약 관계를 **누린다**. 전기 시가서는 주로 여호와의 충실한 남은 자들이 어떻게 어두운 배경에서 살아야 하는지를 시적으로 해설한다. 여호와께서 여전히 보좌에 계시며, 언젠가 그분의 왕적 구속자를 통해 잘못된 모든 것을 바로잡으시리라는 믿음을 지키며 살아간다는 것이다. 이 해설 부분은 **룻기**와 함께 시작된다. 룻기는 다윗의 혈통을 통한 여호와의 구속하시는 은혜에 대해 하나님 나라의 소망을 단언하는 내러티브 서언이다. 다윗 왕의 조상들을 구속하기 위해 베들레헴의 보아스를 사용하신 것과 마찬가지로 하나님은 다윗의 후손들을 회복시키기 위해 또 다른 베들레헴의 친족-구속자를 일으키실 것이다. 포로 생활은 최종 결론이 아니었다. 이 메시아적 소망은 시편과 그 이후 책들을 읽는 렌즈를 제공한다. 전기 시가서 나머지 부분은 진정한 하나님 나라의 소망을 얻은 자의 삶의 방식을 구체적으로 자세히 묘사한다. **시편**은 메시아에 비추어 행하고, 기다리고, 예배함으로 하나님의 왕권을 기뻐하고 그 왕권에 복종하는 사람들에게 소망이 있다는 것을 강조한다. 시편 다섯 권을 통해, 그리스도의 기도는 구원받은 자들의 노래가 된다. 메시아적 음악이 애도에서 찬양으로, 하나님 나라 위기에서 하나님 나라 완성으로 넘어가기 때문이다. **욥기**는 하나님이 주시는 것이나 빼앗으시는 것 때문이 아니라 하나님이 어떤 분인지 때문에 하나님을 경외하는 사람들에게 소망을 준다. 그러고 나서 **잠언서**는 지혜롭게 행동하는 사람들, 하나님을 경외하는 사람들, 악에서 돌이키는 사람들, 미래에 비추어 사는 사람들에게 하나님 나라의 소망을 제공한다. 그 과정에서 잠언은 미래의 왕적 해방자가 어떻게 살 것인지를 상세히 묘사한다. **전도서**는 인생의 수수께끼 속에서도 기쁠 때나 괴로울 때나 하나님을 두려워하고 따르는 사람들을 위한 소망을 상세히 묘사한다. 그리고 **아가**는 결혼이라는 맥락에서 인간의 성(性)을 경축하는 사람들에게 소망을 준다. 적절한 맥락에서 여호와의 격정을 북돋우는 사람들만이 하늘의 신랑과 그의 신부의 궁극적 연합을 누릴 것이다. **예레미야 애가**는 하나님의 통치와 그분의 백성에 대한 하나님의 신실하심을 계속 확신하는 사람들에게 소망을 준다. 새로운 자비가 밝아 오고 있다는 약속과 함께, 애가의 애도는 구약의 해설 부분을 끝내며 독자들에게 포로 생활이라는 맥락으로 다시 돌아가는 다리를 제공한다. 네 권의 마지막 내러티브 책에서는 그 포로 생활을 다시 다룬다.

후기 시가서에서 우리는 하나님 나라 소망에 대한 구체적인 표시들을 본다. **다니엘서**는 우주적인 하나님 나라에 대한 약속을 반복한다. 하나님이 인자와 같은 기름부음 받은 분을 통해 땅의 모든 나라를 다스리시며 모두 위에 그분의 나라를 세우시리라는 것이다. **에스더서**는 메시아가 하나님 나라 백성을 통해 오시며, 그 백성이 보존되는 것을 상세히 묘사한다. 하나님은 자신의 나라에 대한 약속이 사라지게 하지 않으실 것이다. **에스라서**와 **느헤미야서**는 예수의 성경에서는 하나의 책이며, 두 책 모두 앞으로 하나님 나라 백성과 땅이 회복될 것을 예시한다. 그 다음에 다윗 언약에 초점을 맞춘 **역대상하**는 아담 시기부터 고레스가 유대인들을 예루살렘에 돌아가라고 명한 때에 이르기까지 하나님의 목적의 개요를 긍정적 견지에서 되풀이한다. 그렇게 해서 여호와의 보편적 왕권과 하나님 나라 약속들을 단언한다.

구약은 모든 약속이 성취되지 않은 채 끝난다. 그렇기 때문에 그 끝에는 속편이 있어야 한다. 그 속편은 결국 신약에서 나온다. 하나님은 하나님의 땅에서 하나님의 백성을 다스리실 것이다. 그분은 하나님 나라의 목적이 성취되는 것을 보실 것이다. 하나님은 율법서에서 옛 언약을 맺으셨으며, 선지서에서 그 언약을 시행하셨고, 시가서에서 그 언약을 누리게 하신다. 옛 언약은 정죄의 사역을 했지만 구약 자체는 소망으로 끝나며, 새 언약이 의의 사역을 하는 그리스도와 신약 안에서 성취될 토대를 제공한다. 전체적으로 하나님은 궁극적 주님, 구주, 보물이시며, 그리스도 안에서 자신의 영광을 위해 언약을 통해 통치하시고, 구원하시고, 만족케 하시는 분으로 나온다.

문학적 맥락 연구의 네 가지 예

문학적 맥락에서 본 출애굽기 19장 4-6절

출애굽기 19장 4-6절로 돌아가서 문학적 맥락에 대한 예들을 시작하려고 한다. 아마

출애굽기는 성경의 다른 어느 책보다도 하나님이신 여호와의 본성에 대해 광범위한 내러티브를 담고 있는 보고서일 것이다. 출애굽기 전체가 만물 위에 영광을 받으시기 위한 하나님의 올바르고, 필요하고, 사랑이 많으신 열정을 강조하도록 되어 있다. 바로 두 가지 주요 영역에 초점을 맞추는 것으로 말이다. (1) 하나님이 자신의 백성을 구속하신 것(1-18장)과 (2) 하나님과 자신의 백성의 관계(19-40장)다.

다음 표9.2는 출애굽기에 대한 필자의 주해적 개요를 담고 있다. 19장 4-6절이 어디에 속하는지 살펴보라.

I. 여호와께서 자신을 높이며 은혜롭게 자기 백성을 구속하심(1:1-18:27)
- A. 구속에 대한 역사적 배경(1:1-4:31)
  1. 구속을 준비함(1:1-2:25)
  2. 하나님이 구속의 사신을 부르심(3:1-4:31)
- B. 구속에 대한 요구와 구속 경험(5:1-15:21)
  1. 바로와 이스라엘에 대한 모세의 도전(5:1-6:27)
  2. 열 가지 재앙_ 여호와의 권능과 임재를 선포함(6:28-11:10)
  3. 구속을 명심함_ 유월절(12:1-36)
  4. 구속 경험(12:37-14:31)
  5. 구속을 경축함(15:1-21)
- C. 구속의 파급 효과(15:22-18:27)
  1. 이스라엘에_ 공급하심을 신뢰하는 믿음의 삶(15:22-17:16)
  2. 모세에게_ 인도하심을 신뢰하는 믿음의 삶(18:1-27)

II. 여호와께서 자신을 높이며 은혜롭게 자기 백성과 관계를 맺으심(19:1-40:38)
- A. 여호와와 이스라엘의 관계를 구현하는 언약(19:1-24:11)
  1. 여호와의 임재와 말씀에 대한 표현과 반응(19:1-20:21)
  2. 관계의 본질에 대한 해설(20:22-23:33)
  3. 언약의 비준(24:1-11)
- B. 여호와와 이스라엘의 관계의 중심부인 신성한 장소(24:12-40:38)
  1. 하나님의 영광을 표현하고, 신성한 장소를 묘사함(24:12-31:18)
  2. 이스라엘이 여호와의 임재를 고려하지 않는 것에 대한 여호와의 반응(32:1-34:35)
  3. 여호와께서 자기 백성 가운데 자신의 임재를 은혜롭게 나타내심(35:1-40:38)

표9.2. 출애굽기의 주해적 개요

1. 문학적 배치와 기능

언약과 신적 임재를 통한 구속과 관계 맺음은 여호와께서 출애굽기에 자신을 나타내시는 방식의 특징이다. 출애굽기 19장 4-6절에는 이러한 각 요소가 나와 있으므로, 이 본문은 출애굽기에서 토대가 되는 위치를 차지한다. 구속과 신적 임재는 4절에 분명하게 나오는 반면, 5-6절의 초점은 언약과, 하나님의 임재를 중재하고 증대하는 언약의 목적에 맞춰져 있다.

19-40장은 두 가지를 다룬다. (a) 모세 언약(19:-24:11)이 어떻게 이스라엘과 여호와의 관계에 경계와 목적을 설정하는지와, (b) 성막(25:1-40:38)이 어떻게 이 관계에 배경을 제공했는지다. 출애굽기 19장 4-6절은 언약의 핵심을 묘사하면서, 이 틀 안에서 언약에 대한 부분을 소개한다. 출애굽기 19장 4-6절은 출애굽기의 주요 부분에 나오는 여호와의 첫 번째 말씀으로, 그 자체로 가장 먼저 살펴보아야 할 텍스트다.

19-40장은 적어도 세 가지 이유에서 출애굽기의 핵심이다. 첫째, 이 장들은 앞서 나오는 장들보다 두 배는 길며, 문학적으로 가장 무게가 있다. 둘째, 출애굽기 19장 4-6절은 1-18장에 상세히 나와 있는 구속이 그 구절에 나오는 관계와 부르심의 근거가 되며 그 관계와 부르심이 존재하게 한다는 것을 명백히 한다. 셋째, 이 내러티브 자체는 3장 12절에서부터 이스라엘이 시내산에 도착할 것을 예상해 왔다. 그 구절에서 하나님은 불타는 떨기나무에서 모세에게 "내가 반드시 너와 함께 있으리라 네가 그 백성을 애굽에서 인도하여 낸 후에 너희가 이 산에서 하나님을 섬기리니[예배하리니] 이것이 내가 너를 보낸 증거니라"고 선언하셨다. 그러고 나서 출애굽기 19장 2절은 "그들이 …… 시내 광야에 이르러 …… 이스라엘이 거기 산(**the** mountain) 앞에 장막을 치니라"고 말한다.

2. 문학적 세부 사항

a. 배경_ 멸망과 구속

필자가 4장에서 소개한 번역을 사용하면, 출애굽기 19장 4절은 "너희는 내가 애굽에 행한 것과, 그리고 어떻게 독수리 날개 위로 너희를 들어 올렸는지, 그리고 어떻게 너희를 내게 인도했는지 보았느니라"라고 읽을 수 있다. 이 구절들에서 여호와가 이스라엘에 명하시는 과업은 그분이 방금 그 민족을 위해 이루신 것에 근거한다. 그 백성은 여호와께서 애굽에 임하게 하신 열 가지 재앙을 자신들의 눈으로 목격했고, 놀라운 구원을 경험했다.

바로는 출애굽기 5장 2절에서 "여호와가 누구이기에 내가 그의 목소리를 듣고 이스라엘을 보내겠느냐"고 물었다. 그 재앙들은 이 질문에 대한 여호와의 체계적 반응이다. 텍스트가 출애굽 당시 바로의 이름을 절대 말하지 않는 것은 흥미롭다. 역사가들은 그의 신원이 밝혀지기를 얼마나 바라는지! 하지만 신학적 요점은 전달되고 있다. 애굽인에게 바로는 지상의 신이었다. 그러나 그는 여전히 무명이다. 이에 반해 하늘과 땅 모두의 하나님, 모든 것의 근원이신 분은 **여호와**라는 이름을 가지고 있다(3:14-15). 그분은 알려지기를 갈망하는 질투의 하나님이다(34:14). 그리고 출애굽기 전체는 그 이름의 의미를 풀어 해설하기 위해 애쓴다.

애굽에서 일어난 전투는 천상에서 먼저 일어났다. 그것은 신들의 전투로, 전투하는 동안 유일하게 자존하는 분인 여호와께서 애굽의 권세들을 물리치셨다. 열 재앙 거의 모두가 애굽 신들에 맞선 대결로 알려져 있다.[3] 게다가 우리는 다음과 같은 텍스트들을 본다. "내가 그 밤에 애굽 땅에 두루 다니며 사람이나 짐승을 막론하고 애굽 땅에 있는 모든 처음 난 것을 다 치고 애굽의 모든 신을 내가 심판하리라 나는 여호와라"(출 12:12). "곧 유월절 다음 날이라 이스라엘 자손이 애굽 모든 사람의 목전에서 큰 권능으로 나왔으니 애굽인은 여호와께서 그들 중에 치신 그 모든 장자를 장사하는 때라 여호와께서 그들의 신들에게도 벌을 주셨더라"(민 33:3-4). "땅의 어느 한 나라가 주의 백성 이스라엘과 같으리이까 하나님이 가서 구속하사 자기 백성으로 삼아 주의 명성을 내시며 그들을 위하여 큰 일을, 주의 땅을 위하여 두려운 일을 애굽과 많은 나라들과 **그의 신들**에게서 …… 백성 앞에서 행하셨사오며"(삼하 7:23).

여호와는 출애굽기 19장 4절에서 "너희는 …… 보았느니라"고 선언하신다. 애굽의 멸망과 백성들 자신의 구원이 바로 그들 눈앞에서 일어났다. 그들은 하나님의 놀라운 엄위하심과 자비에 직면하여 "여호와여 신 중에 주와 같은 자가 누구니이까 주와 같이 거룩함으로 영광스러우며 찬송할 만한 위엄이 있으며 기이한 일을 행하는 자가 누구니이까"(출 15:11)라고 노래했다. 그 대답은 "아무도 없다!"는 것이다. 그래서 그들은 "여호와께서 영원무궁하도록 다스리시도다"(15:18)라고 선언했다. 이스라엘에 속하지 않은 사람들도 비슷한 경외를 표현했다. 모세의 장인 이드로는 "여호와를 찬송하리로다 너희를 애굽 사람의 손에서와 바로의 손에서 건져 내시고 백성을 애굽 사람의

3 John H. Walton, *Chronological and Background Charts of the Old Testament*, 2판 (Grand Rapids: Zondervan, 1994), 85쪽을 보라.

손 아래에서 건지셨도다"(18:10)라고 단언했다.

이처럼 놀랍게 나타난 엄위하심과 자비는 우리가 살펴보는 본문에 대한 문학적 배경을 형성한다. 일곱째 재앙 바로 전에, 여호와는 모세를 통해 바로에게 말씀하셨다. "내가 손을 펴서 돌림병으로 너와 네 백성을 쳤더라면 네가 세상에서 끊어졌을 것이나 내가 너를 세웠음은 나의 능력을 네게 보이고 내 이름이 온 천하에 전파되게 하려 하였음이니라"(출 9:15-16). 하나님은 모든 사람이 보는 앞에서 자신의 권능을 높이고자 하신다. 모든 백성, 모든 권세가 그분만이 하나님이라는 것을 알게 하시는 것이다. 하나님은 이 궁극적 목적을 위해 바로를 세우셨다. 또한 자신의 명성을 위해 애굽을 멸망시키시고 이스라엘을 구해 내셨다. 그리고 이렇게 하나님을 높이려는 동기는 출애굽기 19장 4-6절에 상세히 나오는 하나님을 영광스럽게 하는 부르심의 근거가 된다.

b. **전경_ 언약과 부르심**

출애굽기 19장 5-6절은 "그리고 이제 만일 너희가 내 음성을 잘 듣고 내 언약을 지키고 모든 민족으로부터 내게 보배로운 소유가 된다면, 모든 세계는 나의 것이기 때문에, 너희는 내게 제사장 나라와 거룩한 백성이 될 것이다"(필자 번역)라고 되어 있다. 여호와께서 이스라엘이 정말로 "[그분의] 음성을 잘 [들어야]" 한다고 주장하실 때, 이것은 그분의 백성에 대한 그분의 권위를 암시했다. 여호와는 주권자로서 말씀하신다. 그리고 그렇기 때문에 그분의 말씀은 본질상 권위 있으며, (기록될 때) 정경이 된다. 19장 5절에 나오는 "[그분의] 음성을 잘 듣고"라는 명령은 20장 1절에서 십계명을 소개하는 "하나님이 이 모든 말씀으로 말씀하여 이르시되"라는 말을 내다본다. 백성들이 순종해야 하는 음성이 적어도 이제 여호와께서 선포하시려는 말씀에 나타나 있는 것이다.

하나님은 이스라엘에 특별히 그분의 '언약'을 지키라고 명하신다. 그 언약은 필자가 '역사적 맥락'을 논하며 말한 것처럼, 아브라함 언약 1단계의 성취인 시내산 언약을 말한다(8장에 나온 '출애굽기 19장 4-6절의 역사적 맥락'). 여호와는 아브라함에게 그가 그 땅에서 민족을 이룰 것이라고 약속하셨으며, 출애굽기 19-20장에 처음 계시된 모세 언약은 이 약속의 성과다.

출애굽기 20장은 출애굽기 19장 4절에 언급된 하나님의 임재와의 만남이 어떻게 5-6절에 나오는 부르심의 근거가 되고, 그 부르심이 생겨나게 하는지를 강조한다. 그

산에서 여호와는 십계명을 주셔서 자신의 인격과 말씀을 권능 가운데 모두 나타내셨다. 요란하고 귀를 찢는 듯한 소리가 들리고 불과 연기가 눈에 보이자 백성들은 떨며 뒷걸음질하며 산에서 멀리 피했다(출 20:18). 여호와는 안전하지 않으시다. 하지만 그분은 선하시다. 이에 모세가 그들에게 와서 출애굽기 20장 20절을 선언했다. "두려워하지 말라 하나님이 임하신 것은 너희를 시험하기 위해, 그리고 너희가 그분을 경외해서 범죄하지 않게 하시기 위해서다"(필자 번역). 이 텍스트의 논리는 중요하다. 하나님은 이스라엘 사람들을 시험하려고, 그리고 그들 안에 거룩한 두려움이 생겨나 죄를 짓지 않게 하려고 임하셨다. 죄는 하나님을 향한 두려움이 없다는 것을 뜻한다. 그리고 하나님을 향한 두려움이 없다는 것은 우리가 하나님을 만나고 있지 않다는 뜻이다.

출애굽기 19장 5-6절에서 제사장 나라로서 하나님의 위대하심을 전하고, 거룩한 백성으로서 그 위대하심을 더 크게 하라는 부르심을 성취하는 수단은 그들이 그분 음성을 듣고, 그분의 언약을 지키며, 그분의 소유가 되는 것을 통해서다. 이스라엘 사람들은 세상에 하나님의 가치를 보여 주기 위해서 하나님의 율법에 순종해야 했다. 그러나 그들은 하나님이 자신을 자비롭게 드러내지 않으신다면 그렇게 하지 않을 것이다. 이것이 출애굽기 끝에서 모세가 한 말의 요점이다. 금송아지 사건 후에 모세는 하나님께 그들 가운데 계속 임재하시길 간구한다. 출애굽기 33장 16절에서 그는 "나와 주의 백성이 주의 목전에 은총 입은 줄을 무엇으로 알리이까 주께서 우리와 함께 행하심으로 나와 주의 백성을 천하 만민 중에 구별하심이 아니니이까"라고 말한다. 출애굽기 19장 5-6절을 보면, 이스라엘을 세상의 빛으로 만드는 것은 하나님과 그분의 길에 철저히 굴복하는 것이다. 출애굽기 33장 16절에서 이스라엘을 세상에 빛이 되도록 만드는 것은 하나님의 임재가 될 것이다. 출애굽기 20장 20절은 하나님의 임재가 두려움을 가져오고, 또한 순종으로 이끈다는 것을 분명히 한다.

필자는 이 부분을 결론 맺으면서 한 가지를 도전하고자 한다. 자신의 삶을 검토해 보라. 죄와 가장 큰 싸움을 하고 있는 부분은 어디인가? 우리는 하나님을 충분히 두려워하지 않을 때에만 하나님께 반역하는데, 그 두려움은 인격적으로 하나님의 임재를 경험하는 것에서 생겨난다. 당신이 하나님의 임재를 알게 해달라고 하나님께 간구하라. 필자는 새 언약에 대한 예레미야 32장 40절 약속을 좋아한다. "내가 그들에게 복을 주기 위하여 그들을 떠나지 아니하리라 하는 영원한 언약을 그들에게 세우고 나를 경외함을 그들의 마음에 두어 나를 떠나지 않게 하고." 하나님이 그분 이름의 영광을 위해서 당신 안에 거룩함으로 이끄는 두려움을 주시길 기도한다.

문학적 맥락에서 본 시편 121편

한 시편에 대한 문학적 맥락 분석의 또 다른 예를 소개한다. 시편 121편은 필자가 좋아하는 시편이다.

시편 121편에서 시편 기자는 자신을 도우시는 분인 여호와에 대한 자신의 확신을 표현한다. 그리고 참이라는 것을 알게 된 하나님의 신실하심의 특성들을 자기 자신과 다른 사람들에게 거듭 말하면서 하나님의 보호에 대한 믿음을 쌓아 나간다. 이 시편의 문학적 맥락을 살펴볼 때, 우리는 먼저 시편이라는 책이 구약의 세 번째 주요 부분인 시가서에 속한다는 사실을 상기할 것이다. 시가서는 남은 자들이 여호와의 영원한 나라에 대한 약속들을 신뢰하면서 어떻게 이스라엘의 힘든 역사를 헤치고 나아갔는지를 하나님의 백성에게 보여 주는 일에 전념한다. 시편 121편은 이 메시지에 기여한다.

필자가 원본에 가장 가깝다고 믿는 정경 배열에 따르면(1장에 나온 '성경의 문맥 안에서 장르 살펴보기'를 보라), 히브리어 구약에서 시편은 룻기 뒤에 나오는 시가서의 첫 번째 주된 책이다. 룻기는 오시는 메시아에 대한 다윗 계열 왕국의 소망에 초점을 맞추는 내러티브 서언 역할을 한다. 시편은 먼저 그리스도에 의한, 그리고 그리스도에 관한 기도들을 제공한다. 그것은 결과적으로 그리스도가 구원하시는 사람들의 노래가 된다(1장에 나온 '시편'을 보라). 시편은 아름답지만 종종 혼란스럽고 망가진 이 세상에서 왕적 아들이신 그리스도께 피하는 사람들이 하나님을 향해 부르짖는 한탄, 감사, 찬양들이다. 시편은 언젠가 그리스도께서 자신의 마음에서 부르짖을 말들을 예언적으로 제공하며, 이제 그리스도 안에 있는 사람들에게는 절망과 기쁨의 순간에 어떻게 계속해서 하나님을 향하여 소망을 품을 수 있는지에 대한 본을 보인다. 한 주 내내 혼자 있을 때든 신자들이 공동체로 함께 모일 때든 언제나 그렇게 할 수 있는 것이다.

주요 개념 시편 기자는 다른 사람들에게 여호와께서 그들 삶의 보호자가 되어 주시는 것을 자신과 함께 경축하라고 함	
1. 올라가는 노래	
1 내가 산을 향하여 눈을 들리라 나의 도움이 어디서 올까 2 나의 도움은 천지를 지으신 여호와에게서로다	**I. 여호와의 보호하심에 대한 개인적 경축(1-2절)** A. 보호받는 자의 자세(1절) B. 보호받는 자의 확신(2절)
3 여호와께서 너를 실족하지 아니하게 하시며 너를 지키시는 이가 졸지 아니하시리로다 4 이스라엘을 지키시는 이는 졸지도 아니하시고 주무시지도 아니하시리로다	**II. 다른 사람들에게 여호와의 보호하심을 확신시킴(3-8절)** A. 여호와의 보호하심의 본질이 선언됨(3-4절) 1. 우리의 인내를 책임지시는 분(3a절) 2. 자신의 백성을 끊임없이 지키시는 분(3b-4절)
5 여호와는 너를 지키시는 이시라 여호와께서 네 오른쪽에서 네 그늘이 되시나니 6 낮의 해가 너를 상하게 하지 아니하며 밤의 달도 너를 해치지 아니하리로다 7 여호와께서 너를 지켜 모든 환난을 면하게 하시며 또 네 영혼을 지키시리로다 8 여호와께서 너의 출입을 지금부터 영원까지 지키시리로다	B. 여호와의 보호의 본질에 대한 해설(5-8절) 1. 그분의 정체성_ 영원히 방어해 주시는 분(5-6절) 2. 그분의 행동(7-8절) a. 생명을 보존하시는 분(7절) b. 영원한 보호자(8절)

표9.3. 시편 121편의 주요 개념과 주해적 개요

시편은 하나님의 백성이 포로 생활 이전과 이후에 부른 메시아적 음악이다. 불완전한 다윗 계열의 왕이 있거나 왕이 전혀 없던 시절에 시편은 이제 올 다윗 계열의 왕은 실로 환난을 이기고 승리하리라는 것, 빛이 어둠을 정복하리라는 것, 그리고 찬양이 탄식을 밀어내리라는 것을 약속했다. 처음부터 끝까지 시편은 그리스도의 고난들과 그분 나라의 소망을 묘사한다. 대대로 시편은 그리스도가 죄와 고난 가운데서 얼마나 완벽하게 우리와 동일하게 되셨는지, 어떻게 오직 그분 안에만 생명의 가능성이 있는지를 보도록 독자들을 도와준다.

시편 121편은 시편 제5권(107-150편)에 나온다. 이 부분은 포로 생활 이후 그 땅으로 돌아가는 것을 묵상하며, 자신의 백성을 회복시키고 새롭게 하는 분으로 여호와를 제시한다. 모두 그분의 다윗의 나라에 대한 그분의 약속이 완전하게 성취될 것을 고려하면서 말이다. 시편 14편 7절에 나오는 다윗의 기도와 매우 비슷하게(역대상 16장 35절 참조), 제4권은 시편 기자가 포로 생활에서 돌아오길 기도하는 것으로 끝난다. 그는 시편 106편 47절에서 "여호와 우리 하나님이여 우리를 구원하사 여러 나라로부터 모으시고 우리가 주의 거룩하신 이름을 감사하며 주의 영예를 찬양하게 하소서"라고 외친다. 시편 기자는 아마 단지 육체적으로 돌아오는 것을 바라고 있을 뿐 아니라, 절정의 두 번째 출애굽을 바라고 있을 것이다. 그 두 번째 출애굽에 대해 선지자들은 그것이 앞으로 올 메시아적 나라와 보조를 같이 할 것이라고 말했다(예를 들어 사 11:1-12:5, 49:1-6, 렘 23:5-8, 겔 34:16, 22-24, 37:20-28, 호 3:5). 그런데 제5권은 시편 107편에서 이 기도를 응답해 주신 것에 대해 하나님을 찬양하는 말로 시작한다. 우리는 시편 107편 1-3절에서 "여호와께 감사하라 그는 선하시며 그 인자하심이 영원함이로다 여호와의 속량을 받은 자들은 이같이 말할지어다 여호와께서 대적의 손에서 그들을 속량하사 동서남북 각 지방에서부터 모으셨도다"라는 말을 읽는다.

이후에 시편 107편 나머지 부분은, 시편 108-109편과 함께 여호와를 신뢰하는 모든 사람을 향한 그분의 끊임없는 사랑을 강조한다(시편 107편 33-43절, 108편 11절 참조). 그러고 나서 시편 110편은 영광스러운 메시아적 소망과 함께 다윗 언약이 파기된 것이 아니라는 점을 강조한다. 히브리서 1장 13절은 시편 110편을 인용하면서 예수를 다윗의 "주"로, 여호와께서 예수에 대해 "내가 네 원수로 네 발등상이 되게 하기까지 너는 내 우편에 앉아 있으라"고 선언하셨다고 말한다(마태복음 22장 41-45절 참조). 시편 111-118편은 자기 백성을 위해 일하시는 하나님은 언제 어떤 상황에서든 전심을 다해 예배와 충성을 바치기에 합당하신 분임을 강조한다. 그 명령은 하나님 말씀의 중요성을 강조하는데, 시편 119편에서는 그 점을 경축한다. 또한 그것은 하나님 백성의 삶에 여호와의 임재가 중심이 될 것을 요구한다. 그것이 시편 120-134편에 나오는 올라가는 노래들의 초점이다. 이 올라가는 노래들 안에 시편 121편이 있는데, 이 시편은 여호와의 보호에 대해 소망 가득한 확신을 보여 주며 여호와의 임재를 즐거워할 이유를 제공한다. 요한계시록 7장 16절은 시편 121편 6절에 기초하여 죽임당하신 어린양과 한편이 되어 큰 환난 가운데 죽은 모든 사람에 대해 "그들이 다시는 주리지도 아니하며 목마르지도 아니하고 해나 아무 뜨거운 기운에 상하지도 아니하리니"라고 단언한다. 하나님이 그분의 그리스도에게 보이시는 은총은 하나님이 그리스도와 동일시되는 모든 사람에게 보이시는 은총이 된다. 올라가는 노래 중 시편 132편이 가장 긴데, 그 시편은 여호와께서 다윗에게 하신 약속, 곧 그분이 참으로 영원토록 예루살렘의 보좌에 왕을 두실 것이라는 약속이 성취될 것을 강조한다.

시편 135-138편은 자신의 백성을 위해 창조와 섭리를 통한 하나님의 역사를 요약하며, 시편 138편은 다시 다윗의 시편들로 돌아와 시편 145편까지 계속된다. 이 시편은 영적 문제와 세상 문제 모두에서 하나님께 도움을 요청하는, 기름부음 받은 왕적 인물을 묘사하며(시 139-144편) 그 다음에 여호와의 성품과 역사를 경축한다(시 145편). 시편 다섯 권은 만유 위에 뛰어나신 하나님을 높이는 다섯 개의 찬송 시편이 연이어 나오면서 결론을 맺는다(시 146-150편).

시편 121편은 올라가는 노래 중 두 번째 노래로, 독자의 시선을 위에 계신 하나님과 그분의 거룩한 산으로 향하게 한다. "내가 산을 향하여 눈을 들리라 나의 도움이 어디서 올까." 위를 올려다본다는 것은 한 가지를 의미한다. 시편 기자가 낮은 곳에 있다는 것이다. 그럼에도 그는 고통 속에서, 염려 속에서, 하늘과 땅을 만드신 한 분, 하나님을 향한다. 그는 "여호와께서 너를 실족하지 아니하게 하시며"(시 121:3)라고 말한다. 우리를 지키시는 분은 절대 주무시지 않는다. 그리고 그렇기 때문에 우리는 잘 수 있다. 오늘 우리가 안식할 수 있는 것은 모든 것을 만족시키시는 구주가 예수의 모습으로 다스리시기 때문이다. 다윗의 소망이 성취되기에 이르렀다. 그리고 이제 예수께서 환난을 통한 승리라는 자신의 사명을 명확히 하기 위해 인용하신 바로 그 시편들이 바로 우리 마음의 부르짖음이 될 수 있다. "여호와는 너를 지키시는 이시라 …… 여호와께서 너의 출입을 지금부터 영원까지 지키시리로다"(시 121:5, 8).

열두 선지서에 나오는 사고의 흐름

많은 사람이 보기에 예수의 성경이 지닌 놀라운 특징 하나는 소선지서들이 열두 부분으로 된 하나의 책, 즉 열두 선지서(the Book of the Twelve)로 합쳐져 있었다는 것이다. 최초 기독교 순교자로 알려진 스데반이 아모스서를 인용하여 "이는 선지자의 책(the book)에 기록된 바……"(행 7:42)라고 말할 때, 바로 이 열두 선지서를 언급한 것이다. 필자의 생각으로 개별 선지서는 외부에서 새롭게 편집했다는 분명한 표시 없이 독립적으로 존재한다. 그럼에도 열두 선지서가 비연대적으로 배열되어 있는 것은 신학적 사고를 지닌 편집자의 작업임을 시사한다. 그 편집자는 주제와 표어에 따라 특정 저술들을 함께 묶어 놓았다. 필자는 각 책의 독자적 역할을 인정한다. 따라서 이 부분에서는 단지 각 책을 하나씩 읽을 때보다 이 열두 개의 개별 책이 함께 더 큰 메시지를 선포한다는 사실에 주의를 기울이길 원할 뿐이다.

학자들은 열두 선지서에서 세 가지 주요 주제를 주목했다. 죄, 징벌, 회복이다. 이 모든 요소가 열두 선지서 각각에 어느 정도는 분명하게 드러나 있지만, 폴 하우스는 첫 여섯 책인 호세아서부터 미가서까지는 **죄**를 다루는 데 더 깊이 끌리고, 그 다음 세 책인 나훔서부터 스바냐서까지는 **징벌**에 더 긴밀하게 초점을 맞추며, 마지막 세 책인 학개서부터 말라기서까지는 **회복**에 더 주의를 집중시킨다고 유용하게 설명했다.[4]

죄	호세아서, 요엘서, 아모스서, 오바댜서, 요나서, 미가서
징벌	나훔서, 하박국서, 스바냐서
회복	학개서, 스가랴서, 말라기서

표9.4. 열두 선지서의 통일성

이 특징들과 함께, 필자는 우리가 그 책들을 서로 비추어서, 그리고 이 선지서들 모음의 전반적 흐름에 비추어서 읽을 때 열두 선지서의 통일성을 더 깊이 느낄 수 있다고 생각한다. 단순히 각 책의 메시지를 연속으로 종합하기만 해도 각 부분의 메시지를 선언하는 일관된 사고의 흐름이 드러난다.

1. 호세아서_ "이스라엘아, 여호와는 너희의 유죄를 입증할 논거를 갖고 계시다. 너희가 음녀처럼 행하고 부정한 아내같이 굴어서, 신실함과 불변하는 사랑과 지식을 떠났다. 너희 남편이신 여호와께 돌아오라!"
2. 요엘서_ "여호와의 날이 가까이 왔다. 그러므로 회개만이 너희의 유일한 소망이다! 나는 내 백성의 피난처가 될 것이다. 그렇지만 내 음성에 귀 기울이지 않는

4 Paul R. House, *The Unity of the Twelve*, JSOTSup 97 (Sheffield, UK: Almond Press, 1990).

모든 사람에게는 맹렬하게 우는 사자가 될 것이다!"

3. **아모스서**_ "너희가 얼마나 안전하다고 느끼는지, 하지만 실제로는 얼마나 안전하지 않은지! 나는 너희를 징계했다. 그러나 너희는 그 징계에서도 배우지 못했다. 너희는 내가 올 것을 예상한다. 그렇지만 너희에게 그 날은 빛이 아니라 어둠이 될 것이다. 너희 하나님을 만날 준비를 하라. 나라에 대한 내 약속들이 성취되는 것은 참으로 회개하는 사람들만을 위한 것이기 때문이다!"
4. **오바댜서**_ "이것을 알라. 교만과 미움은 앞으로 올 나의 나라에 있을 곳이 없다. 이 때문에 너희 형제 에돔이 멸망당할 것이다."
5. **요나서**_ "그러나 주의하라. 너 자신의 교만과 다른 사람들을 향한 미움은 에돔을 닮았으며, 여호와께서 자신이 원하는 누구에게든 베푸시는 변치 않는 사랑과는 명백하게 대조된다. 요나처럼 되지 말라. 여호와처럼 되고 다른 사람들의 멸망을 흡족해하기보다는 긍휼을 베풀라. 하나님의 벌이 너희에게 임하지 않게 하기 위해서다!"
6. **미가서**_ "여호와는 자신의 법정에서 너희와 민족들에게 유죄라고 판결하셨다! 그러나 너희의 마지막 심판은 아직 오지 않았다. 그리고 그분은 너희가 돌아오기만 하면 자신의 자비로 여전히 너희 죄를 용서하실 것이다. 곧 하나님은 자신의 말씀과 메시아를 통해 모든 것 위에 높아지실 것이다. 너희는 벌을 받을 것인가, 구속을 받을 것인가?"
7. **나훔서**_ "이것을 확실히 알라. 여호와는 자신의 화평 조건들을 받아들이는 사람들에게만 요새가 되신다. 그러나 회개하지 않는 모든 원수를 그분은 정당하게 심판하실 것이다."
8. **하박국서**_ "여호와는 의로우시다. 그분의 때에 실제로 모든 행악자를 벌하시고, 도움과 인도와 만족을 위해 그분께 의지하며 믿음으로 행하는 모든 사람을 보존하실 것이다."
9. **스바냐서**_ "여호와께 가까이 나아가는 남은 자들에게 속하라. 그래서 다가오는 날이 기쁨의 날이 되게 하라! 하지만 하나님의 음성을 듣지 않는 모든 사람에게, 전사이신 여호와의 날은 확실한 멸망이 될 것이다!"
10. **학개서**_ "하나님을 가까이 하려면 너희 가운데 그분이 임재하셔야 한다는 것을

심각하게 고려해야 한다. 그분이 하신 모든 약속, 너희를 위한 그리고 그분께 복종하는 나라들을 위한 축복을 모두 성취하게 하시기 위해서다."

11. **스가랴서_** "너희 가운데 여호와의 임재가 필요하다. 인간의 노력에 의해서가 아니라 죽임당하셨으나 승리하신 제사장-왕이신 분을 통해 그분의 영의 권능이 역사하심으로 그분의 나라는 회복될 것이기 때문이다."
12. **말라기서_** "이 회복은 너희를 위한 것이다. 저주가 완전한 회복의 축복을 일으킬 날을 기다리면서 너희가 삶의 모든 영역에서 여호와를 두려워하고 공경한다면 말이다."

소선지서들에서 문학적 맥락을 평가할 때, 그 선지서들이 합해서 한 권으로 된 열두 부분짜리 책을 형성한다는 것을 유념하라. 어느 선지서를 평가하든, 그 선지자의 메시지가 열두 선지서의 전반적 메시지에 어떻게 기여하는지 생각해 보라.

스바냐서_ 만족하라는 구주의 권유

마르틴 루터는 "소선지서 중에 [스바냐서가] 그리스도의 나라를 가장 분명하게 예언한다"[5]고 단언한 바 있다. 필자는 문학적 맥락에 대한 이 장을 스바냐서 책 전체의 사고 흐름과 메시지를 검토하면서 결론 맺고자 한다. 스바냐서는 쉰세 구절밖에 되지 않으므로 10분간 시간을 내어 세 장을 통독한 뒤, 필자가 전체를 살펴볼 때 다시 그 책으로 돌아가 검토해 보라. 표9.5는 스바냐서의 전반적인 구조와 논증을 살펴본다. 그리고 표9.6은 필자의 주요 개념에 대한 진술 및 주해적 개요를 보여 준다.

---

5 Martin Luther, *Lectures on the Minor Prophets I: Hosea-Malachi*, Hilton C. Oswald 편집, Luther's Works 18 (St. Louis: Concordia, 1975), 320쪽.

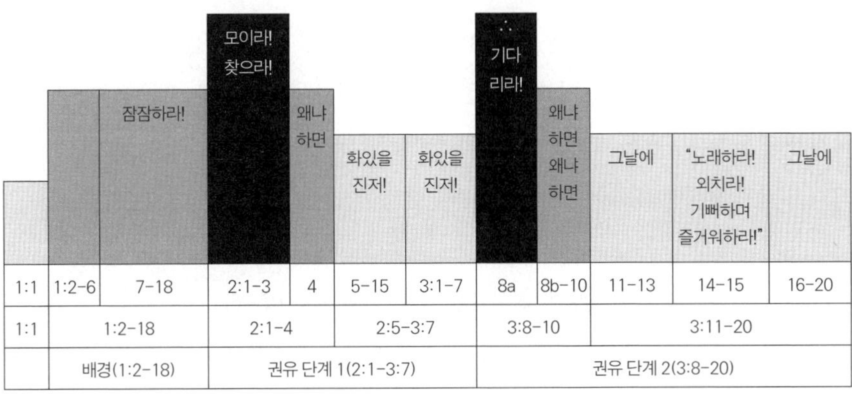

표9.5. 스바냐서의 구조적 개관

주요 개념

임박한 주님의 심판 날에 비추어, 주님은 신실한 남은 자들에게 함께 인내하며 자신을 추구하라고 권유하신다. 징벌을 피하고 만족시키는 구원을 누리기 위해서다. 그 모든 것은 하나님의 기쁨과 영광을 위한 것이다.

I. 만족하라는 구주의 권유에 대한 표제(1:1)

II. 만족하라는 구주의 권유의 배경_ 하나님을 경외하라는 명령(1:2-18)

- A. 하나님을 경외하라는 명령의 배경_ 다가오는 징벌(1:2-6)
- B. 하나님을 경외하라는 명령의 구성(1:7-18)

III. 만족하라는 구주의 권유의 본질_ 함께 인내하며 주님을 추구하라는 명령(2:1-3:20)

- A. 단계1_ 징벌을 피하기 위해 함께 주님을 찾으라(2:1-3:7)
  - 1. 주님 앞에 모이라는 명령(2:1-2)
  - 2. 의와 겸손으로 주님을 찾으라는 명령(2:3-3:7)
    - a. 주님을 찾으라는 명령(2:3)
    - b. 주님을 찾아야 하는 처음 이유(2:4)
    - c. 주님을 찾아야 하는 몇 가지 해설된 이유(2:5-3:7)
      - i. 이유1("화 있을진저")_ 이방 나라들에서 온 반역자들의 한탄할 만한 상태와 운명(2:5-15)
      - ii. 이유2("화 있을진저")_ 예루살렘에서 온 반역자들의 한탄할 만한 상태와 운명(3:1-7)
- B. 단계2_ 만족시키는 구원을 누리기 위해 주님을 기다리라(3:8-20)
  - 1. 주님을 기다리라는 명령(3:8a)
  - 2. 주님을 기다려야 하는 두 가지 이유(3:8b-10)
  - 3. 주님을 기다리는 동기를 부여하겠다는 약속_ 남은 자들을 만족시키는 구원(3:11-20)
    - a. 예루살렘이 수치를 당하지 않도록 하겠다는 주님의 약속(3:11-13)
    - b. 이미 큰 구원이 일어난 것처럼 기뻐하라는 삽입구적 명령(3:14-15)
    - c. 주님이 완전히 구원하시리라는 약속(3:16-20)

표9.6. 스바냐서의 주요 개념과 주해적 개요

1. 만족하라는 구주의 권유에 대한 표제(1:1)

만족시키는 구원에 대한 선지자적 권유를 소개하면서, 스바냐서의 표제는 그 구원의 본질과 원천(하나님 말씀), 그 구원을 전하는 메신저(스바냐, 다윗 계열의 왕적 혈통인 유대인), 그리고 그 구원의 배경(요시아의 개혁 시대)을 강조한다.

2. 만족하라는 구주의 권유의 배경_ 하나님을 경외하라는 명령(1:2-18)

이 부분은 스바냐 2-3장에 나오는 주요 권고의 배경을 제공한다. 선지자는 "주 여호와 앞에서 잠잠할지어다"(1:7)라고 외친다. 이것은 유다와 세상에 대한 여호와의 심판이 임박했다는 사실과 그 심판의 본질에 비추어 주님을 경외하라는 명령이다. 2-6절은 그 명령의 배경(즉 세계적 심판)을 강조하고, 7-18절은 그 명령의 구성을 규정한다.

a. 하나님을 경외하라는 명령의 배경_ 다가오는 징벌(1:2-6)

여호와는 광범위한 세상에 황폐한 심판을 가져오겠다고 약속하신다(습 1:2-3). 특히 유다와 예루살렘에 그러겠다고 하신다(4-6절). 멸망은 만연한 악과, 우상을 숭배하는 반역 때문이다.

b. 하나님을 경외하라는 명령의 구성(1:7-18)

청중에게 분노한 왕의 도착을 준비시키는 사자처럼, 스바냐는 자신의 청중에게 주님 앞에서 잠잠하라고 명한다(습 1:7a). 그러고 나서 그는 그 명령의 기초를 더 묘사한다. 유다(7b-13절)와 온 세상(14-18절) 모두와 관련하여 여호와의 임박한 심판의 절박한 시기와 희생적 구성을 상세히 묘사한다. 매혹적이게도, 선지자는 주님의 날을 전쟁의 날(1:15-16)이자 희생의 날(1:7, 18)로 묘사한다. 그것은 구약 속죄에서, 그리고 십자가에서 이루어진 그리스도의 사역에서 무슨 일이 일어나고 있는지를 분명하게 설명한다. 우리를 향한 의로운 진노를 하나님이 그리스도에게 부으셨기 때문에("죄를 알지도 못하신 이를 우리를 대신하여 죄로 삼으신 것"[고후 5:21. 갈라디아서 3장 13절 참조]) 우리는 이제 "그로 말미암아 [하나님의] 진노하심에서 구원을 받을"(롬 5:9) 것이다. 예수는 그분 안에 있는 모든 사람을 위해 주님의 진노의 날을 감당하셨다.

3. 만족하라는 구주의 권유의 본질_ 함께 인내하며 주님을 추구하라는 명령(2:1-3:20)

서서히 다가오는 여호와의 날로 인해 촉발된, 하나님을 경외하라는 명령에 비추어(습 1:2-18), 스바냐서 본론 부분에서는 의로운 남은 자들에게 함께 여호와를 찾고 기다리라고 명한다(2:1, 3, 3:8). 두 가지 명령이 2장 5절-3장 7절의 틀을 형성하는데, 그 부분은 이방 나라들(2:5-15)과 예루살렘(3:1-7)에서 온 반역자들의 한탄할 만한 상태와 운명을 강조한다. 남은 자들이 참을성 있게 여호와를 추구해야 하는 몇 가지 이유를 명확하게 설명하기 위해서다.

a. 단계1_ 징벌을 피하기 위해 함께 주님을 찾으라(2:1-3:7)

만족하라는 권유에서 단계1은 공동으로 하나님을 추구하는 것이다. 여기서는 함께 모이는 것(습 2:1-2)과 여호와를 찾는 것(3abc절), 두 부분으로 정의된다. 남은 자들은 신적 진노가 임하기 전에 공동 전선을 펴야 한다. 그리고 그들은 의와 겸손함으로 하나님을 찾아야 한다. 이렇게 해야만 하나님이 블레셋 출신 사람들 같은(4절) 악인을 멸망시키는 것에서 그들이 "혹시 …… 숨김을 얻[을]" 것이다(3d절).

함께 하나님을 찾아야 하는 주된 이유들이 그 다음에 설명된다(습 2:5-3:7). 이 부분은 2장 4절에 언급된 징벌을 전개하며, 이 징벌에 따라 2장 3절과 3장 8절에 나오는 "찾으라"는 명령과 "기다리라"는 명령의 합리적 근거를 제시한다. 반역적인 청중은 인내하며 여호와를 찾아야 한다. 여호와는 이방 나라의 반역자들(2:5-15)뿐 아니라 예루살렘의 반역자들(3:1-7)도 벌하겠다고 약속하셨기 때문이다. 인내심 있게 하나님을 추구해야 하는 각 이유는 "화있을진저"(2:5, 3:1)라는 용어로 시작하며, 각 집단의 상태와 운명을 한탄한다.

첫 번째 이유는 이방 나라에서 온 반역자들의 한탄할 만한 상태와 운명과 관련되어 있다(습 2:5-15). 유다에게 주는 회개하라는 명령을 초점으로(2:1-4), 이 부분은 서쪽으로 블레셋 사람들(5-7절), 동쪽으로 모압 사람들과 암몬 사람들(8-11절), 남쪽과 북쪽으로 구스(에티오피아) 사람들과 앗수르 사람들(12-15절)에 대한 하나님의 진노를 선언하면서, 이스라엘을 중심으로 징벌 범위를 구축한다. 여기에 암시되어 있는 것은 사람이 거주하는 세상에 임하는 징벌이 유다에게도 임하리라는 것이다(하박국 2장 16-17절 참조). 그 백성이 여호와께 돌아와 보호받는 남은 자들에 속하게 되지 않는다면 말이다(스바냐 3장 7, 9절을 보라).

여호와를 찾는 두 번째 이유는 예루살렘에서 온 반역자들의 한탄할 만한 상태와 운명에 관한 것이다(습 3:1-7). 이방 나라에서 온 반역자들에 대한 앞의 한탄("화있을진저", 2:5-15)에 암시된 것처럼, 이 짧은 부분은 하나님이 그들을 바로잡으신 것에서 또는 하나님이 이방 나라들을 멸망시키신 것에서 배우기를 예루살렘에 살고 있는 사람들이 고집스럽게 거부한다는 것을 강조하여, 그들의 죄 된 본성과 그들이 받을 확실한 징벌을 더 상세히 전개한다. 결과적으로 그것은 남은 자들이 인내심 있는 신뢰를 가지고("기다리라", 3:8) 여호와를 찾아야 하는("모이라", "찾으라", 2:1-3) 추가 이유를 제공한다.

b. 단계2_ 만족시키는 구원을 누리기 위해 주님을 기다리라(3:8-20)

함께 주님을 찾으라는 명령(2:1-3)에 더해지는 것은 여기서 계속 참으라는 것이다(3:8). "나 여호와가 말하노라 그러므로 …… 너희는 나를 기다리라." 함께 여호와를 기다리라는 명령과 그분을 기다리라는 명령은 두 단계로 이루어진 스바냐서의 권유를 구성한다. 그 권유는 지속적인 기쁨의 수단을 설명하는 것으로, 그 기쁨은 자신이 구원한 사람들을 하나님이 기뻐하시는 데서 절정에 이른다(3:17).

3장 8a절에서 인내심 있게 신뢰하라는 처음 명령이 나온 다음, 스바냐는 주님을 기다려야 하는 두 가지 이유를 말한다(3:8b-10). ESV는 그 이유들을 각각 '왜냐하면'(for)이라는 접속사로 표시한다. "**왜냐하면** 내가 정한 뜻은 여러 나라를 소집하는 것이기 때문이다. …… **왜냐하면** 그때에 백성들의 말을 바꿀 것이기 때문이다"(옮긴이 번역). 남은 자들은 계속 여호와를 기다려야 한다. 여호와는 여전히 반역하는 열방을 심판하려 하시며(3:8b. 하박국 1장 2절, 3장 17-19절 참조), 세상의 열방들에게서 한 집단을 구원하사 바벨탑의 영향을 뒤집으려 하시기 때문이다(습 3:9-10. 창세기 11장 9절 참조). 특히 여호와께서 언약 증인으로 심판하시는 바로 그날("그때에"), 그분은 온 세상 사람들을 참된 예배자로 바꾸셔서 새 창조의 일을 하실 것이다. 구스(고대 에티오피아) 너머에서 온 사람들이 하나님의 이름을 부를 것이며, 합심하여 그분을 섬길 것이다. 모든 예언은 오순절에 처음 성취되며(행 2:4-6, 21, 38, 42-47, 8:26-40) 이제 교회 안에서 영원히 실현된다(마 28:18-20, 롬 11장, 엡 2:11-22, 계 5:9-10, 7:9-10).

새 예루살렘을 중심으로 이루어지는 새 창조에 대한 처음 약속 다음에는 주님을 기다리도록 자극하는 또 다른 약속들이 나온다(습 3:11-20). 3장 11절 맨 앞에 연결어가 없는 것과 그 내용이 남은 자의 만족시키는 구원에 초점을 맞춘 것은 3장 11-20절 전체 부분이 3장 8b-10절에서 강조한 세계적 변혁의 함축을 명확히 설명한다는 것을 시사한다.

하나님이 예루살렘에 보호하시는 사람들에게(이들에는 인종적 이스라엘 사람들과 열방에서 온 사람들 모두 포함된다, 습 3:10. 스바냐 2장 9절 참조) 회복이란, 교만을 제거하고 하나님을 의지하는 자들을 보호하는 것(3:11-13), 왕이신 하나님의 돌이킬 수 없는 승리의 여파에서 얻은 기쁨을 말로 표현하는 것(3:14-15), 여호와께서 자신의 남은 자들을 구속하시고 그들 안에서 기뻐하시는 것, 그래서 확고하게 공급하시고 보호하시는 것(3:16-20)을 포함한다. 3장 14-15절에 나오는 기뻐하라는 명령은 특히 중요하다. 그 명령은 구원을 마치 이미 일어난 일처럼 여기기 때문이다. "예루살렘 딸아 전심으로 기뻐하며 즐거워할지어다 여호와가 네 형벌을 제거하였고 네 원수를 쫓아냈으며 이스라엘 왕 여호와가 네 가운데 계시니 네가 다시는 화를 당할까 두려워하지 아니할 것이라." 놀랍게도 요한은 예수의 승리의 예루살렘 입성을 기록하면서 스가랴 9장 9절과 스바냐 3장 14-15절을 모두 섞어 놓은 듯하다. 후자의 구절은 구약에서 '시온 딸', '이스라엘 왕', '두려워하지 말라'는 문구들이 포함된 유일한 곳이다. "종려나무 가지를 가지고 맞으러 나가 외치되 호산나 찬송하리로다 주의 이름으로 오시는 이 곧 이스라엘의 왕이시여 하더라 예수는 한 어린 나귀를 보고 타시니 이는 기록된 바 시온 딸아 두려워하지 말라 보라 너의 왕이 나귀 새끼를 타고 오신다 함과 같더라"(요 12:13-15). 요한은 스바냐가 고대한 종말 때의 구원을 예수께서 시작하신다고 본다.

스바냐 3장 14-15절에서 세 부분으로 된 기뻐하라는 명령("노래할지어다 …… 부를지어다 …… 기뻐하며 즐거워할지어다")은 3장 17절에서 자신이 구속한 자들 안에서 여호와께서 기뻐하신다는 세 번의 선언("기쁨을 이기지 못하시며 …… 너를 잠잠히 사랑하시며 …… 즐거이 부르며 기뻐하시리라")과 조화를 이룬다. 이것들은 함께 스바냐서가 정말로 만족시키는 구원을 얻으라는 권유임을 강조한다. 인내심 있게 여호와를 추구하라는 명령(2:1-3, 3:8)에 응답하는 최고의 동기는 우리 앞에 놓인 기쁨이다. 청중은 찾고, 소망하고, 간청하고, 신뢰하고, 바라보고, 고대해야 한다. 하나님이 모든 억압자를 완전히 제거하시고, 상한 것을 고치시고, 그분이 구원하신 자들을 놓고 노래하실 그날을 위해 그렇게 해야 하는 것이다(3:17, 19-20). 의미심장하게도 이것들은 모두 그리스도께서 자신의 초림 때 시작하셨으며 다시 오실 때 완성하실 것들이다. 바로 이것이 주님이 스바냐에게 하신 말씀이다.

핵심 단어와 개념

문학적 맥락

문학적 배치, 문학적 기능, 문학적 세부 사항

더 생각해 보기 위한 질문

1. 문학적 맥락을 살펴보려면 먼저 책 전체의 사고 흐름을 잘 파악해야 한다. 그 사고 흐름을 파악하는 가장 좋은 방법은 무엇인가?
2. 문학적 배치, 기능, 세부 사항을 고찰할 때 물어보아야 하는 질문들은 무엇인가?
3. 필자에 따르면, 성경의 요점은 무엇인가? 신약과 구약은 이 점을 어떻게 전개하는가?
4. 문학적 맥락을 살펴보는 예 가운데 어느 것이 당신에게 가장 많은 통찰을 주었는가? 자신의 말로, 문학적 맥락을 살펴보는 과정을 설명하라.

추가 연구 자료

✪ Alexander, T. Desmond, and Brian S. Rosner, eds. *New Dictionary of Biblical Theology: Exploring the Unity and Diversity of Scripture*. Downers Grove, IL: InterVarsity Press, 2000. 「IVP 성경 신학 사전」, IVP.

Carson, D. A., ed. *NIV Zondervan Study Bible*. Grand Rapids: Zondervan, 2015.

Dempster, Stephen G. *Dominion and Dynasty: A Biblical Theology of the Hebrew Bible*. NSBT 15. Downers Grove, IL: InterVarsity Press, 2003.

★ DeRouchie, Jason S., ed. *What the Old Testament Authors Really Cared About: A Survey of Jesus' Bible*. Grand Rapids: Kregel, 2013.

Dever, Mark. *The Message of the Old Testament: Promises Made*. Wheaton, IL: Crossway, 2006. 「구약 성경의 핵심 메시지」, 부흥과개혁사.

Dyer, John. *Best Commentaries: Reviews and Ratings of Biblical, Theological, and Practical Christian Works*. http://www.bestcommentaries.com/.

Fee, Gordon D., and Douglas Stuart. *How to Read the Bible Book by Book: A Guided Tour*. Grand Rapids: Zondervan, 2002. 「책별로 성경을 어떻게 읽을 것인가」, 성서유니온선교회.

Grudem, Wayne H., ed. *The ESV Study Bible*. Wheaton, IL: Crossway, 2008. 「ESV 스터디 바이블」, 부흥과개혁사.

Hill, Andrew E., and John H. Walton. *A Survey of the Old Testament*. 2nd ed. Grand Rapids: Zondervan, 2000. 「구약 개론」, 은성.

⊙ House, Paul R. *Old Testament Theology*. Downers Grove, IL: InterVarsity Press, 1998. 「구약 신학」, 기독교문서선교회.

★ House, Paul R., and Eric Mitchell. *Old Testament Survey*. 2nd ed. Nashville: Broadman & Holman, 2007.

InterVarsity Press에서 출간한 구약 관련 사전들

- Alexander, T. Desmond, and David W. Baker, eds. *Dictionary of the Old Testament: Pentateuch*. Downers Grove, IL: InterVarsity Press, 2003.
- Arnold, Bill T., and H. G. M. Williamson, eds. *Dictionary of the Old Testament: Historical Books*. Downers Grove, IL: InterVarsity Press, 2005.
- Boda, Mark J., and J. Gordon McConville, eds. *Dictionary of the Old Testament: Prophets*. Downers Grove, IL: InterVarsity Press, 2012.
- Longman, Tremper, III, and Peter Enns, eds. *Dictionary of the Old Testament: Wisdom, Poetry, and Writings*. Downers Grove, IL: InterVarsity Press, 2008.

LaSor, William Sanford, David Allan Hubbard, and Frederic William Bush. *Old Testament Survey: The Message, Form, and Background of the Old Testament*. 2nd ed. Grand Rapids: Eerdmans, 1996.

Leithart, Peter J. *A House for My Name: A Survey of the Old Testament*. Moscow, ID: Canon, 2000. 「새로운 관점의 구약 성경 읽기」, 기독교문서선교회.

Schreiner, Thomas R. *The King in His Beauty: A Biblical Theology of the Old and New Testaments*. Grand Rapids: Baker Academic, 2013. 「성경 신학」, 부흥과개혁사.

★ Van Pelt, Miles V., ed. *A Biblical-Theological Introduction to the Old Testament: The Gospel Promised*. Wheaton, IL: Crossway, 2016. 「성경 신학적 구약 개론」, 부흥과개혁사.

부. 의미

본문은 무엇을 의미하는가

10장
성경 신학

목표_ 우리가 연구하는 본문이 성경의 전체 흐름과 메시지와 어떻게 연관되어서 그리스도를 가리키는지 생각해 본다.

여정의 단계
1부 텍스트
2부 관찰
3부 맥락
4부 의미_ 본문은 무엇을 의미하는가
10장 성경 신학
11장 조직 신학
5부 적용
기본 개관
성경 신학의 전제들
성경 신학의 본질
성경의 틀, 형식, 초점, 받침점
주제 추적의 예_ "제사장 나라"(출 19:6)
신약에서 구약을 사용하는 예_ 마태복음 2장 15절에 나오는 호세아 11장 1절

표10.1. 10장 길 안내

성경 신학의 전제들

성경 신학으로 넘어가면서 이제 우리는 주해라는 형식 범주에서 신학의 영역으로 이동한다. 성경 신학, 조직 신학, 실천 신학 안에서 벌이는 씨름에서 비로소 우리는 본문의 지속적 메시지를 제대로 종합적으로 다루기 시작한다.

이제 우리 앞에 놓인 질문은 이것이다. "성경 신학이란 무엇인가?" 이 연구 분야에서는 성경 전부가 어떻게 서로 잘 조화되어 그리스도를 가리키는지를 고찰한다. 더 구체적으로 말해서 이 과업에 대한 필자의 접근법에 따르면, **성경 신학**이란 성경이 하나님, 그리고 그분과 세상의 관계에 대해 계시하는 것을 분석하고 종합하는 한 가지 방식으로, 특히 구약과 신약이 어떻게 진전되고 통합되어 그리스도 안에서 절정에 이르는가와 관련하여 성경 전체와 나름대로 유기적으로 구원사적인 연관 및 문학적-정경적인 연관을 맺는 방식이다.

이제 이 정의를 풀어 해설하기 전에, 이 과업과 관련하여 극과 극으로 대조되는 네 가지 초점을 강조하고자 한다. 이 초점들을 설명하는 이유는 1960년대에 성경 신학 운동이 일어난 이래, 많은 학자가 이 연구 분야를 필자와 다른 방식으로 접근했기 때문이다. 그래서 필자는 먼저 필자의 방법론적 전제들을 분명히 정리하고자 한다.[1]

1. 사건 대 텍스트_ "특별 계시는 시공간으로 이루어진 역사적 사건인가, 아니면 기록된 기술인가?"

하나님은 분명 역사에서 자신을 계시하신다. 하지만 이 계시는 그분의 기록된 말씀을 통해서만 우리가 분명하게 이해할 수 있다. 그렇기 때문에 성경 신학은 그 계시가 전개되는 역사적 배경에 영향을 받는 **텍스트 연구 분야**(textual discipline)다.

2. 비평 대 정경_ "성경 신학 연구의 본질과 대상은 무엇인가?"

연구 분야의 본질에 관해서는 두 가지 주된 접근법이 있다. (a) 비판적, 해체적 접근

1 필자는 이 방법론적 전제 중 일부를 John H. Sailhamer, *Introduction to Old Testament Theology: A Canonical Approach* (Grand Rapids: Zondervan, 1995), 27-194쪽에서 수정했다.

법으로, 이 접근법에서는 사람이 결정적 권위를 갖는다. (b) 복종적, 구성적 접근법으로, 이 접근법에서는 하나님 말씀이 여전히 결정적 권위를 갖는다. 어떤 사람들이 보기에 **비판적, 해체적 접근법**은 일종의 원전 비평을 통해 입증된다. 원전 비평은 성경 본문을 가설적 원전들로 분해하고, 그러고 나서야 독립적인 각 원전의 메시지를 확증하려는 것이다. 예를 들면 'J'(Jahwist, 야훼 문서) 신학 또는 'P'(the Priestly source, 제사장 문서) 신학이다. 또 어떤 사람들이 보기에 해체는 개인의 선입관에 기초하여 믿음이나 윤리, 사실에 대한 텍스트의 주장들을 받아들이거나 거부할 때 이루어진다. 그 결과 정경 안에 개인적인 정경이 있게 된다. 특정 부분이 다른 부분보다 더 권위를 지니는 것이다.

이에 반해, **복종적, 구성적 접근법**은 필자가 바람직하다고 생각하는 방법이다. 이 접근법이야말로 하나님 말씀인 성경의 본질에 계속 충실할 수 있는 유일한 방법이기 때문이다. 그것은 정경에 속하며 권위 있는 계시인 성경에 우리 삶을 복종시킬 때에만, 그리고 텍스트 자체의 가치와 주장들을 긍정할 때에만, 성경 신학을 올바로 수행할 수 있다고 말한다. 이 견해에서 다양한 비판적 연구 형식들은 그 연구 형식을 사용하는 학자들이 텍스트 안에 무엇이 있는지 정확하게 관찰하고, 성경 저자들의 의도에 맞게 제대로 이해하며, 텍스트의 주장들을 그 본질에 따라 공정하게 평가할 때에만 존재할 여지가 있다. 그것이 이 연구 분야의 본질이다.

하지만 비평 대 정경이라는 문제는 또한 **성경 신학의 대상**에 관한 연구와 관계된다. **범위**에 관해서 성경 신학은 하나님이 우리에게 계시하신 최종 형태의 정경에 국한되어야 한다. 다양한 전제에 의한 학자들의 가설적 재구성도, 성경이나 역사적 전통이 정경에 속한다고 인정하지 않는 추가 자료도 성경 신학의 범위에 들어가지 않는다. 성경 신학의 연구 대상은 항상 "성경"이어야 하며, 그 성경에 국한되어야 한다. 그 성경은 기록된 하나님 말씀을 구체적으로 표현하며, 따라서 유일무이한 본질과 권위를 지니고 있는 66권의 책들로 구성되어 있다(딤후 3:16-17, 벧전 1:20-21).

성경 본문의 **구성**에 대해서는 먼저 텍스트의 통일성과 다양성을 고려해야 한다. 성경은 수많은 장르와 많은 사람의 손을 통해 1,500년이 넘는 기간에 걸쳐 우리 손에 들어왔는데 어떻게 통일성을 발견할 수 있을까? 그 답은 하나님 자신이 성경 전체의 결정적 저자라는 사실에 있다. 하나님이 성경 저자들을 인도하셨으며, 그 저자들은 하나님 말씀을 기록했다. 그 다음으로는 정경의 배열을 고려해야 한다. 표준적으로 받아들여지는 구약과 신약의 순서는 얼마나 중요한가? 예수께서 세 부분으로 된 정경을 사용하셨다는 사실(눅 24:44. 11장 51절 참조)은 적어도 구약을 주해하는 데 영향을 끼치는가? 신약의 구조는 어떠한가? 복음주의 교회는 아직 이 문제에 합의하지 못했다. 하지만 필자는 앞으로 10년 안에 더 논의할 만한 배경이 형성되리라고 기대한다. 필자는 누가복음 24장 44절에 나오는 율법과 선지자와 시편에 관한 진술이 구약 정경의 세 부분을 시사할 뿐 아니라, 우리가 이 틀 안에서 성경 신학을 하도록 명한다는 확신이 점점 굳어지고 있다.

3. 서술적 대 규정적_ "성경에 접근할 때 우리는 다른 모든 문헌처럼 접근하는가, 아니면 하나님 말씀이라는 성경의 본질은 독특한 목적을 위한 특별한 해석적 접근을 요구하는가?"

성경은 책이다. 그래서 다른 책들과 같은 특징을 많이 가지고 있다. 그러나 여러 면에서 성경은 다른 어떤 책과도 다르다. 구약은 원전들을 사용하여 신적 인도를 받아 약 1,000년이 넘는 기간에 걸쳐 형성되었다. 성경 내의 모든 개별 책은 역사 안에서 인간의 말을 통해 나온 하나님의 말씀으로, 당시의 언어, 문화, 상황에 좌우되었다. 그래서 성경 신학은 서술적 요소를 지니고 있다. 어떤 면에서 성경 메시지는 역사에 얽매여 있기 때문이다. 우리는 텍스트에 이미 있는 것을 새로운 말로 표현한다. 우리는 그것을 서술한다.

그럼에도 성경 본문은 또한 하나님의 말씀이다. 그리고 영적으로 주어진 것은 반드시 영적으로 살펴봐야 한다.[2] 성경 신학이라는 연구 분야는 성경 저자가 의도한 의미뿐 아니라 그가 의도한 결과 역시 이해할 것을 요구한다. 전자는 비그리스도인들도 어느 정도 수준까지는 이해할 수 있지만, 하나님 말씀이 우리 삶을 바꾸는 것은 하나님의 성령의 역사를 통해서만 볼 수 있다. 바울은 "육에 속한 사람은 하나님의 성령의 일들을 받지 아니하나니 이는 그것들이 그에게는 어리석게 보임이요, 또 그는 그것들을 알 수도 없나니 그러한 일은 영적으로 분별되기 때문이라"(고전 2:14. 마태복음 16장 17절, 요한복음 14장 26절, 16장 13절, 사도행전 8장 31절, 로마서 8장 7-8절 참조)고 말했다.

---

2 John Piper, *Reading the Bible Supernaturally: Seeing and Savoring the Glory of God in Scripture* (Wheaton, IL: Crossway, 2017)(『존 파이퍼의 초자연적 성경 읽기』, 두란노)를 보라.

성경이 하나님의 말씀이며 그렇기 때문에 전체적으로 통일된다는 확신이 없으면, 참된 성경 신학은 있을 수 없다. 성경 신학은 서술적 연구 분야인 반면, (기독교적 유신론적이고 복종적인) 고백적 틀에서 생겨나며 규범적인 목표를 지니고 있다. 그것을 읽는 모든 독자에게 특정한 생활 방식과 세계관을 규정하며, 그들 안에서 예배와 그리스도를 통해 살아 계신 하나님께 더 깊이 복종하기를 추구하는 것이다.

4. 신학들 대 신학_ "성경의 책들을 역사적으로 별개 신학들(부분)로 해석하는 것으로 충분한가, 아니면 그것을 또한 하나의 통일체(전체)로서 서로에 비추어 고려해야 하는가?"

성경의 궁극적 저자는 어떤 사람이 아닌 하나님이다. "오직 성령의 감동하심을 받은 사람들이 하나님께 받아 말한 것임이라"(벧후 1:21). 이것은 성경 신학의 과업이 각 부분(율법서, 후기 선지서 등)의 신학들 또는 다양한 인간 저자(모세, 이사야 등)의 신학들을 형성하는 데서 끝날 수 없다는 것을 의미한다. 우리는 유일하게 자존하시는 분에게서 나오고 시공간 상에서 그분의 성품과 목적들을 나타내는 전체 성경에 대해 통합된 신학을 파악할 때까지 계속 밀고 나아가야 한다.

어떤 사람들은 성경을 나름으로 구성된 각 직물이 합쳐진 장막에 비교한다. 이에 반해 필자는 성경이 의도를 가지고 정교하게 만들어진 거대한 조각보라고 생각한다. 각 사각형 조각(또는 성경의 책)은 자신만의 색, 감촉, 이야기를 지니고 있지만, 전체는 부분보다 훨씬 큰 메시지를 보여 준다.

성경 신학의 본질

필자는 성경 신학을 성경이 하나님, 그리고 그분과 세상의 관계에 대해 계시하는 것을 분석하고 종합하는 한 가지 방식으로, 특히 구약과 신약이 어떻게 진전되고 통합되어 그리스도 안에서 절정에 이르는가와 관련하여 성경 전체와 나름대로 유기적으로 구원사적인 연관 및 문학적-정경적인 연관을 맺는 방식이라고 정의했다. 이 부분

에서는 여섯 가지 제목 아래 이 정의를 풀어 설명해 보겠다.

과업 1부

성경 신학은 성경(구약과 신약)이 하나님, 그리고 그분과 세상의 관계에 대해 계시하시는 것을 분석하고 종합한다.

성경 신학은 최종 형태의 "성경"을 해석하려 한다. 구약과 신약에 구현된 하나님의 특별 계시를 분석하고 종합하는 것이다. 그 과업은 부분으로는 서술적이지만, 그 일을 하려면 연구 대상이 하나님 말씀이며 그렇기 때문에 그 말씀이 우리 삶에 권위를 지닌다는 사실도 사전에 확신하고 있어야 한다. 성경은 하나님의 계시이기 때문에 우리는 겸손하게, 그리고 살아 계신 하나님을 만나고 더 완전하게 그분을 닮아 변화되기를 바라는 마음으로, 성경 신학을 해야 한다.

초대 교회가 성경의 두 부분을 **언약/약속**(Testaments)이라고 이름 붙인 것은 성경이 역사에 근거하고 있으며, 언약적이고 그래서 정경적이라는 것을 올바르게 강조한다. 언약은 왕들이 맺는 것이다. 그리고 기록된 언약의 증거는 본질상 그것을 받는 사람들에게 권위를 지닌다.[3] 성경에 나오는 모든 것은 하나님, 그리고 그분과 다양한 언약 단계에 있는 그분의 세상과의 관계를 다룬다.

하나님의 특별 계시가 **구약과 신약**(Old and New Testaments)을 통해 온다는 것은 성경의 통일성과 다양성을 모두 강조한다. 하나의 성경이 필수적인 두 부분으로 되어 있다. 우리는 각 부분을 상대 부분에 비추어 읽어야 한다. 구약을 토대로 신약, 궁극적으로는 메시아 예수 안에서 성취 또는 절정이 이루어진다.

---

3 Meredith G. Kline, *The Structure of Biblical Authority*, 2판 (Eugene, OR: Wipf & Stock, 1997)(『언약과 성경』, 부흥과개혁사), 37쪽.

과업 2부

성경 신학은 성경 전체와 나름대로 유기적인 연관을 맺는다

성경 신학은 어떤 사고나 개념의 성장과 진전을 인식하고 성경이 나름의 윤곽, 구조, 언어, 흐름에 따라 말하게끔 하는 방식으로, 성경 안에서 강제적이지 않고 자연스럽게 연관을 맺는 것이다. 이것이 필자가 말하는 "**유기적** 연관"이며, "나름대로" 성경에 접근하는 것이다.

성경은 수십 명의 선지자가 다양한 장소에서 1,000년이 넘는 기간에 수많은 장르를 사용하여 전개되어 왔다. 그러나 성경 전부는 통합된 한 분 하나님에게서 온 것이다. 성경은 그 하나님의 말씀이며, 하나의 공통 메시지가 전체를 이끌어 간다. 그 메시지를 필자는 "하나님이 그리스도 안에서 그분의 영광을 위하여 언약을 통해 통치하시고, 구원하시고, 만족케 하신다"고 요약한다. 성경 전체는 하나님의 변치 않는 성품에서 나오며, (궁극적으로는 예수를 통해) 만물 위에 자신을 높이시는 하나님의 통일된 목적에 맞게 이해해야 한다(엡 1:10, 골 1:20). 성경 신학을 가능하고 필요하게 하는 것이 바로 이러한 통일성이다. 하나님이 성경의 궁극적 저자이시기 때문에 우리는 주제들이 "유기적인" 또는 자연적인 방식으로 전개될 것이며, 과거 예언들의 참된 성취는 언제나 그 예언적 의도에 맞춰져 있으리라고 믿어야 한다. 어떻게 도토리가 자라 거대란 떡갈나무가 되는지 볼 수 있는 것처럼, 성경 신학은 모든 다양성 가운데 있는 놀라운 통일성을 밝혀내면서 성경 계시가 진전되는 것을 분석하고 종합한다.

구원사적 연관들

성경 신학은 성경 전체와 나름대로 유기적으로 구원사적인 연관을 맺는다

성경 나름의 주제들이 점진적으로 성장하고 성취되는 것을 추적하는 것과 관련하여 성경 자체는 우리에게 두 가지 면에서 유기적인 연관을 맺을 것을 권면한다. 그중 첫 번째는 구원사다. **구원사**(salvation history)는 다양한 언약, 사건, 사람, 제도를 통해 하나님 나라 계획이 점진적으로 전개되는 이야기로, 그 모든 것은 예수의 위격과 사역에서 절정을 이룬다. 구원사는 창조에서 타락, 구속, 그리고 완성으로 이동한다. 이것이 창세기부터 요한계시록까지 성경 전체의 틀을 형성한다. 어떤 사람들은 그것을 "하나님의 영광의 이야기"[4]라고 지칭했다.

모든 역사(history)는 실제로는 그분의 이야기(His-story)이며, 우리는 성경 줄거리를 추적하면서 그 이야기를 읽는다. 필자는 이 줄거리를 일곱 개의 발전 단계로 파악하려 했다. 그래서 두문자로 만든 KINGDOM이라는 단어를 사용해서 하나님 나라 건설 계획의 구속적 흐름 추적을 도우려 했다. 표10.2는 그 계획에 대한 개관 자체를 제시하며, 표10.3은 이미지를 통해 전체를 종합한다.

구약 내러티브 토대	K	1. 개시와 반역(**K**ickoff and rebellion)	창조, 타락, 홍수
	I	2. 축복의 도구(**I**nstrument of blessing)	족장들
	N	3. 구속받고 위임받은 민족 (**N**ation redeemed and commissioned)	출애굽, 시내산, 광야
	G	4. 그 땅의 정부(**G**overnment in the land)	정복과 왕국들
	D	5. 이산과 귀환(**D**ispersion and return)	포로 생활과 첫 귀환
신약 내러티브 성취	O	6. 시대의 중복(**O**verlap of the age)	그리스도의 사역과 교회 시대
	M	7. 사명 완수(**M**ission accomplished)	그리스도의 재림과 나라의 완성

표10.2. 하나님의 KINGDOM 계획

4 John Piper, "The Goal of God in Redemptive History," in *Desiring God: Meditations of a Christian Hedonist*, 3판 (Sisters, OR: Multnomah, 2003)(『하나님을 기뻐하라』, 생명의말씀사), 308-21쪽. 이 부록은 2011년판 양장본에도 나온다.

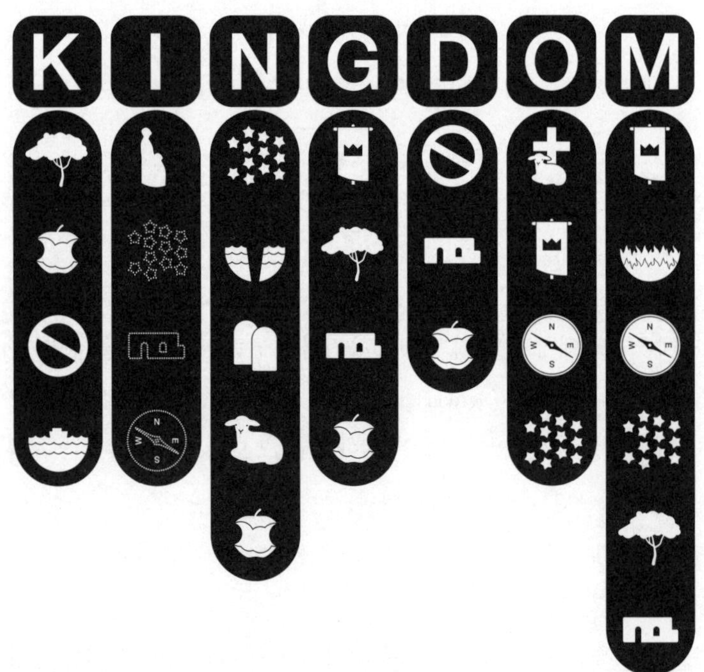

- 낙원을 즐김
- 타락, 죄, 반역
- 포로 생활, 실낙원
- 심판의 물
- 족장들
- 많은 후손(약속–성취)
- 땅, 집, 안식(약속–성취)
- 모든 민족에게 복을 줌(약속–성취)
- 율법 수여
- 형벌적 대속적 속죄
- 정복_ 나라의 설립
- 그리스도의 구원/구속 사역
- 심판의 불

표10.3. 이미지를 통한 하나님의 KINGDOM 계획[5]

5 이 그림은 원래 Jason S. DeRouchie 편집, *What the Old Testament Authors Really Cared About: A Survey of Jesus' Bible* (Grand Rapids: Kregel, 2013), 31쪽에 나온 것이다. 허락을 받고 사용했다.

	언약	구속사 단계	주요 문학적 구분: 내러티브	주요 문학적 구분: 해설
구약	아담/노아 언약 아브라함 언약 모세(옛) 언약 다윗 언약	1. 창조, 타락, 구속 2. 족장들 3. 출애굽, 시내산, 광야 4. 정복과 왕국들(연합 왕국과 분열 왕국)	율법서 전기 선지서	후기 선지서 전기 시가서
		5. 포로 생활과 첫 귀환	후기 시가서	
	그리스도 예수			
신약	새 언약	6. 그리스도의 사역과 교회 시대	복음서 사도행전	바울 서신과 히브리서 일반 서신
		7. 그리스도의 재림과 나라의 완성	요한계시록	

표 10.4. 성경의 맥락에 따른 구원사[6]

6 이 이미지는 원래 DeRouchie, *What the Old Testament Authors Really Cared About*, 32쪽에 나온 것이다. 허락을 받고 사용했다.

이것이 그리스도 안에 있는 하나님의 영광에 대한 성경의 이야기다. 그리고 이 틀 안에서 우리는 적어도 다섯 가지 다른 방식으로 구원사적 연관들을 맺을 수 있다.

1. 주제의 발전

우리는 창세기부터 요한계시록에 이르는 구속 이야기를 통해 하나의 주제를 추적할 수 있다. 단어 연구의 세 단계를 다룬 7장의 논의('단어 또는 개념을 연구하는 법')에서 필자는 '씨'(seed)라는 주제를 다룬 여러 글에서 어떻게 그와 같은 주제 추적을 했는지 강조했다. 창세기부터 갈라디아서 3장에 나오는 바울의 진술(아브라함의 "씨/자손"이 "그리스도"이며[3:16] 십자가 사건 후 너희가 단지 "그리스도의 것"[3:29]이기만 하면 "아브라함의 자손이요 약속대로 유업을 이을 자"가 된다는 진술)에 이르기까지 그 주제가 어떻게 점진적으로 발전했는지를 보여 준 것이다. 이렇게 추적할 수 있는 다른 주제로는 **하나님의 영광**, **창조**, **죄**, **언약**, **나라**, **율법**, **성전**, **속죄**, **거룩함**, 그밖에 많은 것이 포함될 수 있을 것이다. 성경 신학적 주제를 훌륭하게 연구한 자료로는 *NDBT*와 「NIV 존더반 스터디 바이블」이 있다.[7]

2. 언약의 연속성과 불연속성

여기서 우리는 언약의 진전이 하나님과 그분의 백성 및 세상과의 관계에 포함된 다양한 요소를 어떻게 유지하거나, 변혁시키거나, 바꾸거나, 단계적으로 강화시켰는지 비교하고 대조한다. 구원사에는 중복되는 다섯 개의 언약이 진전되면서 얽혀 있다. 그 언약들은 인류와 관련하여 세상을 향한 하나님의 목적들이 어떻게 발전하는지 묘사한다. 언약들 간의 상관관계는 모래시계처럼 묘사할 수 있다. 가장 보편적 범위의 일이 양쪽 끝에서 일어나고 그리스도가 역사의 중심이 되는 것이다(표10.4를 보라). 아담-노아 언약, 아브라함 언약, 모세 언약, 다윗 언약은 모두 하나님이 택하신 자들과 관계를 맺으시는 통로가 되는 언약 책임자 또는 중재자의 이름을 따라 명명되었다. 새 언약은 '옛' 모세 언약과 대조되기 때문에 '새 언약'으로 이름 지어졌으며, 역사 내에 나타난 하나님의 모든 목적의 절정을 제공한다(예레미야 31장 31-34절, 히브리서 8장 6-13절

---

7 D. A. Carson 편집, *NIV Zondervan Study Bible* (Grand Rapids: Zondervan, 2015), 2629-96쪽. 또한 *NIDOTTE*에 나오는 어휘 항목과 주제별 항목을 보라.

을 보라). 성경 언약들의 관계와 진전 문제를 다루는 유용한 책들로는 O. 파머 로버트슨(Palmer Robertson)의 「언약들의 그리스도」(*The Christ of the Covenants*), 데이비드 베이커(David Baker)의 「구약과 신약의 관계」(*Two Testaments, One Bible*, 부흥과개혁사), 피터 젠트리(Peter Gentry)와 스티븐 웰럼(Stephen Wellum)의 「언약과 하나님 나라」[8]가 있다.

3. 예표와 원형

G. K. 비일(Beale)은 **예표론**(typology)을 다음과 같이 규정한다. "하나님의 특별 계시의 역사적 틀 안에 있는 사람, 사건, 제도, 그밖에 다른 것들에 대해 계시된 진리들 간의 유사한 대응들을 연구한 것으로, 나중에 되돌아볼 때 그 대응은 예언적 성질을 갖고 있고 의미가 단계적으로 확장된다."[9] 구약 저자들이 스스로 미래를 예언하고 있는지

---

8 O. Palmer Robertson, *The Christ of the Covenants* (Phillipsburg, NJ: Presbyterian and Reformed, 1987), David L. Baker, *Two Testaments, One Bible: The Theological Relationship between the Old and New Testaments*, 3판 (Downers Grove, IL: InterVarsity Press, 2010), Peter J. Gentry and Stephen J. Wellum, *Kingdom through Covenant: A Biblical-Theological Understanding of the Covenants* (Wheaton, IL: Crossway, 2012). 이 논의에 대해 최근에 나온 개관으로는 G. K. Beale, *Handbook on the New Testament Use of the Old Testament: Exegesis and Interpretation* (Grand Rapids:Baker Academic, 2012)(「신약의 구약 사용 핸드북」, 부흥과개혁사), 1-13쪽을 보라. 그 문제에 대해 씨름하는 대단히 유용한 글로는 D. A. Carson, "Mystery and Fulfillment: Toward a More Comprehensive Paradigm of Paul's Understanding of the Old and New," in *The Paradoxes of Paul, vol. 2 of Justification and Variegated Nomism*, D. A. Carson, Peter T. O'Brien, and Mark A. Seifrid 편집, 2 vols., WUNT 181 (Grand Rapids: Baker Academic, 2004), 393-436쪽을 보라. 필자는 필자의 글 "Counting Stars with Abraham and the Prophets: New Covenant Ecclesiology in OT Perspective," *JETS* 58, 3 (2015), 445-85쪽에서 교회론이라는 주제와 관련해서 언약의 연속성과 불연속성 문제로 씨름했다. 그것은 "Father of a Multitude of Nations: New Covenant Ecclesiology in OT Perspective," in *Progressive Covenantalism: Charting a Course between Dispensational and Covenant Theologies*, Stephen J. Wellum and Brent E. Parker 편집 (Nashville: Broadman & Holman, 2016), 7-38쪽에 요약되어 있다. 필자는 새 언약 공동체의 구성은 옛 언약 공동체의 구성과 어떻게 다른지(예수께서 오신 것이 어떻게 남은 자와 반역자들로 구성된 공동체에서 오로지 그리스도께 통합된 남은 자들로만 구성된 공동체로 변화되었음을 표시하는지) 살펴본다.

9 G. K. Beale, *Handbook on the New Testament Use of the Old Testament*(「신약의 구약 사용 핸드북」), 14쪽. Beale, "Did Jesus and His Followers Preach the Right Doctrine from the Wrong Texts? An Examination of the Presuppositions of the Apostles' Exegetical Method," in *The Right Doctrine from the Wrong Texts? Essays on the Use of the Old Testament in the New*, G. K. Beale (Grand Rapids: Baker Academic, 1994), 387-404쪽, 특히 394쪽을 참조하라. *Themelios* 14 중판, 3 (1989): 89-96쪽. 또한 Richard Davidson, *Typology in Scripture: A Study of Hermeneutical TUPOS Structures*, Andrews University Seminary Doctoral Dissertation Series 2(Berrien Springs, MI: Andrews University, 1981), Douglas J. Moo, "The Problem of *Sensus Plenior*," in *Hermeneutics, Authority, and Canon*, D. A. Carson and John D. Woodbridge 편집 (Grand Rapids: Zondervan, 1986), 175-211, 397-405쪽, Richard Lints, *The Fabric of Theology: A Prolegomenon to Evangelical Theology* (Grand Rapids: Eerdmans, 1993), 304-10쪽, Gordon P. Hugenberger, "Introductory Notes on Typology," in *The Right Doctrine from the Wrong Texts? Essays on the Use of the Old Testament in the New*, G. K. Beale 편집 (Grand Rapids: Baker Academic, 1994), 331-41쪽, Carson, "Mystery and Fulfillment," 393-436쪽, 특히 404쪽, Gentry and Wellum, *Kingdom through Covenant*(「언약과 하나님 나라」), 94-95,

를 어느 정도 알고 있었는지는 약간 의문이 있지만(뒤에 나오는 '언약들의 관계'를 보라), 구약 저자들이나 신약 저자들이나 성경의 역사적 기록이 점차 발전하는 것에 근거해서 예언적 주제가 예상하는 것이나 예표하는 것이 무엇인지를 판별한다(예를 들어 롬 5:14, 고전 10:6, 11, 골 2:16-17, 히 8:5, 9:24, 벧전 3:21). 하나님의 계획에 의해 예표는 본질상 예언적이고 장래에 관한 것이다. 해석자들이 나중에 되돌아볼 때에만 그 예표를 발견할 때에도 그렇다.[10] 궁극적으로 모든 예표는 그리스도 예수의 삶과 사역에서 절정에 이른다. 예를 들어, 예수는 사람들이 그분의 말을 들어야 하는 궁극적인 "모세와 같은 선지자"시며(신 18:15), 자신의 죽음과 부활을 통해 더 위대한 두 번째 출애굽(exodus, 개역개정에는 "별세"_ 옮긴이, 눅 9:30-31, 행 3:20-22)을 행하시는 분이다. 예수는 또한 성전이든 절기든, 초하루든, 안식일이든 또는 그밖에 유사한 것이든 모든 옛 언약 그림자의 실체시다(요 2:19-21, 골 2:16-17).[11]

4. 약속과 성취

성취는 여러 유형의 예언에서 나온다. 여기서 우리가 하려는 것은 특정한 약속들을 추적하고, 그 다음에 "하나님의 약속은 얼마든지 그리스도 안에서 예가 되니"(고후 1:20)라는 바울의 선언을 계속 기억하면서, 구원사의 다양한 단계에서 그 약속들이 부분적, 점진적, 궁극적으로 어떻게 성취되는지 판별해 내는 것이다. 여기 나오는 예는 왕적 해방자가 베들레헴에서 나올 것이라는 미가 5장 2절의 단언과, 이것이 성취되었다는 마태의 단언(마 2:5-6)이다. 구약에서 메시아에 대해 직접 예언하는 많은 부분을 풀어 설명하는 유용한 책으로는 월터 카이저(Walter Kaiser)의 「구약에 나타난 메시아」(*The Messiah in the Old Testament*, 크리스찬출판사 역간)[12]를 보라.

101-8, 606-8쪽, Douglas J. Moo and Andrew David Naselli, "The Problem of the New Testament's Use of the Old Testament," in *The Enduring Authority of the Christian Scriptures*, D. A. Carson 편집 (Grand Rapids: Eerdmans, 2016), 725-28쪽.

10 Brent E. Parker, "The Israel-Christ-Church Relationship," in *Progressive Covenantalism: Charting a Course between Dispensational and Covenant Theologies,* Stephen J. Wellum and Brent E. Parker 편집 (Nashville: Broadman & Holman, 2016), 48쪽 각주20도 그렇게 말한다.

11 예표론에 대해 더 알려면, "2. 언약적 연속성과 불연속성"의 논의 아래 있는 같은 저술들을 보라. 논의에 대한 개관으로는 Beale, *Handbook on the New Testament Use of the Old Testament*(「신약의 구약 사용 핸드북」), 13-25쪽을 보라.

12 Walter C. Kaiser Jr., *The Messiah in the Old Testament*, SOTBT (Grand Rapids: Zondervan, 1995)(「구약에 나타난 메시아」, 크리스찬출판사).

5. 구약과 신약에서 구약의 사용

여기서 우리는 후대 성경 저자들이 이전의 정경 계시들을 해석하고 적용하는 방식을 평가한다. 이 문제로 씨름하는 두 권의 매우 유용한 책으로는 G. K. 비일과 D. A. 카슨(Carson)의 "신약의 구약 사용 주석 시리즈"』(*Commentary on the New Testament Use of the Old Testament*)과 비일의 「신약의 구약 사용 핸드북」(*Handbook on the New Testament Use of the Old Testament*, 부흥과개혁사 역간)이 있다.[13] 성경 저자들 자신의 해석 방법에 대해서는 뒤에서 다루겠다.

문학적-정경적 연관들

성경 신학은 성경 전체와 나름대로 유기적으로 문학적-정경적인 연관을 맺는다

성경 신학에 대한 대부분의 정의는 문학적-정경적 연관을 강조하지 않는다. 여기서 초점은 성경의 최종 형태의 구성과 구조, 그리고 그것의 역사적 세부 사항이다. 필자는 이 모두가 성경 신학을 형성하는 데 영향을 끼쳐야 한다고 생각한다.

1. 성경의 구성과 구조

앞서 필자는 성경이 어떻게 해설 책들의 틀을 형성하는 내러티브 책들 묶음을 포함하는지 말했다. 예수의 성경처럼 구약이 세 부분으로 되어 있다고 볼 때, 구약과 신약 사이에는 비교할 만한 구조가 있는 것을 볼 수 있다.

성경 신학은 구원사의 내러티브 틀에서 나온다. 하지만 우리는 성경 신학의 연구 분야를 구속사적 연관에만 국한시킬 수 없다. 성경은 그리스도 안에 있는 하나님의 영광에 대한 이야기 이상을 포함하기 때문이다. 우리는 어느 본문이든 정경 전체 안

13 G. K. Beale and D. A. Carson 편집, *Commentary on the New Testament Use of the Old Testament* (Grand Rapids: Baker Academic, 2007)("신약의 구약 사용 주석 시리즈", 기독교문서선교회), Beale, *Handbook on the New Testament Use of the Old Testament*(「신약의 구약 사용 핸드북」).

에서 그 본문이 차지하는 위치와 역할에 비추어 고려해야 한다. 그 전체는 신약과 구약이라는 두 언약을 포함하는데, 각 언약은 대응되는 내러티브 부분과 해설 부분을 갖고 있으며, 각 부분은 잠재적으로 대응되는 세 부분 구조를 가지고 있다.

	언약 확립	언약 시행		언약을 누림	
구약	율법서	전기 선지서	후기 선지서	전기 시가서	후기 시가서
신약	복음서	사도행전	바울 서신과 히브리서	일반 서신	요한계시록
	내러티브	내러티브	해설	해설	내러티브

표10.5. 성경의 언약적 구조에서 내러티브와 해설

구속의 내러티브 역사는 구약과 신약 모두의 틀을 형성하며, 그렇기 때문에 우리는 모든 것을 창세기부터 요한계시록까지 이어지는 구원 이야기와 관련시켜야 한다.[14] 그러나 성경은 또한 예언적 해설(설교[sermon]와 노래, 말씀 선포[preaching]와 시, 편지와 애가, 지혜와 예배)을 포함한다. 그것은 우리의 이야기 해석의 특징을 이루며 그리스도 안에 있는 하나님의 영광을 묘사하는 데 나름의 방식으로 기여한다. 구약에 나오는 후기 선지서와 전기 시가서, 그리고 신약에 나오는 바울 서신, 히브리서와 일반 서신들은 명제, 예언, 기도, 찬양을 통해 그리스도 안에 있는 하나님의 성품과 믿음, 소망, 사랑의 본질을 명확하게 하면서, 성경 메시지에 색채와 모양을 입혀 준다.[15]

---

14 요한계시록은 엄밀하게 '내러티브'는 아니지만, 구약에서 시작되고 복음서와 사도행전으로 이어지는 완전한 줄거리를 가지고 있다. 게다가 구약 끝에 나오면서 아담부터 첫 귀환까지 이르는 모든 역사를 개관하는 역대기와 마찬가지로, 요한계시록은 신약 끝에 있으면서 그리스도의 초림부터 영원까지 이르는 구속사를 개관한다.

15 데이비드 트로비쉬(David Trobisch)는 신약 정경이 주후 125년에 이미 확정되었으며, 원래 해설 부분은 다르게 배열되어 있었다고 주장했다. 일반 서신들이 바울 서신과 히브리서 앞에 있었다는 것이다. 그래서 마태복음, 마가복음, 누가복음, 요한복음, 사도행전, 야고보서, 베드로전서, 베드로후서, 요한일서, 요한이서, 요한삼서, 유다서, 로마서, 고린도전서, 고린도후서, 갈라디아서, 에베소서, 빌립보서, 골로새서, 데살로니가전서, 데살로니가후서, 히브리서, 디모데전서, 디모데후서, 디도서, 빌레몬서, 요한계시록 순으로 되어 있었다고 말한다(David Trobisch, *Paul's Letter Collection: Tracing the Origins* [Minneapolis: Fortress, 1994], Trobisch, *The First Edition of the New Testament*[Oxford: Oxford University Press, 2000] 참조. C. E. Hill, "The New Testament Canon: Deconstructio ad Absurdum?," *JETS* 52, 1 [2009]: 101-19쪽, Hill, *Who Chose the Gospels? Probing the Great Gospel Conspiracy* [Oxford: Oxford University Press, 2010]). 이에 반해, 브레버드 S. 차일즈(Brevard S. Childs)는 무라토리 단편(Muratorian fragment), 이레니우스(Irenaeus), 테르툴리아누스(Tertullian), 오리게네스(Origen)의 다양한 견해에 우선권을 둔다. 그 견해들은 바울 서신들이 복음서와 사도행전 바로 뒤에 나온다고 본다(*The Church's Guide for Reading Paul: The Canonical Shaping of the Pauline Corpus*[Grand Rapids: Eerdmans, 2008], 225-26쪽). 중요한 것으로, 신약의 해설 책들이 어떤 순서로 되어 있는가와 상관없이 '내러티브 →내러티브 → 해설 → 해설 → 내러티브'라는 일반 유형은 예수의 성경 구조와 여전히 유사하다.

게다가 예수께서 사용하시던 성경은 구조상 율법서, 선지서, 시가서 세 부분으로 되어 있었다(누가복음 24장 44절을 보라). 그리고 이 구조는 또한 신약을 조직하는 데도 영향을 끼쳤을 것이다. 성경에 나오는 다섯 가지 주요 언약 가운데, 문학적 관점에서 가장 지배적인 것은 옛 (모세) 언약과 그리스도 안에 있는 새 언약이다. 전반적으로 모세 언약은 사망의 시대를 대표했으며, 구약 세 부분을 통제하는 것은 이 언약이다. 하나님은 율법서에서 옛 (모세) 언약을 **확립하신다**. 창세기에는 이스라엘을 부르기 위한 준비로 하나님 나라 서언이 나오며, 그 부르심은 출애굽기-신명기에서 상세히 설명된다. 그러고 나서 하나님은 선지서에서 그 옛 언약을 **시행하신다**. 전기 선지서(여호수아서-열왕기)는 가나안 정복부터 군주정을 거쳐 포로기까지, 이스라엘이 하향 나선을 그려 가던 시기에 일어난 일을 서술하고, 후기 선지서(예레미야서-열두 선지서[소선지서])가 선지자적 해설을 통해 그 드라마가 왜 그런 식으로 진행되었는지 전개하는 것이다. 시가서에서는 긍정적 취지가 두드러지게 나온다. 옛 언약을 **누리고 있던** 신실한 자들을 표현하는 한편, 하나님 나라 약속들이 완전히 성취되기를 소망하고 있다. 전기 시가서(룻기/시편-애가)는 하나님 나라의 성취를 내다보는 사람들이 어떻게 살아야 하는지를 시적으로 해설하며, 후기 시가서(다니엘서-역대기)는 포로 생활이라는 계속되는 드라마와 포로 시대, 처음 귀환한 세대들이 완전한 하나님 나라의 실현을 고대하는 동안 이어지는 드라마를 기술한다.[16]

신약에는 이에 비교할 만한 유형이 분명하게 나오지는 않지만, 어떤 사람들은 그런 유형을 찾아보는 것이 도움이 된다고 생각할 것이다. 새 언약은 복음서에서 확립되고, 사도행전과 바울 서신-히브리서에서 시행되며, 일반 서신과 요한계시록에서 누리는 것으로 나온다. 구약 시가서에서 말하듯이 '기쁨'은 시련 한가운데서, 고난을 통해 경험하는 하나님 지향적 만족에서, 거짓 가르침과의 싸움에서, 그리고 하나님 나라가 완성될 때 계시될 영광에 비추어서 나오는 소망의 기쁨이다.

2. 성경의 역사적 세부 사항

문학적-정경적 연관에는 최종 형태의 구성 및 구조와 함께, 정경을 한데 결합시키는

---

16 옛 언약의 확립과 시행, 누림에 대해 율법서, 선지서, 시가서의 더 상세한 개관을 살펴보려면 DeRouchie, *What the Old Testament Authors Really Cared About*, 41-49, 55-57, 163-66, 319-23쪽을 보라.

역사적 세부 사항들이 포함된다. 여기서 필자가 말하는 것은 주어진 본문의 저자나 연대, 출처 등에 관한 정보다. 하나님이 그런 정보를 나타내시는 곳에서는 역사적으로 결합되어 있는 책이나 본문이 어떻게 다양한 주제들을 다루며 정해진 주제에 대해 우리에게 알려 주는지 고찰해 보는 것이 공정하고도 적절하다. 신약의 책들과 대조적으로 구약에서는 어느 책도 그 책의 저자를 명백히 언급하지 않는다. 그렇지만 많은 개별 시편의 제목들은 그 시편을 지은 사람이 누구인지 밝히고, 이사야서와 예레미야서 같은 선지서들은 다양한 신탁이 그 책 제목과 연관된 선지자에게서 나온 것이라고 여기기는 한다. 그렇기 때문에 예를 들어 우리는 모세가 신명기에 나오는 설교들과 시편 90편, 그리고 아마도 91편을 말하고 썼다는 것을 안다. 창세기-민수기 편집자 역시 많은 설교를 모세가 한 것이라고 밝히며, 나머지 성경 전통들은 모세 자신이 다섯 책 모두의 실질적 저자라고 여긴다.

이것이 의미하는 것은 텍스트 자체가 우리에게 "율법서는 X에 대해 무엇을 말하는가?"라고 물을 뿐 아니라 또한 "모세는 Y에 대해 무엇을 가르쳤는가?"라고 물을 수 있는 자유를 준다는 것이다. 또한 "8세기 선지자들은 Z에 어떻게 접근했는가?" 또는 "우리는 포로기 이후 책들에서 X에 대해 무엇을 배우는가?"라고 물어볼 수 있다. 신약에서 사도행전 1장 1절에 나오는 역사 자료는 누가복음을 공관복음서의 일부로 여기고 사도행전을 모든 복음서에 비추어서, 그리고 바울 서신의 서언으로 보는 것과 함께, 사도행전 자체를 예수에 대한 누가의 글 두 번째 부분으로 볼 것을 명한다. 누가복음은 "예수께서 행하시며 가르치기를 시작하[신]"(행 1:1) 모든 것을 말하는 반면, 사도행전은 예수께서 그분의 사도들과 교회를 통해 역사하시는 성령에 의해 계속해서 행하시고 가르치시는 것을 명확하게 설명한다(1:8. 16장 7절 참조).

요약하면 우리는 텍스트에서 발견되는 구속사적 궤적들을 예의 주시하면서 성경 신학을 한다. 우리는 "우리의 본문은 하나님 나라 목적이 진행되는 이야기 안에서 어디에 어울리는가?"라고 묻는다. 하지만 성경 신학은 다양한 정경 무리가 주어진 주제(속죄든 아들 됨이든 성전이든)를 어떻게 다루는지도 고찰한다. 여기서 우리는 "어떻게 율법은 X에 대한 우리의 지식에 토대를 제공하는가?" 또는 "후기 선지서는 Y에 어떻게 접근하는가?"라고 묻는다. 마지막으로, 성경 신학은 하나님이 주신 시간적, 정치적, 사회적 표지들을 연결하여 성경에 주어진 역사적 세부 사항들을 반드시 설명해야 한다. 바로 이러한 전반적인 틀 안에서 필자는 성경 신학이 성경 전체와 나름대로 유기적으로 문학적-정경적인 연관을 맺는다고 말하고 있는 것이다.

언약들의 관계

성경 신학은 구약과 신약이 어떻게 진전되고 통합되는가를 두고 씨름한다

구약과 신약의 관계는 아마 성경 신학에서 직면하는 가장 큰 질문일 것이다. 성경은 하루아침에 형성된 것이 아니다. 하나님은 그리스도 안에서 절정에 이르고 궁극적으로 완성되는 하나님 나라의 목적들을 점진적으로 나타내시면서, 긴 시간에 걸쳐 성경을 만드셨다. 성경 신학은 이 진행을 추적하면서 무엇보다 중대한 하나님 나라 계획에서 구약과 신약이 어떻게 통합되는지 고찰하기 위해 상당한 노력을 들인다.

1. 예언적 성취_ 전망과 회고

이 과정에 중심이 되는 것은 구약과 신약의 저자들이 역사적으로 앞선 성경을 어떻게 해석하는지 파악하는 것이다. 아마 비일은 성경에 대한 신약 저자들의 접근법을 이해하기 위해 현대의 다른 어느 학자보다 열심히 애썼을 것이다. 오래전에 비일은 신약 저자들의 해석적 결론을 인도해 준 다섯 가지 원리를 밝혔으며,[17] 최근에는 이 모든 것이 어떻게 구약 자체의 구원사 이야기에 뿌리를 두고 있는지 보여 주었다.[18]

- **공동 연대**(corporate solidarity)라는 전제가 늘 존재한다. 하나가 많은 것을 대표할 수 있다는 것이다.
- 메시아는 옛 언약의 **참된** (남은 자) **이스라엘**과 새 언약의 **참된** (완성된) **이스라엘**

---

17 Beale, "Did Jesus and His Followers Preach the Right Doctrine from the Wrong Texts?," 392쪽. Beale, *Handbook on the New Testament Use of the Old Testament*(「신약의 구약 사용 핸드북」), 52-53, 95-102쪽 참조.

18 Beale, *Handbook on the New Testament Use of the Old Testament*(「신약의 구약 사용 핸드북」), 96-102쪽.

인 교회를 대표하는 것으로 여겨진다.

- 역사는 지혜롭고 주권적인 계획에 의해 **통합되어 있다**. 그래서 하나님은 이전 부분들이 나중 부분들과 대응되고 그 부분들을 가리키도록 설계하신다.
- 그리스도 안에서 **종말론적 성취의 시대**가 왔다.
- **역사의 중심이신 그리스도**는 이전 부분, 곧 구약 및 그 약속들을 해석하는 열쇠다.

하나님이 자신들을 통해 예언하시는 것을 구약 저자들이 실제로 얼마나 이해하고 있었는지는 학자마다 의견이 다르다.[19] 필자는 12장에서 '하나님은 그리스도인들을 교훈하기 위해 구약을 주셨다'라는 제목으로 하나님 나라 '비밀'이라는 더 폭넓은 문제들을 다룰 것이다. 하지만 여기서는 예수께서 "아브라함은 나의 때 볼 것을 즐거워하다가 보고 기뻐하였느니라"(요 8:56)고 말씀하신다는 것을 주목하고자 한다. 마찬가지로 베드로는 시편 16편을 되돌아보면서, 다윗이 "선지자"였으며 "하나님이 이미 맹세하사 그 자손 중에서 한 사람을 그 위에 앉게 하리라 하심을 알고 미리 본 고로 그리스도의 부활을 말[했다]"고 주장한다(행 2:30-31). 베드로의 관점에서 보면, 다윗은 자신이 메시아에 대해 말하고 있다는 것을 알고 있었다. 다른 곳에서 그 사도는 구약 선지자들이 "연구하고 부지런히 살펴서 자기 속에 계신 그리스도의 영이 그 받으실 고난과 후에 받으실 영광을 미리 증언하여 누구를 또는 어떠한 때를 지시하시는지 상고하니라"(벧전 1:10-11)고 더 자세히 진술한다. 신약은 구약 저자들이 종종 후에 나올 메시아의 사역을 예언하고 있다는 사실을 스스로 잘 알고 있었음을 분명히 밝힌다(누가복음 24장 45-47절, 사도행전 26장 22-23절을 보라). 그들은 예수의 이름은 몰랐겠지만, 그분이 어떠한 분일지, 대체로 언제 오실지를 알았다. 이것은 성경이 "내게 대하여 증언"(요 5:39)한다는 예수 자신의 주장으로 더욱 확증된다. 요한은 눈으로 보고 만난 후에 말로 증거하는 것에 대해 말하면서 이 진술을 자주 사용한다(예를 들어 1:34, 3:11, 32, 19:35). 빌립은 나다나엘에게 "모세가 율법에 기록하였고 여러 선지자가 기록한 그이를 우리가 만났으니 요셉의 아들 나사렛 예수니라"(1:45. 5장 46절 참조)고 단언했다. 이 구약 저자

---

19 이 질문과 관련된 자료에 대한 유용한 평가로는 Carson, "Mystery and Fulfillment," 393-436쪽, G. K. Beale, "The Cognitive Peripheral Vision of the Biblical Authors," *WTJ* 76, 2 (2014): 263-93쪽을 보라.

들을 통해 성부 하나님은 자기 아들에 대해 증거하신다(5:37, 39).

이 신약 진술들에 의거해서 필자는 구약을 오래 연구할수록 적어도 높은 비율로 (그 당시 사람들 대부분은 그렇지 않았지만) 구약 저자들 자신이 신약에 나오는 성취의 본질을 이미 마음속에 그리고 있었다는(또는 적어도 자신들의 텍스트가 예표적이며 더 위대한 무언가를 가리키고 있음을 이해했다는) 견해를 입증할 만한 증거를 더 많이 발견했다.[20] 이것은 계시가 진전된다는 사실을 부인하는 것이 아니라, 그 진전이 종종 단지 장래에 대한 (직접적으로든 예표적으로든) 의식적 예언과 (원래 하나님만 아셨으나 이제 우리가 되돌아보면서 확인하게 되는 예언과 대조적으로) 성취 간의 진전일 뿐임을 강조하려는 것이다. 이런 가능성은 문법적-역사적 주해를 통해 명백하게 진술된 것뿐 아니라, 모든 함축(저자는 인식하지 못했을 수도 있지만, 우리는 그것이 저자의 인식적 시야 안에 있음을 보여 줄 수 있는 부차적이거나 암시적인 의미들)을 평가할 때 더 강화된다.[21] 종종 우리는 역사적으로 앞선 성경[22]과 이스라엘의 구속 이야기의 유형들[23]이 어떻게 우리의 해석을 형성하는지를 고찰하여 이러한 함축

---

20 유사한 결론으로는 Robert L. Plummer, "Righteousness and Peace Kiss: The Reconciliation of Authorial Intent and Biblical Typology," *SBJT* 14, 2 (2010): 54-61쪽, Beale, "The Cognitive Peripheral Vision of Biblical Authors," 263-93쪽을 보라. 비일은 이렇게 쓴다. "언제나 관련된 의미의 범주가 있다. 그것은 표현된 명백한 의미를 적절히 확장한 것이다. …… 구약 저자들은 그들의 텍스트의 의미가 후대에 어떻게 해석될지 어느 정도 어렴풋이 알고 있었을 것이다. 우리에게 그것은 놀라운 해석들처럼 보일 만한 것이었다"(같은 책, 265, 283쪽). Beale and Gladd, *Hidden but Now Revealed*(『하나님의 비밀』), 343, 359쪽 참조.

21 특히 Robert H. Stein, *A Basic Guide to Interpreting the Bible: Playing by the Rules*, 2판(Grand Rapids: Baker Academic, 2011), 30-38쪽, Stein, "The Benefits of an Author-Oriented Approach to Hermeneutics," *JETS* 44, 3 (2001): 451-66쪽, Beale, "The Cognitive Peripheral Vision of Biblical Authors," 263-93쪽, 특히 266-70쪽, Beale and Gladd, *Hidden but Now Revealed*(『하나님의 비밀』), 344-47쪽을 보라.

22 이 점에 대해서 필자는 월터 C. 카이저(Walter C. Kaiser Jr.)와 의견을 같이 한다. 그는 차후의 계시가 우리의 본문을 어떻게 다룰지 살펴보기 전에, 우리는 먼저 "우리가 읽고 있거나 연구하고 있는 선택된 텍스트보다 [역사적으로] 앞에 나오는 책들에서 발견되는 모든 신적 계시를 문맥으로, 그리고 의미를 '강하게 하는' 첫 번째 자료가 될 '정보를 제공하는 신학'으로" 사용해야 한다고 강조한다("Single Meaning, Unified Referents: Accurate and Authoritative Citations of the Old Testament by the New Testament," in *Three Views on the New Testament Use of the Old*, Kenneth Berdin and Jonathan Lunde 편집, Counterpoints [Grand Rapids: Zondervan, 2008], 53쪽. 72, 75쪽 참조). 마찬가지로, 역사적으로 후대에 나온 저술들과 정당하게 상호 작용하는 것은 허용하면서도, 비일은 이렇게 쓴다. "한 신약 저자가 어떤 구약 본문을 언급할 때, 구약 저자의 의미에 대한 명백한 이해와 부차적인 이해는 둘 다, 구약의 문맥상 의미에 대한 신약 저자의 관심이라 할 만한 것을 구성한다. 인용된 구체적 텍스트에서 나오고 신약 저자가 명백하게 주의를 기울이는 분명한 의미 말고도, 이러한 문맥상 의미에는 그가 염두에 두고 있는 바로 앞뒤 또는 가까운 곳의 구약 문맥에서 나온 개념들, 그리고 초점을 맞춘 텍스트의 의미와 연관된 다른 구약 책들에서 나온 개념들이 포함될 수 있다"("The Cognitive Peripheral Vision of Biblical Authors," 273쪽. Beale and Gladd, *Hidden but Now Revealed* [『하나님의 비밀』], 349쪽 참조).

23 Beale, *Handbook on the New Testament Use of the Old Testament*(『신약의 구약 사용 핸드북』), 96-102쪽을 보라.

들을 더 잘 파악할 수 있다. 예를 들면 창세기 3장 15절 또는 22장 17b-18절이 성경 나머지 부분 전체에서 어떻게 메시아적 소망을 형성하고 알려 주는지, 여호와와 그분의 메시아의 연관들(예를 들어 호 3:5)이 어떻게 여호와만 언급(예를 들어 호 11:10-11)하는 후대 해석에 영향을 끼칠 수 있는지, 또는 희생 제사 같은 과거 유형들이 어떻게 후대 텍스트들(예를 들어, 스바냐 2장 7절에서 희생제사로서의 주님의 날에 대한 텍스트)에서 메시아적 독법을 인도할 수 있는지 인식함으로써 말이다. 구약 선지자들과 신약 저자들은 자신들의 성경을 이런 식으로 해석한 듯하다.

이와 같이, (의미와 지시 대상 모두와 관련하여) 구약 텍스트의 궁극적인 신적 의도는 인간 저자가 직접 기록한 어떤 말도 정당하게 초월할 수 있는 반면, 여전히 유기적으로 인간 저자의 말에서 나오며 그 말과 절대 충돌하지 않을 것이다(요한복음 11장 51절을 보라).[24] 이것은 하나님의 목적들이 종종 인간의 이해를 훨씬 넘어서기 때문이며(신 29:29, 전 8:16-17, 사 55:8-9), 하나님이 단지 여러 책들(books)을 저술하고 계신 것이 아니라 예수

---

24 E. D. 허쉬(Hirsch)의 획기적인 책 *Validity in Interpretation* (New Haven, CT: Yale University Press, 1967) 이래 학자들은 종종 의미를 인간 저자의 의도에 국한시켰으며, 필자는 이 견해에 대단히 공감한다. 하지만 수많은 학자들은 이러한 관점을 정당하게 비판해 왔다. 성경 저자 중 한 분은 하나님이며, 그분의 목적은 단지 책들(books)을 쓰는 것이 아니라 하나의 책(Book)을 쓰시는 것이었기 때문이다(Philip B. Payne, "The Fallacy of Equating Meaning with the Human Author's Intention," *JETS* 20, 3 [1977]: 243-52쪽, Raju D. Kunjummen, "The Single Intent of Scripture—Critical Examination of a Theological Construct," *GTJ* 7, 1 [1986]: 81-110쪽, Peter Enns, "Apostolic Hermeneutics and an Evangelical Doctrine of Scripture: Moving beyond a Modernist Impasse," *WTJ* 65, 2 [2003]: 263-87쪽, Vern S. Poythress, "The Presence of God Qualifying Our Notions of Grammatical-Historical Interpretation: Genesis 3:15 as a Test Case," *JETS* 50, 1 [2007]: 87-103쪽, Jared M. Compton, "Shared Intentions? Reflections on Inspiration and Interpretation in Light of Scripture's Dual Authorship," *Themelios* 33, 3 [2008]: 23-33쪽, Poythress, "Dispensing with Merely Human Meaning: Gains and Losses from Focusing on the Human Author, Illustrated by Zephaniah 1:2-3," *JETS* 57, 3 [2014]: 481-99쪽, Moo and Naselli, "The Problem of the New Testament's Use of the Old Testament," 702-46쪽을 보라). 의미심장하게도 허쉬는 자신의 진술을 다듬어서, (텍스트에 속박되어 있는) 의미와 (유동적인) 의의 사이에 자신이 원래 그어 놓은 선은 자신이 한때 생각한 것처럼 고정된 것이 아니라고 단언한다(E. D. Hirsch, "Meaning and Significance Reinterpreted," *Critical Inquiry* 11, 2 [1984]: 202-24쪽, Hirsch, "Transhistorical Intentions and the Persistence of Allegory," *New Literary History* 25, 3 [1994]: 549-67쪽, Darrell L. Bock, "Single Meaning, Multiple Contexts and Referents: The New Testament's Legitimate, Accurate, and Multifaceted Use of the Old," in *Three Views on the New Testament Use of the Old*, Kenneth Berdin and Jonathan Lunde 편집, Counterpoints [Grand Rapids: Zondervan, 2008], 123쪽 각주15에 인용됨). 신약이 구약을 사용하는 문제에 대해서는 카이저가 아마도 가장 강력한 의견을 제시할 것이다. 그는 인간 저자의 의도는 모든 구약 텍스트의 완전한 의미를 자세히 규명하며, 그래서 신약 저자들은 모든 경우에 단순히 구약 저자들이 이미 온전히 의미한 것을 그냥 밝히고 있을 뿐이라고 주장한다(*The Uses of the Old Testament in the New* [Chicago: Moody, 1985], Kaiser, "Single Meaning, Unified Referents," 45-89쪽). 성경 해석에 대한 이 기본적 접근을 따르는 또 다른 책으로는 Stein, "The Benefits of an Author-Oriented Approach to Hermeneutics," 451-66쪽, Stein, *A Basic Guide to Interpreting the Bible*이 있다.

께서 오셔서 그것을 "성취"하기까지는 각 부분이 "완전하지 않은"(마 5:17, 11:13, 롬 10:4) 하나의 책(Book)을 저술하고 계셨기 때문이다(딤후 3:16, 벧후 1:21).[25]

성경을 기독교적으로 해석하려면 단지 문법과 역사적 경우와 관련된 질문뿐 아니라, 구속사와 정경 내에서의 배치와 관련된 질문도 고찰해야 한다. 예를 들어 예표론의 몇몇 경우에 하나님이 제정하신 구약의 사람이나 사건, 제도와, 그것이 단계적으로 확대된 원형(antitype)을 역사적, 예언적으로 유추하는 것은 그 성취가 실제로 이루어지기까지는 아주 명백하지 않을 수 있다.[26] 예표들이 지닌 예언적 성질은 처음부터 내재되어 있지만(고린도전서 10장 6, 11절을 보라), 우리는 때로 후에 회상해 볼 때에만 예언적 요소가 있었음을 깨달을 것이다.

이런 문제들에 관해 대럴 보크(Darrell Bock)는 이렇게 쓴다. "후대의 계시는 원래 배경에서 처음에, 하지만 포괄적이지는 않게 계시된 의미를 완전하게 하고 채울 수 있다. 그래서 일단 계시가 진전되면 이전 본문을 더 잘, 더 포괄적으로 이해할 수 있다."[27] 보크는 계속해서 말한다. "하나님의 계획에서 이전 본문의 취지는 후대 사건들과 텍스트들에서 그 계획이 더욱 계시되면서 분명해지고 더 발전한다. 이렇게 명확해지면서 종종 처음 지시 대상이 예표적으로 가리키던 새로운 지시 대상의 정체가 확인되기도 한다."[28] 마찬가지로 비일은 이렇게 말한다.[29]

> 구약 저자들은 자신이 쓴 것의 의미, 함축, 가능한 적용을 철저하게 이해하지 못했을 가능성이 상당히 높다. 그후에 신약 성경은 구약 성경의 의미를 확대하고 그 안에서 새로운 함축들을 보며 그것에 새로운 적용을 부여하여 구약 성경을 해석한다. …… 이러한 확대는 이전 텍스트들의 진실성을 부인하는 것이기보다는, 하나님이 자기 백성과 소통하시는 방식에 대해 구약 저자가 이해한 방식과 일관되게 그것을 발전시키는 것이다. 그것이 구약과 신약을 통합시키는 요소다.

25 Moo and Naselli, "The Problem of the New Testament's Use of the Old Testament," 735쪽도 그렇게 말한다.

26 예표론을 주로 장래를 내다보는 것이 아니라 과거를 회고하는 것으로 보는 예로는 Andrew David Naselli, *From Typology to Doxology: Paul's Use of Isaiah and Job in Romans* 11:34-35 (Eugene, OR: Pickwick, 2012)를 보라.

27 Darrell L. Bock, "Response to Kaiser," in *Three Views on the New Testament Use of the Old*, Kenneth Berdin and Jonathan Lunde 편집, Counterpoints (Grand Rapids: Zondervan, 2008), 92쪽.

28 Bock, "Single Meaning, Multiple Contexts and Referents," 114쪽.

29 Beale, "Did Jesus and His Followers Preach the Right Doctrine from the Wrong Texts?," 394쪽.

이 저자들이 강조하고 있는 것은 구약 저자들은 하나님이 자신들을 통해 말씀하고 계시던 것을 언제나 온전히 알지 못했을지라도, 후대 성경 저자들이 적어도 과거로 거슬러 올라가 규정한 궤적들을 단언했으리라는 것이다.[30] 비일이 말하듯이,

> 인간 저자의 의식적 의도를 초월하는 신적 이해가 있을 때, 그 신적 이해는 인간 저자의 이해 또는 '의도한 예표'와 여전히 유기적으로 관련된다. 선지자가 의식적으로 알고 있던 것보다 하나님이 더 온전히 알고 계신 점은 인간 저자의 '의도한 예표' 안에 들어맞을 만한 해석적 함축일 것이다. 그리고 후에 물어보면 선지자는 "그래, 그게 내가 원래 말하고자 한 것의 더 넓고 깊은 의미라는 걸 알겠어"라고 말할 것이다. 우리는 모든 경우에 성경 저자들이 자신이 쓴 것에 대해 이해한 것보다 하나님이 훨씬 철두철미하게 이해하고 계셨다고 말해야 한다.[31]

신약 성경은 여러 면에서 구약을 "성경"으로 드러내는 해답 역할을 한다.[32] 예수와 신약 저자들이 그들의 성경에 어떻게 접근했는지를 파악하면, 우리는 성경에 나오는 신적 저자의 의도를 더 잘 볼 수 있다. 그것은 또한 우리의 해석이 근거 있고 지나치게 주관적이 되지 않도록 보호하는 지침을 제시한다.

2. 신약의 구약 사용을 평가하는 과정

구약과 신약이 어떻게 진전되고 통합되는지를 평가하는 것은 성경 신학의 필수 부분이다. 비일과 카슨은 신약의 구약 사용을 평가하는 여섯 단계의 과정을 제안하며, 이

---

30 라서(LaSor)는 이렇게 말한 적이 있다. "보통의 씨에는 그 안에 모든 가지, 모든 잎, 모든 꽃 등 식물이나 나무에서 유기적으로 관련된 것으로 발전할 모든 것이 포함되어 있다. 그렇지만 우리가 입수할 수 있는 과학적 방법들로 아무리 많이 검사한다 해도, 그 안에 무엇이 들어 있는지를 드러낼 수는 없을 것이다. 하지만 일단 씨가 온전히 다 발육하면, 우리는 그 씨가 어떻게 온전히 다 발육되었는지 볼 수 있다"(William Sanford LaSor, "Prophecy, Inspiration, and *Sensus Plenior*," *TynBul* 29 [1978]: 55-56쪽). 필자는 여기서 도토리와 떡갈나무, 또는 사과 씨와 사과나무의 유기적 연관에 대한 강조에 감사한다. 하지만 모든 경우에 다 그렇지는 않다 해도, 구약 저자들은 종종 유기적 궤적과 그것의 궁극적 성취 둘 다에 대해 많은 것을 알고 있었던 것처럼 보인다.

31 Beale, "The Cognitive Peripheral Vision of Biblical Authors," 283쪽. Beale and Gladd, *Hidden but Now Revealed* (『하나님의 비밀』), 358쪽 참조.

32 무와 나셀리는 이렇게 주장한다. "모든 신약의 '해석학적 원리'에서 가장 기본적인 것은 …… 구약에서 말씀하신 하나님이 계속해서 그들에게 말씀하시며, 특정 텍스트의 의미를 결정하는 것은 성경 전부에 대한 이 최종적인 신적 맥락이었다는 저자의 확신이다"("The Problem of the New Testament's Use of the Old Testament," 737쪽).

과정은 구약에서 구약 사용을 평가할 때도 훌륭한 출발점이 된다.[33]

a. **신약 문맥_** 구약 참고문을 확인하면서 신약 텍스트를 주해하라. 그리고 그것이 인용문인지 암시인지 분별하라.
b. **구약 문맥_** 텍스트 자체가 이전 구약 텍스트에 근거하고 있는지 아닌지 주시하면서 구약 텍스트를 주해하라.
c. **성경 외의 유대 문헌에서 사용된 구약 본문**
d. **텍스트상의 문제들_** 여기서 우리는 신약, 마소라 본문, 칠십인 역, 탈굼 역, 그리고 모든 유대 인용문을 본문 비평적으로 분석하고 비교하면서, 신약의 인용문이나 암시의 출처가 될 만한 텍스트를 확증하려 애쓴다.
e. **신약 저자가 구약 텍스트를 사용한 것에 대한 텍스트상의 근거와 해석상의 근거_** 비일은 「신약의 구약 사용 핸드북」[34]에서 가능한 열두 가지 방법을 강조한다.
    - 구약 예언의 직접적 성취를 나타내기 위해
    - 구약 예표적 예언의 간접적 성취를 나타내기 위해
    - 아직 성취되지 않은 구약 예언이 장차 확실히 성취될 것이라는 단언을 나타내기 위해
    - 구약의 유추적 또는 예시적 사용을 나타내기 위해
    - 구약의 상징적 사용을 나타내기 위해
    - 구약에서 이어지는 지속적 권위를 나타내기 위해
    - 구약을 잠언처럼 사용한 것을 나타내기 위해
    - 구약의 수사적 사용을 나타내기 위해
    - 신약 한 부분의 청사진 또는 원형(prototype)으로서 구약 한 부분을 사용한 것을 나타내기 위해
    - 구약의 다른 텍스트 사용을 나타내기 위해

33 Beale and Carson, "Introduction," in *Commentary on the New Testament Use of the Old Testament*, xxiv-xxvi. 구약에서 구약을 사용하는 것에 대해서는 예를 들어 Richard L. Schultz, *The Search for Quotation: Verbal Parallels in the Prophets*, JSOTSup 180 (Sheffield, UK: Sheffield Academic, 1999), Derek Drummond Bass, *Hosea's Use of Scripture: An Analysis of His Hermeneutics* (Ph.D. diss., The Southern Baptist Theological Seminary, 2008)를 보라.

34 Beale, *Handbook on the New Testament Use of the Old Testament*(「신약의 구약 사용 핸드북」), 55-93쪽.

- 구약에 동화된 사용을 나타내기 위해
- 구약을 역설적으로 또는 반대로 사용한 것을 나타내기 위해

f. **구약 텍스트에 대한 신약 저자의 신학적이고 수사적인 사용_** 이것은 모든 결론을 통합하는 진술이다. 신약 저자는 자신이 사용한 것과 같은 식으로 구약 텍스트를 사용하여 어떤 신학적, 수사적 요점을 강조하고 있는가?

그리스도의 중심성

성경 신학은 구약과 신약이 어떻게 그리스도 안에서 절정에 이르는가를 두고 씨름한다

성경 신학의 궁극적 목적은 예수다. 성경의 틀을 이루는 구원사는 모두 그리스도를 가리키고, 그리스도께로 나아간다. 그리고 모든 성취는 그리스도로부터, 그리스도를 통해 나온다.

구약은 **그리스도 완결적**(Chrisotelic, '목표, 목적'을 의미하는 헬라어 τέλος[텔로스]에서 나온 말)이다. 구약에 담긴 모든 역사(마 2:15)와 율법(5:17-18), 예언(행 3:18)이 모두 예수를 가리키고 있기 때문이다. 필자는 구약이 메시아적 소망을 불어 넣기 위해 쓰인 메시아적 문서라고 믿는다. 예수는 종교 지도자들에게 말씀하셨다. "너희가 성경에서 영생을 얻는 줄 생각하고 성경을 연구하거니와 이 성경이 곧 내게 대하여 증언하는 것이니라"(요 5:39). "많은 선지자와 의인이 너희가 보는 것들을 보고자 하여도 보지 못하였고 너희가 듣는 것들을 듣고자 하여도 듣지 못하였느니라"(마 13:17. 요한복음 8장 56절, 히브리서 11장 13, 39-40절 참조). "너희 조상 아브라함은 나의 때 볼 것을 즐거워하다가 보고 기뻐하였느니라"(요 8:56). 예수는 구약에서 소망하던 모든 것을 이루신다(마 5:17, 눅 24:44). 그리스도 안에서 예상은 실현된다(마 11:13, 눅 16:16, 히 1:1-2).

바울은 "내가 오늘까지 서서 높고 낮은 사람 앞에서 증언하는 것은 선지자들과 모세가 반드시 되리라고 말한 것밖에 없으니 곧 그리스도가 고난을 받으실 것과 죽은

자 가운데서 먼저 다시 살아나사 이스라엘과 이방인들에게 빛을 전하시리라 함이니이다"(행 26:22-23)라고 말했다. 그 사도의 마음속에서 구약의 모든 부분은 메시아와, 승리를 거둔 그분의 죽음과 부활이 이루어 낼 선교를 내다본다(누가복음 24장 47절 참조). 바울은 "우리는 십자가에 못 박힌 그리스도를 전하니"(고전 1:23)라고 선언했으며, 심지어 "내가 너희 중에서 예수 그리스도와 그가 십자가에 못 박히신 것 외에는 아무것도 알지 아니하기로 작정하였음이라"(2:2)고까지 주장했다.

통치하시는 하나님이 그리스도 예수의 삶과 죽음과 부활을 통해 믿는 사람들을 구원하시고 만족시키신다는 좋은 소식은 "가장 중요한 것"(고전 15:3, 현대인의성경) 것이지만, 매우 많은 성경 해석자와 기독교 설교자가 이 진리들을 (적어도 실제로는) 곁가지에 지나지 않은 것으로 여긴다. 바울의 복음 중심성은 한 그리스도인 해설자에게서 나온 급진적인 것으로 여겨져서는 안 된다. 그러나 유감스럽게도 구약과 신약에서 나온 많은 '기독교' 설교는 메시아의 엄위하심을 확대하지 않는다. 실로 구약을 가르치는 많은 교사들은 우리가 마치 예수께서 오시지 않은 것처럼 예수의 성경에 접근해야 한다고 시사한다. 하지만 하나님의 의도는 절대 그런 것이 아니었다. 훌륭한 추리 소설이 모두 그렇듯, 마지막 장을 읽으면 전체 플롯을 다시 생각하지 않을 수 없다. 그리스도의 계시에 비추어 읽을 때, 신약 저자들은 자신이 전파한 하나님의 아들에 관한 복음이 구약 자체의 약속들에서 나온 것임을 알았다(롬 1:1-3). 실로 사도들은 주님이 모세와 그후 모든 선지자의 입을 통해 그리스도의 환난과 승리, 그리고 그후에 있을 영광을 예언하셨음을 인식했다(행 3:18, 24, 10:43, 벧전 1:10-12. 로마서 3장 21절 참조).

우리는 구약을 그리스도가 오신 것에 비추어서, 그리고 사도들의 가르침이라는 렌즈를 통해서 해석해야 한다. 예수는 성경의 받침점(fulcrum)으로, 역사의 중심 전환점을 표시하고 절정에 이르는 새 언약을 시작하는 분이다. 구약 전체는 그리스도를 가리키며, 모든 성취는 그리스도에게서, 그리고 그리스도를 통해 온다. 구약은 토대다. 신약은 성취다. 모든 참된 성경 신학은 예수를 강조한다.

그리스도인인 우리는 구약을 읽되, 마치 그리스도가 오시지 않은 것처럼 읽어서는 안 된다. 신적 저자이신 하나님은 우리가 그분의 책을 이런 방식으로 읽도록 의도하셨기 때문이다. 누가와 요한과 바울과 베드로는 일단 부활하신 그리스도를 만나고 나자, 자신들의 성경을 그리스도의 위격과 사역을 아는 가운데 읽을 수밖에 없었다.

12장에서 말하겠지만, 실로 수많은 구약과 신약의 본문은 그리스도인들이 대부분의 옛 언약 공동체보다 구약의 실제 의미를 이해하기에 더 좋은 위치에 있음을 시사한다. 우리는 이제 구약이 내내 가리킨 분을 보고 누릴 수 있다. 그분의 이름은 **'예수'**다!

우리는 오늘날 전체 성경을 전파할 때 "사도들과 선지자들의 터 위에 세우심을 입은" 것으로 "그리스도 예수께서 친히 모퉁잇돌이 되[신]"(엡 2:20) 경우에만, 기독교적이라고 정당하게 이름붙일 수 있다. 오순절 이후 신자들이 그랬듯이 우리는 "사도의 가르침"(행 2:42)에 몰두한다. 그것은 그리스도가 오신 것에 비추어 신약을 연구하고 사도들의 본을 따라 구약을 해석하는 것을 의미한다. 이렇게 하지 않는다면, 우리는 구약을 예수와 그분의 사도들이 한 것과 다르게 접근하는 것이며, 그렇기 때문에 실제로 우리의 해석을 '기독교적'(Christian)이라고 부를 근거가 사라진다.

반면 구약 전부가 그리스도를 가리킨다는 말은 구약 모두가 같은 방식으로 그렇게 한다는 뜻은 아니다. 12장에서는 구약에서 우리가 그리스도와 복음을 신실하게 보고 궁극적으로 선포할 수 있는 여러 방식을 살펴볼 것이다.

성경 신학의 본질 요약

리처드 린츠(Richard Lints)는 자신의 책 「신학의 구성」(*The Fabric of Theology*)에서 별개이지만 중복되는 세 영역 안에서 신학을 형성할 것을 복음주의자들에게 권한다.[35]

- **본문 지평**(The Textual Horizon)_ 여기서 우리의 초점은 '원저자에게 본문이 무엇을 의미했느냐'다. 본문 지평은 바로 앞뒤 문맥을 다룬다. 단어를 설명하고 그 단어들에 영향을 끼쳤을 만한 신학을 형성하는 것이다.
- **시대 지평**(The Epochal Horizon)_ 이 관점은 구원사 내에서 본문의 위치와 관련된

35 Lints, *The Fabric of Theology*, 293-310쪽.

다. 본문은 그리스도 안에서 궁극적으로 절정에 이르는 하나님 나라 목적의 전개에서 어디에 맞는가?

- **정경 지평**(The Canonical Horizon)_ 텍스트에 대한 이 견해는 더 광범위한 정경 안에서 텍스트의 위치와 용법이 본문에 대한 하나님의 의도를 우리로 어떻게 이해하게 하는지를 고찰한다. 여기서 우리가 염두에 두는 것은 (1) 계시의 점진적 특성, (2) 모든 역사가 그리스도의 규정하는 사역에 영향을 받는다는 것, (3) 성경이 신적 저자에게서 나왔기 때문에 이전 텍스트들의 의미를 명확히 하거나 증진시키거나 심화시키기 위해 후대 텍스트들을 사용할 수 있다는 것 등이다.

성경 해석에 대한 이 세 영역을 다루려면 문법적-역사적 주해와 구원사적이고 문학적-정경적인 평가 모두를 포함하는 성경 신학 방법론이 필요하다. 이와 관련하여 스티븐 웰럼은 이렇게 쓴다. "바로 앞뒤 문맥과 관련해서만 텍스트를 해석할 것이 아니라, '전체'와 관련해서도 해석해야 한다. 성경은 통합된 것인 동시에 진전되는 것이다. 그래서 성경 신학은 '전체'에 관해 '부분'을 해석하고, 어떻게 하나님의 계획이 구속사 내내 발전하여 그리스도 안에서 그 계획이 성취되는 것으로, 궁극적으로는 절정에 이르는 것으로 이어지는지 추적하는 것과 관련된다."[36]

필자가 보기에 이러한 접근이 성경 본문 자체에 가장 충실하며, 신약 저자들이 자신의 성경에 접근한 방식과 가장 일치하는 듯하다. 요약하면, **성경 신학은 성경이 하나님, 그리고 그분과 세상의 관계에 대해 계시하는 것을 분석하고 종합하는 한 가지 방식으로, 특히 구약과 신약이 어떻게 진전되고 통합되어 그리스도 안에서 절정에 이르는가와 관련하여 성경 전체와 나름대로 유기적으로 구원사적 연관 및 문학적-정경적인 연관을 맺는 방식이다.**

36 Gentry and Wellum, *Kingdom through Covenant*(『언약과 하나님 나라』), 34쪽 각주30.

성경의 틀, 형식, 초점, 받침점[37]

이 부분에서는 우리가 성경 신학에 대한 논의에서 어디에 이르렀는지를 종합해 보려 한다. 필자는 성경이 무엇에 대한 것인지(성경의 틀), 어떻게 전달되는지(성경의 형식), 왜 주어졌는지(성경의 초점), 그리고 누구를 중심으로 하고 있는지(성경의 받침점)를 명확하게 하고자 한다.

1. 틀(내용_ 무엇을?)

성경은 하나님의 계시다. 하나님은 만유를 다스리시며 그분을 의지하는 모든 사람을 구원하시고 만족케 하신다. 간단히 말해, 성경은 하나님 나라에 대한 것이다. 하나님은 유일하게 자존하시는 분(만물의 원천, 유지자, 목적지[롬 11:36])이다. 창조, 타락, 구속, 완성을 통해 최고의 주권자, 구원자, 만족케 하시는 그분은 세상을 배경으로 그분 자신을 위한 백성을 형성해 오셨다. 성경은 하나님 나라의 건설 과정(하나님의 영광을 위해 하나님의 땅 안에서 하나님의 백성을 하나님이 통치하시는 것)에 대한 것이다(눅 4:43, 행 1:3, 20:25, 28:23, 31).

2. 형식(수단_ 어떻게?)

구원사 내내 하나님은 일련의 언약들을 통해 세상과의 관계를 유지하셨다. 그중 가장 두드러진 것은 옛 (모세) 언약과 그리스도 안에 있는 새 언약이다. 옛 언약은 사망의 시대를 가져왔으며, 정죄의 사역을 한다. 새 언약은 생명을 가져왔으며, 의의 사역을 한다(고후 3:9). 모세는 이스라엘의 완악함을 인식하고 옛 언약이 실패할 것을 예언했다(신 9:6-7, 31:27-29). 하지만 그는 또한 하나님이 지금 우리가 새 언약(렘 31:31)으로 알고 있는 것 안에서 저주를 회복의 축복으로 자비롭게 극복하시리라고 상상했다(신 4:30-31). 선지

37 다음에 나오는 종합 중 일부는 필자가 남침례 신학교(Southern Baptist Theological Seminary)에서 친구 마일즈 반 펠트와 함께 박사 과정을 공부할 때 나눈 대화들에서 도움을 얻었다고 확신한다. 성경 메시지에 대한 그의 종합은 “Introduction” to Van Pelt 편집, *A Biblical-Theological Introduction to the Old Testament: The Gospel Promised* (Wheaton, IL: Crossway, 2016)(『성경 신학적 구약 개론』, 부흥과개혁사), 23-42쪽에서 볼 수 있다.

자적인 새 언약 중보자가 이 축복의 시대를 촉진하실 것이다(18:15). 그 복에는 하나님이 사랑과 순종을 일으키시도록 언약 구성원들의 마음을 변화시키는 것이 포함될 것이다(30:6, 8). 하나님은 자신의 모든 원수를 저주하실 것이며(30:7), 자기 백성의 구성을 확대하여 열방에서 온 일부 사람들을 포함하실 것이다(32:31, 43. 창세기 17장 4-5절 참조). 그리스도는 새 언약의 중보자시다(딤전 2:5, 히 9:15, 12:24). 그 새 언약은 옛 언약을 대신했고(롬 10:4, 갈 3:24-25), 모든 약속을 "예"로 만들었으며(고후 1:20), 우리에게 모든 신령한 복을 확보해 주었고(엡 1:3), "썩지 않고 더럽지 않고 쇠하지 아니하는 유업"(벧전 1:4)이다.

3. 초점(목적_ 왜?)

하나님의 모든 행동 배후의 궁극적 목적은 그분의 영광을 보존하고 나타내는 것이다. 그리고 모든 성경은 이 목적을 가리킨다. 모든 것이 하나님에게서 오고, 그분으로 말미암고, 그분께로 돌아가기 때문에 하나님의 영광은 만물 위에 높임 받으며(롬 11:36), 우리 삶의 목표가 되어야 한다(고전 10:31).

4. 받침점(영역_ 누구를?)

예수 그리스도는 모든 구원사가 가리키는 분이며, 그분에게서 모든 성취가 나온다. 전체 성경은 예수를 중심으로 하고 있고, 예수는 약속된 메시아적 해방자이시며, 신적이고 십자가에 달리시고 부활하신 메시아로 그분을 믿는 모든 사람을 하나님과 화목케 하시는 분이다. 회개하고 온 삶을 바쳐 복종하라는 보편적 명령은 예수의 구속적 하나님 나라 사역의 자연스러운 결과다.

틀	하나님이 통치하시고, 구원하시고, 만족케 하신다(즉, 하나님 나라).
형식	언약을 통해
초점	하나님의 영광을 위해
받침점	그리스도 안에서

표10.6. 성경의 틀, 형식, 초점, 받침점

간결하게 진술하면, **성경의 메시지**는 하나님이 그리스도 안에서 그분의 영광을 위하여 언약을 통해 통치하시고, 구원하시고, 만족케 하신다는 말로 종합할 수 있다.[38]

---

38 필자의 친구이자 동료인 제이슨 마이어에게 감사한다. 그는 성경 메시지를 '하나님의 영광을 위해 언약을 통한

다른 식으로 말하면, 성경은 유대인이나 이방인이나 다 같이 메시아 예수를 통해 세상 최고의 주권자, 구원자, 만족케 하시는 분으로 하나님을 높이라고 명한다. 구약은 이 메시지를 위한 토대를 마련한다. 신약은 성취를 제공한다.

표10.7. 성경의 구조와 메시지 통합[39]

하나님 나라(어떻게? 왜? 무엇을?)'로 단순하지만 심오한 여러 개의 원으로 통합하는 것을 처음 필자에게 제시해 주었다. 그 이래로, 그리고 필자가 *What the Old Testament Authors Really Cared About*(49-51)에서 필자의 틀, 형식, 초점, 받침점의 종합을 최초로 펴낸 이래, 젠트리와 웰럼은 비슷한 제목을 사용해서 대단히 유용한 책인 *Kingdom through Covenant*(『언약과 하나님 나라』)를 펴냈다.

39 친구 마일즈 V. 반 펠트에게 감사한다. 그가 www.biblicaltraining.org에서 한 구약 성경 신학 강의와 표들은 필자가 이 표를 처음으로 구상하도록 해주었다. 이 이미지는 원래 DeRouchie, *What the Old Testament Authors Really Cared About*, 52쪽에 나온 것이다. 허락을 받고 사용했다.

주제 추적의 예_ "제사장 나라"(출 19:6)

성경의 한 본문에 대해 전-성경(whole-Bible) 신학을 하는 것의 한 예로, 필자는 출애굽기 19장 6절에서 이스라엘에게 "제사장 나라"가 되라는 하나님의 명령을 더 집중하여 살펴보길 원한다. 이 지시는 이미 창세기에서 드러난 계시를 기반으로 하고 있으며 성경 나머지 부분에서 나올 것에 대한 신학적 경로를 형성한다.

1. 하나님의 아들, 왕적 제사장인 아담

출애굽기는 아담이 받은 바, 하나님의 영광을 온 세계에 나타내기 위해 하늘 아버지의 모습을 묘사하라는 위임을 상기하면서, 창세기에 제시된 메시아적이고 선교적인 계획을 기반으로 한다. 창세기 2장 15절에서 주님은 첫 번째 사람에게 동산을 "경작[하며]"(serve) "지키[라]"고(guard) 위임하셨다. 이 용어들은 창세기 2-3장 밖에서는 신성한 공간을 섬기고 지키는 자인 레위인들의 기능과 관련될 때만 함께 사용된다(민 3:4, 7-8, 8:26, 18:5-6. 창세기 3장 23-24절 참조). 아담은 여호와의 **제사장**이었다.

하지만 하나님은 또한 첫 번째 남자와 여자에게 땅을 "정복[하고]" 그 피조물들을 "다스리라"고 명령하셨다(창 1:28). 그것은 하나님의 형상을 지닌 자들인 아담과 하와와 직접 연관된 왕적 언어다(1:26). 그렇다면 아담은 또한 여호와 아래 있는 **왕**으로서, 그의 아버지-창조주이신 하나님을 반영하고, 닮고, 대표하라는 위임을 받은 것이다.

창세기 5장 1-3절은 "하나님이 사람을 창조하실 때에 하나님의 모양대로 지으시되 남자와 여자를 창조하셨고 그들이 창조되던 날에 하나님이 그들에게 복을 주시고 그들의 이름을 사람이라 일컬으셨더라 아담은 백삼십 세에 자기의 모양 곧 자기의 형상과 같은 아들을 낳아 이름을 셋이라 하였고"라고 쓸 때, 형상을 지니는 것과 아들 됨의 밀접한 연관을 밝힌다. 인간 아들이 자기 아버지의 형상을 닮는 것과 비슷하게, 아담은 그의 하나님의 형상을 닮았다. 그리고 하나님의 아들로서 아담은 악을 물리치고 하나님의 성소와 임재가 전 세계에 퍼져 나가도록 애쓰면서, 왕적 제사장 역할을 해야 했다.

2. 새로운 아담, 하나님의 아들, 왕적 제사장인 이스라엘

아담은 자신을 향한 하나님의 목적과 달리 죄를 지었으며, 그의 하나님 아버지를 제대로 반영하고, 닮고, 대표하지 못하게 되었다. 그래서 만물의 주권자이신 하나님은 공동체적인 왕적-제사장 아들(son)을 포함할 그분의 하나님 나라 구원 계획을 시작하셨다. 그 공동체적 아들은 또한 개인적인 왕적-제사장 아들(Son)을 낳고 예표적으로 그를 내다볼 것이다. 주님이 창세기 3장 15절에 여자의 남자 후손이 궁극적으로 뱀에게, 그리고 하나님께 적대적인 뱀의 방법들에 치명타를 날릴 것이라고 선언하셨을 때, 처음으로 개인적 아들이 나올 것을 내다보셨다. 홍수 후에, 우리는 그 아들이 셈의 후손이 되리라는 것을 알게 된다(창 9:26-27). 그 다음에, 창세기 12장 3절에서 아브라함이 세상에 복을 가져다줄 대행자가 되리라고 선언한 후에, 창세기 22장 17b-18절은 약속된 남자 해방자가 아브라함의 혈통이 되리라는 것과, 그가 궁극적으로 원수의 성문을 주관하고 온 세상에 복을 가져올 것이라고 상세히 말했다(24장 60절 참조). 우리는 또한 창세기 49장 8-10절에서 그 아들이 유다 계열에서 나온 왕이라는 것을 알게 된다.

이러한 맥락에서 여호와는 출애굽기 4장 22절에서 이스라엘을 그분의 "장자"라고 선언하셨다. 그러고 나서 출애굽기 19장 6절에서는 이 아들이 온 세상 가운데서 "제사장 나라"가 되리라고 명하셨다. 출애굽기 19장 22, 24절은 이스라엘이 산에 이르렀을 때 회중에게는 이미 하나님과 백성 간에 중보자 역할을 하던 제사장들이 있었다고 말해 준다. 이 제사장들은 하나님 말씀의 주된 선생 역할을 할 것이며(레 10:10-11) 주로 희생 제사를 드리는 자들로, 그 제사에 의해 올바른 질서가 재확립되고 백성에 대한 하나님의 진노가 누그러질 것이다(레 4:1-6:7, 16:1-19, 대상 23:13). 여기서 가장 놀라운 것은 출애굽기 19장 6절에서 이스라엘이 제사장을 갖게 될 것이라고 말하지 않고, 민족 전체가 제사장 나라가 되리라고 말한다는 것이다. 주님의 가치와 값어치를 보여 줄 철저한 복종의 삶을 통해, 세상에 하나님 말씀을 전하라는 것이다. 모세가 신명기 4장 6절에서 선언하듯이, "너희는 [규례와 법도를] 지켜 행하라 이것이 여러 민족 앞에서 너희의 지혜요 너희의 지식이라 그들이 이 모든 규례를 듣고 이르기를 이 큰 나라 사람은 과연 지혜와 지식이 있는 백성이로다 하리라." 모세가 제물의 피를 제사장들에게 발라 이스라엘 제사장들을 봉헌하는 것처럼(레 8:24), 출애굽기 24장 8절에서 모세는 "그 피를 가지고 백성에게 뿌리며 이르되 이는 여호와께서 이 모든 말씀에 대하여 너희와 세우신 언약의 피니라"고 선언한다. 이처럼 그 민족은 세상에서 하나님의 엄위하심을 찬미하도록 부름 받은 하나님의 왕적-제사장 아들로 구별되었다.

3. 이스라엘이 제사장적 지위를 상실한 것과 미래의 성취에 대한 하나님의 약속

아담과 마찬가지로, 하나님의 공동체적 아들인 이스라엘은 반역해서 자기 길로 갔다. 그 백성은 하나님의 이름을 찬양하고 선포하기보다는 그 이름을 모독했다. 신명기 32장 5절에서 "그들이 여호와를 향하여 악을 행하니 하나님의 자녀가 아니요 흠이 있고 삐뚤어진 세대로다"라고 선언했을 때, 모세는 자신의 선지자적 예언에서 그것을 예상했다.

하지만 사사 시대 방탕함의 바다 한가운데서, 하나님은 한나를 통해 "여호와께서 땅끝까지 심판을 내리시고 자기 왕에게 힘을 주시며 자기의 기름부음을 받은 자의 뿔을 높이시리로다"(삼상 2:10)라고 선언하셨다. 하나님은 여전히 자신의 왕을 일으키려 하셨다. 하나님은 여기서 그 왕을 자기의 "기름부음을 받은 자"라고 부르셨다. 그 다음에 이 장 뒷부분에서 한 하나님의 사람이 이렇게 선언한다. "내가 나를 위하여 충실한 제사장을 일으키리니 그 사람은 내 마음, 내 뜻대로 행할 것이라 내가 그를 위하여 견고한 집을 세우리니 그가 나의 기름부음을 받은 자 앞에서 나왔다 들어갔다 하리라"(2:35, 필자 번역).[40] 그런데 한나의 예언에 나오는 그 기름부음 받은 왕적 해방자는 제사장으로도 확인된다(스가랴 6장 13절 참조). 이 시점에서 우리는 이 제사장-왕이 또한 하나님의 아들이라고 예상한다. 그리고 사무엘하 7장에서 하나님이 다윗의 보좌가 절대 끝나지 않을 것이라고 단언하실 때, 바로 그 말이 나온다. "나는 그에게 아버지가 되고 그는 내게 아들이 되리니 …… 네 집과 네 나라가 내 앞에서 영원히 보전되고 네 왕위가 영원히 견고하리라"(삼하 7:14, 16). 히브리서 1장 5절에서 저자는 이 텍스트에 나오는 하나님의 왕적 아들이 예수라고 명백하게 밝힌다.

충분히 예상할 수 있는 대로, 호세아서에 이르러 여호와는 그분이 자신의 공동체적 아들 이스라엘을 자신의 제사장이 되지 못하게 하리라고 선언하신다. "내 백성이 지식

---

40 이러한 독법에 대해서는 Kaiser, *The Messiah in the Old Testament*(『구약에 나타난 메시아』), 76쪽을 보라. 대안이 될 만한 해석으로는 Karl Deenick, "Priest and King or Priest-King in 1 Samuel 2:35," *WTJ* 73, 2 (2011): 325-39쪽을 보라.

이 없으므로 망하는도다 네가 지식을 버렸으니 나도 너를 버려 내 제사장이 되지 못하게 할 것이요 네가 네 하나님의 율법을 잊었으니 나도 네 자녀들을 잊어버리리라"(호 4:6). 하나님은 공동체적 이스라엘의 멸망을 선언하시지만, 그 선지자는 또한 "여호와께서 이틀 후에 우리를 살리시며 셋째 날에 우리를 일으키시리니 우리가 그의 앞에서 살리라"(호 6:2)고 약속한다. 필자가 믿기로 이것은 예수의 부활, 그리고 그분과 함께 우리 자신의 부활을 예상하는 많은 구약 텍스트 중 하나다.

호세아의 말은 구약의 선지자적 선언의 일부로, 하나님의 회복된 새 언약 백성에게 하나님의 위대하심을 세상에 생생하게 묘사하면서 여호와의 왕적 제사장 아들로서 효과적으로 섬기리라는 의미다. 이뿐 아니라, 이 새로운 공동체적 제사장직에는 구속받은 유대인들과 또한 이방인들이 모두 포함될 것이다. 우리는 수많은 텍스트에서 이것을 본다. 예를 들어 이사야는 "나 여호와가 말하노라 이스라엘 자손이 예물을 깨끗한 그릇에 담아 여호와의 집에 드림같이 그들이 너희 모든 형제를 뭇 나라에서 나의 성산 예루살렘으로 …… 예물로 드릴 것이요 나는 그 가운데에서 택하여 제사장과 레위인을 삼으리라 여호와의 말이니라"(사 66:20-21. 56장 6-7절, 61장 5-7절 참조)고 썼다. 마찬가지로 스바냐는 이렇게 예언했다. "그때에 내가 여러 백성의 입술을 깨끗하게 하여 그들이 다 여호와의 이름을 부르며 한 가지로 나를 섬기게 하리니 내게 구하는 백성들 곧 내가 흩은 자의 딸이 구스 강 건너편에서부터 예물을 가지고 와서 내게 바칠지라"(습 3:9-10). 이 두 본문 모두에서 세계적 공동체가 여호와 앞에서 제사장으로 섬기는 일에 종사한다.

이 텍스트들과 함께, 시편 110편 역시 시편 2편에 나오는 왕적 존재이자 기름부음 받았으며 신적인 아들을 또한 여호와의 제사장이라고 재차 단언한다. 하나님은 그에게 "너는 원수들 중에서 다스리라"(시 110:2. 개역개정에는 "주는 원수들 중에서 다스리소서"라고 번역되어 있다_ 옮긴이)라고 단언하신다. 그리고 나서 하나님은 "너는 멜기세덱의 서열을 따라 영원한 제사장이라"(110:4)고 선언하신다. 이는 시편 72편이 "바다에서부터 바다까지 다스[릴]" 것이라고 선언하는 분이다(72:8. 스가랴 9장 9-10절 참조). 그 이름은 "영구[하며]" 그분으로 말미암아 열방의 사람들이 복을 받을 것이다(시 72:17). 스가랴 3장 8-9절은 대제사장 여호수아를 앞으로 오실 제사장-왕의 예표로 본다. 그 오실 제사장을 통해 하나님은 "이 땅의 죄악을 하루에 제거하[실]" 것이다. 사무엘상 2장 35절의 소망들을 성취하여, 그 선지자는 또한 이 동일한 메시아적 인물이 "왕적 영광"을 지니고, "제사장"이 되며, 하나님의 보좌에 "앉아서 다스[리고]", 그들 간에 "평화의 의논"이 있을 것을 상상했다(슥 6:13).

4. 왕-제사장이신 예수와, 영원히 왕적 제사장 아들딸인 예수 안에 있는 모든 사람

천사 가브리엘은 마리아에게 예수에 대해 알려 주었다. "그가 큰 자가 되고 지극히 높으신 이의 아들이라 일컬어질 것이요 주 하나님께서 그 조상 다윗의 왕위를 그에게 주시리니 영원히 야곱의 집을 왕으로 다스리실 것이며 그 나라가 무궁하리라"(눅 1:32-33). 박사들은 "유대인의 왕"(마 2:2)을 찾아왔으며 예수를 발견했다(2:11). 예수는 후에 그것이 바로 자신의 정체성임을 단언하셨다(27:11). 예수는 자신의 사역을 통해 하나님 나라의 좋은 소식이 가까이 왔다고 선포하셨다(4:17, 23, 막 1:14-15). 그리고 무리들은 그분이 구약에서 약속한 왕적 해방자라는 것을 깨달았다(마 21:5). 그분은 정의와 공의로 다윗의 왕좌를 굳게 세우고 유지하신다(사 9:7). 예수는 가르침에서나 행동에서나(요 8:28, 15:10), 신명기에 나오는 왕권의 이상(신 17:14-20)에 완벽하게 맞는 삶을 사셨다. 그리고 그분은 상하고 버림 받은 사람들에게 정의를 가져다주셨다(마 12:18-21, 눅 4:18-19).

예수는 왕이 되시는 것과 함께, 새 언약을 중재하는 멜기세덱 반차의 대제사장으로(딤전 2:5, 히 9:15, 12:24), 우리를 바로 주님의 임재로 인도하신다(히 5:6, 10, 6:20, 10:19-22). 그리스도는 "범사에 형제들과 같이 되심이 마땅하도다 이는 하나님의 일에 자비하고 신실한 대제사장이 되어 백성의 죄를 속량하려 하심이[다]"(2:17). 그분은 자신을 제물로 드리셨다. 우리를 우리 죄에서 깨끗하게 하시고 우리에게 영원한 구원을 확보해 주시기 위해서다(엡 5:2, 히 9:11-12, 26, 10:12, 요일 1:7). 이제 우리는 "긍휼하심을 받고 때를 따라 돕는 은혜를 얻기 위하여 은혜의 보좌 앞에 담대히 나아갈"(히 4:16) 수 있다.

의미심장하게도 그리스도 안에 있는 우리는 살아 계신 하나님의 왕적-제사장 아들과 딸이 되어 찬양의 제사를 드릴 권능을 받는다(롬 12:1, 히 13:15-16, 벧전 2:5). 우리는 "택하신 족속이요 왕 같은 제사장들이요 거룩한 나라요 그의 소유가 된 백성"으로서 이제 "너희를 어두운 데서 불러내어 그의 기이한 빛에 들어가게 하신 이의 아름다운 덕을 선포[한다]"(벧전 2:9). 제사장 나라와 거룩한 백성이 되는 일은 이제 희망 사항이 아니다. 이미 교회 안에서 성취되었기 때문이다. 개인적인 왕적 제사장 아들이신 그리스도께서 우리보다 앞서 가시면서 아담과 이스라엘 민족이 부름 받은 일을 하셨다. 그리스도는 우리를 대표하신다. 그리고 그분으로 말미암아 우리는 열방 가운데 하나님의 위대하심을 찬미하라는 부르심을 성취할 수 있다.

요한계시록 5장 9-10절은 이 성경 신학적 개관에 대한 적절한 거점을 제공한다. 그 구절을 보면 "유대 지파의 사자 다윗의 뿌리"(5:5)이자 "어린양"(5:8)이라고 불리는 분 앞에서 이 노래가 불린다. "두루마리를 가지시고 그 인봉을 떼기에 합당하시도다 일찍이 죽임을 당하사 각 족속과 방언과 백성과 나라 가운데에서 사람들을 피로 사서 하나님께 드리시고 그들로 우리 하나님 앞에서 나라와 제사장들을 삼으셨으니 그들이 땅에서 왕 노릇 하리로다"(5:9-10).

신약에서 구약을 사용하는 예 _마태복음 2장 15절에 나오는 호세아 11장 1절

신약의 구약 사용 중 가장 매력적인 예는 마태복음 2장 15절에서 호세아 11장 1절을 사용한 것이다. 그 구절은 "[요셉은] 헤롯이 죽기까지 거기[즉 애굽에] 있었으니 이는 주께서 선지자를 통하여 말씀하신 바 애굽으로부터 내 아들을 불렀다 함을 이루려 하심이라"고 말한다. 여기서 마태는 하나님이 왜 요셉에게 그의 가족을 베들레헴에서 애굽으로 데려가고 헤롯이 죽은 다음에야 그 거룩한 땅으로 돌아오라고 지시하셨는지를 명확히 설명하기 위해서, 성취 공식과 호세아 11장 1절의 직접 인용을 사용한다.

많은 학자가 신약이 구약의 의미와 문맥을 전혀 존중하지 않는 가장 중요한 예로 이 텍스트를 인용한다. 이러한 주장이 제기된 것은 (1) 호세아 11장 1절은 단지 역사적 회상인 반면 마태는 그것을 예수 안에서 성취된 예언으로 보기 때문이며, (2) 호세아 11장 1절은 애굽에서 나오는 민족인 이스라엘을 가리켜 말하지만 마태는 그것을 그리스도께 적용하기 때문이다. 필자는 듀안 A. 개럿, G. K. 비일, 그리고 다른 사람들의 논증에 근거하여 이러한 해석상의 과제를 개관하고자 한다. 마태가 실제로 구약을 광범위하게 이해된 원래 문맥에 충실하게 사용하고 있다는 것을 강조하기 위해서다.[41] 그러기 위해 우리는 비일과 카슨이 "신약의 구약 사용 주석 시리즈"에서 제시하는 본보기를 따를 것이다.

1. 신약 문맥

마태복음 2장은 그리스도의 탄생(마 1:18-25) 이후 이야기를 계속 이어가며, 그리스도가 나사렛에서 성장하도록 이끈 사건들을 말한다. 박사들의 방문(2:1-12)은 헤롯왕에게 과대망상증을 불러일으켰으며(2:3-8), 그 결과 그 거룩한 가족은 잠시 애굽으로 떠나고(2:13-15) 헤롯은 베들레헴의 어린아이들을 죽이게 된다(2:16-18). 헤롯이 죽자마자, 그 거룩한 가족은 거룩한 땅으로 돌아오지만 나사렛에 정착한다(2:19-23). 우리가 살펴보려는 인용문은 미가 5장 2절(마 2:6), 호세아 11장 1절(마 2:15), 예레미야 31장 15절(마 2:18)까지 거슬러 올라가는 일련의 성취 텍스트들 한가운데 나온다. 특히 그 인용문은 그 거룩한 가족이 다시 돌아오는 이야기를 하기 전에 왜 그들이 베들레헴을 떠나 애굽으로 갔는지를 설명해 준다.

2. 구약 문맥

호세아 4-14장은 여호와께서 이스라엘을 고소하신 본질을 풀어 나간다. 주제 진술은 4장 1절에 나온다. "이 땅에는 진실도 없고 인애도 없고 하나님을 아는 지식도 없고." 4장 2-3절에서 이 진술을 짧게 부연한 후에, 4장 4절-6장 3절은 '지식이 없는' 것을, 6장 4절-11장 11절은 '인애가 없는' 것을 명확히 하고, 11장 12절-14장 8절은 '진실도 없는' 것을 상세히 묘사한다.

호세아 11장 1절은 그중 두 번째 끝부분에 나온다. 그 구절 자체는 하나님이 처음에 이스라엘을 애굽에서 구속하실 때 이스라엘이 처한 연약한 상태를 상기시킨다. "내

---

41 Duane A. Garrett, *Hosea, Joel*, NAC 19A (Nashville: Broadman & Holman, 1997), 222쪽, Bass, *Hosea's Use of Scripture*, 217-24쪽, Plummer, "Righteousness and Peace Kiss," 54-61쪽, G. K. Beale, "The Use of Hosea 11:1 in Matthew 2:15: One More Time," *JETS* 55, 4 (2012): 697-715쪽, Beale, "The Use of Hosea 11:1 in Matthew 2:15: Inerrancy and Genre," in *The Inerrant Word: Biblical, Historical, Theological, and Pastoral Perspectives*, John MacArthur 편집 (Wheaton, IL: Crossway, 2016)(『성경 무오성에 대한 도전에 답하다』, 생명의말씀사), 210-30쪽을 보라.

가 …… 내 아들을 애굽에서 불러냈거늘." 그 다음에는 이스라엘 백성이 지속적으로 언약에 반역한 것을 이야기한다. 그 결과 그들은 앗수르에 포로로 잡혀간다. "그들은 애굽 땅으로 되돌아가지 못하겠거늘 …… 앗수르 사람이 그 임금이 될 것이라"(11:5).[42] 그럼에도 하나님의 깊은 "긍휼"(11:8) 때문에 "그들은 사자처럼 소리를 내시는 여호와를 따를 것이라 여호와께서 소리를 내시면 자손들이 서쪽에서부터 떨며 오되 그들은 애굽에서부터 새같이, 앗수르에서부터 비둘기같이 떨며 오리니 내가 그들을 그들의 집에 머물게 하리라 나 여호와의 말이니라"(11:10-11)고 말씀하신다.

여기서 분명한 것은 호세아 11장이 첫 번째 출애굽에 초점을 맞추면서 시작하고(11:1. 2장 15b절, 12장 13절 참조. 또한 12장 9절, 13장 4절을 보라), 두 번째 출애굽으로 애굽과 앗수르에서 돌아오는 것을 말하며 끝난다는 것이다(11:10-11. 7장 11, 16b절, 8장 13b절, 9장 3, 6절 참조). 11장 11절에서 새로운 구속과 관련해서 애굽을 사용한 것은 첫 번째 구속을 상기시키며, 호세아 자신이 첫 번째 출애굽을 예표적으로 해석하고 있음을 시사한다.[43] 그것은 출애굽기 15장 14-16절에 나오는 바, 출애굽을 위해 모세 자신이 제시한 유형을 따르는 것이다. 이 구절들에서 모세와 백성은 미래에 가나안 사람들에게 거둘 승리를 마치 이미 일어난 일처럼 여긴다. 단지 하나님이 그들을 애굽 사람들에게서 구해 주셨다는 것 때문이다(로마서 8장 32절 참조). 즉 모세는 애굽에서 구속받은 것을 앞으로 있을 모든 해방의 예표로 보았다. 그 해방들의 절정은 아브라함의 후손이 모든 성문을 정복하고 전 세계적 복을 확증하는 것이 될 것이다(창 22:17b-18. 3장 15절 참조).

의미심장하게도 호세아는 원래의 출애굽을 장차 회복될 것을 가리키는 두 번째 출애굽의 예표로 보면서, 이미 그 미래의 회복을 마지막 날의 다윗 계열 왕과 연결시켰다. "그후에 이스라엘 자손이 돌아와서 그들의 하나님 여호와와 그들의 왕 다윗을 찾고 마지막 날에는 여호와를 경외하므로 여호와와 그의 은총으로 나아가리라"(호 3:5). 이 구절을 염두에 두고, 우리는 "미래의 다윗은 두 번째 출애굽에서 무슨 역할을 할 것인가?"라고 물어보아야 한다.

---

42 또는 "그들은 애굽 땅으로 돌아오지 않을 것인가? 그러면 앗수르가 그들의 왕이 될 것이다."

43 호세아 11장 5절이 이스라엘이 애굽으로 돌아오지 않고 앗수르로 갈 것이라고 선언하고, 그렇지만 그러고 나서 이스라엘의 종말론적 회복을 애굽에서 돌아오는 것에 지나지 않은 것으로 묘사한다면, 이 견해가 더욱 강화된다. 호세아 11장을 이와 비슷하게 예표적으로 해석하는 것으로는 Garrett, *Hosea, Joel*, 222쪽, Beale, "The Use of Hosea 11:1 in Matthew 2:15: One More Time," 703-5쪽을 보라.

이 질문은 호세아 11장 10-11절에서 민수기 23장 21-24절과 24장 7-9절을 잠재적으로 암시하는 것으로 더 고무된다. 이 구절은 하나님이 이스라엘을 '애굽에서부터' 구원하시는 것을 '사자'라는 비유 표현과 연관시킨 유일한 본문이다. 이에 더하여 많은 학자들은 마태복음 2장 2절에 나오는 "유대인의 왕"과 "그의 별"의 구약 배경이 "내가 그를 보아도 이때의 일이 아니며 내가 그를 바라보아도 가까운 일이 아니로다 한 별이 야곱에게서 나오며 한 규가 이스라엘에게서 일어나서 모압을 이쪽에서 저쪽까지 쳐서 무찌르고 또 셋의 자식들을 다 멸하리로다"라고 말하는 민수기 24장 17절이라고 본다.

호세아 11장 10-11절은 "그들은 사자처럼 **소리를 내시는** 여호와를 따를 것이라 여호와께서 **소리를 내시면** 자손들이 서쪽에서부터 떨며 오되 그들은 **애굽에서부터** 새같이, 앗수르에서부터 비둘기같이 떨며 오리니 내가 그들을 그들의 집에 머물게 하리라 나 여호와의 말이니라"고 말한다. 첫눈에 보기에는 "사자"가 여호와인 것처럼 보인다. 그분은 자신의 떠는 백성을 그들의 역경에서 구해 주신다. 그럼에도 여호와와 그분의 왕 사이의 밀접한 연관(예를 들어 3장 5절)은 하나님이 소리를 내시는 것이 그분의 왕적 인간 대행자를 통해서일 수도 있다는 것을 시사한다.

민수기 23장 21-24절은 첫 번째 출애굽에서 이스라엘 백성을 사자처럼 취급한다. "왕"은 여호와일 가능성이 가장 높지만, 어쩌면 모세일 수도 있다(출애굽기 2장 14절, 사도행전 7장 35절 참조).

> 야곱의 허물을 보지 아니하시며 이스라엘의 반역을 보지 아니하시는도다 여호와 그들의 하나님이 그들과 함께 계시니 **왕**을 부르는 소리가 그중에 있도다 하나님이 그들을 **애굽에서** 인도하여 내셨으니 그의 힘이 들소와 같도다 야곱을 해할 점술이 없고 이스라엘을 해할 복술이 없도다 이때에 야곱과 이스라엘에 대하여 논할진대 하나님께서 행하신 일이 어찌 그리 크냐 하리로다 이 백성이 **암사자**같이 일어나고 수**사자**같이 일어나서 움킨 것을 먹으며 죽인 피를 마시기 전에는 눕지 아니하리로다.

이에 반해 민수기 24장 7-9절은 여호와의 왕에게 인도받을 미래의 출애굽을 가리키는데, 이제 그 왕은 사자라고 불린다. "하나님이 그를 애굽에서 인도하여 내[실]" 것이며, 아말렉 사람들의 미래의 왕(24:20. 사무엘상 15장 3, 8절 참조)이자 하나님을 대적하는 자의 표상인 "아각"(24:7)이나 (칠십인 역에서 번역된 것처럼) 악의 종말론적 의인화인 "곡"(에스겔 38-39장, 요한계시록 20장 8절 참조)을 깨뜨리기 위해 그를 사용하신다.

> 그 물통에서는 물이 넘치겠고 그 씨는 많은 물가에 있으리로다 **그의 왕**이 아각[곡?]보다 높으니 그의 나라가 흥왕하리로다 하나님이 그를 **애굽**에서 인도하여 내셨으니 그 힘이 들소와 같도다 그의 적국을 삼키고 그들의 뼈를 꺾으며 화살로 쏘아 꿰뚫으리로다 꿇어앉고 누움이 **수사자**와 같고 **암사자**와도 같으니 일으킬 자 누구이랴 너를 축복하는 자마다 복을 받을 것이요 너를 저주하는 자마다 저주를 받을지로다.

출애굽기 15장 13-18절에 제시된 유형을 따라, 민수기 역시 첫 번째 출애굽을 종말론적 출애굽에 대한 예표로 여기는 듯이 보인다. 그 종말론적 출애굽은 여호와의 인도 아래 (그분의 사자-백성을 대표하는) 그분의 사자-왕이 인도할 것이다.

3. 성경 외의 유대 문헌에서 사용된 구약 본문

성경 외의 유대 문헌에서는 호세아 11장 1절을 분명하게 적용하는 본문이 없다. 하지만 두 번째 출애굽이라는 주제는 많이 발견된다.[44]

4. 텍스트상의 문제들

칠십인 역은 μετακαλέω(메타칼레오, '자신에게로 부르다, 소환하다')라는 동사를 사용하는 반면, 신약은 단순히 καλέω(칼레오, '부르다, 소환하다')라는 말을 사용한다.[45] 칠십인 역은 삼인칭 남성 단수 대명사가 있는 복수 목적어(τὰ τέκνα αὐτοῦ[타 테크나 아우투], '그의 자녀들'[his children])를 사용하지만, 마태복음은 마소라 본문에 맞춰서 일인칭 공성 단수 대명사(τὸν υἱόν μου[톤 휘온 무], '내 아들'[my son])가 있는 단수 목적어를 사용한다. 칠십인 역은 '이스라엘의 왕'을 언급하는데, 마소라 본문에서는 그 표현이 명백하지 않지만 호세아 11장 10-11절이 암시하는 민수기 23장 21절과 24장 7절 두 곳 모두, 그리고 마태

---

44 T. R. Hatina, "Exile," *DNTB* 348-49쪽을 보라.

45 A' 233은 비교적 ἐκάλεσα(에칼레사)를 사용하는 것을 주목하라.

복음 2장 2절 문맥에서 예수와 관련하여 "유대인의 왕으로 나신 이가 어디 계시냐"라는 말에는 분명하게 나온다.

호세아 11장 1절	호세아 11장 1절	마태복음 2장 15절
MT(BHS/BHQ)	LXX(Ziegler)[46]	NT(NA[28])[47]
כִּי נַעַר יִשְׂרָאֵל וָאֹהֲבֵהוּ וּמִמִּצְרַיִם קָרָאתִי לִבְנִי׃	ὄρθρου ἀπερρίφησαν, ἀπερρίφη βασιλεὺς Ισραηλ. (1) Διότι νήπιος Ισραηλ, καὶ ἐγὼ ἠγάπησα αὐτὸν καὶ ἐξ Αἰγύπτου μετεκάλεσα τὰ τέκνα αὐτοῦ.	καὶ ἦν ἐκεῖ ἕως τῆς τελευτῆς Ἡρῴδου ἵνα πληρωθῇ τὸ ῥηθὲν ὑπὸ κυρίου διὰ τοῦ προφήτου λέγοντος· ἐξ Αἰγύπτου ἐκάλεσα τὸν υἱόν μου
ESV	NETS	ESV
When Israel was a child, I loved him, and out of Egypt I called my son. 이스라엘이 어렸을 때에 내가 사랑하여 내 아들을 애굽에서 불러냈거늘.	At dawn they were cast out, Israel"s king was cast out. (1) For Israel was an infant, and I loved him, and out of Egypt I recalled his children. 이스라엘 왕이 새벽에 정녕 망하리로다 (1) 이스라엘이 어렸을 때에 내가 사랑하여 내 아들을 애굽에서 불러냈거늘.	and [he] remained there until the death of Herod. This was to fulfill what the Lord had spoken by the prophet, "Out of Egypt I called my son." 헤롯이 죽기까지 거기 있었으니 이는 주께서 선지자를 통하여 말씀하신 바 애굽으로부터 내 아들을 불렀다 함을 이루려 하심이라.

표10.8. 호세아 11장 1절과 마태복음 2장 15절의 텍스트 비교

5. 신약 저자가 구약 텍스트를 사용하는 것에 대한 텍스트상의 근거와 해석상의 근거

마태는 호세아 자신과 그 이전 사람인 모세의 유형을 따라, 예표적 해석학을 적용한 듯하다. 첫 번째 출애굽에 대한 호세아의 언급을 (궁극적으로 그리스도가 이끄시는) 원형적인 종말론적 두 번째 출애굽의 예표로 보는 것이다(누가복음 9장 31절 참조). 예수는 '유대인의 왕'으로 민족을 대표하시며, 예수께서 어릴 때 애굽에서 돌아오신 것은 구속사의 진전에서 또 다른 중간 유형으로 제시되었는데, 그 역사는 예수께서 자기 백성을 위한 위대한 두 번째 출애굽을 이루시는 데서 절정에 이를 것이다.

46 Joseph Ziegler 편집, *Septuagint, Vol. 13: Duodecim Prophetae*, 5판, Septuaginta: Vetus Testamentum Graecum Auctoritate Academiae Scientiarum Gottingensis editum 13 (Göttingen: Vandenhoeck & Ruprecht, 2014).

47 Barbara Aland 외 편집, *Novum Testamentum Graece*, 28판 (Stuttgart: Deutsche Bibelgesellschaft, 2012).

6. 구약 텍스트에 대한 신약 저자의 신학적이고 수사적인 사용

마태가 호세아 11장 1절을 사용한 것은 메시아-왕이신 예수께서 구약 성취의 절정이라는 것을 선언하게 되어 있는 일련의 구약 인용문 중 하나일 뿐이다. 호세아 11장 1절을 입증 텍스트로 선택한 것은 적어도 세 가지 이유에서 이상적이었다. 첫째, 호세아 자신이 이스라엘 민족(하나님의 '아들')의 첫 번째 출애굽을 종말론적인 두 번째 출애굽을 예표하는 것으로 다룬다.

둘째, 호세아는 이미 민족을 하나님의 단수 "아들"(호 11:1)이라고 부름으로, 공동체적 유대라는 이미지를 사용했다. 그의 말은 출애굽기 4장 22-23절을 상기시키는데, 거기서 이스라엘 민족은 처음으로 하나님의 "장자"라고 불린다. 출애굽기 텍스트 자체가 아담 자신을 하나님의 장자로 보는 창세기 5장 1-3절을 되돌아보는데, 그것은 사무엘하 7장 14절과 시편 2편 7절처럼 이스라엘의 메시아적 왕을 하나님의 아들로 강조하는 텍스트들을 내다본다. 아담의 경우와 마찬가지로 하나님은 그분의 공동체적 아들인 이스라엘을 부르사, 악을 정복하고 세상을 하나님과 화목케 하여 복된 상태를 회복할 (왕적) 후손을 사람들이 소망 가운데 기다릴 때, 세상에 그분의 형상을 나타내 보이게 하셨다(창 3:15, 22:17b-18, 49:8, 10). 아담과 마찬가지로 이스라엘은 자신의 땅-낙원에 놓여졌다. 그리고 아담과 마찬가지로 백성은 죄 때문에 그것을 잃어버렸다. 하지만 선지자들은 메시아가 인도하는 나라에 대한 소망을 놓치 않았으며, 언젠가 이스라엘을 대표하는 분이 일어나 그들을 속박에서 이끌어 내어 자유로 인도하리라고 하나같이 확신했다.

셋째, 호세아는 이미 원형에 해당하는 두 번째 출애굽을 하나님의 통치 및 다윗 계열에서 나올 그분의 왕적 아들과 연관시켰다. 호세아 3장 5절은 "그후에 이스라엘 자손이 돌아와서 그들의 하나님 여호와와 그들의 왕 다윗을 찾고 마지막 날에는 **여호와를 경외하므로** 여호와와 그의 은총으로 **나아가리라**"고 되어 있다. 그 다음에 호세아 11장 10-11절은 "그들은 사자처럼 소리를 내시는 여호와를 따를 것이라 여호와께서 소리를 내시면 **자손들이** 서쪽에서부터 **떨며 오되** 그들은 애굽에서부터 새같이, 앗수르에서부터 비둘기같이 **떨며 오리니** 내가 그들을 그들의 집에 머물게 하리라 나 여호와의 말이니라"고 진술한다. 이 유사 구절들은 호세아가 궁극적인 두 번째 출애굽과 메시아의 대표적 왕권이 밀접하게 연관된다고 보았다는 것을 강조한다.

핵심 단어와 개념

성경 신학

구원사

KINGDOM

예표론

문학적-정경적 연관

그리스도 완결적

본문 지평, 시대 지평, 정경 지평

성경의 틀, 형식, 초점, 받침점

더 생각해 보기 위한 질문

1. "정경 안에 정경"을 갖는다는 것은 무슨 의미인가? 무엇이 이러한 접근을 가져오며, 그것은 어떤 부정적 효과를 가지고 있는가?
2. "성경 신학은 성경 전체와 나름대로 유기적으로 연관된다"는 말은 무슨 뜻인가?
3. 적어도 많은 비율의 경우, 구약 저자들은 자신들이 직접적 또는 예표적인 예언을 하고 있었으며 신약 저자들이 규정하는 성취의 본질을 인식하고 있었다는 견해를 성경적으로 입증할 증거들을 제시해 보라.
4. 신약의 구약 사용을 평가하는 여섯 단계 과정은 무엇인가?
5. 예수께 초점을 맞추지 않고 구약을 읽는 것은 어떤 위험이 있는가? 해답의 비유나 추리 소설의 비유를 사용해서 대답해 보라.
6. 성경의 틀, 형식, 초점, 받침점은 무엇인가?
7. 마태복음 2장 15절에서 호세아 11장 1절을 사용하는 것을 보고 많은 학자가 신약은 구약의 의미와 문맥에 관심이 없다는 결론을 내리게 되었다. 이 장을 읽고 난 후, 이제 그 결론에 어떻게 대답하겠는가?

추가 연구 자료

아이들에게 구원사를 가르치기 위해

Bruno, Chris. *The Whole Story of the Bible in 16 Verses*. Wheaton, IL: Crossway, 2015. 「16구절로 꿰뚫는 성경」, 생명의말씀사.

DeRouchie, Jason S., ed. Pages 30-40 in *What the Old Testament Authors Really Cared About: A Survey of Jesus' Bible*. Grand Rapids: Kregel, 2013.

DeYoung, Kevin. *The Biggest Story: How the Snake Crusher Brings Us Back to the Garden*. Wheaton, IL: Crossway, 2015. 「세상에서 가장 위대한 이야기」, 성서유니온선교회.

Hamilton, James M., Jr. *The Bible's Big Story: Salvation History for Kids*. Illustrated by Tessa Janes. Fearn, Scotland: Christian Focus, 2013.

Helm, David. *The Big Picture Story Bible*. Wheaton, IL: Crossway, 2004. 「큰 그림 이야기 성경」, 부흥과개혁사.

Kaminski, Carol M. *Casket Empty Old Testament Timeline*. www.CasketEmpty.com. 「성경 연대표」, 죠이북스.

Lloyd-Jones, Sally. *The Jesus Storybook Bible: Every Story Whispers His Name*. Illustrated by Jago. Grand Rapids: Zonderkidz, 2007. 「스토리 바이블」, 두란노키즈.

Palmer, David L. *Casket Empty New Testament Timeline*. www.CasketEmpty.com. 「성경 연대표」, 죠이북스.

서론, 방법론, 개관

Adam, Peter. "Preaching and Biblical Theology." *NDBT* 104-12.

★ Alexander, T. Desmond. *From Eden to the New Jerusalem: An Introduction to Biblical Theology*. Grand Rapids: Kregel, 2008. 「에덴에서 새 예루살렘까지」, 부흥과개혁사.

⊙ Alexander, T. Desmond, and Brian S. Rosner, eds. *New Dictionary of Biblical Theology: Exploring the Unity and Diversity of Scripture*. Downers Grove, IL: InterVarsity Press, 2000. 「IVP 성경 신학 사전」, IVP.

Baker, David L. *Two Testaments, One Bible: The Theological Relationship between the Old and New Testaments*. 3rd ed. Downers Grove, IL: InterVarsity Press, 2010. 「구약과 신약의 관계」, 부흥과개혁사.

Balla, Peter. "Challenges to Biblical Theology." *NDBT* 20-27.

Bartholomew, Craig, Mary Healy, Karl Möller, and Robin Parry, eds. *Out of Egypt: Biblical Theology and Biblical Interpretation*. Scripture and Hermeneutics 5. Grand Rapids: Zondervan, 2004.

⊙ Beale, G. K. "The Cognitive Peripheral Vision of Biblical Authors." *WTJ* 76, 2 (2014): 263-93.

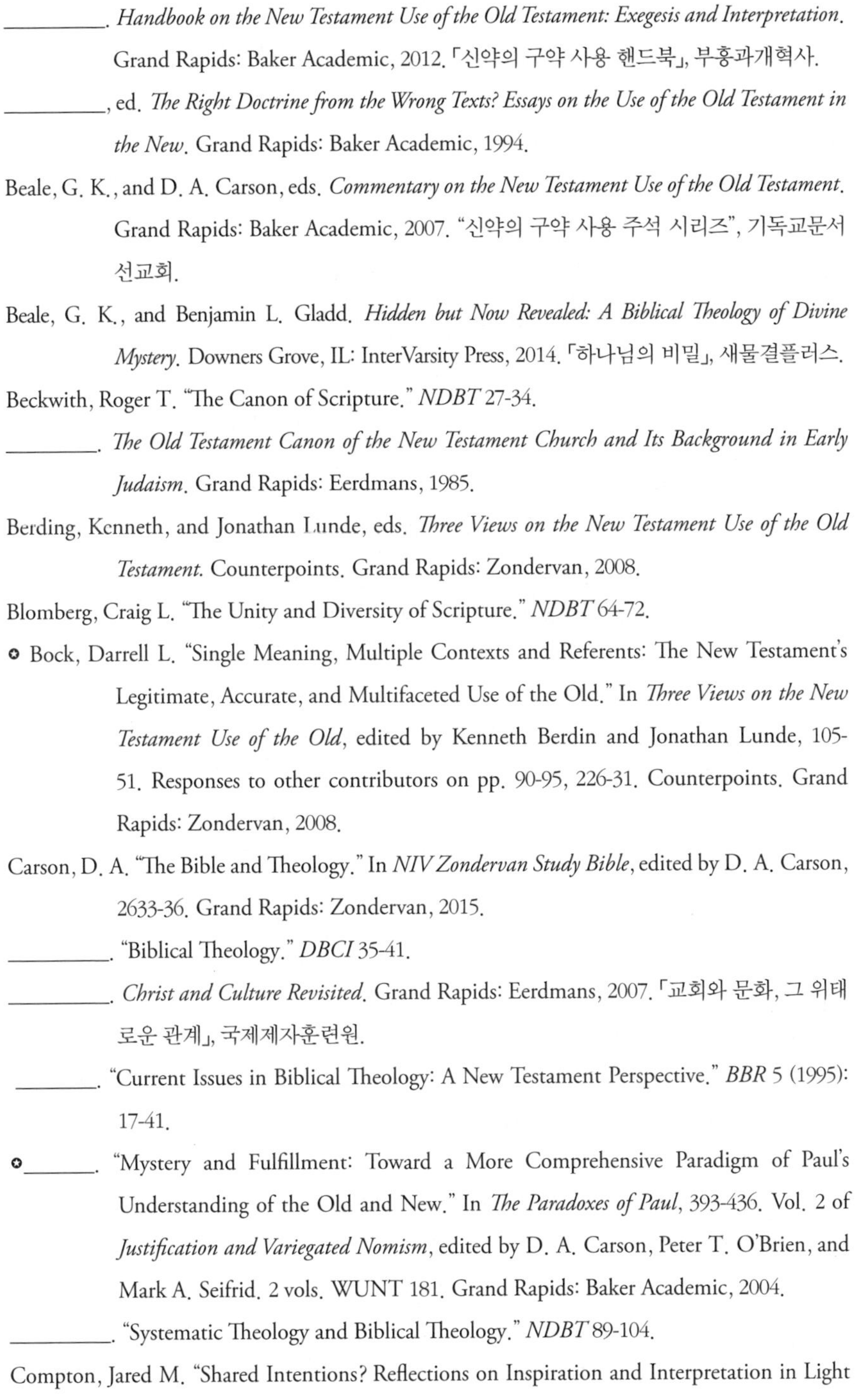

_________. *Handbook on the New Testament Use of the Old Testament: Exegesis and Interpretation*. Grand Rapids: Baker Academic, 2012. 「신약의 구약 사용 핸드북」, 부흥과개혁사.

_________, ed. *The Right Doctrine from the Wrong Texts? Essays on the Use of the Old Testament in the New*. Grand Rapids: Baker Academic, 1994.

Beale, G. K., and D. A. Carson, eds. *Commentary on the New Testament Use of the Old Testament*. Grand Rapids: Baker Academic, 2007. "신약의 구약 사용 주석 시리즈", 기독교문서선교회.

Beale, G. K., and Benjamin L. Gladd. *Hidden but Now Revealed: A Biblical Theology of Divine Mystery*. Downers Grove, IL: InterVarsity Press, 2014. 「하나님의 비밀」, 새물결플러스.

Beckwith, Roger T. "The Canon of Scripture." *NDBT* 27-34.

_________. *The Old Testament Canon of the New Testament Church and Its Background in Early Judaism*. Grand Rapids: Eerdmans, 1985.

Berding, Kenneth, and Jonathan Lunde, eds. *Three Views on the New Testament Use of the Old Testament*. Counterpoints. Grand Rapids: Zondervan, 2008.

Blomberg, Craig L. "The Unity and Diversity of Scripture." *NDBT* 64-72.

○ Bock, Darrell L. "Single Meaning, Multiple Contexts and Referents: The New Testament's Legitimate, Accurate, and Multifaceted Use of the Old." In *Three Views on the New Testament Use of the Old*, edited by Kenneth Berdin and Jonathan Lunde, 105-51. Responses to other contributors on pp. 90-95, 226-31. Counterpoints. Grand Rapids: Zondervan, 2008.

Carson, D. A. "The Bible and Theology." In *NIV Zondervan Study Bible*, edited by D. A. Carson, 2633-36. Grand Rapids: Zondervan, 2015.

_________. "Biblical Theology." *DBCI* 35-41.

_________. *Christ and Culture Revisited*. Grand Rapids: Eerdmans, 2007. 「교회와 문화, 그 위태로운 관계」, 국제제자훈련원.

_________. "Current Issues in Biblical Theology: A New Testament Perspective." *BBR* 5 (1995): 17-41.

○_________. "Mystery and Fulfillment: Toward a More Comprehensive Paradigm of Paul's Understanding of the Old and New." In *The Paradoxes of Paul*, 393-436. Vol. 2 of *Justification and Variegated Nomism*, edited by D. A. Carson, Peter T. O'Brien, and Mark A. Seifrid. 2 vols. WUNT 181. Grand Rapids: Baker Academic, 2004.

_________. "Systematic Theology and Biblical Theology." *NDBT* 89-104.

Compton, Jared M. "Shared Intentions? Reflections on Inspiration and Interpretation in Light of Scripture's Dual Authorship." *Themelios* 33, 3 (2008): 23-33.

Enns, Peter. "Apostolic Hermeneutics and an Evangelical Doctrine of Scripture: Moving beyond a Modernist Impasse." *WTJ* 65, 2 (2003): 263-87.

Evans, Craig A. "New Testament Use of the Old Testament." *NDBT* 72-80.

France, R. T. "Relationship between the Testaments." *DTIB* 666-72.

Gaffin, Richard B. "Systematic Theology and Biblical Theology." *WTJ* 38, 3 (1976): 281-99.

Garrett, Duane A. "Type, Typology." *EDBT* 785-87.

Gentry, Peter J., and Stephen J. Wellum. Pages 21-126 in *Kingdom through Covenant: A Biblical-Theological Understanding of the Covenants*. Wheaton, IL: Crossway, 2012. 「언약과 하나님 나라」, 새물결플러스.

Glenny, W. Edward. "Typology: A Summary of the Present Evangelical Discussion." *JETS* 40, 4 (1997): 627-38.

Goldsworthy, Graeme. "Biblical Theology and Hermeneutics." *SBJT* 10, 2 (2006): 4-19.

________. *Christ-Centered Biblical Theology: Hermeneutical Foundations and Principles*. Downers Grove, IL: InterVarsity Press, 2012. 「그리스도 중심 성경 신학」, 부흥과개혁사.

________. "Relationship of Old Testament and New Testament." *NDBT* 81-89.

Hafemann, Scott J., ed. *Biblical Theology: Retrospect and Prospect*. Downers Grove, IL: InterVarsity Press, 2002.

Hamilton, James M., Jr. "Biblical Theology and Preaching." In *Text Driven Preaching: God's Word at the Heart of Every Sermon*, edited by Daniel L. Akin, David L. Allen, and Ned L. Mathews, 193-218. Nashville: Broadman & Holman, 2010.

________. *What Is Biblical Theology? A Guide to the Bible's Story, Symbolism, and Patterns*. Wheaton, IL: Crossway, 2013. 「성경 신학이란 무엇인가」, 부흥과개혁사.

Hasel, Gerhard F. "The Relationship between Biblical Theology and Systematic Theology." *TJ* 5, 2 (1984): 113-27.

Kaiser, Walter C., Jr. *The Uses of the Old Testament in the New*. Chicago: Moody, 1985.

Klink, Edward W., III, and Darian R. Lockett. *Understanding Biblical Theology: A Comparison of Theory and Practice*. Grand Rapids: Zondervan, 2012. 「성경 신학의 5가지 유형」, 부흥과개혁사.

Köstenberger, Andreas J. "The Present and Future of Biblical Theology." *Themelios* 37, 3 (2012): 445-64.

________. "Testament Relationships." *DBCI* 350-52.

Kunjummen, Raju D. "The Single Intent of Scripture-Critical Examination of a Theological Construct." *GTJ* 7, 1 (1986): 81-110.

Lints, Richard. *The Fabric of Theology: A Prolegomenon to Evangelical Theology*. Grand Rapids:

Eerdmans, 1993.

Moo, Douglas J., and Andrew David Naselli. "The Problem of the New Testament's Use of the Old Testament." In *The Enduring Authority of the Christian Scriptures*, edited by D. A. Carson, 702-46. Grand Rapids: Eerdmans, 2016.

Naselli, Andrew David. "D. A. Carson's Theological Method." *SBET* 29, 2 (2011): 245-74.

Osborne, Grant R. "The Old Testament in the New Testament" and "Biblical Theology." In *The Hermeneutical Spiral: A Comprehensive Introduction to Biblical Interpretation*, 323-44, 346-73. 2nd ed. Downers Grove, IL: InterVarsity Press, 2006. 「성경 해석학 총론」, 부흥과개혁사.

________. "Type, Typology." *EDT* 1222-23.

________. "Typology." *ZEB* 5:952-54.

Payne, Philip B. "The Fallacy of Equating Meaning with the Human Author's Intention." *JETS* 20, 3 (1977): 243-52.

Plummer, Robert L. "Righteousness and Peace Kiss: The Reconciliation of Authorial Intent and Biblical Typology." *SBJT* 14, 2 (2010): 54-61.

Poythress, Vern S. "Dispensing with Merely Human Meaning: Gains and Losses from Focusing on the Human Author, Illustrated by Zephaniah 1:2-3." *JETS* 57, 3 (2014): 481-99.

________. "Kinds of Biblical Theology." *WTJ* 70, 1 (2008): 129-41.

________. "The Presence of God Qualifying Our Notions of Grammatical-Historical Interpretation: Genesis 3:15 as a Test Case." *JETS* 50, 1 (2007): 87-103.

Rosner, Brian S. "Biblical Theology." *NDBT* 3-11.

________. "Salvation, History of." *DTIB* 714-17.

Sailhamer, John. H. *Introduction to Old Testament Theology: A Canonical Approach*. Grand Rapids: Zondervan, 1995.

Schreiner, Thomas R. "Preaching and Biblical Theology." *SBJT* 10, 2 (2006): 20-29.

Schultz, Richard L. "Integrating Old Testament Theology and Exegesis: Literary, Thematic, and Canonical Issues." *NIDOTTE* 1:185-205.

Scobie, Charles H. H. "History of Biblical Theology." *NDBT* 11-20.

Taylor, Willard H. "Biblical Theology." *ZEB* 1:622-30.

Vanhoozer, Kevin J. "Exegesis and Hermeneutics." *NDBT* 52-64.

Yarbrough, Robert W. "Biblical Theology." *EDBT* 61-66.

________. "The Practice and Promise of Biblical Theology: A Response to Hamilton and Goldsworthy." *SBJT* 12, 4 (2008): 78-87.

전-성경 성경 신학_ 일반

Alexander, T. Desmond. *From Eden to the New Jerusalem: An Introduction to Biblical Theology*. Grand Rapids: Kregel, 2008.「에덴에서 새 예루살렘까지」, 부흥과개혁사.

⊙ Alexander, T. Desmond, and Brian S. Rosner, eds. *New Dictionary of Biblical Theology: Exploring the Unity and Diversity of Scripture*. Downers Grove, IL: InterVarsity Press, 2000.「IVP 성경 신학 사전」, IVP.

Beale, G. K., and Benjamin L. Gladd. *Hidden but Now Revealed: A Biblical Theology of Divine Mystery*. Downers Grove, IL: InterVarsity Press, 2014.「하나님의 비밀」, 새물결플러스.

Bruno, Chris. *The Whole Story of the Bible in 16 Verses*. Wheaton, IL: Crossway, 2015.「16구절로 꿰뚫는 성경」, 생명의말씀사.

Carson, D. A. Pages 193-314 in *The Gagging of God: Christianity Confronts Pluralism*. Grand Rapids: Zondervan, 1996.

________. *The God Who Is There: Finding Your Place in God's Story*. Grand Rapids: Baker, 2010.「힘써 하나님을 알자」, 두란노.

________, ed. New Studies in Biblical Theology. Leicester: Apollos; Downers Grove, IL: InterVarsity Press, 1995-present. A master Scripture index for all the volumes in the series is available at http://www.theGospelCoalition.org/pages/nsbt.

Childs, Brevard S. *Biblical Theology of the Old and New Testaments: Theological Reflection on the Christian Bible*. Minneapolis: Fortress, 1993.「신구약 성서 신학」, 은성.

Clendenon, Ray, ed. NAC Studies in Bible and Theology. Nashville: Broadman & Holman, 2007-present.

Edwards, Jonathan. "A History of the Work of Redemption." In vol. 1 of *The Works of Jonathan Edwards*, edited by Edward Hickman, 532-619. Bellingham, WA: Logos Bible Software, 2008.

Elwell, Walter A., ed. *Evangelical Dictionary of Biblical Theology*. Grand Rapids: Baker, 996.

Fuller, Daniel P. *The Unity of the Bible: Unfolding God's Plan for Humanity*. Grand Rapids: Zondervan, 1992.

★ Gentry, Peter J., and Stephen J. Wellum. *God's Kingdom through God's Covenants: A Concise Biblical Theology*. Wheaton, IL: Crossway, 2015.

⊙________. *Kingdom through Covenant: A Biblical-Theological Understanding of the Covenants*. Wheaton, IL: Crossway, 2012.「언약과 하나님 나라」, 새물결플러스.

Goldingay, John. *Biblical Theology: The God of the Christian Scriptures*. Downers Grove, IL: InterVarsity Press, 2016.

★ Goldsworthy, Graeme. *According to Plan: The Unfolding Revelation of God in the Bible*. Downers

Grove, IL: InterVarsity Press, 1991. 「복음과 하나님의 계획」, 성서유니온선교회.

_________. *The Goldsworthy Trilogy*. Exeter, UK: Paternoster, 2000.

Hafemann, Scott J. *The God of Promise and the Life of Faith: Understanding the Heart of the Bible*. Wheaton, IL: Crossway, 2001. 「온전한 신뢰」, IVP.

Hafemann, Scott J., and Paul R. House, eds. *Central Themes in Biblical Theology*. Downers Grove, IL: InterVarsity Press, 2006.

Hamilton, James M., Jr. *God's Glory in Salvation through Judgment: A Biblical Theology*. Wheaton, IL: Crossway, 2010.

_________. *What Is Biblical Theology? A Guide to the Bible's Story, Symbolism, and Patterns*. Wheaton, IL: Crossway, 2013. 「성경 신학이란 무엇인가」, 부흥과개혁사.

Kaiser, Walter C., Jr. *The Promise-Plan of God: A Biblical Theology of the Old and New Testaments*. Grand Rapids: Zondervan, 2008.

_________. *Recovering the Unity of the Bible: One Continuous Story, Plan*, and Purpose. Grand Rapids: Zondervan, 2009.

★ Lawrence, Michael. *Biblical Theology in the Life of the Church: A Guide for Ministry*. 9Marks. Wheaton, IL: Crossway, 2010.

Niehaus, Jeffrey J. *Ancient Near Eastern Themes in Biblical Theology*. Grand Rapids: Kregel, 2008.

Ortlund, Dane C., and Miles V. Van Pelt, eds. Short Studies in Biblical Theology. Wheaton, IL: Crossway, 2015-present.

Piper, John. "The Goal of God in Redemptive History." In *Desiring God: Meditations of a Christian Hedonist*, 308-21. 3rd ed. Sisters, OR: Multnomah, 2003. 「하나님을 기뻐하라」, 생명의말씀사.

★ Roberts, Vaughan. *God's Big Picture: Tracing the Storyline of the Bible*. Downers Grove, IL: InterVarsity Press, 2002.

★ Schreiner, Thomas R. *The King in His Beauty: A Biblical Theology of the Old and New Testaments*. Grand Rapids: Baker Academic, 2013. 「성경 신학」, 부흥과개혁사.

VanGemeren, Willem A. *The Progress of Redemption: The Story of Salvation from Creation to the New Jerusalem*. Grand Rapids: Baker Academic, 1996. 「구원 계시의 발전사」, 솔로몬.

Vos, Geerhardus. *Biblical Theology: Old and New Testaments*. Grand Rapids: Eerdmans, 1948.

Wellum, Stephen J., and Brent E. Parker, eds. *Progressive Covenantalism: Charting a Course between Dispensational and Covenant Theologies*. Nashville: Broadman & Holman, 2016.

Wright, Christopher J. H. *The Mission of God: Unlocking the Bible's Grand Narrative*. Downers Grove, IL: InterVarsity Press, 2006. 「하나님의 선교」, IVP.

'성경 신학' 항목. In *NIV Zondervan Study Bible*, edited by D. A. Carson, 2629-96. Grand Rapids: Zondervan, 2015.

전-성경 성경 신학_ 주제, 화제, 상호참조 목록

⊙ Alexander, T. Desmond, and Brian S. Rosner, eds. *New Dictionary of Biblical Theology: Exploring the Unity and Diversity of Scripture*. Downers Grove, IL: InterVarsity Press, 2000. 「IVP 성경 신학 사전」, IVP.

Bond, Steve, ed. *Holman Concise Topical Concordance*. Nashville: Holman, 1998.

Carson, D. A., ed. New Studies in Biblical Theology. Leicester: Apollos; Downers Grove, IL: InterVarsity Press, 1995-present. A master Scripture index for all the volumes in the series is available at http://www.theGospelCoalition.org/pages/nsbt.

Clendenon, Ray, ed. NAC Studies in Bible and Theology. Nashville: Broadman & Holman, 2007-present.

Clontz, T. E., and J. Clontz. *The Comprehensive Bible Cross References*. Castroville, TX: Cornerstone, 2011.

Davis, John Jefferson. *Handbook of Basic Bible Texts: Every Key Passage for the Study of Doctrine and Theology*. Grand Rapids: Zondervan, 1984.

Dennis, Lane T., and Wayne Grudem, eds. Cross-references in *ESV Study Bible*. Wheaton, IL: Crossway, 2008. 「ESV 스터디 바이블」, 부흥과개혁사.

Elwell, Walter A., ed. *Evangelical Dictionary of Biblical Theology*. Grand Rapids: Baker, 1996.

________. *Topical Analysis of the Bible: A Survey of Essential Christian Doctrines*. Peabody, MA: Hendrickson, 2012.

Hafemann, Scott J., and Paul R. House, eds. *Central Themes in Biblical Theology*. Downers Grove, IL: InterVarsity Press, 2006.

Joy, Charles R. *Harper's Topical Concordance of the Bible*. 2nd ed. San Francisco: Harper & Row, 1976.

Nave, Orville J. *Nave's Topical Bible*. Peabody, MA: Hendrickson, 2002.

Ortlund, Dane C., and Miles V. Van Pelt, eds. Short Studies in Biblical Theology. Wheaton, IL: Crossway, 2015-present.

Smith, Jerome H., ed. *The New Treasury of Scripture Knowledge*. 2nd ed. Nashville: Thomas Nelson, 1992.

Thompson, Frank Charles, ed. *Thompson Chain-Reference Bible: New International Version*. Grand Rapids: Zondervan, 1983.

Torrey, R. A., and Timothy S. Morton. *The Treasury of Scripture Knowledge*. 3rd ed. Peabody,

MA: Hendrickson, 2010.

VanGemeren, Willem A., ed. *New International Dictionary of Old Testament Theology and Exegesis*. 5 vols. Grand Rapids: Zondervan, 1997.

Viening, Edward. *The Zondervan Topical Bible*. Grand Rapids: Zondervan, 1969.

다음 웹사이트에 있는 주제 단어 색인

- http://www.crosswalk.com/.
- http://www.biblestudytools.com/.
- http://www.studylight.org/.
- https://www.biblegateway.com/.

★ '성경 신학' 항목. In *NIV Zondervan Study Bible*, edited by D. A. Carson, 2629-96 and cross-references. Grand Rapids: Zondervan, 2015.

구약 신학

Botterweck, G. Johannes, Helmer Ringgren, and Heinz-Josef Fabry, eds. *Theological Dictionary of the Old Testament*. 15 vols. Grand Rapids: Eerdmans, 1974-2006.

Brueggemann, Walter. *Theology of the Old Testament: Testimony, Dispute, Advocacy*. Minneapolis: Fortress, 2005. 「구약 신학」, 기독교문서선교회.

Childs, Brevard S. *Old Testament Theology in a Canonical Context*. Philadelphia: Fortress, 1990. 「구약 신학」, 크리스천다이제스트.

Currid, John D. *Against the Gods: The Polemical Theology of the Old Testament*. Wheaton, IL: Crossway, 2013. 「고대 근동 신들과의 논쟁」, 새물결플러스.

★ Dempster, Stephen G. *Dominion and Dynasty: A Biblical Theology of the Hebrew Bible*. NSBT 15. Downers Grove, IL: InterVarsity Press, 2003.

★ DeRouchie, Jason S., ed. *What the Old Testament Authors Really Cared About: A Survey of Jesus' Bible*. Grand Rapids: Kregel, 2013.

Dumbrell, William J. *Covenant and Creation: An Old Testament Covenant Theology*. 2nd ed. Milton Keynes, UK: Paternoster, 2013. 「언약과 창조」, 크리스찬서적.

Eichrodt, Walther. *Theology of the Old Testament*. Translated by J. A. Baker. 2 vols. OTL. Philadelphia: Westminster, 1961, 1967.

Goldingay, John. *Israel's Faith*. Old Testament Theology 2. Downers Grove, IL: InterVarsity Press, 2006.

________. *Israel's Gospel*. Old Testament Theology 1. Downers Grove, IL: InterVarsity Press, 2003.

________. *Israel's Life*. Old Testament Theology 3. Downers Grove, IL: InterVarsity Press, 2009.

________. "Old Testament Theology and the Canon." *TynBul* 59, 1 (2008): 1-26.

Hasel, Gerhard F. *Old Testament Theology: Basic Issues in the Current Debate*. 4th ed. Grand Rapids: Eerdmans, 1991.

House, Paul R. *Old Testament Theology*. Downers Grove, IL: InterVarsity Press, 1998. 「구약 신학」, 기독교문서선교회.

Kaiser, Walter C., Jr. "The Theology of the Old Testament." In *Introductory Articles*, edited by Frank E. Gaebelein, 283-305. Expositor's Bible Commentary 1. Grand Rapids: Eerdmans, 1979.

________. *Toward an Old Testament Theology*. Grand Rapids: Zondervan, 1978.

Kaminski, Carol M. *Casket Empty: God's Plan of Redemption through History-Old Testament Study Guide*. Salem, MA: Casket Empty Media, 2012. 「구약을 읽다」, 죠이북스.

________. *Casket Empty Old Testament Timeline*. www.CasketEmpty.com. 「성경 연대표」, 죠이북스.

Kline, Meredith G. *Kingdom Prologue: Genesis Foundations for a Covenantal Worldview*. Overland Park, KS: Two Age, 2000.

Martens, Elmer A. "The Flowering and Floundering of Old Testament Theology." *NIDOTTE* 1:172-84.

________. *God's Design: A Focus on Old Testament Theology*. 4th ed. Eugene, OR: Wipf & Stock, 2015.

________. "Old Testament Theology Since Walter C. Kaiser Jr." *JETS* 50, 4 (2007): 673-91.

________. "Tackling Old Testament Theology." *JETS* 20, 2 (1977): 123-32.

McConville, J. G. *God and Earthly Power: An Old Testament Political Theology*. Edinburgh: T&T Clark, 2008.

Merrill, Eugene H. *Everlasting Dominion: A Theology of the Old Testament.* Nashville: Broadman & Holman, 2006. 「구약 신학」, 크리스찬출판사.

Moberly, R. W. L. *The Old Testament of the Old Testament: Patriarchal Narratives and Mosaic Yahwism*. Eugene, OR: Wipf & Stock, 2001.

________. *Old Testament Theology: Reading the Old Testament as Christian Scripture*. Grand Rapids: Baker Academic, 2013.

________. "Theology of the Old Testament." In *The Face of Old Testament Studies: A Survey of Contemporary Approaches*, edited by David W. Baker and Bill T. Arnold, 452-78. Grand Rapids: Baker Academic, 2004.

Ollenberger, Ben C., ed. *Old Testament Theology: Flowering and Future*. 2nd ed. SBTS 1. Winona Lake, IN: Eisenbrauns, 2004.

Payne, J. Barton, and R. Alan Cole. "Old Testament Theology." *ZEB* 4:581-94.

Preuss, Horst Dietrich. *Old Testament Theology*. 2 vols. OTL. Louisville: Westminster John Knox, 1995.

Rad, Gerhard von. *Old Testament Theology*. 2 vols. OTL. Louisville: Westminster John Knox, 2001.

Rendtorff, Rolf. *The Canonical Hebrew Bible: A Theology of the Old Testament*. Leiden: Deo, 2005.

Sailhamer, John. H. *Introduction to Old Testament Theology: A Canonical Approach*. Grand Rapids: Zondervan, 1995.

________. *The Meaning of the Pentateuch: Revelation, Composition, and Interpretation*. Downers Grove, IL: InterVarsity Press, 2009. 「모세오경 신학」, 새물결플러스.

Schultz, Richard L. "Integrating Old Testament Theology and Exegesis: Literary, Thematic, and Canonical Issues." *NIDOTTE* 1:185-205.

Smith, Ralph L. *Old Testament Theology: Its History, Method, and Message*. Nashville: Broadman & Holman, 1994.

⭘ VanGemeren, Willem A., ed. *New International Dictionary of Old Testament Theology and Exegesis*. 5 vols. Grand Rapids: Zondervan, 1997.

★ Van Pelt, Miles V., ed. *A Biblical-Theological Introduction to the Old Testament: The Gospel Promised*. Wheaton, IL: Crossway, 2016. 「성경 신학적 구약 개론」, 부흥과개혁사.

Waltke, Bruce K., and Charles Yu. *An Old Testament Theology: A Canonical and Thematic Approach*. Grand Rapids: Zondervan, 2006. 「구약 신학」, 부흥과개혁사.

Wright, Christopher J. H. *Old Testament Ethics for the People of God*. Downers Grove, IL: InterVarsity Press, 2004. 「현대를 위한 구약 윤리」, IVP.

Zimmerli, Walther. *Old Testament Theology in Outline*. Atlanta: John Knox, 1978.

Zuck, Roy B., ed. *A Biblical Theology of the Old Testament*. Chicago: Moody, 1991.

신약 신학

⭘ Beale, G. K. *A New Testament Biblical Theology: The Unfolding of the Old Testament in the New*. Grand Rapids: Baker Academic, 2011. 「신약 성경 신학」, 부흥과개혁사.

Bird, Michael F. "New Testament Theology Re-Loaded: Integrating Biblical Theology and Christian Origins." *TynBul* 60, 2 (2008): 265-91.

Carson, D. A. "New Testament Theology." *DLNT* 796-814.

Emerson, Matthew Y. *Christ and the New Creation: A Canonical Approach to the Theology of the New Testament*. Eugene, OR: Wipf & Stock, 2013.

Goppelt, Leonhard. *Theology of the New Testament*. Edited by Jürgen Roloff. Translated by John E. Alsup. 2 vols. Grand Rapids: Eerdmans, 1981. 「신약 신학」, 크리스천다이제스트.

Guthrie, Donald. *New Testament Theology*. Downers Grove, IL: InterVarsity Press, 1981. 「신약 신학」, 기독교문서선교회.

Hasel, Gerhard F. *New Testament Theology: Basic Issues in the Current Debate*. Grand Rapids: Eerdmans, 1978.

Helyer, Larry R. *The Witness of Jesus, Paul, and John: An Exploration in Biblical Theology*. Downers Grove, IL: InterVarsity Press, 2008.

Kittel, Gerhard, and Gerhard Friedrich, eds. *Theological Dictionary of the New Testament*. Translated by Geoffrey W. Bromiley. 10 vols. Grand Rapids: Eerdmans, 1964-76.

★ Kruger, Michael J., ed. *A Biblical-Theological Introduction to the New Testament: The Gospel Realized*. Wheaton, IL: Crossway, 2016. 「성경 신학적 신약 개론」, 부흥과개혁사.

Ladd, George Eldon. *A Theology of the New Testament*. Edited by Donald A. Hagner. 2nd ed. Grand Rapids: Eerdmans, 1993. 「신약 신학」, 대한기독교서회.

Longenecker, Bruce W. "New Testament Theology." *ZEB* 4:474-81.

Marshall, I. Howard. *A Concise New Testament Theology*. Downers Grove, IL: InterVarsity Press, 2008.

________. *New Testament Theology: Many Witnesses, One Gospel*. Downers Grove, IL: InterVarsity Press, 2004. 「신약 성서 신학」, 크리스천다이제스트.

Palmer, David L. *Casket Empty: God's Plan of Redemption through History-New Testament Study Guide*. Salem, MA: Casket Empty Media, 2016. 「신약을 읽다」, 죠이북스.

________. *Casket Empty New Testament Timeline*. www.CasketEmpty.com. 「성경 연대표」, 죠이북스.

Ridderbos, Herman N. *When the Time Had Fully Come: Studies in New Testament Theology*. Grand Rapids: Eerdmans, 1957.

Ryrie, Charles C. *Biblical Theology of the New Testament*. Chicago: Moody, 1959.

Schreiner, Thomas R. *Magnifying God in Christ: A Summary of New Testament Theology*. Grand Rapids: Baker Academic, 2010. 「간추린 신약 신학」, 기독교문서선교회.

★________. *New Testament Theology: Magnifying God in Christ*. Grand Rapids: Baker Academic, 2008. 「신약 신학」, 부흥과개혁사.

✪ Silva, Moisés, ed. *New International Dictionary of New Testament Theology and Exegesis*. 2nd ed. 5 vols. Grand Rapids: Zondervan, 2014.

Strecker, Georg. *Theology of the New Testament*. Louisville: Westminster John Knox, 2000.

Thielman, Frank. *Theology of the New Testament: A Canonical and Synthetic Approach*. Grand

Rapids: Zondervan, 2005. 「신약 신학」, 기독교문서선교회.

Witherington, Ben, III. *The Indelible Image: The Theological and Ethical Thought World of the New Testament*. 2 vols. Downers Grove, IL: InterVarsity Press, 2009.

Wright, N. T. *Jesus and the Victory of God*. Minneapolis: Fortress, 1997. 「예수와 하나님의 승리」, 크리스천다이제스트.

________. *The New Testament and the People of God*. Minneapolis: Fortress, 1992. 「신약 성서와 하나님의 백성」, 크리스천다이제스트.

________. *Paul and the Faithfulness of God*. 2 vols. Minneapolis: Fortress, 2013. 「바울과 하나님의 신실하심」, 크리스천다이제스트.

________. *The Resurrection of the Son of God*. Minneapolis: Fortress, 2003. 「하나님의 아들의 부활」, 크리스천다이제스트.

Zuck, Roy B., ed. *A Biblical Theology of the New Testament*. Chicago: Moody, 1994. 「신약 성경 신학」, 크리스찬출판사.

언약을 통한 하나님 나라

Baker, David L. "Covenant." In *Two Testaments, One Bible: The Theological Relationship between the Old and New Testaments*, 237-64. 3rd ed. Downers Grove, IL: InterVarsity Press, 2010. 「구약과 신약의 관계」, 부흥과개혁사.

Barrick, William D. "Inter-Covenantal Truth and Relevance: Leviticus 26 and the Biblical Covenants." *MSJ* 21, 1 (2010): 81-102.

________. "The Kingdom of God in the Old Testament." *MSJ* 23, 2 (2012): 173-92.

________. "The Mosaic Covenant." *MSJ* 10, 2 (1999): 213-32.

________. "New Covenant Theology and the Old Testament Covenants." *MSJ* 18, 2 (2007): 165-80.

Bateman, Herbert W., IV, ed. *Three Central Issues in Contemporary Dispensationalism: A Comparison of Traditional and Progressive Views*. Grand Rapids: Kregel, 1999.

Beckwith, Roger T. "The Unity and Diversity of God's Covenants." *TynBul* 38 (1987): 93-118.

Blaising, Craig A. "A Critique of Gentry and Wellum's *Kingdom through Covenant*: A Hermeneutical-Theological Response." *MSJ* 26, 1 (2015): 111-27.

Blaising, Craig A., and Darrell L. Bock, eds. *Dispensationalism, Israel and the Church: The Search for Definition*. Grand Rapids: Zondervan, 1992.

________. *Progressive Dispensationalism*. Grand Rapids: Baker, 1993. 「점진적 세대주의」, 기독교문서선교회.

Bock, Darrell L. "A Critique of Gentry and Wellum's *Kingdom through Covenant*: A New

Testament Perspective." MSJ 26, 1 (2015): 139-45.

Brand, Chad Owen, ed. *Perspectives on Israel and the Church: 4 Views*. Nashville: Broadman & Holman, 2015.

Bright, John. *The Kingdom of God: The Biblical Concept and Its Meaning for the Church*. New York: Abingdon, 1953. 「하나님의 나라」, 크리스천다이제스트.

Chalmers, Aaron. "The Importance of the Noahic Covenant to Biblical Theology." *TynBul* 60, 2 (2009): 206-16.

Compton, R. Bruce. "Dispensationalism, the Church, and the New Covenant." *DBSJ* 8 (2003): 3-48.

Cowan, Christopher W. "The Warning Passages of Hebrews and the New Covenant Community." In *Progressive Covenantalism: Charting a Course between Dispensational and Covenant Theologies*, edited by Stephen J. Wellum and Brent E. Parker, 189-213. Nashville: Broadman & Holman, 2016.

Dean, David Andrew. "Covenant, Conditionality, and Consequence: New Terminology and a Case Study in the Abrahamic Covenant." *JETS* 57, 2 (2014): 281-308.

Decker, Rodney J. "The Church's Relationship to the New Covenant: Part 1." *BSac* 152 (1995): 290-305.

________. "The Church's Relationship to the New Covenant: Part 2." *BSac* 152 (1995): 431-56.

Dempster, Stephen G. *Dominion and Dynasty: A Biblical Theology of the Hebrew Bible*. NSBT 15. Downers Grove, IL: InterVarsity Press, 2003. 「하나님 나라 관점으로 읽는 구약 신학」, 부흥과개혁사.

DeRouchie, Jason S. "Counting Stars with Abraham and the Prophets: New Covenant Ecclesiology in OT Perspective." *JETS* 58, 3 (2015): 445-85.

________. "Father of a Multitude of Nations: New Covenant Ecclesiology in OT Perspective." In *Progressive Covenantalism: Charting a Course between Dispensational and Covenant Theologies*, edited by Stephen J. Wellum and Brent E. Parker, 7-38. Nashville: Broadman & Holman, 2016.

________. "From Condemnation to Righteousness: A Christian Reading of Deuteronomy." *SBJT* 18, 3 (2014): 87-118.

________. Review of *Kingdom through Covenant: A Biblical-Theological Understanding of the Covenants*, by Peter J. Gentry and Stephen J. Wellum. *BBR* 23 (2013): 110-13.

Dumbrell, William J. *Covenant and Creation: An Old Testament Covenant Theology*. 2nd ed. Milton Keynes, UK: Paternoster, 2013. 「언약과 창조」, 크리스챤서적.

________. "The Prospect of Unconditionality in the Sinaitic Covenant." In *Israel's Apostasy and*

Restoration: Essays in Honor of Roland K. Harrison, edited by Avraham Gileadi, 141-55. Grand Rapids: Baker Academic, 1988.

Eichrodt, Walther. *Theology of the Old Testament*. Translated by J. A. Baker. 2 vols. OTL. Philadelphia: Westminster, 1961, 1967.

Feinberg, John S., ed. *Continuity and Discontinuity: Perspectives on the Relationship between the Old and New Testaments: Essays in Honor of S. Lewis Johnson Jr*. Westchester, IL: Crossway, 1988.

Fensham, F. Charles. "The Covenant as Giving Expression to the Relationship between Old and New Testament." *TynBul* 22 (1971): 82-94.

Fuller, Daniel P. *Gospel and Law: Contrast or Continuum-The Hermeneutics of Dispensationalism and Covenant Theology*. Grand Rapids: Eerdmans, 1980.

Gentry, Peter J., and Stephen J. Wellum. *God's Kingdom through God's Covenants: A Concise Biblical Theology*. Wheaton, IL: Crossway, 2015.

○_______. *Kingdom through Covenant: A Biblical-Theological Understanding of the Covenants*. Wheaton, IL: Crossway, 2012. 「언약과 하나님 나라」, 새물결플러스.

Gladd, Benjamin L., and Matthew S. Harmon. *Making All Things New: Inaugurated Eschatology for the Life of the Church*. Grand Rapids: Baker Academic, 2016. 「하나님 나라와 교회 생활」, 부흥과개혁사.

Goldsworthy, Graeme. "Kingdom of God." *NDBT* 615-20.

Gray, Richard W. "A Comparison between the Old Covenant and the New Covenant." *WTJ* 4, 1 (1941): 1-30.

Grisanti, Michael A. "A Critique of Gentry and Wellum's *Kingdom through Covenant*: An Old Testament Perspective." *MSJ* 26, 1 (2015): 129-37.

________. "The Davidic Covenant." *MSJ* 10 (1999): 234-50.

Hafemann, Scott J. "The Covenant Relationship." In *Central Themes in Biblical Theology: Mapping Unity in Diversity*, edited by Scott J. Hafemann and Paul R. House, 20-65. Grand Rapids: Baker Academic, 2007.

________. "The Kingdom of God as the Mission of God." In *For the Fame of God's Name: Essays in Honor of John Piper*, edited by Sam Storms and Justin Taylor, 235-52. Wheaton, IL: Crossway, 2010.

Hahn, Scott. "Covenant in the Old and New Testaments: Some Current Research (1994-2004)." *CurBR* 3, 2 (2005): 263-92.

________. *Kinship by Covenant: A Canonical Approach to the Fulfillment of God's Saving Promises*. Anchor Yale Bible Reference Library. New Haven, CT: Yale University Press, 2009.

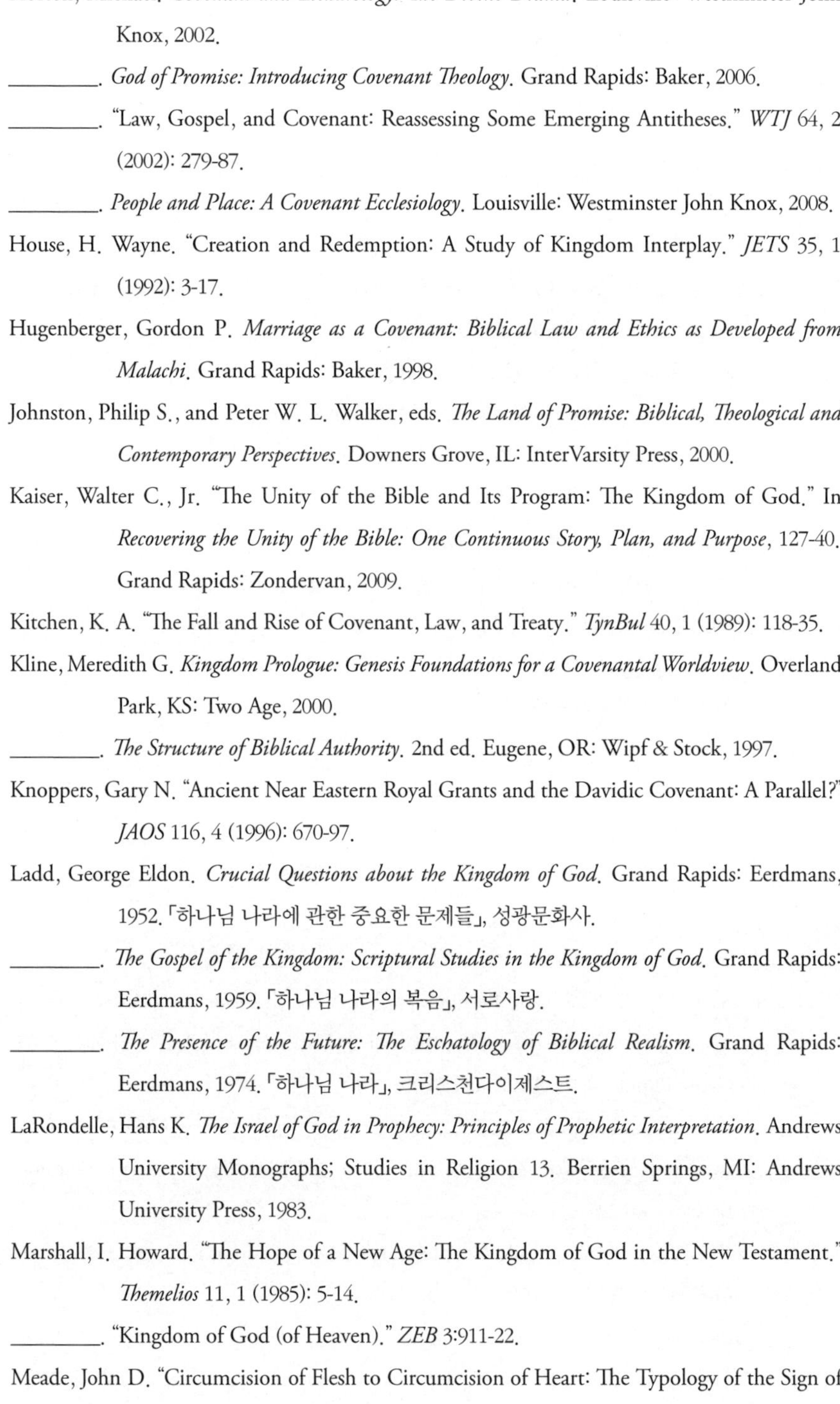

Horton, Michael. *Covenant and Eschatology: The Divine Drama*. Louisville: Westminster John Knox, 2002.

________. *God of Promise: Introducing Covenant Theology*. Grand Rapids: Baker, 2006.

________. "Law, Gospel, and Covenant: Reassessing Some Emerging Antitheses." *WTJ* 64, 2 (2002): 279-87.

________. *People and Place: A Covenant Ecclesiology*. Louisville: Westminster John Knox, 2008.

House, H. Wayne. "Creation and Redemption: A Study of Kingdom Interplay." *JETS* 35, 1 (1992): 3-17.

Hugenberger, Gordon P. *Marriage as a Covenant: Biblical Law and Ethics as Developed from Malachi*. Grand Rapids: Baker, 1998.

Johnston, Philip S., and Peter W. L. Walker, eds. *The Land of Promise: Biblical, Theological and Contemporary Perspectives*. Downers Grove, IL: InterVarsity Press, 2000.

Kaiser, Walter C., Jr. "The Unity of the Bible and Its Program: The Kingdom of God." In *Recovering the Unity of the Bible: One Continuous Story, Plan, and Purpose*, 127-40. Grand Rapids: Zondervan, 2009.

Kitchen, K. A. "The Fall and Rise of Covenant, Law, and Treaty." *TynBul* 40, 1 (1989): 118-35.

Kline, Meredith G. *Kingdom Prologue: Genesis Foundations for a Covenantal Worldview*. Overland Park, KS: Two Age, 2000.

________. *The Structure of Biblical Authority*. 2nd ed. Eugene, OR: Wipf & Stock, 1997.

Knoppers, Gary N. "Ancient Near Eastern Royal Grants and the Davidic Covenant: A Parallel?" *JAOS* 116, 4 (1996): 670-97.

Ladd, George Eldon. *Crucial Questions about the Kingdom of God*. Grand Rapids: Eerdmans, 1952. 「하나님 나라에 관한 중요한 문제들」, 성광문화사.

________. *The Gospel of the Kingdom: Scriptural Studies in the Kingdom of God*. Grand Rapids: Eerdmans, 1959. 「하나님 나라의 복음」, 서로사랑.

________. *The Presence of the Future: The Eschatology of Biblical Realism*. Grand Rapids: Eerdmans, 1974. 「하나님 나라」, 크리스천다이제스트.

LaRondelle, Hans K. *The Israel of God in Prophecy: Principles of Prophetic Interpretation*. Andrews University Monographs; Studies in Religion 13. Berrien Springs, MI: Andrews University Press, 1983.

Marshall, I. Howard. "The Hope of a New Age: The Kingdom of God in the New Testament." *Themelios* 11, 1 (1985): 5-14.

________. "Kingdom of God (of Heaven)." *ZEB* 3:911-22.

Meade, John D. "Circumcision of Flesh to Circumcision of Heart: The Typology of the Sign of the Abrahamic Covenant." In *Progressive Covenantalism: Charting a Course between Dispensational and Covenant Theologies*, edited by Stephen J. Wellum and Brent E. Parker, 127-58. Nashville: Broadman & Holman, 2016.

⊙ Meyer, Jason C. *The End of the Law: Mosaic Covenant in Pauline Theology*. NAC Studies in Bible and Theology 7. Nashville: Broadman & Holman, 2009.

Morgan, Christopher W., and Robert A. Peterson, eds. *The Kingdom of God*. Theology in Community. Wheaton, IL: Crossway, 2012.

Niehaus, Jeffrey J. "An Argument against Theologically Constructed Covenants." *JETS* 50, 2 (2007): 259-73.

________. *Biblical Theology*. Vol. 1, *The Common Grace Covenants*. Wooster, OH: Weaver, 2014.

________. "Covenant and Narrative, God and Time." *JETS* 53, 3 (2010): 535-59.

________. "Covenant: An Idea in the Mind of God." *JETS* 52, 2 (2009): 225-46.

________. *God at Sinai: Covenant and Theophany in the Bible and Ancient Near East*. SOTBT. Grand Rapids: Zondervan, 1995. 「시내산의 하나님」, 이레서원.

________. "God's Covenant with Abraham." *JETS* 56, 2 (2013): 249-71.

Payne, J. Barton. "Covenant (NT)." *ZEB* 1:1063-69.

________. "Covenant (OT)." *ZEB* 1:1051-63.

________. "Covenant, the New." *ZEB* 1:1071-76.

Pentecost, J. Dwight. *Thy Kingdom Come: Tracing God's Kingdom Program and Covenant Promises throughout History*. Grand Rapids: Kregel, 1995.

Robertson, O. Palmer. *The Christ of the Covenants*. Phillipsburg, NJ: Presbyterian and Reformed, 1987. 「계약 신학과 그리스도」, 개혁주의신학사.

________. *The Israel of God: Yesterday, Today, and Tomorrow*. Phillipsburg, NJ: P&R Publishing, 2000. 「하나님의 이스라엘」, 기독교문서선교회.

Schreiner, Thomas R. "Part 1: The Fulfillment of God's Saving Promises: The Already-Not Yet." In *New Testament Theology: Magnifying God in Christ*, 39-116. Grand Rapids: Baker Academic, 2008. 「신약 신학」, 부흥과개혁사.

Snoeberger, Mark A. "A Review Article: *Kingdom through Covenant: A Biblical-Theological Understanding of the Covenants*." *DBSJ* 17 (2012): 99-103.

Stallard, Mike, ed. *Dispensational Understanding of the New Covenant: 3 Views*. Schaumburg, IL: Regular Baptist, 2012.

Stein, Robert H. "Kingdom of God." *EDBT* 451-54.

Strickland, Wayne G. "Preunderstanding and Daniel Fuller's Law-Gospel Continuum." *BSac* 144 (1987): 181-93.

Vlach, Michael J. *Has the Church Replaced Israel? A Theological Evaluation*. Nashville: Broadman & Holman, 2010.

________. "Have They Found a Better Way? An Analysis of Gentry and Wellum's *Kingdom through Covenant*." *MSJ* 24, 1 (2013): 5-24.

________. "The Kingdom of God and the Millennium." *MSJ* 23, 2 (2012): 225-54.

________. "New Covenant Theology Compared with Covenantalism." *MSJ* 18 (2007): 201-19.

________. "What Does Christ as 'True Israel' Mean for the Nation Israel? A Critique of the Non-Dispensational Understanding." *MSJ* 23, 1 (2012): 43-54.

Waltke, Bruce K. "The Phenomenon of Conditionality within Unconditional Covenants." In *Israel's Apostasy and Restoration: Essays in Honor of Roland K. Harrison*, edited by Avraham Gileadi, 123-39. Grand Rapids: Baker Academic, 1988.

★ Wells, Tom, and Fred G. Zaspel. *New Covenant Theology: Description, Definition, Defense*. Frederick, MD: New Covenant Media, 2002.

Wellum, Stephen, J. "Baptism and the Relationship between the Covenants." In *Believer's Baptism: Sign of the New Covenant in Christ*, edited by Thomas R. Schreiner and Shawn D. Wright, 97-161. NAC Studies in Bible and Theology. Nashville: Broadman & Holman, 2007.

Wellum, Stephen J., and Brent E. Parker, eds. *Progressive Covenantalism: Charting a Course between Dispensational and Covenant Theologies*. Nashville: Broadman & Holman, 2016.

White, James R. "The Newness of the New Covenant: Better Covenant, Better Mediator, Better Sacrifice, Better Ministry, Better Hope, Better Promises (Part 1)." *RBTR* 1, 2 (2004): 144-68.

________. "The Newness of the New Covenant: Better Covenant, Better Mediator, Better Sacrifice, Better Ministry, Better Hope, Better Promises (Part 2)." *RBTR* 2, 1 (2005): 83-104.

Williamson, Paul R. "Covenant." *NDBT* 419-29.

________. *Sealed with an Oath: Covenant in God's Unfolding Purpose*. NSBT 23. Downers Grove, IL: InterVarsity Press, 2007.

Wright, N. T. *The Climax of the Covenant: Christ and the Law in Pauline Theology*. Minneapolis: Fortress, 1993.

Zaspel, Fred G. *The New Covenant and New Covenant Theology*. Frederick, MD: New Covenant Media, 2011.

'그리스도인들과 구약 율법', '구약에서 그리스도와 복음을 보는 것과 맛보는 것'에 대해서는 12장 추가 연구 자료를 보라.

How to Understand and Apply the Old Testament

11장
조직 신학

목표_ 우리가 연구하는 본문이 신학적으로 전체 성경과 어떻게 일관되는지 분별한다. 특히 복음과 직접 관련된 핵심 교리들을 평가해 본다.

여정의 단계

1부 텍스트
2부 관찰
3부 맥락
4부 의미_ 본문은 무엇을 의미하는가
10장 성경 신학
11장 조직 신학
5부 적용

기본 개관

조직 신학이란 무엇인가
어떻게 조직 신학을 공부할 것인가
조직 신학에서 특정 텍스트 연구의 두 가지 예

표11.1. 11장 길 안내

조직 신학이란 무엇인가

대체로 말해서 **조직 신학**(systematic theology)은 우리가 적절한 세계관을 형성하도록 돕기 위해 만들어진 성경 교리 연구다. 이때 세계관이란, 제임스 사이어(James Sire)가 "이야기의 형태로, 또는 실재의 근본적 구성에 대해 우리가 보유한 일련의 전제로 표현되는 것으로, 우리가 살고 움직이고 몸담을 수 있는 토대를 제공해 주는 하나의 결단이자 근본적인 마음의 지향"[1]이라고 정의한 것을 말한다. 조직 신학은 성경이 실재를 바르게 이해한다는 것을 당연하게 여기며, 성경이 무엇보다 중요한 통일성을 지니고 있다고 추정하면서도, 계시는 진전되고 구속사는 발전된다고 단언한다. 조직 신학에서 우리는 "전체 성경은 X에 대해 무엇이라고 말하는가?"라는 질문에 대한 대답을 찾는다.

해석 과정에서 조직 신학을 고찰하는 단계는 더 구체적으로 말하자면, "우리의 본문은 전체 성경과 신학적으로 어떻게 일관되는가?" 또는 "이 본문이 기여하는 교리들은 무엇인가?"라고 묻는 것이다.

전통적으로 조직 신학은 적어도 열 가지 범주로 나뉘진다.

- **신론**('하나님'에 대한 교리)
- **성경론**('성경'에 대한 교리)
- **천사론**('천사와 마귀'에 대한 교리)
- **인간론**('인간'에 대한 교리)
- **죄론**('죄'에 대한 교리)
- **기독론**('그리스도'에 대한 교리)
- **구원론**('구원'에 대한 교리)
- **성령론**('성령'에 대한 교리)

---

1 James W. Sire, *The Universe Next Door: A Basic Worldview Catalog* (Downers Grove, IL: InterVarsity Press, 2004)(『기독교 세계관과 현대사상』, IVP), 17쪽.

- **교회론**('교회'에 대한 교리)
- **종말론**('종말의 때 또는 마지막 것들'에 대한 교리)

교회 내에서 각 주제에 대해 서로 관점이 다를 때, 갖가지 신학적 진영이 생겨난다. 예를 들어, 칼뱅주의자들과 아르미니우스주의자들은 신론, 인간론, 죄론, 구원론에서 서로 의견이 다르다. 상보주의자들과 평등주의자들은 인간론과 교회론에서 서로 다르다. 전통적 언약주의자, 점진적 언약주의자, 세대주의자는 주로 교회론과 종말론에서 의견이 갈린다. 그리고 정치적 조직체의 차이는 주로 교회론과 관련된다.

모든 교리 문제가 비중이 같은 것은 아니라는 사실을 인식하는 것이 중요하다. 예수께서 율법이 어떤 문제를 다른 문제보다 더 "중한" 것으로 다룬다고 말씀하셨듯이(마 23:23), 바울도 자신이 전파한 **복음**이 "가장 중요한 것"(고전 15:3, 현대인의성경)이라고 강조했다. 다른 가르침들도 중요하다. 그러나 통치하시는 하나님이 그리스도 예수의 삶과 죽음과 부활을 통해 믿는 죄인들을 구원하시고 만족케 하신다는 복된 소식보다 더 기본이 되는 것은 없다.

앨버트 몰러(Albert Mohler)는 서로 다른 교리들의 경중을 따지는 것을 **신학적 선별**(theological triage)이라 칭했다.[2] 선별(triage)이라는 용어는 의학에서 많은 수의 환자나 부상자의 치료 순서를 결정하기 위해 상처나 질병의 긴급함 정도를 지정하는 말로 자주 쓰인다. 조직 신학에서 신학적 선별에는 교회가 가장 주의를 기울여야 하는 교리들을 평가하는 것이 포함된다. 열심인 해설자들에게 이것은 본문의 교리를 1차나 2차, 3차로 분류하는 것을 의미한다.

1. 레벨1_기독교에 본질적인 교리들

교리에서 1차 쟁점들은 기독교에 가장 중심이 되고 본질적인 것들이다. 이 쟁점들을 부인하면서 그리스도인이 될 수는 없다. 몰러는 여기에 삼위일체, 예수 그리스도의

---

2 R. Albert Mohler Jr., "Confessional Evangelicalism," in *Four Views on the Spectrum of Evangelicalism*, Andrew David Naselli and Collin Hansen 편집, Counterpoints (Grand Rapids: Zondervan, 2011), 77-80쪽, 또한 http://www.albertmohler.com/2005/07/12/a-call-for-theological-triage-and-christian-maturity/을 보라. 어떤 사람들은 이 레벨들을 (1) 도그마 (2) 교리 (3) 차이라고 말하거나 (1) 절대적인 것 (2) 확신 (3) 견해와 질문 또는 (1) 본질적인 것 (2) 중요한 것 또는 (3) 비본질적인 것이라고 말한다.

표11.2. 신학적 선별

온전한 신성과 인성, 이신칭의, 성경의 권위 등을 포함시킨다.

2. 레벨2_ 합리적 경계들을 만들어 내는 교리들

2차 쟁점들은 보통 교단과 지역 교회를 구분해 주는 것들이다. 이 쟁점들은 보통 최고 수준의 논쟁을 불러일으키는 것, 보통 특정 형태의 성경 해석에 근거하고 있는 것, 그리스도인들 간에 합리적 경계들을 만들어 내는 것들이다. 몰러는 여기에 세례의 의미와 양식에 대한 교리, 가정과 교회에서 여자의 역할에 대한 견해들을 포함시킨다. 필자는 여기에 구원에서 하나님의 주권 문제, 그리고 이혼과 재혼 문제를 추가하고자 한다. 2차 쟁점에 해당하는 교리들에서 의견이 다르다고 해서 어떤 사람이 그리스도인이 되거나 되지 않는 것은 아니다. 하지만 대부분의 지역 교회들은 자기 교회 지도자들이 이 문제들에 대해 의견이 다르다면 어려움을 겪을 것이다.

3. 레벨3_ 사소한 불일치를 다루는 교리들

3차 쟁점들이란 그리스도인들, 심지어 같은 회중 안에서도 특정 문제에 대해 서로 의견이 다르지만 여전히 친밀한 교제를 나눌 수 있는 것들을 말한다. 때로 이것은 양심이나 실천의 문제이기도 하다. 이를테면 "그리스도인은 할로윈에 참여해야 하는가?" 또는 "자녀를 공립학교, 사립학교, 사립 기독교 학교, 홈스쿨 중 어디에서 교육하는 것이 가장 좋은가?" 같은 것이다. 때로 이 쟁점들은 일상생활에 거의 영향을 주지 않는 단순한 논쟁이다. 로마서 14장 1절-15장 7절에서 바울은 음식, 포도주, 거룩한 날들에 관해 믿음 안에서 강하거나 약한 그리스도인들이 어떻게 서로를 판단하지 말고 환영

해야 하는지 다룬다. 여기서 바울은 논의할 만한 여지가 있는 양심의 문제를 다루고 있다. 몰러는 이 쟁점들에 천년왕국에 대한 문제들, 그리스도가 재림하시는 시기와 그 순서에 관련된 문제들을 포함시킨다.[3]

특정 교리들이 다른 교리들보다 중요하다는 말은 그리스도인들이 어떤 성경 진리를 별로 진지하지 않은 자세로 다루어도 된다는 뜻은 **아니다**. 사소한 교리는 없다. 하지만 다른 교리보다 더 근본적이며(더 기초가 되며), 성경의 진리 체계 전체를 뒷받침하고 그것을 형성하는 특정 교리들은 있다. 게다가 어떤 교리가 어떤 층에 포함되든 상관없이, 그 교리에 대한 확신이 다른 층에 있는 교리를 이해하는 데 영향을 끼칠 수 있다는 것을 깨닫는 것이 중요하다. 예를 들어, 칭의의 본질(1차 쟁점에 해당하는 문제)은 세례의 의미(2차 쟁점에 해당하는 문제)를 이해하는 데 영향을 끼칠 것이다.

본문을 깊이 연구할 때는 그것이 전체 성경과 신학적으로 어떻게 일관되며, 무슨 교리를 다루는지 반드시 질문해 보라. 표11.3은 성경 신학과 조직 신학을 구분하는 핵심을 밝혀 준다.[4]

	성경 신학	조직 신학
권위의 기초	정경으로서의 성경	정경으로서의 성경
배열 원리	1. 유기적, 역사적, 정경적 2. 귀납적, 비교적, 가능한 한 통시적, 성경 전체의 틀을 형성하는 구원사를 추적함	1. 몰역사적, 보편적 2. 주제별, 논리적, 계층적, 가능한 한 공시적
과업과 형태	1. 귀납적이고 묘사적. 그 결과의 신빙성에 의해 규범적 권력을 얻음 2. 문화에서는 조금 더 멀지만 성경 본문에 조금 더 가까움 3. 합리성을 추구하며 각 문학 장르나 정경 단위의 특징을 전달함	1. 문화에 관여하고 심지어 대결하는 마음으로 성경이 말하는 것을 다시 표현함 2. 세계관을 형성하는 성질을 지니고 있기 때문에 다른 모든 분야(주해, 성경 신학, 역사 신학)에 가장 큰 영향을 끼치면서 문화에 조금 더 가까이 감 3. 세계관을 형성하는 큰 규모의 통합을 추구하면서, 성경의 다양한 합리성을 통합함
본질	다리를 놓는 연구 분야	완결시키는 연구 분야

표11.3. 성경 신학 대 조직 신학

3 이 사소한 불일치들을 밝히고 연구하는 가장 좋은 책은 Andrew David Naselli and J. D. Crowley, *Conscience: What It Is, How to Train It, and Loving Those Who Differ* (Wheaton, IL: Crossway, 2016)다. 우리는 쉽게 더 많은 예를 들 수 있지만, 그들은 그리스도인들이 자신의 양심에 맞게 조정하려 애써야 하는 스물일곱 개의 예 목록을 제공한다(80-81쪽). 또한 신학적 선별에 대한 대단히 유용한 개관도 제공한다(85-87쪽).

4 이 차이들에 대해 더 알려면 D. A. Carson, "Systematic Theology and Biblical Theology," *NDBT* 102-03쪽을 보라.

어떻게 조직 신학을 공부할 것인가[5]

성경의 교리에 접근하기란 가벼운 일이 아니다. 우리는 주어진 주제에 대해 성경에서 하나님이 계시하신 것을 전부 파악하려 애쓰기 때문이다. 필자는 조직 신학에 대해 다음과 같은 접근법을 제안한다.

1. 하나님께 이성을 겸비한 통찰과 사랑을 겸비한 겸손을 간구하라

교리를 추구할 때 늘 기도로 시작해야 하는 적어도 두 가지 이유가 있다. 첫째, 우리가 하나님을 의지하여 엄격하게 사고하는 일에서 실패하는 수치를 당하지 않기 위해서다. 바울은 고린도 교인들에게 "악에는 어린아이가 되라 지혜에는 장성한 사람이 되라"(고전 14:20)고 명했다. 마찬가지로, 그는 디모데에게 "내가 말하는 것을 생각해 보라 주께서 범사에 네게 총명을 주시리라 …… 너는 진리의 말씀을 옳게 분별하며 부끄러울 것이 없는 일꾼으로 인정된 자로 자신을 하나님 앞에 드리기를 힘쓰라"(딤후 2:7, 15)고 말했다. 이 텍스트들은 올바른 교리를 추구하는 것이 하나님의 책인 성경에 대해, 하나님을 의지하여 엄격하게 사고하는 것을 포함하리라는 점을 강조한다. 그러지 못할 때 초래하는 위험은 심각하다. 베드로가 말하듯이 "그[바울의] 모든 편지에도 이런 일에 관하여 말하였으되 그중에 알기 어려운 것이 더러 있으니 무식한 자들과 굳세지 못한 자들이 다른 성경과 같이 그것도 억지로 풀다가 스스로 멸망에 이르[기]"(벧후 3:16) 때문이다. 하나님 말씀을 잘못 다루는 사람들은 멸망에 이른다. 그 추구는 매우 심각한 것이기 때문에, 그리고 하나님을 의지하는 엄격한 사고가 필요하기 때문에, 우리는 하나님이 "내 눈을 열어서 주의 율법에서 놀라운 것을 보게"(시 119:18) 하시기를 기도해야 한다.

둘째, 우리는 성경이 요구하는 경험적 지식을 얻기 위해 성령의 도우심이 필요하다. 야고보는 우리에게 이렇게 경고한다. "너희는 말씀을 행하는 자가 되고 듣기만 하여 자

---

5 이 부분의 형태 중 일부는 Wayne A. Grudem, *Systematic Theology: An Introduction to Biblical Doctrine* (Grand Rapids: Zondervan, 1994)(『웨인 그루뎀의 조직신학』, 은성), 32-37쪽 내용을 수정한 것이다.

신을 속이는 자가 되지 말라 …… 하나님 아버지 앞에서 정결하고 더러움이 없는 경건은 곧 고아와 과부를 그 환난 중에 돌보고 또 자기를 지켜 세속에 물들지 아니하는 그것이니라"(약 1:22, 27. 로마서 2장 13절 참조). 하나님과, 그분의 길과, 그분의 세상에 대한 많은 지식을 갖게 되면 매우 자주 종보다 왕이 되고 사랑보다 교만한 태도를 갖게 된다(고전 8:1). "하나님은 교만한 자를 대적하시되 겸손한 자들에게는 은혜를 주시느니라"(벧전 5:5). 그리고 주님의 경륜에서는 "모든 사람 중에 가장 작은 그가 큰 자[다]"(눅 9:48). 야고보는 이렇게 명했다.

> 너희 중에 지혜와 총명이 있는 자가 누구냐 그는 선행으로 말미암아 지혜의 온유함으로 그 행함을 보일지니라 …… 오직 위로부터 난 지혜는 첫째 성결하고 다음에 화평하고 관용하고 양순하며 긍휼과 선한 열매가 가득하고 편견과 거짓이 없나니 화평하게 하는 자들은 화평으로 심어 의의 열매를 거두느니라(약 3:13, 17-18).

하나님에 대한 이러한 지식은 오직 "영적으로 분별"된다(고전 2:14. 에베소서 1장 17-19절 참조). 그리고 이 때문에 우리는 성경 교리를 파악하려 할 때 기도에 푹 잠겨야 한다. 우리는 "내 마음을 주의 증거들에게 향하게 하시고"(시 119:36), "일심으로 주의 이름을 경외하게 하[시고]"(86:11), "아침에 주의 인자하심이 우리를 만족하게 하사 우리를 일생 동안 즐겁고 기쁘게"(90:14) 해달라고 기도해야 한다.

2. 모든 관련 본문을 분류하고 종합하라

기도한 후에 가장 먼저 해야 할 일은 당신이 씨름하고 있는 주제와 관련된 가장 적절한 본문들을 수집하는 것이다. 여기서 가장 좋은 도구는 단어 색인이다(7장에 나온 '단어 색인, 어휘 사전, 신학 용어집 개관'을 보라). 성경이 당신의 주제를 어디서 다루는지 발견하기 위해 단어 색인에서 핵심 단어나 개념들을 찾아볼 수 있을 것이다. 예를 들어 신명기 9장 25-29절에 나오는 모세의 중보 기도를 연구하고 있고, 기도에 대한 성경의 가르침과, 본문이 그 가르침에 무엇을 기여하는지 알고 싶다면, '기도하다'(pray)와 '기도'(prayer)라는 말이 나타나는 경우뿐 아니라 '고백하다'(confess), '중보하다'(intercede), '간구'(petition), '중보'(supplication) 등과 같은 용어와, 심지어 '엎드리다'(prostrate)와 같은 단어가 나오는 경우도 찾아보는 것이 좋다. 또한 당신은 다른 중보 기도들도 연구하고 조사해야 한다. 이를테면 출애굽기 32장 11-13절에 나오는 모세의 유사한 기도, 민수기 14장 13-19절에 나오는 모세의 기도, 그리고 다니엘 9장, 에스라 9장, 느헤미야 9장에 나오는 기도 등이다. 조직 신학이 여기서 도움이 될 수 있다. 한 번도 생각해 보지 못했을 만한 텍스트들을 알게 해주기 때문이다.

일단 가장 적실한 텍스트들을 확인했으면, 그 다음 단계는 그 텍스트들을 분류하는 것이다. 이 과정에는 모든 텍스트를 주의 깊게 읽고, 그 텍스트들의 요점을 요약하며, 독특한 유형이나 특징에 기초하여 그 텍스트들을 무리로 조직하는 작업이 수반된다.

마지막 단계는 당신이 연구하는 주제에 대해 성경이 가르치는 한두 가지 요점을 종합하고, 그 다음에 당신이 연구하는 본문이 이러한 이해에 어떻게 기여하는지 확인하는 것이다. 그 본문이 성경에 있지 않았다면, 당신이 연구하는 주제에 대해서 어떤 중대한 지식이 빠지게 될 것인가?

3. 다른 사람들이 말한 것을 살펴보라

이 시점에서 다른 사람들이 그 주제에 대해 말한 것을 생각해 보는 것은 도움이 될 수 있다. 주님은 교회에 목회자와 교사를 주셨다(고전 12:28, 엡 4:11). 그래서 우리는 성경 교리를 이해하려 할 때 그들을 활용하길 주저하지 않아도 된다. 일단 당신이 연구하는 주제에 대해 성경이 말한다고 생각되는 것과, 당신이 연구하는 본문이 그러한 이해에 기여하는 방식이라고 생각되는 것을 분류하고 종합한 후에는, 당신이 배우고 있고 생각하고 있는 것에 관해 조직 신학과 다른 책들을 활용할 뿐 아니라 다른 목자들과도 이야기를 나눠 보라. 인간 역사에서 가장 위대한 개인들은 다른 사람들에게 의지하여 배웠다. 우리는 또래나 우리보다 앞서간 사람들의 비평을 겸손하게 받아들이고 구체적인 조언을 들어야 한다. 다른 관점들이 우리를 오류에서 보호해 주고 더 신실하게 지켜 주는 경우가 매우 많다.

4. 주님의 신실하심을 찬양하고 그에 따라 행동하라

마지막 단계는 하나님이 조명해 주신 것을 찬양하고, 우리가 깨달은 진리들에 따라 행동하는 것이다. 교리 공부는 감정에 좌우되지 않고 냉정하게 할 수 있는 일이 아니다. 최고의 추구, 곧 하나님과 그분의 도를 아는 일이기 때문이다. 우리는 시편 기자와 함께 "주의 말씀의 맛이 내게 어찌 그리 단지요"(시 119:103)라고 선언하고 "하나님이여 주의 생각이 내게 어찌 그리 보배로우신지요"(시 139:17)라고 선언해야 한다. 그 다음에는 행동해야 한다. "하나님의 말씀을 하는 것같이" 말하고, "하나님이 공급하시는 힘으로 하는 것같이" 봉사하면서 말이다. "이는 범사에 예수 그리스도로 말미암아 하나님이 영광을 받으시게 하려 함"이다(벧전 4:11. 고린도전서 15장 10절, 빌립보서 2장 12-13절, 골로새서 1장 29절 참조).

조직 신학에서 특정 텍스트 연구의 두 가지 예

구원론과 선교론_ 출애굽기 19장 4-6절

우리는 후에 기록된 많은 성경이 어떻게 출애굽기 19장 4-6절을 기반으로 하고 있으며, 옛 언약이 계시된 목적을 이 본문이 어떻게 유용하게 종합해 주는지를 살펴보았다. 이제 이 본문이 어떻게 기독교 교리에 대한 우리의 이해에 기여하는지 살펴보고자 한다. 이 부분에서는 구원론을 살펴보고, 다음 부분에서 선교론을 살펴보겠다.

1. 구원론

출애굽기 19장 4절이 옛 언약 시대의 가장 근본이 되는 구속 행위를 다루고 있다는 것은 누구나 깨달을 수 있다. 바울에 대한 새 관점을 지지하는 사람들은 여호와께서 시내산에서 율법을 주시기 전에 이스라엘을 구원하셨다는 사실에 곧 주목했다. 따라서 율법은 결코 관계를 시작하는 것과 관련되지 않는다. 그것은 그 관계 안에 머무는 것과 관련된다. 하나님은 요구하시기 전에 백성을 속량하셨다. 그분은 자기 백성에게 따르라고 명하시기 전에 그들을 자유케 하셨다. 구속이 이루어졌음을 나타내는 말이 구속을 누리라는 명령보다 먼저 나온다. 그리고 새 언약에서도 유형은 같다. 하나님은 회심시키신다. 그 다음에 우리에게 따르라고 명하신다. 전형적인 의미로 칭의가 성화를 가져온다. 믿음이 뿌리다. 순종은 열매다. 행위를 우선하면 그리스도의 공로보다 우리 자신의 공로를 신뢰하는 율법주의자가 된다. 그렇기 때문에 옛 언약과 새 언약 모두 비슷한 **은혜의 구조**가 있다. 은혜로운 구속이 은혜로운 율법 수여에 선행한다. 그리스도의 구원 사역은 죄 사함을 확보하고 능력을 획득하여 우리가 순종함으로 그분의 도우심에 반응할 수 있게 한다.

이것이 사실이긴 하지만, 우리는 바울에 대한 새 관점을 지지하는 대부분의 사람들이 놓친 것으로 보이는 것을 놓쳐서는 안 된다. 즉 옛 언약과 새 언약의 은혜 구조는 같을지 모르지만, **은혜의 본질**은 전적으로 다르다는 사실이다. 옛 언약 은혜는 외적인 것이다. 새 언약 은혜는 내적인 것이다. 옛 언약에서 여호와는 이스라엘 사람들을 애굽의 육체적 종살이에서 구해 내신다. 하지만 대부분은 여전히 죄에 속박되어 있었다. 출애굽이 지난 지 40년 후에 모세는 이렇게 주장했다. "그러므로 네가 알 것은 네 하나님 여호와께서 네게 이 아름다운 땅을 기업으로 주신 것이 네 공의로 말미암음이 아니니라 너는 목이 곧은 백성이니라 너는 광야에서 네 하나님 여호와를 격노하게 하던 일을 잊지 말고 기억하라 네가 애굽 땅에서 나오던 날부터 이곳에 이르기까지 늘 여호와를 거역하였으되"(신 9:6-7). 신명기 나머지 부분과 구속사는 모세보다 더 큰 선지자가 일어나 더 나은 약속들과 하나님이 역사하신 내적 변혁에 기초하여 새 언약을 제정하실 때까지 어떻게 이러한 반역이 계속 존재하는지를 말한다. 옛 언약 자체에 있는 것 가운데 그 구성원들에게 영생을 확보해 준 것은 **아무것도 없다**.

외적으로만 구원하시는 것과 함께, 여호와는 시내산에서 많은 사람들의 마음을 움직이지 않으시는 방식으로 자신의 뜻을 계시하셨다. 그들은 보았지만 참으로 보지는 않았다. 그들은 들었지만 정말로 듣지는 않았다. 모세는 후에 "여호와께서 애굽 땅에서 너희의 목전에 바로와 그의 모든 신하와 그의 온 땅에 행하신 모든 일을 너희가 보았나니 곧 그 큰 시험과 이적과 큰 기사를 네 눈으로 보았느니라 그러나 깨닫는 마음과 보는 눈과 듣는 귀는 오늘 여호와께서 너희에게 주지 아니하셨느니라"(신 29:2-4[H1-3]) 라고 주장하였다. 예레미야는 하나님의 율법이 그들 마음에 기록되기보다는 "유다의 죄는 금강석 끝 철필로 기록되되 그들의 마음 판과 그들의 제단 뿔에 새겨졌거늘"(렘 17:1)이라고 말한다.

대조적으로 옛 언약 안에 있는 사람들은 대부분 반역자였지만, 새 언약 안에 있는 사람들은 모두 남은 자가 될 것이다. 할례 받은 마음을 가지고 있는, 변화된 공동체 안의 사람들은 모세의 말로 하면 "돌아와 주 여호와의 음성을 듣고 내가 오늘날 네게 명령하는 그분의 모든 계명을 행할"(신 30:8, 필자 번역) 것이다. 그 선지자는 또한 그날에 "그 말씀은 네게 매우 가까이 있어서, 네 입과 네 마음에 있어 네가 그것을 행할 수 있을 것이다"(30:14, 필자 번역)라고 주장했다.[6] 바울은 로마서 10장 8절에서 이것이 그리스도 안에서 성취되었다고 말한다. 예레미야를 통해 여호와는 또한 이렇게 예언하셨다. "내가 나의 법을 그들의 속에 두며 그들의 마음에 기록하여 …… 그들이 다시는 각기 이웃과 형제를 가리켜 이르기를 너는 여호와를 알라 하지 아니하리니 이는 작은 자로부터 큰 자까지 다 나를 알기 때문이라 내가 그들의 악행을 사하고 다시는 그 죄를 기억하지 아니하리라 여호와의 말씀이니라"(렘 31:33-34).

옛 언약에서 외적 구원은 내적 율법 수여보다 앞서긴 하지만 이스라엘의 죄는 여전히 처리되지 않았다. 그렇기 때문에 그것이 율법과 외적으로 일치되는 것은 하나님께 받아들여질 수 없는 것이며, 행위에 의한 구원을 추구하는 것과도 같다. 그 민족은 자신의 무력함과 회개와 대속자의 필요성을 잊어버렸기 때문에, 백성들이 의를 외적으로 추구하는 것은 율법이 약속한 생명을 얻게 하지 못했다. "그런즉 우리가 무슨 말을 하리요 의를 따르지 아니한 이방인들이 의를 얻었으니 곧 믿음에서 난 의요 의의 법을 따라간 이스라엘은 율법에 이르지 못하였으니 어찌 그러하냐 이는 그들이 믿음을 의지하지 않고 행위를 의지함이라 부딪칠 돌에 부딪쳤느니라"(롬 9:30-32).

출애굽기 19장 4-6절에서 우리는 옛 언약이 계시된 목적은 그 민족이 하나님과 그분의 도를 복종하며 추구하는 것을 통해 세상 가운데서 제사장 나라와 거룩한 백성으로 드러나는 것임을 읽었다. 그러나 옛 언약에 대해 하나님이 계시하신 목적들은 그분의 주권적 목적이 아니었다. "율법이 들어온 것은 범죄를 더하게 하려 함이라 그러나 죄가 더한 곳에 은혜가 더욱 넘쳤나니"(롬 5:20). 바울은 옛 언약이 "정죄의 직분"을 지녔다고 말한다. 새 언약만이 "의의 직분"을 지닐 것이다(고후 3:9). 옛 언약에서 하나님은 명령하셨지만 능력을 부여하지는 않으셨다. 하나님은 이스라엘의 외적 지위를

6 신명기 30장 11-14절을 미래로 보는 것에 대해 더 알려면 Steven R. Coxhead, "Deuteronomy 30:11-14 as a Prophecy of the New Covenant in Christ," *WTJ* 68, 2 (2006): 305-20쪽을 보라.

바꾸셨지만 백성들의 영혼을 바꾸지는 않으셨다. 그들에게 자신의 율법을 나타내셨지만 그것을 지키고자 하는 욕구는 주지 않으셨다. 하나님이 그렇게 하신 것은 그리스도의 아름다움과 중심성을 강조하기 위해서였다. “만일 하나님이 그의 진노를 보이시고 그의 능력을 알게 하고자 하사 멸하기로 준비된 진노의 그릇을 오래 참으심으로 관용하시고 또한 영광 받기로 예비하신 바 긍휼의 그릇에 대하여 그 영광의 풍성함을 알게 하고자 하셨을지라도 무슨 말을 하리요 이 그릇은 우리니 곧 유대인 중에서뿐 아니라 이방인 중에서도 부르신 자니라”(롬 9:22-24).

이스라엘에게 하나님은 양자 됨, 영광, 언약들, 율법, 예배, 약속들, 조상들, 메시아를 주셨다(롬 9:4-5). 하지만 그렇게 많은 것을 받고 난 후에도 그 민족이 하나님을 위해 살 수 없었다면, 나머지 인류는 하나님 앞에서 얼마나 더 비난 받을 만하고 구주가 필요한 상태이겠는가? 그들은 율법을 전혀 들어 본 적이 없으니 말이다.

> 우리가 알거니와 무릇 율법이 말하는 바는 율법 아래에 있는 자들에게 말하는 것이니 이는 모든 입을 막고 온 세상으로 하나님의 심판 아래에 있게 하려 함이라 그러므로 율법의 행위로 그의 앞에 의롭다 하심을 얻을 육체가 없나니 율법으로는 죄를 깨달음이니라 이제는 율법 외에 하나님의 한 의가 나타났으니 율법과 선지자들에게 증거를 받은 것이라 곧 예수 그리스도를 믿음으로 말미암아 모든 믿는 자에게 미치는 하나님의 의니(롬 3:19-22).

이스라엘의 부르심에 근거한 구원에 대해 읽을 때, 우리는 그것을 우리가 오늘날 누리는 구원과 동일한 것으로 보아서는 안 된다. 출애굽은 그리스도 안에서 성취된 두 번째 출애굽에 대한 예표 역할을 했다. 첫 번째 출애굽은 단지 예수께서 그분의 택하신 자들을 위해 이루신 더 궁극적인 해방에 대한 묘사, 예언적 지표일 뿐이었다.

2. 선교론_ 교회론의 부분 집합

6장에서 필자는 출애굽기 19장 4-6절의 주요 개념을 “하나님의 은혜로운 구원에 대한 반응으로, 주님은 하나님을 높이는 과업, 곧 철저히 하나님 중심적인 삶을 통해 세상에 자신의 위대함과 가치를 전달하고 나타내 보이는 과업으로 자신의 백성을 부르신다"고 요약했다. 이스라엘이 하나님을 공경하라는 부르심을 받았다는 것이 본문의 중심 취지다. 하지만 우리는 이 과업이 어떻게 예수께서 부활하신 후에 교회에 주신 대위임령(마 28:18-20)과 관련되는지 물어보아야 한다. 옛 언약 이스라엘은 새 언약 안에서 그리스도인들이 하는 것처럼 잃어버려진 자들에게 타문화적으로 복음을 전하는 사명을 담당했는가?

구약에는 옛 언약 시대에 이스라엘이 '가서 말하는' 백성이 되어 열방의 회심을 위해 애써야 할 통상적 책임을 맡았다고 입증할 잠재 증거가 거의 없다. 분명 출애굽기 12장은 어떻게 거류민 또는 "나그네"(גֵּר[게르])가 본토박이 이스라엘 사람처럼 되고, 그래서 그 민족의 여러 성일(출 12:43-49)에 자유롭게 참석할 수 있었는지 명확하게 밝히고 있다. 하지만 이 "잡족"(mixed multitude[12:38], 혼합된 무리_ 옮긴이)은 여전히 단 하나의 이스라엘 민족으로 여겨졌다(12:19, 48). 마찬가지로 이스라엘 역사의 틀 안에서, 가나안 사람 라합, 모압 사람 룻, 헷 사람 우리아 등과 같은 사람들은 스스로 이스라엘 사람이 되기로 선택하였다. 하지만 그렇더라도, 아브라함은 여전히 단 한 민족의 아버지로 간주되었다. 아브라함이 "여러 민족의 아버지"(창 17:4-5)로 바뀌는 것은 한 명의 남성 해방자가 일어나, 원수의 권세를 정복하고 아담의 저주를 역전시킬 때에야 이루어질 것이다. "네 씨가 그 대적의 성문을 차지하리라 또 네 씨로 말미암아 천하 만민이 복을 받으리니"(22:17b-18. 3장 15절, 24장 60절 참조). 그 해방자의 시대가 되어야만 "그의 이름으로 죄 사함을 받게 하는 회개가 예루살렘에서 시작하여 모든 족속에게 전파될" 것이다(눅 24:47. 사도행전 3장 25-26절, 갈라디아서 3장 8, 14, 16, 29절 참조).

심지어 요나서에도 옛 언약 시대에 전 세계적 선교를 하라는 규범적 명령이 있었다는 증거는 나오지 않는다. 선지자로서 요나의 역할은 처음에는 니느웨 사람들을 회개시키는 것이 아니었다. 니느웨 사람들이 여호와께 죄를 지었다고 선언하고 벌이 임하리라고 경고하면서 그들에게 "향하여 외치[는]" 것이었다(욘 1:2). 많은 선지자가 열방에 대한 신탁의 말씀을 기록했다(예를 들어 사 13-23장, 렘 46-51장, 겔 25-32장, 옵 1-21절, 습 2:5-3:7). 하지만 요나는 우리가 알기로 이방 권세에 직접 대면한 유일한 사람이다. 여호와는 후에 예레미야를 통해 "내가 어느 민족이나 국가를 뽑거나 부수거나 멸하려 할 때에 만일 내가 말한 그 민족이 그의 악에서 돌이키면 내가 그에게 내리기로 생각하였던 재앙에 대하여 뜻을 돌이키겠[다]"(렘 18:7-8)고 선언하신다. 요나는 자신이 다시스로 도망한 이유가 "주께서는 은혜로우시며 자비로우시며 노하기를 더디 하시며 인애가 크시사 뜻을 돌이켜 재앙을 내리지 아니하시는 하나님이신 줄을"(4:2) 알았기 때문이라고 말한다. 여호와의 선지자가 여호와의 성품을 좋아하지 않는 것이다. 분명 요나서는 독자들에게 메시아를 통한 이스라엘의 장기적 선교에서 하나님이 주시는 복이 천하 만민(all the families of the earth)에게 임한 저주를 압도하리라는 것을 상기시킨다(창 22:18. 12장 3절과 10장 32절을 비교해 보라. ESV에서 10장 32절의 "족속"[clan]은 12장 3절의 "민"[families]과 같은 단어다[개역개정은 모두 "족속"으로 번역하였다_ 옮긴이]). 하지만 요나서는 이웃 전도에 초점을 두는 것이 아니라, 하나님의 백성이 여호와와 그분의 세상을 향해 유지해야 하는 적절한 태도에 초점을 맞춘다. 요나는 자신이 하나님의 긍휼을 받아서 누리는 자인 한, 그 긍휼을 기뻐했다. 그러나 그 긍휼이 이스라엘 너머로 확장되는 것을 보는 것은 좋아하지 않았다.

여호와는 의로우시며, 그분이 원하시는 누구에게든 긍휼을 베푸신다(출 33:19, 롬 9:15). 그리고 여호와는 자기 백성에게 자신이 그러한 하나님임을 경축하라고 명하신다. 그분은 또한 자신이 기름부은 왕과 자신을 따르는 자들이 열방에 그분의 영광을 선포하리라고 약속하셨다. 바울은 시편 18편 49절과 117편 1절을 인용하여 이렇게 말한다. "그리스도께서 하나님의 진실하심을 위하여 할례의 추종자가 되셨으니 이는 …… 이방인들도 그 긍휼하심으로 말미암아 하나님께 영광을 돌리게 하려 하심이라 기록된 바 그러므로 내가 열방 중에서 주께 감사하고 주의 이름을 찬송하리로다 함과 같으니라 …… 또 모든 열방들아 주를 찬양하며 모든 백성들아 그를 찬송하라 하였으며"(롬 15:8-9, 11. 시편 9편 11[H12]절, 66편 8절, 96편 3, 8절 참조). 마찬가지로 이사야는 왕적 종이 "만민을 모을"(개역개정에는 "만민의 기치로 설"_ 옮긴이) 때, 그리고 "주께서 다시 그의 손을 펴사 그의 남은 백성을 …… 돌아오게 하실"(사 11:10-11) 때를 말하면서, "그날에" 구속받은 자들은 "여호와께 감사하라 그의 이름을 부르며 그의 행하심을 만국 중에 선포하며 그의 이름이 높다"(12:4)고 말할 것이라고 단언한다. 그럼에도 필자는 옛 언약 자체 안에서 이스라엘에게 전 세계의 구원 소식에 반응하도록 열방을 촉구하라고 명하는 텍스트를 알지 못한다.

대신 이스라엘 사람들은 하나님의 위대한 거하심의 중개자로 그들의 땅에서 살아야 했다. 그들이 성전/성막에서 하나님의 임재를 경험할 때(출 33:16), 거룩함으로 이어질 경건한 두려움이 생겨날 것이다(20:20). 그리고 이스라엘은 하나님의 음성에 귀를 기울이고, 그분의 언약을 지키고, 그분의 보배로운 소유로 존재하는 것으로, 세상 가운데서 하나님을 높이는 증인 역할을 할 것이다(출 19:5-6). 백성들이 의롭게 살면 열방은 여호와의 유일하심으로 이끌릴 것이다. 외부 사람들이 그 백성의 의로운 행동을 보고 여호와의 경이로움으로 향하기 때문이다. 그래서 신명기 4장 6-8절은 이렇게 단언한다.

> 너희는 [규례와 법도를] 지켜 행하라 이것이 여러 민족 앞에서 너희의 지혜요 너희의 지식이라 그들이 이 모든 규례를 듣고 이르기를 이 큰 나라 사람은 과연 지혜와 지식이 있는 백성이로다 하리라 우리 하나님 여호와께서 우리가 그에게 기도할 때마다 우리에게 가까이 하심과 같이 그 신이 가까이 함을 얻은 큰 나라가 어디 있느냐 오늘 내가 너희에게 선포하는 이 율법과 같이 그 규례와 법도가 공의로운 큰 나라가 어디 있느냐.

옛 언약 안에는 먼 나라에서 온 이방인들이 여호와의 명성을 듣고 성전에 와서 하늘의 하나님을 향해 기도하고 그들이 요청한 것을 받으리라는 기대가 있었다. "땅의 만민이 주의 이름을 알고 경외하게 하[기]" 위해서다(왕상 8:41-43). 이런 일이 실제로 일어났다는 증거는 매우 미미하다. 하지만 우리는 열왕기상 10장에서 스바의 여왕이 "여호와의 이름으로 말미암은 솔로몬의 명성을 듣고"(10:1) 예루살렘과 여호와의 성전으로 온 것에서 그 증거를 본다. 그 여왕은 솔로몬과 여호와의 집의 영광을 보았을 때 "크게 감동되어"(10:5) 이렇게 단언했다. "당신의 하나님 여호와를 송축할지로다 여호와께서 당신을 기뻐하사 이스라엘 왕위에 올리셨고"(10:9).

인식해야 할 중요한 점은 일단 이스라엘이 약속의 땅에 도착하고 나서는 옛 언약이 예루살렘과 그 성전, 그 왕에게 주의를 집중한다는 것이다. 이스라엘에 하나님을 공경하는 증인이 되라는 여호와의 명령은 이웃을 전도하라는 지시가 **아니라** 다른 사람들이 이스라엘에 **와서 보고** 싶어할 만한 방식으로 살라는 권유였다.

구약 시대에 하나님 나라 복음은 여전히 **미래의** 소망일 뿐, 현재의 실상은 아니었다. 이사야 40-66장은 좋은 소식에 대한 소망에서 메시아적 종을 통해 좋은 소식이 침

입해 들어온 것으로 구원사가 바뀌었다고 강조하면서, 바로 이 점을 역설한다. "너희의 하나님을 보라"(사 40:9)고 선포하는 사자의 소식을 통해 여호와는 그분의 낙담한 예루살렘을 위로하실 것이다(사 40:1-3. 마태복음 3장 3절, 마가복음 1장 3절, 누가복음 3장 4절, 요한복음 1장 23절 참조). (지금은 그리스도 안에서 실현된) 이 미래의 날에만 사자는 "네 하나님이 통치하신다"는 "좋은 소식"을 선언하며 "평화를 공포"하고 "구원을 공포"한다(52:7). 그리고 전 세계적 증거를 이끄는 분은 왕적 해방자 자신이다. 그분은 "주 여호와의 영이 내게 내리셨으니 이는 여호와께서 내게 기름을 부으사 가난한 자에게 아름다운 소식을 전하게 하려 하심이라 나를 보내사 마음이 상한 자를 고치며 포로 된 자에게 자유를, 갇힌 자에게 놓임을 선포하며 여호와의 은혜의 해와 우리 하나님의 보복의 날"을 선포한다(61:1-2. 11장 2-5절, 누가복음 4장 18-19절 참조).

옛 언약 안에서 여호와는 자신의 종 민족인 이스라엘에게 세상 가운데 주님의 위대하심을 나타내며 살라고 명하신다. 이스라엘 사람들은 하나님을 의지하는 순종에 의해, 제사장 나라와 거룩한 백성으로 섬길 것이다(출 19:5-6). 다른 민족들이 와서 여호와의 백성들 안에서, 그리고 그 백성들을 통해서 여호와의 영광이 나타나는 것을 보도록 이끄는 것이다. 하지만 옛 언약 율법은 이스라엘이 **해야 할** 일을 명확히 할 수 있을 뿐이다. 그것은 이스라엘이 그 일을 하도록 능력을 부여하지는 못했다(롬 8:3, 이에 대해 더 알려면 12장의 '그리스도인들과 구약 율법'을 보라). 그래서 이스라엘 사람들은 여호와의 가치를 나타내는 데 비참하게 실패했으며, 이 죄는 궁극적으로 그들이 열방 가운데 하나님의 이름을 잘못 전하는 결과를 가져왔다(겔 36:20). 하지만 아브라함 언약의 첫 번째 단계(즉 모세 언약)는 절대 하나님 나라 건설 목적의 목표로 묘사되지 않았다(5장의 '텍스트 문법의 예_ 창세기 12장 1-3절'을 보라). 실로 여호와는 완벽하게 "복이 되실" 순종하는 아들이 일어날 것이며, 이것을 통해 "땅의 모든 족속"이 복을 받을 문이 열릴 것이라고 예언하셨다(창 12:2-3, 필자 번역. 22장 17b-18절 참조).

옛 언약 남은 자들은 하나님의 개인 종(대표하는 왕적 존재)이 죽기까지 제사장적으로 순종하는 것을 통해 이 일이 성취될 날을 고대했다(사 52:13-53:12, 55:3). 이뿐 아니라, 그는 이스라엘 사람들과 세상이 바라던 것(그분을 통해 열방이 하나님의 복을 누리는 것[시편 72편 17절 참조])을 성취하여, 이스라엘 사람들 자신이 일찍이 부름 받은 것을 넘어설 것이다. 종의 속죄 사역은 유대인과 이방인 가운데 믿는 모든 사람이 구원받기 위한 문을 열어 줄 것이며, 그 종은 열방을 위한 빛, 율법, 정의를 포함할 새 언약을 세우실 것이다(사 42:1, 6, 49:6, 8, 51:4-5). 개인적 종의 사역은 그분의 구속적 목적들을 수행할 수많은 종을 탄생시킬 것이다. 궁극적으로 이사야 49장 6절에 나오는 약속을 성취하여, 개인적인 왕적 종 '그리스도'가 위임받은 자신의 종들을 **통해**(행 13:47) 유대인과 이방인 모두에게 구원과 "빛을 전하[실]" 것이다(26:23). 아름다운 한 사람의 복음 메시지(사 52:7)는 아름다운 자들의 복음 메시지가 될 것이기 때문이다(롬 10:15).

요약하면, 옛 언약에서 이스라엘 민족이 받은 바 제사장 나라가 되라는 부르심은 백성들의 삶의 직접적 증거를 다룰 뿐이며, 의도적으로 밖을 향해 복음을 선포하여 전도할 것을 말하지는 않는다. 옛 언약 공동체는 단지 자신들이 성전에서 하나님의 지속적인 임재를 누릴 때, 그들의 복종하는 삶의 증거를 통해 다른 사람들에게 '와서 보라'고 촉구할 뿐이었다.

그리스도가 오신 것은 구원사가 '와서 보라'에서 '와서 보고 **가서 말하라**'로 바뀌었음을 표시한다. '와서 보라'는 요소에 대해서, 교회는 지금 제사장 나라와 거룩한 백성이 될 권능을 부여받는다. "너희를 어두운 데서 불러 내어 그의 기이한 빛에 들어가게 하신 이의 아름다운 덕"(벧전 2:9)을 (불완전하지만) 신실하게 선포하는 것이다. 하나님의 도우심으로 우리는 "너희 빛이 사람 앞에 비치게 하여 그들로 너희 착한 행실을 보고 하늘에 계신 너희 아버지께 영광을 돌리게 하라"(마 5:16)는 명령에 주의를 기울인다. 우리는 일상생활에서 성령의 열매를 맺으며(갈 5:22-23) "평안의 매는 줄로 성령이 하나 되게 하신 것을 힘써" 지킨다(엡 4:3. 4장 13절, 베드로전서 3장 8절 참조).

게다가 하나님의 전인 교회(고전 3:16, 고후 6:16)는 그리스도의 영에 의해(행 1:8) 그리스도의 임재를 누리면서(요 1:14. 2장 21절 참조), 이제 온 세상을 채우기까지 확장되었다(행 13:47, 골 1:23). 예배는 이제 한 지역적 장소에 국한되지 않는다(요 4:20-24). 예수의 "나라는 이 세상에 속한 것이 아니[기]"(18:36) 때문이다. 이제 교회는 "예루살렘과 온 유대와 사마리아와 땅 끝까지 이르러"(행 1:8) 그리스도의 증인이 되어야 한다. 통치하시는 하나님이 그리스도의 삶과 죽음과 부활을 통해 믿는 자들을 구원하시고 만족시키신다는 좋은 소식을 선포하는 것이다. 이 "복음"은 가장 중요하다(고전 15:3-5). 그리고 복음을 선포하는 것은 새 언약에 새롭게 포함된 '가서 말하라'는 요소를 표시한다. 하늘의 예루살렘의 신적 임재(갈 4:26, 히 12:22)는 이전 어느 때보다 세상에 다가가기 쉽다. 그것은 어떤 건물에 국한된 것이 아니라 전 세계 구석구석에 퍼져 있는 새 언약 공동체의 삶에 구현되어 있기 때문이다(사 2:1-4, 렘 3:16-18). 복음이 진척될수록 교회는 성장한다. 각 족속과 방언과 백성과 나라 가운데서 나온 사람들이 모여 한 하나님의 백성이 되고, 그들이 함께 "우리 하나님 앞에서 나라와 제사장"이 되며 함께 "땅에서 왕 노릇" 할 것이다(계 5:9-10). 그리스도는 이제 하늘과 땅의 모든 권세를 누리시기 때문에, 우리는 우리 가족과 이웃뿐 아니라 문화를 가로질러 열방 가운데서 새 언약 제자들을 만들라고 위임받는다. 사람들은 듣지 않으면 알지 못한다(롬 10:13-15). 그래서 우리는 그리스도 안에 있는 하나님의 명성을 위해 살고 전도한다.[7]

교회론과 종말론_ 스바냐 3장 9-10절

여호와는 스바냐 3장 9-10절에서 이렇게 선언하신다. "그때에 내가 여러 백성의 입술을 깨끗하게 하여 그들이 다 여호와의 이름을 부르며 한 가지로 나를 섬기게 하리니 내게 구하는 백성들 곧 내가 흩은 자의 딸이 구스 강 건너편에서부터 예물을 가지고 와서 내게 바칠지라." 그 앞 절에서 여호와는 유다의 믿는 남은 자들에게 여호와의 심판 날까지 소망 가운데 견디면서 믿음으로 그분을 계속 기다리라고 명하셨다. 그러고 나서 9-10절은 그들이 하나님을 계속 신뢰해야 하는 한 가지 이유를 제시한다.

여호와는 심판의 판결을 내리시는 바로 그날에(습 1:9), 남아 있는 백성의 "입술(말)" (שָׂפָה[사파])을 깨끗하게 하실 것이다. 그것을 칠십인 역은 γλῶσσα(글로싸, '혀, 언어')라고 번역한다. 이렇게 말이 변화되면 하나가 되어 고백할 것이며, 또한 하나가 되어 섬기

7 존 파이퍼는 하나님의 섭리 가운데 구약에서 히브리어를 사용한 것과 신약에서 헬라어를 사용한 것이 어떻게 옛 언약과 새 언약 사이의 증거와 선교를 구분하는 데 기여하는지 적절하게 말한다(*Let the Nations Be Glad: The Supremacy of God in Missions*, 3판 [Grand Rapids: Baker Academic, 2010]『열방을 향해 가라』, 좋은씨앗], 29-30쪽). 구약이 가나안 방언인 히브리어로 쓰였다는 단순한 사실은 그 메시지의 범위를 제한시켰다. 이스라엘은 고대 근동에서 (성경에서 "가나안 방언"[사 19:18] 또는 "유다 말", "유다 방언"[왕하 18:26, 28 = 사 36:13 = 대하 32:18, 사 36:11, 느 13:24]이라고 알려진) 히브리어를 주요 언어로 사용한 유일한 종족 집단이기 때문이다. 이에 반해 하나님은 신약이 당시 공용어인 헬라어로 기록되게 하셨다. 그래서 그 메시지가 전체 로마 제국 전역에 퍼져 나갈 수 있도록 하셨다.

게 될 것이다. 그들은 "다 여호와의 이름을 부르며 한 가지로 나를 섬[길]" 것이다(습 3:9. 요한계시록 7장 9-10절 참조). 말을 정결하게 한다는 비유 표현은 심판이 뒤집어진다는 것을 암시하며(시 55:9[H10]), 아마 바벨탑 사건을 역전시키는 것을 암시할 것이다. 그 사건에서 하나님께 공동체적으로 교만한 태도를 보인 결과, 하나님은 "언어/말"을 혼잡하게 하시고 반역자들을 온 지면에 "흩으[셨다]"(창 11:7, 9). 여호와의 이름을 부르는 것은 그분을 주권자, 구주, 만족시키는 분으로 예배하며 의지하는 것에 대한 외적 표현이다(시 116:4, 13, 17). 마찬가지로 요엘 2장에서도 선지자가 이 현상을 주님의 날과 연관시켰다(욜 2:28-32[H3:1-5]).

"구스"는 북아프리카의 중심이자 오늘날 수단에 위치한 고대 에티오피아다. 구스 강은 백나일강(White Nile)과 청나일강(Blue Nile)이었을 것이다(이사야 18장 1-2절을 보라). 선지자는 마치 위대한 왕이신 하나님과 교제를 나누기 위해 생명의 강을 따라 에덴동산까지 거슬러 올라가는 것처럼(창 2:13. 요한계시록 22장 1-2절 참조), 심지어 주님이 진노를 쏟으신 가장 먼 나라에도(습 2:11-12) 남은 '예배자들'이 있어 하나님의 임재가 그들을 예루살렘까지 가지 않을 수 없게 할 것이라고 상상한다. 하나님의 임재 앞에 모인 사람들은 전 세계에서 나온 여러 인종의 사람들로, 주님이 홍수 후에 바벨에서 심판 가운데 "흩으[셨던]" 칠십 족속의 후손일 것이다(창 11:8-9). 실로 스바냐 자신과 같은 혈통인(습 1:1) 구스에서 온 일부 사람들조차 시온에서 태어났다고 선언하는 새로운 출생 증명서를 받을 것이다(시 87:4).

이 텍스트를 조직 신학의 관점에서 평가할 때, 필자는 이것이 종말론과 교회론 모두에 대해서 무엇인가를 알려 준다고 생각한다. 종말 교리에 대해서 스바냐는 하나님이 심판자로 일어나시고 세상에 그분의 벌을 시행하시는(습 3:8) "그때에"(3:9), 새 창조 공동체가 탄생하리라고 상상한다. 여기서 중요한 것은 신약 저자들이 예수의 죽음을 선택받은 자들을 대신하여 미래의 심판에 개입하신 것이라고 보며, 따라서 그분의 부활이 이미 새 창조를 시작한다고 본다는 것이다. "그러면 이제 우리가 그의 피로 말미암아 의롭다 하심을 받았으니 더욱 그로 말미암아 진노하심에서 구원을 받을 것이니"(롬 5:9). "그런즉 누구든지 그리스도 안에 있으면 새로운 피조물이라 이전 것은 지나갔으니 보라 새것이 되었도다 …… 하나님이 죄를 알지도 못하신 이[그리스도]를 우리를 대신하여 죄로 삼으신 것은 우리로 하여금 그 안에서 하나님의 의가 되게 하려

하심이라"(고후 5:17, 21).

교회 교리에 관해서 스바냐는 심판을 통해 보존될 공동체의 성향과 세계적 구성 둘 다에 대해 말한다. 예수께서 이미 주님의 심판의 날을 감당하셨다는 것이 3장 8절에 예상되어 있다면, 스바냐가 3장 9-10절에서 묘사하는 다인종적 예배 공동체는 실로 그리스도 예수의 교회인 듯하다. 분명 그 묘사는 아브라함 언약에 나온 소망들을 성취하며(창 12:3), 그리스도 안에 있는 유대인들과 이방인들로 구성된 메시아적 새 언약 공동체에 대한 신약의 관점이 그것을 뒷받침한다. 그들은 이제 한 양 떼(요 10:16. 11장 51-52절, 12장 19-20절 참조), 하나의 감람나무(롬 11:17-24), 한 새사람(엡 2:11-22)이다.

누가가 오순절에 교회가 시작된 것을 묘사하는 방식이 이 견해를 지지한다. 그리스도의 영이 예루살렘에 있는 성도에게 부어져서, 스바냐가 예언한 말의 변화와 하나됨이 시작되었다(습 3:9-10). 초대 교회는 새로운 "방언"(γλῶσσα[글로싸]의 여성 복수)으로 말할 뿐 아니라(행 2:4, 11. 10장 46절, 19장 6절 참조), 그 백성은 주 예수의 이름을 부르고(2:21, 38), 함께 "사도의 가르침을 받아 서로 교제하고 떡을 떼며 오로지 기도하기를"(2:42) 힘썼다. 그리스도의 속죄 죽음을 통해 하나님의 복이 "예루살렘"부터 "땅 끝까지"(1:8. 누가복음 24장 47절 참조) 이동하여 (에티오피아 내시의 이야기에서 볼 수 있는 것처럼) 심지어 고대 에티오피아/구스까지(행 8:26-40) 이른다.

종말론과 교회론을 결합하면 우리는 스바냐의 소망이 성취되기 시작했다고 말할 수 있으며, 이미 주님이 "각 족속과 방언과 백성과 나라 가운데에서" "나라와 제사장들"을 형성하고 계시다고 말할 수 있다(계 5:9-10. 7장 9-10절 참조). 여기에 우리가 이미 제사장으로서 "시온 산과 살아 계신 하나님의 도성인 하늘의 예루살렘"(히 12:22. 이사야 2장 2-3절, 스가랴 8장 20-23절 참조)에서 찬양의 제사를 드리고 있다는 것을 덧붙일 수 있다(롬 12:1, 히 13:15-16, 벧전 2:5). 그럼에도 우리는 "거룩한 성 새 예루살렘"이 새 땅으로서 하늘로부터 내려올(계 21:2) 날을, 그리고 그리스도의 탁월하심과 충족하심 안에서 안식을 찾으려는 매일의 여정(마 11:28-29, 요 6:35)이 더는 저주가 없는 곳에서 완성될(계 21:24-22:5. 이사야 60장 3절, 히브리서 4장 1, 9-11절 참조) 때를 여전히 기다리고 있다. 그래서 필자는 스바냐의 선지자적 예언이 오늘날 예수의 교회에서 이미 성취되고 있는 것을 볼 수 있으면서도 동시에 우리 성도는 그것이 온전히 실현되기를 기다리고 있다고 믿는다.

핵심 단어와 개념

조직 신학

복음

신학적 선별

더 생각해 보기 위한 질문

1. 조직 신학이 대답하는 일반적인 질문은 무엇이며, 우리는 특정 본문의 가르침을 조직 신학과 연관시킬 때 어떤 구체적 질문을 하는가?
2. 표11.2의 '신학적 선별'을 별도의 종이에 그려 보라. 5분 동안 할 수 있는 한 많은 교리를 분류하면서, 각 교리를 이 층들 중 하나에 집어넣어 보라. 당신의 선택을 기도하는 마음으로 깊이 고찰해 보라. 어떤 교리를 잘못된 곳에 넣어 겪게 되는 위험은 무엇인가? 어떤 교리의 위치가 논쟁할 여지가 있다고 생각한다면 그것을 변호해 보라. 이제 소속 교회의 신앙 진술서를 얻어, 당신의 신학적 전통이 레벨1, 레벨2, 레벨3 교리 중 어떤 것에 집중하기로 했는지 평가해 보라.
3. 표11.3을 이용할 때, 조직 신학과 성경 신학의 차이는 무엇인가?
4. 성경 진리를 이해하려 할 때 기도가 왜 중요한가?
5. 이 장에 나오는 한두 개의 예시 본문을 이용해서 텍스트가 더 큰 교리에 어떻게 기여하는지 보여 주라.

추가 연구 자료

Bavinck, Herman. *Reformed Dogmatics*. Edited by John Bolt. Translated by John Vriend. 4 vols. Grand Rapids: Baker Academic, 2003-8.

Berkhof, Louis. *Systematic Theology*. 4th ed. Grand Rapids: Eerdmans, 1938.

The Bethlehem Baptist Church *Elder Affirmation of Faith*. Minneapolis: Bethlehem Baptist Church, 2003. http://www.hopeingod.org/document/elder-affirmation-faith.

Bird, Michael F. *Evangelical Theology: A Biblical and Systematic Introduction.* Grand Rapids: Zondervan, 2013.

Bloesch, Donald G. Christian Foundations. 7 vols. Downers Grove, IL: InterVarsity Press, 1992-2009.

Bray, Gerald, ed. Contours of Christian Theology. 8 vols. Downers Grove, IL: InterVarsity Press, 1993-2002.

- Bray, Gerald. *The Doctrine of God.* 1993. 「신론」, IVP.
- Letham, Robert. *The Work of Christ.* 1993. 「그리스도의 사역」, IVP.
- Helm, Paul. *The Providence of God.* 1994. 「하나님의 섭리」, IVP.
- Clowney, Edmund P. *The Church.* 1995. 「교회」, IVP.
- Ferguson, Sinclair B. *The Holy Spirit.* 1996. 「성령」, IVP.
- Sherlock, Charles. *The Doctrine of Humanity.* 1996.
- Macleod, Donald. *The Person of Christ.* 1998. 「그리스도의 위격」, IVP.
- Jensen, Peter. *The Revelation of God.* 2002. 「하나님의 계시」, IVP.

_________. *God Is Love: A Biblical and Systematic Theology.* Wheaton, IL: Crossway, 2012. 「갓 이즈 러브」, 새물결플러스.

Calvin, John. *Institutes of the Christian Religion.* Edited by John T. McNeill. Translated by Ford Lewis Battles. 2 vols. Library of Christian Classics. Philadelphia: Westminster, 1960.

Carson, D. A. "The Bible and Theology." In *NIV Zondervan Study Bible*, edited by D. A. Carson, 2633-36. Grand Rapids: Zondervan, 2015.

_________. *Christ and Culture Revisited.* Grand Rapids: Eerdmans, 2007. 「교회와 문화, 그 위태로운 관계」, 국제제자훈련원.

_________. "Logical Fallacies." In *Exegetical Fallacies*, 87-123. 2nd ed. Grand Rapids: Baker Academic, 1996.

_________. "Systematic Theology and Biblical Theology." *NDBT* 89-104.

Carson, D. A., and Timothy Keller, eds. *The Gospel as Center: Renewing Our Faith and Reforming Our Ministry Practices.* Wheaton, IL: Crossway, 2012. Unpacks The Gospel Coalition's "Confessional Statement" (http://www.thegospelcoalition.org/about/foundation-documents/confessional-statement). 「복음이 핵심이다」, 아가페북스.

Carter, Charles W. *A Contemporary Wesleyan Theology: Biblical, Systematic, and Practical.* 2 vols. Grand Rapids: Francis Asbury, 1983.

Chafer, Lewis Sperry. *Systematic Theology.* 8 vols. Grand Rapids: Kregel, 1948.

Davis, John Jefferson. *Handbook of Basic Bible Texts: Every Key Passage for the Study of Doctrine and Theology.* Grand Rapids: Zondervan, 1984.

_________. *Theology Primer: Resources for the Theological Student.* Grand Rapids: Baker, 1981.

Elwell, Walter A., ed. *Evangelical Dictionary of Theology*. 2nd ed. Grand Rapids: Baker Academic, 2001.

Erickson, Millard J. *Christian Theology*. 3rd ed. Grand Rapids: Baker Academic, 2013. 「복음주의 조직 신학」, 크리스천다이제스트.

Feinberg, John S., ed. Foundations of Evangelical Theology. Wheaton, IL: Crossway, 1997-present.

- Demarest, Bruce. *The Cross and Salvation: The Doctrine of Salvation*. 1997.
- Feinberg, John S. *No One like Him: The Doctrine of God*. 2001.
- Clark, David K. *To Know and Love God: Method for Theology*. 2003.
- Cole, Graham A. *He Who Gives Life: The Doctrine of the Holy Spirit*. 2007.
- Allison, Gregg R. *Sojourners and Strangers: The Doctrine of the Church*. 2012.
- Wellum, Stephen J. Forthcoming on Christology.
- McCall, Tom. Forthcoming on Sin.
- VanGemeren, Willem. Forthcoming on Eschatology.

Frame, John M. *Apologetics: A Justification of Christian Belief*. Edited by Joseph E. Torres. 2nd ed. Phillipsburg, NJ: P&R Publishing, 2015.

________. *Salvation Belongs to the Lord: An Introduction to Systematic Theology*. Phillipsburg, NJ: P&R Publishing, 2006. 「조직 신학 개론」, 개혁주의신학사.

✪________. *Systematic Theology: An Introduction to Christian Belief*. Phillipsburg, NJ: P&R Publishing, 2013. 「존 프레임의 조직 신학」, 부흥과개혁사.

Gaffin, Richard B. "Systematic Theology and Biblical Theology." *WTJ* 38, 3 (1976): 281-99.

Geisler, Norman L. *Systematic Theology: In One Volume*. Minneapolis: Bethany House, 2011.

Green, Joel B., and Max Turner, eds. *Between Two Horizons: Spanning New Testament Studies and Systematic Theology*. Grand Rapids: Eerdmans, 2000.

Grudem, Wayne A. *Bible Doctrine: Essential Teachings of the Christian Faith*. Edited by Jeff Purswell. Grand Rapids: Zondervan, 1999. 「성경 핵심 교리」, 솔로몬.

________. *Christian Beliefs: Twenty Basics Every Christian Should Know*. Edited by Elliot Grudem. Grand Rapids: Zondervan, 2005. 「꼭 알아야 할 기독교 핵심 진리 20」, 부흥과개혁사.

★________. *Systematic Theology: An Introduction to Biblical Doctrine*. Grand Rapids: Zondervan, 1994. 「웨인 그루뎀의 조직 신학」, 은성.

Hasel, Gerhard F. "The Relationship between Biblical Theology and Systematic Theology." *TJ* 5, 2 (1984): 113-27.

Hodge, Charles. *Systematic Theology*. 3 vols. New York: Scribner's, 1887; repr., Peabody, MA: Hendrickson, 1999. 「조직 신학」, 크리스천다이제스트.

○ Horton, Michael. *The Christian Faith: A Systematic Theology for Pilgrims on the Way*. Grand Rapids: Zondervan, 2011.

★________. *Pilgrim Theology: Core Doctrines for Christian Disciples*. Grand Rapids: Zondervan, 2013. 「천국 가는 순례자를 위한 조직 신학」, 부흥과개혁사.

Lints, Richard. *The Fabric of Theology: A Prolegomenon to Evangelical Theology*. Grand Rapids: Eerdmans, 1993.

MacArthur, John, and Richard Mayhue, eds. *Biblical Doctrine: A Systematic Summary of Bible Truth*. Wheaton, IL: Crossway, 2017.

McCune, Rolland. *A Systematic Theology of Biblical Christianity*. 3 vols. Allen Park, MI: Detroit Baptist Theological Seminary, 2009-10.

McGrath, Alister E. *Christian Theology: An Introduction*. 5th ed. Malden, MA: Wiley- Blackwell, 2011. 「신학이란 무엇인가」, 복있는사람.

Oden, Thomas C. *Classic Christianity: A Systematic Theology*. 2nd ed. New York: HarperOne, 2009.

Packer, J. I. *Concise Theology: A Guide to Historic Christian Beliefs*. Wheaton, IL: Tyndale House, 1995. 「성경과 신학을 아는 지식」, 아가페문화사.

Ryrie, Charles C. *Basic Theology: A Popular Systematic Guide to Understanding Biblical Truth*. 2nd ed. Chicago: Moody, 1999. 「평신도 신학 입문」, 두란노.

Thiselton, Anthony C. *Systematic Theology*. Grand Rapids: Eerdmans, 2015. 「조직 신학」, IVP.

Weston, Anthony. *A Rulebook for Arguments*. 4th ed. Indianapolis: Hackett, 2008.

Wiley, H. Orton. *Christian Theology*. 5th ed. 3 vols. Kansas City: Beacon Hill, 1940

부. 적용

본문이 왜 중요한가

12장

실천 신학

목표_ 그리스도의 중심성과 복음의 소망을 강조하면서 본문을 자기 자신, 교회, 세상에 적용해 본다.

여정의 단계
1부 텍스트
2부 관찰
3부 맥락
4부 의미
5부 적용_ 본문이 왜 중요한가
12장 실천 신학

기본 개관
구약을 적용하는 것이 지닌 중요성과 도전
하나님은 그리스도인들을 교훈하기 위해 구약을 주셨다
구약 교훈을 적용하기 위한 일반적 지침_ 출애굽기 19장 4-6절
그리스도인들과 구약 율법
그리스도인들과 구약의 약속들
구약에서 그리스도와 복음을 보는 것과 맛보는 것

표12.1. 12장 길 안내

구약을 적용하는 것이 지닌 중요성과 도전

제사장-서기관 에스라는 하나님의 말씀을 가르치기로 결심하기 전에, 먼저 말씀을 연구하고 **준행했다**(스 7:10). 즉 그는 먼저 텍스트에 무엇이 있는지 관찰하고, 그것을 올바로 이해하고 공정하게 평가하기로 했다. 그렇게 연구하고 나서 연구한 진리의 본질에 따라 느끼고 행동하고자 했다. 독립적으로 복종하고 순종하면서, 그 책에 나타난 하나님의 가치와 교훈에 따라 하나님을 따르고 소중히 여기면서 행동하는 것이다.

우리는 실제로 말씀을 전하기 전, 해석 과정의 마지막 단계에 이르렀다. 텍스트를 주해하고 하나님이 의도하신 의미를 파악하고 나서, 우리는 이제 **실천 신학**(practical theology)을 하려 애쓰고 있다. 우리 삶에서, 그리고 다른 사람들의 삶에서 저자가 의도한 영향을 파악하려 애쓰는 것이다.

구약을 적용하는 문제에서 우리는 딜레마에 봉착한다. 구약은 옛 언약의 맥락에서 쓰였는데 우리 그리스도인들은 새 언약의 일원이기 때문이다. 문제는 그리스도인들이 구약 교훈들과 구약 약속들과 어떻게 관계를 맺고 반응할지를 제대로 분별하는 것이다. 이것은 어려운 문제다. 하지만 구약에서 기독교적 실천 신학을 형성하려면 이 문제들을 다루어야 한다.

앞으로 나올 부분들에서 필자는 구약을 적용하는 기독교적 접근 방식을 요약하고자 한다. 그러려면 당연히 많은 성경 신학을 해야 할 것이다. 필자의 주장이 맞는지 보기 위해 베뢰아 사람들처럼 "성경을 상고[하는]" 것은 독자의 책임이다(행 17:11). 디모데처럼 주께서 범사에 총명을 주실 것을 신뢰하고 필자가 말하는 것을 "생각해 보[는]" 는 것이다(딤후 2:7).

하나님은 그리스도인들을 교훈하기 위해 구약을 주셨다

먼저 하나님이 그리스도인들을 교훈하기 위해 구약을 주셨다고 역설하는 많은 텍스트를 강조하고자 한다. 이제 살펴보겠지만, 심지어 구약 선지자들도 자신이 구약에서 쓰고 있는 내용이 종종 당시 사람들을 위한 것이기보다는 십자가 사건 이후에 사는 사람들을 위한 것이었음을 이해했다.

1. 구약 교훈의 주요 청중에 대한 신약의 성찰들

바울은 하나님이 새 언약 신자들에게 구약을 주셨다고 믿었다. 바울은 아브람의 믿음을 "그의 의로 여기[셨다]"는 창세기 15장 6절 진술을 언급하면서, "그에게 의로 여겨졌다 기록된 것은 **아브라함만 위한 것이 아니요 …… 우리도 위함이니**"(롬 4:23-24)라고 주장했다. 마찬가지로 시편 69편에 언급된 대상이 그리스도라고 밝힌 직후에, 사도 바울은 "무엇이든지 **전에 기록된 바는 우리의 교훈을 위하여 기록된 것이니** 우리로 하여금 인내로 또는 성경의 위로로 소망을 가지게 함이니라"(15:4)고 강조했다. 마지막으로 이스라엘이 광야에서 지낸 역사를 상기하면서 바울은 "그들에게 일어난 이런 일은 본보기가 되고 또한 말세를 만난 **우리를 깨우치기 위하여 기록되었느니라**"(고전 10:11)고 말했다. 이 세 텍스트에서 바울의 요점은 구약을 주신 신적 목적 가운데 적어도 일부는 십자가 사건 이후에 사는 사람들을 가르치고 인도하기 위함이었다는 것이다. 베드로는 더 말한다.

> 이 구원에 대하여는 너희에게 임할 은혜를 예언하던 선지자들이 연구하고 부지런히 살펴서 자기 속에 계신 그리스도의 영이 그 받으실 고난과 후에 받으실 영광을 미리 증언하여 누구를 또는 어떠한 때를 지시하시는지 상고하니라(벧전 1:10-11).

베드로는 영감 받은 저자들이 구약에 계시된 자신들의 말은 주로 그들이 아니라 지금의 우리를 위한 것임을 알고 있었다고 강조한다. 그렇기 때문에 구약은 신자들에게 적용할 수 없는 것은커녕 실제로 옛 언약 안에 있는 대부분의 사람들보다 오늘날의 그리스도인들에게 **더 적실하다**. 몇몇 텍스트를 살펴보도록 하자. 모세, 이사야, 예레미야, 다니엘에게서 나온 인용문들을 살펴볼 것이다.

2. 구약 교훈의 주요 청중에 대한 구약의 성찰들

첫째, 모세가 이스라엘의 특징을 나타내기 위해 잘 사용하는 세 단어는 '목이 곧다'(신 9:6, 13, 10:16, 31:27), '믿지 않다'(1:32, 9:23. 28장 66절 참조), '거역하다'(9:7, 24, 31:27. 1장 26, 43절, 9장 23절 참조)이다. 모세의 말을 듣는 청중은 악했으며(9:4-6, 27), 하나님은 그 선지자가 죽은 후에 백성의 반항이 계속되기만 할 것이라고 단언하셨다. "이 백성은 그 땅으로 들어가 음란히 그 땅의 이방 신들을 따르며 일어날 것이요 나를 버리고 내가 그들과 맺은 언약을 어길 것이라"(31:16). 하나님께 이러한 적대감을 품은 결과, 하나님은 그들에게 언약 저주들을 부으셨다(31:17, 29. 28장 15-68절 참조). 신명기 29장 4[H3]절은 하나님이 모세의 세대에게 "깨닫는 마음과 보는 눈과 듣는 귀"를 주지 않으셨다고 말한다. 그리고 모세와 같은 선지자가 일어나 그들이 청종할 때까지(신 18:15. 마태복음 17장 5절 참조) 하나님은 그들의 비뚤어짐과 왜곡됨을 고치지 않고 그냥 두실 것이다(신 32:5, 행 2:40, 빌 2:15). 회복의 시대에 하나님은 남은 자들의 마음을 변화시켜 그들이 사랑할 수 있게 하실 것이다. "네 하나님 여호와께서 네 …… 마음에 할례를 베푸사 너로 마음을 …… 다하여 네 하나님 여호와를 사랑하게 …… 하실 것이며"(신 30:6). 이날, 곧 우리가 지금 새 언약 및 교회 시대와 동일한 것으로 간주하는 이날에(로마서 2장 29절, 고린도후서 3장 6절 참조), 사람들은 마침내 신명기에 나오는 모세의 메시지를 청종하고 주의를 기울일 것이다. "너는 돌아와 주 여호와의 음성을 듣고 내가 오늘날 네게 명령하는 그분의 모든 계명을 행할 것이라"(신 30:8, 필자 번역).

둘째, 이사야 시대에는 이스라엘의 영적 무능함이 명백하게 나타났다. 이사야는 "너희가 듣기는 들어도 깨닫지 못할 것이요 보기는 보아도 알지 못하리라"(사 6:9)고 전파하라는 명령을 받았다. 여호와는 이스라엘의 역사가 '깊은 잠'과 말씀을 '읽는' 것에 무능하다는 특징을 지니게 하셨다. 성경은 그들에게 마치 봉인된 책과도 같았다. 이사야는 29장 9-11절에 이렇게 쓴다.

> 너희는 놀라고 놀라라
>   너희는 맹인이 되고 맹인이 되라
> ……
> 대저 여호와께서 깊이 잠들게 하는 영을
>   너희에게 부어 주사
> 너희[선지자들]의 눈을 감기셨음이니
>   그가 선지자들과 너희의 지도자인 선견자들을 덮으셨음이라
>
> 그러므로 모든 계시가 너희에게는 봉한 책의 말처럼 되었으니 그것을 글 아는 자에게 주며 이르기를 그대에게 청하노니 이를 읽으라 하면 그가 대답하기를 그것이 봉해졌으니 나는 못 읽겠노라 할 것이요.

이사야의 청중은 하나님의 말씀을 온전히 이해할 수 없었다. 그럼에도 여호와는 "못 듣는 사람이 책의 말을 들을 것이며 …… 맹인의 눈이 볼"(사 29:18) 그날을 약속하셨다. 하나님은 이사야에게 그의 청중은 이 말씀들을 깨닫지 못할 것이기 때문에 영속적인 증거를 위해 그분의 말씀을 한 책에 기록하라고 지시하셨다. 즉, 이사야가 책을 쓴 것은 주로 볼 눈이 있을 후대 사람들을 위한 것이었다. "이제 가서 백성 앞에서 서판에 기록하며 책에 써서 후세에 영원히 있게 하라"(30:8). 이 미래의 세대들은 모두 "여호와의 교훈을 받을 것"(54:13)이다. 예수는 하나님이 사람들을 자신에게 이끄시면서 그 말씀을 성취하고 계시다고 강조하셨다(요 6:44-45). "하나님 나라의 비밀"이 이들에게는 주어지겠지만 "외인에게는 모든 것을 비유로 하나니 이는 그들로 보기는 보아도 알지 못하며 듣기는 들어도 깨닫지 못하게 하여 돌이켜 죄 사함을 얻지 못하게 하려 함이[다]"(막 4:11-12. 이사야 6장 9-10절 인용).

셋째, 여호와는 예레미야에게 그의 글이 특별히 하나님의 회복된 공동체를 위한 것이라고 말씀하셨다. "이스라엘의 하나님 여호와께서 이와 같이 말씀하여 이르시기를 내가 네게 일러 준 모든 말을 책에 기록하라 여호와의 말씀이니라 [왜냐하면](כִּי[키], 개역개정에는 번역되어 있지 않음_ 옮긴이) 보라 내가 내 백성 이스라엘과 유다의 포로를 돌아가게 할 날이 오리니 내가 그들을 그 조상들에게 준 땅으로 돌아오게 할 것이니 그들

이 그 땅을 차지하리라"(렘 30:2-3). 예레미야는 그분 말씀을 책에 기록해야 했다. 미래 세대에게 그것이 필요하기 때문이다. 예레미야는 그들이 끝날에 가서야 자신이 기록하고 있는 것을 참으로 파악할 것이라고 상세히 설명한다. "여호와의 진노는 그의 마음의 뜻한 바를 행하여 이루기까지는 돌이키지 아니하나니 **너희가 끝날에 그것을 깨달으리라** 여호와의 말씀이니라 그때에 내가 이스라엘 모든 종족의 하나님이 되고 그들은 내 백성이 되리라"(렘 30:24-31:1). 31장 33절 후반부에 나타난 반복은 "끝날"이 다름 아닌 새 언약과 관련된 날, 곧 교회 시대라는 것을 보여 준다. "그러나 그날 후에 내가 이스라엘 집과 맺을 언약은 이러하니 곧 내가 나의 법을 그들의 속에 두며 그들의 마음에 기록하여 나는 그들의 하나님이 되고 그들은 내 백성이 될 것이라"(31:33). 이날, 언약에 속한 모든 사람이 사함을 받는다는 것은 "그들이 다시는 각기 이웃과 형제를 가리켜 이르기를 너는 여호와를 알라 하지 아니하리니 이는 작은 자로부터 큰 자까지 다 나를 알기 때문이라"(31:34)는 의미다. 예레미야서에서 하나님을 아는 지식은 지속적인 사랑과 정의와 공의에 대한 주님의 헌신에 경험적으로 참여하는 것과 관련된다(9:24, 22:15-16). 요한은 그리스도 안에 있는 모든 사람이 어떻게 이 지식을 누리는지 강조한다(요일 2:20-21, 27-29).

넷째, 하나님은 다니엘에게 그가 받은 모든 하나님 나라 계시를 지혜로운 자들에게 나타내도록 정하신 때가 오기까지 그것을 한 책에 봉인해 놓으라고 말씀하셨다.

> 다니엘아 마지막 때까지 이 말을 간수하고 이 글을 봉함하라 많은 사람이 빨리 왕래하며 지식이 더하리라 …… 다니엘아 갈지어다 이 말은 마지막 때까지 간수하고 봉함할 것임이니라 많은 사람이 연단을 받아 스스로 정결하게 하며 희게 할 것이나 악한 사람은 악을 행하리니 악한 자는 아무것도 깨닫지 못하되 오직 지혜 있는 자는 깨달으리라(단 12:4, 9-10).

다니엘은 "마지막 때"(the time of the end), 곧 다니엘서 나머지 부분에서 옛 헬라어가 마지막 "때"(hour)라고 묘사한 그때(단 8:17, 19, 10:14, 11:35, 40, 12:1)에 가서야 자신이 하나님 나라에 관해 계시한 내용의 의미를 사람들이 파악할 것이라고 상상했다. 신약의 관점에서 보면 이 종말론적 실현의 기간은 그리스도의 초림에서 시작되었다(막 13:11, 요

4:23, 5:25, 12:23, 16:32, 17:1, 요일 2:18을 보라. 사도행전 2장 17절, 고린도전서 10장 11절, 히브리서 1장 2절, 9장 26절, 베드로전서 1장 20절 참조).[1]

신명기, 이사야서, 예레미야서, 다니엘서에 나온 이 구약 텍스트들은 모두 구약 선지자들이 반역자들은 대부분 그들의 메시지를 듣지도, 주의를 기울이지도 않으리라는 것을 알고 있었음을 시사한다. 그 반역자들은 신체적으로는 말씀을 듣고 읽을 수 있었으나, 그들 자신의 마음속에 있는 무언가로 인해 그 말씀들을 통해 하나님을 만날 수는 없었다. 그들은 목이 곧았다. 그리고 이 때문에 자기 죄를 슬퍼하지 않았다. 그들은 메시아를 소망할 필요를 느끼지 못했다. 하나님의 영광과 나라를 만나길 간절히 바라지도 않았다. 하나님의 말씀은 멀리 있는 채였다.

이것이 부분적으로는 바울이 로마서 11장 25절에서 "형제들아 너희가 스스로 지혜 있다 하면서 이 신비를 너희가 모르기를 내가 원하지 아니하노니 이 신비는 이방인의 충만한 수가 들어오기까지 이스라엘의 더러는 우둔하게 된 것이라"고 한 말의 의미다. 하나님은 예수의 계시를 통해서만 구약을 적절히 해석할 수 있게 하셨으며, 그리스도를 받아들이지 못하는 사람들은 늘 구약 메시지를 온전히 파악하지 못할 것이다(고후 3:14).

3. 구약을 이해하는 열쇠로서 그리스도에 대한 신약의 성찰들

하나님은 옛 언약 안에 있는 많은 사람에게서 구약 메시지 자체를 차단하셨다. 이러한 눈멂은 그리스도의 날까지 계속되었다. 예수의 청중은 예수께서 오신 것이 무슨 의의를 지니고 있는지 '보고' 깨닫지 못했다. 예수께서 종교 지도자들에게 "너희가 성경에서 영생을 얻는 줄 생각하고 성경을 연구하거니와 이 성경이 곧 내게 대하여 증언하는 것이니라 그러나 너희가 영생을 얻기 위하여 내게 오기를 원하지 아니하는도다"(요 5:39-40)라고 주장하신 것처럼 말이다.

로마서 11장 7-8절에서 바울은 신명기 29장 4[H3]절에 나오는 "오늘[까지]"(unto this day)라는 말과 이사야 29장 9-12절을 결합해서, 그의 백성들이 지속적으로 귀먹은 상태에 있음을 강조한다. "이스라엘이 구하는 그것을 얻지 못하고 오직 택하심을 입은

1 G. K. Beale, "The Old Testament Background of the 'Last Hour' in 1 John 2,18," *Bib* 92, 2 (2011): 231-54쪽을 보라.

자가 얻었고 그 남은 자들은 우둔하여졌느니라 기록된 바 하나님이 오늘까지 그들에게 혼미한 심령과 보지 못할 눈과 듣지 못할 귀를 주셨다 함과 같으니라." 하나님은 대대로 이스라엘 사람들의 마음을 완악하게 하셔서 우리가 오늘 그리스도의 긍휼과 엄위하심을 더욱 증대시키게 하셨다. "만일 하나님이 그의 진노를 보이시고 그의 능력을 알게 하고자 하사 멸하기로 준비된 진노의 그릇을 오래 참으심으로 관용하시고 또한 영광 받기로 예비하신 바 긍휼의 그릇에 대하여 그 영광의 풍성함을 알게 하고자 하셨을지라도 무슨 말을 하리요"(롬 9:22-23).

이스라엘의 영적 눈멂과 귀먹음은 예수를 통해서만 치유될 것이다. "그들[유대인들]의 마음이 완고하여 오늘까지도 구약을 읽을 때에 그 수건이 벗겨지지 아니하고 있으니 그 수건은 그리스도 안에서 없어질 것이라"(고후 3:14). 고린도후서 3장을 보면, 모세가 신적 임재를 만난 후에 쓰고 있던 수건은 사람들의 영적 완악함을 상징한다. 예수가 없다면 유대인들은 구약에 나오는 하나님의 아름다움을 온전히 보고 맛보지 못한다. 그러나 그리스도가 오시면서 그 수건이 벗겨져, 언제나 그곳에 있던 영광이 이제 드러나는 것이다.

필자가 믿기로는 바울이 로마서 16장 25-26절에서 그리스도의 복음의 비밀에 대해 말할 때 의미한 것이 이것이다. "나의 복음과 예수 그리스도를 전파함은 **영세 전부터 감추어졌다가 이제는 나타내신 바 되었으며** 영원하신 하나님의 명을 따라 **선지자들의 글로 말미암아** 모든 민족이 믿어 순종하게 하시려고 **알게 하신 바 그 신비[비밀]의 계시를** 따라 된 것이니."[2] 예수의 좋은 소식에 대한 메시지는 구약에서 나타나고 알려졌다. 선지자들의 글이 그것을 알린다. 그러나 많은 사람에게 구약의 참된 의미는 오랜 세월 동안 감춰진 비밀로 남아 있었다. 그것은 언제나 거기 있었지만 그리스도가 오셔서 마음과 눈을 변화시켜 그 진리를 받아들이게 하기까지는 결코 제대로 인식하지 못했다. 다음 두 본문을 살펴보라.

---

2 D. A. Carson, "Mystery and Fulfillment: Toward a More Comprehensive Paradigm of Paul's Understanding of the Old and New," in *The Paradoxes of Paul, vol. 2 of Justification and Variegated Nomism*, D. A. Carson, Peter T. O'Brien, and Mark A. Seifrid 편집, 2 vols., WUNT 181 (Grand Rapids: Baker Academic, 2004), 393-436, G. K. Beale and Benjamin L. Gladd, *Hidden but Now Revealed: A Biblical Theology of Divine Mystery* (Downers Grove, IL: InterVarsity Press, 2014)(『하나님의 비밀』, 새물결플러스)를 보라.

유대인들이 이르되 이 성전은 사십육 년 동안에 지었거늘 네가 삼 일 동안에 일으키겠느냐 하더라 그러나 예수는 성전 된 자기 육체를 가리켜 말씀하신 것이라 죽은 자 가운데서 살아나신 후에야 제자들이 이 말씀하신 것을 기억하고 성경과 예수께서 하신 말씀을 믿었더라(요 2:20-22).

종려나무 가지를 가지고 맞으러 나가 외치되 호산나 찬송하리로다 주의 이름으로 오시는 이 곧 이스라엘의 왕이시여 하더라 예수는 한 어린 나귀를 보고 타시니 이는 기록된 바 시온 딸아 두려워하지 말라 보라 너의 왕이 나귀 새끼를 타고 오신다 함과 같더라 제자들은 처음에 이 일을 깨닫지 못하였다가 예수께서 영광을 얻으신 후에야 이것이 예수께 대하여 기록된 것임과 사람들이 예수께 이같이 한 것임이 생각났더라(요 12:13-16).

구약의 온전한 메시지가 구약 시대의 많은 사람에게서 감춰져 있었다는 말은 구약 선지자들 자신이 그리스도의 영광을 내다보지 못했다는 뜻이 아니다. 실제로 그들은 그 영광을 내다보았기 때문이다. 예수는 "너희 조상 아브라함은 나의 때 볼 것을 즐거워하다가 보고 기뻐하였느니라"(요 8:56)고 말씀하셨다. 마찬가지로 히브리서 기자는 "이 사람들은 다 믿음을 따라 죽었으며 약속을 받지 못하였으되 그것들을 멀리서 보고 환영하며"(히 11:13. 11장 39절 참조)라고 강조했다. 바울도 마찬가지로 자신이 "하나님의 복음을 위하여 택정함을 입었으니 이 복음은 하나님이 선지자들을 통하여 그의 아들에 관하여 성경에 미리 약속하신 것"이라고 말한다(롬 1:1-3). 그리고 베드로는 "이 구원에 대하여는 너희에게 임할 은혜를 예언하던 선지자들이 연구하고 부지런히 살펴서 자기 속에 계신 그리스도의 영이 그 받으실 고난과 후에 받으실 영광을 미리 증언하여 누구를 또는 어떠한 때를 지시하시는지 상고하니라 이 섬긴 바가 자기를 위한 것이 아니요 너희를 위한 것임이 계시로 알게 되었으니"(벧전 1:10-12. 누가복음 18장 31-33절, 사도행전 3장 18, 24절, 10장 43절 참조)라고 썼다.

베드로는 구약 선지자들이 이전의 계시를 모두 연구했다고 강조한다. 그들은 성경이 인도하는 손길 아래 "연구하고 부지런히 살펴서" 누가 메시아가 되며 언제 그분이 나타날지를 알고자 했다. 이러한 맥락에서 그들은 그리스도의 고난과 교회의 시대를 예언했다. 이 진술들은 구약 선지자들이 종종 우리가 지금 누리는 바로 그 형태를 상상했음을 강력하게 시사한다. 그들은 그림자뿐 아니라 실체, 곧 그리스도도 보았다(골 2:16-17. 히브리서 8장 5절, 10장 1절 참조).

하지만 어떤 때에 그들은 우리가 지금 마음에 그려 보는 그 떡갈나무가 얼마나 영광스러운지는 거의 파악하지 못한 채 오로지 도토리만 보았을 것이다. 그리고 또 다른 때에는 심지어 자신들이 이야기하고 있는 사람이나 사건, 제도가 더 큰 원형을 예시한다는 사실을 인식조차 하지 못했다.[3]

분명한 것은 소수의 남은 자는 구약 전체가 메시아적 소망을 불어 넣기 위해 설계된 메시아적 문서라는 것을 제대로 파악했지만, 대부분은 어떤 식으로든 하나님 말씀을 진심으로 듣지 않았다는 것이다. 그들에게는 주님의 은혜로운 교훈이 지침 역할을 하지 못했으며, 그분의 은혜로운 약속들은 그들이 의지하는 마음을 갖도록 자극하지 못했다.

그러나 그리스도 안에서 이 모든 것이 변화된다. 주님은 그분 안에서 구약에 매여 있던 복음의 비밀을 나타내셨다. 이 고대의 성경은 가구로 가득 찬 어두운 방에 비교할 수 있다. 물건들이 공간을 채웠지만, 그 물건들의 형태와 수는 여전히 분명하지 않다. 하지만 그리스도의 빛은 구약에 내내 있던 것이 무엇인지 우리가 볼 수 있게 해준다. 우리는 예수의 완성된 사역에 비추어 구약을 해석하고 적용해야 한다. 옛 언약 자료들을 그리스도와 분리해서 읽으려는 것은 마치 우리 눈에 아직도 수건이 있는 것과 같은 것이다(고후 3:14). 하지만 예수를 통해 그 수건이 벗겨진다! 이제 성취의 시대에 살면서 성경의 처음 4분의 3을 살펴보는 것이 무엇을 의미하는지 좀 더 깊이 고찰해 보자.

3 필자는 구약 선지자들이 통상 자신들이 선포하고 있는 것의 씨는 적어도 파악하고 있었다고 믿지만, 그들이 언제나 이해하지는 못했을 수도 있다. 제자들 자신이 그리스도의 죽음과 부활이 있은 후까지도 그분의 수난에 대한 그리스도의 진술을 깨닫지 못한 것처럼 말이다(막 6:51-52, 눅 2:50, 9:45, 18:31-34, 24:16, 요 12:16).

구약 교훈을 적용하기 위한 일반적 지침 _ 출애굽기 19장 4-6절

더글러스 스튜어트는 자신의 책 「구약 주석 방법론」(*Old Testament Exegesis*, 크리스천다이제스트 역간)에서 성경 본문을 적용하기 위한 몇 가지 유용한 지침을 제공한다.[4] 여기서는 출애굽기 19장 4-6절을 사용하여 그 과정을 설명하면서, 그 원리들을 요약하고 조금 각색해 보겠다. 먼저 그 텍스트에 대한 필자의 번역을 제시한다. 하지만 당신은 논의를 따라가는 데 도움을 받기 위해 당신의 성경을 펼쳐 놓을 수 있다. 이 장 후반부에서 그리스도인들이 구약 율법과 약속들을 적용하는 것과 관련된 곤란한 문제들을 다루려고 한다. 둘 다 특별한 인도가 필요하다.

> 4 너희[mp]는 내가 애굽에 행한 것과 그리고 어떻게 독수리 날개 위로 너희[mp]를 들어 올렸는지 그리고 어떻게 내가 너희를 내게 인도했는지 보았느니라 5 그리고 이제 만일 너희[mp]가 내 음성을 잘 듣고 그리고 내 언약을 지키고 그리고 모든 민족으로부터 나의 보배로운 소유가 된다면, 모든 세계가 나의 것이기 때문에 6 그러면 너희[mp]는 나를 위해 제사장 나라와 거룩한 백성이 되리라.
>
> * mp=남성 복수(masculine plural)

표12.2. 출애굽기 19장 4-6절_ 필자 번역

1. 원래 계시된 적용을 확증하라

a. 적용 대상이 되는 청중을 확인하라

본문의 대상은 개인인가? 아니면 집단이나 제도인가? 그러한 구분을 할 수 없다면, 왜 그런가? 대상이 개인들이라면 어떤 종류의 개인인가(예를 들면, 믿는 남은 자들인가 믿음 없는 반역자들인가, 부모인가 자녀인가, 힘 있는 자들인가 약한 자들인가)? 대상이 집단이라면 어떤 종류의 집단인가(예를 들면, 믿음의 공동체인가, 민족인가, 성직자인가, 어떤 직군인가)?

이인칭 남성 복수 "너희"는 출애굽기 19장 4-6절 내내 대상이 전체 공동체에 속한 모든 개인이라는 것을 시사한다. 그것은 하나님의 "아들"로 간주되던 민족 전체이며(출

---

4 Douglas Stuart, *Old Testament Exegesis: A Handbook for Students and Pastors*, 4판 (Louisville: Westminster John Knox, 2009)(「구약 주석 방법론」, 크리스천다이제스트), 25-29쪽.

4:22-23), 하나님이 구속하신 민족 전체다. 분명 그 복수는 개인에게 행동할 것을 요구한다. 하지만 또한 그 과업이 공동체적 유대의 맥락에서만 이루어질 것임을 강조한다.

b. 외적 삶에 대한 적용 문제들을 열거하라

여기서 우리는 다음과 같은 것들을 고찰해 본다. 본문은 삶의 어떤 측면에 가장 관심이 있는가? 우리는 본문이 다루는 것과 비슷한, 또는 적어도 밀접하게 관련된 무언가를 만나게 되는가? 그 적용은 본질적으로 사람과 사람 사이의 일을 향하는 것인가? 그 관심사는 사회적인 것인가, 아니면 경제적, 종교적, 영적, 가족적, 재정적, 또는 다른 어떤 것인가? 그 본문은 사람과 하나님과의 관계와 직접 관련되어 있는가?

출애굽기 19장 4-6절과 관련하여 우리는 4절에서 공동체적 해방에 대한 개인적 경험을, 5절에서 공동체에서 날마다 하나님을 추구하는 것을, 5절에서 이스라엘이 주위 열방들과는 완전히 다른 정치적 맥락을, 그리고 6절에서 삶의 목적의식을 본다. 교회 역시 공동체적 해방을 경험했다. 그러나 우리가 경험하는 것은 죄에 대한 속박에서 해방되고 하나님의 진노에서 구원받는 것이다. 이스라엘과 달리, 교회는 지정학적 동맹이 아니다. 교회는 신정이 아니다. 그보다는 하나님의 영광을 나타내기 위해 공동체 안에서 날마다 하나님을 추구하라는 비슷한 명령을 받고 그리스도 안에서 연합된 초문화적이고 초민족적인 백성이다.

게다가 출애굽기 19장 4-6절은 공동체의 모든 구성원에게 여호와의 위대하심을 날마다 전하라고 명한다. 이 텍스트는 이스라엘과 하나님의 관계의 기초, 구성, 궁극적 목표를 다룬다. 유감스럽게도, 이스라엘의 구속은 외적인 것이며 그 나라의 율법 준수는 피상적인 것일 뿐이었다. 그래서 그 백성은 하나님이 온 삶을 다해 복종하면 이루어지리라고 약속하신, 열방들에 대한 영향력을 절대 가지지 못했다. 그럼에도 텍스트의 지속적인 요점은 주님의 은혜로운 구속이 모든 영역에서 오로지 그분만 위해 살 것을 요구한다는 것이다. 사회 활동에서든, 일에서든, 개인적, 공동적 예배에서든, 가정생활에서든, 재정에서든 말이다. 우리가 경험하는 자유는 반드시 철저하게 따르는 것으로 이어져야 한다. 그렇게 따르는 것은 하나님의 엄위하심을 증거하는 삶에서 흘러나온다.

c. **적용의 성질을 명확히 하라**

어떤 본문들은 정보를 제공해서 지성을 형성하는 반면, 어떤 본문들은 가르침을 통해 의지를 지도한다. 또 어떤 본문들은 믿음의 뿌리에 초점을 맞추는 반면, 어떤 본문들은 행동이라는 결과를 다룬다. 하나님 사랑의 특정 측면을 묘사하는 본문이 있다면(즉, 정보 제공), 독자에게 전심을 다해 하나님을 사랑하라고 명령하는 본문도 있다(즉 지시). 어떤 본문은 신뢰의 본질을 밝히고(즉, 믿음), 다른 본문은 행동의 본질을 명확히 한다. 종종 이 두 쌍의 본문은 묶음으로 나온다. 그래서 정보 제공이 지시로 이어지고, 믿음이 순종으로 이어진다. "이 본문은 직설법을 말하는가, 아니면 명령법을 말하는가? 마음과 머리에 더 초점을 두는가, 아니면 손에 더 초점을 두는가?"라고 물어보라.

표면적으로 출애굽기 19장 4-6절은 과거에 하나님이 행하신 은혜로운 구속을 상기시키고 이스라엘이 미래에 져야 하는 책임과 부르심을 그들에게 알려 준다. 암시적으로 그 텍스트는 더 많은 것을 말한다. 열방에 하나님의 영광을 전하고 나타내 보이기 위해 하나님의 백성에게 하나님께 충성할 것을 명하기 때문이다. 이스라엘이 응답할 필요를 인식한다는 사실은 19장 8절에서 장로들이 모세에게 한 대답에서 분명히 볼 수 있다. "여호와께서 명령하신 대로 우리가 다 행하리이다." 그럼에도 내러티브 나머지 부분은 또한 이스라엘의 헌신이 별 의미가 없었다는 것을 드러낸다. 백성들의 완악한 마음이 믿음의 부족과 반역이라는 결과를 가져왔기 때문이다(신 9:6-7, 29:4[H3]).

출애굽기 19장 4-6절은 또한 이스라엘에게 "들으라", "지키라", "되라"고 명하면서, 명백하게 행동과 존재 상태를 다룬다(5절). 그럼에도 이 지시들은 하나님을 높이고 세상에 영향을 끼치라는 이스라엘의 부르심이 성취되는 수단으로 표현되기 때문에, 하나님의 약속들에 대한 믿음은 민족의 순종을 불러일으킨다. 백성들이 제사장 나라와 거룩한 백성이 되리라는 약속을 바라는 만큼, 그리고 약속하시는 분이 행동하실 수 있다고 믿는 수준만큼 백성들은 그분의 음성을 듣고, 그분의 언약을 지키며, 의도적으로 그분의 보배로운 소유로 살려는 동기를 부여받을 것이다.

d. **적용의 시간적 초점을 결정하라**

본문은 현재의 믿음이나 행동을 요구하는가? 과거의 어떤 것을 되돌아보거나, 미래의 어떤 것을 예상하는가?

우리는 출애굽기 19장 4-6절이 이스라엘에게 즉각적 반응을 요구하는 것을 볼 수 있다. 옛 언약 안에 있던 모든 미래 세대에게도, 하나님의 계시는 여전히 같았다. 하나님은 세상에 자신의 가치를 표현하기 위해 이스라엘을 구별하셨다. 이 단 하나의 민족을 통해 세상은 복을 받을 것이다. 그리고 이스라엘 사람들의 복종하는 삶은 약속된 구원자가 세상의 저주를 복으로 정복할 때까지 하나님의 고결한 성품을 과시할 것이다.

e. 적용의 한계를 정하라

그 본문은 배경이나 뒷받침으로 더 큰 기능을 하는가? 그것은 당신이 연구하는 본문보다 분명한 적용을 시사하는 더 큰 본문의 일부인가? 그것은 어느 본문도 개별적으로는 할 수 없을 적용이 함께 모여 시사하는 몇몇 본문 가운데 하나인가? 본문은 오해되거나 도가 지나칠 만한 반응을 요구하는가? 본문이 적용되지 않는 방식은 무엇인가?

출애굽기 19장 4-6절은 아마 성경에 나오는 옛 언약의 계시된 목적에 대한 가장 기초적인 종합일 것이다. 그것은 아브라함 언약 약속들을 되돌아보며, 하나님이 시내산에서 자신의 인격과 말씀을 계시하실 것을 내다본다. 그것은 이스라엘을 위한 하나님의 계시된 뜻을 표현한다. 하지만 실패가 함축하는 것들은 다루지 않는다.

f. 요약

출애굽기 19장 4-6절에 원래 계시된 적용을 확정하는 것에 대해서 우리는 그 텍스트가 이스라엘 민족의 구속과, 세상과 관련한 삶의 부르심을 다루어 옛 언약을 종합하여 제시한다고 말할 수 있다. 그것은 명시적으로 정보를 제공한다. 그러나 암시적으로는 지시를 한다. 행동하라고 명하고 전 세계에 영향을 끼칠 것이라고 약속하여 이 명령의 동기를 제공하는 것이다. 그 말씀은 공동체의 모든 구성원을 대상으로 하며, 여호와께 복종하는 것을 다룬다. 그 복종은 모든 현재와 미래 세대에게 삶의 모든 측면에 영향을 끼친다.

2. 본문의 신학적 의의를 결정하라[5]

a. 본문이 하나님과 그분의 도에 대해 무엇을 말하는지 분명히 하라

우리는 성경 신학 및 조직 신학과 씨름하면서 이미 본문에서 하나님과 그분의 도에 대한 것을 나타내는 수많은 요소를 강조했다. 구약을 적용하면서, 우리가 하나님의 변치 않는 성품, 바람, 가치, 관심사, 기준들에 대해 배운 것과, 구속에 담긴 주님의 목적들에 대해 본문이 말하는 것을 상기하는 것은 지극히 중요하다.

출애굽기 19장 4-6절은 여호와가 자신의 탁월하심을 나타내 보일 수 있는 백성을 창조하기 위해 그들을 구원하시는 분이라고 묘사한다. 자신의 성품과 행동에 관해서 여호와는 이스라엘을 제국의 권세의 손아귀에서 구속하신 유능한 전사-하나님이다(4절). 또한 명령하시고, 언약을 체결하시고, 어떤 존재를 다른 존재보다 소중히 여기신다(5절). 마지막으로 그분은 약속들을 통해 동기를 부여하시고 자신의 백성이 그분의 위대하심을 세상에 전하고 나타내 보이기를 바라시는 하나님이다(6절). 이 모든 것은 확고한 적용을 이끌어 낼 수 있는 특징들이다. 새 언약에서 이루어지는 하나님의 역사도 이와 대단히 유사하기 때문이다.

하나님이 바라시는 것에 대해 말하자면, 하나님은 그분의 백성이 자신의 말을 듣고 자신의 언약에 주의를 기울이며 자신의 소유가 되게 하신다(출 19:5. 귀결절 위치에 대한 필자의 견해는 5장에 나온 '출애굽기 19장 5-6절에서 조건절과 귀결절 결정하기'를 보라). 이 모든 활동은 이스라엘이 제사장 나라와 거룩한 백성으로 섬기기 위한 수단을 제공할 것이다(6절).

b. 그리스도가 구약을 성취하신 것이 이 본문을 적용하는 데 어떤 영향을 끼치는지 평가해 보라[6]

여기서 우리가 던질 수 있는 몇 가지 질문은 다음과 같다. 본문은 새 언약으로 변혁된 옛 언약 구조를 직접 이야기하는가? 구원사의 진전은 우리가 이 텍스트를 듣고 적용하는 방식에 어떤 영향을 끼쳤는가? 본문은 예수의 삶과 사역, 교회 시대나 완성을 어

---

5 필자는 여기서 더글러스 스튜어트의 일반적 과정을 따르고 있는데, 그는 우리가 적용할 때 본문의 신학적 의의에 대해 배운 것을 상기할 필요를 분명하게 강조하지는 않는다. 하지만 필자는 본문이 하나님과 그분의 도에 대해 말해주는 것, 그리고 그리스도가 구약을 성취한 것이 우리의 본문에 영향을 끼치는 방식 모두를 고찰하는 것은 구약 텍스트의 지속적 의의를 정확하게 확립하는 데 매우 중요하다고 생각한다.

6 그리스도의 율법 성취에 대한 더 발전된 논의로는 뒤에 나오는 '구약 율법을 적용하는 법'을 보라.

떻게 예상하는가? 텍스트는 시간이나 문화에 한정되어 십자가 사건 이후를 살아가는 우리에게 더는 관련이 없는 요소들을 표현하는가? 신약은 그리스도인들에게 지닌 지속적인 가치를 명확히 하게끔 특정 텍스트를 인용하거나 암시하는가?

그리스도의 사역은 출애굽기 19장 4-6절을 적어도 세 가지 방식으로 성취한다. 첫째, 처음 출애굽은 예수 자신이 구현하시는 더 크고 보편적인 두 번째 출애굽을 예표적으로 예상했다. 출애굽기 19장 4절에서 여호와는 자신이 애굽을 물리친 것과 이스라엘을 종살이의 속박에서 구해 준 것을 강조하신다. 구속사에서 더 앞으로 이동하면, 그리스도의 죽음과 부활은 모든 신자에게 원형적 출애굽, 이스라엘이 애굽의 손아귀에서 해방된 사건이 단지 가리키기만 하던 궁극적 구속을 시작한다. 구약 선지자들은 이 두 번째 출애굽을 예견했다(예를 들어 사 11:16-12:6, 렘 16:14-15, 23:7-8, 호 11:10-11). 예수는 그것을 예루살렘에서 성취하셨다(눅 9:31).

둘째, 완전하신 왕적 대제사장이신 그리스도는 우리를 하나님께 데려가고 우리에게 하나님을 섬길 능력을 부여하셔서 이 텍스트의 명령을 성취하셨다. 이스라엘 사람들의 육신적이고 반역적인 마음은 하나님께 적대적이어서, 도저히 그들이 하나님의 율법에 복종하거나 하나님을 기쁘시게 할 수 없게 만들었다(신 29:4[H3], 롬 8:7-8, 11:7-8). 그렇기 때문에 그들은 출애굽기 19장 4-6절에서 명한 제사장 나라와 거룩한 백성의 역할을 한 번도 하지 못했다. 하지만 하나님의 공동체적 '아들'이 실패한 곳에서 그분의 개인적 아들이신 예수는 이스라엘의 왕적이자 제사장적인 대표로 성공하셨다. 그리스도의 완벽한 삶은 율법이 요구하는 의의 이상들을 구현했으며(롬 5:18-19, 8:4), 그로써 그리스도는 완벽한 왕적 제사장 역할을 하실 수 있었다(히 4:15). 그분의 대속적 죽음을 통해 죄인들을 향한 주님의 진노를 잠재우고, 그분의 부활을 통해 그분과 연합한 모든 신자가 하나님과 올바른 관계를 누릴 수 있게 하신 것이다. 주님은 우리 죄를 그리스도께 전가하시고, 그리스도의 의를 우리에게 전가하신다. 그래서 우리의 죄 사함(롬 5:18-19, 고후 5:21, 빌 3:9)과 놀라운 약속들(고후 1:20)을 모두 확보하시는데, 그것들은 함께 우리를 구원하는 (과거[엡 2:8]와 현재[고전 1:18]와 미래[롬 5:9]의) 능력이 된다. 그래서 그리스도의 율법 성취를 통해, 믿음의 새 언약 공동체인 우리는 그리스도의 법을 성취하라는 명령을 받을 뿐 아니라 그것을 성취할 수 있는 능력도 받는다(롬 2:26, 29, 13:8-10, 고전 9:21, 갈 6:2). 거기에는 구약 율법들을 그리스도의 성취에 비추어 적용하는 것도 포함된다(마 5:17-19).

셋째, 그리스도는 이스라엘 민족이 실패한 부분에서 성공을 이루시고, 이로써 하나님을 높이심으로 이스라엘 민족을 대표하셨다(특히 이사야 49장 1-6절을 보라). 예수는 "나를 본 자는 아버지를 보았거늘"(요 14:9)이라고 말씀하셨다. 거룩한 왕이자 제사장이신 예수는 완벽하게 이스라엘을 대표하셨으며, 하나님의 거룩함을 반영하셨다. 히브리서 1장 3절이 말하듯이, "이는[하나님의 아들은] 하나님의 영광의 광채시요 그 본체의 형상"이시다. 그리고 지금, 그분 안에 있는 우리는 "다 수건을 벗은 얼굴로 거울을 보는 것같이 주의 영광을 보매 그와 같은 형상으로 변화하여 영광에서 영광에 이르니 곧 주의 영으로 말미암[는다]"(고후 3:18). 즉 베드로가 주장하듯이, 그리스도 안에서 하나님은 우리를 "택하신 족속이요 왕 같은 제사장들이요 거룩한 나라요 그의 소유가 된 백성이니 이는 너희를 어두운 데서 불러내어 그의 기이한 빛에 들어가게 하신 이의 아름다운 덕을 선포하게" 만드셨다(벧전 2:9).

3. 본문이 오늘날까지 지닌 지속적 의의를 요약하라

앞서 나온 모든 질문에 대한 대답을 이용하여 본문을 오늘날에 어떻게 적용할지 요약해 보라. 아마도 그것은 처음에 주해적 개요를 만들 때 초안으로 만든 주요 개념 진술과 관련 있을 것이다(6장에 나오는 '2단계: 주해적 개요 만들기'와 '주해적 개요 초안 만드는 법'을 보라). 본문에서 가장 중심이며 자연스럽게 나오는 한 가지 적용을 결정해 보라. 하나님의 변치 않는 본성과 그분의 점진적 목적들을 염두에 둘 때, 그리고 본문을 예수의 새 언약 사역에 비추어 읽을 때, 하나님이 이 본문에서 요구하고 계신 것은 무엇인가?

출애굽기 19장 4-6절에 관해서 이 본문이 예수를 통해 요구하는 것을 가장 단순하게 종합하자면, 필자는 교회가 우리 삶의 증거를 통해 하나님의 가치와 엄위하심을 선포하면서 왕 같은 제사장과 거룩한 백성으로 살아야 한다는 것이라고 믿는다(벧전 2:9). 6장에서 필자는 출애굽기 19장 4-6절의 주요 개념을 이렇게 요약했다. "하나님의 은혜로운 구원에 대한 반응으로, 주님은 하나님을 높이는 과업, 곧 철저히 하나님 중심적인 삶을 통해 세상에 자신의 위대함과 가치를 전달하고 나타내 보이는 과업으로 자신의 백성을 부르신다."

변함없으신 우리 주님은 자신이 요구하는 것과 의도하는 것, 그리고 순종을 불러일으키기 위해 약속들을 사용하는 방식에서 일관되시다. 이스라엘 민족과 마찬가지로 교회는 우리의 주된, 새 언약 중보자의 가르침을 따르도록 부름 받는다. “모든 민족을 제자로 삼아 …… 내가 너희에게 분부한 모든 것을 가르쳐 지키게 하라”(마 28:19-20)는 것이다. 또한 하나님은 거룩함을 불러일으키기 위해, 그리고 우리를 악에서 지키기 위해 약속들을 이용하신다. “그 보배롭고 지극히 큰 약속을 우리에게 주사 이 약속으로 말미암아 너희가 정욕 때문에 세상에서 썩어질 것을 피하여 신성한 성품에 참여하는 자가 되게 하려 하셨느니라”(벧후 1:4). 마지막으로, 하나님의 목적은 여전히 다른 사람들이 “너희[우리] 착한 행실을 보고 하늘에 계신 너희[우리] 아버지께 영광을 돌리게” 하는 것이다(마 5:16).

그리스도인들과 구약 율법

그리스도인들을 위한 율법의 적실성에 대한 확증

바울은 “무엇이든지 전에 기록된 바는 **우리의** 교훈을 위하여 기록된 것”(롬 15:4)이라고 강조했다. 마찬가지로 바울은 신성한 **유대의** 글이 어떻게 “능히 너로 하여금 그리스도 예수 안에 있는 믿음으로 말미암아 구원에 이르는 지혜가 있게”(딤후 3:15) 하는지 강조한 직후에, “모든 성경은 …… 교훈과 책망과 바르게 함과 의로 교육하기에 유익하니”라고 강조했다(딤후 3:16). 사도가 생각하기에 우리는 그리스도인들을 구약에서 나온 경건의 길로 다시 이끌 수 있어야 한다. 하지만 우리는 그리스도가 오시면서 대단히 많은 것이 바뀌었다는 것을 아는데 어떻게 이것을 신실하게 행할 수 있는가? 구약 율법을 기독교적으로 적용하는 방법을 제시하기 전에, 구약 율법에 대한 필자의 기독교적 접근 방식으로 인도해 줄 세 가지 원리를 진술하고 해설하고자 한다.

1. 그리스도인은 옛 언약의 일부가 아니라 새 언약의 일부다

예수는 “모든 선지자와 율법이 예언한 것은 [세례] 요한까지”라고 말씀하셨다. 하지만 예수께서 오신 이후 우리는 성취의 시대로 넘어갔다. 그 시대에는 오랜 세월에 걸친 구약의 소망들이 이제 실현되고 있다(마 11:13. 누가복음 16장 16절 참조). 모세 율법의 은혜는 이제 예수 그리스도를 통해 우리에게 임하는 은혜와 진리로 대체되었다(요 1:16-17).

그리스도인은 새 언약 신자로 "[옛 언약의] 법 아래에 있지 아니하고 은혜 아래에" 있다(롬 6:14-15. 고린도전서 9장 20-21절, 갈라디아서 5장 18절 참조). 바울에게 모세 율법은 종노릇과 죽음의 시대를 나타냈으며, 새 언약의 "의의 직분"과 대조적으로 옛 언약은 "정죄의 직분"을 담당했다(고후 3:9). 모세는 전적으로 동의했을 것이다. 그는 이스라엘의 타고난 완악함과, 그들이 장차 멸망할 것을 둘 다 단언했기 때문이다(신 9:6-7, 31:27-29).[7] 그리스도인들이 "율법에서 벗어[났다]"(롬 7:6)는 것은 부분적으로 모세 율법이 더는 하나님의 백성의 행동을 직접 인도하거나 심판하는 주체가 아니라는 뜻이다.[8] 모세 율법 언약의 시대는 그리스도 안에서 끝났다. 그래서 율법 자체는 하나님의 백성 가운데서 더는 중심적이고 결정적인 역할을 하지 않게 되었다(고후 3:4-18, 갈 3:15-4:7).[9] "그리스도는 모든 믿는 자에게 의를 이루기 위하여 율법의 마침이 되시니라"(롬 10:4). 기록된 율법 규약인 모세 율법 언약의 613개 조항 중 어느 것도 그리스도인들에게 직접적인 구속력을 갖지 못한다(사도행전 15장 10절, 갈라디아서 4장 5절, 5장 1-12절, 에베소서 2장 14-16절 참조).

옛 언약은 계속 완악한 마음을 지니고 있던 많은 이스라엘 사람에게 죽음의 시대를 가져왔으며, 그리스도의 종말론적인 새 언약 사역은 이 율법 언약을 초월하고 대체한다. 바울의 말로 하면, "믿음이 오기 전에 우리는 율법 아래에 매인 바 되고 계시될 믿음의 때까지 갇혔느니라 이같이 율법이 우리를 그리스도께로 인도하는 초등교사가 되어 우리로 하여금 믿음으로 말미암아 의롭다 함을 얻게 하려 함이라 믿음이 온 후로는 우리가 초등교사 아래에 있지" 않다(갈 3:23-25). 마찬가지로 히브리서 기자는 이렇게 말했다. "이제 그는 더 아름다운 직분을 얻으셨으니 그는 더 좋은 약속으로

---

7 모세가 더 나은 언약을 중재할 더 큰 선지자를 기다리는 동안 자신의 사역이 정죄 사역이라고 확신한 것에 대해 더 알려면 Jason S. DeRouchie, "From Condemnation to Righteousness: A Christian Reading of Deuteronomy," *SBJT* 18, 3 (2014): 87-118쪽을 보라.

8 Douglas J. Moo, "The Law of Christ as the Fulfillment of the Law of Moses: A Modified Lutheran View," in *Five Views on Law and Gospel*, Wayne G. Strickland 편집, Counterpoints (Grand Rapids: Zondervan, 1999), 343쪽. 375쪽 참고.

9 같은 책, 359쪽.

세우신 더 좋은 언약의 중보자시라 …… 새 언약이라 말씀하셨으매 첫 것은 낡아지게 하신 것이니 낡아지고 쇠하는 것은 없어져 가는 것이니라"(히 8:6, 13. 7장 12절, 10장 9절 참조). 그리스도인은 옛 언약이 아닌 새 언약의 일부다.

2. 그리스도는 모세 율법을 성취하신다. 그리고 우리는 그분의 성취를 통해서만 그것을 우리 것으로 삼는다

예수는 자신이 "율법이나 선지자를 폐하러" 온 것이 아니라 "완전하게 하려" 왔다고 강조하셨다(마 5:17). 필자는 예수께서 말씀하시는 **구약 '성취'**(fulfilling the Old Testament)는 그분이 구약에서 직접적이거나 예표적인 예언을 통해서든, 전반적인 구속사적 궤적을 통해서든, 예언한 모든 것을 '종말론적으로 실현한다'는 의미라고 믿는다.[10] 다시 말해, 예수는 구약의 소망과 그림자의 목표이자 마침이셨다.[11] 우리는 모두 마지막 아담(고전 15:45. 로마서 5장 14절 참조)이자 이스라엘의 대표(사 49:1-6, 마 21:9, 눅 1:32-33)이시며, 참된 유월절 어린양(요 1:29, 고전 5:7)이자 참된 성전(요 2:21) 등이 되시는 그리스도께서 어떻게 모든 옛 언약 그림자의 실체인지(골 1:16-17, 히 8:5, 10:1) 쉽게 깨달을 수 있다. 그러나 모세 율법은 또한 죄를 판정하고 더하게 하는 방식(롬 3:20, 5:20. 7장 7-12절, 갈라디아서 3장 19절 참조)과 죄 된 사람들을 속박한 방식(롬 3:19-20, 8:2-3, 갈 3:10, 13, 22)에서도 예수를 예상했으며, 이러한 것들에 의해 모든 사람에게는 그리스도 안에 있는 속죄가 필요하다는 것을 나타냈다. 이런 의미에서 율법은 "모든 믿는 자에게 의를 이루기 위하

---

10 Tom Wells and Fred G. Zaspel, *New Covenant Theology: Description, Definition, Defense* (Frederick, MD: New Covenant Media, 2002), 115쪽. 77-159쪽 참고. πληρόω(플레로오, '성취하다')에 대한 예외적인 단어 연구로는, Vern S. Poythress, *The Shadow of Christ in the Law of Moses* (Phillipsburg, NJ: Presbyterian and Reformed, 1991)(『모세 율법에 나타난 그리스도』, 솔로몬), 363-77쪽. 267쪽 참고. 마태복음 5장 17-19절에 대해 유사한 접근으로는 Douglas J. Moo, "Jesus and the Authority of the Mosaic Law," *JSNT* 7, 20 (1984): 23-28쪽, Moo, "Law," *DJG* 456-58쪽, Moo, "The Law of Christ as the Fulfillment of the Law of Moses," 347-53쪽, Poythress, *The Shadow of Christ in the Law of Moses*(『모세 율법에 나타난 그리스도』), 263-69쪽, D. A. Carson, "Matthew," in *Matthew & Mark*, 2판, Expositor's Bible Commentary 9 (Grand Rapids: Zondervan, 2010), 172-79쪽을 보라.

11 포이트레스(Poythress)는 유용하게 이렇게 쓴다. "예수는 단지 율법의 취지를 정적으로 계속 이어가는 것을 주장하신 것이 아니라, 그보다는 역동적 진전(사실상 명확한 성취)을 주장하신다. 구약 율법 형태에서 일시적이고 그림자 같던 것은 폐지되었다. 하나님의 영광과 왕적 권세가 바로 예수의 위격에서, 그리고 그분의 사역에서 나타나기 때문이다. 하늘나라에 대한 약속에는 구약에서 하나님을 나타내는 데 기여한 모든 것을 강화시키는 것이 포함된다. 모든 것은 하나님 자신이 구원하러 오셨다는 것의 탁월함과 중대함에 의해 변화된다"(*The Shadow of Christ in the Law of Moses*[『모세 율법에 나타난 그리스도』], 265쪽).

여 율법의 마침"(롬 10:4)이신 그리스도를 예언했다. 바울은 다른 곳에서 이렇게 말했다. "그러므로 율법의 행위로 그의 앞에 의롭다 하심을 얻을 육체가 없나니 율법으로는 죄를 깨달음이니라 이제는 율법 외에 하나님의 한 의가 나타났으니 율법과 선지자들에게 증거를 받은 것이라 곧 예수 그리스도를 믿음으로 말미암아 모든 믿는 자에게 미치는 하나님의 의니"(롬 3:20-22).

구약의 모든 윤리적 이상은 자신이 택하신 자들을 위한 그리스도의 온전한 의를 미리 가리켰다(롬 5:18-19, 8:3-4, 빌 2:8). 필자는 다음 부분에서 이 점을 더 자세히 다룰 것이다. 게다가 교사와 언약 중재자로서 예수의 역할은 (얼굴을 맞대어 하나님을 알고, 큰 기사와 이적을 행하며, 백성이 그의 말을 들을[신 18:15, 34:10-12. 누가복음 7장 16절, 9장 35절, 사도행전 3장 22-26절, 7장 37절 참조]) 자신과 같은 "선지자"가 오실 것에 대한 모세의 종말론적 소망들을 성취한다.

의미심장하게도 예수는 각 부분의 적실성을 지속적으로 유지하는 식으로 율법을 성취하셨다. 그리스도는 이렇게 말씀하셨다. "율법과 선지자는 요한의 때까지요 그 후부터는 하나님 나라의 복음이 전파되어 …… 그러나 율법의 한 획이 떨어짐보다 천지가 없어짐이 쉬우리라"(눅 16:16-17). 이 구절들에서 우리는 **연속성**(모든 율법은 여전히 "성경"의 일부이며 그렇기 때문에 교훈적이다)과 **불연속성**(구약 예언 시대는 성취에 이르렀다)을 모두 볼 수 있다.

마태복음 5장 17-19절에도 비슷한 긴장이 존재한다. 그 구절을 전부 인용해 보겠다. 이 구절에서 예수는 모세 율법의 모든 명령 부분이 여전히 그분을 따르는 자들에게 교훈적이지만, **그분의 율법 성취에 비추어서 읽을 때만 그렇다**고 강조하신다.

> 내가 율법이나 선지자를 폐하러 온 줄로 생각하지 말라 폐하러 온 것이 아니요 완전하게 하려 함이라 진실로 너희에게 이르노니 천지가 없어지기 전에는 율법의 일점일획도 결코 없어지지 아니하고 다 이루리라 그러므로 누구든지 이 계명 중의 지극히 작은 것 하나라도 버리고 또 그같이 사람을 가르치는 자는 천국에서 지극히 작다 일컬음을 받을 것이요 누구든지 이를 행하며 가르치는 자는 천국에서 크다 일컬음을 받으리라.

예수께서 말씀하시는 "이 계명"은 아마 모세 율법 자체의 명령과 금지일 것이다.[12] 그래서 예수는 모세 율법이 여전히 신자들에게 적절한 지침이라고 단언하신다. 하지만 우리가 예수의 율법 성취를 통해 그 율법에 참여할 **때에만** 그렇다. 그러한 율법 성취는 어느 율법이든 강화하거나, 변화시키거나, 확대하거나, 폐지하는 결과를 가져올 수 있다. 우리가 삶으로 나타내는 "그리스도의 율법"(사 42:4, 마 28:20, 고전 9:21)은 예수께서 성취하신 율법으로, 그 원형(original form)인 모세 율법을 종말론적으로 실현한 것이다. 그래서 우리가 그리스도의 율법을 지키는 것은 하나님이 마음에 할례를 베푸사 사랑할 능력을 주시는 날(신 30:6. 그리스도와 새 언약 안에서 우리가 지금 경험하는 것[롬 2:29])에 모세가 **신명기에** 전한 모든 명령을 하나님의 백성이 지키리라는 모세의 예언을 성취하는 것이다. "너는 돌아와 주 여호와의 음성을 듣고 **내가 오늘날 네게 명령하는 그분의 모든 계명**을 행할 것이라"(신 30:8, 필자 번역).

그리스도인들이 법적으로 모세 율법에 직접 매여 있지 않지만, 우리는 율법 자체를 거부하지는 않는다. 대신 우리는 신약 저자들의 본을 따라 모든 구약 율법을 유익하고 교훈적인 것으로 본다(예를 들어 롬 13:9, 고전 9:7-9, 엡 6:1-3, 딤전 5:18, 벧전 1:15-16. 로마서 4장 23절, 15장 4절, 고린도전서 10장 11절 참조). 그러나 그리스도의 중재를 통해서만 그렇다고 여긴다. 그리고 예수는 각 율법을 서로 다른 방식으로 성취하시기 때문에, 우리는 각 율법을 그리스도의 사역에 비추어 나름대로 고찰해야 한다. 그러한 작업을 행한 최종 결과가 바울이 "**그리스도의 율법**"(law of Christ)이라고 칭하는 것이다(고전 9:21, 갈 6:2).

예수를 모세의 지속적 타당성을 고찰하기 위한 렌즈라고 볼 때(표12.3), 우리는 어떤 율법은 직진해서 예수를 통과한다는 것을 알 수 있다(예를 들어, 남녀 간 구별을 유지하라는 것, 간음, 살인, 도둑질 등을 절대 저지르지 말라는 것). 그리스도의 율법 안에서도 모세 율법에서와 같게 보이는 것이다. 예를 들어 남녀 구분과 관련된 모세 율법(예를 들어 신 22:5)을 성취하실 때, 그리스도는 모든 남녀 구분을 **유지하신다**. 간음, 살인, 도둑질 등에 대한 금지에 관해서도 비슷하게 말할 수 있다. 어떤 차원에서 이 율법들은 심지어 강화되기도 한다. 예수 자신의 삶이 하나님을 향한 삶에 대해 비할 데 없는 모범(빌 2:5-7,

12 Moo, "Jesus and the Authority of the Mosaic Law," 28쪽, Moo, "Law," 458쪽, Moo, "The Law of Christ as the Fulfillment of the Law of Moses," 353쪽, Poythress, *The Shadow of Christ in the Law of Moses*(『모세 율법에 나타난 그리스도』), 267-69쪽, Wells and Zaspel, *New Covenant Theology*, 127쪽, Carson, "Matthew," 179쪽도 그렇게 말한다.

히 12:1-3, 벧전 2:21, 요일 2:6)과, 그렇게 살도록 하는 비할 데 없는 능력(롬 1:16, 고전 1:18)을 신자들에게 제공하기 때문이다. 특히 그분의 피로 사신 용서(롬 6:6-7, 22, 8:10)와 약속들(롬 8:32, 고후 1:20, 벧후 1:4)을 통해 그렇게 하신다. 그럼에도 이러한 교훈에 대한 그리스도인의 순종은 구약 신자들이 율법을 수행하는 데서 보였을 만한 것과 매우 비교할 만하다. 이에 반해 다른 율법들은 그리스도의 렌즈를 통과할 때, 여러 방식으로 '굴절된다.' 다음 예들을 생각해 보라.

- 안식일에 대한 모세 율법(예를 들어 신 5:12)을 성취할 때, 그리스도는 그것을 하나님의 백성을 위한 지속적인 안식으로 **변화시키신다**. 안식일이 가리키던 하나님 나라의 안식은 예수 안에서 종말론적 실현에 이르렀다.
- 마찬가지로 그리스도가 난간 있는 건물에 관한 모세 율법(신 22:8)을 성취하실 때, 그 율법은 집 건물의 모든 부분에서 이웃을 돌볼 필요가 있다는 것으로 **확장된다**.
- 마지막으로, 부정한 음식과 관련된 모세 율법(예를 들어 레 20:25-26)을 성취하실 때, 그리스도는 모든 음식이 정결하다고 선언하시면서 그 율법을 **폐지하신다**. 비록 그리스도가 이전의 음식 제한들을 폐지하셨다 해도, 우리는 그 규정들이 하나님에 대해 무엇을 말해 주는지, 그것이 예수의 사역을 어떻게 증대시키는지 생각하여 여전히 이 명령들에서 유익을 얻을 수 있다. 그럼에도 우리는 어쨌든 이 율법들을 지키지는 않는다.

우리는 모든 율법이 오늘날 어떻게 적용되는지 제대로 분별하기 위해 나름대로 그 율법들을 평가해야 한다. 다음 부분에서 필자는 예수께서 어떻게 네 개의 다른 율법을 갖가지 방식으로 성취하시는지 예를 들어 설명할 것이다. 유지하든지(성별 구분), 변화시키든지(안식일), 확장하든지(난간 건물), 폐지하든지(부정한 음식) 하셔서 그 율법을 성취하시는 것이다.

우리와 구약 율법의 관계를 파악하는 또 다른 방식은 물에서 서로 다른 거리로 떨어져 있는 두 강둑을 상상해 보는 것이다(표12.4). 강의 양 편은 옛 언약과 새 언약을 상징한다. 예수는 우리가 한 쪽에서 다른 쪽으로 이동하기 위해 건너야 하는 '다리'다.

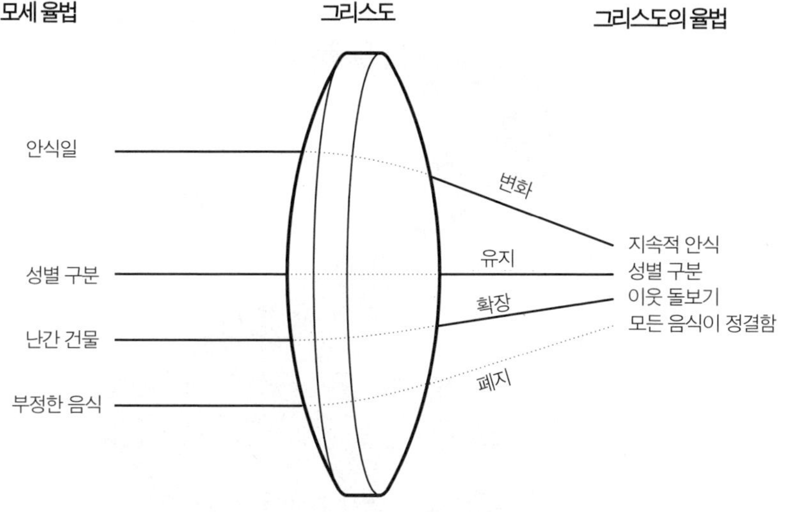

표12.3. 그리스도의 '렌즈'를 통한 율법 성취[13]

다리의 길이 및 우리와 특정 모세 율법의 거리는 율법 자체의 성질에 따라 달라진다. 거리는 언제나 충분히 멀어서 우리는 그리스도가 아니고서는 다른 쪽으로 갈 수 없다. 어떤 율법들은 거의 떨어져 있지 않은 것처럼 보일 만큼 양 편에서 매우 가까워 보인다(성별 구분, 간음, 도둑질 등). 그러나 또 어떤 율법들은 거리나 변화가 상당하다(안식일, 음식 율법 등).

그럼에도 우리가 그리스도의 렌즈를 통해 구약에 다가갈 때, 구약에 속한 모든 것은 "우리의 교훈을 위하여"(롬 15:4. 4장 23절, 고린도전서 10장 11절 참조) 기록된 "성경"으로 작용하며, 여전히 "교훈과 책망과 바르게 함과 의로 교육하기에 유익"(딤후 3:16)하다. 우리는 그리스도를 통해서만, 그리고 그분의 사도들의 가르침에 비추어서만(그 둘만이 함께 교회의 근거를 이루고 교회를 유지한다[행 2:42, 엡 2:20. 마태복음 7장 24-27절, 17장 5절, 28장 20절, 요한복음 16장 12-14절, 17장 8, 18, 20절, 데살로니가후서 2장 15절, 히브리서 1장 1-2절 참조) 모세 율법에 다가가고 그 율법을 적용한다.[14]

---

13 필자의 학생인 벤자민 홀비(Benjamin Holvey)에게 감사한다. 그는 이 렌즈 예시에 대한 영감을 처음 제공해 주었다.

14 그리스도인과 구약 율법의 관계에 대한 구속사적 접근을 더 알려면, David A. Dorsey, "The Law of Moses and the Christian: A Compromise," *JETS* 34, 3 (1991): 321-34쪽, Poythress, *The Shadow of Christ in the Law of Moses*(『모세 율법에 나타난 그리스도』), 251-86쪽, Moo, "The Law of Christ as the Fulfillment of the Law of Moses," 317-76쪽, Wells and Zaspel, *New Covenant Theology*, 77-160쪽, 특히 126-27, 157-60쪽, Daniel M. Doriani, "A Redemptive-Historical Model," in *Four Views on Moving beyond the Bible to Theology*, Gary T. Meadors 편집, Counterpoints (Grand Rapids: Zondervan, 2009), 75-121쪽, 그리고 51-56, 205-9, 255-61쪽에 나오는 다른 기고자들에 대한 반응들,

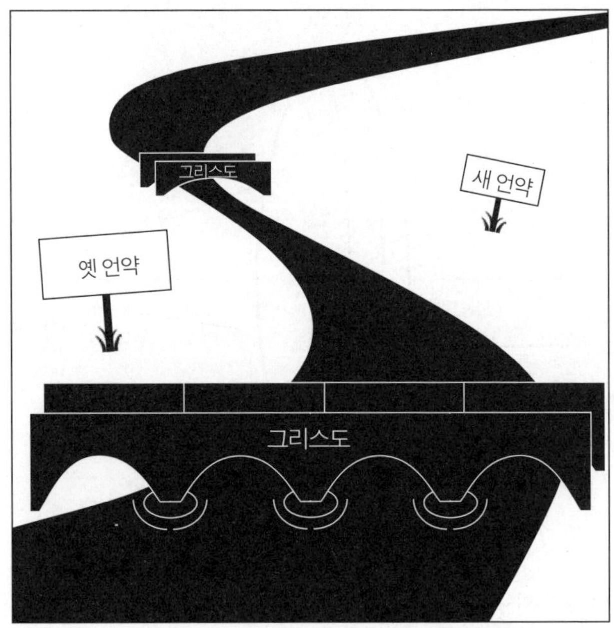

표12.4. 그리스도의 '다리'를 통한 율법 성취

3. 구약 율법은 하나님의 성품을 묘사하고, 그리스도를 내다보며, 사랑과 지혜로운 삶이 무엇인지 명확히 설명한다

필자는 예수를 통해 모세 율법의 '모든 세부 사항'이 그리스도인에게 중요하다고 주장했다. 적어도 세 가지 이유에서다. 옛 언약 율법(들)은 (a) 신자에게 하나님의 성품을 명확하게 설명하고, (b) 그리스도를 예언적으로 증거하는 역할을 하며, (c) 하나님과 이웃을 위한 사랑이 얼마나 깊고 넓은지 밝히기 때문이다.

Jason C. Meyer, *The End of the Law: Mosaic Covenant in Pauline Theology*, NAC Studies in Bible and Theology 7 (Nashville: Broadman & Holman, 2009), Meyer, "The Mosaic Law, Theological Systems, and the Glory of Christ," in *Progressive Covenantalism: Charting a Course between Dispensational and Covenant Theologies*, Stephen J. Wellum and Brent E. Parker 편집 (Nashville: Broadman & Holman, 2016), 69-99쪽, Thomas R. Schreiner, *40 Questions about Christians and Biblical Law*, 40 Questions (Grand Rapids: Kregel, 2010), Jason S. DeRouchie, "Making the Ten Count: Reflections on the Lasting Message of the Decalogue," in *For Our Good Always: Studies on the Message and Inf luence of Deuteronomy in Honor of Daniel I. Block*, Jason S. DeRouchie, Jason Gile, and Kenneth J. Turner 편집 (Winona Lake, IN: Eisenbrauns, 2013), 415-40쪽, Brian S. Rosner, *Paul and the Law: Keeping the Commandments of God*, NSBT 31 (Downers Grove, IL: InterVarsity Press, 2013), William W. Combs, "Paul, the Law, and Dispensationalism," *DBSJ* 18 (2013): 19-39쪽, Stephen J. Wellum, "Progressive Covenantalism and Doing Ethics," in *Progressive Covenantalism: Charting a Course between Dispensational and Covenant Theologies*, Stephen J. Wellum and Brent E. Parker 편집 (Nashville: Broadman & Holman, 2016), 218-21쪽을 보라.

a. 율법은 하나님의 성품을 묘사한다

모세 율법은 하나님의 성품에 대한 표현이다. 주님은 "내가 거룩하니 너희도 거룩할지어다"(레 11:45)라고 주장하셨다. 그리고 이스라엘은 하나님 말씀에 주의를 기울여 이 명령을 성취할 것이다. "너희가 내 말을 잘 듣고 내 언약을 지키면 …… 너희가 내게 대하여 제사장 나라가 되며 거룩한 백성이 되리라"(출 19:5-6). 또한 "그리하여 너희가 내 모든 계명을 기억하고 행하면 너희의 하나님 앞에 거룩하리라"(민 15:40). 바울은 "율법은 거룩하고 계명도 거룩하고 의로우며 선하도다"(롬 7:12)라고 강조했다. 우리는 모세 율법을 읽을 때, 위대하신 하나님의 성품 자체를 들여다보게 된다.

b. 율법은 그리스도를 내다본다

율법은 하나님의 성품을 묘사하는 것과 함께 우리에게 그리스도를 가리킨다. 이것은 그리스도의 율법 성취를 논의하면서 이미 강조한 점이다. 여기서 필자는 구약의 모든 윤리적 이상이 신적인 하나님의 아들 안에서 구현된다는 사실을 강조하고자 한다. 그래서 그리스도인들은 구약 율법들을 사용하여 하나님이 그리스도 안에서 우리를 위해 되신 모든 것을 증대시킬 수 있다. 우리는 신명기 17장 18-20절에 이것이 처음 예상되어 있는 것을 본다. 그 구절에서 주님은 이스라엘 안에서 왕은 어떠한 사람이 되어야 하는지를 보여 주신다. 군주는 율법책의 사람이 될 것이다. 율법을 삶으로 구현하면서 절대 여호와를 대신하는 것이 아니라 완벽하게 그분을 대표해야 하는 것이다. 그는 모세의 말을 기록한 자신만의 책을 가지고 있어야 하며, 날마다 그것을 읽어야 한다. 그러면 경외감을 품고 순종과 겸손으로 영원한 나라를 이어갈 것이다. 예수는 이러한 이상을 구현하신 분이다.

마찬가지로 신적 종은 단지 그분 자신이 "의로우며" 죄인들의 죄악을 담당하기 때문에 "많은 사람을 의롭게" 하실 수 있다(사 53:11. 요한일서 1장 9절-2장 1절 참조). 그분은 완벽하게 순종적이었으며(롬 5:19, 빌 2:8, 히 5:8) 죄가 없으셨다(요 8:46, 14:30, 히 7:26, 벧전 2:22, 요일 3:5). 그리고 그분의 온전한 복종의 삶은 그분 안에 있는 사람들을 율법의 정죄하는 능력에서 해방시키고, 율법이 요구한 의를 우리 모두에게 제공한다. 십자가에서 하나님은 "우리를 거스르고 불리하게 하는 법조문으로 쓴 증서"를 제하여 버리셨다(골 2:13-14. 갈라디아서 3장 13절 참조). 하나님은 우리 죄를 예수께 돌리셔서 그분의 진노를 우리 대신 예수께 부으심으로, 그리고 예수의 의를 우리 것으로 돌리심으로 이것을 이루셨다. "하나님이[하나님 아버지가] 죄를 알지도 못하신 이[그리스도]를 우리를 대신하여 죄로 삼으신 것은 우리로 하여금 그 안에서 하나님의 의가 되게 하려 하심이라"(고후 5:21. 로마서 5장 18-19절, 히브리서 9장 28절 참조). 예수를 통해 하나님은 "육신에 죄를 정하사 육신을 따르지 않고 그 영을 따라 행하는 우리에게 율법의 요구가 이루어지게 하려" 하셨다(롬 8:3-4). 필자의 생각으로 후자의 텍스트는 그리스도가 온전하게 법규를 지키신 것이 그분 안에 있는 모든 사람에게 적용된다는 의미이며, 그에 대한 증거는 우리가 이제 성령으로 행한다는 것이다.[15]

c. 율법은 사랑과 지혜로운 삶이 무엇인지 분명하게 설명한다.

예수는 "온 율법과 선지자의 강령"이 하나님을 사랑하고 이웃을 사랑하라는 이중 명령에 달려 있다고 말씀하셨다(마 22:37-40). 예수는 이웃을 어떻게 사랑하는지가 어떻게 우리가 하나님을 사랑하는지 아닌지를 참으로 입증하는지 강조하시면서, 한 걸음 더 나아가 "그러므로 무엇이든지 남에게 대접을 받고자 하는 대로 너희도 남을 대접하라 이것이 율법이요 선지자니라"(7:12)고 말씀하신다. 마찬가지로 바울은 "온 율법은 네 이웃 사랑하기를 네 자신같이 하라 하신 한 말씀에서 이루어졌나니"(갈 5:14)라고 강조했다. 의미심장하게도 사랑하라는 이 명령 안에서는 단지 율법의 '도덕적' 부분뿐 아니라 온 율법(모든 계명)이 성취된다.

피차 사랑의 빚 외에는 아무에게든지 아무 빚도 지지 말라 남을 사랑하는 자는 율법

---

15 로마서 5장 18절에 나오는 δικαίωμα(디카이오마, '의로운 요구')의 단수 용법은 8장 4절에 나오는 같은 용어의 단수 용법이 그리스도인이 율법을 지키는 것에 대한 언급이라기보다는 우리가 그리스도께 통합되어 우리 것으로 여겨지는 그리스도의 완전한 순종(그분의 의)에 대한 언급임을 강력하게 시사한다. 이에 대해 필자는 더글러스 J. 무(Douglas J. Moo), *Romans*, NICNT (Grand Rapids: Eerdmans, 1996)(『NICNT 로마서』, 솔로몬), 483-84쪽에 동의한다. 우리가 성령에 의해 행하는 것은 결과적으로 우리가 의롭다 함을 받았다는 증거다. 그리고 바울은 이렇게 행하는 것이 율법을 성취하는 것(롬 13:8, 10)이면서 할례 받은 마음을 통해 그리고 성령의 능력에 의해 율법의 "의로운 규례들"(δικαίωματα[디카이오마타], δικαίωμα[디카이오마]의 복수 대격)을 지키는 것이라고 말한다(2:26. 에스겔 36장 27절, 로마서 2장 29절 참조). 로마서 8장 4절에 대한 다른 견해, 곧 "의로운 요구"를 그리스도가 우리를 위해 하신 일 대신 우리가 행하도록 권능을 부여받는 것이라고 보는 견해로는 Thomas R. Schreiner, *Romans*, BECNT 6 (Grand Rapids: Baker Academic, 1998)(『BECNT 로마서』, 부흥과개혁사), 404-8, 690-95쪽, Kevin W. McFadden, "The Fulfillment of the Law's *Dikaiōma*: Another Look at Romans 8:1-4," *JETS* 52, 3 (2009): 483-97쪽을 보라.

을 다 이루었느니라 간음하지 말라, 살인하지 말라, 도둑질하지 말라, 탐내지 말라 한 것과 그 외에 다른 계명이 있을지라도 네 이웃을 네 자신과 같이 사랑하라 하신 그 말씀 가운데 다 들었느니라 사랑은 이웃에게 악을 행하지 아니하나니 그러므로 사랑은 율법의 완성이니라(롬 13:8-10).

옛 언약과 새 언약 모두에서 사랑은 하나님의 백성이 해야 하는 것(what)이다. 다른 명령들은 모두 그저 **어떻게**(how) 사랑하는지를 명확하게 해줄 뿐이다. 이런 관점에서 보면, 모세 율법은 그리스도인의 삶을 직접 또는 즉각적으로 인도해 주지 않지만, 하나님과 이웃에 대한 사랑이 우리 삶에 얼마나 깊고 넓게 영향을 끼치는지에 대한 본을 제공해 준다.[16]

실로 고대 이스라엘 안에서조차 구약에 계시된 가족, 사회, 정치 구조는 증거를 위한 목적을 지니고 있었으며, 하나님이 모든 시대, 모든 백성에게 바라시는 가치관의 배경을 이루는 패러다임을 제공하고자 했다. 먼저 아브라함의 삶에서 이 사실에 대한 증거를 볼 수 있다. 여호와는 아브라함이 "내 말을 순종하고 내 명령과 내 계명과 내 율례와 내 법도를 지켰음이라"(창 26:5)고 말씀하신다. 아브라함의 신뢰의 삶을 묘사하기 위해 모세 언약에 나오는 바로 그 단어들을 사용한 것(신 30:10, 왕상 2:3, 왕하 17:13, 34)은 모세 율법이 패러다임적인 성질을 지니고 있음을 밝히는 것이다.

이스라엘 사람들이 하나님 말씀을 잘 듣고, 하나님의 언약을 지키고, 그분의 보배로운 소유가 된다면, 그들은 세상 한가운데서 여호와의 위대하심을 증거하게 될 것이다(출 19:5-6). 그들이 율례와 법도를 삶으로 살아 낼 때, 열방은 하나님의 율법의 고결함을 보고 이스라엘을 지혜와 지식이 있는 백성으로 볼 것이다(신 4:5-8). 그렇기 때문에 모세 율법은 세상에 의로운 삶이 무엇인지에 대해 분명한 모습을 형성하는 데 기여했다.[17]

---

16 구약 율법을 원리화하는 접근에 대한 예로는 Walter C. Kaiser Jr., *Toward Old Testament Ethics* (Grand Rapids: Zondervan, 1983), Kaiser, "A Principlizing Model," in *Four Views on Moving beyond the Bible to Theology*, Gary T. Meadors 편집, Counterpoints (Grand Rapids: Zondervan, 2009), 19-50쪽, J. Daniel Hays, "Applying the OT Law Today," *BSac* 158, 1 (2001): 21-35쪽, Jerram Barrs, *Delighting in the Law of the Lord: God's Alternative to Legalism and Moralism* (Wheaton, IL: Crossway, 2013), 315-26쪽을 보라. 필자의 견해로는 원리화하는 접근을 신실하게 하려면 구속사적 렌즈를 반드시 포함시켜야 한다.

17 모세 율법에 대해 원리화하는 패러다임적 접근을 더 알려면 Christopher J. H. Wright, *Old Testament Ethics for the People of God* (Downers Grove, IL: InterVarsity Press, 2004)(『현대를 위한 구약 윤리』, IVP), 62-74, 182-211, 314-25쪽을 보라. 그리고 Waldemar Janzen, *Old Testament Ethics: A Paradigmatic Approach* (Louisville: Westminster

4. 요약

옛 언약 율법 중 어느 것도 하나님의 백성에게 직접 또는 즉각적으로 구속력을 지니지는 않는다. 모세의 명령들은 이미 끝났고, 우리가 속하지 않은 언약의 일부이기 때문이다. "이같이 율법이 우리를 그리스도께로 인도하는 초등교사가 되어 …… 믿음이 온 후로는 우리가 초등교사 아래에 있지 아니하도다"(갈 3:24-25). 그럼에도 그리스도인은 모세 율법이 하나님의 성품을 묘사하고, 그리스도를 내다보며, 사랑과 지혜로운 삶의 본질을 명확히 설명하는 방식에서 유익을 얻는다. 그래서 모세 율법은 그리스도인에게 직접 또는 즉각적인 법적 심판자나 인도자 역할을 하지는 않지만, 우리가 그리스도의 율법 성취에 비추어 율법을 읽을 때, 계속해서 계시적이고 교육적인 방식으로 영향을 끼친다.[18] 이러한 관점에서 바울이 "그런즉 우리가 믿음으로 말미암아 율법을 파기하느냐 그럴 수 없느니라 도리어 율법을 굳게 세우느니라"(롬 3:31)라고 말한 것이다.

모세는 하나님의 변화된 사람들이 "내가 오늘 네게 명령하는 그 모든 명령을 행할"(신 30:8) 종말론적 시대를 내다보았다. 마찬가지로 예레미야도 새 언약 시대에 한때 악한 이웃이던 사람들(이방인들)이 하나님 백성의 "도를 부지런히 배우며", 이로 인해 그들 가운데 "세움을 입[을]" 것이라고 상상했다(렘 12:16). 에스겔 역시 주님이 그분의 영을 부어 주실 때 그분의 백성이 "내 율례(칠십인 역 = δικαίωμα[디카이오마]의 복수)를 행하게 하리니 너희가 내 규례를 지켜 행할지라"고 말했다(겔 36:27). 바울이 로마서 2장 26, 29절에서 그리스도인 이방인들이 실제로 그들의 할례 받은 마음에 의해, 그리고 성령의 능력에 의해 "율법의 규례(δικαίωμα[디카이오마]의 복수)"를 지키고 있다고 말할 때, 그는 이러한 예상들이 성취되는 것을 묘사한 것이다.[19] 우리가 이웃을 사랑할 때 이룬다

John Knox, 1994), Elmer A. Martens, "How Is the Christian to Construe Old Testament Law?," *BBR* 12, 2 (2002): 199-216쪽, Peter T. Vogt, *Interpreting the Pentateuch: An Exegetical Handbook*, Handbooks for Old Testament Exegesis (Grand Rapids: Kregel, 2009)(「모세오경을 어떻게 해석할 것인가」, 크리스찬출판사), 42-48쪽, Daniel I. Block, "Preaching Old Testament Law to New Testament Christians," in *The Gospel according to Moses: Theological and Ethical Reflections on the Book of Deuteronomy* (Eugene, OR: Cascade, 2012), 104-46쪽, 특히 133-36쪽을 참조하라. 원래 *Hiphil*(*Scandinavian Evangelical E-Journal*) 3 (2006) 1-24쪽에서 발간되었으며, 후에 *Ministry* 78, 5 (2006): 5-11쪽, 78, 7(2006): 12-16쪽, 78, 9(2006): 15-18쪽에 세 부분으로 출간된 것을 보라. 필자의 견해로는 원리화하는 패러다임적 접근을 충실하게 이용하려면 구속사적, 기독론적 렌즈를 반드시 사용해야 한다.

18 이런 구분들에 대해서는 Dorsey, "The Law of Moses and the Christian," 325, 331쪽을 보라.

19 로마서 2장을 이렇게 해석하는 것에 대해서는 Simon J. Gathercole, "A Law unto Themselves: The Gentiles in Romans 2.14-15 Revisited," *JSNT* 24, 3 (2002): 27-49쪽, Ardel B. Caneday, "Judgment, Behavior, and Justification according to Paul's Gospel in Romans 2," *JSPHL* 1, 2 (2011): 153-92쪽을 보라. Schreiner, *Romans*(「BECNT 로마서」),

고 사도가 말한 것 역시 이러한 율법 성취다(롬 13:8, 10). 이 모든 텍스트는 '모세의 율법'과 '그리스도의 율법' 사이에 연속성 수준이 어떠한지를 밝혀 준다.

그러나 이사야는 진전을 통한 불연속성 수준이 어떠한지를 밝혔다. 메시아적 시대에 열방은 **여호와의 왕적 종을 통해** 선언된 여호와의 율법을 들으러 새 예루살렘에 모일 것이다(사 2:3, 42:4, 51:4). 모세 율법은 "그리스도의 율법" 안에서 성취되며 그 법을 형성한다(고전 9:20-21, 갈 6:2). 그 법은 또한 "온전한 율법", "자유의 율법", "최고의 법"이라고 불린다(약 1:25, 2:8, 12). 구약 율법은 하나님의 성품과 그리스도의 온전한 의를 새롭게 보게 해주며, 사랑의 삶이 어떤 모습인지를 그리스도인들이 더 잘 이해하도록 도와준다. 이러한 식으로 구약 율법은 "교훈과 책망과 바르게 함과 의로 교육하기에" 유익하게 된다(딤후 3:16. 마태복음 5장 17-20절, 28장 20절, 요한복음 14장 15절, 고린도전서 7장 19절, 디도서 2장 14절, 요한일서 2장 3절, 5장 3절 참조).

율법의 세 부분에 대한 평가

필자가 앞에서 주장한 것과 비슷하게, 브라이언 로즈너(Brian Rosner)는 바울이 율법 언약으로서 모세 율법을 거부했고, 모세 율법을 그리스도의 법으로 대체했으며, 모세 율법을 예수의 복음을 예상하는 예언으로, 그리고 신약 성도들이 하나님을 추구하도록 인도하는 지혜로 재전용했다고 주장했다.[20] 필자가 보기에 이것은 옳은 듯하다.

이러한 접근 방식에 아주 미미하게 대조되는 것으로, 복음주의 집단들, 특히 언약신학과 관련된 집단들에서는 흔히 세 종류의 모세 언약이 있다고 말한다.[21]

- **도덕법**(moral laws)은 시간이나 언약과 관계없이 영원히 적용할 수 있는 기본적

136-45쪽을 참조하라.

20 Rosner, *Paul and the Law*.

21 이 견해를 긍정하는 것으로는 "웨스트민스터 신앙고백" 19.3-5를 보라. 이러한 것들은 **신학적** 범주로, 형법, 민법, 가족법, 제의법/예식법, 긍휼법이라는 **내용** 구분과 대조된다(표1.8과 12.4를 보라).

인 윤리 원리들이다.

- **민법**(civil laws)은 그 땅 안에서 이스라엘의 정치적, 사회적 구조와 관련된 것이며, 시간적으로 한정되어 있다.
- **의식법**(ceremonial laws)은 이스라엘의 종교 의식과 제의 예배와 관련되어 있으며, 그리스도 안에서 예표적 결말에 이르는 상징적 요구 사항이다.

구원사가 그리스도를 통해 진전되면서, 이 견해에서는 모세 법령의 도덕법만 그리스도인들에게 적법한 구속력을 지닌다.

필자는 하나님의 옛 언약 가르침 가운데 적어도 일부를 지속적으로 타당하게 보려는 이러한 시도에 감사한다. 필자는 그리스도가 오신 것으로 인해 분명 어떤 율법은 다른 율법보다 더 변화되었으며, 그리스도인들이 옛 언약에서 한 것과 가장 비슷한 방식으로 "이루는"(롬 13:8, 10, 갈 5:14를 보라. 6장 2절 참조) 명령들은 보통 '도덕적'이라는 말이 붙은 것이라는 사실을 긍정한다.[22] 하지만 필자는 이 특정한 접근이 성경에 가장 충실하다거나 경건 생활에 가장 도움이 된다고는 생각하지 않는다.[23]

1. 성경은 절대 율법을 이런 식으로 구분하지 않으며, 율법을 하나의 통일체로 다룬다

구약에는 내용에 기초한 갖가지 율법 유형이 포함되어 있다(즉, 형법, 민법, 가족법, 의식법,

---

22 카슨은 "Mystery and Fulfillment," 429쪽에서 이 두 견해를 긍정한다.

23 전통적인 개혁주의 전통에 속한 일부 사람들은 이 사실을 긍정한다. 예를 들어 웨스트민스터 신학교의 신약 해석학 교수인 번 S. 포이트레스는 구약 율법을 도덕법, 민법, 의식법으로 구분하려는 제안을 살펴본다. "율법 유형 간의 단순하고 쉬운 어떤 구분도 모세 계시의 풍성함을 제대로 다루지 못할 것이다. …… 이 모세 율법 전체는 동시에 일반적인 도덕적 원리들과 상징적인 상세한 것들을 명확히 표현한다. 그 율법은 의와 (도덕적 함축들을 지닌) 형벌적 대속의 최종적이고 영구적인 표현이신 그리스도를 가리키지만, 그 율법 자체가 바로 그 점에서 (의식상의 함축들을 지닌) 하나의 그림자인 것이다"(*The Shadow of Christ in the Law of Moses*[「모세 율법에 나타난 그리스도」], 283쪽). 마찬가지로 커버넌트 신학교의 기독교 연구 및 현대 문화 교수인 제람 바즈(Jerram Barrs)는 이렇게 쓴다. "[도덕법, 민법, 의식법] 간의 이런 구분은 어떤 경우에도 변치 않는 것이 아니다. 예를 들어, 많은 의식법은 도덕적 측면 및 민사적 측면을 포함한다. 많은 민법은 도덕적 측면들을 포함한다. 그 견해를 체계적으로 정확하게 주장한다면, 이 견해에서 문제가 되는 결과는 율법의 의식적, 민사적 측면이 지닌 아름다움이 현 세대 동안 우리에게 잊히게 되었다는 것이다"(*Delighting in the Law of the Lord*, 314쪽). 왜 율법을 이런 범주들로 나눈 것이 바람직하지 않은가에 대한 성찰을 더 보려면 Dorsey, "The Law of Moses and the Christian," 329-31쪽, D. A. Carson, "The Tripartite Division of the Law: A Review of Philip Ross, *The Finger of God,*" in *From Creation to New Creation: Biblical Theology and Exegesis: Essays in Honor of G. K. Beale*, Daniel M. Gurtner and Benjamin L. Gladd 편집 (Peabody, MA: Hendrickson, 2013), 223-36쪽, Combs, "Paul, the Law, and Dispensationalism," 26-28쪽, Rosner, *Paul and the Law*, 36-37쪽, Meyer, "The Mosaic Law, Theological Systems, and the Glory of Christ," 87-89쪽, Wellum, "Progressive Covenantalism and Doing Ethics," 218-21쪽을 보라.

긍휼법. 1장의 표1.8을 보라). 이 틀 안에서 사랑하라는 명령은 언제나 의식보다 기본적인 것으로 여겨졌다(예를 들어 신 6:5, 10:12, 삼상 15:22-23, 사 1:11-17, 호 6:6, 암 5:21-24, 미 6:8). 때로 사람들은 율법을 새로운 방식으로 적용하거나(대상 15:12-15과 민 7:9, 신 10:8, 대하 30:2-3과 민 9:9-13), 새로운 맥락에 맞게 각색하거나(대하 29:34, 36과 레 1:5-6, 대하 30:17-20, 35:5-6과 출 12:21), 발전시키기도 했다(대하 8:12-15, 29:25-30). 심지어 백성들은 의식상 책임을 이행하길 게을리 하거나(레 10:16-20) 의식상 불법적인 활동에 관여했는데(삼상 21:3-6. 레위기 22장 10절, 마태복음 12장 4절 참조), 하나님이 그들을 유죄로 판결하지 않으신 경우들도 있다.

그럼에도 구약은 결코 율법을 도덕적, 민사적, 의식적으로 구분하지 않으며, 모든 율법은 여전히 구속력을 지니고 있었다. 예를 들어, 레위기 19장은 율법들 사이에 거의 구분이 보이지 않는다. 이웃을 사랑하라는 명령(11-12, 17-18절)과 가족(3a, 29절), 예배(3b-8, 26-28, 30-31절), 사업 관행(9-10, 13b, 19a, 23-25, 34b-36절), 궁핍하고 불우한 사람들을 돌보는 것(9-10, 13-14, 33-34절), 민형사상 분쟁(15-16, 35a절), 의식상의 문제(19b절) 등과 관련된 다양한 명령을 섞어 놓은 것이다. 특정 율법을 다른 율법보다 높이는 시도는 없다.

예수는 자신 이전의 구약 선지자들을 따라 율법의 '더 중한' 것과 '더 경한' 것을 구분하기는 하셨다(마 23:23. 9장 13절, 12장 7절 참조). 그렇지만 자신들의 향신료에 대해서는 기꺼이 십일조를 바치려 했지만 "정의와 긍휼과 믿음"이라는 더 어려운 과업은 기꺼이 행하려 하지 않는 사람들을 외식하는 자들이라고 칭하시면서, "이것도 행하고 저것도 버리지 말아야 할지니라"고 강조하셨다. 즉 예수는 여기서 '더 경한 문제들'의 가치가 지속적이지 않다고 말씀하고 계신 것이 아니다. 그보다 그분은 율법 전체의 가장 중요한 원리와 목적, 그리고 개별적 율법의 기저에 있는 원리와 목적에 초점을 맞추신 것이다.

게다가 신약은 율법에 대한 거부를 말하든, 대체와 재전용을 말하든 간에 일관되게 전체 율법을 하나의 단위로 말한다. 바울은 "간음하지 말라, 살인하지 말라, 도둑질하지 말라, 탐내지 말라 한 것과 **그 외에 다른 계명이 있을지라도** 네 이웃을 네 자신과 같이 사랑하라 하신 그 말씀 가운데 다 들었느니라"(롬 13:9)고 말한다. 이웃을 사랑하라는 명령은 단지 '도덕적' 율법들만이 아니라 모든 계명을 종합한다. 예수 역시 "그러므로 누구든지 이 계명 중의 지극히 작은 것 하나라도 버리고 또 그같이 사람을 가르치는 자는 천국에서 지극히 작다 일컬음을 받을 것이요 누구든지 이를 행하며 가르치는 자는 천국에서 크다 일컬음을 받으리라"(마 5:19)며 포괄적으로 말씀하셨다. 이 말씀에는 율법을 특별하게 분류하는 내용이 없다. 야고보는 "누구든지 온 율법을 지키다가 그 하나를 범하면 모두 범한 자가 되나니"(약 2:10)라고 말했다. 마찬가지로, 전에 바울은 전체 "율법"이 모든 사람에게 저주를 가져온다고(갈 3:10), 그리스도 안에서 우리는 이제 초등교사인 율법 언약 아래 있지 않다고(3:24-25), 그리고 "할례를 받는 각 사람[은] 율법 전체를 행할 의무를 가진 자"(5:3)라고 강조했다.

신약은 모든 모세 율법을 거부하고, 모든 율법이 그리스도의 법으로 대체되었다고 보고, 모든 율법을 그리스도를 가리키는 것이자 지혜로운 그리스도인의 삶에 대한 안내자로 재적용한다. 성경은 율법을 세 부분으로 나누는 것을 전혀 가르치지 않는다.

2. 모든 율법은 도덕적 원리를 표현하고, 대부분의 이른바 도덕법은 시간적으로나 문화적으로 한정된 요소들을 포함한다

이른바 민법은 단순히 후기 청동기와 철기 문화에서 나름의 방식으로 실현된 도덕적 원리들의 예를 제공한다. 또한 이른바 의식법은 상징을 통해 윤리적, 도덕적 요소를 예시하며, 이스라엘은 자신을 이교 이웃과 구분하여 여호와가 만유 위에 유일하시다는 것을 가리켰다. 그것은 누군가가 줄 수 있는 가장 위대한 사랑의 행동이다. 이와 함께 우리는 십계명에서 문화적으로 한정된 많은 특징을 보는데, 그것은 '도덕법'의 주요 예로 여겨진다.[24]

- 십계명의 서언은 이스라엘이 여호와께서 애굽의 종살이에서 구속하신 백성이라고 밝힌다(신 5:6). 그리고 이 요소는 안식일 명령에서 안식을 취하라는 명령의 근거이기도 하다(5:14-15).
- 우상 숭배에 대한 명령은 새긴 우상을 포함하는 종교 제도로 추정된다(신 5:8).
- 안식일 명령은 고대 근동의 종살이, 특정 지역에 한정된 동물들, 성문 등의 배경으로 여겨진다(5:14). 거기서 גֵּר(게르, "객"[sojourner], 5:14)라는 말을 사용한 것은 정

24 이것들 중 처음 다섯 개는 Dorsey, "The Law of Moses and the Christian," 330쪽에 나온 것이다, 마지막 것은 Daniel I. Block, " 'You Shall Not Covet Your Neighbor's Wife': A Study in Deuteronomic Domestic Ideology," *JETS* 53, 3 (2010): 449-74쪽에 나와 있다.

치적으로 규정된 이스라엘 민족의 존재를 암시한다.

- 부모를 공경하라는 명령은 가나안 땅에서 영위될 이스라엘 민족의 삶을 직접 가리킨다(5:16).
- 탐내는 것에 대한 명령들은 백성들이 고대 근동의 종살이와 지중해 사회에서 흔한 짐승들에 대해 잘 아는 것으로 추정한다(5:21).
- 이 명령들은 주로 아내, 자녀, 집안의 종, 재산 등이 있는 가정을 대상으로 한 것이다. 이 모든 것은 이스라엘의 부계 중심 사회를 가리킨다.[25]

이 목록은 십계명을 민법이나 의식법과 구분되는 도덕법으로 보려고 하는 사람들에게 경고가 되어야 한다.

3. 우리는 구약의 도덕적 부분뿐 아니라 구약 '전체'에서 유익을 얻어야 한다

모세 율법이 세 부분으로 나뉘어 있다고 주장하는 대부분의 신학자들은 모든 성경이 영속적 가치를 지니고 있다는 것을 긍정한다. 하지만 민법과 의식법이 이차적 성질을 지니고 있는 것과 달리 도덕법이 영속적 적실성을 가지고 있다는 것이 강조되면서, 많은 평신도는 레위기 같은 책들이 그리스도인에게 거의 영속적 적실성이 없다고 여기게 되었다. 하지만 바울은 성전 예배에 대한 교훈에서 목회적 통찰을 끌어내며(고전 9:13-14), 그리스도인들에게 "모든 성경은 …… 유익하니"(딤후 3:16)라고 강조했다. 우리는 일부 율법에만 국한해서 주의를 기울이기보다, 이웃을 사랑할 때 모든 율법 안에 있는 명령이 어떻게 다 이루어지는지(롬 13:8, 10) 강조할 만한 더 확고한 근거를 갖고 있지 않을까?

이 모든 관찰과 필자의 이전 논증에 비추어 볼 때, 필자는 모세 율법 중 그리스도인에게 **법적으로** 직접 구속력을 지니는 것은 아무것도 없지만, 그리스도가 율법을 성취하신 것에 비추어 읽을 때 모든 모세 율법은 **계시적**이고 **교육적**으로 신자들에게 의미가 있다고 보는 것이 가장 좋다고 생각한다. 옛 언약 율법은 우리의 법전이 아니다. 그

---

25 이스라엘 사회가 자신을 높이는 독재자인 아버지에게 지배당하는 것(즉 가부장적[patriarchal])과는 반대로 섬기는 지도자인 아버지를 중심으로 하고 있다(즉 아버지 중심적[patricentric])는 성경적 시각에 대해서는 Daniel I. Block, "Marriage and Family in Ancient Israel," in *Marriage and Family in the Biblical World*, Ken M. Campbell 편집 (Downers Grove, IL: InterVarsity Press, 2003), 33-102쪽을 보라.

러나 그것은 여전히 우리를 위해 쓰였다. 주님의 성품을 묘사하고, 우리 눈을 예수께 향하게 하며, 하나님 사랑과 이웃 사랑이 얼마나 깊고 넓게 우리 삶을 사로잡아야 하는지를 분명하게 밝히기 위해서다.

구약 율법을 적용하는 법

이 부분에서 필자는 모세 율법이 그리스도인들을 위한 지혜로 담당하는 역할에 초점을 맞추고자 한다. 그리스도인은 예수께서 확보한 성취에 비추어 어떻게 모세 율법을 재적용해야 하는가? 여기서 필자는 이 장 앞부분에 제시한 세 가지 일반 원리('구약 교훈을 적용하기 위한 일반적 지침_ 출애굽기 19장 4-6절'을 보라)를 채택하되, 특별히 구약 율법을 적용하는 것에서 그 원리들을 다룬다.[26]

1. 율법의 원래 계시된 의미와 적용을 확증하라

여기에는 구약 율법들과 관련하여 세 부분이 포함된다.

a. 유형

이 특별한 율법이 우리가 아닌 옛 언약 이스라엘에 주어진 것임을 상기하면서, 필자가 예언 장르를 논의하며 제시한 다섯 가지 유형에 따라 율법 유형을 규정하라(1장에 나오는 표1.8을 보라).

b. 원래 의미와 의의

원래 맥락에서 율법의 성질을 평가해 보라. 그 율법의 사회적 기능과 상대적 지위를 명확히 하라. 그 율법은 우리가 나머지 자료에서 발견하는 지배적 주제와 사회적 목

---

26 이 자료들 중 일부는 Wright, *Old Testament Ethics for the People of God*(『현대를 위한 구약 윤리』), 314-24쪽과 Dorsey, "The Law of Moses and the Christian," 332-33쪽 내용을 수정한 것이다.

형법	전체 공동체의 안녕을 위협하는 범죄나 불법을 다스리는 율법. 피해자는 국가 또는 민족 공동체다. 그렇기 때문에 전체 공동체를 대표해서 최고 국가 권위의 이름으로 처벌을 내린다. 이스라엘에서 그 권위는 여호와를 의미했다. 실례_ 납치와 살인, 거짓 예언과 마술, 간음과 강간
민법	시민 또는 조직 간에 일어난 개인 분쟁으로 공적 당국에 판단을 호소하거나 개입을 요청하는 분쟁을 다스리는 율법. 피해자는 국가나 민족 공동체가 아니다. 실례_ 사고사와 우발적 공격, 도둑질과 재산 파괴, 혼전 부정, 이혼 후 상황, 종에 대한 학대 등과 같은 제한된 가족 문제
가족법	이스라엘 가정에 적용되는 비민사적 국내법 실례_ 결혼과 유산, 땅과 사람의 구속, 가정 징계, 종을 돌보는 것
제의법/ 의식법	이스라엘 종교 생활에서 가시적인 형식과 의식에 적용되는 율법 실례_ 신성한 제사, 신성한 달력, 다양한 신성한 상징들, 곧 이스라엘을 열방과 구분해 주고 하나님 및 그분과 관계를 맺는 것에 대한 더 근본적인 진리들에 대해 비유를 제공해 주는 것들
긍휼법	다른 사람들을 향한 자선, 정의, 자비를 다루는 '율법들'. 엄밀히 말해서 이 율법은 법정에서 시행할 수 있는 것은 아니지만, 하나님은 마음을 아신다. 실례_ 약한 자들을 위한 보호와 정의, 공평함과 관대함, 사람들과 재산에 대한 존중

Jason S. DeRouchie와 Kenneth J. Turner 제공. 원래 DeRouchie가 편집한 *What the Old Testament Authors Really Cared About*, 466-67쪽에 실린 내용으로, 허락을 받고 사용하였다. 예는 예시일 뿐이다. 다섯 가지 주요 범주는 Christopher J. H. Wright, *Old Testament Ethics for the People of God*(Downers Grove, IL: InterVarsity Press, 2004)(『현대를 위한 구약 윤리』, IVP), 288-301쪽에 나온 것으로 Anthony Phillips, *Ancient Israel's Criminal Law: A New Approach to the Decalogue*(New York: Schocken Books, 1970), 2, 13쪽 내용을 수정한 것이다.

표12.5. 내용에 따른 구약 율법 유형

표에 중심적인 것인가, 주변적인 것인가? 그것은 여호와의 가치관과 우선순위를 일차적으로 표현한 것인가, 아니면 더 일차적인 율법을 강화하고 그에 대한 예를 공급하는 이차적인 것인가?

c. 원래 목적

이제 "누가? 무엇을? 언제? 어디서? 왜? 어떻게? 어느 정도로?"라고 물으면서, 율법이 이스라엘 사회에서 담당하도록 되어 있던 역할을 생각해 보자. 예를 들면,

- 이 율법은 어떤 상황을 증진하거나 막으려는 것이었는가?
- 이 율법은 누구의 이익을 보호하는 것을 목표로 하고 있었는가?
- 누가 이 율법에서 이익을 얻었을 것인가? 왜 그런가?
- 이 율법은 누구의 힘을 제한하려 하고 있었는가? 그리고 어떻게 그렇게 했는가?
- 이 율법에는 어떤 권리와 책임들이 구현되어 있었는가?

- 이 율법은 어떤 종류의 행동을 격려하는가, 또는 저지하는가?
- 사회에 대한 어떤 비전이 이 율법의 동기를 자극했는가?
- 이 율법은 어떤 도덕적 원리나 가치관, 우선순위를 구현하거나 시작했는가?
- 이 율법은 어떤 동기에 호소했는가?
- (만일 있다면) 어떤 제재 또는 벌이 이 율법에 첨부되어 있었는가? 그리고 그것은 그 율법의 도덕적 심각함 또는 도덕적 우선순위에 관해 무엇을 보여 주는가?

2. 율법의 신학적 의의를 결정하라

a. 율법이 하나님과 그분의 도에 대해 무엇을 말하는지 분명히 하라

율법은 하나님의 변치 않는 성품이나 바람, 가치관, 관심사, 기준에 대해 무엇을 나타내는가? 우리는 하나님의 율법을 통해 하나님에 대해 배우며, 모세 율법을 묵상하는 것은 마음의 감동을 받아 하나님을 예배하고, 하나님의 인격에 대놓고 무례하던 우리의 무법함을 인식하고 그것을 슬퍼하게 한다. 또한 하나님이 완벽한 율법 준수자이자 의의 공급자이신 그리스도를 주신 것을 경축하는 마음이 들게 한다.

b. 그리스도의 율법 성취가 율법에 어떻게 영향을 끼치는지 평가하라

하나님의 성품은 여전히 변치 않는다. 이 말은 구원사가 진전되면서 서로 다른 때에 나타난 그분의 영원한 율법의 모든 표현이 다른 모든 시대와 문화에 교훈이 될 수 있다는 의미다. 특정 법령이 언약과 역사적-문화적 맥락의 변화 때문에 더는 구속력이 없다 해도 말이다. 그리스도의 위격과 사역은 하나님과 이웃을 사랑하라는 명령을 완벽하게 구현한다. 그리고 그리스도는 율법의 요구를 완전히 충족시킨 방식에서뿐 아니라 그분이 모든 옛 언약 그림자의 실체라는 것에서도(골 2:16-17) 율법을 성취하신다. 즉 그리스도는 인물이든 사건이든 제도든, 구약의 모든 예표가 가리킨 것의 궁극적 실체이시다. 모세 율법이 어떻게 그리스도의 법을 형성하는지 살펴볼 때, 일부 새 언약 교훈들은 모세의 가르침과 같은 것처럼 보이는 반면, 다른 율법들은 변화되거나(예를 들어, 안식일), 확장되거나(예를 들어, 간음이 정욕을 포함하는 것), 폐지된다(예를 들어, 제사). 동성애는 옛 언약 때와 마찬가지로 오늘날에도 잘못된 것이다(롬 1:26-27, 고전 6:9). 하지만 이스라엘 사람들과 달리 그리스도인들은 베이컨을 먹어도 상관없다. 예수의 하나님 나라 사역이 모든 음식을 정결하게 만들었기 때문이다(막 7:19, 행 10:13-15). 모세오경에는 다양한 유형의 율법이 모두 섞여 있는 경우가 매우 많다. 따라서 우리는 그리스도가 성취하신 것이 어떤 율법에 어떻게 영향을 끼치는지 생각하면서 각 율법을 그에 맞게 다루어야 한다.

의미심장하게도 옛 언약의 어느 율법도 우리에게 직접 적용되지는 않는다. 예를 들어, 우리는 단지 십계명이 십계명이기 때문에 순종하지는 않는다. 그보다는 열 개의 계명 각각을 그리스도의 렌즈를 통해서만 만난다. 그리고 열 계명 각각은 그리스도를 통해 초점이 모아진다(표12.3을 보라). 심지어 "간음하지 말라"와 같은 명령도 예수의 삶에서 새로운 **유형**을 갖게 되며(빌 2:5-7, 히 12:1-3, 벧전 2:21, 요일 2:6) 예수의 역사를 통해 새로운 **능력**을 갖게 된다(롬 1:16, 고전 1:18). 그리스도는 여자들을 대하시는 방식과, 성령의 도우심으로 그분 자신의 소욕들을 통제하시는 방식에서 그리스도의 법을 삶으로 살아 내는 것이 어떤 모습인지에 대한 완벽한 본을 우리에게 보여 주신다. 그리고 그리스도는 그분의 피로 사신 죄 사함(롬 6:6-7, 22, 8:10)과 피로 사신 약속들(롬 8:32, 고후 1:20, 벧후 1:4)을 통해 우리 자신이 거룩함을 추구할 수 있는 능력을 확보하신다. 모든 율법은 그리스도 안에서 완전히 변화되지는 않는다 해도 그분 안에서 초점이 모아진다. 그리스도의 율법 성취가 본질적으로 변화시키지 않는 율법들조차도 말이다.

c. 율법에 깔린 사랑의 원리를 한 문장으로 진술하라

하나님이 참으로 사람들에게 명하신 것은 사랑하라는 것이고, 다른 모든 계명은 단지 어떻게 사랑할지를 명확하게 설명하는 것뿐이라면(마 7:12, 22:37-40, 롬 13:8, 10, 갈 5:14), 우리는 모든 율법을 '**사랑의 원리**'로 압축시킬 수 있어야 한다. 되도록 상세하게, 모든 율법에 대해 다음 진술을 완성하라.

하나님/이웃을 사랑하라는 명령은 ________________을 뜻한다/암시한다/영향을 끼친다/필요로 한다.

3. 율법이 오늘날까지 지닌 지속적 의의를 요약하라

여기서 우리는 하나님에 대한 묘사나 율법에 깔린 사랑의 원리를 보존하면서 상황을 바꾼다. 모두 그리스도의 새 언약 사역에 비추어 그렇게 하는 것이다. 우리는 이 율법에서 얻은 신학적 통찰들이 우리 자신이 속한 새 언약이라는 맥락에서 실제로 어떤 함축을 지니는지 살펴본다. 하나님의 성품은 변하지 않는다. 그러나 하나님의 목적들은 시간이 지나면서 진전된다. 게다가 우리는 그리스도가 우리를 위해 세우신 본에 비추어 사는 것뿐 아니라, 그분의 복음 능력에 힘입어 사는 것도 고찰해야 한다. 옛 언약과 새 언약이 여러 측면에서 비슷한 만큼, 모든 지체 안에 은혜가 내면화된 것은 구원사에 거대한 진전이 있었음을 표시한다.

이제 필자는 그리스도의 율법 성취가 구약 율법을 그리스도인에게 적용하는 것에 어떻게 영향을 끼치는지 보여 주는 대표적인 네 가지 예를 제시할 것이다. 앞서 말했듯이, 우리는 새 언약에서 율법의 지속적 의의를 올바로 이해하기 위해 모든 율법을 나름대로 검토해 보아야 한다. 사전에 정해진 어떤 범주(이를테면 도덕적, 민사적, 의식적)도 특정 율법들이 확장되는지(신 22:8), 똑같이 작용하는지(22:5), 변화되는지(5:12), 또는 폐지되는지(레 20:25-26)를 결정하지 않는다.

사랑으로 집 짓기_ 신명기 22장 8절

구약 율법을 적용하는 것에 대해 필자가 제시할 첫 번째 예는 '세세한' 것이다. 이 예는 시대와 문화가 바뀌면서 일부 율법들이 어떻게 새로운 영역들로 확장되는지 보여 준다.

כִּ֤י תִבְנֶה֙ בַּ֣יִת חָדָ֔שׁ	5	네가 새 집을 지을 때에
וְעָשִׂ֥יתָ מַעֲקֶ֖ה לְגַגֶּ֑ךָ	b	지붕에 난간을 만들어
וְלֹא־תָשִׂ֤ים דָּמִים֙ בְּבֵיתֶ֔ךָ	c	그 피가 네 집에 돌아가지 않게 하라
כִּֽי־יִפֹּ֥ל הַנֹּפֵ֖ל מִמֶּֽנּוּ׃ ס	d	만일 사람이 떨어지면(옮긴이 번역)

표12.6. 신명기 22장 8절_ MT와 ESV

1. 율법의 원래 계시된 의미와 적용을 확증하라

율법의 조건적 성질은 그 율법이 더 근본적인 원리를 이차로 적용한 것임을 시사한다. 평평한 지붕은 중동 전역에 흔했으며 지금도 흔하다. 그래서 지중해 기후에서 지붕은 여분의 생활 공간을 제공한다. 난간은 지붕을 둘러싼 낮은 담으로, 사람들이 실수로 떨어지지 않도록 보호해 준다. 여기서 우리는 다른 사람들이 사고로 죽지 않도록 집주인은 난간이 달린 집을 지을 책임이 있다는 것을 배운다. 이 율법의 주된 목적은 분명 사고, 부주의, 소홀함을 피하여 집에서 죽는 사람이 되도록 적어지게 하는 것이었다. 소홀함으로 인해 사고사가 일어나게 하는 것은 범죄 행위로, 그 죄를 범한 사람이 도피성에 피함으로 억제할 수 있었다(출 21:13, 민 35:9-15, 신 19:1-10). 신명기 19장 10절은 무죄한 피를 흘리고 살인자가 규정된 행동을 취하지 않으면 "피 흘림의 죄"(개역개정에는 "그의 피"_ 옮긴이)가 백성에게 남아 있어 하나님이 진노하실 것이라고 경고한다.

2. 율법의 신학적 의의를 결정하라

우리의 하나님은 인간에게 자신의 형상이 나타나는 것을 소중히 여기시며, 다른 사람들에게 이러한 형상이 나타나는 것을 소중히 여기라고 명하신다. 우리가 인간의 생명을 가볍게 여긴다면 하나님을 가볍게 여긴다고 선언하는 것이며, 따라서 심판을 받을 것이다. 신명기 22장 8절에서는 궁극적으로 다른 사람들에게 해를 끼치고 이에 따라 우리도 해를 입을 수 있는 위험들을 경고하시는, 은혜로우신 주님을 볼 수 있다.

마찬가지로 예수는 화폐를 이용하여 하나님이 어떻게 모든 사람의 주인이신지 강조하실 때, 다른 사람들 안에 있는 하나님의 형상이 지닌 영속적 중요성을 단언하셨다. "예수께서 말씀하시되 이 형상과 이 글이 누구의 것이냐 이르되 가이사의 것이니이다 이에 이르시되 그런즉 가이사의 것은 가이사에게, 하나님의 것은 하나님께 바치라 하시니"(마 22:20-21). 주님의 형상이 우리에게 있으며, 그렇기 때문에 우리 삶은 주님으로 인한 것이다.

그리스도는 하나님의 형상에 대한 그분의 평가에 기초해서, 모든 상황에 이웃 사랑을 적용할 것을 명하셨다. "그러므로 무엇이든지 남에게 대접을 받고자 하는 대로 너희도 남을 대접하라 이것이 율법이요 선지자니라"(마 7:12). 이 황금률은 우리의 본문에 명백히 나타난다. 그리고 이것은 오늘날 그리스도를 따르는 자들이 다른 사람들을 사랑하라는 명령을 가장 실제적으로 시행해야 한다는 것을 시사한다. 이 명령에는 우리가 사는 공간을 손님들에게 기꺼이 내어 주는 것도 포함된다. 필자는 신명기 22

장 8절에 나오는 주된 사랑의 원리를 이렇게 요약한다. **다른 사람을 사랑한다는 것은 모든 위험을 제거하고 매일의 삶에 나타나는 하나님의 형상을 존중하면서, 그들을 위해 우리 삶의 환경을 안전하게 만드는 것을 뜻한다.**

3. 율법이 오늘날까지 지닌 지속적 의의를 요약하라

모든 집주인은 자기 지붕 아래 있는 모든 사람의 안녕에 주의할 책임이 있다. 기후 때문에 지붕에 난간을 두를 수 없는 경우가 많긴 하지만, 신명기 22장 8절 가르침은 자연스럽게 확장되어 풀장이나 턱이 있는 데크 주위에 울타리를 치는 것, 걸음마 걷는 아기가 있는 곳의 계단참에 보호문을 설치하는 것, 눈보라가 온 후에 집 앞길의 눈을 치우는 것 등을 포함한다. 이웃에 대한 사항은 우리 일상생활의 가장 작은 세부 사항까지 영향을 끼친다. 우리는 그리스도 안에서 하나님의 최고의 주권 아래 살기 때문이다. 우리가 사랑의 이 작고 세세한 항목들 안에서 이웃을 사랑하는 것은 하나님이 그리스도 안에서 먼저 우리를 사랑하신 방식 때문이다(요일 4:11, 19). 우리는 언제나 다른 사람들 안에 있는 하나님의 형상을 귀중히 여기면서 그들의 복지에 신경 써야 한다. 이것은 우리의 집을 다른 사람들이 부당하게 안전을 위협받지 않고 잘 지낼 수 있는 장소로 만들어야 한다는 뜻이다.

성별 혼란_ 신명기 22장 5절

서구는 한창 성 정체성 위기를 겪고 있다. 그리고 그것이 우리 문화에서 사람들의 삶을 망가뜨리고 있는 것은 비극이다. 필자는 이 책을 읽고 있는 일부 독자들이 성 정체성 문제로 씨름하거나 다른 사람들의 성 정체성 위기의 희생자가 되었다는 것을 안다. 그런 사람들을 생각하면 마음이 아프다. 그런 사람들이 오직 예수만이 주실 수 있는 치유를 알게 되기를 갈망한다.

성전환 폭풍이라고 부를 수 있을 만한 것에 비추어, 필자는 신명기 22장 5절이 교회에 지닌 영속적 적실성을 살펴보고자 한다. 이제 보겠지만, 오늘날 우리가 이 율법에 동조하는 것은 모세와 이스라엘 사람들에게 보인 것과 매우 비슷해 보일 것이다.[27]

לֹא־יִהְיֶה כְלִי־גֶבֶר עַל־אִשָּׁה	5	여자는 남자의 의복을 입지 말 것이요
וְלֹא־יִלְבַּשׁ גֶּבֶר שִׂמְלַת אִשָּׁה	b	남자는 여자의 의복을 입지 말 것이라
כִּי תוֹעֲבַת יְהוָה אֱלֹהֶיךָ כָּל־עֹשֵׂה אֵלֶּה׃ פ	c	이같이 하는 자는 네 하나님 여호와께 가증한 자이니라

표12.7. 신명기 22장 5절_ MT와 개역개정

1. 율법의 원래 계시된 의미와 적용을 확증하라

율법은 새 언약 신자들에게 지속적인 의미를 지니긴 하지만(신 30:8, 롬 15:4), 모세는 원래 그 율법을 이스라엘에게 썼으며, 우리의 평가는 이런 맥락에서 시작되어야 한다. 우리는 신명기 22장 5절에 나오는 금지가 덜 핵심적인 원리이며, 더 기본적인 진리의 이차 적용으로 보인다는 것을 금방 알아차릴 수 있다. 표면적으로 그 구절은 성별 표현(gender expression)이라고 할 만한 것과 관련된다. 그러나 그 율법은 더 기본적인 규칙을 추정한다. 생물학적으로 두 개의 성(남성과 여성)이 있으며, 하나님 세상의 성적 규범은 어떤 사람의 생물학적 성이 그 사람의 성 정체성과 성별 표현 모두를 지배한다는 것이다. 신적 진노가 부어지기 전에, 이 텍스트는 성별 혼란과 성전환 정체성에 대한 일종의 교정책을 제공한다.

신명기 22장 5절은 문맥에서 독립적이며, 그저 하나의 동기절에 두 개의 금지 사항이 이어지는 형태다. 히브리어에서 부정 명령은 두 종류다. 즉각적인 것(־אַל[알])과 계속적인 것(־לֹא[로])이다. 그리고 하나님은 이 금지들을 계속적인 것으로 만들기로 하셨다. 그래서 우리는 '하지 말라'(not)는 말을 '절대 하지 말라'(never)로 읽어야 한다. "여자는 절대 남자의 의복을 입지 말 것이요 남자는 절대 여자의 의복을 입지 말 것이라"는 것이다. 하나님의 관점에서 보면 이 본문이 다루는, 남녀 간에 의복을 바꿔 입는 일(cross-dressing)이 허용될 수 있는 때는 절대 없다.

이 율법을 더 깊이 파고 들어가면, '남자'라고 번역된 용어가 גֶּבֶר(게베르, '강한 남자')

27 그런 개인적이고 어려운 문제를 어떻게 주해적, 신학적, 목회적으로 다룰지에 대한 본을 보이기 위해 이 텍스트를 더 확대해서 논의하는 것으로는 Jason S. DeRouchie, "Confronting the Transgender Storm: New Covenant Reflections on Deuteronomy 22:5," *JBMW* 21, 1 (2016): 58-69쪽을 보라. 필자는 이 연구에 나오는 자료를 수정했다.

이며 더 일반적으로 사용하는 אִישׁ(이쉬)가 아니라는 것을 알 수 있다. 어떤 사람들은 גֶּ֫בֶר(게베르)가 여기에서 '전사'를 의미한다고 주장했다(사무엘하 1장 27절, 에스겔 32장 27절 참조).[28] 그러나 이 의미는 גִּבּוֹר(깁보르, '강한 자.' 창세기 10장 8-9절, 신명기 10장 17절 참조)라는 형용사와 더 밀접하게 관련되어 있다. 게다가 모세오경 안에서 גֶּ֫בֶר(게베르)가 나오는 다른 모든 경우는 단지 אִישׁ(이쉬)와 의미가 중복된다. 문맥을 보아야 장정을 젊은이(출 10:7, 11), 또는 여자 및 유아와(12:37) 구분할 수 있다.[29] גֶּ֫בֶר(게베르)와 אִישׁ(이쉬) 간의 분명한 차이는 '여자'(אִשָּׁה[이샤])라는 말과 대응을 이룰 때 אִישׁ(이쉬)라는 용어가 종종 '남편'을 의미하는 반면, גֶּ֫בֶר(게베르)는 구약에서 스물네 번 사용된 경우 중 단 한 번도 그런 의미를 지니지 않는다는 것이다. 그렇다면 적어도 남성-여성 관계에 대한 이 율법은 남편과 아내에 국한된 가족법이 아니라, 더 광범위한 사회와 공동체를 대상으로 말하는 것이다. **하나님의 관점에서 보면, 남성 됨과 여성 됨은 가정이나 모인 예배 공동체를 넘어서는 함축을 지닌다. 그것은 사회 안에서 일상생활에도 영향을 끼친다.**

여기서 여자의 '의복'(cloak, שִׂמְלָה[심라])을 나타낼 때 사용된 용어는 제한적인 것으로, 특별히 여자들이 입는 겉 가운이나 망토를 가리킨다.[30] 이에 반해, 남자와 관련하여 '의복'(garment, כְּלִי[켈리])이라고 번역된 용어는 더 광범위하며 남자들과 관련된 어떤 것이든 의미할 수 있다. 옷이든(삼상 21:5[H6]), 그릇이든(왕상 10:21), 장식품이든(창 24:53), 장비든(민 19:18) 특별히 남자들과 관련된 것을 말하는 것이다.[31] 이것은 심지어 전쟁 무기를 포함하기도 했다(창 49:5, 신 1:41, 삿 9:54). 하지만 여기서는 전혀 한정되어 있지 않았다.

그렇기 때문에 이스라엘 문화에서는 특정한 모양의 의복이나 장식, 품목으로 남자와 여자가 구별되었다. 따라서 이 율법에는 두 가지가 달려 있는 듯하다.

- 모든 사람은 자신의 생물학적 성에 맞추어 개인의 성별을 표현해야 한다.
- 모든 사람은 성별 혼란을 대비해서 조심해야 한다. 그래서 다른 사람들이 의복에 기초해서 남자를 여자로, 여자를 남자로 잘못 인식하지 않기 위해서다.

---

28 예를 들어, J. Gordon McConville, *Deuteronomy*, ApOTC (Downers Grove, IL: InterVarsity Press, 2002), 336-37쪽.

29 "I גֶּ֫בֶר(게베르)," *HALOT*, 1:175.

30 "שִׂמְלָה(심라)," *HALOT*, 3:1337.

31 "כְּלִי(켈리)," *HALOT*, 2:478.

이교의 종교 활동에서 나온 것이든 이성에게 국한된 역할들에 관여하고자 하는 바람에서 나온 것이든, 그러한 관행들은 어떠한 형태의 경건함과도 반대되는 것이었다.[32]

이런 식으로 남녀가 의복을 바꿔 입는 것이 여기서 "하나님 여호와께 가증한" 것이라고 불린다는 사실은 그 범죄의 중함을 강조하고, 그것을 우상 숭배(신 13:14, 17:4)와 마술(18:12)의 죄와 관련시킬 뿐 아니라 형법, 민법, 가족법 수준에서 관련될 만한 부정직한 이득의 죄(25:16)와도 관련시킨다. 우상 숭배, 마술, 부정직은 왜 주님께 가증한 것인가? 우상 숭배는 여호와 아닌 누군가에게 영광을 돌린다. 마술은 미래 또는 하나님의 뜻을 분별하는 데 하나님 말씀이 아닌 다른 수단에 의지한다. 부정직한 이득은 다른 사람들 안에 있는 하나님 형상의 가치를 축소시킨다. 그렇기 때문에 남녀 간에 의복을 바꿔 입는 것과 성 혼란에는 하나님의 성품 자체에 직접 반대되는 것이 있다고 결론을 내려야 한다.

이것은 트랜스젠더리즘이 이 세상에 하나님을 올바로 반영하고, 닮고, 대표하는 인류의 능력에 해를 끼치기 때문에 가증할 수 있다는 가능성을 제기한다. 그것이 또한 범죄일 가능성이 있다는 것은 그 죄가 실제로 전체 공동체의 복지를 위험에 빠뜨린다는 것을 시사한다. 창세기 1장과 2장에 나와 있고 모세오경 내내 유지된 남녀의 분명한 구분은 이 율법이 상징적 요소를 지니고 있다는 것을 더욱 시사한다. 남자아이로 태어난 사람은 남자아이로 살고 잘 자라나야 하며, 여자아이로 태어난 사람은 여자아이로 살고 잘 자라야 한다. 부패한 정욕으로 인해 이런 과정에서 벗어나고 있다면, 우리는 하나님께 도움을 얻어 그분의 엄위하심을 가장 잘 확대시키는 길을 택해야 한다. 그리고 그 길은 신명기 22장 5절에 규정되어 있다.

이 율법의 목적에 관해 말하자면, 그 목적은 믿음의 공동체 안에서 하나님이 창조하신 성별 구분을 유지하는 것인 듯하다. 이 같은 것을 추구하는 목표는 하나님의 지

---

32 해리 A. 호프너(Harry A. Hoffner Jr.)는 여기서 입증된 성전환 관행이 잠재적으로 이스라엘 이웃 나라들의 이교적 종교 의식이나 마술적 관행과 연관되어 있었다("Symbols for Masculinity and Femininity," *JBL* 85, 3 [1966]: 326-34쪽)고 주장한다. 그것이 가능하긴 하지만, 신명기 22장의 어느 부분도 텍스트를 제의적 의식과 연결시키지 않는다(P. J. Harland, "Menswear and Womenswear: A Study of Deuteronomy 22:5," *ExpTim* 110, 3 [1998]: 74-75쪽도 그렇게 말한다). 고대 이스라엘에서 이성의 옷을 입는 문제를 더 성찰한 것으로는 Nili S. Fox, "Gender Transformation and Transgression: Contextualizing the Prohibition of Cross-Dressing in Deuteronomy 22:5," in *Mishneh Todah: Studies in Deuteronomy and Its Cultural Environment in Honor of Jeffrey H. Tigay*, Nili S. Fox, David A. Glatt-Gilad, and Michael J. Williams 편집 (Winona Lake, IN: Eisenbrauns, 2009), 49-71쪽을 보라.

고하심, 그리고 하나님과 하나님이 자신을 위해 창조하신 백성 사이에 언제나 존재하는 머리와 돕는 자의 구분을 적절히 나타내는 환경을 조성하는 것이다.

2. 율법의 신학적 의의를 결정하라

신명기 22장 5절은 다음 진리의 결실이다. "여호와는 언제나 그분의 세상에서 올바른 질서를 보존하고 나타내시는 일에 열심을 갖고 계시다." 이것은 하나님의 의의 진수이며, 성 구분을 유지하는 것은 이 질서에서 중요한 부분이다. 창세기 1-2장에서 남자와 여자가 하나님의 형상을 갖게 된 방식을 강조하는 것과 모세오경에서 여호와와 이스라엘의 관계를 결혼으로 묘사하는 것은 독자들로 하여금 우리의 생물학적 성과 성 정체성, 성 표현을 무엇보다 하나님에 대한 것으로 보지 않을 수 없게 만든다. 호세아서 같은 책에서 구약 나머지 부분은 성과 성 구분의 이런 비유적 목적을 강조하며(1-3장. 사사기 2장 16-17절, 이사야 1장 21절, 57장 3절, 예레미야 2장 2, 20절, 3장 1, 8-11절, 31장 31-32절 참조), 동일한 개념이 그 뒤로 신약까지 이어진다(마 9:15, 12:38-39, 16:1-4, 막 2:19, 8:38, 눅 5:34을 보라). 가장 분명한 것은 바울이 교회를 그리스도의 신부로 묘사하는 부분이다(엡 5:22-27. 요한계시록 19장 7-9절, 21장 9절 참조). 남성 됨과 여성 됨의 타고난 구분을 무너뜨리는 것만큼, 우리는 주권적인 구주와 구원받은 자, 높임 받는 분과 궁핍한 자, 흠 없는 분과 죄인의 구분을 무너뜨리는 것이다. 남자와 여자의 구분이 존재하지 않는 것처럼 행동할 때, 우리는 하나님과 그분의 그리스도에게서 영광을 빼앗는 것이다. 그리고 전체 공동체에 해를 끼치는 것이다. 전체 공동체에 복음의 의를 가리키지 못하거나 그들이 하나님의 의로운 진노를 받게 하는 것이다.

그리스도의 율법 성취는 이 율법에 어떻게 영향을 끼치는가? 우리는 먼저 그리스도와 그분을 따르는 자들이 남자와 여자를 계속 구분했다고 말할 수 있다. 실로 예수는 궁극적 공급자이자 보호자이며 섬기는 사랑을 지닌 지도자로서, 여성 됨을 깊이 존중하는 방식으로 남성 됨의 완벽한 본을 보이셨다. 예수는

- 자기 부모를 존중하셨다(눅 2:41-52, 요 2:1-11).
- 여성 제자들을 두셨다(눅 8:1-3).
- 남성의 학대에서 여성을 보호하려 하셨다(마 5:27-32, 19:3-12, 눅 7:36-50).

- 여성을 믿음의 본으로 묘사하셨다(마 25:1-13, 막 7:24-30, 눅 4:24-26, 11:31, 18:1-8, 21:1-4).
- 사회에서 뒤처져 고통 받는 여성들을 집중적으로 돌보고 치유해 주셨다(막 1:30-31, 5:25-43, 7:24-30, 눅 7:11-17, 13:10-17, 요 4:1-42, 7:53-8:11, 11:1-44).
- 여성에게 기름부음을 받으셨다(눅 7:36-50, 요 12:1-8).
- 부활하신 후에 여성들에게 먼저 자신을 나타내셨다(마 28:9, 요 20:14-18).

그리스도는 성경의 모든 상징이 가리키는 실체이시다. 그러나 성전에 대한 일부 묘사들과, 정함과 부정함에 대한 율법처럼 그리스도의 초림에서 종점에 이른 일부 묘사들과 달리, 남성과 여성의 구분은 (에베소서 5장 22-33절과 디모데전서 3장 4-5절 같은 텍스트들에서 분명히 나오는 것처럼) 적어도 마지막에 이르기까지 계속될 것이다. 그리고 심지어 그 종말의 때에도, (실체가 묘사를 넘어서서) 이 땅에 더는 혼인이 없지만(마 22:30), 남성과 여성, 믿음의 공동체 안에서 머리와 돕는 자들의 구분이 새 하늘과 새 땅에서 바뀔 것이라고 생각할 이유는 없다(요한계시록 21장 24절, 이 구절에서 '왕들'이 구별되는 내용이 나온다). 남성 됨과 여성 됨은 하나님이 모든 것에 주권을 갖는 현실에서 하나님의 질서를 영원히 상기시킬 가능성이 매우 많다.

이와 함께 새 언약 가르침은 남성과 여성의 역할 구분을 유지한다. 이 구분은 남편들과 아내들에게 주는 교훈(예를 들어 엡 5:22-32, 벧전 3:1-7)과, 공동 예배, 가르침, 지도력에 관해 지역 교회에 주는 교훈(고전 11:1-16, 14:33-35, 딤전 2-3장, 딛 1:5-16)에서 가장 명백히 나타난다. 그것은 또한 남자는 남자로 살고, 여자는 여자로 살라고, 그리고 젊은 사람들은 하나님이 주신 그들의 성과 관련된 성 역할대로 살라고 명한다(딛 2:2-6). 바울은 디모데에게 늙은이에게는 아버지에게 하듯 하고, 젊은이에게는 형제에게 하듯 하며, 늙은 여자에게는 어머니에게 하듯 하고, 젊은 여자에게는 자매에게 하듯이 온전히 깨끗함으로 존중하고 격려하라고 권했다(딤전 5:1-2). 이 모든 교훈은 누가 남자이고 누가 여자인지를 제대로 확인할 수 있다고 추정하는 것이다.

바울은 모든 구약 계명이 이웃을 사랑하라는 명령으로 요약된다고 주장했다(롬 13:8, 10). 예수 역시 "무엇이든지 남에게 대접을 받고자 하는 대로 너희도 남을 대접하라 이것이 율법이요 선지자니라"(마 7:12)라고 말씀하셨다. 그렇기 때문에 우리는 구약에 나오는 모든 율법과 함께 이 명령도 사랑이라는 단 하나의 원리로 축약할 수 있어야 한다. 신명기 22장 5절에서 **다른 사람들과 하나님을 사랑한다는 것은 사람들이 자신의 생물학적 성에 맞는 성 정체성을 유지하고 다른 사람들이 보기에 절대 성 혼란으로 이끌지 않는 방식으로 이 성을 표현하리라는 것을 뜻한다.** 우리는 언제나 남자아이는 남자아이로, 여자아이는 여자아이로 구분할 수 있어야 한다. 우리의 생물학적 성과 우리의 성 정체성 및 성 표현이 일치할 때, 우리는 하나님과 이웃 모두에게 사랑을 표현하는 것이다.

3. 율법이 오늘날까지 지닌 지속적 의의를 요약하라

신명기 22장 5절은 원래 교회에 주어진 것이 아니었다. 그러나 그리스도의 완성된 사역에 비추어 읽을 때, 그 명령은 오늘날의 교회를 인도할 수 있는 하나님에 대한 묘사와 사랑의 원리를 담고 있다. 예수 안에서 우리는 여성 됨과 관련하여 남성 됨에 대한 완벽한 본을 본다. 이와 함께 예수 안에서 올바른 질서를 가진 삶을 추구하는 데 무엇과도 비교되지 않는 능력을 공급받는다. 그 능력은 예수께서 십자가에서 확보하신 죄 사함과, 그 십자가에서 획득하신 약속들을 통해 온다. 우리가 오늘날 직면하고 있는 성 정체성 위기는 과거와 미래의 은혜라는 맥락에서만 제대로 대항할 수 있다.

우리는 이미 올바른 질서에 대한 하나님의 열정이 새 언약에서도 바뀌지 않았다는 것을 살펴보았다. 그것은 하나님의 존재 자체의 일부이기 때문이다. 이와 함께 남성과 여성의 신체적 구분과 역할 구분은 십자가 사건 이후에도 바뀌지 않았다. 하나님의 의로우심은 확고하며, 우리는 언제나 삶의 모든 상황에서 자신의 교회에 대한 그리스도의 장엄한 사랑을 나타내 보여야 한다.

이렇게 단언하고 나면, 이제 신명기 22장 5절은 우리가 성별을 표현하는 적절한 길과 성 혼란이 죄라는 것을 인식하도록 교회를 돕는 데 교훈을 준다. 그러한 성 혼란에는 남녀 간에 의복을 바꿔 입는 것과 성전환 관행들이 포함된다. 서구의 옷가게들은 남자 옷과 여자 옷을 여전히 구분한다. 그리고 분명 다른 것보다 더 남성적이거나 더 여성적인 옷들이 있다. 그리스도인은 옷을 입는 방식에서조차 남자는 남성적이고 여자는 여성적이라는 것을 널리 알리는 사람이 되어야 한다. 게다가 우리가 현재 사는 문화에서 여성이 (레스토랑에서 손님을 접대하는 것과 같은 상황에서) 바지와 옷깃이 달린 옷을 입고, 타이까지 매도 아무도 그들의 여성 됨에 의문을 제기하지 않는다는 것은 주목할 만하다. 교회는 이것을 설명해야 한다. 모세 율법에서 문제가 된 것은 성 혼란이었으며, 이런 관점에서 우리의 외적 의상은 중요하다.

그 율법은 성인에게 초점이 맞춰져 있으며 또한 성 혼란을 다루기 때문에, 그 율법 자체는 여자아이가 아이들 놀이에서 콧수염을 붙인다거나 어린 남자아이가 옷장을 뒤져 여자아이 옷을 입는 것을 직접 못하게 하지는 않을 것이다. 이런 '귀여운 모습'을 본 사람 중 어느 누구도 그 아이의 성별을 혼동하지는 않을 것이다. 그럼에도 우리는 이 점에 주의해야 한다. 우리는 언제나 우리 자녀를 적절한 길로 인도하고 있기 때문이다. 그리고 이제 우리는 성별이 마치 섭리보다는 선택의 문제인 것처럼 행동하는 사회에 살고 있다. 이것은 가증한 것이다. 신명기 22장 5절은 이 관점에 직접 반대한다.

이 부분을 마무리하면서, 오늘날 성 정체성 위기에서 깨어진 사람들을 유념하고, 침해한 사람들과 침해당한 사람들을 깊이 돌볼 것을 교회에 부탁한다. 우리가 거울을 바라보며 예수 그리스도의 얼굴을 보지 않는 한, 우리의 자아 정체성은 영원히 해를 입을 것이다. 우리는 성전환 정체성 문제로 씨름하는 사람들이 그리스도 안에서 새로운 정체성을 발견하도록 도와야 한다. 그리고 다른 사람들에게 상처를 입은 사람들이 오직 예수만이 주시는 치유와 위안을 발견하도록 도와야 한다. 그분만이 구주시다. 그분만이 치유자시다.

안식일을 지키는 것_신명기 5장 12절

옛 언약 율법을 십자가 이후 시대에 적용하는 다음 예는 안식일 명령과 관련되어 있다. 이 명령은 논란의 여지가 있는 문제로, 그리스도인들이 그로 인해 분열되어서는 안 된다. 심지어 우리 그리스도인들이 성경의 진리에 맞춰 양심을 조정하여 점차 믿음에서 강해지는 동안일지라도(롬 14:1-15:7, 특히 14:5) 말이다.[33] 이 율법은 그리스도의

33 그리스도인들이 논쟁적 문제들에 대해 서로 양심이 일치하지 않을 때 동료 그리스도인들과 어떻게 관계를 맺어야 하는가에 대한 유용한 논의로는 Andrew David Naselli and J. D. Crowley, *Conscience: What It Is, How to Train It,*

율법 성취를 고찰하는 것이 얼마나 중요한지 보여 줄 것이다. 이 경우 우리는 그 율법 성취가 율법을 완전히 변화시키는 것을 보게 될 것이다.

שָׁמ֛וֹר אֶת־י֥וֹם הַשַּׁבָּ֖ת לְקַדְּשׁ֑וֹ	12	안식일을 지켜 거룩하게 하라
כַּאֲשֶׁ֥ר צִוְּךָ֖ ׀ יְהוָ֥ה אֱלֹהֶֽיךָ	b	네 하나님 여호와가 네게 명령한 대로

표12.8. 신명기 5장 12절_ MT와 개역개정

1. 율법의 원래 계시된 의미와 적용을 확증하라

민수기 15장 32-36절이 독단적으로 안식일을 범한 사람을 죽이라고 선언하는 것은 안식일 교훈이 형법이라는 것을 보여 준다. 매주 '6+1'이라는 삶의 리듬을 유지하는 것에는 전체 공동체에 영원히 영향을 끼친, 그러면서도 실패하면 그들에게 부정적인 영향을 끼칠 것이 있었다.

안식일은 형법으로 판정되는 것에 더하여, 의식법과도 관련되어 있는 듯하다. 그것은 많은 상징을 지니고 있기 때문이다. 십계명의 맥락에서 율법의 목적은 분명하다. 가장이 모든 종을 포함한 모든 가족 구성원에게 반드시 안식의 날을 주어야 하는 것이다(신 5:14). 하지만 전체 모세오경의 배경에서 율법의 목적은 더 광범위한 듯하다.

여호와는 안식일을 모세 언약의 '표징'(אוֹת[오트], sign)이라고 칭하셨다. 이것은 그 율법이 이차적이고 예시적이기보다는 일차적이고 기본적인 것임을 시사한다. 언약 표징의 목적은 이스라엘이 "나는 너희를 거룩하게 하는 여호와인 줄 너희가 알게 함"(출 31:13. 31장 17절 참조)이라고 나온다. 애굽의 종살이부터 시내산까지 가는 여정에서 이스라엘은 안식일이 그들의 순종을 시험하고 위대한 공급자 여호와에 대한 신뢰를 육성하는 것임을 배웠다(16:4-5, 23-26). 일주일에 하루를 일하지 않음으로, 그리고 하나님이 그들의 일용할 양식을 공급해 주실 것을 신뢰함으로, 안식일을 준수한다면 백성은 거룩함에서 자라게 될 것이다.

하지만 안식일 표징은 또한 이스라엘에게 온 세상과 관련하여 하나의 백성으로서 그들이 지닌 정체성과 목적을 상기시키는 데에도 기여했다. 출애굽기에 나오는 안식일 계명은 원 창조 주간(the original creation week)에 근거하는 반면(20:11, 31:17), 신명기에

---

and Loving Those Who Differ (Wheaton, IL: Crossway, 2016), 84-117쪽을 보라.

나오는 것은 안식일을 출애굽과 연결시킨다(신 5:15). 그렇기 때문에 안식일은 구약에 나오는 가장 위대한 두 가지 시작 행동과 명백히 연관되어 있다. 하나님이 세상을 창조하신 것과, 그분을 위해 한 백성을 창조/구속하신 것이다.

하나님께 창조 주간의 절정인 안식은 게으름이 아닌 주권에서 나온 것이었다. 거기에서 위대한 왕이신 하나님은 그분 나라의 신성한 공간을 확립하시고, 보좌에 앉으시고, 자신이 만드신 모든 것과 평화를 누리셨다(창 2:1-3. 시편 132편 7-8, 13-14절 참조). 타락 때 인류가 반역하여 만물에 대한 하나님의 권리와 권위가 사라진 것은 아니지만, 보편적 평화 또는 안식의 상태는 바뀌었다. 그래서 모세오경 안에서 창조의 '6+1' 유형은 단지 과거의 어떤 것에 대한 묘사뿐 아니라 앞으로 되어야 하는 것의 표상으로도 사용되며, 이러한 이상은 열방 가운데서 하나님께 영광을 돌리라는 이스라엘의 위임(출 19:4-6, 신 4:5-8, 26:18-19)과, 그들의 왕적 대표자가 저주를 역전시키고 전 세계에 복을 가져오는 도구 역할을 하리라는(창 12:3, 18:18, 22:17b-18, 26:4, 28:14) 말에 직접 첨부되어 있다. 안식일은 (한 백성으로서, 그리고 궁극적으로는 메시아를 통해 받은) 이스라엘의 부르심이 하나님의 주권을 온 세상에 다시 한 번 경축하는 대행자 역할을 하는 것임을 매주 상기시켰다. 바로 이런 맥락에서 모세는 십계명에서 "일곱째 날은 네 하나님 **여호와의** 안식일"(신 5:14)이라고 강조한 것이다. 궁극적으로 안식일은 하나님이 모든 것 위에 높임 받으시는 것을 보기 위해 지키는 것이었다. 그렇다면 이스라엘에게 안식일은 이스라엘과 세상이 소망해야 하는 미래의 실상을 나타냈다.

2. 율법의 신학적 의의를 결정하라

우리는 안식일 명령에서 하나님에 대해 많은 것을 배운다. (a) 여호와는 언제나 지극히 작은 자들을 돌아보신다. 그분은 편애하지 않으시며, 우리 자신과 우리가 돌보는 사람들이 정기적으로 안식해야 할 필요를 강조하신다. (b) 여호와는 우리의 신뢰를 시험하시고 우리가 더 의존하도록 일상생활에서 수단을 제공하셔서 거룩하게 하시는 하나님이다. 매주 안식일을 갖는 것은 이스라엘에게 이러한 일을 했다. (c) 안식일은 여호와께서 그분의 세상에 올바른 질서를 회복하고 나타내는 일에 열심을 가지신 하나님이라는 것을 가르친다. 그 세상에서 그분은 만유 위에 주권적이신 분으로 높임 받으신다. 하나님은 세상과 화목하기 위해 이스라엘을 지으셨으며, 이스라엘이 매주 안식일을 갖는 것은 그 백성에게 그들의 목적, 곧 온 세상이 회복되는 궁극적 안식일을 보려는 목적을 항상 상기시키기 위해서였다. 이것이 바로 안식일을 "여호와께"(신 5:14) 지켜야 한다는 의미다.

그리스도의 율법 성취를 생각할 때, 우리는 예수께서 자신이 하나님 나라를 확립하는 것으로, 그리고 인류의 궁극적 안식의 원천이라고 보신 것을 상기한다. 마태복음 11장 27-30절은 "내 아버지께서 모든 것을 내게 주셨으니 …… 수고하고 무거운 짐 진 자들아 다 내게로 오라 내가 너희를 쉬게 하리라 나는 마음이 온유하고 겸손하니 나의 멍에를 메고 내게 배우라 그리하면 너희 마음이 쉼을 얻으리니 이는 내 멍에는 쉽고 내 짐은 가벼움이라 하시니라"고 말한다. 의미심장하게도 마태는 이 주장 바로 뒤에 예수께서 제자들에게 안식일에 이삭을 잘라 먹는 것을 허용하시고, 그분 자신이 "성전보다 더 큰 이"(12:6)이자 "안식일의 주인"(12:8)이라고 선언하시는 이야기를 포함한다. 그러한 증언은 "천국이 가까이 왔[을]"(10:7) 뿐 아니라, "하나님의 나라가 이미 너희에게 임하였[다]"(12:28. 누가복음 17장 21절 참조)는 사실에서 흘러나온 것이다.

일부 사람들의 견해와 대조적으로, 필자는 원 창조 주간에 하나님이 누리신 안식일이 타락 이후에도 계속된다고 믿지 않는다. 예수께서 안식일에 환자를 고치신 직후에 "내 아버지께서 이제까지 일하시니 나도 일한다"(요 5:17)고 주장하신 것처럼, 예수의 구속 사역은 이스라엘의 전 세계적인 안식일 사명을 성취시켰다. 예수를 통해 세상이 복을 받으며(창 22:17b-18, 행 3:25-26, 갈 3:8, 14), 그분의 승리의 부활로 새 창조 사역의 절정인 종말 때의 안식일 안식이 시작되었다. 예수는 모세보다 우월하시며(히 3:1-6), 예수 안에 있는 우리는 안식이 온전히 절정에 이를 때를 기다리고 있긴 하지만, 이미 그 안식에 들어갔다(4:3-10).

신명기 5장 12-15절에 나오는 안식일 명령 배후에는 사랑의 원리가 있다. 필자는 그것을 이렇게 요약하겠다. **하나님과 이웃을 사랑하는 것에는 궁극적 안식에 대한 하나님 나라 소망의 증거로서 '6+1' 유형의 삶을 살아가는 것이 요구된다.**

3. 율법이 오늘날까지 지닌 지속적 의의를 요약하라

최후의 심판 때까지, 하나님은 언제나 하나님 나라 공동체에 헌신하실 것이다. 심지어 세상이 "지극히 작은 자"라고 간주하는 자들에 대해서도 마찬가지다. 신자들이 하나님의 백성 가운데서 무시당하는 사람들을 돌볼 때, 우리는 왕이신 예수를 섬기는 것이다(마 25:31-40). 이것은 십자가 이후에도 옛 언약의 안식일 명령을 지속적으로 적용하는 것이다.

이뿐 아니라, 안식일을 지키라는 구약 명령은 우리 인간들에게 안식이 필요하다는 것을 가르친다. 에너지를 회복하고 하나님께 더욱 의지하기 위해서다. "너희가 일찍이 일어나고 늦게 누우며 수고의 떡을 먹음이 헛되도다 그러므로 여호와께서 그의 사랑하시는 자에게는 잠을 주시는도다"(시 127:2). 쉬는 것은 인간의 일 중독적 성향에 반하는 것이며, 하나님을 향한 신뢰를 더 깊이 키워나가는 것이다. 하나님은 교만한 자를 물리치시고 겸손한 자에게 은혜를 주신다(약 4:6, 벧전 5:5). 그리고 그렇기 때문에 하나님은 우리가 더 많은 은혜를 누릴 수 있도록 계속해서 우리를 겸손하게 하신다. 이것 역시 오늘날에도 계속되는 안식일 명령의 일반 적용이다.

하지만 우리는 그리스도인의 삶에서 안식일이 어디에 자리하는지를 두고 직접 씨름해야 한다. 안식일은 옛 언약의 표징으로, 본질적으로 어떤 목표를 가리키는 목적론적인 것이다. 안식일은 이스라엘 사람들이 매주 마지막 날에 지키는 것이었고, 인생의 목표로서 주권적 안식을 상징했다. 이에 반해, 그리스도 예수를 믿는 신자들에게 하나님의 주권적 안식은 이미 성취되기 시작했다. 그리스도 안에서 그 "그림자"의 "실체"(개역개정은 "몸"으로 번역_ 옮긴이)를 발견한 것이다(골 2:16-17). 예수는 이스라엘 민족의 대표자로, 안식일을 가져오는 그 민족의 사명을 성취하시며, 그분을 통해 하나님 나라의 권위가 다시 한 번 전 세계적으로 실현되어 교회를 통해 예루살렘에서 유대와 사마리아와 땅 끝까지 이동한다(행 1:8).

예수는 "하늘과 땅의 모든 권세를 내게 주셨으니"(마 28:18)라고 선언하셨으며, 우리는 하나님이 이미 "만물을 그 발아래에 복종하게" 하셨으며, "지금 우리가 만물이 아직 그에게 복종하고 있는 것을 보지 못하[기는]" 하지만, "복종하지 않은 것이 하나도 없[게]" 하셨다고 단언해야 한다(히 2:8). 이 교회 시대에 신자들은 주중 일곱 날 모두 그리스도 안에 있는 하나님의 주권 아래 안식일의 안식을 누리고 있다(마 11:28-29, 히 4:8-11. 로마서 15장 5-6절 참조). 우리는 이미 "그리스도와 함께 참여한"(히 3:14) 자이므로, 이미 그리스도가 확보하신 안식일의 안식에 들어갔다(4:9-10). 우리는 이제 우리의 영원한 운명을 확증하기 위해 애쓰고 있는 것이 아니라 안식하고 있다. 그리스도가 이미 이루신 것이 미래에 완성될 때 온전히 계시될 것을 확신하기 때문이다.

새 언약에는 안식일을 가리키는, 다른 날과 다른 특정한 날이 있지 않다. 그리스도의 부활은 옛 피조물에서 새로운 피조물로 종말론적 변화를 시작한다(고후 5:17, 갈 6:15). '안식일-예상'에서 '안식일-성취'로 바뀌는 것이다. 이제 주중 칠 일 내내, 그리스도 안에 있는 사람들은 안식일의 안식이라는 맥락에서 살아간다.

초대 교회와 마찬가지로 우리의 공동 예배는 '6+1'보다는 '1+6' 유형을 따른다. 일주일의 마지막 날이 아니라 첫째 날에 모이는 것이다(행 20:7, 고전 16:2). 왜 그런가? 모든 복음서 기자들은 예수께서 일요일에 다시 사셨다는 것을 강조한다(마 28:1, 막 16:2, 9, 눅 24:1, 요 20:1). 그리고 이로써 그들은 안식일이 실현되는 것을 보려는 이스라엘의 비전이 그 부활의 주의 날(계 1:10)에 실현되었다는 것을 밝힌다. 한 주일의 첫날에 어둠 위로 빛이 밝아 왔고, 새 창조가 시작되었으며, 그리스도 안에서 하나님 나라가 실현되기 시작했다. 일요일 예배는 우리가 한 주의 나머지 모든 날에 누리는 안식이 시작되었음을 반영한다. 또한 믿음이 보는 것이 될 때(고후 5:7)에 대한, 그리고 얼굴을 맞대고 구주를 볼 때 모든 악과 고통과 사망이 사라지는 것을 통해 우리가 이미 맛본 안식이 완성될 때(계 21:4, 22:3)에 대한 소망이 우리 안에서 자라나게 한다. 현재 일주일의 모든 날에 안식일의 안식을 누리는 것처럼, 우리는 "나라가 임하시오며 …… 하늘에서 이루어진 것같이 땅에서도"(마 6:10)라고 계속해서 기도하는 바로 그 순간, 저주를 극복하는 그리스도의 일하심을 더욱 증폭시킨다.

결국, 안식일을 지키라는 구약의 부르심은 신자들에게 안식의 지속적 원리를 확증한다. 즉, 우리가 달릴 수 있도록 안식하라는 것이다. 하나님을 섬기는 일에 연료를 보급하려면 휴식을 취해야 한다. 잠은 하나님의 은혜가 우리 영혼에 지속적인 의존과 복종을 키워 나가는 수단이 된다(시 127:2). 그럼에도 그리스도 안에서는 어떤 한 날도 다른 날보다 더 중요하지 않으며, 일주일의 어느 날에든 하나님을 의지하여 일하는 것은 주님께 신성한 것이다. 우리는 공동 예배 형태를 유지해야 한다(히 10:25). 그리고 일요일은 공동 예배를 위한 자연스러운 때다(행 20:7, 고전 16:2). 그날은 하나님이 그분의 새 창조 나라를 시작하신 날이라는 종말론적 의의를 지니기 때문이다(행 26:23, 롬 6:4, 고전 15:20, 23, 고후 5:17, 살후 2:13, 계 14:4). 그렇다고 해서 주중 다른 날에 공동 예배를 드리는 것이 죄는 아니다. 일요일에 집을 칠하거나, 정원의 잡초를 뽑거나, 시험공부를 하거나, 스포츠 활동을 하는 것도 반드시 잘못된 것은 아니다. 모든 다른 날에 그렇듯이 절대 은혜를 대신하지 않는 방식으로, 열심히 일하는 한 그렇다는 것이다(고전 15:10, 빌 2:12-13, 골 1:29). 언제나 어떤 방식으로든 우리는 만물이 그분에게서 나오고 그분으로 말미암고 그분에게로 돌아간다는 믿음으로 살고 일해야 한다(롬 11:36). 그래서 "범사에 예수 그리스도로 말미암아 하나님이 영광을 받으시게"(벧전 4:11) 해야 한다.[34]

금지된 음식_ 레위기 20장 25-26절

그리스도인들에게 구약 율법이 지닌 지속적 의의에 대한 마지막 예는 그리스도가 오셔서 폐기된 명령이다. 하지만 구원사에서 진전하는 것을 경축하면서도 여전히 율법 자체에서 하나님을 향해 중대한 유익을 발견할 수 있는 방식으로 폐기된다.

MT		개역개정
וְהִבְדַּלְתֶּם בֵּין־הַבְּהֵמָה הַטְּהֹרָה לַטְּמֵאָה וּבֵין־הָעוֹף הַטָּמֵא לַטָּהֹר	25	너희는 짐승이 정하고 부정함과 새가 정하고 부정함을 구별하고
וְלֹא־תְשַׁקְּצוּ אֶת־נַפְשֹׁתֵיכֶם בַּבְּהֵמָה וּבָעוֹף וּבְכֹל אֲשֶׁר תִּרְמֹשׂ הָאֲדָמָה אֲשֶׁר־הִבְדַּלְתִּי לָכֶם לְטַמֵּא׃	b	내가 너희를 위하여 부정한 것으로 구별한 짐승이나 새나 땅에 기는 것들로 너희의 몸을 더럽히지 말라
וִהְיִיתֶם לִי קְדֹשִׁים	26	너희는 나에게 거룩할지어다
כִּי קָדוֹשׁ אֲנִי יְהוָה	b	이는 나 여호와가 거룩하고
וָאַבְדִּל אֶתְכֶם מִן־הָעַמִּים לִהְיוֹת לִי׃	c	내가 또 너희를 나의 소유로 삼으려고 너희를 만민 중에서 구별하였음이니라

표12.9. 레위기 20장 25-26절_ MT와 개역개정

1. 율법의 원래 계시된 의미와 적용을 확증하라

'거룩하고 속된 것을 분별하며 부정하고 정한 것을 분별하는 것'은 이스라엘의 종교생활에서 지극히 중요한 것이었다(레 10:10. 11장 46-47절, 20장 25-26절 참조). 필자는 하나

34 안식일 명령에 대한 이런 접근법을 더 알려면 Wells and Zaspel, *New Covenant Theology*, 215-36쪽, Thomas R. Schreiner, "Good-Bye and Hello: The Sabbath Command for New Covenant Believers," in *Progressive Covenantalism: Charting a Course between Dispensational and Covenant Theologies*, Stephen J. Wellum and Brent E. Parker 편집 (Nashville: Broadman & Holman, 2016), 159-88쪽을 보라.

님의 거룩하심이 그분의 신적 충만함의 실상과 가치로서, 그분의 자급자족성, 그분의 절대성과 유일성, 그분의 탁월성과 가치, 그리고 그분의 모든 행동이 그 충만함과 아름답게 조화하는 것에서 그 거룩함이 표현된다고 정의한다. 신적 거룩함은 하나님이 된다는 것이 무슨 의미인지를 구체화하는 것이며, 주님은 자기 백성이 그분의 유일무이한 탁월함과 아름다움을 세상에 비추도록 명하셨다. "너희는 나에게 거룩할지어다 이는 나 여호와가 거룩하고 내가 또 너희를 나의 소유로 삼으려고 너희를 만민 중에서 구별하였음이니라"(레 20:26).

옛 언약 안에서 **거룩한**(holy)이라는 말과 **속된**(common)이라는 말은 주님과 관련해서 사람이나 물건, 공간, 시간의 상태나 지위와 관련되어 있었다. 거룩하지 않은 것은 모두 속된 것이었다. 마찬가지로, **부정한**(unclean) 것과 **정한**(clean) 것은 사람, 음식, 공간의 의식적 또는 도덕적 지위와 연관되어 구별된 상태를 말했다. 정한 것은 거룩하거나 속된 것이 될 수 있었으며, 속된 것은 정하거나 부정한 것이 될 수 있었다(이 관계들은 표12.10에서 서로 인접한 상자들로 표현된다). 하지만 거룩한 것은 부정한 것과 접촉해서는(=오염) 안 되며, 부정한 것처럼 다루어도(=신성모독) 안 되었다(표12.10을 보면 거룩한 것과 부정한 것의 상자는 서로 닿지 않는다).

거룩함과 부정함은 또한 역동적이었다. 특정한 상태나 조건이 그것과 대응되는 상태나 조건에 영향을 끼치고 그것을 극복하려 했다는 의미에서 그렇다(표12.10은 점선, 화살표, 진한 글씨로 이것을 강조한다). 하지만 속되고 정한 것은 정적인 것으로 그들의 상태나 조건을 옮길 수 없었으며, 오직 그 상대자들과 관련해서만 이해되었다. 즉 정함은 부정함이 없는 것이며, 속됨은 거룩함이 없는 것이다.

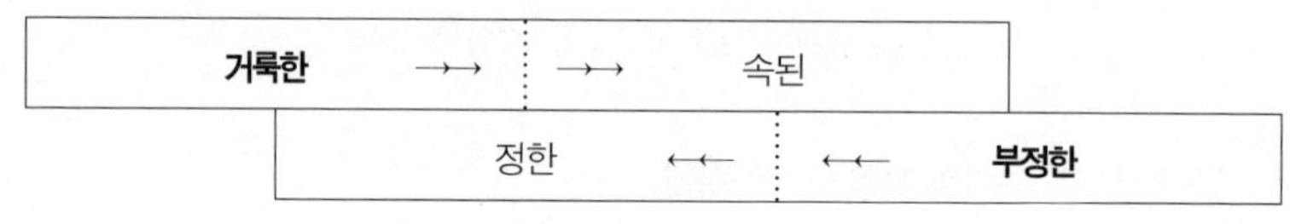

표12.10. 거룩함의 연속체[35]

35 레위기에 나오는 거룩함의 연속체에 대한 이 기본적 이해에 대해서는 John E. Hartley, "Holy and Holiness, Clean and Unclean," *DOT:P* 420-31쪽, Jacob Milgrom, "Holy, Holiness, OT," *NIDB* 2:850-58을 보라. 대안적 견해로는 Gordon J. Wenham, *The Book of Leviticus*, NICOT (Grand Rapids: Eerdmans, 1979)(『NICOT 레위기』, 부흥과개혁사), 26쪽을 보라.

그들을 부정하게 만드는 특정 음식은 무엇이었는가? 학자들은 서로 다른 대답을 내놓았다.[36] 하지만 필자가 보기에 가장 좋은 대답은 부정한 짐승은 모두 창세기 3장에 나오는 뱀이 하나님을 향해 품은 적대감 또는 저주와 상징적으로 약간 연관되어 있다는 것이다.[37]

정한 짐승과 부정한 짐승이 처음으로 명백하게 구별되는 것은 노아의 홍수 이야기에서 나온다. 그때 여호와는 노아에게 "너는 모든 정결한 짐승은 암수 일곱씩, 부정한 것은 암수 둘씩을 네게로 데려오며 공중의 새도 암수 일곱씩을 데려와 그 씨를 온 지면에 유전하게 하라"(창 7:2-3. 8절 참조)고 지시하셨다. 그 다음에 노아는 대홍수 후에 주님께 번제를 드릴 때 "모든 정결한 짐승과 모든 정결한 새 중" 일부를 사용했다(8:20). 의미심장하게도 그 이야기에는 정한 것과 부정한 것을 구분하는 분명한 지시가 없다. 노아는 이미 이 이분법을 잘 알고 있는 것으로 보이며, 모세는 모세오경 독자인 우리가 필연적인 연관성을 만들 것이라고 추정한다. 홍수 이야기 전에, 금지된 음식과 짐승들이 가장 분명하게 논의된 곳은 창세기 3장에 나오는 타락 이야기에서다. 그래서 독자는 답을 찾기 위해 그 부분으로 돌아갈 수밖에 없다.

이 틀 안에서 정한 짐승과 부정한 짐승을 구분하려면, 아담이 저주받은 결과로 이해하는 것이 가장 자연스럽다. 필자는 고대인들이 뱀의 흉악한 활동 또는 그에 대한 신적 심판과 가장 밀접하게 연관된 짐승들을 부정하다고 여겼다고 제안한다. 뱀은 "들짐승 중에 가장 간교"(창 3:1)했으며, 남자와 여자에게 하나님이 금하신 것을 먹게 했고(2:17, 3:1-7), "모든 가축과 들의 모든 짐승"보다 더욱 저주를 받았다(3:14). 뱀의 '간교함'을 가장 생생하게 묘사하는 짐승들은 본성이 포식적인(죽이려는 의지를 가지고 있는) 짐승으로, 그 짐승들은 모두 '부정'했다. 뱀이 받은 바 죽을 때까지 흙을 먹으라는 저주와

36 개관으로는 Hartley, "Holy and Holiness, Clean and Unclean," 428-29쪽을 보라. 그리고 Walter Houston, *Purity and Monotheism: Clean and Unclean Animals in Biblical Law*, JSOTSup 140 (Sheffield, UK: Sheffield Academic, 1993), 68-123쪽을 참조하라.

37 제이콥 밀그롬(Jacob Milgrom)은 이 점을 주장하지는 않는다. 그러나 그는 정한 것과 부정한 것의 기저에 있는 원리는 생명-사망의 연결임을 시사한다. 이때 정한 것은 생명과, 부정한 것은 사망과 연관되어 있다(*Leviticus 1-16: A New Translation with Introduction and Commentary*, AB 3 [New Haven, CT: Yale University Press, 1998], 1001-3쪽). 밀그롬은 정한 짐승과 부정한 짐승을 구별하는 것이 어느 정도 임의적이라고 본다. 그러나 그는 성경이 이스라엘의 고기 섭취를 최소한의 동물(가축 중 초식 동물, 사냥해서 잡은 일부 야생 동물, 물고기, 새, 메뚜기 등)로 제한하여 피와 생명을 더 경외하게 한다고 말한다.

가장 동질감을 갖는 동물들은 저생어(bottom-feeder, 흙의 영역)나 어떤 식으로든 죽음과 황폐함의 영역과 연결된 부류일 것이다. 그 짐승들도 모두 '부정'했다.

더 구체적으로 말해서, 레위기 11장은 땅, 물, 공중의 짐승들을 구분한다. 창세기 3장과의 연관을 모두 평가하기는 쉽지 않다. 하지만 일반적 유형은 분명한 듯하다. 자연히 우리는 '행간을 읽어야' 한다. 하지만 필자는 학자들이 제안한, 성경에 덜 근거한 다른 제안들에 대한 대안으로 이 개요를 제시한다.

땅에 사는 짐승들 중 정한 짐승에는 굽이 갈라진 것과 새김질하는 것이 포함된다(레 11:2-8). 굽이 있는 짐승이란 발굽 짐승, 즉 신체 무게를 지지하기 위해 발가락(또는 굽) 끝을 사용하는 동물들이다. 그래서 그 짐승들은 되도록 흙에 덜 닿고, 그들의 무게는 단단하거나 탄력 있는 발바닥, 그리고 발굽 끝을 둘러싼 두꺼운 발톱으로 형성된 단단한 내벽에 의지한다. 정한 짐승들은 굽이 갈라져 있고(저주받은 흙으로부터 이중 보호) 새김질을 해야 했다. 새김질은 그들이 되새김 짐승이라는 것을 의미한다. 하나님이 공급하시는 식량을 '되새김하면서'(또는 묵상하면서) 여분의 시간을 보내는 초식 동물이라는 것이다. 정한 육지 동물들 중에는 육식 동물이 없었다. 부정한 육지 동물은 앞서 말한 두 특징에 다 맞지 않는다. 그 동물들은 발바닥이 있는 동물들, 곧 아무런 '보호' 없이 땅 위를 직접 걸어 다니는 부류다(11:27). 그 동물들은 또한 모두 무리 지어 다니는 짐승들이다. 둘러싸서 떼 지어 몰려다니는 부류(11:29-31), 또는 다리가 여러 개이고 땅에서 배로 밀어 다니는 부류(11:41-43)다.

물에 있는 짐승들 가운데 정한 짐승은 지느러미와 비늘이 둘 다 있는 부류다(11:9-12). 지느러미는 추진력을 주고 균형을 잡게 해주는 반면, 비늘은 감싸서 보호하거나 지켜 준다. 부정한 지중 동물들은 이러한 안정이나 보호가 없는 부류였다. 그것은 에덴동산에서 아담의 지도력에도 빠져 있는 특징이다.

마지막으로, 레위기는 허용할 수 없는 새와 곤충 목록을 제공하지만(11:13-23), 정한 날짐승을 구분하는 구체적인 판단 기준은 제시하지 않는다. (아마 저주를 물리친 것을 묘사하는) 땅에서 뛰는 벌레들은 정하다. 이에 반해, 시체를 먹고 사는 포식 조류는 부정하다. 땅에서 뛰지 않고 땅에서 쉬기만 하는 날개 달린 모든 곤충도 마찬가지다.

타락 이전에, 하나님은 특정한 음식(선악을 알게 하는 나무)을 먹지 말라고 금하셨다. 인간이 지혜롭게 성숙할 수 있는 환경을 제공하시기 위해서다(창 2:17. 3장 5절 참조). 아담과 하와는 순종하지 않았다. 그렇게 해서 선악을 아는 지식은 얻었지만 그것은 잘못된 수단을 통한 것이었다(3:22). 그 결과 하나님은 세상을 저주하셨으며, 이로부터 그분은 또한 새로운 음식, 즉 부정한 짐승들(7:2-3)을 금하셨다. 이 짐승 집단은 죽음을 불러오는 뱀의 활동 또는 뱀과 연관된 저주와 어떤 공통성을 지니기 때문에 구분되었을 것이다.

레위기 20장 25-26절은 정한 음식과 부정한 음식에 관한 율법이 지닌 한 가지 목적이 이스라엘을 열방과 구별하는 것이라고 밝힌다. 이스라엘의 이교 이웃들은 뱀의 후손에 속하고 뱀과 관련된 혼돈, 무질서, 죽음을 나타냈으므로, 이스라엘이 부정한 음식과 연관시킨 의미는 열방 자체의 특성과 대응을 이루었다. 그래서 이스라엘 사람들의 음식은 상징적으로 그들을 주위 백성과 구분해 주었다. 또한 그것은 그들이 세상에 여호와의 유일하심을 가리키게 해주었다(출 19:5-6, 신 4:5-8). 궁극적으로는 축복으로 저주를 극복하실 수 있는 유일한 구주임을 가리키는 것이다(창 12:3, 22:18).

2. 율법의 신학적 의의를 결정하라

우리에게는 거룩하신 하나님이 계시다. 우리와 세상은 그분의 존재를 보고 그분을 찬미해야 한다. 존 하틀리(John Hartley)는 옛 언약 안에서 정한 짐승과 부정한 짐승은 "이스라엘 사람들로 하여금 자신들이 언약을 맺은 거룩하신 하나님을 공경하기 위해 삶을 정돈해야 한다는 점을 식사 때마다 의식하게 만들었다"[38]고 말한다. 예를 들어, 돼지고기를 먹지 말라는 고대 명령은 여호와의 본성과 가치를 증대시키고, 하나님의 백성을 언약에 속하지 않은 사람들과 구분하는 데 기여했다. 돼지고기는 되새김질을 하지 않기 때문에 부정하다고 나온다(레 11:7-8). 어떤 사람들은 되새김이라는 활동이 없는 것은 하나님의 공급을 감사하지 않는 것을 상징한다고 주장한다.[39] 아담과 하와가 동산에서 하나님의 공급하심에 가치를 두지 않은 것처럼 말이다. 음식을 먹을 때 돼지는 닥치는 대로 먹는다. 고기, 야채, 심지어 쓰레기도 먹을 뿐 아니라, 암컷들은 때로 자기 새끼를 공격하고 간혹 먹기까지 한다. 이 특징들은 주님이 왜 돼지를 부정하

---

38 Hartley, "Holy and Holiness, Clean and Unclean," 429쪽. 이 진술의 진실성은 하나님이 거룩하심같이 거룩하라는 명령이 세 군데에서 음식 규정과 직접 관련되어 있다는 사실에서 강화된다(레 11:44-45, 20:25-26, 신 14:21. 출애굽기 22장 31절 참조).

39 Mary Douglas, *Purity and Danger: An Analysis of Concepts of Pollution and Taboo* (New York: Praeger, 1966), 54쪽.

다고 칭하셨는지를 더 밝혀 줄 것이다.

하지만 오늘날에는 구속사의 진전과 함께, 예수께서 "모든 음식물을 깨끗하다"(막 7:19)고 하셨고, 사람을 더럽게 하는 것은 그 사람의 입으로 들어가는 것이 아니라 그 사람의 마음에서 나오는 것임을 강조하셨다(7:18-23).[40] 바울은 죄를 더러움이라고 지칭한다(롬 6:19, 고후 12:21, 엡 5:3, 살전 4:7). 그리고 그는 우리 그리스도인에게 "육과 영의 온갖 더러운 것에서 자신을 깨끗하게 하자"(고후 7:1)고 명한다. 우리는 마음이 청결해야 하며(마 5:8. 디모데후서 2장 22절 참조) 깨끗한 양심을 가져야 한다(딤전 1:5, 3:9, 딤후 1:3). 그럼에도 음식과 관련해서 더는 어느 것도 부정하지 않다. 주님은 베드로에게 부정한 짐승들의 환상을 보이시고는 "일어나 잡아먹어라"라고 명하시고, 그 다음에 "하나님께서 깨끗하게 하신 것을 네가 속되다 하지 말라"고 주장하셨다(행 10:10-15). 이로부터 베드로는 하나님이 그리스도를 믿는 자들에게 더는 "아무도 속되다 하거나 깨끗하지 않다 하지 말라"(행 10:28)고 하실 것이라고 추론했다. 이것은 옛 언약에서 부정한 음식이 주님의 백성을 열방과 구별해 준 것에 비추어 볼 때 자연스러운 결과다(레 20:25-26). 예수는 "우리의 화평이신지라 둘로 하나를 만드사 원수 된 것 곧 중간에[유대인과 이방인 사이에] 막힌 담을 자기 육체로 허시고 법조문으로 된 계명의 율법을 폐하셨으니 이는 이 둘로 자기 안에서 한 새사람을 지어 화평하게" 하셨다(엡 2:14-15). 유감스럽게도, 베드로 자신은 이 변화를 적용하는 일에 일관되지 못했다. 그래서 바울은 베드로와 부딪쳐야 했다(갈 2:11-14).

이제 우리는 "구원사에서 모든 음식을 깨끗한 것으로 만들기 위해 정확히 어떤 일이 일어났는가?"라고 물어야 한다. 바울은 그 변화가 예수께서 "십자가로"(엡 2:16) 행하신 것과 직접 관련되어 있다고 말한다. 그리스도는 "통치자들과 권세들을 무력화하여 드러내어 구경거리로 삼으시고 …… 그들을 이기셨[다]"(골 2:15). 즉, 예수의 초림에서 옛 뱀, 곧 마귀라고도 하고 사탄이라고도 하는 큰 용이 내쫓긴 것이다(요한계시록 12장 9절 참조).[41] 부정한 음식은 처음의 창조와 타락과 동일화된, 하나님에 대한 적대감과 저주를 나타냈다. 하지만 그리스도 안에서 새 창조가 시작되었고(고후 5:17, 갈 6:15), 저주가 축복에 정복당했으며(갈 3:13-14), 모든 음식은 이제 상징적으로 깨끗해졌다.[42] 바울

40 어떤 음식도 '속된' 것은 없다는 말은 모든 음식이 '거룩하다'는 것을 시사한다(행 10:14-15).

41 무천년주의자는 이것이 요한계시록 20장 2절에서 말하는 정확한 종말론적 실상이라고 주장할 것이다. "용을 잡으니 곧 옛 뱀이요 마귀요 사탄이라 잡아서 천 년 동안 결박하여."

42 윌리엄 N. 와일더(William N. Wilder)는 아담과 하와를 위한 하나님의 목표는 언제나 그들이 지혜와 왕권

의 말로 하면, "내가 주 예수 안에서 알고 확신하노니 무엇이든지 스스로 속된 것이 없으되 …… 만물이 다 깨끗하되 거리낌으로 먹는 사람에게는 악한 것이[다]"(롬 14:14, 20. 고린도전서 8장 7-13절 참조). 그리고 또한 "하나님께서 지으신 모든 것이 선하매 감사함으로 받으면 버릴 것이 없[다]"(딤전 4:4).

그렇다면 레위기 20장 25-26절 배후에 있는 사랑의 원리는 무엇인가? 원래 구약 문맥에서 **부정한 음식을 먹지 말라는 명령은 이웃 사랑이란 이스라엘 사람들이 심지어 그들의 식품에서도 죄와 저주를 향한 하나님의 거룩한 반감을 계속 드러내야 했다는 의미**임을 밝히고 있다.

3. 율법이 오늘날까지 지니는 지속적 의의를 요약하라

하나님은 영원히 거룩하시다. 그리고 하나님의 거룩하심은 하나님의 백성이 지닌 윤리적 의무들에 계속 영향을 끼친다. "너희도 모든 행실에 거룩한 자가 되라 기록되었으되 내가 거룩하니 너희도 거룩할지어다 하셨느니라"(벧전 1:15-16). 베드로는 이 구절에서 레위기 20장 26절에 나온 진리를 반영하고 있다. 그리고 후에는 주님이 이스라엘에 명령하신 것이 이제 교회 안에서 성취되고 있다고 강조한다. "그러나 너희는 택하신 족속이요 왕 같은 제사장들이요 거룩한 나라요 그의 소유가 된 백성이니 이는 너희를 어두운 데서 불러내어 그의 기이한 빛에 들어가게 하신 이의 아름다운 덕을 선포하게 하려 하심이라"(벧전 2:9).

창세기 3장 15절 이후로 성경을 읽는 자들은 한 남성 해방자, 뱀을 죽이는 분, 질서를 회복하고 생명을 가져오면서 환난을 뚫고 승리하실 분이 오실 것을 기다린다. 예수는 부정한 음식에 대한 구약의 금지를 이런 식으로 성취하신다. 음식법은 반역에 대한 하나님의 진노와, 사탄의 역사에 대한 하나님의 적의를 묘사한다. 정결한 음식

을 둘 다 누리는 것이었다고 주장한다("Illumination and Investiture: The Royal Significance of the Tree of Wisdom in Genesis 3," *WTJ* 68, 1 [2006]: 51-69쪽). 그들이 벌거벗은 것은 미성숙함의 표시였다. 그들이 주께서 의도하신 방식대로 의도하신 때에 성장했다면, 그 미숙함은 후에 임관식으로 이어졌을 것이다. 이것은 선악을 알게 하는 나무가 일시적 금기였으며, 그 최초의 부부가 성년에 이르렀다면 그 열매를 즐기는 자유를 가졌을 가능성을 제기한다(여기에서 문제는 창세기 2장 17절이 'לֹא(로)+익톨'을 사용한다는 것이다. 그것은 보통 영구적 금지를 표현한다[5장에 나온 '비직설법적 익톨과 베익톨'을 보라].) 이에 비추어, 우리는 부정한 음식에 대한 금지 역시 일시적인 것으로 이해되지 않았을까 생각하게 된다. 여호와의 "아들"(출 4:22-23)이 성년에 이르러 더는 "초등 교사 아래" 또는 "세상의 초등학문 아래에 있어서 종노릇"하지 않게 된(갈 3:23-4:7) 후에는 모든 음식을 먹을 수 있는 완전한 자유를 누리게 되는 것이다.

은 분명 그리스도가 그분 안에 있는 모든 사람을 위해 획득하실 정결함을 가리켰다(요 13:10, 15:3, 히 10:22). 하지만 부정한 음식들 역시 그림자의 일부로, 그리스도는 그 그림자의 실체셨다(골 2:16-17, 히 10:1). 부정한 것은 그리스도가 하나님께 적대적인 모든 수치와 죄책을 십자가에서 지실 때 짊어진 저주 중 일부였다(갈 3:13, 벧전 2:24). 예수 안에서 모든 약속은 이미 "예"(고후 1:20)가 된다. 새 창조는 이미 시작되었으며(고후 5:17, 갈 6:15), 새 언약은 이미 시행되었다(히 8:6). 그러기 위해 옛 언약은 이미 폐기되었다(8:13, 10:9. 갈라디아서 3장 23-26절 참조). 한때 원수였던 많은 사람이 이제 "그의 아들의 죽으심으로 말미암아 하나님과 화목하게" 되었으며 이 동일한 사람들이 "그의 살아나심으로 말미암아 구원을 받을" 것이다(롬 5:10).

의미심장하게도, 신약은 그리스도가 신자들을 위해 확보하신 정결함이 서로를 사랑하는 열매를 맺어야 한다고 가르친다(벧전 1:22). 음식과 관련해서 이웃 사랑이 오늘날 무엇을 의미하는지는 두 가지 각도에서 생각해 보아야 한다. 첫째, 이웃 사랑은 믿음이 강하고 자기 양심에 비추어 무엇이든 먹고 마실 수 있는 온전한 자유를 가진 사람들이 믿음이 연약하고 특정한 것들 먹기를 삼가기로 한 신자들을 판단하거나 실족시키지 않도록 주의해야 한다는 것을 의미한다.

> 어떤 사람은 모든 것을 먹을 만한 믿음이 있고 믿음이 연약한 자는 채소만 먹느니라 …… 우리가 다시는 서로 비판하지 말고 도리어 부딪칠 것이나 거칠 것을 형제 앞에 두지 아니하도록 주의하라 내가 주 예수 안에서 알고 확신하노니 무엇이든지 스스로 속된 것이 없으되 다만 속되게 여기는 그 사람에게는 속되니라 만일 음식으로 말미암아 네 형제가 근심하게 되면 이는 네가 사랑으로 행하지 아니함이라(롬 14:2, 13-15).

둘째, 이웃을 사랑한다는 것은 그리스도가 우리를 위해 승리하셨다고 선포하는 일을 중단하지 않으면서, 모든 사람이 그분과 화목하도록 문을 열어 놓는다는 의미다. 우리가 이것을 할 수 있는 한 가지 방법은 하나님이 한때 금하신 음식을 먹는 것이다. 구약 신자들이 하나님의 거룩하심을 선포하고 반영하기 위해 이 음식들을 **금한** 것과 마찬가지로, 신약 신자들은 같은 목적으로 그 음식을 **먹는다**. "그런즉 너희가 먹든지 마시든지 무엇을 하든지 다 하나님의 영광을 위하여 하라"(고전 10:31). 이런 틀 안에서 보면, 베이컨은 승리의 음식이다!

그리스도인들은 이제 그리스도가 그 뱀을, 그리고 그 뱀과 함께 저주를 물리치셨다는 증거로, 한때 부정한 것이던 음식을 즐길 수 있다. 이스라엘을 열방과 분리시킨 문화 차별들은 이제 폐하여졌다. 우리는 "평강의 하나님께서 속히 사탄을 너희 발아래에서 상하게"(롬 16:20) 하실 절정의 때를 여전히 기다린다. 그럼에도 사망의 옛 시대에서 생명의 새 시대로 가는 종말론적 변화는 이미 시작되었다. 그리고 뱀과의 전쟁은 확고히 끝났다. 이것은 부정한 것이 온전히 내쫓기고 더는 저주의 증거가 없을 날을 기다리면서 우리가 확신 가운데 안식을 취할 수 있다는 의미다(계 21:27, 22:3).[43]

그리스도인들과 구약의 약속들

그리스도인들이 구약의 약속들을 주장하는 것의 도전과 필요성

1. 신자의 삶에서 하나님의 약속이 갖는 중요성

시편 기자는 "이 말씀은 나의 고난 중의 위로라 주의 말씀이 나를 살리셨기 때문이니이다"(시 119:50)라고 단언했다. 우리의 미래가 달려 있는 그리스도의 부활의 삶에 비추

43 오랜 세월 동안, 그리스도를 마음속으로 신봉하는 많은 유대인(즉 메시아닉 유대인[messianic Jews])은 정결한 음식과 부정한 음식의 구분을 의무가 아니라 자유롭게 선택할 수 있는 문제로 인식하면서도, 그것을 유대인의 문화적 정체성 문제로 보아 따라왔다. 바울은 이 관행에 대해 괜찮다고 생각했을 것이다. 특히 더 많은 유대인을 예수께 이끌려는 마음으로 그러는 경우에는 더 그랬다(고전 9:20. 사도행전 16장 3절과 갈라디아서 2장 3절을 비교해 보라). 그러나 일부 사람들이 히브리 뿌리 운동(Hebrew Roots Movement)이라고 부르는 것에 몸담고 있으면서 신앙을 공언하는 그리스도인이 점점 많아지고 있는데 그들은 성전은 없지만 신실한 그리스도인들이 구약 율법은 되도록 많이 **따라야 한다**고 주장한다. 거기에는 다양한 성일과 음식 규정을 지키는 것이 포함된다. "다시 종의 멍에를 메[게]"(갈 5:1) 하려 애쓰던 갈라디아의 유대주의자들처럼, 이 사람들은 "하나님이 지으신 바니 …… 감사함으로 받을 것"인 "어떤 음식물은 먹지 말라고 할(*require*)" 것이다(딤전 4:3). 바울은 그런 선생들이 "후일에" 일어날 것이라고 말했으며, 또한 그들이 "믿음에서 떠나 미혹하는 영과 귀신의 가르침을 따르리라"고 규정했다(4:1-2). 음식(갈 2:11-14)에 대해 다루든, 성일을 지키는 것(4:10)이나 할례(5:2)를 다루든, 마치 그리스도가 모든 것을 바꿔 놓지 않으신 것처럼 구약 율법을 따를 것을 **요구하는** 사람들은 "그리스도에게서 끊어지고 은혜에서 떨어진"(5:4) 자들이다. 오늘날 중요한 것은 사랑으로 역사하는 그리스도에 대한 믿음이다(5:6). 우리는 율법 전체를 지킬 수는 없다(5:3. 사도행전 15장 10절 참조). 그래서 우리는 그리스도를 믿어야만 한다. 그리스도는 그분이 택하신 자들을 위해 율법을 성취하셨으며(롬 5:18, 8:4), 우리가 사랑의 삶을 살 때 그분의 영에 의해 우리를 통해서 율법을 성취하신다(갈 5:14, 롬 2:26-29, 13:8-10).

어 볼 때, 이 말은 그때보다 오늘날에 더 해당된다(고전 15:17-20). 우리가 고난에 직면할 때, 성경에 나오는 하나님의 약속들은 그리스도인들에게 희망의 보루 중 하나를 제공한다. 필자가 "희망의 보루 중 **하나**"라고 말한 것은 하나님의 성품과, 상한 자들을 향하는 그분의 성향 역시 우리에게 소망을 주기 때문이다. "이스라엘아 여호와를 바랄지어다 여호와께서는 인자하심과 풍성한 속량이 있음이라"(시 130:7. 출애굽기 32장 6-7절, 신명기 10장 17-18절 참조). 그럼에도 그분의 약속에 관해 우리는 하나님이 그분 말씀에 신실하실 것이며 그분에게 합당한 때에 그분이 행동**하신다**는 것을 믿는다.

하나님의 약속들은 단순히 위로만 제공하는 것이 아니다. 그 약속들은 우리가 거룩함을 추구하면서 죄를 물리치도록 돕는 주님의 핵심 장비 중 하나다. 베드로가 말하듯이 "[여호와께서] 그 보배롭고 지극히 큰 약속을 우리에게 주사 이 약속으로 말미암아 너희가 정욕 때문에 세상에서 썩어질 것을 피하여 신성한 성품에 참여하는 자가 되게 하려" 하신다(벧후 1:4. 고린도후서 7장 1절, 요한일서 3장 2-3절 참조).

우리는 "마음이 청결한 자는 …… 하나님을 볼 것"(마 5:8)이라는 말씀을 상기하면서 정욕과 싸운다. 또한 "네 백체 중 하나가 없어지고 온몸이 지옥에 던져지지 않는 것이 유익하니라"(5:30)는 예수의 경고를 기억한다. 우리는 염려에서 기도로, 그리고 감사를 겸한 간구로 방향을 튼다. 그렇게 할 때 "모든 지각에 뛰어난 하나님의 평강이 그리스도 예수 안에서 [우리] 마음과 생각을 지키[실 것]"(빌 4:7)이라고 믿기 때문이다. 일자리를 잃거나 엄청난 손해에 직면할 때, 우리는 "나의 하나님이 그리스도 예수 안에서 영광 가운데 그 풍성한 대로 너희 모든 쓸 것을 채우시리라"(4:19)는 소망을 꼭 붙잡는다. 그리고 사망의 그림자가 가까이 올 때, 우리는 "내게 사는 것이 그리스도니 죽는 것도 유익함이라"(1:21)고 단언한다. "여호와는 나의 목자시니 …… 내가 사망의 음침한 골짜기로 다닐지라도 해를 두려워하지 않을 것은 주께서 나와 함께하심이라"(시 23:1, 4)고 내내 믿으면서 말이다.

2. 어떤 약속들이 그리스도인을 위한 것인가

하지만 마지막 텍스트는 하나의 질문을 제기한다. 시편 23편은 옛 언약 시대에 나온 노래이기 때문이다. 바울은 고린도후서 1장 20절에서 "하나님의 약속은 얼마든지 그리스도 [예수] 안에서 예가 되니"라고 단언한다. 하지만 그는 옛 언약 약속들, 곧 주님이 이스라엘 민족에게 직접 주신 약속들도 말하는 것인가? 우리 그리스도인들은 예수 시대 이전에 주어진 다양한 약속들을 우리 자신의 것이라고 주장할 수 있는가? 우리는 우리 자녀들이 다음 가사를 노래하도록 해야 하는가?

> 성경책 안에 있는 모든 약속은 내 것
> 모든 장, 모든 구절, 모든 행이
> 하나님 사랑의 모든 축복들
> 성경책 안에 있는 모든 약속은 내 것.[44]

'번영 복음'은 재빨리 "그렇다"고 답했다. 그리스도인들에게 믿음이 충분하다면, 하나님은 옛 언약 축복들에 상세히 나와 있는 모든 영적이고 물질적인 번영을 오늘날 상으로 주실 것이라고 주장하는 것이다.

> 네가 네 하나님 여호와의 말씀을 삼가 듣고 …… 성읍에서도 복을 받고 들에서도 복을 받을 것이며 네 몸의 자녀와 네 토지의 소산과 네 짐승의 새끼와 소와 양의 새끼가 복을 받을 것이며 네 광주리와 떡 반죽 그릇이 복을 받을 것이며 네가 들어와도 복을 받고 나가도 복을 받을 것이니라(신 28:1, 3-6. 30장 16절 참조).

신명기에 나오는 이 복들은 그리스도 안에 있는 우리가 오늘날, 이미, 믿음으로 주장할 수 있는, 또는 심지어 주장해야 하는 것인가?[45]

---

44 The Sensational Nightingales, "Every Promise in the Book Is Mine," *Let Us Encourage You* (Malco Records, 2005[1957년 초판]).

45 필자가 말하는 '번영 복음'이란 사람들이 물질적, 사회적, 정서적, 영적 가난함에서 번영으로 옮기는 것을 말하고 보려 애쓴다는 의미가 아니다. 그런 바람은 하나님을 공경하는 것이며, 삶에서 복음의 자연스러운 열매이기 때문이다(Timothy Keller, "The Gospel and the Poor," *Themelios* 33, 3[2008]: 8-22쪽을 보라. Craig L. Blomberg, *Neither Poverty nor Riches: A Biblical Theology of Possessions*, NSBT 7 [Downers Grove, IL: InterVarsity Press, 1999] [「가난하게도 마옵시고 부하게도 마옵소서」, IVP], Steve Corbett and Brian Fikkert, *When Helping Hurts: How to Alleviate Poverty without Hurting the Poor--and Yourself*, 2판 [Chicago: Moody Press, 2012][「헬프」, 국제제자훈련원], Wayne Grudem and Barry Asmus, *The Poverty of Nations: A Sustainable Solution* [Wheaton, IL: Crossway, 2013], Brian Fikkert and Russell Mask, *From Dependence to Dignity: How to Alleviate Poverty through Church-Centered Microfinance* [Grand Rapids: Zondervan, 2015]를 참조하라). 대신 필자가 말하는 '번영 복음'은 일종의 가르침으로, 통치하시는 하나님이 그리스도의 예수의 삶과 죽음과 부활에 의해 믿는 죄인들을 구원하고 만족하게 하신다는 참된

건강과 부(health-and-wealth) 메시지를 가르치는 사람들은 "믿음으로 말미암은 자는 믿음이 있는 아브라함과 함께 복을 받느니라"(갈 3:9)고, 그리고 "[우리 주 예수 그리스도가] 부요하신 이로서 너희를 위하여 가난하게 되심은 그의 가난함으로 말미암아 너희를 부요하게 하려 하심이라"(고후 8:9)고 단언한다. 그 말은 옳다. 하지만 그들의 가르침에 빠져 있는 것은 갈라디아서 3장 9절에 나오는 바울의 "복"이 우리가 "믿음으로 말미암아 약속하신 성령"(갈 3:14, 새번역)을 받는 것에 초점을 맞춘다는 것과, 아브라함은 "믿음을 따라 죽었으며 약속을 받지 못하였[다]"(히 11:13)는 것이다. 게다가 고린도후서 8장 9절에 나오는 그리스도의 "가난함"은 극도로 비참한 물질적인 결핍이 아니라 그분의 성육신에 초점을 맞추고 있으므로(빌 2:6-8), 우리의 '부요함' 역시 물질적 번영을 직접 가리키는 것이 아니라 구원과 그 모든 유익을 가리키는 것이다(고전 1:4-8). 이 '유익들'이 이생의 건강과 재물과 얼마나 많이 관련되어 있는지가 이 부분에서 다루려는 점이다.

3. 신약은 구약의 약속들을 그리스도인에게 어떻게 적용하는가

앞서 말했듯이, 이 논의에서 필자의 큰 목적은 건강과 부 만능의 가르침을 비판하려는 것이 아니라, 구약의 약속들이 지닌 지속적 의의를 생각하도록 그리스도인들을 구비시키려는 것이다.[46] 번영 교사들에게 반응하면서, 또는 구약 약속들이 어떻게 신자

좋은 소식을 세속성으로 대체해 버리는 것이다. 더 자세한 것은 다음 각주를 보라.

46 번영 복음에 대한 유용하고 균형 잡힌 최근의 두 가지 비판으로는 John Piper, "Introduction to the Third Edition: New Realities in World Christianity and Twelve Appeals to Prosperity Preachers," in *Let the Nations Be Glad! The Supremacy of God in Missions,* 3판 (Grand Rapids: Baker, 2010)(『열방을 향해 가라』, 좋은씨앗), 15-32쪽, Michael Otieno Maura, Conrad Mbewe, Ken Mbugua, John Piper, and Wayne Grudem, *Prosperity? Seeking the True Gospel* (Nairobi: Africa Christian Textbooks Registered Trustees in partnership with The Gospel Coalition, 2015)을 보라. 첫 번째 반응으로, 필자는 의식적이거나 무의식적인 보응 신학('네가 지금 뿌리는 것을 지금 여기서 거둘 것이다')에 대한 불균형한 믿음은 종종 황폐한 결과를 가져온다고 말하고자 한다. 번영 신학의 세속성은 적어도 (1) 자격을 갖춰야 한다는 사고방식을 육성하고 (2) 과도한 죄책을 부여하며 (3) 하나님의 성품을 잘못 전하고 (4) 어떤 것을 희생하고 다른 것을 높이면서 그리스도의 구원 사역을 최소화하는 방식에서 볼 수 있다. **첫째**, 필자의 삶과 서구 복음주의 교회에 속한 다른 많은 사람의 삶에서, 우리가 재물을 누리고 건강을 지킬 것이라고 기대하는데 하나님이 그것을 가져가실 경우 하나님께 화를 내거나 적어도 매우 염려할 때, 번영-복음의 관점들이 나타난다. 우리는 어느 정도 수준의 물질적 공급과 보호를 바로 지금 누릴 자격이 있다고 느낀다. 우리가 바울처럼 "나는 비천에 처할 줄도 알고 풍부에 처할 줄도 알아 모든 일 곧 배부름과 배고픔과 풍부와 궁핍에도 처할 줄 아는 일체의 비결을 배웠노라 내게 능력 주시는 자 안에서 내가 모든 것을 할 수 있느니라"(빌 4:12-13)라는 진리에 따라 살기를 바란다. **둘째**, 교인들이 자신이 겪는 역경이나 질병이 분명 그들 자신의 영적 열정이 부족한 탓이라고 믿어서 정당하지 않은 죄책이나 부담을 느낄 때, 또 다른 미묘한 형태의 건강과 부 만능 사고가 생겨난다. 그런 경우도 있긴 하지만(예를 들어 고전 11:29-30),

들과 관련되는지 스스로 파악하면서, 단순히 '우리는 새 언약에 속하고, 그렇기 때문에 옛 언약 약속들은 교회에 적용되지 않는다'고 말하는 것으로는 충분치 않다. 신약 사도들은 지체 없이 구약 약속들을 인용하며 그 약속들에 지속적 의미를 적용하기 때문이다!

예를 들어, 로마서 12장 19절을 생각해 보라. 그 구절에서 바울은 "너희가 친히 원수를 갚지 말고 하나님의 진노하심에 맡기라 기록되었으되 원수 갚는 것이 내게 있으니 내가 갚으리라고 주께서 말씀하시니라"고 명한다. 여기서 사도는 신명기 32장 35절 약속을 인용하는데, 그 구절은 여호와께서 그분의 백성을 억압할 모든 사람에게 주장하시는 내용이다. 즉, "원수를 갚는 것은 내가 할 일이니 내가 갚아 주겠다"는 것이다(히브리서 10장 30절 참조, 새번역). 바울은 우리 그리스도인들이 현재 우리 원수를 사랑할 능력을 얻는데, 그것은 하나님이 미래에 실로 올바로 판단해 주실 것을 확신하고 안심할 수 있기 때문이라고 말한다. 그리고 우리는 구약 약속 때문에 이것을 믿는다.

마찬가지로 히브리서 13장 5-6절은 이렇게 단언한다. "돈을 사랑하지 말고 있는 바를 족한 줄로 알라 그가 친히 말씀하시기를 내가 결코 너희를 버리지 아니하고 너희를 떠나지 아니하리라 하셨느니라 그러므로 우리가 담대히 말하되 주는 나를 돕는 이시니 내가 무서워하지 아니하겠노라 사람이 내게 어찌하리요 하노라." 이 구절에서 저자는 여호수아 1장 5절에 나오는 구약 약속과 시편 118편 6절에 나온 확신에 대한 구약 표현을 인용하고 있다. 이 신약 저자는 그의 구약 성경이 교회에 지속적으로 적

욥의 이야기와 예수 자신의 가르침은 둘 다 어떤 비탄함은 우리의 죄나 우리 부모의 죄와 아무 상관이 없다는 것을 강조한다(욥 2:3, 요 9:2-3). **셋째**, 북미, 남미, 아프리카, 아시아 일부 지역 등지의 인기인들이 얄팍하고, 무력하게 하고, 자격 없는 건강과 부 만능 메시지를 설파하여 부자가 될 때, 번영에 대한 설교는 더욱 자라게 된다. 그들은 믿음이 충분하면 지금 여기서 물질적 부나 신체적 건강함을 누릴 것이라고 약속한다. 하지만 그러면서, 구약 시대 우상 숭배가 그랬듯이, 그들은 하나님의 성품과 헌신을 잘못 전달한다. 하나님을 우리가 조종할 수 있는 분으로 여기고 물질적 축복을 수고해서 얻는 삯으로 보는 것이다(예를 들어 호 2:12, 9:1, 미 1:7. 동방 종교의 업보라는 종교 원리와 어느 정도 비교할 수 있다). 이에 반해, 주님은 "사람을 외모로 보지 아니하시며 뇌물을 받지 아니하시고 고아와 과부를 위하여 정의를 행하시며 나그네를 사랑하여 그에게 떡과 옷을 주신다"(신 10:17-18). **넷째**, 건강과 부 만능 가르침은 종종 복음의 참된 핵심(통치하시는 하나님이 그리스도 예수의 삶과 죽음과 부활에 의해 믿는 죄인들을 구원하시고 만족시키신다는 것)을 제대로 다루지 못한다. 그들은 죄와 구주의 필요를 다루지 못하기 때문에, 영원한 고통에서 구제받는 유일한 수단을 명확하게 설명하지 못한다. 결국 그러한 세계관은 보답해 주는 것이 거의 없다. 그들 앞에 있는 멸망을 전혀 슬퍼하지 않는 사람들의 주머니만 불려 줄 뿐이다(암 6:6). 하나님은 이런 파괴적 선생들을 기뻐하지 않으신다. 그리고 그와 같은 사람들에게 하나님은 아모스를 통해 선언하셨다. "네 하나님 만나기를 준비하라"(4:12), "화 있을진저 여호와의 날을 사모하는 자여 너희가 어찌하여 여호와의 날을 사모하느냐 그날은 어둠이요 빛이 아니라"(5:18).

절하다고 본다. 시편 기자는 고통의 시기에 하나님을 향한 신뢰를 선포하며, 히브리서 저자는 모든 신자가 같은 진리 안에서 확신을 갖고 안심할 수 있다고 주장한다. 약속에 대해서 저자는 우리가 안정을 위해 돈을 의지하지는 말아야 한다고 주장한다. 하나님이 언제나 우리와 함께하신다고 약속하셨기 **때문이다**! 그는 이스라엘이 가나안을 정복하기 직전에 여호와께서 여호수아에게 주신 맹세를 인용한다. "네 평생에 너를 능히 대적할 자가 없으리니 내가 모세와 함께 있었던 것같이 너와 함께 있을 것임이니라 내가 너를 떠나지 아니하며 버리지 아니하리니"(수 1:5). 우리는 삶에서 탐욕과 같은 거인에 맞서 싸우는 데 도움을 얻기 위해 어떻게든 이 약속을 적법하게 이용할 수 있다.

그리스도인으로서 우리는 교회가 이와 같은 하나님의 오랜 약속들에서 유익을 얻도록 도와줄 틀을 가지고 있어야 한다. 하지만 그것을 오용해서는 안 된다. 다음 논의에서는 우리의 사고를 인도해 줄 몇 가지 핵심 구절을 살펴볼 것이다. 그 다음에 그리스도인들이 구약 약속들을 적용하는 것에 대한 몇 가지 성경적-신학적 지침들을 제안해 보겠다.

성경 신학을 위한 하나님의 약속들의 다섯 가지 기초 텍스트

필자는 그리스도인들이 구약 약속들을 주장하는 것의 도전과 필요성을 살펴보았다. 이제 구약 약속들이 새 언약 신자들과 어떻게 관련되는지 평가하는 데 도와줄 네 가지 핵심 텍스트에 초점을 맞추고자 한다.

1. 신명기 30장 6-7절

첫 번째 본문은 신명기 30장 6-7절이다.

> 네 하나님 여호와께서 네 마음과 네 자손의 마음에 할례를 베푸사 너로 마음을 다

하며 뜻을 다하여 네 하나님 여호와를 사랑하게 하사 너로 생명을 얻게 하실 것이며 네 하나님 여호와께서 네 적군과 너를 미워하고 핍박하던 자에게 이 모든 저주를 내리게 하시리니.

여기서 (이미 교회 안에서 실현되고 있는[롬 2:28-29]) 마음의 할례를 받는 때인 새 언약 시대에는 하나님이 신명기의 저주들(옛 언약 시대 이스라엘 민족에게 경고 역할을 한 바로 그 저주들)을 취하셔서, 회복된 공동체의 원수들에게 퍼부으시리라는 것을 주목하라. 이것은 옛 언약 저주가 새 언약 저주가 된다는 것을 시사한다. 하나님은 그 저주들을 새 언약 구성원들이 아니라 그들의 적군에게 임하게 하실 것이다. 하나님이 아브라함 언약(그 언약에서 하나님은 족장 아브라함과 그가 대표하는 사람들에게 굴욕을 주는 자들에게 저주를 내리겠다고 약속하셨다)에서 그러셨듯이(창 12:3), 여호와는 그분의 새 언약 공동체를 경멸하는 자들에게도 맞서실 것이다. 우리는 로마서 12장 19절과 히브리서 10장 30절 둘다에서 이것이 재단언되는 것을 본다. 이 구절들은 신명기 32장 35-36절을 상기시킨다. "그들이 실족할 그때에 내가 보복하리라 그들의 환난 날이 가까우니 그들에게 닥칠 그 일이 속히 오리로다 참으로 여호와께서 자기 백성을 판단하시고 그 종들을 불쌍히 여기시리니."

2. 고린도후서 6장 16절

필자가 1장에서 구약 예언에 대한 논의를 시작할 때, 모세는 원래 순종하는 자들에게 임할 복(레 26:3-13, 신 28:1-14)과 불순종하는 자들에게 올 저주들(레 26:14-39, 신 28:15-68)을 구분하여, 옛 언약 안에 있는 사람들이 충성하도록 동기를 부여했다. 이스라엘의 완악함이 그 민족에게 멸망을 가져올 것이 확실하므로(예를 들어 신 4:25-28, 31:16-18, 27-29), 선지자는 또한 저주를 넘어 우리가 지금 새 언약으로 알고 있는 시대에 성취되는 회복의 축복을 내다본다(레 26:40-45, 신 4:29-31, 30:1-14. 예레미야 31장 31-34절 참조).

이 틀에 의지해서 바울은 고린도후서 6장 16절에서 이렇게 단언했다.

하나님의 성전과 우상이 어찌 일치가 되리요 우리는 살아 계신 하나님의 성전이라 이와 같이 하나님께서 이르시되 내가 그들 가운데 거하며 두루 행하여 나는 그들의 하나님이 되고 그들은 나의 백성이 되리라.

여기서 중대한 사실은 교회의 지체들이 실로 성전이라는 개념을 정당화하기 위해 바울이 이용한 구약 텍스트 중 하나가 회복의 축복이 **아니라** 원래의 옛 언약 축복을 말하는 텍스트라는 것이다. 바로 "너희가 내 규례와 계명을 준행하면 …… 내가 내 성막을 너희 중에 세우리니 내 마음이 너희를 싫어하지 아니할 것이며 나는 너희 중에 행하여 너희의 하나님이 되고 너희는 내 백성이 될 것이니라"(레 26:3, 11-12)는 텍스트다. 바울은 아마 에스겔 37장 27절도 인용하고 있는 것 같다. 그 구절은 새 언약의 회복 축복으로, 우리가 예상할 만한 유형의 약속과 더 긴밀히 연결되어 있다. "내 처소가 그들 가운데에 있을 것이며 나는 그들의 하나님이 되고 그들은 내 백성이 되리라." 그러나 레위기 26장 12절은 자기 백성 가운데 "행하[는]" 일에 대한 주님의 헌신을 언급하기 때문에, 바울은 두 구약 텍스트 모두 염두에 두고 있는 것으로 보인다.

필자는 이 텍스트들을 사용한 것에서 두 가지 중요한 관찰 결과를 끌어낸다. (a) 옛 언약의 회복 축복에는 원래의 축복이 전부 포함된다. 하지만 그것은 단계적으로 확대되고 절대 잃어버릴 가능성이 없다. 이 사실은 에스겔의 새 언약 약속이 레위기 26장에 나온 원래의 옛 언약 축복을 재단언하는 방식에서 시사되어 있다. (b) 원래의 옛 언약 축복과 회복의 축복은 그리스도인들에게 직접적인 영향력을 지닌다. 바울은 두 텍스트를 결합한 것으로 보인다. 그 텍스트들이 구약에서 밀접하게 연결되어 있다는 것뿐 아니라, 새 언약의 회복 축복과 함께 원래의 옛 언약 축복들이 실제로 신자들과 관련되어 있음을 시사하는 것이다.

바울은 예수의 교회에 옛 언약 축복 중 하나를 적용하고 있는데, 그것은 완전한 순종을 조건으로 한다. "너희가 내 규례와 계명을 준행하면 …… 내가 내 성막을 너희 중에 세우리니"(레 26:3, 11). 아마도 바울은 선택받은 자들이 하나님의 복을 누리는 데 필요한 충성을 그리스도의 완전한 순종이 온전히 충족시키고 있는 것을 보고 있을 것이다(요한복음 15장 10절, 로마서 5장 18-19절, 8장 4절, 빌립보서 2장 8절, 히브리서 5장 8절 참조). 교회인 우리는 오늘날 하나님의 임재 안에서 기뻐한다. 우리가 율법을 온전히 다 지켜서가 아니라 예수께서 우리 대신 하신 일 때문이다.

3. 에베소서 1장 3, 13-14절

바울은 에베소서 1장 3, 13-14절에서 이렇게 강조했다.

> 찬송하리로다 하나님 곧 우리 주 예수 그리스도의 아버지께서 그리스도 안에서 하늘에 속한 모든 신령한 복을 우리에게 주시되 …… 그 안에서 너희도 진리의 말씀 곧 너희의 구원의 복음을 듣고 그 안에서 또한 믿어 약속의 성령으로 인 치심을 받았으니 이는 우리 기업의 보증이 되사 그 얻으신 것을 속량하시고 그의 영광을 찬송하게 하려 하심이라.

대부분의 학자들은 "하늘에 속한 모든 신령한 복"을 그리스도의 영이 성도를 위해 확보하시는 모든 복이라고 생각한다. 즉 선택, 양자 됨, 구속, 용서, 인 치심 등과 같이 이미 누리는 복들과, 온전한 기업 등과 같이 아직 누리지 못하는 복들이다(엡 4:4-14). 이 모든 것은 새 언약의 회복 축복과 관련된 구약의 소망들(예를 들어 신 30:6, 사 53:11, 렘 31:33-34, 32:40, 겔 36:27, 단 9:24)이 종말론적으로 실현된 것이다. 그렇기 때문에 하나님의 모든 약속은 그리스도 안에서 "예"가 되긴 하지만(고후 1:20), 어떤 것은 이미 누리는 반면 또 어떤 것들은 미래를 위해 남겨져 있다. "그가 또한 우리에게 인 치시고 보증으로 우리 마음에 성령을 주셨느니라"(1:22).

4. 히브리서 6장 7-12절

네 번째 텍스트는 히브리서에서 더 광범위한 것을 발견하기 위한 출발점 역할을 한다. 바로 하나님이 약속하신 것을 받기 위한 그리스도인의 순종의 역할을 다루는 것이다. 히브리서 저자는 (옛 언약 땅이라는 비유적 표현으로 대표되는) "땅이 그 위에 자주 내리는 비를 흡수하여 밭 가는 자들이 쓰기에 합당한 채소를 내면 하나님께 복을 받고 만일 가시와 엉겅퀴를 내면 버림을 당하고 저주함에 가까워 그 마지막은 불사름이 되리라"고 추론한다(히 6:7-8). 하지만 그러고 나서 그는 "사랑하는 자들아 우리가 이같이 말하나 너희에게는 이보다 더 좋은 것 곧 구원에 속한 것이 있음을 확신하노라 하나님은 불의하지 아니하사 너희 행위와 그의 이름을 위하여 나타낸 사랑으로 이미 성도를 섬긴 것과 이제도 섬기고 있는 것을 잊어버리지 아니하시느니라"(6:9-10)고 주장한다. 마지막으로 그는 "우리가 간절히 원하는 것은 너희 각 사람이 동일한 부지런함을 나타내어 끝까지 소망의 풍성함에 이르러 게으르지 아니하고 믿음과 오래 참음으로 말미암아 약속들을 기업으로 받는 자들을 본받는 자 되게 하려는 것이니라"(6:11-12)고 명한다.

바로 그 다음 절에서 저자는 "하나님이 아브라함에게 약속하실 때에"(히 6:13)라고 말하기 때문에, 우리는 그가 12절에서 말한 약속들이 구약에 나오는 약속들을 포함한다는 것을 알 수 있다. 이 약속들을 유업으로 받을 사람들은 믿는 마음을 유지하고 죄의 속임수에 빠져 떨어져 나가지 않으면서 끝까지 견디는 사람들뿐이다(3:12-13). 이들만이 새 언약의 참된 일부다. 참으로 새 언약 중보자의 사역에 참여하는 사람들은 이들이기 때문이다. "우리가 시작할 때에 확신한 것을 끝까지 견고히 잡고 있으면 그리스도와 함께 참여한 자가 되리라"(3:14. 8장 6-7, 13절, 9장 15절 참조).

다른 신약 교사들과 마찬가지로(예를 들어 마 5:8, 고후 7:1, 계 21:27), 히브리서 저자는 "이것[거룩함]이 없이는 아무도 주를 보지 못하리라"(12:14)고 말한다. 끝까지 충성하는 것은 미래의 유업을 누리기 위해 필요한 조건이다. 미래의 심판은 (그것에 기초해서는 아니더라도) 이생에서 우리가 하는 행동에 맞게 이루어질 것이기 때문이다(마 16:27, 롬 2:6, 고후 5:10, 벧전 1:17, 계 2:23, 20:12). 그래서 바울은 디모데에게 "네가 네 자신과 가르침을 살펴 이 일을 계속하라 이것을 행함으로 네 자신과 네게 듣는 자를 구원하리라"(딤전 4:16)고 촉구할 수 있었다. 그리고 다른 곳에서 그는 "너희가 육신대로 살면 반드시 죽을 것이로되 영으로써 몸의 행실을 죽이면 살리니"(롬 8:13. 고린도전서 6장 9-10절, 갈라디아서 5장 19-24절, 에베소서 5장 5절 참조)라고 강조할 수 있었다.

하지만 믿음 안에서 견디라는 이 새 언약 명령은 살기 위해 순종하라는 옛 언약의 명령과 같지 않다. "너희는 내 규례와 법도를 지키라 사람이 이를 행하면 그로 말미암아 살리라 나는 여호와이니라"(레 18:5. 로마서 10장 5절, 갈라디아서 3장 12절 참조). 옛 언약은 대부분 중생하지 않은 사람들에게 말하면서, 이스라엘에 의를 추구하라고 명했다(신 16:20). 그리고 사람들이 언약의 모든 요구를 지킬 때에만 의롭게 여겨지고 땅을 차지할 것이라고 선언했다(6:25, 8:1. 4장 1절 참조). 하지만 바울에게는 "생명에 이르게 할 그 계명이 내게 대하여 도리어 사망에 이르게 하는 것이 되었[다]"(롬 7:10). "율법은 거룩하고 계명도 거룩하고 의로우며 선하도다"(7:12). 하지만 대부분 "의의 법을 따라간 이스라엘은 율법에 이르지 못하였으니 …… 이는 그들이 믿음을 의지하지 않고 행위를 의지함이라 부딪칠 돌에 부딪쳤[다]"(9:31-32). 그래서 바울은 "그리스도는 모든 믿는 자에게 의를 이루기 위하여 율법의 마침이 되시니라"(10:4)고 단언할 수 있다. 그리스도가 삶과 죽음에서 온전히 순종하심으로, 하나님이 죄의 정죄하는 능력에서 믿는 사람들을 자유케 하시고(5:18-19, 8:1, 골 2:14) 우리를 의롭고 화목하게 되었다고 선언하시기 때문이다(롬 5:9-10, 고후 5:21). 즉 새 언약에서 의와 생명은 단순히 목표가 아니라 기초다.

히브리서의 관점에서 보면, 새 언약의 중보자로서 그리스도의 제사장적 사역은 전례 없는 "튼튼하고 견고한 영혼의 닻"(히 6:19)과, 옛 언약보다 "더 좋은 소망"을 제공한다(7:19). 적어도 두 가지 이유에서 그렇다. 첫째, 그들 자신이 죽었던 죄 된 옛 언약 제사장들과 달리, "그[대제사장 예수]가 항상 살아 계셔서" 자기가 구원하시는 사람들을 위하여 "간구하[시기 때문이다]"(7:25). 그것은 우리가 "때를 따라 돕는 은혜를 얻[을]" 것을 기대하면서 "은혜의 보좌 앞에 담대히 나아갈" 수 있다는 의미다(4:16). 하늘과 땅의 모든 권세를 갖고 계신 분이 우리의 뒤를 받쳐 주신다! 게다가 그분은 자신의 죽음에 의해 "[그의 모든 성도를] 첫 언약 때에 범한 죄에서 속량"(9:15)하실 뿐 아니라 "거룩하게 된 자들을 한 번의 제사로 영원히 온전하게 하셨[다]"(10:14). 새 언약 안에 있는 사람들은 언제나 완전히 죄 사함 받았다는 기초에서 **시작한다**(10:17-18). 그리고 그로 인해, 우리가 추구하는 거룩함은 옛 언약과는 완전히 다른 기반에 놓이게 된다. 이와 함께 하나님은 이제 그분의 율법을 우리의 생각에 기록하신다(10:16). 그러면서 우리가 그분의 도를 따르게 하신다. 다른 식으로 말하면, 그리스도가 단번에 드린 제사를 통해 "우리가 거룩함을 얻었[고]"(10:10), "우리가 마음에 뿌림을 받아 악한 양심으로부터 벗어나고 몸은 맑은 물로 씻음을 받았[기]"(10:22) 때문에, 우리는 이제 "우리가 믿는 도리의 소망을 움직이지 말며 굳게 잡[을]"(10:23) 수 있다. 하나님이 이미 예수 안에서 100퍼센트 우리를 위하시며(13:5) "약속하신 이는 미쁘시[다]"(10:23)는 것을 알기 때문이다. 우리는 이미 "시온 산과 살아 계신 하나님의 도성인 하늘의 예루살렘"(12:22)에 이르렀으며, 그분은 "모든 선한 일에 [우리를] 온전하게 하사 자기 뜻을 행하게 하시고 그 앞에 즐거운 것을 예수 그리스도로 말미암아 우리 가운데서 이루시기를 원하[신다.] 영광이 그에게 세세무궁토록 있을지어다"(13:21).

참된 성도가 정복하려 애쓰는 모든 죄를 하나님은 이미 그리스도 안에서 용서하셨다. 우리는 오직 그리스도의 새 언약 희생 제사에 기초하여 미래의 유업을 받을 것이다. 우리는 "그것이 없이는 아무도 주를 보지 못하게 될 거룩함"(히브리서 12장 14절 참조)을 유지하고 누려야 한다. 하지만 우리가 과거에 받은 죄 사함, 현재의 그리스도의 중보, 그리고 미래에 신실한 자들이 받을 상과 떨어져 나간 사람들이 받을 벌에 대한 약속들 등에 의해서 하나님은 믿음과 소망과 사랑을 생겨나게 하고 유지시키시며, 그에 따라 새 언약의 모든 구성원이 확고히 견딜 수 있게 하신다.

5. 베드로전서 3장 9-12절

필자가 다루고자 하는 마지막 기초 텍스트는 베드로전서 3장 9-12절이다. 이 구절에서 베드로는 시편 34편 12-16절에 나오는 신적 은총에 대한 약속이 교회에 영속적으로 적절한 것이라고 주장한다.

> 악을 악으로, 욕을 욕으로 갚지 말고 도리어 복을 빌라 이를 위하여 너희가 부르심을 받았으니 이는 복을 이어받게 하려 하심이라 그러므로
>
> 생명을 사랑하고
> 　좋은 날 보기를 원하는 자는
> 혀를 금하여 악한 말을 그치며
> 　그 입술로 거짓을 말하지 말고
> 악에서 떠나 선을 행하고
> 　화평을 구하며 그것을 따르라
> 주의 눈은 의인을 향하시고
> 　그의 귀는 의인의 간구에 기울이시되
> 주의 얼굴은 악행하는 자들을 대하시느니라
>
> 하였느니라.

시편 34편은 악이 아니라 선을 추구하는 의로운 사람들(복수형)이 누릴 종말론적 복

에 대한 환상을 보여 준다. 그리고 베드로는 이 구절에서 이 소망이 오늘날의 신자들을 위해서도 여전히 존재한다고 주장한다. 시편 배후에 있는 응보 원리는 레위기 26장과 신명기 28장에 나오는 언약적 복-저주 구조를 기초로 하는 듯하다. 하지만 그것은 이 약속들에 종말론적 특징을 부여한다. 이러한 미래 지향성은 시편 기자가 현재에는 하나님을 따르는 자들에게 많은 고난이 임할 것임을 알지만, "여호와께서 들으시고 그들의 모든 환난에서 건지셨[다]"(시 34:17[H18])고, 그리고 여호와를 섬기고 그분께 피하는 자들은 벌을 받지 않을 것(34:22[H23])이라고 확신했다는 사실에서 분명히 나타난다. 이에 반해 의로운 사람(단수형, 필자가 믿기로는 메시아적 왕을 약칭하는 말)을 미워하는 자는 벌을 받을 것이다(34:21[H22]. 2편 12절 참조). 베드로 또한 순종하는 그리스도인들이 고난 받는다는 것을 분명하게 인식했다(벧전 2:19-23, 3:14, 17, 4:12-19). 그리고 그 또한 때가 되면 하나님이 "너희를 친히 온전하게 하시며 굳건하게 하시며 강하게 하시며 터를 견고하게 하시리라"(5:10)고 확신했다.

어떤 차원에서 보면, 베드로전서 3장 9절에서 추구하는 "복"은 하나님을 따르는 자들이 이미 누릴 수 있는 어떤 것인 듯하다. 성도로 이미 거듭나게 하사 "산 소망"이 있게 하신 것과 그것의 연관에 비추어 볼 때 그렇다(1:3. 1장 22-24절, 5장 1절 참조). 우리는 4장 14절에서 '복'의 현재적 성질을 본다. 그 구절에서 사도는 "너희가 그리스도의 이름으로 치욕을 당하면 **복 있는 자로다** 영광의 영 곧 하나님의 영이 너희 위에 계심이라"고 강조한다. 이런 관점에서, 베드로는 우리가 믿음으로 그리고 하나님의 능력 안에서 올바른 행동을 추구할 때 신적 은총의 현재적 표현을 많이 경험한다고 강조한다(1:5).[47]

---

47 웨인 A. 그루뎀(*1 Peter*, TNTC 17 [Downers Grove, IL: InterVarsity Press, 1988][「베드로전서」, 기독교문서선교회], 157쪽)은 이생에서 베드로가 그리스도인의 올바른 행동의 결과라고 강조한 '복'을 자그마치 열 개나 발견한다. (1) 그리스도를 사랑하는 것은 말할 수 없는 기쁨으로 이끈다(1:8). (2) 계속적인 믿음은 구원이라는 더 많은 유익으로 이끈다(1:9). (3) 두려움을 겸한 거룩한 삶은 하나님이 아버지로서 내리시는 징계를 피하도록 이끈다(1:17). (4) 신령한 젖에 참여하는 것은 구원에 이르도록 자라게 이끈다(2:2). (5) 하나님을 신뢰하고 그분께 순종하는 것은 하나님께 인정받도록 이끈다(2:19-20). (6) 남편에게 순종하는 것은 그리스도께 구원받도록 이끈다(3:1-2). (7) 아내와 함께 사려 깊게 사는 것은 남편의 기도가 막히지 않도록 이끈다(3:7). (8) 그리스도의 이름을 위해 치욕을 참는 것은 영광의 영과 하나님이 너희 위에 계시는 것으로 이끈다(4:14). (9) 염려를 하나님께 맡겨 버리는 것은 하나님이 필요를 돌보시도록 이끈다(5:7). (10) 마귀에게 대적하는 것은 하나님이 당신을 온전하게 하시고, 굳건하게 하시고, 강하게 하시고, 터를 견고하게 하시도록 이끈다(5:9-10). 여기에 필자는 하나님 앞에서 겸손은 그분의 은혜를 누리도록 이끈다는 것을 덧붙이고자 한다(5:5).

그러나 더 큰 차원에서 우리가 추구하는 대부분의 '복'은 아직 오지 않은 듯하다. 그 복은 미래의 "썩지 않고 더럽지 않고 쇠하지 아니하는 유업 …… 곧 너희를 위하여 하늘에 간직하신 것"(벧전 1:4)과 관련되기 때문이다. 그것은 우리의 믿음이 "예수 그리스도께서 나타나실 때에 칭찬과 영광과 존귀를 얻게"(1:7) 할 것이라는 소망과, 우리가 받기를 고대하는 "시들지 아니하는 영광의 관"(5:4)과 관련된다. 우리는 3장 14절에서 이러한 미래적 지향을 보는데, 그 구절은 "의를 위하여 고난을 받으면 **복 있는 자**"라고 말하고 있다.

베드로의 관점에서 보면 '복'을 추구하는 것은 절대 행위로 얻는 의(work-righteousness)가 아니다. 십자가 상에서 그리스도가 행하신 일은 우리의 칭의뿐 아니라 우리의 성화도 사셨기 때문이다. 하나님의 "많으신 긍휼대로 예수 그리스도를 죽은 자 가운데서 부활하게 하심으로 말미암아 **우리를 거듭나게 하사** 산 소망이 있게 하[셨다]"(벧전 1:3). 우리는 "말세에 나타내기로 예비하신 구원을 얻기 위하여 믿음으로 말미암아 **하나님의 능력으로** 보호하심을 받았[다]"(1:5). 우리는 "하나님이 공급하시는 힘으로 하는 것같이" 봉사한다. "이는 범사에 예수 그리스도로 말미암아 하나님이 영광을 받으시게 하려 함"(4:11)이다. 그렇기 때문에 오늘날 우리가 복을 신실하게 추구하는 것은 우리 삶에서 주님이 역사하신다는 것을 가리키는 열매다.

구약 약속들을 기독교적으로 적용하기 위한 지침

이 텍스트들을 염두에 두고, 그리스도인이 구약 약속들을 적용하는 몇 가지 지침을 제시하고자 한다.

1. 우리가 거룩함을 추구하는 데 하나님의 약속들이 지닌 중요성을 인식하라

하나님의 약속들에 대한 믿음은 소망 또는 두려움을 불러일으킨다. 그리고 우리가 내일 무엇을 기대하는가는 오늘 우리의 모습을 바꾼다. 베드로가 경건함을 추구하는 것에서 하나님의 약속들이 지닌 가장 핵심이 되는 중요성을 어떻게 강조하는지 보라. "그 보배롭고 지극히 큰 약속을 우리에게 주사 이 약속으로 말미암아 너희가 정욕 때문에 세상에서 썩어질 것을 피하여 신성한 성품에 참여하는 자가 되게 하려 하셨느니라"(벧후 1:4. 로마서 4장 18-21절, 15장 13절 참조). 바울과 요한은 비슷한 진술을 한다. "사랑하는 자들아 이 약속을 가진 우리는 하나님을 두려워하는 가운데서 거룩함을 온전히 이루어 육과 영의 온갖 더러운 것에서 자신을 깨끗하게 하자"(고후 7:1). "사랑하는 자들아 우리가 지금은 하나님의 자녀라 장래에 어떻게 될지는 아직 나타나지 아니하였으나 그가 나타나시면 우리가 그와 같을 줄을 아는 것은 그의 참모습 그대로 볼 것이기 때문이니 주를 향하여 이 소망을 가진 자마다 그의 깨끗하심과 같이 자기를 깨끗하게 하느니라"(요일 3:2-3).

우리 그리스도인들이 죄와 싸우고 거룩함을 추구하는 기본 방식은 더 높고 아름다운 욕구들을 받아들여 죄 된 욕구를 극복하는 것이다. 죄는 거짓 약속을 한다. 그 약속들은 우리를 꾀어 하나님에게서 멀어지게 한다. 그리고 우리는 더 나은 내일을 위해 하나님의 약속들을 신뢰하여 육신의 소욕들과 싸운다. 우리는 미래의 은혜에 대한 주님의 약속을 믿는다. 그리고 그렇게 하면서 경건함을 추구하는 일에서 새로운 능력을 얻는다.[48] 하나님의 약속들은 엄청나게 많은 죄와 맞선다.

우리가 투쟁하는 것이 **염려**라면, 우리는 염려에서 돌이켜 "이 모든 것을 너희에게 더하시리라"고 확신하면서 "먼저 그의 나라와 그의 의를 구하라"는 예수의 명령에 주의를 기울인다(마 6:33). 우리는 "하나님의 평강이 그리스도 예수 안에서 너희 마음과 생각을 지키시리라"는 것을 믿고, "감사함으로 …… 기도와 간구"를 해야 한다(빌 4:6-7). 우리 영혼 속에서 **탐욕**이 일어날 때, 우리는 "내가 결코 너희를 버리지 아니하고 너희를 떠나지 아니하리라"(히 13:5)는 약속과 "나의 하나님이 그리스도 예수 안에서 영광 가운데 그 풍성한 대로 너희 모든 쓸 것을 채우시리라"(빌 4:19) 같은 약속들을 상기하여 만족함을 키우고, 돈에 대한 사랑에서 우리 삶을 지킨다. 예수는 하나님의 약속들을 사용해서 그분을 따르는 자들에게 성적 순결함을 추구하면서 **정욕**과 싸우도록 동기를 부여하셨다. "마음이 청결한 자는 복이 있나니 그들이 하나님을 볼 것임이

---

48 책 전체에서 이 주제를 다루는 것으로는 John Piper, *Future Grace: The Purifying Power of the Promises of God*, 2판 (Colorado Springs: Multnomah, 2012)(『장래의 은혜』, 좋은씨앗)을 보라.

요"(마 5:8. 5장 29-30절 참조). 마찬가지로 **신랄함**의 씨를 극복하기 위해 예수는 "너희가 사람의 잘못을 용서하지 아니하면 너희 아버지께서도 너희 잘못을 용서하지 아니하시리라"(6:15)고 경고하셨다. 또한 바울은 그의 독자들에게 "아무에게도 악을 악으로 갚지 말고" 또한 "너희가 친히 원수를 갚지 말[라]"고 하면서 "하나님의 진노하심에 맡기라 기록되었으되 원수 갚는 것이 내게 있으니 내가 갚으리라고 주께서 말씀하시니라"고 약속함으로 동기를 부여한다(롬 12:17, 19). 예수에 따르면, 우리는 하나님에 대한 두려움을 고조시켜서 **사람에 대한 두려움**과 싸운다. 우리가 하나님께 얼마나 귀중한 존재인지 기억하고 하나님을 기쁘시게 하는 삶을 살지 않는 결과는 사람이 우리에게 할 수 있는 그 어떤 것보다 훨씬 크다는 것을 인식하면서 말이다. "몸은 죽여도 영혼은 능히 죽이지 못하는 자들을 두려워하지 말고 오직 몸과 영혼을 능히 지옥에 멸하실 수 있는 이를 두려워하라 참새 두 마리가 한 앗사리온에 팔리지 않느냐 그러나 너희 아버지께서 허락하지 아니하시면 그 하나도 땅에 떨어지지 아니하리라 너희에게는 머리털까지 다 세신 바 되었나니 두려워하지 말라 너희는 많은 참새보다 귀하니라"(마 10:28-31). 하나님이 이미 그리스도 안에서 100퍼센트 우리를 위하신다는 확신은 **정죄의 두려움**과 싸우는 일과, 거룩함을 추구하는 일에서 근본이 된다. 우리가 극복할 수 있는 유일한 죄는 사함 받은 죄다. 우리는 피로 사신 은혜의 능력 안에서 앞으로 나아가야 하기 때문이다. 그리스도 예수 안에 있는 사람들은 "이제 …… 결코 정죄함이 없나니"(롬 8:1)라고 믿는다. "죽으실 뿐 아니라 다시 살아나신 이는 그리스도 예수시니 그는 하나님 우편에 계신 자요 우리를 위하여 간구하시는 자"(롬 8:34. 8장 32절, 요한복음 10장 27-30절 참조)이시기 때문이다. 마지막으로, **실패의 두려움**과 싸우기 위해 우리는 "너희 안에서 착한 일을 시작하신 이가 그리스도 예수의 날까지 이루실 줄을 우리는 확신하노라"(빌 1:6. 예레미야 32장 40절, 데살로니가전서 5장 23-24절 참조)와 같은 약속들을 믿는다.

우리가 하나님이 장차 주실 은혜를 신뢰하는 것은 주님이 신자들을 자신과 더 닮게 하시는 기본 방식이다. 그리스도인들은 거룩함을 추구하는 데서 하나님의 약속들이 지닌 중요성을 인식해야 한다.

2. 그리스도 안에서 하나님의 모든 약속이 (복과 저주 둘 다에서) *이미* "예"라는 것을 경축하라

바울은 "하나님의 약속은 얼마든지 그리스도 안에서 예가 되니"(고후 1:20)라고 강조했다. 여기에는 옛 언약의 원래 복과 저주들, 그리고 그것의 회복의 복과 저주들이 포함된다. 후자는 전자를 포함하며, 이것이 새 언약의 복과 저주들이다.

복에 관해서 레위기 26장과 신명기 28장, 30장에 나오는 모든 옛 언약 복과 회복의 복들은 **이미** 그리스도 안에서 "예"가 된 새 언약 복들이다(완전한 목록을 보려면, 1장에 나온 표1.6을 참조하라). 바울이 말하듯이 하나님은 이미 "그리스도 안에서 하늘에 속한 모든 신령한 복을 우리에게 주[셨다]"(엡 1:3. 고린도후서 1장 22절 참조).

저주에 관해서 그리스도는 모든 신자에 대한 하나님의 저주를 스스로 지셨다. "그리스도께서 우리를 위하여 저주를 받은 바 되사 율법의 저주에서 우리를 속량하셨으니"(갈 3:13. 요한복음 3장 14-15절, 고린도후서 5장 17절, 베드로전서 2장 24절 참조). 이것은 참된 새 언약 구성원들은 징벌로서 저주를 경험하지는 않으리라는 의미다. 우리는 여전히 인간 권세들을 통해 하나님의 직접적인 "진노"를 경험하고(롬 13:4), 하나님의 "판단"을 받으며(고전 11:29-32), 하나님이 아버지가 아들에게 하듯 내리시는 "징계"를 받을 수 있다(히 12:7-11, 계 3:19). 이 모든 것은 성경에 계시된 저주의 목적을 수행한다. 즉, 사람들을 회개하게 하고 거룩함에서 자라게 하는 것이다(레 26:18, 21, 23, 27). 그럼에도 "이제 우리가 그의 피로 말미암아 의롭다 하심을 받았으니 더욱 그로 말미암아 [궁극적] 진노하심에서 구원을 받을 것이[다]"(롬 5:9. 요한복음 3장 36절 참조). 이 땅에서 이루어지는 어떠한 수준의 징계나 결과도 신자의 영원한 안전에 의문을 제기하지는 않는다.

옛 언약 저주들은 새 언약 저주들이 되며(신 30:7), 신약 안에서 배교에 대한, 그리고 하나님과 그분의 백성과 불화하는 사람들에 대한 징벌의 경고로 분명히 존재한다. 예를 들어, 새 언약 저주들은 (a) '염소와 양'에 대한 예수의 비유(마 25:31-46), (b) 평지수훈에 나오는 예수의 '복과 화들'(눅 6:20-26), (c) 신약, 특히 바울 서신과 히브리서와 요한계시록에 점철된 수많은 경고 본문에 분명히 나온다. 예를 들어, 바울은 "참으면 또한 함께 왕 노릇 할 것이요 우리가 주를 부인하면 주도 우리를 부인하실 것이라"(딤후 2:12)고 말했다. 마지막으로, 히브리서는 "우리가 진리를 아는 지식을 받은 후 짐짓 죄를 범한즉 다시 속죄하는 제사가 없고 오직 무서운 마음으로 심판을 기다리는 것과

대적하는 자를 태울 맹렬한 불만 있으리라"(히 10:26-27)고 강조한다.[49]

새 언약 안에서 옛 언약 저주들은 두 가지 이유로 새로워진다. 첫째, 그 저주들은 하나님께 대한 경건한 두려움이 생겨나서 선택받은 자들 안에 더 큰 거룩함을 가져오는 은혜의 수단이 된다. 모든 죄인은 죽임당해 마땅하며, 신적 인내, 또는 심지어 사소한 벌에 대한 경험도 모두 우리를 회개로 이끌기 위한 것이다(레 26:18, 21, 23, 27, 롬 2:4). 옛 언약에서 하나님이 징계하셨을 때, 사람들은 회개보다는 완악함으로 반응했다(예를 들어 암 4:6-11). 그래서 여호와는 "네 하나님 만나기를 준비하라"(4:12)고 선언하셨다. 새 언약 성경은 경고로 가득 차 있다. 그리고 하나님의 계시를 신뢰하고 순종하지 않으면 저주를 가져올 것이다. 그럼에도 히브리서 저자는 그의 청중에게 "너희에게는 이보다 더 좋은 것 곧 구원에 속한 것이 있음을 확신하노라"(히 6:9)고 단언할 수 있었다. 실로 옛 언약에서 많은 사람들이 하나님 말씀에 주의를 기울이지 않았지만, 모든 참된 새 언약 구성원들은 하나님의 경고에 (완전하게는 아니지만, 참으로, 그리스도 안에서) 주의를 기울일 것이다. 그래서 그들이 새 언약 중보자와 참된 관련이 있음을 밝힐 것이다. "우리가 시작할 때에 확신한 것을 끝까지 견고히 잡고 있으면 그리스도와 함께 참여한 자가 되리라"(히 3:14. 6장 11-12절과 8장 6-7, 13절, 9장 15절 참조).[50]

둘째, 옛 언약 저주들은 모든 배교자와, 주님과 그분의 백성에게 반대하는 사람들에게 지속적인 벌을 선언하기 위해 새 언약에서 새로워진다(창세기 12장 2절, 신명기 30장 7절 참조). 이 역할은 히브리서의 경고 본문들에서 매우 분명히 나타난다. 그 본문들에서 저자는 신명기 32장 35절에 나오는 새 언약 저주 텍스트를 인용하면서, 잠시 새 언약에 속한 것처럼 보였지만 나중에는 하나님을 공격한 사람들에게 형벌을 선언한다.

---

49 새 언약 저주들의 더 많은 예로는 마태복음 6장 15절, 로마서 8장 13절, 11장 22절, 고린도전서 6장 9-11절, 갈라디아서 5장 4, 19-21절, 히브리서 2장 3절, 6장 4-8절, 10장 28-31절, 12장 15절, 요한계시록 2장 5, 16, 22-23절, 22장 19절을 보라.

50 히브리서에 나오는 경고 본문들에 대한 이런 견해로는, Christopher W. Cowan, "The Warning Passages of Hebrews and the New Covenant Community," in *Progressive Covenantalism: Charting a Course between Dispensational and Covenant Theologies*, Stephen J. Wellum and Brent E. Parker 편집 (Nashville: Broadman & Holman, 2016), 189-213쪽을 보라. 그리고 Cowan, *"Confident of Better Things": Assurance of Salvation in the Letter to the Hebrews* (Ph.D. diss., The Southern Baptist Theological Seminary, 2012), Thomas R. Schreiner and Ardel B. Caneday, *The Race Set before Us: A Biblical Theology of Perseverance and Assurance* (Downers Grove, IL: InterVarsity Press, 2001), Thomas R. Schreiner, *Run to Win the Prize: Perseverance in the New Testament* (Wheaton, IL: Crossway, 2010)(『구원의 확신과 경주』, 기독교문서선교회)를 참조하라.

"하물며 하나님의 아들을 짓밟고 자기를 거룩하게 한 언약의 피를 부정한 것으로 여기고 은혜의 성령을 욕되게 하는 자가 당연히 받을 형벌은 얼마나 더 무겁겠느냐 너희는 생각하라 원수 갚는 것이 내게 있으니 내가 갚으리라 하[신] …… 것을 우리가 아노니"(히 10:29-30. 베드로후서 2장 1절 참조).

3. 성경의 모든 약속은 이미 그리스도 안에서 "예"가 되었지만, 그 약속들은 *아직* 완전히 실현되지는 않았음을 단언하라

앞서 강조했듯이, 바울은 하나님이 이미 "그리스도 안에서 하늘에 속한 모든 신령한 복을 우리에게 주[셨다]"(엡 1:3)고 단언한다. 바울은 "복"이 "하늘에 속한" 것이라고, 그리고 온전한 유업은 확보되긴 했지만 아직 우리 것이 아니라고 강조한다. 그는 우리 안에 있는 그리스도의 영이 "우리 기업의 보증이 되사 그 얻으신 것을 속량"(1:14. 고린도후서 1장 20, 22절 참조)하신다고 말한다.

레위기 26장 3-12절에 나오는 모든 복 가운데 11-12절만이 하나님의 존재에 초점을 맞춘다. 나머지 부분은 공급과 보호라는 다양한 신체적, 물질적 복을 다룬다. 바울이 고린도후서 6장 16절에서 레위기 26장을 사용하는 것(앞을 보라)은 실제로 옛 언약 복들이 그리스도인에게 중요하다는 것을 시사하지만, 사도가 하나님의 백성 가운데 계시는 하나님의 영과 관련된 복들에만 초점을 맞춘다는 사실은 여전히 새 땅에서 앞으로 물질적 복을 받게 되리라는 점을 강조한다. 그 복들은 이미 우리의 기업이기는 하지만, 앞으로 올 시대에서처럼 아직 온전하게 누리고 있지는 않다.

하나님은 "그리스도 예수 안에서 영광 가운데 그 풍성한 대로 너희 모든 쓸 것을 채우시리라"(빌 4:19)고 약속하신다. 하지만 바울이 그 앞부분에서 강조한 것처럼 우리는 "비천에 처할 줄도 알고 풍부에 처할 줄도 알[면서]"(4:12), 기꺼이 주님이 우리의 필요를 규정하시게 해야 한다. 오늘날 우리는 하나님이 자신의 백성을 귀중히 여기시고 "그[하나님]의 나라와 그의 의를 구하[는]" 사람들에게 적절하게 먹을 것과 마실 것과 입을 것을 주시리라는 것을 믿고(마 6:25-26, 31-33), 주님이 일용할 양식을 주시리라고 의지한다(6:11). 우리는 또한 "주라 그리하면 너희에게 줄 것이니 곧 후히 되어 누르고 흔들어 넘치도록 하여 너희에게 안겨 주리라 너희가 헤아리는 그 헤아림으로 너희도 헤아림을 도로 받을 것이니라"(눅 6:38)는 예수의 명령과 약속을 확신하고 안식한다. 그러나 바울 자신의 삶에서 분명히 볼 수 있듯이, 이 약속들이 진리임을 굳게 믿는다고 해서 매 맞음, 돌에 맞음, 파선, 위험, 수고와 역경, 자지 못함, 주리고 목마름, 추위와 헐벗음 등이 없는 삶이 확보되는 것은 아니다(고후 11:23-28).

마찬가지로 예수는 종종 육체적 질병을 고쳐 주셨으며 제자들에게도 그렇게 하라고 명하셨다(마 4:23, 10:6-8, 막 2:8-12). 그럼에도 예수는 초림 때 주로 유대인을 대상으로 사역하셨고(마 10:6-8), 단 세 사람만 죽은 자 가운데서 다시 살리셨으며(회당장의 딸[막 5:35-36, 41-43], 나인성 과부의 아들[눅 7:12-15], 나사로[요 11:38-46]), 모든 잘못을 바로잡거나 모든 고통을 경감시키지는 않으셨다(눅 4:16-21, 7:18-23). 우리가 이러한 '이미 그러나 아직'의 시기에 유지해야 하는 긴장이 있다. "예수께서 이르시되 내가 진실로 너희에게 이르노니 나와 복음을 위하여 집이나 형제나 자매나 어머니나 아버지나 자식이나 전토를 버린 자는 **현세에 있어** 집과 형제와 자매와 어머니와 자식과 전토를 백배나 받되 **박해를 겸하여** 받고 **내세에** 영생을 받지 못할 자가 없느니라"(막 10:29-30). 우리는 오늘날 그들이 "너희 중의 몇을 죽이게 하겠고"라는 그리스도의 선언이 진리임을 인식하면서 살아야 한다. "너희 머리털 하나도 상하지 아니하리라"는 것과 "너희의 인내로 너희 영혼을 얻으리라"는 것을 언제나 신뢰하긴 하지만 말이다(눅 21:16, 18-19).

바울 역시 이따금만 병을 고쳤으며, 이 시대에 모든 사람이 병 고침을 받을 것이라고 기대하지는 않은 듯하다. 그는 루스드라의 발을 쓰지 못하는 사람(행 14:10), 빌립보의 귀신들린 여종(16:18), 에베소의 많은 사람(19:12), 창문에서 떨어져 죽은 유두고(20:9-10) 등을 고쳤다. 하지만 바울은 자신의 "가시"(그것이 질병이든 박해든)에서 벗어나지 못했으며(고후 12:7), 갈라디아에서 복음을 전할 때 가지고 있던 자신의 질병을 고치지 못했다(갈 4:13-14). 또한 에바브로디도의 생명을 위협하는 질병(빌 2:26-27), 디모데의 위장병(딤전 5:23), 또는 그가 "병 들어서 밀레도에 [둔]"(딤후 4:20) 드로비모의 병을 분명 고칠 수 없었다.

이 모든 것에서 필자의 요점은 하나님이 우리에게 주신 "산 소망"이 "썩지 않고 더럽지 않고 쇠하지 아니하는 유업을 잇게 하시나니 곧 너희를 위하여 하늘에 간직하신 것"(벧전 1:4)과 관련되어 있다는 것이다. 성령은 **이미** 우리의 것이다. 하지만 온전한 유업은 **아직 아니다**(엡 1:3, 13-14. 고린도후서 1장 22절 참조). 믿음이 더 많으면 현재에 건강과 부를 가져올 것이라는 번영 복음 주창자들의 생각은 잘못이다. 또한 그들은 옛 언약 복들이 그리스도인에게 적용된다고 주장하기 때문이 아니라, 그들의 종말론을 지나치게 실현시키기 때문에 잘못되었다. 그들은 현재 안에 미래를 너무 빨리 가져오고 싶어 한다.

이처럼 시대들이 겹쳐지는 때에 우리의 미래 운명은 그리스도 안에 확보되어 있지만, 우리의 육체적 몸은 여전히 저주받은 옛 창조에 확고하게 자리하고 있다. 그럼에도 신자들이 옛 시대의 저주의 결과들을 경험하는 것은 이제 파괴적인 것이기보다는 거룩함을 불러온다.

- 죄와의 전투는 여전히 분명하다. 하지만 하나님은 신자들을 죄의 종이 된 것과 정죄에서 자유롭게 하셨다. 게다가 하나님은 반역과 부끄러운 마음에 "내버려 두시는"(παραδίδωμι[파라디도미]) 대신(롬 1:24, 26, 28), 이제 순종과 새로워진 마음에 "우리를 내주신다"(παραδίδωμι[파라디도미], 6:16-18, 12:2. 7장 22-23, 25절 참조).
- 허무함과 썩어짐과의 전투는 감기가 걸릴 때마다, 그리고 암과 씨름할 때마다 매우 명백히 겪는 것이다. 하지만 그러한 고난들은 우리로 하나님을 의존하는 믿음을 개발하고 미래에 대한 열망을 고조시킬 뿐이다(롬 8:20-23, 고후 4:16-18).
- 죽음과의 전투는 우리 모두에게 어렴풋이 다가온다. 하지만 그리스도 안에서 그 쏘는 것은 제거되고, 사망은 큰 상을 받기 위한 통로가 된다. "이는 내게 사는 것이 그리스도니 죽는 것도 유익함이라"(빌 1:21. 로마서 5장 17절, 6장 23절, 요한계시록 22장 4절 참조).

신약은 이 시대에 신자들이 온갖 종류의 고난, 환난, 고통을 예상해야 한다고 분명히 밝힌다. 예수는 "사람들이 나를 박해하였은즉 너희도 박해할 것이요"(요 15:20)라고 말씀하셨다. 또한 "세상에서는 너희가 환난을 당하나 담대하라 내가 세상을 이기었노라"(요 16:33)고 강조하셨다. 제자도는 큰 희생을 요한다(눅 14:33, 요 12:25). 그리스도가 자신의 부활의 몸을 누리기 전에 십자가를 견디셔야 한 것처럼, 그리스도의 몸인 교회는 부활의 몸을 받기 전에 그리스도의 고난에서 그리스도와 동일화되어 우리의 십자가를 져야만 한다(막 8:34, 벧전 4:13). 우리 삶에 나타나는 하나님의 징계는 거룩함과 의가 자라게 하며(히 12:7-11), 우리는 내일 더 나은 뭔가가 온다는 것을 알고 오늘을 견딘다(10:34, 13:12-14, 벧전 1:6-7).

바울은 "우리가 하나님의 나라에 들어가려면 많은 환난을 겪어야 할 것이라"(행 14:22)고 말했다. 하나님은 우리로 "다만 그를 믿을 뿐 아니라 또한 그를 위하여 고난도 받게 하려"(빌 1:29) 하셨다. 우리는 "환난"을 위해 "세움 받[았으며]"(destined, 살전 3:3), "무릇 그리스도 예수 안에서 경건하게 살고자 하는 자는 박해를 받[을 것이다]"(딤후 3:12). 바울 자신은 박해보다 훨씬 광범위한 시련을 경험했다. 즉, "환난과 궁핍과 고난과 매 맞음과 갇힘과 난동과 수고로움과 자지 못함과 먹지 못함"(고후 6:4-5. 11장 23-28절 참조)이다. 그렇게 할 때 바울은 "나는 …… 모든 일 곧 배부름과 배고픔과 풍부와 궁핍에도 처할 줄 아는 일체의 비결을 배웠노라 내게 능력 주시는 자 안에서 내가 모든 것을 할 수 있느니라"(빌 4:12-13)고 말했다.

당신이 신자라면, 신약 저자들을 본받아 성경 모두에 나오는 하나님의 약속들을 담대히 주장할 것을 권한다. 하나님의 임재, 은총, 능력, 또는 기쁨과 관련된 이 모든 약속은 이미 우리가 누릴 수 있는 것들이다. 그것은 그리스도의 영에 의해 오늘날 우리에게 임하기 때문이다. 더 많은 육체적, 물질적 공급과 보호에 대해 말하는 다른 모든 약속도 실제로 실현될 것이다. 하지만 그 복들은 새 하늘과 새 땅이 완성될 때에만 확실해진다. 그때는 우리가 부활의 몸을 받을 때이며, 눈물이나 사망이나 애통하는 것이나 곡하는 것이나 아픈 것이 다시는 없을 때다(계 21:4).

"여호와께서는 인자하심과 풍성한 속량이 있음이라"(시 130:7). 하나님의 성품에 비추어 볼 때, 그분은 기적적인 능력을 행하셔서 미래의 소망을 현재로 가져오기를 언제 어느 때든 여전히 기뻐하실 것이다. 그렇기 때문에 우리는 계속해서 다른 사람들의 가난이 덜어지도록 애쓰고(신 10:17-19, 15:11, 시 41:1, 갈 2:10, 요일 3:17), 하나님이 병들고 고난당하는 자들을 치유하시기를 기도해야 한다(약 5:13-15. 고린도전서 12장 9절 참조). 이 모든 것은 하나님의 영광과, 하나님 나라 진척을 위한 것이다. 하나님은 자신의 능력이 확대되는 것을 기뻐하신다. 그러나 그분은 고통을 없애시거나 그 고통 속에서 우리로 견디게 하시거나 둘 중 하나로 그렇게 하실 수 있다. 주님은 그분의 시간표, 방식, 정도에 따라 구해 주실 것이다. 그러나 우리는 그분이 모든 것을 합력하여 우리의 선을 이루실 것이라고(롬 8:28), 모든 것이 회복되어 하나님의 백성이 절대 다시는 주리지도 아니하며 목마르지도 아니할(계 7:16) 날이 다가오고 있다고 믿을 수 있다.

4. 그리스도가 구약의 소망들을 성취한 것이 우리가 구약 약속들을 우리 것으로 삼는 데 어떻게 영향을 끼치는지 생각해 보라

예수는 자신이 율법이나 선지자를 "폐하러" 온 것이 아니라 "완전하게 하려" 왔다고 강조하셨다(마 5:17). 성경이 내다본 것을 실현하고, 하나님이 약속하시고 예언하신 것을 이루셨다는 것이다. 마찬가지로 바울은 **그리스도**만이 모든 약속의 소망을 결실하는 길이라고 강조했다. "하나님의 약속은 얼마든지 **그리스도 안에서** 예가 되니"(고후 1:20). "아버지[하나님]께서 **그리스도 안에서** 하늘에 속한 모든 신령한 복을 우리에게 주시되"(엡 1:3). 구약 약속들은 예수를 통해서만 신자들에게 효력을 발휘하게 된다.[51]

모세 율법이 그리스도인에게 지속적 의의를 지니고 있는지를 두고 씨름할 때처럼(이 장 앞부분을 보라), 필자는 구약 약속들의 현대적 적실성을 고찰하는 데도 그리스도를 필터 또는 '렌즈'로 보는 것이 도움이 된다고 생각한다. 그리스도의 죽음과 부활은 모든 약속이 실제로 이루어지리라는 산 소망이 있게 하며(벧전 1:3-4), 그리스도의 영은 우리의 미래 기업을 "보증"하신다(고후 1:22, 엡 1:14). 이런 것들을 유념하면서 예수께서 구약의 다양한 약속들을 성취하시는 방식을 보면, 어떤 약속들은 원래 주어질 때와 매우 같은 방식으로 교회를 위해 유지되는 반면, 또 어떤 약속들은 완성되거나, 변화되거나, 확장되는 결과를 가져온다. 어떤 구약 약속과 신자의 관계를 신실하게 확정하려면, 그것의 원래 역사적, 문학적 맥락을 주의 깊게 고찰해야 하며 그 다음에 그리스도의 구원사적 사역이 우리가 그 약속들을 적용하는 것을 어떻게 형성하는지 평가해야 한다.

a. 유지된 구약 약속들

유지되는 많은 약속들은 이미 명백하게 회복된 약속으로, 여호와께서 이스라엘의 포로 생활 이후에 실현되리라고 약속하신 것들이다. 예를 들어, 다니엘 12장 2절을 생각해 보라. "땅의 티끌 가운데에서 자는 자 중에서 많은 사람이 깨어나 영생을 받는 자도 있겠고 수치를 당하여서 영원히 부끄러움을 당할 자도 있을 것이며." 예수는 아마

51 이것은 그리스도가 그분의 죽음과 부활로 일반 은혜(창 8:20-21, 롬 2:4)와 구원 은혜(롬 3:24, 5:8-9)를 모두 사셨기 때문이다. 그래서 죄인들을 향하신 하나님의 인자하심, 참으심, 인내의 모든 표현을 정당화하고, 그들을 향한 그분의 의로운 엄하심을 확인하신 것이다(3:25-26).

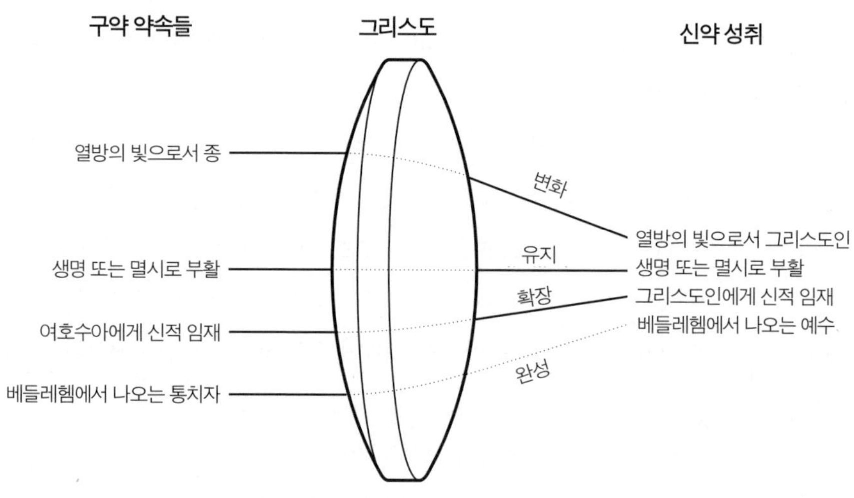

표12.11. 그리스도의 '렌즈'를 통한 구약 약속들의 성취

이 텍스트를 암시하면서 이렇게 주장하셨을 것이다. "이를 놀랍게 여기지 말라 무덤 속에 있는 자가 다 그의 음성을 들을 때가 오나니 선한 일을 행한 자는 생명의 부활로, 악한 일을 행한 자는 심판의 부활로 나오리라"(요 5:28-29. 11장 11절 참조). 마찬가지로 바울은 "우리가 다 잠 잘 것이 아니요 …… 다 변화되리니 나팔 소리가 나매 죽은 자들이 썩지 아니할 것으로 다시 살아나고 우리도 변화되리라"(고전 15:51-52)고 말했다. 그리스도인들은 다니엘 12장 2절 약속을 우리에게 주신 약속으로 주장하면서 미래의 부활을 소망할 수 있다. 다만, 오직 그리스도가 먼저 부활하셨기 때문에만 우리가 다시 살 것임을 인식하고서 말이다. "잠자는 자들의 첫 열매가 되셨도다"(고전 15:20). 구약은 메시아의 부활이 우리 자신의 부활보다 먼저 일어나며, 우리의 부활을 촉진한다고 밝힌다.

누가는 "이같이 그리스도가 고난을 받고 제 삼 일에 죽은 자 가운데서 살아날 것[이] …… **기록되었으되**"(눅 24:46-47)라고 주장했다. 바울 역시 "**성경대로** 그리스도께서 우리 죄를 위하여 죽으시고 장사 지낸 바 되셨다가 성경대로 사흘 만에 다시 살아나사 게바에게 보이시고 후에 열두 제자에게"(고전 15:3-5) 보이셨다고 주장했다. 구약은 여호와를 죽은 자를 살리시는 분으로 묘사한다. "나는 죽이기도 하며 살리기도 하며 상하게도 하며 낫게도 하나니"(신 32:39). 호세아는 하나님이 이미 찢으시고 치신 사람들에게 "여호와께서 이틀 후에 우리를 살리시며 셋째 날에 우리를 일으키시리니 우리가 그의 앞에서 살리라"(호 6:2)고 말했다. 하나님의 백성은 **셋째 날**에 부활할 것이다. 이에 기초하여 여호와는 "내가 그들을 스올의 권세에서 속량하랴 사망에서 구속하랴"(옮긴이 번역, 개역개정은 "속량하며 …… 구속하리니"로 번역되어 있다_ 옮긴이)라고 물으셨다. 그러고 나서 대답하셨다. "사망아 네 재앙이 어디 있느냐 스올아 네 멸망이 어디 있느냐"(호 13:14. 고린도전서 15장 55절 참조). 앞서 한나가 하나님이 "자기 왕에게 힘을 주시며 자기의 기름부음을 받은 자의 뿔을 높이시리[라]"고 예언한 바로 그 문맥에서, 한나는 "여호와는 죽이기도 하시고 살리기도 하시며 스올에 내리게도 하시고 거기에서 올리기도 하시는도다"(삼상 2:6. 2:10 참고)라고 선언했다.

다윗 역시 시편 22편에서 환난을 통해 승리로 가는 메시아의 여정을 포착한다. 그 시편은 왕이 "내 하나님이여 내 하나님이여 어찌 나를 버리셨나이까"(시 22:1. 마태복음 27장 46절 참조)라고 말하는 것으로 시작한다. 그는 "사람의 비방거리요 백성의 조롱거리"로서 어떤 사람들은 그를 비웃고 자신의 머리를 흔들었다(시 22:6-8. 2편 1절, 마태복음 27장 39, 43절 참조). 그의 힘과 입은 말랐다(시 22:15, 요 19:28). 그는 그의 수족을 찌르고 그의 속옷을 제비 뽑는 악한 무리에 둘러싸여 있다(시 22:16-18. 마태복음 27장 35절, 누가복음 24장 39-40절, 요한복음 19장 24절 참조). 그러나 그의 뼈는 하나도 부러지지 않았다(시 22:17, 34:20, 요 19:36). 그는 "주께서 또 나를 죽음의 진토 속에 두셨나이다"(시 22:15)라고 단언한다. 하지만 그러고 나서 그는 선언한다. "나를 …… 들소의 뿔에서 구원하셨나이다 내가 주의 이름을 형제에게 선포하고 회중 가운데에서 주를 찬송하리이다"(22:21-22. 마태복음 28장 10절, 히브리서 2장 10-12절 참조).

이사야 52장 13절-53장 12절은 이와 비교되게 그 왕적 종이 죽음을 이길 것을 약속한다.

> 여호와께서 그에게 상함을 받게 하시기를 원하사
>   질고를 당하게 하셨은즉
> 그의 영혼을 속건제물로 드리기에 이르면
>   그가 씨를 보게 되며 그의 날은 길 것이요
> 또 그의 손으로 여호와께서 기뻐하시는 뜻을 성취하리로다
> 그가 자기 영혼의 수고한 것을 보고 만족하게 여길 것이라

나의 의로운 종이 자기 지식으로 많은 사람을 의롭게 하며

또 그들의 죄악을 친히 담당하리로다(사 53:10-11).

우리와 하나님의 올바른 관계, 그리고 우리의 소망은 오로지 그리스도의 죽음과 부활에만 기초한다. 그리스도는 희생 제물로 고난 받으셨지만 이제 그분의 성도들을 보시고 그들 안에서 만족하신다.

"그리스도의 도의 초보"(히 6:1-2) 두 가지는 죽음 가운데서의 부활과 영원한 심판이다. 다니엘 12장 2절은 그리스도인들에게 소망을 준다. 죽은 자 가운데서 살아나신 그리스도가 우리를 그분 자신의 것이라고 주장하셨기 때문이다. "만일 우리가 그의 죽으심과 같은 모양으로 연합한 자가 되었으면 또한 그의 부활과 같은 모양으로 연합한 자도 되리라"(롬 6:5).

b. **완성된 구약 약속들**

이미 그리스도 안에서 완전히 성취가 **완성된** 일부 구약 약속들이 있다. 그렇기 때문에 그 약속들이 우리에게 지니는 지속적 적실성은 그것들이 하나님의 신실하심에 대해, 때로는 그 성취가 계속 영향을 끼치는 방식에 대해 현재에 어떻게 확신시키는지에서만 볼 수 있다. 우리는 선지자 미가의 한 예언에서 그 예를 볼 수 있다. 이스라엘의 통치자가 베들레헴에서 나오리라는, 오랫동안 이어져 온 예언으로(미 5:2), 마태는 그 예언이 그리스도의 탄생에서 성취되었다고 본다(마 2:6). 그리스도는 오직 한 분이며, 그분은 오직 한 번만 태어나셨다. 그럼에도 그분의 탄생은 전 세계에 있는 "그의 형제"가 돌아오게 했다. 그리고 그분은 왕으로서, 지속적인 안전과 평화를 확립하고 위대한 이름을 누리면서, "여호와의 능력[으로] …… 목축"하실 것이다(미 5:3-5). 이 모든 추가 약속은 계속해서 그리스도인에게 위로와 소망을 준다. 그리고 그리스도가 베들레헴에서 탄생하신 것은 그분이 영원히 온 세상에서 높임 받으실 것이 확실하다는 점을 확인해 준다.

또 다른 예는 여호와께서 솔로몬에게 하신 약속이다. 바로 솔로몬이 장수나 부, 원수에 대한 벌을 구하기보다 지혜를 구한 것 때문에 하나님이 그에게 지혜**와 함께** 부와 명예를 모두 주겠다고 하신 약속이다(왕상 3:11-13). 이 약속은 그리스도 안에서 "예"가

되었다. 십자가 위에서 예수는 일반 은혜 영역에서 경험하는 인자하심, 용납하심, 길이 참으심 등 하나님이 주시는 것들을 모두 사셨기 때문이다(창 8:20-21, 롬 2:4, 3:25-26). 그럼에도 약속 자체의 특이성, 곧 한 사람의 요청에 좌우되며 한 사람의 특정한 통치와 관련된 복을 포함한다는 것은 이 약속이 누구든지 아무 때나 누리는 것은 아님을 밝힌다. 여호와께서 여호수아 1장 5절에서 여호수아에게 하신 약속, 곧 그를 따르는 모든 사람에게 해당되는 약속(이어지는 구절들을 보라)과 달리 이 약속은 솔로몬 자신에게만 해당되는 것으로, 다른 사람들은 솔로몬이 누린 지혜와 부, 명예에서만 유익을 얻는다.

c. **변화된 구약 약속들**

이사야 49장 6절은 그리스도의 성취가 **변화시킨** 구약 약속들의 예를 보여 준다. 세 번째 종의 노래에서 이사야는 오실 왕적 해방자가 일인칭으로 말씀하시는 것을 묘사한다. 주님은 그분을 태에서부터 부르시고, "이스라엘"이라고 이름 지으셨으며, 그분에게 "그의 종으로 …… 야곱을 그에게로 돌아오게 하시는 이시니 이스라엘이 그에게로 모이[게]" 하라고 위임하셨다(49:1, 3, 5). 이것은 아마 **예수께서 이스라엘이라는**, 곧 모든 면에서 많은 사람을 대표하는 한 분이라는 가장 분명한 구약 텍스트일 것이다. 그 다음에 49장 6절에서 우리는 여호와께서 "네가 나의 종이 되어 야곱의 지파들을 일으키며 이스라엘 중에 보전된 자를 돌아오게 할 것은 매우 쉬운 일이라 내가 또 너를 이방의 빛으로 삼아 나의 구원을 베풀어서 땅 끝까지 이르게 하리라"고 단언하시는 것을 읽는다. 오시는 메시아를 통해 하나님은 인종적 이스라엘인뿐 아니라 열방의 일부 사람들을 구원하셔서, 그분이 전에 아브라함에게 하신 약속들을 성취하신다(창 12:3, 22:18).

신약으로 들어가면, 우리는 시므온을 만나게 된다. 그는 "이스라엘의 위로를 기다리는 자"(눅 2:25)였다. 그러면서 성령에 의해 예수께서 다름 아닌 하나님의 "구원"이며, 그분이 "만민 앞에 예비하신 것이요 이방을 비추는 빛이요 주의 백성 이스라엘의 영광"(2:30-32)이라고 선언했다. 마찬가지로 바울은 선지자들과 모세 모두 메시아가 그분의 죽으심과 부활 이후에 "이스라엘과 이방인들에게 빛을 전하시리라"(행 26:23)고 말했다는 점을 강조했다. 이 두 텍스트 모두 이사야 49장 6절을 언급하며 그리스도가 이 약속의 직접적인 성취라고 밝힌다.

이 약속이 변화되었다는 것은 바울이 일찍이 비시디아 안디옥에서 유대인들에게 전한 말에서 나온다. 거기서 바울은 자신과 바나바에 대해 “주께서 이같이 우리에게 명하시되 내가 너를 이방의 빛으로 삼아 너로 땅 끝까지 구원하게 하리라 하셨느니라”(행 13:47)고 말한다. 종이신 그리스도와 관련된 약속이던 것이 이제는 그리스도와 동일화된 모든 사람에게 주어지는 위임이 된다. 이사야 자신이 내다본 것처럼, 한 분 종 된 왕(단수)의 사역 후에(사 42:1, 49:3, 5-7, 50:10, 52:13, 53:11. 사도행전 4장 27-30절 참조), 하나님은 유대인과 이방인 둘 다에서 나온 많은 제사장적 ‘종들’(복수)이 메시아의 사역을 수행하도록 위임하실 것이다(예를 들어 사 54:17, 56:6, 63:17, 65:8-9, 13-15, 66:14). 바울은 자신을 그러한 사신 중 한 명으로 보았다(이사야 42장 6-7절과 사도행전 26장 15-18, 22-23절, 이사야 49장 6절과 사도행전 13장 45-48절, 이사야 49장 8절과 고린도후서 6장 1-4절). 예수의 십자가 사역은 바울을 죄와 하나님의 진노에서 구했으며, 이제 그 사도는 자기 구주의 ‘종’으로 매여 있다(로마서 1장 1절을 6장 20, 22절과 비교해 보라).

변화된 약속에 대한 또 다른 예로, 레위기 26장 3, 11-12절을 평가해 볼 수 있다. 필자는 앞서 그 텍스트를 인용했다. 즉, 민족의 순종을 조건으로 하는 (회복의 축복이 아닌) 옛 언약의 복이다. “너희가 내 규례와 계명을 준행하면 …… 내가 내 성막을 너희 중에 세우리니 내 마음이 너희를 싫어하지 아니할 것이며 나는 너희 중에 행하여 너희의 하나님이 되고 너희는 내 백성이 될 것이니라.” 바울은 또한 이 텍스트를 인용하여 “우리[교회]는 살아 계신 하나님의 성전이라”(고후 6:16)는 자신의 주장을 뒷받침한다. 그 약속은 그대로다. 그러나 그리스도를 통해 그 의미는 변화되었다. 그것을 설명하고자 한다.

레위기 시대에 여호와는 이미 물리적 성막에 거하고 계셨다. 그분은 광야 내내 성막에서 이스라엘과 함께 “행하[셨다]”(신 23:14). 그렇기 때문에 레위기 26장 11-12절이 미래의 약속으로 묘사하는 것은 아마 (성막이든 성전이든) 물리적으로 거하는 장소를 넘어, 지상 장막이 본으로 삼은 궁극적인 하늘 성전이 지상에 더 웅대하게 나타나는 것을 가리킬 것이다(출 25:9, 40, 26:30, 27:8. 사도행전 7장 44절 참조). 모세가, 그리고 후대에 솔로몬과 스룹바벨이 이 세상에 건설한 것은 하늘의 실상을 나타내는 모형일 뿐이었으므로(역대상 28장 11-12, 18-19절 참조), 지상의 ‘모형’은 폐기될 운명이었다. “그들[옛 언약 제사장들]이 섬기는 것은 하늘에 있는 것의 모형과 그림자라 모세가 장막을 지으려 할 때에 지시하심을 얻음과 같으니 이르시되 삼가 모든 것을 산에서 네게 보이던 본을 따라 지으라 하셨느니라 …… 그리스도께서는 참 것의 그림자인 손으로 만든 성소에 들어가지 아니하시고 바로 그 하늘에 들어가사 이제 우리를 위하여 하나님 앞에 나타나시고"(히 8:5, 9:24. 9장 11-12절 참조)라고 쓸 때, 히브리서 저자는 이 사실을 언급한 것이다. 레위기 26장 11-12절에 나오는 모세의 말은 하나님의 순종하는 '아들'이 그분의 언약 의무들을 성취하실 때 이 세상에 있는 모형 구조물을 대신할 것을 예상하는 듯하다.

이 땅의 성소가 일시적인 성질을 지녔다는 것은 이동 가능한 성막이 고정된 성전으로 넘어가는 방식에서 강조된다. 그러고 나서 그 하나님의 임재가 예루살렘에서 떠난 후에(겔 8-11장), 하나님은 성전 자체가 파괴되게 하신다(33:21. 열왕기하 25장 참조). 하지만 그 선지자는 또한 변화된 성읍의 이름을 "여호와 삼마"(겔 48:35, '여호와가 거기 계시다'_옮긴이)라고 부를 것이라고 선언하면서, 주님이 다시 그분의 백성 가운데 거하실 날을 기대했다. 여호와는 이제 회복의 복으로 형성된 레위기 26장 11-12절을 되풀이하시면서, 에스겔 37장 27-28절에서 "내 처소가 그들 가운데에 있을 것이며 나는 그들의 하나님이 되고 그들은 내 백성이 되리라 내 성소가 영원토록 그들 가운데에 있으리니 내가 이스라엘을 거룩하게 하는 여호와인 줄을 열국이 알리라 하셨다 하라"고 진술하셨다. 이 약속과 연관된 것은 "내 종 다윗이 영원히 그들의 왕이 되리라"(37:25)는 것과, 백성들 자신이 하나님의 성전 역할을 해서 하나님의 내주하시는 임재를 누리고 그들을 구경하는 열방들 앞에서 하나님의 위대하심을 증거하리라는 것이다. "내가 또 내 영을 너희 속에 두어 너희가 살아나게 하고"(37:14). 그리고 또한 "내가 그들의 눈앞에서 너희로 말미암아 나의 거룩함을 나타내리니 내가 여호와인 줄을 여러 나라 사람이 알리라 주 여호와의 말씀이니라 …… 또 내 영을 너희 속에 두어 너희로 내 율례를 행하게 하리니 너희가 내 규례를 지켜 행할지라"(36:23, 27). 전에 이사야는 "사람들이 너를 일컬어 거룩한 백성이라 여호와께서 구속하신 자라 하겠고 또 너를 일컬어 찾은 바 된 자요 버림 받지 아니한 성읍이라 하리라"(사 62:12)고 썼을 때, 백성을 예루살렘 성읍과 동일시했다. 마찬가지로 예레미야도 언젠가 (단지 언약궤만이 아니라) 모든 예루살렘이 하나님의 보좌가 되고, 그곳에 모인 사람들은 열방들 및 재결합된 이스라엘 집에서 구속받은 자들이 될 것이라고 단언했을 때, 새로운 시온을 성전 및 백성과 동일시했다(렘 3:16-18).

스룹바벨이 제2성전 건축 감독을 도운 반면, 학개는 이 땅의 성전이 변화될 것임을 시사하면서 나중에 있을 더 큰 영광을 보았다. "이 성전의 나중 영광이 이전 영광보다 크리라 만군의 여호와의 말이니라 내가 이곳에 평강을 주리라"(학 2:9). 더구나 스가랴는 오실 메시아가 "먼데 사람들"(슥 6:15)의 도움으로 이 성전을 지으리라고, 그리고 하나님의 제사장-왕으로서 그분의 성전-보좌에서 다스릴 것이라고 말했다. "그가 여호와의 전을 건축하고 영광도 얻고 그 자리에 앉아서 다스릴 것이요 또 제사장이 자기 자리에 있으리니 이 둘 사이에 평화의 의논이 있으리라 하셨다 하고"(6:13). 여호와께서 그분의 성전에 다시 임재하시는 일은 주의 날에 일어날 것이다(말 3:2).

앞서 말했듯이, 레위기 26장 11-12절이 가리키는 미래의 성막에 거하는 임재는 하나님의 언약 '아들'의 순종을 조건으로 한 것이었다. 이 조건적 구조는 여호와께서 이전에 선언하신 것을 반영한다. "복이 되라. 내가 너를 축복하는 자들을 축복하기 위해서, …… 그 결과 너로 말미암아 이 땅의 모든 족속이 복을 얻게 하기 위해서다"(창 12:2-3, 필자 번역). 하나님의 공동체적 "아들"(출 4:22-23)인 이스라엘은 주님께 "악을 행[했다.]" 그래서 모세는 이스라엘 백성을 "하나님의 자녀가 아니요 흠이 있고 삐뚤어진 세대"(신 32:5. 사도행전 2장 40절, 빌립보서 2장 15절 참고)라고 단언했다. 이스라엘 백성은 참된 아들이 해야 하는 것처럼 하나님의 형상과 하나님 닮음을 나타내면서 하나님을 반영하고, 닮고, 대표하는 데 실패했기 때문에(창 5:1-3) 주님은 "너를 낳은 반석을 네가 상관하지 아니하고 너를 내신 하나님을 네가 잊었도다"(신 32:18)라고 주장하시면서 그들을 저주하셨다.

그럼에도 여호와는 애초에 에덴동산에서 그분의 거하시는 임재에서(창 3:8) 인류를 분리시킨 악한 자를 물리칠 것이라고 이미 밝히셨다. 그러나 자신의 공동체적 아들(민족)이 **아니라**, 단 한 명의 남자인 왕적 아들에 의해 그 일을 행하실 것이다. 여자의 남자 후손이 뱀의 머리를 상하게 할 것이다(3:15). 그는 아브라함 혈통(22:17b-18)과 유다의 혈통(49:8-10)에서 나온 셈족 사람(9:26-27)일 것이다. 그리고 그의 날에 원수의 문이 무너지고 하나님의 복이 세상에 확장될 것이다(22:17b-18. 17장 4-6절 참조). 그는 하나님의 이상적인 왕으로 의롭게 사실 것이며, 하나님의 율법에 묘사된 하나님의 성품을 구현할 것이다(신 17:18-20, 이사야 11장 5절과 59장 17절). 그의 고귀한 통치는 자기 백성을 회복된 에덴동산처럼 만들 것이다(민 24:5-7). 그분 자신의 새 창조적 싹(사 6:13, 11:1, 53:2)이 열매를 맺을 것이기 때문이다(61:3, 11). 그는 왕으로서 백성을 대표할 것이다(민수기 23장 24절, 24장 9절 참조). 심지어 "이스라엘"이라는 그들의 이름을 지닐 것이다(사 49:3, 5). 그는 자기 원수를 "이쪽에서 저쪽까지 쳐서 무찌[를]" 것이다(민 24:17). 그리고 그를 축복하는 자들은 복을 받을 것인 반면 그를 저주하는 자들은 저주를 받을 것이다(24:9. 창세기 12장 3절 참조).

이 하나님의 왕적 "아들"(삼하 7:14, 시 2:7)은 여호와 자신과 친밀하게 동일화될 것이다. 그 아들의 "교훈"(law, 사 42:4)은 여호와의 율법이 될 것이다(2:3, 51:4). 그는 구원을 역사하는 주님 자신의 "팔"이 될 것이다(53:1, 59:16). 그리고 그의 왕적 이름은 "기묘자라, 모사라, 전능하신 하나님이라, 영존하시는 아버지라, 평강의 왕이라"(9:6) 할 것이다. 더욱이 성전 지성소에 있는 궤처럼, "그의 위에 여호와의 영 곧 지혜와 총명의 영이요 모략과 재능의 영이요 지식과 여호와를 경외하는 영이 강림하[실 것이다]"(11:2. 42장 1절, 61장 1절 참조). 이사야는 한때 중앙 성소에서 백성과 분리된 하나님의 임재가 이제는 유일무이하신 이 종-아들을 통해 백성에게 연결되리라고 상상하는 듯하다.

이러한 모든 구약 소망을 채우시면서, 하나님의 "말씀이 육신이 되어 우리 가운데 거하시매 우리가 그의 영광을 보니 아버지의 독생자의 영광이요 은혜와 진리가 충만[하였다]"(요 1:14). 예수는 자신을 "성전"과 동일시하셨고, 제자들은 예수께서 부활하신 후에야 이 사실을 깨달았다(2:19-22). 이와 함께 모든 믿는 자는 "사도들과 선지자들의 터 위에 세우심을 입은 하나님의 권속이며, 그리스도 예수께서 친히 모퉁잇돌이 되셨다. 그의 안에서 건물마다 서로 연결하여 주 안에서 성전이 되어 간다"(에베소서 2장 19-21절 참조). 실로 레위기 26장 11절을 잠재적으로 반영하면서 우리는 "성령 안에서 하나님이 거하실 처소"(엡 2:22)가 된다. 그리스도가 성전이듯이, 그분 안에 있는 모든 사람은 하나님의 성전이 되며(고전 3:16, 고후 6:16. 베드로전서 2장 5절 참조) 어두운 세상에 빛과 생명을 선포하는 제사장 역할을 한다(벧전 2:9). 이미 우리는 하늘의 예루살렘에 이르렀다(갈 4:26, 히 12:22). 그러나 여전히 거룩한 성 자체가 하늘에서 내려올 날, "하나님의 장막이 사람들과 함께 있[을]" 때를 기다린다(계 21:2-3). 그때 우리는 지성소를 누리게 될 것이다. "주 하나님 곧 전능하신 이와 및 어린양이 그 성전"이시기 때문이다

(21:22). 그때 하나님은 "각 족속과 방언과 백성과 나라 가운데에서" 일부를 "우리 하나님 앞에서 나라와 제사장들을 삼으셨으니 그들이 땅에서 왕 노릇 [할 것이다]"(5:9-10).

d. 확장된 구약 약속들

히브리서 저자가 13장 5절에서 탐욕과 싸우는 모든 그리스도인에게 가나안 정복에 관해 여호수아에게 주어진 하나님의 임재의 약속(수 1:5)을 적용시키는 방식을 통해 우리는 약속이 **확장된** 예를 볼 수 있다. 주님은 모세의 후계자에게 "내가 모세와 함께 있었던 것같이 너와 함께 있을 것임이니라 내가 너를 떠나지 아니하며 버리지 아니하리니 강하고 담대하라 너는 내가 그들의 조상에게 맹세하여 그들에게 주리라 한 땅을 이 백성에게 차지하게 하리라"(수 1:5-6)고 말씀하셨다. 구약의 광야와 정복 이야기는 히브리서에서 그리스도와 새 언약이 어떻게 더 나은지 확대하는 데 중요한 역할을 담당한다. 모세는 "종"으로서 하나님께 신실한 반면, 그리스도는 "아들"로서 신실하셨다(히 3:5-6). 출애굽 세대는 대부분 반역했고 불신으로 마음이 완고했으며, 이 때문에 여호와는 "그들은 내 안식에 들어오지 못하리라"고 단언하셨다(3:7-11). 여호수아 같은 일부 사람들은 하나님이 안식을 확보하실 수 있다고 믿었으나, 다른 사람들은 모두 불신으로 인해 죽었다(4:2). 후에 여호수아는 실제로 이스라엘을 약속의 땅으로 인도했다. 그러나 그가 확보한 안식은 일시적일 뿐이었고, 그것은 모든 사람에게 확보된 더 나은 여호수아(즉 예수)의 더 큰 안식을 예언하는 것이었다(4:8).

이 틀에서 볼 때, 주님이 먼저 여호수아와 함께 계셨다면 더 큰 여호수아와 동일화된 사람들과 함께하실 것은 얼마나 더 확신할 수 있겠는가! 한 사람에게 주어진 원래 약속이 그리스도 안에서 모두에게 주어진 약속으로 확장되었다. 우리는 이미 그리스도 예수와 함께 참여하고 있으나(히 3:14) 아직 약속을 기업으로 받지는 못했다(6:12). 그러나 하나님이 "내가 결코 너희를 버리지 아니하고 너희를 떠나지 아니하리라"(13:5)고 약속하셨기 때문에, 우리는 우리의 온전한 기업이 오리라는 것을 알고 안심하고 안식할 수 있다. 그래서 "돈을 사랑"하는 것에 구애받지 않고 우리가 가진 모든 것으로 만족하면서, 현재에 철저히 하나님을 위해 마음껏 살 수 있다(13:5). 하나님이 우리를 위하시며 우리와 함께하심을 아는 것은 우리가 "모든 무거운 것과 얽매이기 쉬운 죄를 벗어 버리[는]"(12:1) 데 도움이 된다. 우리는 "믿음의 주요 또 온전하게 하시는 이인 예수"를 바라본다. "그는 그 앞에 있는 기쁨을 위하여 십자가를 참으사 부끄러움을 개의치 아니하시더니 하나님 보좌 우편에 앉으셨느니라"(12:2). 그리고 "죄인들이 이같이 자기에게 거역한 일을 참으신 이를 생각[할]" 때, 우리는 "피곤하여 낙심하지 않[게]" 된다(12:3). 하나님의 임재와 은총은 우리의 소망이자 우리의 안전이다. "너희가 갇힌 자를 동정하고 너희 소유를 빼앗기는 것도 기쁘게 당한 것은 더 낫고 영구한 소유가 있는 줄 앎이라"(10:34).

구약에서 그리스도와 복음을 보는 것과 맛보는 것

구약 해석이 기독교적인(Christian) 것이 되기 위해서는, 교회의 기초를 이루는 그리스도와 사도들의 가르침과 주해를 따라야 한다(행 2:42, 엡 2:20. 마태복음 7장 24-27절, 17장 5절, 28장 20절, 요한복음 16장 12-14절, 17장 8, 18, 20절, 데살로니가후서 2장 15절, 히브리서 1장 1-2절 참조). 당신의 교회에서 구약을 설교할 때 믿지 않는 유대인이 그 자리에 있다면, 그는 편안하게 느끼지 않았을 것이다. 우리는 모든 구약 해석에서 그리스도를 강조해야 하기 때문이다. 우리는 우리의 모든 성경 가르침에 대해 "내가 너희 중에서 예수 그리스도와 그가 십자가에 못 박히신 것 외에는 아무것도 알지 아니하기로 작정하였음이라"(고전 2:2)고 말해야 한다. 이러한 그리스도 중심성은 모든 구약 본문을 그리스도에 대한 것으로 생각하라는 뜻이 아니다. 그러나 어떻게 모든 본문이 그리스도를 가리키는지는 반드시 생각해야 한다. 복음은 중요한 것일 뿐 아니라 "가장 중요한 것"(15:3, 현대인의성경)이다. 필연적으로 그리스도를 어떻게 신실하게 강조할지 생각할 때는 겸손함, 기도하는 마음, 문화-역사적 배경에 의지하는 견고한 성경 해석, 언어학적 자료, 바로 앞뒤의 문학적 문맥, 우리가 연구하는 모든 본문의 더 광범위한 정경적 맥락 등이 필요하다.

우리가 이미 보여 준 것처럼(10장의 '그리스도의 중심성'과 앞서 나온 '그리스도인들을 위한 율법의 적실성에 대한 확증'을 보라) 예수는 구약이 자신을 가리킨다고(눅 24:27, 요 5:39), 그리고 그분의 역할은 구약의 모든 종말론적 소망과 궤적을 성취하는 것이라고(마 5:17, 눅 24:44, 행 3:18) 믿었다. 앞에 나오는 많은 것은 그림자인 반면, 그리스도는 참 형상이시다(골 3:16-17, 히 8:5-6, 10:1). 예수는 구약 교훈의 마침이자 목표였으며, 우리의 모든 성경 연구, 실천, 가르침에서 중심이 되어야 한다.

이 부분에서는 우리가 구약에서 그리스도와 복음을 만나고 궁극적으로 선포하는 일곱 가지 방법을 제안하고자 한다. 이를 위해서는 구원사의 진전에 비추어 그리스도가 어떻게 구약을 성취하는지 살펴보아야 한다(그리스도가 구약을 성취하시는 것을 더 알려면 앞의 '그리스도인들을 위한 율법의 적실성에 대한 확증'을 보라). 예수의 율법과 선지서 성취는 획일적이지 않다. 그리스도는 수많은 방식으로 구약의 종말론적 기대들을 '채우거나' 실현하신다. 그리고 각각은 우리의 성경 해석을 통해 그리스도와 복음을 높일 수 있는 방법을 제공한다.[52]

1. 그리스도는 여호와의 육체적 구현이 되셔서 구약을 성취하신다

예수는 아들 외에는 성부 "하나님을 본 사람이 없[다]"(요 1:18, 6:46)고 주장하시기 때문에, 구약에서 여호와가 인간의 형태로 나타나신 경우는 아마 모두 성육신 이전의 성자이셨을 것이다. 우리는 아브라함의 세 번째 손님(창 18장), 여호수아서에 나오는 "여호와의 군대 대장"(수 5:13-15), 에스겔서에 나오는 높임 받은 왕(겔 1:26), 다니엘서에 나오는 "인자"(단 7:13-14), 수없이 나타난 "여호와의 천사/사자"(예를 들어 창 16:7-13, 22:11-18, 출 3:2, 민 20:16, 22:22-35, 삿 2:1-4, 5:23, 6:11-12, 21-22, 13:3, 13-21, 삼하 24:16, 왕상 19:7, 왕하 1:3, 15, 19:35, 단 3:24, 28) 등의 이야기에서 이 인물을 본다. 후자의 이미지에 대해서는 이사야가 아마 가장 분명하게 말할 것이다. 그는 (미래의 종말론적 해방을 마치 이미 일어난 일처럼 여기면서) "[여호와가 이스라엘의] 구원자가 되사"라고 선언한 후에, 이사야 53장 3-5절과 비슷하게 "그들의 모든 환난에 동참하사 자기 앞의 사자로 하여금 그들을 구원하시며"(63:9)라고 쓰기 때문이다. 이 동일한 인물을 여호와의 "팔"(63:12)이라고 부르는 것도 마찬가지로 동일하게 보는 것이다. 그것은 이사야를 통해 주님 자신(59:16, 63:5)과

52 비슷한 몇 가지 성찰로는 Sidney Greidanus, *Preaching Christ from the Old Testament* (Grand Rapids: Eerdmans, 1999)(『구약의 그리스도 어떻게 설교할 것인가』, 이레서원), 203-77쪽을 보라. 구약에서 그리스도와 복음을 발견하는 것에 대한 다른 책들로는 이 장 끝에 나오는 '추가 연구 자료'를 보라.

그의 고난 받는 종(53:1)을 연관시키는 말이다. 의미심장하게도 요한은 이사야 6장에 나오는, 주님이 보좌에 앉으신 환상을 말하면서 그 선지자가 "주[예수]의 영광을 보고 주를 가리켜 말한 것이라"(요 12:41)고 주장한다. 이 각각의 계시는 성자께서 하나님-인간으로 오시는 것을 예상하며, 우리는 이에 비추어 그 계시들을 전파할 수 있다.

이뿐 아니라 종종 신약은 하나님 또는 여호와를 묘사하는 구약 텍스트들을 예수를 언급하는 것으로 해석한다. 예를 들어, 이사야는 메시아 시대를 내다보면서 "외치는 자의 소리여 이르되 너희는 광야에서 여호와의 길을 예비하라"(사 40:3)고 선언했다. 그리고 각 복음서 기자는 이것을 세례 요한이 예수께서 오시는 것을 가리키는 것과 동일시한다(마 3:3, 막 1:3, 눅 3:4, 요 1:23). 마찬가지로 요엘은 "누구든지 여호와의 이름을 부르는 자는 구원을 얻으리니"(욜 2:32)라고 선포했다. 그리고 바울은 로마서 10장 13절에서 이 구절을 예수께 적용한다. 마지막으로, 말라기는 "너희가 구하는 바 주가 갑자기 그의 성전에 임하[실]" 때인 여호와의 날이 이르기 전에 새로운 엘리야가 올 것이라고 주장했다(말 3:1, 4:5[H3:23]). 예수는 세례 요한이 이 엘리야라고 주장하셨다(마 11:11-15, 17:10-13). 그 세례 요한 자신은 그리스도를 예상된 주님으로 가리켰다(3:11-12). 그분은 우리가 또한 다른 곳에서 하나님의 거하시는 성전이라고 알고 있는 분이다(요 1:14, 2:21).

예수는 우리가 그분을 보았다면 아버지를 본 것이라고 말씀하셨다(요 14:9). 그분은 아버지가 하고 계시는 일만 하시기 때문이다(5:19). 이와 같이 여호와와 그분의 왕적 종의 밀접한 일체성은 이미 이사야 42장 같은 텍스트들에 예상된 것이다. 이사야 42장에서는 둘 다 섬들 가운데 영향력을 발휘하시고(사 42:4, 10, 12), 눈먼 자들을 밝히시며(42:7, 16), 인도자 역할을 하시고(42:4, 16), 광명으로 암흑을 이기시며(42:6-7, 16), 조각한 신상이 수치를 당하게 하신다(42:8, 17). 그 종은 다름 아닌 "여호와의 팔"(53:1. 51장 9절, 59장 16절 참조), 성령을 받은 하나님의 대행자(42:1. 11장 2절, 61장 1절, 누가복음 4장 18절 참조)일 것이며, 하나님의 임재를 구현하시고(사 7:6, 마 1:23), 하나님의 성품을 지니시며(사 9:6. 10장 21절, 28장 29절, 63장 16절, 66장 12절 참조), 하나님의 갑옷을 입으시고(11:3-5, 59:16-17), 이 땅에 하나님의 통치를 확립하실 것이다(9:7, 52:7, 53:10). 세례 요한이 예수께 "오실 그이가 당신이오니이까 우리가 다른 이를 기다리오리이까"라고 물었을 때, 예수는 "너희가 가서 듣고 보는 것을 요한에게 알리되 맹인이 보며 못 걷는 사람이 걸으며 나병환자가 깨끗함을 받으며 못 듣는 자가 들으며 죽은 자가 살아나며 가난한 자에게 복음이 전파된다 하라"고 대답하셨다(마 11:3-5. 이사야 35장 4-6절, 61장 1-4절 참조).

그리스도의 말씀은 비교할 수 없는 권위를 지니고 있다(막 1:22). 그리고 그분은 오직 하나님만이 하실 수 있는 일을 하셨다. 즉 귀신에게 명령하고, 병든 자를 고치시며(1:34, 3:10-11, 22), 죄를 사하시고(2:7, 10-11), 죽은 자를 살리셨다(5:35-36, 41-43). 하나님의 벌과 용서, 보복과 화해에 대한 구약의 모든 표현은 하나님의 아들의 일하심을 직접 예시하며, 궁극적으로 그 일하심에서 나온다. 그분은 "만유의 상속자로 세우시고 또 그로 말미암아 모든 세계를 지으[신]" 분, "하나님의 영광의 광채시요 그 본체의 형상[이신]" 분, "능력의 말씀으로 만물을 붙드[시는]" 분이다(히 1:2-3).

2. 그리스도는 우리를 구약이 증거하는 의로 데려감으로 구약을 성취하신다

구약은 구주가 필요한 죄인의 이야기로 가득하다. 모세 율법은 죄가 무엇인지 판정하고 죄가 더하게 하는 방식(롬 3:20, 5:20. 7장 7-12절, 갈라디아서 3장 19절 참조), 죄 된 자들을 구속하는 방식(롬 3:19-20, 8:2-3, 갈 3:10, 13, 22), 모든 사람에게 속죄의 필요를 보여 준 방식에서 그리스도의 중요성을 가리켰다. 그렇기 때문에 율법은 본질상 그리스도를 "모든 믿는 자에게 의를 이루기 위[한] 율법의 마침"(롬 10:4)이라고 예언했다.

예수는 하나님 성품의 완벽한 구현이며 믿음, 율법 준수, 지혜의 이상적 이미지다. 바울은 율법에서 우리가 "지식과 진리의 모본"(롬 2:20)을 가지고 있다는 것과, "율법은 거룩하고 계명도 거룩하고 의로우며 선하도다"(7:12)라는 것을 둘 다 강조했다. 그리스도에 대해서도 같은 것을 말할 수 있다. 그분은 죄가 없으시면서(고후 5:21, 히 4:15, 벧전 2:22, 요일 3:5) "하나님으로부터 나와서 우리에게 지혜와 의로움과 거룩함과 구원함이 되셨[다]"(고전 1:30).

바울은 "이제는 율법 외에 하나님의 한 의가 나타났으니 율법과 선지자들에게 증거를 받은 것이라 곧 예수 그리스도를 믿음으로 말미암아 모든 믿는 자에게 미치는 하나님의 의"(롬 3:21-22)라고 강조했다. 모세, 다윗, 이사야 같은 인물들은 복음을 통해 의가 나타나는 것을 예상했다(1:16-17). 그것은 십자가 죽으심에서 절정에 이르는 그리스도의 온전한 순종과 밀접하게 관련되어 있다(3:22-26, 빌 2:8). 그 순종을 통해 우리는 믿음으로 의롭다 하심을 받는다(롬 3:27-30, 5:1). 예수는 시편에 나오는, 예배하는 고난받는 자와 승리의 왕에 대한 묘사를 구현하셨다. 그분은 자기 아버지의 계명들을 완전히 지키셨으며 그분의 사랑 안에 거했다(요 15:10). 그리스도의 대속 사역을 통해 하나님은 "우리를 거스르고 불리하게 하는 법조문으로 쓴 증서"(골 2:14)를 지워 버리셨다. 그분은 "육신에 죄를 정하사 …… 우리에게 율법의 요구가 이루어지게 하려" 하셨다(롬 8:3-4).

하나님의 말씀이 육신이 되었을 때, 예수는 여호와의 계시된 뜻에 맞는 모든 윤리적 이상의 진수를 그분의 인격으로 나타내 보이신다. 그러고 나서 신자들에게 그 완전함이 전가된다. "그런즉 한 범죄로 많은 사람이 정죄에 이른 것같이 한 의로운 행위로 말미암아 많은 사람이 의롭다 하심을 받아 생명에 이르렀느니라 한 사람이 순종하지 아니함으로 많은 사람이 죄인 된 것같이 한 사람이 순종하심으로 많은 사람이 의인이 되리라"(롬 5:18-19. 8장 4절 참조). "하나님이 죄를 알지도 못하신 이를 우리를 대신하여 죄로 삼으신 것은 우리로 하여금 그 안에서 하나님의 의가 되게 하려 하심이라"(고후 5:21. 빌립보서 3장 8-9절 참조). 구약에 나오는 모든 율법과 모든 지혜로운 말씀에서 우리는 그리스도의 위대하심과 우리를 위한 그분의 일하심을 높이는 것들을 발견한다.

3. 그리스도는 우리에게 사랑할 능력과, 그래서 율법을 성취할 능력을 공급하셔서 구약을 성취하신다

바울은 "하나님의 약속은 얼마든지 그리스도 안에서 예가 되니"(고후 1:20)라고 말한다. 여기에는 새 언약 신자들이 하나님의 율법을 삶으로 살아 내는 것과 관련된 구약 약속들이 포함된다. 예를 들어, 모세는 "네 하나님 여호와께서 네 마음과 네 자손의 마음에 할례를 베푸사 너로 마음을 다하며 뜻을 다하여 네 하나님 여호와를 사랑하게 …… 하실 것이며"(신 30:6. 6장 5절 참조)라고 약속했다. 그는 또한 이 동일한 백성이 "여호와의 말씀을 청종하고 내가 오늘 네게 명령하는 그 모든 명령을 행할"(30:8) 것이라고 상상했다. 신명기는 마음의 변화가 이루어지는 때에도 계속 적실성을 지닐 것이다. 마찬가지로 하나님은 에스겔을 통해 약속하셨다. "내 영을 너희 속에 두어 너희로 내 율례를 행하게 하리니 너희가 내 규례를 지켜 행할지라"(겔 36:27. 예레미야 12장 16절 참조). 이 회복의 때에 모든 자녀는 "여호와의 교훈을 받을" 것이다(사 54:13. 요한복음 6장 44-45절 참조). 율법을 그들 마음에 기록하였으므로, 그들은 "작은 자로부터 큰 자까지 다 나[여호와]를 알" 것이다(렘 31:31-34. 요한일서 2장 20-21, 27절 참조).

모세와 에스겔 모두 하나님의 백성이 주님의 "규례들"(칠십인 역=δικαίωμα[디카이오마]의 복수, 신 30:10, 겔 36:27)을 지킬 종말론적인 날을 예언했다. 예수는 그분의 한 "의로운 행위"(δικαίωμα[디카이오마]의 단수)로 말미암아 우리 안에서 이 "의로운 요구"(δικαίωμα[디카이오마]의 단수)를 이루시며(롬 8:4), 이에 따라 우리가 성령에 의해 살도록 감동시키면서(8:13, 갈 5:25) 우리의 칭의를 확보하신다(5:18).[53] 그리스도 안에 있는 우리는 이제 율법의 "규례들"(δικαίωμα[디카이오마]의 복수)을 지킬 능력을 받는다. 우리는 성령의 능력으로 할례 받은 마음을 갖고 살아가기 때문이다(롬 2:26, 29). 이웃을 사랑할 때 우리는 율법을 성취한다(13:8-10. 마태복음 7장 12절, 갈라디아서 6장 2절 참조). 그리스도는 우리의 교사다(사 42:4, 51:4, 마 17:5, 28:20). 그리고 그리스도 자신이 율법을 성취하신 것은 이제 하나님을 따르는 것이 무슨 의미인지를 우리에게 명확히 설명해 준다(마 5:17-19. 고린도전서 9장 21절, 야고보서 1장 25절, 2장 8, 12절 참조).

4. 그리스도는 직접 구약의 메시아에 대한 예언들의 대상 역할을 하셔서 구약을 성취하신다

베드로는 "하나님이 모든 선지자의 입을 통하여 자기의 그리스도께서 고난 받으실 일을 미리 알게 하신 것을 이와 같이 이루셨느니라"(행 3:18)고 강조했다. 모세로부터 모든 선지자는 메시아의 사역과 그분이 일으키실 선교를 예상했다(3:22-24, 10:43). 구약은 이러한 예언들로 가득하다. 여호와는 아브라함에게 그 한 명의 남자 후손이 "그 대적의 성문을 차지[할]" 것이며 그분 안에서 "만민이 복을 받[을]"(창 22:17b-18) 것이라고 약속하셨다. 그 다음에 바울은 하나님이 아브라함에게 약속하신 세계적 복의 복음이 그리스도 예수 안에서 이방인들에게 이르렀다고 말한다(갈 3:8, 14). 실로, "이 약속들은 아브라함과 그 자손에게 말씀하신 것인데 …… 곧 그리스도라 너희가 그리스도의 것이면 곧 아브라함의 자손이요 약속대로 유업을 이을 자니라"(3:16, 29). 마찬가지로 여

---

53 앞서 '그리스도인들을 위한 율법의 적실성에 대한 확증'이라는 제하에서 필자는 로마서 8장 4절에 대한 더글러스 무의 해석에 찬성한다고 말한 바 있다. 그는 그 구절이 그리스도가 우리 안에서 율법의 의로운 요구를 성취하시는 것을 가리킨다고 본다(즉, 적극적 전가. *Romans*[「NICNT 로마서」], 483-84쪽을 보라). 그럼에도 필자는 (단지 이 텍스트에서만이 아니라[로마서 2장 26절, 13장 8-10절을 보라]) 여전히 그리스도인들이 율법을 성취할 여지가 있다고 본다. 그래서 비록 필자는 로마서 8장 4절에 대한 맥패든(McFadden)의 해석에 동의하지 않지만, 오늘날 다른 사람들을 향한 우리의 불완전한 사랑이 참으로 율법을 성취한다는 그의 의견에는 동의한다. 그러나 그 성취는 단지 성령의 해방시키는 사역이 부활 때 완성될 것이기 때문이다. 그 부활의 때에 우리는 율법의 의로운 요구를 완전하게 성취할 것이다("The Fulfillment of the Law's *Dikaiōma*," 483-97쪽, 특히 491-94쪽을 보라).

호와는 에스겔을 통해 "내가 한 목자를 그들 위에 세워 먹이게 하리니 그는 내 종 다윗이라 그가 그들을 먹이고"(겔 34:23)라고 약속하셨다. 그 다음에 요한복음 10장에서 예수는 "나는 선한 목자라"(요 10:11)고 하시고, 또한 "한 무리가 되어 한 목자에게 있으리라"(10:16)고 단언하셨다. 때로 예언-성취의 요소는 훨씬 두드러진다. 미가 5장 2절이 왕적 해방자가 베들레헴에서 날 것이라고 예언하고, 그 다음에 마태복음 2장 6절에서 그 일이 선지자가 쓴 그대로 일어났다고 명백히 주장할 때처럼 말이다. 그리스도는 직접적으로 구약의 메시아적 예언들 및 구속사적 소망들의 명확한 초점이나 목표로서 구약을 성취하신다.

5. 그리스도는 모든 구원사적 궤적의 절정이 되심으로 구약을 성취하신다

구약과 신약의 틀은 구속 이야기(하나님이 그리스도 안에서 그분의 영광을 위하여 언약을 통해 통치하시고, 구원하시고, 만족케 하신다는 진리를 확대시키기 위해서 설계된 역사적 플롯)에 의해 형성된다. 전체 이야기 줄거리는 창조에서 타락, 구속, 절정으로 전진하며, 구원사에서 결정적 전환점인 예수의 사역을 강조한다. 구약은 토대를, 신약은 성취를 제공한다. 필자는 하나님 나라를 의미하는 'KINGDOM'(킹덤)이라는 두문자어로 기본 플롯을 파악해 보려 했다(더 자세한 것은 10장에 나온 '구원사적 연관들'을 보라).

구약 내러티브 토대	K	1. 개시와 반역(**K**ickoff and rebellion)	창조, 타락, 홍수
	I	2. 축복의 도구(**I**nstrument of blessing)	족장들
	N	3. 구속받고 위임받은 민족 (**N**ation redeemed and commissioned)	출애굽, 시내산, 광야
	G	4. 그 땅의 정부(**G**overnment in the land)	정복과 왕국들
	D	5. 이산과 귀환(**D**ispersion and return)	포로 생활과 첫 귀환
신약 내러티브 성취	O	6. 시대의 중복(**O**verlap of the age)	그리스도의 사역과 교회 시대
	M	7. 사명 완수(**M**ission accomplished)	그리스도의 재림과 나라의 완성

표12.12. 하나님의 KINGDOM 계획

성경 저자들은 구원사의 진전을 여러 번 강조하는데, 언제나 그리스도를 중심에 두고 그렇게 한다. "율법과 선지자는 [세례] 요한의 때까지요 그후부터는 하나님 나라의 복음이 전파되어"(눅 16:16). "그리스도는 모든 믿는 자에게 의를 이루기 위하여 율법의 마침이 되시니라"(롬 10:4). "이같이 율법이 우리를 그리스도께로 인도하는 초등

교사가 되어 우리로 하여금 믿음으로 말미암아 의롭다 함을 얻게 하려 함이라 믿음이 온 후로는 우리가 초등교사 아래에 있지 아니하도다 너희가 다 믿음으로 말미암아 그리스도 예수 안에서 하나님의 아들이 되었으니"(갈 3:24-26).

다섯 개의 주요 구원사적 언약은 각각 그리스도 안에서 종착역에 이른다.

- 예수는 인자, 마지막 아담, 하나님의 형상으로 **아담-노아 언약**을 성취하신다(막 10:45, 14:62, 고전 15:45, 고후 4:4).
- 예수는 아브라함의 후손이며 전 세계적 복의 대행자로 **아브라함 언약**을 성취하신다(창 22:17b-18, 행 3:25-26, 갈 3:16).
- 예수는 이스라엘을 대표하며 하나님의 아들, 여호와의 종, 지혜의 구현, 율법의 요구를 성취하신 분, 모든 언약 그림자의 실체로 **모세(옛) 언약**을 성취하신다(출 4:22-23, 사 49:3, 5-6, 마 3:17, 11:2, 19, 12:42, 13:54, 요 2:19-21, 행 3:25-26, 롬 5:19, 골 2:17, 히 9:9-12, 10:1).
- 예수는 유대인들의 왕이며 다윗의 아들로 **다윗 언약**을 성취하신다(마 2:1, 21:9, 눅 1:32-33).
- 예수는 모세와 같은 선지자로 **새 언약** 약속들의 성취하신다. 그분은 오실 분이며 하나님과 사람 사이의 유일한 참되신 중보자다(신 18:15, 18, 눅 7:16, 22:20, 행 3:22-26, 7:37, 딤전 2:5, 히 8:6, 9:15, 12:24).

우리는 또한 하나님이 성경 계시를 통해 그분 자신과 그분의 도를 점진적으로 더 많이 계시하실 때 다양한 주제가 전개되거나 진전되는 것을 본다. 그중 주된 것으로는 언약, 하나님 나라, 율법, 성전과 하나님의 임재, 속죄, 선교 등이 포함되는데, 이 모든 것은 예수께로 초점이 모아진다. 그리스도는 구약의 구원사적 궤적들을 모두 성취하신다.

6. 그리스도는 유사점과 대조점 둘 다에 의해 구약을 성취하신다

성경 언약들과 구속사의 진전은 수많은 유사점과 대조점을 나타내 보인다. 그중 많은 것은 그리스도의 인격을 중심으로 하고 있다. 많은 유사와 차이는 예표-원형 관계로 나온다. 이것은 다음 부분에서 다루겠다. 또 다른 주요 유사점은 옛 언약과 새 언약의 은혜 구조와 관련된다. 둘 다 은혜로운 구속으로 인해 은혜로운 율법이 수여된다. 두 언약 모두 그 유형은 해방에 순종이 따르는 것이지, 순종에 해방이 따르는 것이 아니다. 이에 비추어, 설교자는 옛 언약과 새 언약의 표면적 특징들 사이에서 수많은 유추를 구축할 수 있다. 유사점들을 밝히고, 그 다음에는 이제 하나님의 영광을 위해 하나님의 도에 따라 살기 위한 약속, 모범, 죄 사함 등을 제공하는 분으로 그리스도를 높이는 것이다.

대조점으로는 옛 언약과 새 언약의 은혜의 본질이 다르다는 것이다. 새 언약은 모든 언약 구성원에게 죄에서 자유로워지고 순종할 수 있는 능력을 제공하는 반면, 옛 언약 자체에는 마음을 변화시키는 유기적인 것이 아무것도 없다. 모세 아래에서 구속과 율법 수여는 많은 사람에게 여전히 외적인 것인 반면, 새 언약에서 구속과 율법 수여는 모두 그리스도의 영의 종말론적 역사에 의해 모든 구성원 안에서 내면화된다.

다른 수많은 대조점(또는 진전) 역시 분명하다. 예를 들어, 아담은 불순종하고 모든 사람에게 사망을 가져온 반면, 그리스도는 순종하시고 많은 사람에게 생명을 가져오신다(롬 5:18-19). 하나님은 옛 언약에서 구속을 표시하기 위해 황소와 염소의 피를 사용하신 반면, 그리스도 자신의 대속적 희생은 영원한 구속을 위한 근거를 제공한다(히 9:11-14). 성전에서는 속죄일에 대제사장만이 여호와의 임재로 들어갈 수 있었지만, 그리스도의 제사장적 사역은 그분 안에 있는 모든 사람에게 하나님의 임재를 누리는 길을 열어 놓으신다(9:24-26, 10:19-22). 옛 언약에서 열방은 주님의 임재를 만나기 위해 성막/성전으로 와야 했지만, 지금은 그리스도의 영이 교회에 능력을 부여하사 예루살렘부터 땅 끝에 이르기까지 열방에 증거하게 하신다(마 28:18-20, 행 1:8).

예수의 사역은 연속성과 불연속성을 모두 만들어 낸다. 우리는 그 유형과 변화들을 밝혀 그분의 역사를 더 충분히 경축할 수 있다.

7. 그리스도는 모든 예표의 원형이 되셔서 구약을 성취하신다

히브리서 저자의 말을 빌면 율법은 "장차 올 좋은 일의 그림자"(히 10:1)일 뿐이었다. 정한 음식과 부정한 음식에 관한 율법들, 여러 유대 명절과 달마다 드려지는 제사 일정, 심지어 안식일도 모두 "장래 일의 그림자이나 몸은 그리스도의 것이[다]"(골 2:16-17). 하나님은 다양한 구약 인물이나 사건, 제도가 후대의 인물이나 사건, 제도를 예언적으로 내다보게 하는 방식을 통해 점진적으로 구원사를 발전시키셨다. 그 모든 것은 메시아 예수의 삶과 사역에서 단계적으로 강화되고 절정에 이른다. 이 부분에서 남김없이 다 규명하려는 것은 아니지만, 그리스도 안에서 종착역에 이르는 구약 예표들의 예를 몇 가지 들어 보겠다.

a. **예표적 인물**

- 아담은 궁극적 인간이신 그리스도를 예표했다(롬 5:12-21, 고전 15:45-49).
- 멜기세덱은 그리스도의 영원한 왕적 제사장직을 예표했다(창 14:18-24, 히 5:5-9, 6:20, 7:1-10, 17).
- 모세는 그리스도의 선지자적 역할(신 18:15-19, 행 3:19-26)과 신실함(히 3:1-6)을 예표했다.
- 아론은 그리스도의 대제사장직을 예표했다(히 5:1-5).
- 요나가 물고기 배 안에 있던 시간과 그 배 속에서 나온 것은 그리스도의 죽음, 장사됨, 부활을 예표했다(욘 2장, 마 12:40).

b. **예표적 사건이나 행위**

- 구약에 나오는 창의적이거나 구속적인 하나님의 주된 행동들은 모두 그리스도의 구원 사역을 예상한다. 창조는 새 창조를 일으킨다. 원래의 출애굽은 두 번째 출애굽을 가리킨다. 주님의 날에 사마리아와 예루살렘의 멸망은 십자가와 심판의 날에 절정에 이른다. 그 땅에 처음으로 다시 돌아온 것은 하나님과의 궁극적 화목을 준비한다.
- 놋뱀을 드는 것은 그리스도의 십자가 처형(그분이 죄가 되시고 우리의 저주를 지셨을 때)과, 그 결과 오는 유익들을 예표했다(민 21:4-9, 요 3:14).
- 홍수와 홍해에서 구출된 것은 세례를 예표했다(고전 10:2, 벧전 3:20-21).
- 반석을 친 것은 그리스도의 대속적이고 생명을 주는 희생을 예표했다(고전 10:4).
- 이스라엘의 광야 시절에 일어난 다른 사건들은 그리스도인에게 유익을 주기 위한 예표들이었다(고전 10:11).

c. **예표적 제도**

- 이 땅의 성막과 성막의 모든 기구(출 25:9, 40)는 "하늘에 있는 것의 모형과 그림자"(히 8:5. 사도행전 7장 24절, 히브리서 8장 2절, 9장 11절 참조)에 지나지 않았다. 여기에는 속죄를 실현시키는 분인 그리스도(롬 3:24-26)를 직접 가리키는 "속죄소"(출 25:21-22, 레 16:14-15)가 포함되어 있다.
- 이 땅의 성전은 그리스도(요 2:19-21. 1장 14절 참조)와 그분의 교회(고전 6:19)를 예표했다.
- 구약 제사장직(슥 3:8)은 대제사장이신 그리스도(히 2:17, 9:11. 9장 24절 참조)와 제사장인 교회(벧전 2:5, 9)를 내다보았다.
- 유월절 양(출 12:3)은 그리스도의 대속적 죽음을 예표했다(사 53:7, 요 1:29, 행 8:32, 고전 5:7, 벧전 1:19).
- 레위기에 나오는 대속적 희생은 그리스도 자신의 대속적 희생을 예표했다(사 53:4-5, 8, 10-12, 히 9:12-14, 10:1-4, 10, 요일 1:9-2:2, 10. 골로새서 2장 13-14절 참조).
- 정한 음식과 부정한 음식에 관한 율법들과 다양한 유대 절기들 및 제사 달력은 예표적으로 그리스도를 가리켰다(골 2:16-17).
- 안식일은 그리스도의 부활에서 시작된 안식을 예표적으로 내다보았다(마 11:28-12:8, 골 2:16-17, 히 4:1-11).

8. 요약

필자는 그리스도가 구약의 종말론적 소망들을 성취하는 일곱 가지 방법을 제시했다. 각 방법은 구약에서 그리스도와 복음을 보고, 맛보고, 선포하는 새로운 방식들을 독자들과 성경 교사들에게 제공한다. 우리가 갖고 있는 "성경"의 처음 4분의 3을 그리스도의 영광을 위해 연구하라. 그렇게 하면서 하나님께 영광을 돌리고, 스스로 자양분을 공급받고, 교회를 섬기게 될 것이다.

핵심 단어와 개념

실천 신학

그리스도의 구약 '성취'

그리스도의 법

도덕법, 민법, 의식법

사랑 원리

이미 그러나 아직

더 생각해 보기 위한 질문

1. "구약은 실제로 옛 언약에 속한 많은 사람들보다 오늘날 그리스도인에게 더 적실하다"는 진술에 대한 찬성 의견을 말해 보라. 답할 때 반드시 성경을 포함하라.
2. 이 책 모든 장에서 우리는 출애굽기 19장 4-6절의 지속적 메시지를 파악하기 위해 점진적으로 애써 왔다. 이 본문은 지금 당신에게 어떤 의미를 지니는가? 그것을 당신의 삶에 어떻게 적용시킬 수 있는가?
3. 그리스도가 율법을 폐하는 대신 '성취했다'는 것은 무슨 의미인가? 그것은 그리스도인이 율법을 "행하며 가르치는"(마 5:19) 것, "굳게 세우[는]" 것(롬 3:31), 그리고 "이루[는]"(13:8, 10) 것에 어떤 영향을 끼치는가?
4. 렌즈의 유추를 사용해서 모세 율법이 그리스도의 법에 어떻게 관련되는지 설명해 보라.
5. 모세 율법을 도덕법, 민법, 의식법으로 나누는 것에 대해 왜 주의해야 하는가?
6. 그리스도인은 구약 율법을 적용하기 위해 어떤 단계들을 취해야 하는가? 그리고 매 단계를 포함시키고 순서대로 과정을 따르는 것이 왜 중요한가?
7. 오늘날 구약을 적용하는 예 중 어떤 것이 당신에게 가장 교훈이 되었으며, 왜 그런가? 특히 통찰을 준다고 알게 된 것은 무엇인가? 토론할 때 어떤 것으로 인해 가장 놀랐는가? 그리고 그 예들은 어떤 질문들을 촉발했는가?
8. 그리스도인은 오늘날 구약 약속들을 주장할 때 어떤 요소들을 고려해야 하는가?
9. 복과 저주에 대한 하나님의 약속들은 오늘날 신자들 안에 거룩함을 낳게 하는 데

어떻게 기여할 수 있는가? 몇 가지 예를 들어 보라.

10. 다음 열두 본문 중 세 개를 택하여 그 본문들에서 어떻게 그리스도와 복음을 만날 수 있는지 고찰해 보라. 일곱 범주 중 다양한 텍스트에서 복음을 만나고 선포하는 가장 좋은 렌즈를 제공하는 것은 어떤 것인가? 대답을 기록해 보라. 출애굽기 40장 34-38절, 민수기 24장 15-19절, 신명기 6장 20-25절, 여호수아 5장 13-15절, 룻기 4장 18-22절, 사무엘상 2장 1-10절, 열왕기하 17장 6-23절, 역대하 20장 1-30절, 시편 3편, 잠언 3장 13-18절, 이사야 49장 1-6절, 하박국 3장 17-19절.

추가 연구 자료

적용에 대한 일반 저술

Casillas, Ken. *Beyond Chapter and Verse: The Theology and Practice of Biblical Application*. 출간 예정.

★ Doriani, Daniel M. *Putting the Truth to Work: The Theory and Practice of Biblical Application*. Phillipsburg, NJ: P&R Publishing, 2001. 「적용, 성경과 삶의 통합을 말하다」, 성서유니온선교회.

Duvall, J. Scott, and Verlyn D. Verbrugge, eds. *Devotions on the Greek New Testament: 52 Reflections to Inspire and Instruct*. Grand Rapids: Zondervan, 2012.

Eng, Milton, and Lee M. Fields, eds. *Devotions on the Hebrew Bible: 54 Reflections to Inspire and Instruct*. Grand Rapids: Zondervan, 2015.

Klein, William W., Craig L. Blomberg, and Robert L. Hubbard Jr. "Application." In *Introduction to Biblical Interpretation*, 477-504. 2nd ed. Dallas: Word, 2004. 「성경 해석학 총론」, 생명의말씀사.

Life Application Study Bible: NIV. Carol Stream, IL: Tyndale House, 2012.

Mathis, David. *Habits of Grace: Enjoying Jesus through the Spiritual Disciplines*. Wheaton, IL: Crossway, 2016. 「은혜 받는 습관」, 생명의말씀사.

Meadors, Gary T., ed. *Four Views on Moving beyond the Bible to Theology*. Counterpoints. Grand Rapids: Zondervan, 2009: (1) Walter Kaiser, "A Principlizing Model," (2) Dan Doriani, "A Redemptive-Historical Model," (3) Kevin Vanhoozer, "A Drama-of-Redemption Model," and (4) Bill Webb, "A Redemptive-Movement Model."

Muck, Terry C., ed. NIV Application Commentary. 42 vols. Grand Rapids, Zondervan, 1994-2012. "NIV 적용 주석", 솔로몬.

Ortlund, Dane C., Erika Allen, and Bill Deckard, eds. *ESV Women's Devotional Bible*. Wheaton, IL: Crossway, 2014.

Piper, John. *Desiring God: Meditations of a Christian Hedonist*. 4th ed. Colorado Springs: Multnomah, 2011. 「하나님을 기뻐하라」, 생명의말씀사.

________. *Future Grace: The Purifying Power of the Promises of God*. 2nd ed. Colorado Springs: Multnomah, 2012. 「장래의 은혜」, 좋은씨앗.

________. *The Pleasures of God: Meditations on God's Delight in Being God*. 2nd ed. Sisters, OR: Multnomah, 2000. 「하나님의 기쁨」, 두란노.

Storms, Sam, and Dane C. Ortlund, eds. *ESV Men's Devotional Bible*. Wheaton, IL: Crossway, 2015.

Strauss, Mark L. *How to Read the Bible in Changing Times: Understanding and Applying God's Word Today*. Grand Rapids: Baker, 2011.

Whitney, Donald S. *Spiritual Disciplines for the Christian Life*. 2nd ed. Colorado Springs: NavPress, 2014. 「영적 훈련」, 네비게이토.

그리스도인과 구약 율법

Barker, William S., and W. Robert Godfrey, eds. *Theonomy: A Reformed Critique*. Grand Rapids: Zondervan, 1991.

Block, Daniel I. "Preaching Old Testament Law to New Testament Christians." In *The Gospel according to Moses: Theological and Ethical Ref lections on the Book of Deuteronomy*, 104-46. Eugene, OR: Cascade, 2012. Originally published in *Hiphil (Scandinavian Evangelical E-Journal)* 3 (2006): 1-24. Subsequently published in three parts in *Ministry* 78, 5 (2006): 5-11; 78, 7 (2006): 12-16; 78, 9 (2006): 15-18.

Casillas, Ken. *The Law and the Christian: God's Light within God's Limits*. Biblical Discernment for Difficult Issues. Greenville, SC: Bob Jones University Press, 2007.

⊙ Combs, William W. "Paul, the Law, and Dispensationalism." *DBSJ* 18 (2013): 19-39.

DeRouchie, Jason S. "Confronting the Transgender Storm: New Covenant Reflections on Deuteronomy 22:5." *JBMW* 21, 1 (2016): 58-69.

________. "From Condemnation to Righteousness: A Christian Reading of Deuteronomy." *SBJT* 18, 3 (2014): 87-118.

________. "Making the Ten Count: Reflections on the Lasting Message of the Decalogue." In *For Our Good Always: Studies on the Message and Influence of Deuteronomy in Honor of Daniel I. Block*, edited by Jason S. DeRouchie, Jason Gile, and Kenneth J. Turner, 415-40. Winona Lake, IN: Eisenbrauns, 2013.

Doriani, Daniel M. "A Redemptive-Historical Model." In *Four Views on Moving beyond the Bible to Theology*, edited by Gary T. Meadors, 75-121. Responses to other contributors on pp. 51-56, 205-9, 255-61. Counterpoints. Grand Rapids: Zondervan, 2009.

★ Dorsey, David A. "The Law of Moses and the Christian: A Compromise." *JETS* 34, 3 (1991): 321-34.

________. "The Use of the OT Law in the Christian Life: A Theocentric Approach." *EJ* 17, 1 (1999): 1-18.

Ferguson, Sinclair B. *The Whole Christ: Legalism, Antinomianism, and Gospel Assurance- Why the Marrow Controversy Still Matters*. Wheaton, IL: Crossway, 2016. 「온전한 그리스도」, 디모데.

Hays, J. Daniel. "Applying the OT Law Today." *BSac* 158, 1 (2001): 21-35.

House, H. Wayne, and Thomas Ice. *Dominion Theology: Blessing or Curse? An Analysis of Christian Reconstructionism*. Portland, OR: Multnomah, 1988.

Janzen, Waldemar. *Old Testament Ethics: A Paradigmatic Approach*. Louisville: Westminster John Knox, 1994.

Jones, Mark. *Antinomianism: Reformed Theology's Unwelcome Guest*? Phillipsburg, NJ: P&R Publishing, 2013.

Kaiser, Walter C., Jr. "A Principlizing Model." In *Four Views on Moving beyond the Bible to Theology*, edited by Gary T. Meadors, 19-50. Responses to other contributors on pp. 121-25, 200-4, 249-54. Counterpoints. Grand Rapids: Zondervan, 2009.

________. *Toward Old Testament Ethics*. Grand Rapids: Zondervan, 1983.

Keller, Timothy. *Generous Justice: How God's Grace Makes Us Just*. New York: Dutton, 2010. 「정의란 무엇인가」, 두란노.

Martens, Elmer A. "How Is the Christian to Construe Old Testament Law?" *BBR* 12, 2 (2002): 199-216.

Meadors, Gary T., ed. *Four Views on Moving beyond the Bible to Theology*. Counterpoints. Grand Rapids: Zondervan, 2009.

Meyer, Jason C. *The End of the Law: Mosaic Covenant in Pauline Theology*. NAC Studies in Bible and Theology 7. Nashville: Broadman & Holman, 2009.

________. "The Mosaic Law, Theological Systems, and the Glory of Christ." In *Progressive Covenantalism: Charting a Course between Dispensational and Covenant Theologies*, edited by Stephen J. Wellum and Brent E. Parker, 66-99. Nashville: Broadman & Holman, 2016.

✪ Moo, Douglas J. "The Law of Christ as the Fulfillment of the Law of Moses: A Modified

Lutheran View." In *Five Views on Law and Gospel*, edited by Wayne G. Strickland, 31976. Responses to other contributors on pp. 83-90, 165-73, 218-25, 309-15. Counterpoints. Grand Rapids: Zondervan, 1999.

________. "The Law of Moses or the Law of Christ." In *Continuity and Discontinuity: Perspectives on the Relationship between the Old and New Testaments: Essays in Honor of S. Lewis Johnson Jr.*, edited by John S. Feinberg, 203-18, 373-76. Westchester, IL: Crossway, 1988.

★ Poythress, Vern S. Pages 251-86 in *The Shadow of Christ in the Law of Moses*. Phillipsburg, NJ: Presbyterian and Reformed, 1991. 「모세 율법에 나타난 그리스도」, 솔로몬.

Rosner, Brian S. *Paul and the Law: Keeping the Commandments of God*. NSBT 31. Downers Grove, IL: InterVarsity Press, 2013.

★ Schreiner, Thomas R. *40 Questions about Christians and Biblical Law*. 40 Questions. Grand Rapids: Kregel, 2010.

________. "The Law and Salvation History." In *New Testament Theology: Magnifying God in Christ*, 617-72. Grand Rapids: Baker Academic, 2008. 「신약 신학」, 부흥과개혁사.

Strickland, Wayne G., ed. *Five Views on Law and Gospel*. Grand Rapids: Zondervan, 1999.

Todd, James M., III. *Sinai and the Saints: Reading Old Covenant Laws for the New Covenant Community*. Downers Grove, IL: InterVarsity Press, 2017.

★ Wells, Tom, and Fred G. Zaspel. Pages 77-160 in *New Covenant Theology: Description, Definition, Defense*. Frederick, MD: New Covenant Media, 2002.

★ Wellum, Stephen J. "Progressive Covenantalism and Doing Ethics." In *Progressive Covenantalism: Charting a Course between Dispensational and Covenant Theologies*, edited by Stephen J. Wellum and Brent E. Parker, 215-33. Nashville: Broadman & Holman, 2016.

Wright, Christopher J. H. *Old Testament Ethics for the People of God*. Downers Grove, IL: InterVarsity Press, 2004. 「현대를 위한 구약 윤리」, IVP.

그리스도인과 구약 약속들

Alcorn, Randy. "Prosperity Theology: The Gospel of Wealth." In *Money, Possessions, and Eternity*, 75-92. 2nd ed. Wheaton, IL: Tyndale House, 2003. 「돈, 소유, 영원」, 토기장이.

Barrett, Matthew. "'Bigger Is Better': When the Prosperity Gospel Creeps into the Evangelical Church." *Credo* 4, 2 (2014): 27-29.

Beale, G. K. "Eschatology." *DLNT* 330-45.

Evans, Mary J. "Blessing/Curse." *NDBT* 397-401.

Fee, Gordon D. *The Disease of the Health and Wealth Gospels*. Vancouver: Regent College, 2006. 「탐욕

의 복음을 버려라」, 새물결플러스.

Gladd, Benjamin L., and Matthew S. Harmon. *Making All Things New: Inaugurated Eschatology for the Life of the Church*. Grand Rapids: Baker Academic, 2016. 「하나님 나라와 교회 생활」, 부흥과개혁사.

Hollifield, Gregory K. "Does God Want You to Be Rich? A Practical Theologian's Response to the Gospel of Prosperity." *JMT* 15, 2 (2011): 25-53.

Jones, David W., and Russell S. Woodbridge. *Health, Wealth and Happiness: Has the Prosperity Gospel Overshadowed the Gospel of Christ?* Grand Rapids: Kregel, 2011.

Keller, Timothy. *Counterfeit Gods: The Empty Promises of Money, Sex, and Power, and the Only Hope That Matters*. New York: Dutton, 2009. 「팀 켈러의 내가 만든 신」, 두란노.

Leeman, Jonathan, ed. *9Marks Journal [Prosperity Gospel]*. 2014. https://9marks.org/journal/prosperity-gospel/.

Lioy, Dan. "The Heart of the Prosperity Gospel: Self or the Savior?" *Conspectus* 4 (2007): 4164.

Maura, Michael Otieno, Conrad Mbewe, Ken Mbugua, John Piper, and Wayne Grudem. *Prosperity? Seeking the True Gospel*. Nairobi: Africa Christian Textbooks Registered Trustees in partnership with The Gospel Coalition, 2015.

Piper, John. *Future Grace: The Purifying Power of the Promises of God*. 2nd ed. Colorado Springs: Multnomah, 2012. 「장례의 은혜」, 좋은씨앗.

________. "Introduction to the Third Edition: New Realities in World Christianity and Twelve Appeals to Prosperity Preachers." In *Let the Nations Be Glad! The Supremacy of God in Missions*, 1534. 3rd ed. Grand Rapids: Baker, 2010. 「열방을 향해 가라」, 좋은씨앗.

Sarles, Ken L. "A Theological Evaluation of the Prosperity Gospel." *BSac* 143 (1986): 32950.

Schreiner, Thomas R., and Ardel B. Caneday. *The Race Set before Us: A Biblical Theology of Perseverance and Assurance*. Downers Grove, IL: InterVarsity Press, 2001.

구약에서 그리스도와 복음을 보고 맛보는 것

Adam, Peter. "Preaching and Biblical Theology." *NDBT* 10412.

Barrett, Michael P. V. "Christ in the Covenants." In *Beginning at Moses: A Guide to Finding Christ in the Old Testament*, 109-44. Greenville, SC: Ambassador-Emerald International, 1999.

Bateman, Herbert W., IV, Darrell L. Bock, and Gordon H. Johnston. *Jesus the Messiah: Tracing the Promises, Expectations, and Coming of Israel's King*. Grand Rapids: Kregel, 2012.

Carson, D. A., ed. *The Scriptures Testify about Me: Jesus and the Gospel in the Old Testament*. Wheaton, IL: Crossway, 2013.

Chapell, Bryan. *Christ-Centered Preaching: Redeeming the Expository Sermon*. 2nd ed. Grand

Rapids: Baker Academic, 2005. 「그리스도 중심의 설교」, 은성.

________. *Christ-Centered Sermons: Models of Redemptive Preaching*. Grand Rapids: Baker Academic, 2013. 「그리스도 중심 설교 이렇게 하라」, CPU.

________, ed. *Gospel Transformation Bible: English Standard Version*. Wheaton, IL: Crossway, 2013.

Clowney, Edmund P. *Preaching Christ in All of Scripture*. Wheaton, IL: Crossway, 2003.

★________. *The Unfolding Mystery: Discovering Christ in the Old Testament*. Phillipsburg, NJ: Presbyterian and Reformed, 1988. 「구약에 나타난 그리스도」, 네비게이토.

Davis, Dale Ralph. *The Word Became Fresh: How to Preach from Old Testament Narrative Texts*. Fearn, Scotland: Mentor, 2006.

DeRouchie, Jason S., ed. *What the Old Testament Authors Really Cared About: A Survey of Jesus' Bible*. Grand Rapids: Kregel, 2013.

Duguid, Ian M. *Is Jesus in the Old Testament? Basics of the Faith*. Phillipsburg, NJ: P&R Publishing, 2013.

Ferguson, Sinclair B. *Preaching Christ from the Old Testament*. Proclamation Trust Media Paper 2. London: Proclamation Trust Media, 2002.

France, R. T. *Jesus and the Old Testament: His Application of Old Testament Passages to Himself and His Mission*. Downers Grove, IL: InterVarsity Press, 1971.

Goldsworthy, Graeme. *Gospel-Centered Hermeneutics: Foundations and Principles of Evangelical Biblical Interpretation*. Downers Grove, IL: InterVarsity Press, 2006. 「복음 중심 해석학」, 기독교문서선교회.

________. *Preaching the Whole Bible as Christian Scripture: The Application of Biblical Theology to Expository Preaching*. Grand Rapids: Eerdmans, 2000. 「성경 신학적 설교 어떻게 할 것인가」, 성서유니온선교회.

★ Greidanus, Sidney. *Preaching Christ from the Old Testament*. Grand Rapids: Eerdmans, 1999. 「구약의 그리스도 어떻게 설교할 것인가」, 이레서원.

Guthrie, Nancy. Seeing Jesus in the Old Testament. Wheaton, IL: Crossway, 2014-present.

- *The Promised One: Seeing Jesus in Genesis* (2011).
- *The Lamb of God: Seeing Jesus in Exodus, Leviticus, Numbers, and Deuteronomy* (2012).
- *The Wisdom of God: Seeing Jesus in the Psalms and Wisdom Books* (2012).
- *The Son of God: Seeing Jesus in the Historical Books* (2013).
- *The Word of God: Seeing Jesus in the Prophets* (2014).

Hamilton, James M., Jr. "Biblical Theology and Preaching." In *Text Driven Preaching: God's Word at the Heart of Every Sermon*, edited by Daniel L. Akin, David L. Allen, and

Ned L. Mathews, 193-218. Nashville: Broadman & Holman, 2010.

Johnson, Dennis E. *Him We Proclaim: Preaching Christ from All the Scriptures*. Phillipsburg, NJ: P&R Publishing, 2007.

★________. *Walking with Jesus through His Word: Discovering Christ in All the Scriptures*. Phillipsburg, NJ: P&R Publishing, 2015.

✪ Kaiser, Walter C., Jr. *The Messiah in the Old Testament*. SOTBT. Grand Rapids: Zondervan, 1995. 「구약에 나타난 메시아」, 크리스챤출판사.

Kim, Julius J. *Preaching the Whole Counsel of God: Design and Deliver Gospel-Centered Sermons*. Grand Rapids: Zondervan, 2015. 「설교학」, 부흥과개혁사.

Lawrence, Michael. *Biblical Theology in the Life of the Church: A Guide for Ministry*. 9Marks. Wheaton, IL: Crossway, 2010.

Marshall, I. Howard. "Jesus Christ." *NDBT* 592-602.

Meyer, Jason C. *Preaching: A Biblical Theology*. Wheaton, IL: Crossway, 2013.

Motyer, J. Alec. *Look to the Rock: An Old Testament Background to Our Understanding of Christ*. Downers Grove, IL: InterVarsity Press, 1996.

Murray, David. *Jesus on Every Page: 10 Simple Ways to Seek and Find Christ in the Old Testament*. Nashville: Thomas Nelson, 2013. 「구약 속 예수」, 생명의말씀사.

Piper, John. *Seeing and Savoring Jesus Christ*. Wheaton, IL: Crossway, 2004. 「예수님이 복음입니다」, 부흥과개혁사.

✪ Poythress, Vern S. *The Shadow of Christ in the Law of Moses*. Phillipsburg, NJ: Presbyterian and Reformed, 1991. 「모세 율법에 나타난 그리스도」, 솔로몬.

✪ Rydelnik, Michael. *The Messianic Hope: Is the Hebrew Bible Really Messianic?* NAC Studies in Bible and Theology 9. Nashville: Broadman & Holman, 2010.

Sailhamer, John H. "The Messiah and the Hebrew Bible." *JETS* 44, 1 (2001): 5-23.

Satterthwaite, Philip E., Richard S. Hess, and Gordon J. Wenham, eds. *The Lord's Anointed: Interpretation of Old Testament Messianic Texts*. Exeter, UK: Paternoster, 1995.

Schreiner, Thomas R. "Preaching and Biblical Theology." *SBJT* 10, 2 (2006): 20-29.

Van Pelt, Miles V. "Introduction." In *A Biblical-Theological Introduction to the Old Testament: The Gospel Promised*, edited by Miles V. Van Pelt, 23-42. Wheaton, IL: Crossway, 2016. 「성경 신학적 구약 개론」, 부흥과개혁사.

Williams, Michael. *How to Read the Bible through the Jesus Lens: A Guide to Christ-Focused Reading of Scripture*. Grand Rapids: Zondervan, 2012. 「예수 렌즈로 성경을 어떻게 읽을 것인가」, 성서유니온선교회.

Wright, Christopher J. H. *How to Preach and Teach the Old Testament for All Its Worth*. Grand

Rapids: Zondervan, 2016. 「구약을 어떻게 설교할 것인가」, 성서유니온선교회.

________. *Knowing Jesus through the Old Testament*. 2nd ed. Downers Grove, IL: InterVarsity Press, 2014. 「구약의 빛 아래서 그리스도를 아는 지식」, 성서유니온선교회.

결론

어둠 속에서 행하는 것에 대한 최종 결론

"주의 말씀은 내 발에 등이요 내 길에 빛이니이다"(시 119:105).

하나님의 말씀에서 발견과 신적 만남을 위한 당신의 여정은 이제 시작일 뿐이다. 당신은 이제 이 어둡고 저주받은 세상에서 사는 동안 자연스럽게 일어나는 몇 가지 해석적 위험들을 더 잘 알 것이다. 하지만 필자는 당신이 하나님의 신성한 텍스트를 통해 하나님 알기를 추구하는 일에서 더 멀리 가고 더 높이 올라갈 힘과 준비가 갖춰졌기를 바란다. 그 안에서 금이나 보석(당신이 사모하는 모든 것으로도 비교할 수 없는 보배[잠 3:15, 시편 19편 10절, 고린도후서 4장 7절 참조])보다 더 큰 값어치를 지닌 보물들을 발견할 것이다. 성경에서 우리는 "예수 그리스도의 얼굴에 있는 하나님의 영광을 아는 빛"(고후 4:6)을 발견할 것이다.

이 아름다움을 보고 맛보려는 당신의 노력은 온갖 고난과 만족으로 뒤섞여 있을 것이다. "근심하는 자 같으나 항상 기뻐하고"(고후 6:10). 하지만 하나님의 말씀을 아는 것은 그 명령들로 인도하고 그 약속들로 동기를 부여하면서 당신의 길을 비춰 줄 것임을 알기 바란다. 당신은 여호와의 선하심을 맛보아 알 것이다(시 34:8[H9]). 하지만 더 많은 것에 대한 추구는 절대 끝나지 않을 것이다. 실로 성경에 나오는 신적 장려함의 모든 깊이를 절대 샅샅이 다 조사하지도 못할 것이며, "왕을 그의 아름다운 가운데에서 보[는]"(사 33:17) 시각은 절대 다함이 없을 것이다. 그렇지만 감히 시도해 보라고 말하고 싶다!

이 책에서 우리는 주해에서 신학까지 이르는 열두 단계를 살펴보았다. 그 과정에서 TOCMA(텍스트[Text]에서 관찰[Observation], 맥락[Context], 의미[Meaning], 적용[Application]까지)를 통과하여 여행했다.

1부 텍스트(Text)_ 본문 구성이란 무엇인가

1장 장르_ 본문의 문학적 형태, 주제, 기능을 결정하고, 그것을 비슷한 장르와 비교해 보며, 그것이 해석에 끼치는 영향을 생각해 본다.

2장 문학적 단위와 텍스트의 계층 구조_ 본문의 경계선과 기본 구조를 결정한다.

3장 본문 비평_ 본문의 원래 표현이 무엇이었는지 확증한다.

4장 번역_ 텍스트를 번역하고 다른 번역들과 비교해 본다.

2부 관찰(Observation)_ 본문은 어떻게 전달되는가

5장 절과 텍스트 문법_ 단어, 구, 절, 그리고 그보다 큰 텍스트 단위의 구성과 관계를 평가한다.

6장 논증-추적_ 문학적 논증을 모두 추적하여 끝내고, 본문의 주된 요점과 연결된 메시지 중심의 개요를 만든다.

7장 단어 연구와 개념 연구_ 핵심 단어, 구, 개념의 의미를 명확히 밝힌다.

3부 맥락(Context)_ 본문은 어디에 들어맞는가

8장 역사적 맥락_ 저자가 텍스트를 쓴 역사적 상황을 이해하고, 저자가 언급하거나 추정하는 역사적 세부 사항을 모두 확인해 본다.

9장 문학적 맥락_ 본문이 전체 책에서 담당하는 역할을 파악한다.

4부 의미(Meaning)_ 본문은 무엇을 의미하는가

10장 성경 신학_ 우리가 연구하는 본문이 성경의 전체 흐름과 메시지와 어떻게 연관되어서 그리스도를 가리키는지 생각해 본다.

11장 조직 신학_ 우리가 연구하는 본문이 신학적으로 전체 성경과 어떻게 일관되는지 분별한다. 특히 복음과 직접 관련된 핵심 교리들을 평가해 본다.

5부 적용(Application)_ 본문이 왜 중요한가

12장 실천 신학_ 그리스도의 중심성과 복음의 소망을 강조하면서 텍스트를 자기 자신, 교회, 세상에 적용해 본다.

이제 당신이 하나님의 살아 있고 영속적인 말씀을 단지 가까이 하기 위해서가 아니라 깊이 있게 알기 위해 점차 더 많이 읽기를 바란다. 당신이 하나님 말씀을 (순서대로) 연구하고, 실천하고, 가르치기를 기도한다. 구약을 **그리스도의** 성경으로 복종하는 마음을 가지고 접근하기를 기도한다. 그리고 그렇게 할 때 빌립처럼 "모세가 율법에 기록하였고 여러 선지자가 기록한 그이를 우리가 만났으니 …… 나사렛 예수니라"(요 1:45)라고 말할 수 있기를 기도한다. 예수는 "너희가 성경에서 영생을 얻는 줄 생각하고 성경을 연구하거니와 이 성경이 곧 내게 대하여 증언하는 것이니라"(5:39)라고 말씀하셨다. 당신의 텍스트 작업, 문학적, 역사적 분석, 그리고 신학이 당신을 감동시켜 성경을 통해, 그리고 궁극적으로는 그리스도의 얼굴에서 매우 아름답고 자비롭게 자신을 계시하신 하나님을 예배하고 높이게 하기를 기도한다.

부록

KINGDOM 성경 읽기 표

오직 하나님 말씀을 읽어서만 우리는 여호와를 **경외하며**, 그래서 그분을 **따르게** 만드는 방식으로 여호와의 음성을 듣게 된다(신 31:12-13. 6장 1-3절, 17장 19-20절, 요한복음 6장 44-45절 참조). "이는[성경은] 너희에게 헛된 일이 아니라 너희의 생명이니"(신 32:47). 하나님의 순결하고, 완전하고, 영원한 말씀과 만나야만(시 12:6, 119:96, 160) 사람들은 다음과 같이 될 수 있다.

- 그리스도 안에서 거듭난다(시 119:93, 롬 10:17, 약 1:18, 벧전 1:23)
- 거룩함을 위한 능력을 부여받는다(시 119:50, 요 17:17, 딤후 3:17, 벧후 1:4).
- 영광으로 이르게 된다(신 8:3, 롬 1:16, 딤후 3:15).
- 언제나 만족한다(시 1:2, 19:10, 벧전 1:23).

사람은 "하나님의 입으로부터 나오는 모든 말씀으로" 말미암아 산다(마 4:4. 신명기 8장 3절 참조). 그래서 우리는 하나님의 책에 푹 잠겨야 한다(신 6:7, 수 1:7-8, 시 1:3, 78:5-8). 우리는 은을 찾듯이 성경의 진리들을 찾아야 하고, 그 가르침을 깊이 생각하며, 우리의 연구가 경외감과 의지와 순종을 낳게 되기를, 그리고 선포에서 넘쳐흐르게 되기를 열정적으로 바라야 한다(스 7:10, 잠 2:4, 사 66:2, 딤후 2:7, 15, 벧전 4:11).

하나님이 그분 자신과 그분의 목적들을 우리가 이해할 수 있는 방식으로 나타내신다는 점에서, 성경은 하나님이 그리스도 안에서 하나님의 영광을 위하여 언약을 통해 통치하시고, 구원하시고, 만족케 하시는 하나님 나라의 좋은 소식에 대한 것이다(눅 4:43, 24:44-47, 행 1:3, 20:25, 26:22-23, 28:23, 31). KINGDOM 성경 읽기 표는 하나님 나라(kingdom)라는 성경의 틀에서 그 이름을 가져온 것이다. 이 성경 읽기 표는 다음과 같은 특징을 지닌다.

1. 이 읽기 표는 구약과 신약의 상대적 길이를 고려해서 그에 비례하는 비중을 부여한다. 하루에 구약은 세 부분, 신약은 한 부분을 읽는다.
2. 구약 읽기는 예수의 성경 배열을 따른다(눅 24:44. 율법서, 선지서, 시가서). 매일 각 부분에서 한 부분씩 읽는다.
3. 1년에 시편은 두 번, 다른 성경은 한 번 읽게 된다. 시편을 두 번째 읽을 때(회색으로 강조된 부분)는 율법서(창세기-신명기) 읽기에 추가된다. 시편의 다섯 '권'은 경계선으로 구분된다.
4. 이 읽기 표는 한 달에 스물다섯 번만 읽게 되어 있다. 날마다 읽는 것에 더 융통성을 부여하기 위해서다.
5. 이 읽기 표는 한 해 중 어느 때든 시작할 수 있다. 하루에 네 부분을 읽는 것이 많다면, 이 읽기 표를 2년 또는 그 이상 늘려서 읽을 수도 있다(하루에 한 칸, 두 칸, 또는 세 칸을 읽는 식으로).

1월			
구약 율법서 (& 시편)	구약 선지서	구약 시가서	신약
창	수	룻	마
1. □□ 1:1-2:3	□ 1-2	□ 1	□ 1
2. □ 2:4-25	□ 3-4	□ 2	□ 2
3. □ 3	□ 5-6	□ 3-4	□ 3
		시	
4. □ 4	□ 7	□ 1-2	□ 4
5. □ 5:1-6:8	□ 8	□ 3-4	□ 5:1-20
6. □ 6:9-7:24	□ 9	□ 5-6	□ 5:21-48
7. □ 8	□ 10	□ 7-8	□ 6
8. □ 9	□ 11-12	□ 9	□ 7
9. □ 10:1-11:9	□ 13-14	□ 10	□ 8
10. □ 11:10-32	□ 15-16	□ 11-12	□ 9
11. □ 12	□ 17-18	□ 13-14	□ 10
12. □ 13	□ 19	□ 15-16	□ 11
13. □ 14	□ 20-21	□ 17	□ 12:1-21
14. □ 15	□ 22	□ 18	□ 12:22-50
15. □ 16	□ 23-24	□ 19	□ 13:1-30
	삿		
16. □ 17	□ 1	□ 20-21	□ 13:31-58
17. □ 18	□ 2	□ 22	□ 14
18. □ 19	□ 3	□ 23-24	□ 15
19. □ 20	□ 4	□ 25	□ 16
20. □ 21	□ 5	□ 26	□ 17
21. □ 22	□ 6	□ 27	□ 18
22. □ 23	□ 7	□ 28-29	□ 19
23. □ 24:1-28	□ 8	□ 30	□ 20
24. □ 24:29-67	□ 9	□ 31	□ 21:1-22
25. □ 25	□ 10-11	□ 32-33	□ 21:23-46

2월			
구약 율법서 (& 시편)	구약 선지서	구약 시가서	신약
창	삿	시	마
1. □ 26	□ 12-13	□ 34	□ 22
2. □ 27	□ 14-15	□ 35	□ 23
3. □ 28	□ 16	□ 36	□ 24:1-28
4. □ 29	□ 17-18	□ 37	□ 24:29-51
5. □ 30	□ 19	□ 38	□ 25
6. □ 시 1-2	□ 20	□ 39	□ 26:1-35
7. □ 시 3-4	□ 21	□ 40	□ 26:36-75
	삼상		
8. □ 31:1-24	□ 1:1-2:11	□ 41	□ 27:1-31
9. □ 31:25-55	□ 2:12-36	□ 42-43	□ 27:32-66
10. □ 32	□ 3-4	□ 44	□ 28
			막
11. □ 33	□ 5-6	□ 45	□ 1:1-20
12. □ 시 5-6	□ 7-8	□ 46-47	□ 1:21-45
13. □ 시7-8	□ 9	□ 48	□ 2
14. □ 34	□ 10-11	□ 49	□ 3
15. □ 35	□ 12	□ 50	□ 4
16. □ 36:1-37:1	□ 13	□ 51	□ 5
17. □ 시 9-10	□ 14	□ 52-54	□ 6:1-29
18. □ 시11-13	□ 15	□ 55	□ 6:30-56
19. □ 37:2-36	□ 16	□ 56	□ 7
20. □ 38	□ 17	□ 57	□ 8:1-9:1
21. □ 39	□ 18	□ 58	□ 9:2-29
22. □ 40	□ 19	□ 59	□ 9:30-50
23. □ 시14-16	□ 20	□ 60-61	□ 10:1-31
24. □ 시 17	□ 21-22	□ 62	□ 10:32-52
25. □ 시 18	□ 23-24	□ 63-64	□ 11

3월			
구약 율법서 (& 시편)	구약 선지서	구약 시가서	신약
창	삼상	시	막
1. □ 41:1-36	□ 25	□ 65	□ 12:1-17
2. □ 41:37-57	□ 26-27	□ 66-67	□ 12:18-44
3. □ 42	□ 28-29	□ 68	□ 13
4. □ 시 19	□ 30-31	□ 69	□ 14:1-31
	삼하		
5. □ 시 20-21	□ 1	□ 70-71	□ 14:32-72
6. □ 43	□ 2	□ 72	□ 15
7. □ 44	□ 3	□ 73	□ 16
			눅
8. □ 45	□ 4-5	□ 74	□ 1:1-38
9. □ 46	□ 6	□ 75-76	□ 1:39-80
10. □ 47	□ 7	□ 77	□ 2:1-21
11. □ 시 22	□ 8-9	□ 78:1-39	□ 2:22-52
12. □ 시 23-24	□ 10-11	□ 78:40-72	□ 3
13. □ 48	□ 12	□ 79	□ 4:1-30
14. □ 49	□ 13	□ 80	□ 4:31-44
15. □ 50	□ 14	□ 81-82	□ 5
16. □ 시 25	□ 15	□ 83	□ 6:1-16
17. □ 시 26	□ 16	□ 84	□ 6:17-49
출			
18. □ 1-2	□ 17	□ 85	□ 7:1-35
19. □ 3:1-4:17	□ 18	□ 86-87	□ 7:36-50
20. □ 4:18-5:23	□ 19	□ 88	□ 8:1-25
21. □ 6	□ 20	□ 89	□ 8:26-56
22. □ 7	□ 21	□ 90	□ 9:1-27
23. □ 시 27	□ 22	□ 91	□ 9:28-62
24. □ 시 28-29	□ 23	□ 92-93	□ 10:1-20
25. □ 시 30	□ 24	□ 94	□ 10:21-42

4월			
구약 율법서 (& 시편)	구약 선지서	구약 시가서	신약
출	왕상	시	눅
1. □ 8	□ 1	□ 95	□ 11:1-26
2. □ 9	□ 2	□ 96	□ 11:27-54
3. □ 10-11	□ 3	□ 97	□ 12:1-21
4. □ 시 31	□ 4-5	□ 98-99	□ 12:22-59
5. □ 시 32	□ 6	□ 100-101	□ 13
6. □ 12:1-28	□ 7	□ 102	□ 14
7. □ 12:29-51	□ 8	□ 103	□ 15
8. □ 13	□ 9	□ 104	□ 16
9. □ 14	□ 10	□ 105	□ 17
10. □ 15	□ 11	□ 106	□ 18
11. □ 시 33	□ 12	□ 107	□ 19:1-27
12. □ 시 34	□ 13	□ 108	□ 19:28-48
13. □ 시 35	□ 14	□ 109	□ 20:1-26
14. □ 16	□ 15	□ 110-111	□ 20:27-47
15. □ 17	□ 16	□ 112-114	□ 21
16. □ 18	□ 17	□ 115	□ 22:1-38
17. □ 시 36	□ 18	□ 116-117	□ 22:39-71
18. □ 시 37	□ 19	□ 118	□ 23:1-25
19. □ 19	□ 20	□ 119:1-40	□ 23:26-56
20. □ 20	□ 21	□ 119:41-72	□ 24:1-12
21. □ 21	□ 22	□ 119:73-104	□ 24:13-53
	왕하		요
22. □ 22	□ 1-2	□ 119:105-136	□ 1:1-28
23. □ 23	□ 3	□ 119:137-176	□ 1:29-51
24. □ 시 38	□ 4	□ 120-122	□ 2
25. □ 시 39	□ 5	□ 123-125	□ 3

5월

구약 율법서 (& 시편)	구약 선지서	구약 시가서	신약
출	왕하	시	요
1. ☐ 24	☐ 6	☐ 126-128	☐ 4
2. ☐ 25	☐ 7	☐ 129-131	☐ 5
3. ☐ 시 40	☐ 8	☐ 132-133	☐ 6:1-40
4. ☐ 시 41	☐ 9	☐ 134-135	☐ 6:41-71
5. ☐ 26	☐ 10	☐ 136	☐ 7:1-24
6. ☐ 27	☐ 11-12	☐ 137-138	☐ 7:25-52
7. ☐ 28	☐ 13	☐ 139	☐ 7:53-8:30
8. ☐ 시 42-43	☐ 14	☐ 140	☐ 8:31-59
9. ☐ 시 44	☐ 15	☐ 141-142	☐ 9
10. ☐ 시 45	☐ 16	☐ 143	☐ 10
11. ☐ 29	☐ 17	☐ 144	☐ 11:1-27
12. ☐ 30	☐ 18	☐ 145	☐ 11:28-57
13. ☐ 31	☐ 19	☐ 146	☐ 12:1-19
14. ☐ 시 46-47	☐ 20	☐ 147	☐ 12:20-50
15. ☐ 시 48	☐ 21	☐ 148	☐ 13
16. ☐ 시 49	☐ 22	☐ 149-150	☐ 14
17. ☐ 32	☐ 23	욥	☐ 15
18. ☐ 33	☐ 24	☐ 1	☐ 16
19. ☐ 34	☐ 25	☐ 2	☐ 17
20. ☐ 시 50	렘	☐ 3	☐ 18
21. ☐ 시 51	☐ 1	☐ 4	☐ 19
22. ☐ 시 52-54	☐ 2	☐ 5	☐ 20
23. ☐ 35	☐ 3	☐ 6	☐ 21
24. ☐ 36	☐ 4	☐ 7	행
25. ☐ 37	☐ 5	☐ 8	☐ 1
	☐ 6	☐ 9	☐ 2:1-41

6월

구약 율법서 (& 시편)	구약 선지서	구약 시가서	신약
출	렘	욥	행
1. ☐ 38	☐ 7	☐ 10	☐ 2:42-3:26
2. ☐ 39	☐ 8	☐ 11	☐ 4
3. ☐ 40	☐ 9	☐ 12	☐ 5
4. ☐ 시 55	☐ 10	☐ 13	☐ 6
5. ☐ 시 56	☐ 11-12	☐ 14	☐ 7:1-29
6. ☐ 시 57	☐ 13	☐ 15	☐ 7:30-60
레			
7. ☐ 1-2	☐ 14	☐ 16	☐ 8
8. ☐ 3-4	☐ 15-16	☐ 17	☐ 9:1-19
9. ☐ 5:1-6:7	☐ 17	☐ 18	☐ 9:20-43
10. ☐ 6:8-29	☐ 18	☐ 19	☐ 10
11. ☐ 7	☐ 19-20	☐ 20	☐ 11
12. ☐ 시 58	☐ 21	☐ 21	☐ 12
13. ☐ 시 59	☐ 22	☐ 22	☐ 13:1-12
14. ☐ 시 60-61	☐ 23	☐ 23	☐ 13:13-52
15. ☐ 8	☐ 24-25	☐ 24	☐ 14
16. ☐ 9	☐ 26	☐ 25-26	☐ 15
17. ☐ 10	☐ 27	☐ 27	☐ 16
18. ☐ 시 62-63	☐ 28	☐ 28	☐ 17
19. ☐ 시 64-65	☐ 29	☐ 29	☐ 18
20. ☐ 시 66-67	☐ 30	☐ 30	☐ 19
21. ☐ 11	☐ 31	☐ 31	☐ 20
22. ☐ 12:1-13:37	☐ 32	☐ 32	☐ 21
23. ☐ 13:38-59	☐ 33	☐ 33	☐ 22
24. ☐ 시 68	☐ 34	☐ 34	☐ 23
25. ☐ 시 69	☐ 35	☐ 35	☐ 24

7월

구약 율법서 (& 시편)	구약 선지서	구약 시가서	신약
레	렘	욥	행
1. ☐ 14	☐ 36	☐ 36	☐ 25
2. ☐ 15	☐ 37	☐ 37	☐ 26
3. ☐ 16	☐ 38	☐ 38	☐ 27
4. ☐ 시 70-71	☐ 39-40	☐ 39	☐ 28
			롬
5. ☐ 시 72	☐ 41-42	☐ 40	☐ 1
6. ☐ 17	☐ 43-45	☐ 41	☐ 2
7. ☐ 18	☐ 46-47	☐ 42	☐ 3
		잠	
8. ☐ 19	☐ 48	☐ 1	☐ 4
9. ☐ 20	☐ 49	☐ 2	☐ 5
10. ☐ 시 73	☐ 50	☐ 3	☐ 6
11. ☐ 시 74	☐ 51	☐ 4	☐ 7
12. ☐ 시 75-76	☐ 52	☐ 5	☐ 8
	겔		
13. ☐ 21	☐ 1	☐ 6	☐ 9
14. ☐ 22	☐ 2-3	☐ 7	☐ 10
15. ☐ 23	☐ 4-5	☐ 8	☐ 11
16. ☐ 24	☐ 6-7	☐ 9	☐ 12
17. ☐ 시 77	☐ 8-9	☐ 10	☐ 13
18. ☐ 시 78:1-39	☐ 10-11	☐ 11	☐ 14
19. ☐ 시 78:40-72	☐ 12	☐ 12	☐ 15
20. ☐ 25:1-46	☐ 13	☐ 13	☐ 16
			고전
21. ☐ 25:47-26:13	☐ 14-15	☐ 14	☐ 1
22. ☐ 26:14-46	☐ 16	☐ 15	☐ 2
23. ☐ 27	☐ 17	☐ 16	☐ 3
24. ☐ 시 79	☐ 18-19	☐ 17	☐ 4
25. ☐ 시 80	☐ 2	☐ 18	☐ 5

8월

구약 율법서 (& 시편)	구약 선지서	구약 시가서	신약
민	겔	잠	고전
1. ☐ 1	☐ 21	☐ 19	☐ 6
2. ☐ 2	☐ 22	☐ 20	☐ 7
3. ☐ 3	☐ 23	☐ 21	☐ 8
4. ☐ 시 81-82	☐ 24	☐ 22	☐ 9
5. ☐ 시 83	☐ 25-26	☐ 23	☐ 10
6. ☐ 4	☐ 27	☐ 24	☐ 11
7. ☐ 5	☐ 28	☐ 25	☐ 12
8. ☐ 6	☐ 29	☐ 26	☐ 13
9. ☐ 시 84	☐ 30	☐ 27	☐ 14
10. ☐ 시 85	☐ 31	☐ 28	☐ 15:1-34
11. ☐ 7:1-41	☐ 32	☐ 29	☐ 15:35-58
12. ☐ 7:42-89	☐ 33	☐ 30	☐ 16
			고후
13. ☐ 8	☐ 34-35	☐ 31	☐ 1
		전	
14. ☐ 시 86-87	☐ 36	☐ 1	☐ 2
15. ☐ 시 88	☐ 37	☐ 2	☐ 3
16. ☐ 시 89	☐ 38	☐ 3	☐ 4
17. ☐ 9	☐ 39	☐ 4	☐ 5
18. ☐ 10	☐ 40	☐ 5	☐ 6
19. ☐ 11	☐ 41-42	☐ 6	☐ 7
20. ☐ 시 90	☐ 43	☐ 7	☐ 8
21. ☐ 시 91	☐ 44	☐ 8	☐ 9
22. ☐ 시 92-93	☐ 45	☐ 9	☐ 10
23. ☐ 12-13	☐ 46	☐ 10	☐ 11
24. ☐ 14:1-19	☐ 47	☐ 11	☐ 12
25. ☐ 14:20-45	☐ 48	☐ 12	☐ 13

9월

구약 율법서 (& 시편)	구약 선지서	구약 시가서	신약
민	사	아	갈
1. □ 15	□ 1	□ 1	□ 1
2. □ 16:1-24	□ 2	□ 2	□ 2
3. □ 16:25-50	□ 3-4	□ 3	□ 3
4. □ 17	□ 5	□ 4	□ 4
5. □ 시 94	□ 6-7	□ 5	□ 5
6. □ 시 95	□ 8	□ 6	□ 6
			엡
7. □ 시 96	□ 9	□ 7	□ 1
8. □ 18	□ 10	□ 8	□ 2
		애	
9. □ 19	□ 11-12	□ 1	□ 3
10. □ 20	□ 13	□ 2	□ 4
11. □ 시 97	□ 14	□ 3	□ 5
12. □ 시 98-99	□ 15-16	□ 4	□ 6
			빌
13. □ 시 100-101	□ 17-18	□ 5	□ 1
		단	
14. □ 21	□ 19-20	□ 1	□ 2
15. □ 22	□ 21	□ 2	□ 3
16. □ 23	□ 22	□ 3	□ 4
			골
17. □ 시 102	□ 23	□ 4	□ 1
18. □ 시 103	□ 24	□ 5	□ 2
19. □ 24	□ 25-26	□ 6	□ 3
20. □ 25	□ 27	□ 7	□ 4
			살전
21. □ 26	□ 28	□ 8	□ 1
22. □ 27	□ 29	□ 9	□ 2
23. □ 시 104	□ 30	□ 10	□ 3
24. □ 시 105	□ 31-32	□ 11	□ 4
25. □ 시 106	□ 33	□ 12	□ 5

10월

구약 율법서 (& 시편)	구약 선지서	구약 시가서	신약
민	사	애	살후
1. □ 28	□ 34-35	□ 1	□ 1
2. □ 29	□ 36	□ 2	□ 2
3. □ 30	□ 37	□ 3-4	□ 3
			딤전
4. □ 시 107	□ 38-39	□ 5-6	□ 1
5. □ 시 108	□ 40	□ 7-8	□ 2
6. □ 시 109	□ 41	□ 9-10	□ 3
		스	
7. □ 31	□ 42	□ 1-2	□ 4
8. □ 32	□ 43	□ 3-4	□ 5
9. □ 33	□ 44	□ 5	□ 6
			딤후
10. □ 시 110-112	□ 45	□ 6	□ 1
11. □ 시 113-114	□ 46-47	□ 7	□ 2
12. □ 시 115	□ 48	□ 8	□ 3
13. □ 34	□ 49	□ 9	□ 4
			딛
14. □ 35	□ 50	□ 10	□ 1
		느	
15. □ 36	□ 51	□ 1-2	□ 2
16. □ 시 116-117	□ 52-53	□ 3	□ 3
			몬
17. □ 시 118	□ 54-55	□ 4	□ 1
신			히
18. □ 1:1-18	□ 56	□ 5-6	□ 1
19. □ 1:19-46	□ 57	□ 7	□ 2
20. □ 2	□ 58	□ 8	□ 3
21. □ 3	□ 59	□ 9	□ 4
22. □ 4:1-43	□ 60-61	□ 10	□ 5
23. □ 시119:1-40	□ 62-63	□ 11	□ 6
24. □ 시119:41-72	□ 64-65	□ 12	□ 7
25. □ 시 119:73-104	□ 66	□ 13	□ 8

11월

구약 율법서 (& 시편)	구약 선지서	구약 시가서	신약
신	호	대상	히
1. □ 4:44-6:3	□ 1	□ 1	□ 9
2. □ 6:4-25	□ 2-3	□ 2	□ 10:1-18
3. □ 7	□ 4	□ 3-4	□ 10:19-39
4. □ 8	□ 5-6	□ 5	□ 11:1-22
5. □ 시 119:105-136	□ 7	□ 6	□ 11:23-40
6. □ 시 119:137-176	□ 8	□ 7	□ 12
7. □ 시 120-122	□ 9	□ 8	□ 13
			약
8. □ 9	□ 10	□ 9-10	□ 1
9. □ 10	□ 11-12	□ 11	□ 2
10. □ 11	□ 13-14	□ 12	□ 3
	욜		
11. □ 시 123-125	□ 1	□ 13-14	□ 4
12. □ 시 126-128	□ 2	□ 15	□ 5
			벧전
13. □ 12	□ 3	□ 16	□ 1
	암		
14. □ 13	□ 1	□ 17	□ 2
15. □ 14	□ 2	□ 18-19	□ 3
16. □ 15	□ 3	□ 20-21	□ 4
17. □ 시 129-131	□ 4	□ 22	□ 5
			벧후
18. □ 시 132-134	□ 5	□ 23	□ 1
19. □ 16	□ 6	□ 24-25	□ 2
20. □ 17	□ 7	□ 26	□ 3
			요일
21. □ 18	□ 8	□ 27	□ 1
22. □ 시 135	□ 9	□ 28	□ 2
	옵		
23. □ 시 136	□ 1	□ 29	□ 3
	욘	대하	
24. □ 19	□ 1-2	□ 1-2	□ 4
25. □ 20	□ 3-4	□ 3-4	□ 5

12월

구약 율법서 (& 시편)	구약 선지서	구약 시가서	신약
신	미	대하	요이
1. □ 21	□ 1	□ 5:1-6:11	□ 1
			요삼
2. □ 22	□ 2	□ 6:12-42	□ 1
			유
3. □ 23	□ 3	□ 7	□ 1
			계
4. □ 시 137-138	□ 4	□ 8	□ 1
5. □ 시. 139	□ 5	□ 9	□ 2
6. □ 24	□ 6	□ 10-11	□ 3
7. □ 25	□ 7	□ 12-13	□ 4
	나		
8. □ 26	□ 1-2	□ 14-15	□ 5
9. □ 시 140	□ 3	□ 16-17	□ 6
	합		
10. □ 시 141-142	□ 1	□ 18-19	□ 7
11. □ 27:1-28:14	□ 2	□ 20	□ 8
12. □ 28:15-29:1	□ 3	□ 21	□ 9
	습		
13. □ 시 143	□ 1	□ 22-23	□ 10
14. □ 시 144	□ 2	□ 24	□ 11
15. □ 시 145	□ 3	□ 25	□ 12
	학		
16. □ 29:2-29	□ 1-2	□ 26	□ 13
	슥		
17. □ 30	□ 1-2	□ 27-28	□ 14
18. □ 31:1-29	□ 3-5	□ 29	□ 15
19. □ 시 146	□ 6-7	□ 30	□ 16
20. □ 시 147	□ 8	□ 31	□ 17
21. □ 31:30-32:52	□ 9-10	□ 32	□ 18
22. □ 33	□ 11-12	□ 33	□ 19
23. □ 34	□ 13-14	□ 34	□ 20
	말		
24. □ 시 148	□ 1-2	□ 35	□ 21
25. □ 시 149-150	□ 3-4	□ 36	□ 22

용어 해설

DSS_ 사해 문서를 보라.

IOUS_ 존 파이퍼가 하나님 말씀에 접근할 때 어떻게 기도할지 알도록 돕기 위해 개발한 두문자어. "내 마음을 주의 증거들에게 향하게 하시고(**I**ncline)"(시 119:36), "내 눈을 열어서(**O**pen) 주의 율법에서 놀라운 것을 보게 하소서"(시 119:18). "일심으로(**U**nite my heart) 주의 이름을 경외하게 하소서"(86:11). "아침에 주의 인자하심이 우리를 만족하게 하사(**S**atisfy) 우리를 일생 동안 즐겁고 기쁘게 하소서"(90:14). (서론)

KINGDOM_ 하나님 나라 건설 계획의 구속적 흐름을 요약하는 두문자어. 개시와 반역(**K**ickoff and rebellion), 축복의 도구(**I**nstrument of blessing), 구속받고 위임받은 민족(**N**ation redeemed and commissioned), 그 땅의 정부(**G**overnment in the land), 이산과 귀환(**D**ispersion and return), 시대의 중복(**O**verlap of the age), 사명 완수(**M**ission accomplished). (10장)

LXX_ 칠십인 역을 보라.

MT_ 마소라 본문을 보라.

TaNaK_ 예수의 성경을 율법서(תּוֹרָה, *tôrâ*), 선지서(נְבִיאִים, *nĕbîʾim*), 시가서(또는 '다른 성경', כתובים., *kĕtûbîm*)의 세 부분으로 배열한다. 이 두문자어는 세 주요 부분 각 제목의 첫 번째 히브리어에서 나온 것이다. (1장)

TOCMA_ 드루치의 **성경 해석**의 광범위한 다섯 단계를 요약하는 두문자어. 그 단계는 '텍스트'(**T**ext), '관찰'(**O**bservation), '맥락'(**C**ontext), '의미'(**M**eaning), '적용(**A**pplication)이다. (서론)

가족법(family law, 내용 범주)_ 이스라엘 가정을 관장하는 비민사적 국내법. (1, 12장)

간접 명령형(jussive)_ **익톨**을 보라.

감사 시편/감사의 시(psalms of thanksgiving)_ 고난 후에 해방 또는 공급에 대한 감사의 표현. (1장)

강화 표지(discourse markers)_ 주요 목적이 어의적 의미를 전달하는 것이기보다는 특별한 구조적 특징들을 표시하는 것인 히브리어 구문. 어떤 것들은 번역되지 않는다. (2장)

개념 등가(idea-equivalence)_ **어휘적 대응, 문법적 대응,** 또는 **역사적 대응**은 거의 유지하려 하지 않고, 오로지 성경의 개념만 전달하려는 번역 방식. '의역'(paraphrase)이라고도 한다. **형식 등가**와 **의미 등가** 참고. (4장)

결의론적 율법(casuistic laws)_ 특정 환경들과 관련된, 상황적인 율법들을 밝히는 공식적 범주. 종종 '만일-그러면.' **절대법** 참고. (1장)

결합된 미완료(conjoined imperfect)_ **베익톨**을 보라.

결합된 완료(conjoined perfect)_ **베카탈**을 보라.

경고/징벌의 신탁(oracles of warning/punishment)_ 언약 저주들에 부합하는 하나님의 징벌의 성질을 선언하는 선지자의 말. (1장)

고발의 신탁(oracles of indictment)_ 특정한 언약 위반 또는 여호와에 대한 범죄들을 밝히는 선지자의 말. (1장)

과거형(preterite)_ **바익톨**을 보라.

교훈의 신탁(oracles of instruction)_ 하나님이 백성에게 기대하시는 바 하나님의 언약 규정들에 부합하는 반응을 명확하게 설명하는 선지자의 말. (1장)

구(phrase)_ 절에서 하나의 자리(slot)를 채우는 한 무리의 단어들. (5장)

구문론(syntax)_ 단어들이 결합해서 **절**과 **문장**(소구문)과 더 큰 텍스트 단위들(대구문)을 형성하는 방식. (5장)

구원사(salvation history)_ 다양한 언약, 사건, 사람, 제도를 통해 하나님 나라 계획을 전개하는 점진적 내러티브로, 모두 예수의 위격과 사역 안에서 절정에 이른다. (10장)

귀결절(apodosis)_ 두 부분으로 된 구문론적 구성에서 결론부 또는 '그러면' 부분('만일-그러면', '……할 때-그때', '왜냐하면-그러므로'). **조건절** 참조. (2, 5장)

그리스도 완결적(Christotelic)_ 구약 역사 전부(마 2:15)와 율법(5:17-18), 예언(행 3:18)이 예수 안에서 결말 또는 목적에 이른다는(로마서 10장 4절 참조) 개념의, 또는 그 개념과 관련된. (10장)

그리스도의 구약 '성취'(Christ's 'fulfilling' the Old Testament)_ 예수께서 구약에서 예상하는 모든 것을 종말론적으로 실현한다는 개념. 직접적이거나 예표적인 예언을 통해서든, 모든 것에 우선하는 구속사적 궤적을 통해서든, 예수께서 구약의 모든 소망과 그림자의 목표이자 종결이라는 견해. (12장)

그리스도의 율법(law of Christ)_ **그리스도의 구약 성취**를 통해 신약 신자들에게 적용될 수 있는 그리스도의 사랑의 법의 구성. 이 법에 대한 우리의 순종은 율법을 지키는 것에 대한 예수의 비할 바 없는 모범과, 예수께서 과거의 죄 사함 및 미래의 약속에 의해 우리가 순종하도록 비할 바 없는 능력을 주시는 것에 의해 부채질된다. 또한 '온전한 율법', '자유의 율법', '최고의 법'(약 1:25, 2:8, 12)이라고도 한다. (12장)

긍휼법(compassion law, 내용 범주)_ 다른 사람을 향한 자선, 정의, 자비를 다루는 '율법.' 정확히 말해서 법정에서 시행할 수 있는 법은 아니지만, 하나님은 마음을 아신다. (1, 12장)

내적 증거(internal evidence)_ 저자가 썼을 가능성이 가장 많은 것이 무엇이며, 어떤 상이한 독법들이 서기관들의 비의도적 변경과 의도적 변경으로 가장 잘 설명할 수 있는지 결정하는 데 사용되는 요소들. **외적 증거** 참조. (3장)

단어 색인(concordance)_ 구약이나 신약에 어떤 단어나 구가 나오는 모든 경우를 열거한 책. 보통 특정 문맥에서 그 용법에 대한 예문이 뒤이어 나온다. (7장)

대조적 결합(contrastive matching)_ **미표시절**과 인접한 **표시절**이 함께 하나의 사건이나 개념의 대조적인 두 부분으로 취급받을 때의 결과. 이러한 결합은 종종 동사가 먼저 나오는 기본 절(즉, **바익톨** 또는 **베카탈** = V_) 바로 다음에 비동사가 먼저 나오는 표시절(_V)이 나오는데, 그 결과 'V_+_V' 유형이 만들어진다. **동일한 결합** 참조. (5장)

도덕법(moral law, 일부 사람들이 제안한 신학적 범주)_ 일부 사람들이 시간이나 언약에 상관없이 영원히 적용할 수 있다고 믿는 모세 율법의 기본적인 윤리 원리 범주. **의식법**과 **민법** 참조. (12장)

동사 없는 절(verbless clause)_ 명백한 정형 동사가 없는 **절**. 술부는 명사, 형용사, 전치사구, 또는 다른 명사적 형태와 함께 암묵적인 조동사로 구성되어 있다. '명목상의 절'(nominal clause)라고도 한다. (5장)

동일한 결합(identical matching)_ 일련의 **표시절**이 하나의 사건에 대해 두 개 이상의 동조된 요소들을 묘사한 결과. 여기서는 두 개 이상의 표시된, 비동사가 먼저 나오는 절들이 인접해서 나오며, 그 결과 '_V+_V' 유형이 나온다. **대조적 결합** 참조. (5장)

동작 동사(dynamic verbs)_ 행동을 표현하는 동사이고, 주어의 계속되거나 진행되는 행동을 보여 준다. '지속 동사'(fientive)라고도 한다. **상태 동사** 참조. (5장)

동작류(*Aktionsart*, 독일어로 '행동의 종류')_ 동사구에 있는 것으로 여겨지는 (그저 묘사된 것만이 아니라) 실제 절차적 특징과 관련된 언어의 어휘적 특징. '역동성'('역동적' 대 '정적'), '계속성'('계속적' 대 '특정 시점'), 그리고 '목적성'('목적을 나타내는' 대 '목적이 없는')은 모두 동작류의 특징이다. (5장)

등위 관계(coordinate relationships)_ **명제들** 또는 사고 단위들이 나란히 나오며, 등급이나 두드러짐 면에서 대등한 의미론적 관계. **종속 관계** 참조. (6장)

마소라 본문(Masoretic Text, MT)_ 히브리어 성경의 표준 **텍스트**. '마소라'(Masoretic)라고 불리는 이유는 그것이 마소라 학파(Masoretes), 곧 주후 500-1000년에 일한 유대인 서기관 학파들의 텍스트 전통이기 때문이다. (3장)

마소라 파르바(소 마소라, Masorah parva)_ 히브리어 성경에 나오는 작은 난외주들로, 변경되지 않은 텍스트를 보존하기 위한 것. 작은 동그라미는 보통 어떤 단어에 해설이 달려 있다는 것을 나타낸다. 그 해설들은 보통 단어가 나오는 횟수, 단어 배치, 철자의 특성들 등을 다룬다. (3장)

명령형(imperative). 직접 명령을 내리는 데 사용되는 동사 유형. 히브리어에서 명령형은 언제나 이인칭으로 되어 있다. (2, 5장)

명목상의 절(nominal clause)_ **동사 없는 절**을 보라.

명제(proposition)_ 본문 안에 나오는 독특한 사고. (6장)

무류하다(infallible)_ 오류를 저지를 수 없다. (원래 형태와 맞춰져 있는 한) 성경이 확실하고 안전한 안내자라는 견해와 관련되어 있다. 믿음(교리)과 실천(윤리)에 대한 그 주장에서 잘못이 없고 완전히 신뢰할 수 있다. (서론, 1장)

무오하다(inerrant)_ 오류를 포함하지 않다. (원래 형태와 맞춰져 있는 한) 성경이 그 모든 주장에서 참되고 믿을 만하다는 견해와 관련되어 있다. (역사, 지리, 연대, 과학 등과 같은) 사실에 대한 주장에서 오류가 없고 완전히 믿을 만하다. (서론, 1장)

문맥에 맞추는 요소(contextualizing constituent)_ 절 앞에 예상치 않게 배치되어 기본 단어 순서를 바꿈으로써 청중이 더 큰 문맥을 향하도록 하는 형식. **초점** 참조. (5장)

문법(grammar)_ 어떤 언어가 효과적으로 의사소통하기 위해 사용하는 전체 체제와 구성. (5장)

문법적 대응(grammatical correspondence)_ 원문의 단어 순서와 **구문**이 번역문에서 얼마나 유사하게 맞춰져 있는가 하는 척도. **역사적 대응**과 **어휘적 대응** 참조. (4장)

문장(sentence)_ 모든 **종속절**을 갖고 있는 **주절**. (5장)

문학적 기능(literary function)_ 어떤 책 안에서 본문의 목적과 기여. (9장)

문학적 논증(literary argument)_ 저자가 자기 청중이 보기를 의도하는 대로 실상을 전달하기 위해 자신의 사고를 구성하는 방식. 논증들은 믿음이나 행동을 강제로 추구한다. 그리고 그것들은 내러티브 플롯, 권고적 설교, 시적 기도 등과 같은 모든 장르에서 나온다. (6장)

문학적 단위(literary unit)_ 분명한 시작이나 끝을 가지고 있는 텍스트의 별개 구분. 문학적 단위는 전체 텍스트 블록이 될 수도 있고, 형식과 내용으로 표시된 **텍스트 블록** 내의 한 단락일 수도 있다.

문학적 맥락(literary contexts)_ 어떤 본문이 나오는 문학적 배경, 그리고 어떤 본문이 그 책의 전반적 이야기나 논증에 기여하는 방식. (9장)

문학적 배치(literary placement)_ 본문이 속한 책 안에서 그 본문의 위치. (9장)

문학적 세부 사항(literary details)_ 어떤 텍스트를 구별하고 그것의 전반적인 기여를 밝히는 데 도움을 주는 텍스트의 특별한 특징이나 측면들. (9장)

문학적-정경적 연관(literary-canonical connections)_ 성경의 최종 형태 저술 및 구조와 그것의 역사적 세부 사항들 안에 나오는 성경-신학적 연결들. (10장)

미완료(imperfect)_ **익톨**을 보라.

미완료상(imperfective aspect)_ 행동을 하나의 과정으로 묘사함. '그가 사과를 먹고 있었다'와 같은 경우. **상**을 보라. **완료상** 참조. (5장)

미표시절(unmarked clause)_ 다른 요소들이 달리 유도하지 않는다면, 정해진 **텍스트 유형**에서 자동으로 연속성(즉 시간적 또는 논리적 연계)을 표현하는 동사 유형을 포함하는 **절**. **표시절** 참조. (2, 5장)

민법(civil law, 내용 범주)_ 특정 율법들의 **내용**과 관련된 범주. 시민 또는 조직 간에 일어난 개인적 분쟁으로, 공적 당국에 판단을 호소하거나 개입을 요청한 것. 피해자는 국가나 민족 공동체가 아니다. **의식법**과 **도덕법** 참조. (1, 12장)

민법(civil law, 일부 사람들이 제안한 신학적 범주)_ 시간에 속박된 이스라엘의 정치적, 사회적 구조와 관련되어 있으며, 그렇기 때문에 더는 새 언약 시대에 적용되지 않는 율법의 범주. **의식법**과 **도덕법** 참

고. (12장)

바브 연속 미완료(waw-consecutive imperfect)_ **바익톨**을 보라.

바익톨(wayyiqtol)_ 앞의 절에 매여 있으며 상은 완료적인 정형 동사 형태. **역사적 강화**에서 기본 **술어** 역할을 하는데, 이때는 거의 언제나 과거 **시제**다. '바브 연속 미완료' 또는 '과거형'이라고도 한다. (2, 5장)

법(mood)_ 그 행동이나 상태가 실제인가 아니면 가능한 것일 뿐인가를 대답하는 동사 표현. 직설법('그가 히브리어를 공부한다')은 가정법('그가 히브리어를 공부하면 좋을 텐데')과 대조를 이룬다. 히브리어는 어형 변화 없이 단어 순서와 문맥으로 법을 표시한다. '법성'이라고도 한다. (5장)

법성(modality)_ **법**을 보라.

베익톨(weyiqtol)_ 특정한 **텍스트 유형**의 정형 동사 형태. 예를 들어, 의지를 나타내는 동사 다음에 목적 **절**을 표시하기 위해 사용된다. 형태상 그것은 단순한 וְ가 **익톨**에 첨부된 것이다. '결합된 미완료'라고도 한다. (2, 5장)

베카탈(weqatal)_ 특정한 **텍스트 유형**에서 앞의 **절**에 매여 있는 정형 동사 형태. 예를 들어, **예상적 강화**에서, 그리고 처음에 **미완료**가 나온 후에는 **지시적 강화**에서 기본 **술어** 유형으로 사용된다. 형태상 그것은 단순한 וְ가 **카탈**에 첨부된 것이다. 하지만 종종 강세가 마지막 음절로 옮겨 간다. '결합된 완료'라고도 한다. (2, 5절)

복음(gospel)_ 통치하시는 하나님이 그리스도 예수의 삶과 죽음과 부활에 의해 믿는 죄인들을 구원하시고 만족시키신다는 좋은 소식. (11장)

본문 비평(text criticism)_ 성경의 다양한 사본들과 역본들을 비교 대조하여 성경 저자의 원래 표현을 회복하는 연구 분야. (3장)

본문 지평(textual horizon)_ 본문이 원래 저자에게 무엇을 의미했는지에 초점을 맞추는 성경 본문에 대한 견해. 바로 앞뒤의 **문학적 맥락**을 다루면서, 단어들 및 그 단어들에 영향을 끼쳤을 **신학** 둘 다를 설명한다. (10장)

불가타 역(Vulgate)_ 주후 4세기 말까지 거슬러 올라가는 서방 교회의 표준 성경. 구약 부분은 히에로니무스가 히브리어 텍스트를 라틴어로 번역한 것으로 구성되어 있다. (3장)

비의도적 변경(unintentional changes)_ 텍스트의 오류들로 (1) 필사되고 있는 사본, (2) 서기관의 오류, (3) 구술 또는 잘못 들은 것, (4) 서기관의 판단 등과 관련된다. (3장)

비평의 원리(principle of criticism)_ 해석자들은 성경 진리가 옳다고 입증되기까지 처음에는 그 진리에 대해 회의적이어야 한다는 고등 비평적 견해. 이에 반해, 그 원 자료와 일치하는 증거를 사려 깊게 평가하는 일에 관여하는 것이 더 낫다. (1장)

사랑 원리(love principle)_ 정해진 구약 율법에서 가르치는 지속적인 기본적, 윤리적 진리로 하나님과 이웃에 대한 사랑이 어떻게 표현되어야 하는지를 분명하게 밝히는 것. (12장)

사마리아 오경(Samaritan Pentateuch)_ 사마리아 공동체의 오경으로, 사마리아 공동체는 북 왕국이 포

로로 잡혀간 후에 생겨난 반(半) 유대인 분리 집단이다. 이 집단은 모세오경만 정경으로 인정했다. (3장)

사해 문서(Dead Sea Scrolls, DSS)_ 1947년과 그 직후 사해의 쿰란 지역에서 발견된 **텍스트들**. 그 연대와 기원 때문에 그 문서들은 본문 비평 연구에서 매우 중요하게 여겨진다. (3장)

삽입 강화 단위(embedded discourse units)_ 더 고급 수준의 강화를 차단하는 **텍스트 블록**(Text block). 거의 언제나 처음에 나오는 접속사 생략절로 표시되는 삽입 강화는 **직접 화법** 형태를 취하는 경우가 가장 흔하다. 하지만 그것은 또한 재진술을 위해서든, 명확하게 하기 위해서든, 뒷받침하기 위해서든 강화의 주요 행에서 벗어난 다른 형태들을 제공할 수도 있다. (2, 5장)

상(aspect)_ 화자가 어떤 행동을 표현하거나 묘사하는 방식. 히브리어에서 기초가 되는 상은 **완료상**과 **미완료상**이다. (5장)

상태 동사(stative verbs)_ 행동보다는 주어의 상태를 서술하는 동사. 그 동사들은 종종 생각이나 감정, 관계, 감각, 존재 상태와 관련되어 있다. **동작 동사** 참조. (5장)

상호 관계의 원리(principle of correlation)_ 해석자들이 잠재적인 역사적 인과 관계를 자연적 힘이나 인간 대행자로 국한시켜야 한다는 고등 비평적 견해. 이에 반해, 인과 관계를 넓혀 모든 (하나님과 같은) '인격적' 힘을 포함시키고 단지 자연적이거나 유형적인 힘에만 국한시키지 않는 것이 더 낫다. (1장)

선지자(prophet)_ 하늘 법정의 언약적 사신으로, 하나님이 자신을 위해 백성에게 전파하도록, 그리고 백성을 위해 하나님께 기도하도록 위임하신 사람이다. (1장)

성경 신학(biblical theology)_ 성경 모두가 어떻게 서로 잘 맞고 그리스도를 가리키는지 연구하는 방법. 성경이 하나님, 그리고 그분과 세상의 관계에 대해 계시하는 것을 분석하고 종합하는 한 가지 방식으로, 전체 성경, 특히 구약과 신약이 어떻게 진전되고 통합되어 그리스도 안에서 절정에 이르는가와 관련하여 나름대로 유기적으로 구원사적 연관 및 문학적-정경적 연관을 맺는 방식. **신학**을 보라. **실천 신학**과 **조직 신학** 참조. (10장)

성경 해석(Biblical Interpretation)_ 주해를 하고 그 다음에 신학을 하기 위해 그 주해를 이용하는 과정. 이 과정에는 살아 계신 하나님과의 인격적인 만남이 수반되는데, 그것은 변화된 삶을 가져온다. **주해**와 **신학**을 보라. (서론)

성경의 메시지(Bible's message)_ 하나님이 그리스도 안에서 그분의 영광을 위하여 언약을 통해 (하나님 나라를) 통치하시고, 구원하시고, 만족케 하신다는 개념. (10장)

성경의 명료성(perspicuity of Scripture)_ 성경의 명확성의 교리. 저자들이 자신의 독자에게 얼마나 많은 것을 추정하는지를 언제나 알 수는 없지만, 하나님 말씀의 특성 자체는 그 메시지가 어떤 문화, 어떤 시대에도 이해될 것을 요구한다. 성경은 충분히 분명하다. 그러나 그 안에 있는 것이 모두 동일하게 분명하지는 않다. (8장)

성경의 받침점(Bible's fulcrum)_ 모든 역사가 가리키고 모든 성취가 나오는 분인 그리스도 예수. (10장)

성경의 초점(Bible's focus)_ 하나님의 영광. (10장)

성경의 틀(Bible's frame)_ 하나님 나라. 하나님이 하나님의 영광을 위해 하나님의 땅에서 하나님의 백성을 통치하시는 것. (10장)

성경의 형식(Bible's form)_ 아담-노아 언약, 아브라함 언약, 모세 언약, 다윗 언약, 새 언약을 구성하는 언약들의 진전을 풀어 놓은 구약과 신약. (10장)

소망/구원의 신탁(oracles of hope/salvation)_ 언약의 회복 축복에 부합하는 미래의 소망이나 해방을 단언하는 선지자의 말. (1장)

수정(emendation)_ 알려진 텍스트를 원래에 더 가까운 독법으로 돌아가기 위해 변경하는 과정. (3장)

술어(predicate)_ 주어와 관련된 상태나 과정, 행동. 술어는 정형 동사일 수도 있고, 명백한 동사가 없는 다른 명사나 형용사로서 동사 없는(또는 명목상의) 절을 만들어 낼 수도 있다. (5장)

시대 지평(epochal horizon)_ **구원사** 안에서 본문의 위치와 관련된 성경 본문에 대한 관점. 텍스트가 궁극적으로 그리스도 안에서 절정에 이르는 하나님 나라 목적들의 전개에서 어디에 들어맞는지를 다룬다. (10장)

시제(tense)_ 시간(예를 들어, 과거, 현재, 미래). 예를 들어, 영어는 단순 과거('그는 그것을 먹었다')와 미래('그는 그것을 먹을 것이다')를 사용한다. 성서 히브리어는 시제 변화가 없다. 그래서 어떤 행동의 시제는 언제나 문맥에 따라 결정된다.(5장)

신뢰 시편/신뢰의 시(psalms of trust)_ 고난 가운데서 신뢰에 대한 선언. (1장)

신탁(oracle)_ **선지자**를 통한 신적 선언으로, 현재의 인간 행동들을 지시하거나 미래 사건들을 예언하는 것. (1장)

신학(theology)_ 하나님에 대한 연구. 특히, 여기서 신학은 **주해**의 통합과 의미를 묘사하기 위해 사용된다. **성경 해석, 성경 신학, 실천 신학, 조직 신학**을 보라. (서론)

신학 용어집(theological wordbook)_ 성경 곳곳에 나오는 많은 용어들의 모든 주요 용법을 개관하고, 종종 성경 외에서 그 용어들의 용법을 언급하는 글들로 구성된 책. (7장)

신학적 선별(theological triage)_ 교리들을 1차적(기독교에 본질적인 것), 2차적(합리적 경계들), 또는 3차적(사소한 의견 불일치) 등으로 평가하는 것. (11장)

실천 신학(practical theology)_ 한 본문에서 성경 저자가 의도한 효과에 대한 연구와 적용. **신학**을 보라. **성경 신학**과 **조직 신학** 참조. (12장)

양식 비평(form criticism)_ **장르 분석**을 보라.

어원이 같은 언어(cognate)_ 관련된 언어에서 나온 비슷한 어휘. (7장)

어형론(morphology)_ 어떻게 (형태소[morphemes]라고 하는) 가장 작은 문법 단위가 결합해서 어간과 단어들을 형성하는지에 대한 연구. (5장)

어휘 사전(lexicon)_ 어떤 언어의 단어들을 보통 자모순으로 열거하며, 다른 언어에서 같은 뜻을 가진 단

어들을 통해 그 의미의 범위를 부여하는 책. (7장)

어휘적 대응(lexical correspondence)_ 번역자들이 원전 텍스트에 나오는 개별 단어들을 대상 언어의 개별 단어들로 얼마나 밀접하게 번역하려 하는지를 가늠하는 척도. **문법적 대응**과 **역사적 대응** 참조. (4장)

에피소드(episode)_ 내러티브 안에 있는 문학 단위로, 여러 **장면**으로 형성됨. (2장)

역본(versions)_ 고대 **텍스트들**의 번역본들. **본문 비평**의 기본 도구 중 하나. (3장)

역사적 강화(historical discourse)_ 일련의 부수적 사건들을 전달하는 구약 내러티브의 **텍스트 유형**. 보통 과거 **시제**로 되어 있다. 기본 유형은 **바익톨 절**이다. **예상적 강화**와 **지시적 강화** 참조. (2장)

역사적 대응(historical correspondence)_ 번역자가 성경 시대와 연관된 사실적, 문화적 요소들을 얼마나 면밀하게 그대로 지니고 있는지 가늠하는 척도. **문법적 대응**과 **어휘적 대응** 참조. (4장)

역사적 맥락(historical context)_ 본문이 공간과 시간에서 어디에 맞는가, 그리고 이 자료가 본문 읽기를 어떻게 형성하는가. (8장)

연구하라→행하라→가르치라(study→do→teach)_ 에스라의 **성경 해석**의 세 측면(스 7:10). '가르치기' 위해 '행하기' 위해 '연구하라.' (서론)

예상적 강화(anticipatory discourse)_ 앞으로 올 사건들을 예언하거나 약속하는 **텍스트 유형**. 때로는 성공을 조건으로 함. 보통 미래 **시제**. 기본 유형은 **베카탈 절**이다. **지시적 강화**와 **역사적 강화** 참조. (2장)

예표론(typology)_ 하나님의 **특별 계시**의 역사적 틀 안에 있는 인물, 사건, 제도 및 다른 것들에 대해 계시된 진리들 가운데 유추되는 대응들에 대한 연구. 예언적 성질을 지니고 있으며, 의미가 단계적으로 강화된다. 때로 예표적 관계들은 나중에 회고해 볼 때에만 확인할 수 있다. (10장)

완료(perfect)_ **카탈**을 보라.

완료상(perfective aspect)_ (필연적으로 '완성된 행동'은 아니지만) 완전한 전체에 대한 묘사. '그가 사과를 먹었다' 또는 '그는 사과를 먹는다'의 경우와 같다. **상**을 보라. **미완료상** 참조. (5장)

외적 증거(external evidence)_ 텍스트의 원래 표현을 결정하는 데 도움이 되는 사본의 연대와 특질 등과 같은 요소들. **내적 증거** 참조. (3장)

우발적 변경(accidental changes)_ 사본의 물리적 손상으로 인한 텍스트상의 오류. (3장)

유추의 원리(principle of analogy)_ 해석자들이 '역사'라고 평할 수 있는 것을 경험에 대한 제시로 국한시켜야 한다는 고등 비평적 견해. 이에 반해, 역사적 타당성은 역사가들 자신이 개인적으로 아무런 관련이 없는 일들에 대한 믿음을 주장한 것들의 타당성으로 판단하는 것이 더 낫다. (1장)

음운론(phonology)_ 정해진 언어에서 사용되던 소리 체계(음소[phonemes])에 대한 연구. (5장)

의도적 변경(intentional changes)_ 텍스트상의 오류로, (1) 고의적인 개조, (2) 고의적으로 단어나 문구를 빼먹는 것, (3) 설명적 해설 등과 관련된다. (3장)

의미 등가(sense-equivalence)_ 텍스트의 역사적-사실적 특징들을 그대로 유지하고 히브리어와 헬라어의 의미를 포착하는 반면, 단어, **문법**, 문체는 주저 없이 대상 언어의 일반적인 단어, 구조, 관용구로 옮기는 번역의 한 방식. **형식 등가**와 **개념 등가** 참조. (4장)

의식법(ceremonial law, 일부 사람들이 제안한 신학적 범주)_ 그리스도 안에서 그 예표적 결말에 이르렀으며, 그렇기 때문에 더는 그리스도인들에게 적용되지 않는 이스라엘의 종교적 의식 및 제의적 예배와 관련된 상징적 요구 사항을 지닌 율법들의 범주. **민법**과 **도덕법** 참조. (12장)

의역(paraphrase)_ **개념 등가**를 보라.

이미 그러나 아직(already but not yet)_ 이미 시작되었지만 아직 완성되지 않은 하나님 나라의 성질을 밝히는 종말론적 표현. 하나님의 약속들에 관해서 그것은 신자들을 위한 하나님 나라의 모든 복은 '이미' 예수 안에서 확보되어 있지만 우리는 지금 그중 일부만 누리는 반면 다른 것들은 완성된 새 하늘과 새 땅에서 장차 누릴 것을 기다린다는 뜻이다. (12장)

익톨(yiqtol)_ 히브리어 정형 동사 형태 중 하나. '장형'(long) 형태는 종종 '접두'(prefixed) 형태 또는 '미완료'(imperfect)라고 하는데, **시제**가 아니라 그것의 **미완료상**을 말한다. 비직설법적으로 나오는 것은 보통 **절**의 맨 처음 위치에 나온 것에 의해 표시된다. '단형'(short) '익톨' 형태는 보통 첫 번째 위치에서 의지적으로 작용한다. (종종 '청유형'[cohortative]이라고도 하는) 일인칭 형태는 결정을 표현하며, 종종 ָה 접미사(어미음 첨가의 ה)를 가지고 있다. 그것은 스스로에게 역점을 둔다(예를 들어, '우리가 가자'). (종종 '간접 명령'[jussive]이라고도 하는) 삼인칭 의지 동사는 화자의 바람을 표현한다(예를 들어, '그가 가기를'). (2, 5장)

자필 문서(autograph)_ 성경 기자들이 쓴 원래 문서. (3장)

잠언(proverb)_ 일반 진리나 조언의 말을 진술하는, 흔히 사용되는 간결하고 기억할 만한 말. (1장)

장르(genre)_ 보통 그 나름의 주해적 규칙들을 요구하는 확인 가능한 문학적 범주. (1장)

장르 분석(genre analysis)_ 특정 텍스트 단위의 형태, 주제, 목적에 대한 검토. 또한 **양식 비평**이라고도 한다. (1장)

장면(scene)_ 다른 장면들과 결합해서 **에피소드**를 형성하는 내러티브 안의 문학적 하위 단위. (2장)

전사 텍스트(diplomatic text)_ 현대 본문 비평가들이 만든 고대 텍스트의 비평 연구 판으로, 하나의 고대 사본에서 나왔으며 어떠한 재구성도 포함하지 않는 것. **절충 텍스트** 참고. (3장)

전환 표지/절정 표지(transition/climax markers)_ 전환과 절정, 또는 전환이나 절정을 표시하는 **강화 표지**로 사용된 וַיְהִי와 וְהָיָה로, 종종 새로운 단락 또는 소단락을 시작한다. (2장)

절(clause)_ 주어와 그 **술어**로 구성된 가장 기본적인 문법 구문으로 독립적으로 존재할 수 있으며 완전한 사고를 표현한다. 절은 접속사 및 다양한 수식어들과 같은 연결 단어들을 포함할 수도 있다. 절은 **주절**이거나 **종속절**일 수 있다. (5장)

절대법(apodictic laws)_ 기본 원리인 율법들을 밝히는 공식 범주로, 어떤 조건이나 예외도 허용하지 않는 방식으로 진술됨. **결의론적 율법** 참조. (1장)

절충 텍스트(eclectic text)_ 현대 본문 비평가들이 만든 고대 텍스트의 비평 연구 판으로, 그들의 재구성된 텍스트를 포함하며 어떤 하나의 텍스트 전통과도 맞춰서 조정되지 않는다. **전사 텍스트** 참조. (3장)

접미사가 붙은 형태(suffixed form)_ **카탈**을 보라.

접속사 생략(asyndeton)_ 접속사가 없는 것. **절** 앞에서 접속사 생략은 보통 (1) 새로운 시작(즉 새 강화 단위나 **텍스트 블록**의 시작) 또는 (2) 해설(즉, 앞에 나온 텍스트 단위의 재진술이나 명시, 지지). (2장)

정경 지평(canonical horizon)_ 더 광범위한 정경 안에서 텍스트 배치와 사용이 어떻게 하나님이 본문에 의도하신 것을 이해하도록 형성하는지를 고찰하는 성경 본문에 대한 견해. 여기서 우리는 다음과 같은 것들을 염두에 둔다. (1) 계시의 점진적 성질, (2) 모든 역사는 그리스도의 규정 짓는 역사에 의해 영향을 받는다는 것, (3) 성경의 신적 권위는 나중 텍스트들이 이전 텍스트들의 의미를 명확하게 하거나, 향상시키거나, 심화시키는 것을 허용한다. (10장)

제왕 시편(royal psalms)_ 여호와의 지상 통치를 나타낼, 유례없는 인간 왕에 초점을 맞추는 노래들. (1장)

제의법/의식법(cultic/ceremonial law)_ 이스라엘 종교의 가시적 형태와 의식들을 관장하는 율법의 범주. (1, 12장)

조건절(protasis)_ 두 부분으로 된 구문 구조('만일-그러면', '……할 때-그때', '왜냐하면-그러므로')에서 조건(또는 '만일') 부분. **귀결절** 참고. (2, 5장)

조직 신학(systematic theology)_ 우리가 적절한 세계관을 형성하도록 돕기 위해 만들어진 성경 교리에 대한 연구. **신학**을 보라. **성경 신학**과 실천 **신학 참조.** (11장)

종속 관계(subordinate relationships)_ **명제** 또는 사고 단위가 더 높은 계층에 있거나 더 두드러진 것들을 입증하는 어의적 관계. 종속 관계는 재진술이나 별도 진술, 대조적 진술에 의해 뒷받침된다. **등위 관계** 참조. (6장)

종속절(subordinate clause)_ 수식어 역할을 하거나 상위의 절에 들어 있는 **절**로, '소년에 불과한 다윗은 골리앗을 죽였다'라는 문장에서 '소년에 불과한'이 종속절이다. **주절** 참조. (5장)

주요 내용 예고(markers of immediate significance)_ 강화에서 이어서 나올 것에 주의를 집중시키는 절 수식어. 히브리어에서 הִנֵּה와 הֵן. (5장)

주(모체['어머니'])절(main[matrix, "mother"] clause)_ 문법적으로 다른 더 높은 차원의 절에 종속되지 않는 절. '소년에 불과한 다윗은 골리앗을 죽였다'라는 구문에서, '다윗은 골리앗을 죽였다'가 주절을 형성한다. **종속절** 참조. (5장)

주해(exegesis)_ 성경 저자들이 그들의 텍스트가 어떤 의미를 지니도록 의도했는지를 개인적으로 발견하는 것. **성경 해석**을 보라. **신학** 참조. (서론)

지속 동사(fientive verbs)_ **동작 동사**를 보라.

지시적 강화(directive discourse)_ 명령이나 권고의 **텍스트 유형**(text type). 때로 정해진 과업을 위한 점진적 지시 형태로 나타난다. 기본 유형은 **베카탈 절**로, 보통 처음에 하나 또는 그 이상의 명령형이 나온다.

예상적 강화와 **역사적 강화** 참조. (2장)

직접 화법(direct speech)_ 어떤 강화에 인용을 통해 삽입된 실제 말로, 그 나름의 독립적 성질을 포함한다. (5장)

찬양 시편/찬양의 시(psalms of praise)_ 하나님이 어떤 분인지, 특히 창조주와 구속주로 어떤 일을 하셨는지 찬양하는 시편들. (1장)

철자론(orthography)_ 자모 및 그 글자들이 어떻게 결합하여 소리를 나타내고 단어를 형성하는지에 대한 연구. (5장)

청유형(cohortative)_ **익톨**을 보라.

초점(focus)_ **절** 앞에 예상치 않게 배치되어 기본 단어 순서를 바꿈으로써, 두드러진 정보를 강조하는 형태. **문맥에 맞추는 요소** 참조. (5장)

추론 표지(inference markers)_ 강화 안에 있는 거시적 상황에서 논리적 추론을 표시하는 말들. 히브리어에서는 לָכֵן와 וְעַתָּה. (5장)

칠십인 역(Septuatint, LXX)_ 구약을 헬라어로 번역한 것으로, 초대 교회의 성경이다. 칠십인 역은 **본문 비평**에 대단히 중요하다. 그 독법 중 일부가 DSS에서 입증되기는 하지만, 이것을 MT보다 훨씬 우월한 것으로 여기는 학자는 거의 없을 것이다. (3장)

카탈(qatal)_ 성서 히브리어에서 일반적으로 **완료상**과 과거 **시제**를 표현하는 정형 동사. 학자들은 '완료' 또는 '접미사가 붙은 형태'라고도 부른다. '완료'는 시제가 아니라 '완료상'을 말한다. (2, 5장)

케티브-케레(Kethiv-Qere)_ 히브리어 성경에서 독자들에게 서기관들이 텍스트 내용에 있는 어떤 단어가 한 가지 방식('케티브')으로 기록되었지만 다른 방식('케레')으로 읽어야 한다고 믿었음을 경고해 주는 주석. 텍스트 안에서 케티브 자음들은 케레 모음들과 함께 기록되어 있으며, 난외에는 케레의 자음들이 있다. 그것은 텍스트에 나오는 케티브와 함께 기록된 모음들과 결합되어야 한다. 인쇄된 텍스트에서, 케티브 위에 도드라지게 나오는 작은 동그라미는 보통 어떤 단어가 케레를 가지고 있다는 것을 밝혀 준다. 전자 텍스트에서, 케티브 바로 다음에는 보통 괄호 안에 케레가 나온다. (3장)

탄원 시편/탄원의 시(psalms of lament)_ 고난 가운데서 도움을 청하는 부르짖음. (1장)

탈굼 역(Targum)_ 히브리어 성경을 아람어로 번역한 것으로 아람어를 모국어로 하는 포로 시대 이후 유대인을 위해 만들어졌다. 탈굼은 자유롭게 의역하는 경향이 있다. (3장)

태(voice)_ 동사와 그 주어의 관계에 대한 표현. 특히 태는 동사의 주어가 행동을 하는지, 행동의 대상인지를 나타낸다. 태에 대해서 영어에서는 능동태('빌이 공을 쳤다')와 수동태('공이 빌에 의해 쳐졌다')가 있다. (5장)

텍스트(texts)_ 히브리어 성경의 고대 사본들과 단편들. **본문 비평**의 기본 도구 중 하나다. **역본** 참조. (3장)

텍스트 블록(text block)_ 하나의 강화 단위로 읽도록 되어 있는 **절** 무리. 텍스트 블록은 보통 접속사 없는 절(Ø)로 시작하며 וְ('그리고') 절들의 연속으로 이어지지만, 접속사 없는 절 또는 사고의 주요 계열을 명확하게 하거나 뒷받침하는 것이 표시된 **종속절**로 시작되는 삽입 단위/텍스트 블록을 포함할 수도 있다. (2장)

텍스트 유형(text types)_ 히브리어 강화의 다양한 종류(즉, **예상적, 지시적, 역사적**). 그 모든 것은 미표시 자료와 표시 자료를 구분하기 위해 그들 나름의 **술어** 유형을 활용한다. (2장)

텍스트의 계층 구조(text hierarchy)_ 모든 종속적 자료들은 들여 쓰고 모든 관련 자료들을 일직선으로 맞추어 사고 흐름을 시각적으로 보여 주는 방식. (2장)

특별 계시(special revelation)_ "성경". 하나님이 그분의 기록된 말씀을 통해 우리가 이해할 수 있는 방식으로 그분 자신과 그분의 뜻을 나타내신 것. (서론)

페쉬타 역(Peshitta)_ 수리아 교회에서 사용하던 구약 수리아 역. 수리아어는 아람어의 후대 방언이다. (3장)

표시된 이차 인용(marked secondary citation)_ (1) 더 자세한 말 또는 말들을 요약하고, (2) 많은 사람의 진술을 하나의 목소리로 제시하며, (3) 다른 등장인물이 전에 한 말을 어떤 등장인물이 인용하도록 하고, (4) 정식 등장인물보다는 소품 또는 실제로 그 자리에 있지 않고 현재 대화에 참여하지 않는 사람에게서 나오며, (5) 화자들이 말한 주요 요점들에 대한 공식 기록 역할을 하는 **직접 화법**. **표시된 일차 인용** 참조. (2장)

표시된 일차 인용(marked primary citation)_ (1) 하나의 사건을 보고하고, (2) 등장인물들이 개별적으로 말하게 하며, (3) 이전 대화에서 나온 것을 다시 말하는 것이 아니고, (4) 이야기 안에 나오는 정식 등장인물들을 다루며, (5) 직접 대화에 대한 생생한 기록으로 기능하는 **직접 화법**. (2장)

표시절(marked clause)_ 기본 유형이 아닌 어떤 유형을 포함하는 절로, 배경, 단락 전환, 극적인 절정 등과 같은 문학적 특징들을 나타낸다. **미표시절** 참조. (2, 5장)

하나님의 모든 경륜(whole counsel of God)_ 성경에 계시된 바 구원사 안에 있는 하나님의 목적 전체(행 20:27). (서론)

하팍스 레고메논(hapax legomenon, 헬라어로 '단 한 번만 말한')_ 단어 자체가 유일무이하기 때문이든 그 철자가 유일무이하기 때문이든, 성경 본문에 단 한 번만 나오는 특정 형태. (3장)

형법(criminal law, 내용 범주)_ 전체 공동체의 안녕을 위험에 처하게 하는 범죄나 위반을 관장하는 율법의 범주. 피해자는 국가 또는 민족 공동체이며, 그렇기 때문에 전체 공동체를 대신해서 최고의 국가 권위의 이름으로 처벌한다. 이스라엘에서 그 권위는 여호와를 의미했다. (1, 12장)

형식 등가(form-equivalence)_ 원어와 수용 언어 간에 단어, **문법**, 역사를 되도록 그대로 대응하는 번역 방식. **개념 등가**와 **의미 등가** 참조. (4장)

참고 문헌

Abegg, Martin G., Jr., James E. Bowley, and Edward M. Cook, eds. *The Dead Sea Scrolls Concordance.* 3 vols. Leiden: Brill, 2003-9.

Abegg, Martin G., Jr., Peter Flint, and Eugene Ulrichap. *The Dead Sea Scrolls Bible.* San Francisco: HarperSanFrancisco, 1999.

Accordance. http://www.accordancebible.com/.

Adam, Peter. "Preaching and Biblical Theology." *NDBT* 104-12.

Aharoni, Yohanan. *The Land of the Bible: A Historical Geography.* 2nd ed. Philadelphia: Westminster, 1979.

Aharoni, Yohanan, Michael Avi-Yonah, Anson F. Rainey, Ze'ev Safrai, and R. Steven Notley. *The Carta Bible Atlas.* 5th ed. Jerusalem: Carta, 2011. 「카르타 성서 지도」, 아가페.

Alcorn, Randy. "Prosperity Theology: The Gospel of Wealth." In *Money, Possessions, and Eternity*, 75-92. 2nd ed. Wheaton, IL: Tyndale House, 2003. 「돈, 소유, 영원」, 토기장이.

Alexander, Philip S. "Targum, Targumim." *ABD* 6:320-31.

Alexander, T. Desmond. *From Eden to the New Jerusalem: An Introduction to Biblical Theology.* Grand Rapids: Kregel, 2008. 「에덴에서 새 예루살렘까지」, 부흥과개혁사.

_________. *From Paradise to the Promised Land: An Introduction to the Pentateuch.* Grand Rapids: Baker Academic, 2012.

Alexander, T. Desmond, and David W. Baker, eds. *Dictionary of the Old Testament: Pentateuch.* Downers Grove, IL: InterVarsity Press, 2003.

Alexander, T. Desmond, and Brian S. Rosner, eds. *New Dictionary of Biblical Theology: Exploring the Unity and Diversity of Scripture.* Downers Grove, IL: InterVarsity Press, 2000. 「IVP 성경 신학 사전」, IVP.

Allison, Gregg R. *Sojourners and Strangers: The Doctrine of the Church.* Foundations of Evangelical Theology. Wheaton, IL: Crossway, 2012.

Alter, Robert. *The Art of Biblical Narrative.* 2nd ed. New York: Basic Books, 2011.

_________. *The Art of Biblical Poetry.* 2nd ed. New York: Basic Books, 2011.

Andersen, Francis I. *The Hebrew Verbless Clause in the Pentateuch.* JBLMS 14. Nashville: Abingdon, 1970.

_________. *The Sentence in Biblical Hebrew.* Janua Linguarum, Series Practica 231. The Hague: Mouton, 1974.

Anderson, Bernhard W., and Steven Bishop. *Out of the Depths: The Psalms Speak for Us Today.* 3rd ed.

Louisville: Westminster John Knox, 2000.

The Aramaic Bible. 19 vols. Collegeville, MN: Liturgical Press, 1987-2007.

Arnold, Bill T., and Bryan Beyer, eds. *Readings from the Ancient Near East: Primary Sources for Old Testament Study*. Encountering Biblical Studies. Grand Rapids: Baker Academic, 2002.

Arnold, Bill T., and John H. Choi. *A Guide to Biblical Hebrew Syntax*. Cambridge: Cambridge University Press, 2003.

Arnold, Bill T., and Richard S. Hess, eds. *Ancient Israel's History: An Introduction to Issues and Sources*. Grand Rapids: Baker Academic, 2014.

Arnold, Bill T., and H. G. M. Williamson, eds. *Dictionary of the Old Testament: Historical Books*. Downers Grove, IL: InterVarsity Press, 2005.

Baker, David L. *Two Testaments, One Bible: The Theological Relationship between the Old and New Testaments*. 3rd ed. Downers Grove, IL: InterVarsity Press, 2010. 「구약과 신약의 관계」, 부흥과개혁사.

Baker, David W. "Israelite Prophets and Prophecy." In *The Face of Old Testament Studies: A Survey of Contemporary Approaches*, edited by David W. Baker and Bill T. Arnold, 266-94. Grand Rapids: Baker Academic, 2004.

Baker, David W., and Bill T. Arnold. *The Face of Old Testament Studies: A Survey of Contemporary Approaches*. Grand Rapids: Baker Academic, 2004.

Balla, Peter. "Challenges to Biblical Theology." *NDBT* 20-27.

Bandy, Alan S., and Bejamin L. Merkle. *Understanding Prophecy: A Biblical-Theological Approach*. Grand Rapids: Kregel, 2015.

Barker, William S., and W. Robert Godfrey, eds. *Theonomy: A Reformed Critique*. Grand Rapids: Zondervan, 1991.

Barr, James. *The Semantics of Biblical Language*. London: Oxford University Press, 1961; repr., Eugene, OR: Wipf & Stock, 2004.

Barrett, Matthew. "'Bigger Is Better': When the Prosperity Gospel Creeps into the Evangelical Churchap." *Credo* 4, 2 (2014): 27-29.

Barrett, Michael P. V. "Christ in the Covenants." In *Beginning at Moses: A Guide to Finding Christ in the Old Testament*, 109-44. Greenville, SC: Ambassador-Emerald International, 1999.

Barrick, William D. "Inter-Covenantal Truth and Relevance: Leviticus 26 and the Biblical Covenants." *MSJ* 21, 1 (2010): 81-102.

________. "The Kingdom of God in the Old Testament." *MSJ* 23, 2 (2012): 173-92.

________. "The Mosaic Covenant." *MSJ* 10, 2 (1999): 213-32.

________. "New Covenant Theology and the Old Testament Covenants." *MSJ* 18, 2 (2007): 165-80.

Barthélemy, Dominique. *Studies in the Text of the Old Testament: An Introduction to the Hebrew Old Testament Text Project.* Textual Criticism and the Translator 3. Winona Lake, IN: Eisenbrauns, 2012.

Barthélemy, Dominique, et al. *Preliminary and Interim Report of the Hebrew Old Testament Text Project.* 5 vols. New York: United Bible Societies, 1974-80.

Bartholomew, Craig, Mary Healy, Karl Möller, and Robin Parry, eds. *Out of Egypt: Biblical Theology and Biblical Interpretation.* Scripture and Hermeneutics 5. Grand Rapids: Zondervan, 2004.

Bateman, Herbert W., IV, ed. *Three Central Issues in Contemporary Dispensationalism: A Comparison of Traditional and Progressive Views.* Grand Rapids: Kregel, 1999.

Bateman, Herbert W., IV, Darrell L. Bock, and Gordon H. Johnston. *Jesus the Messiah: Tracing the Promises, Expectations, and Coming of Israel's King.* Grand Rapids: Kregel, 2012.

Bauer, Hans, and Pontus Leander. *Historische Grammatik der hebraischen Sprache des Alten Testamentes.* 2 vols. Halle: Niemeyer, 1918-22.

Bauer, Johannes B., ed. *Encyclopedia of Biblical Theology.* 3 vols. London: Sheed & Ward, 1970; repr., New York: Crossroad, 1981.

Bavinck, Herman. *Reformed Dogmatics.* Edited by John Bolt. Translated by John Vriend. 4 vols. Grand Rapids: Baker Academic, 2003-8.

Baylor *Handbooks on the Hebrew Bible.* Waco, TX: Baylor University Press, 2006-.

Beale, G. K. "The Cognitive Peripheral Vision of Biblical Authors." *WTJ* 76, 2 (2014): 263-93.

_________. "Eschatology." *DLNT* 330-45.

_________. *Handbook on the New Testament Use of the Old Testament: Exegesis and Interpretation.* Grand Rapids: Baker Academic, 2012. 「신약의 구약 사용 핸드북」, 부흥과개혁사.

_________. *A New Testament Biblical Theology: The Unfolding of the Old Testament in the New.* Grand Rapids: Baker Academic, 2011. 「신약 성경 신학」, 부흥과개혁사.

_________. "The Relevance of Jewish Backgrounds for the Study of the Old Testament in the New." In *Handbook on the New Testament Use of the Old Testament: Exegesis and Interpretation*, 103-32. Grand Rapids: Baker Academic, 2012.

_________, ed. *The Right Doctrine from the Wrong Texts? Essays on the Use of the Old Testament in the New.* Grand Rapids: Baker Academic, 1994.

Beale, G. K., and D. A. Carson, eds. *Commentary on the New Testament Use of the Old Testament.* Grand Rapids: Baker Academic, 2007. "신약의 구약 사용 주석 시리즈", 기독교문서선교회.

Beale, G. K., and Benjamin L. Gladd. *Hidden but Now Revealed: A Biblical Theology of Divine Mystery.* Downers Grove, IL: InterVarsity Press, 2014. 「하나님의 비밀」, 새물결플러스.

Beckwith, Roger T. "The Canon of Scripture." *NDBT* 27-34.

_________. *The Old Testament Canon of the New Testament Church and Its Background in Early Judaism.*

Grand Rapids: Eerdmans, 1985.

________. "The Unity and Diversity of God's Covenants." *TynBul* 38 (1987): 93-118.

Beekman, John, and John Callow. *Translating the Word of God*. Dallas: Summer Institute of Linguistics, 1974.

Beitzel, Barry J. *The New Moody Atlas of the Bible*. Chicago: Moody, 2009. 「NEW 무디 성서 지도」, 아가페.

Bennett, Patrick R. *Comparative Semitic Linguistics: A Manual*. Winona Lake, IN: Eisenbrauns, 1998.

Ben-Tor, Amnon, ed. *The Archaeology of Ancient Israel*. Translated by R. Greenberg. New Haven, CT: Yale University Press, 1994.

Berding, Kenneth, and Jonathan Lunde, eds. *Three Views on the New Testament Use of the Old Testament*. Counterpoints. Grand Rapids: Zondervan, 2008.

Bergen, R. D., ed. *Biblical Hebrew and Discourse Linguistics*. Summer Institute of Linguistics. Winona Lake, IN: SIL, 1994.

Bergsträsser, Gotthelf. *Hebräische Grammatik*. 2 vols. in 1. Leipzig: Hinrichs, 1929; repr., Hildesheim: Olms, 1962.

Berkhof, Louis. *Systematic Theology*. 4th ed. Grand Rapids: Eerdmans, 1938.

Berlin, Adele. *The Dynamics of Biblical Parallelism*. 2nd ed. Grand Rapids: Eerdmans, 2009. 「성경 평행법의 역동성」, 그리심.

The Bethlehem Baptist Church *Elder Affirmation of Faith*. Minneapolis: Bethlehem Baptist Church, 2003. http://www.hopeingod.org/document/elder-affirmation-faith.

Beyerlin, Walter. *Near Eastern Religious Texts Relating to the Old Testament*. Philadelphia: Westminster, 1978.

Biblearc. http://www.Biblearc.com/.

BibleWorks. http://www.bibleworks.com/.

Biblia Hebraica Quinta: General Introduction and Megilloth. Stuttgart: Deutsche Bibelgesellschaft, 2004.

Bird, Michael F. *Evangelical Theology: A Biblical and Systematic Introduction*. Grand Rapids: Zondervan, 2013.

________. "New Testament Theology Re-Loaded: Integrating Biblical Theology and Christian Origins." *TynBul* 60, 2 (2008): 265-91.

Birdsall, J. Neville. "Versions, Ancient (Introduction)." *ABD* 6:787-93.

Blair, Thom, ed. *The Hebrew-English Interlinear ESV Old Testament: Biblia Hebraica Stuttgartensia (BHS) and English Standard Version (ESV)*. Wheaton, IL: Crossway, 2014.

Blaising, Craig A. "A Critique of Gentry and Wellum's *Kingdom through Covenant*: A Hermeneutical-Theological Response." MSJ 26, 1 (2015): 111-27.

Blaising, Craig A., and Darrell L. Bock, eds. *Dispensationalism, Israel and the Church: The Search for Definition*. Grand Rapids: Zondervan, 1992.

________. *Progressive Dispensationalism*. Grand Rapids: Baker, 1993. 「점진적 세대주의」, 기독교문서선교회.

Block, Daniel I., ed. *Israel: Ancient Kingdom or Late Invention?* Nashville: Broadman & Holman, 2008.

________. "Preaching Old Testament Law to New Testament Christians." In *The Gospel according to Moses: Theological and Ethical Reflections on the Book of Deuteronomy*, 104-46. Eugene, OR: Cascade, 2012. Originally published in *Hiphil (Scandinavian Evangelical E-Journal)* 3 (2006): 1-24. Subsequently published in three parts in *Ministry* 78, 5 (2006): 5-11; 78, 7 (2006): 12-16; 78, 9 (2006): 15-18.

________. "Tell Me the Old, Old Story: Preaching the Message of Old Testament Narrative." In *Giving the Sense: Understanding and Using Old Testament Historical Texts: Essays in Honor of Eugene Merrill*, edited by David M. Howard and Michael A. Grisanti, 409-38. Grand Rapids: Kregel, 2003.

Bloesch, Donald G. Christian Foundations. 7 vols. Downers Grove, IL: InterVarsity Press, 1992-2009.

Blomberg, Craig L. "The Unity and Diversity of Scripture." *NDBT* 64-72.

Bock, Darrell L. "A Critique of Gentry and Wellum's *Kingdom through Covenant*: A New Testament Perspective." MSJ 26, 1 (2015): 139-45.

________. "Single Meaning, Multiple Contexts and Referents: The New Testament's Legitimate, Accurate, and Multifaceted Use of the Old." In *Three Views on the New Testament Use of the Old*, edited by Kenneth Berdin and Jonathan Lunde, 105-51. Responses to other contributors on pp. 90-95, 226-31. Counterpoints. Grand Rapids: Zondervan, 2008.

Boda, Mark J., and J. Gordon McConville, eds. *Dictionary of the Old Testament: Prophets*. Downers Grove, IL: InterVarsity Press, 2012.

Bodine, Walter, R., ed. *Discourse Analysis of Biblical Literature: What It Is and What It Offers*. SBLSS. Atlanta: Scholars Press, 1995.

Bogaert, P.-M. "Bulletin de la Bible latine. VII. Première série." *RBén* 105 (1995): 200-38.

________. "Bulletin de la Bible latine. VII. Deuxième série." *RBén* 106 (1996): 386-412.

________. "Bulletin de la Bible latine. VII. Troisième série." *RBén* 108 (1998): 359-86.

________. "Versions, Ancient (Latin)." *ABD* 6:799-803.

Bond, Steve, ed. *Holman Concise Topical Concordance*. Nashville: Holman, 1998.

Botterweck, G. Johannes, Helmer Ringgren, and Heinz-Josef Fabry, eds. *Theological Dictionary of the Old Testament*. 15 vols. Grand Rapids: Eerdmans, 1974-2006.

Brand, Chad Owen, ed. *Perspectives on Israel and the Church: 4 Views*. Nashville: Broadman & Holman,

2015.

Bray, Gerald, ed. Contours of Christian Theology. 8 vols. Downers Grove, IL: Inter-Varsity Press, 1993-2002.

________. *The Doctrine of God*. Contours of Christian Theology. Downers Grove, IL: InterVarsity Press, 1993. 「신론」, IVP.

________. *God Is Love: A Biblical and Systematic Theology*. Wheaton, IL: Crossway, 2012. 「갓 이즈 러브」, 새물결플러스.

Brenton, Lancelot C. *The Septuagint with Apocrypha: Greek and English*. 1844; repr., Peabody, MA: Hendrickson, 1986.

Bright, John. *A History of Israel*. 4th ed. Louisville: Westminster John Knox, 2000. 「이스라엘의 역사」, 은성.

________. *The Kingdom of God: The Biblical Concept and Its Meaning for the Church*. New York: Abingdon, 1953. 「하나님의 나라」, 크리스천다이제스트.

Brock, S. P. "Versions, Ancient (Syriac)." *ABD* 6:794-99.

Bromiley, Geoffrey W., ed. *International Standard Bible Encyclopedia*. 4 vols. Grand Rapids: Zondervan, 1979-88.

Brooke, Alan E., Norman McLean, and Henry St. J. Thackeray, eds. *The Old Testament in Greek*. 3 vols. Cambridge: Cambridge University Press, 1906-40.

Brotzman, Ellis R., and Eric J. Tully. *Old Testament Textual Criticism: A Practical Introduction*. 2nd ed. Grand Rapids: Baker Academic, 2016. 「구약 본문 비평의 이론과 실제」, 기독교문서선교회.

Brown, A. Philip, II, and Bryan W. Smith. *A Reader's Hebrew Bible*. Grand Rapids: Zondervan, 2008.

Brown, Francis, S. R. Driver, and Charles A. Briggs. *The New Brown-Driver-Briggs Hebrew and English Lexicon*. Peabody, MA: Hendrickson, 1979.

Brueggemann, Walter. *Theology of the Old Testament: Testimony, Dispute, Advocacy*. Minneapolis: Fortress, 2005. 「구약 신학」, 기독교문서선교회.

Brunn, Dave. *One Bible, Many Versions: Are All Translations Created Equal?* Downers Grove, IL: InterVarsity Press, 2013.

Bruno, Chris. *The Whole Story of the Bible in 16 Verses*. Wheaton, IL: Crossway, 2015. 「16구절로 꿰뚫는 성경」, 생명의말씀사.

Bullock, C. Hassell. *Encountering the Book of Psalms: A Literary and Theological Introduction*. Grand Rapids: Baker Academic, 2004. 「시편의 문학적 신학적 개론」, 크리스찬출판사.

Busby, Douglas L., Terry A. Armstrong, and Cyril F. Carr. *A Reader's Hebrew-English Lexicon of the Old Testament*. Grand Rapids: Zondervan, 1989.

Calvin, John. *Institutes of the Christian Religion*. Edited by John T. McNeill. Translated by Ford Lewis Battles. 2 vols. Library of Christian Classics. Philadelphia: Westminster, 1960.

Carson, D. A. "Approaching the Bible." In *New Bible Commentary: 21st Century Edition*, edited by D. A. Carson, R. T. France, J. A. Motyer, and G. J. Wenham, 1-19. 4th ed. Downers Grove, IL: InterVarsity Press, 1994.

________. "The Bible and Theology." In *NIV Zondervan Study Bible*, edited by D. A. Carson, 2633-36. Grand Rapids: Zondervan, 2015.

________. "Biblical Theology." *DBCI* 35-41.

________. *Christ and Culture Revisited*. Grand Rapids: Eerdmans, 2007. 「교회와 문화, 그 위태로운 관계」, 국제제자훈련원.

________. "Current Issues in Biblical Theology: A New Testament Perspective." *BBR* 5 (1995): 17-41.

________, ed. *The Enduring Authority of the Christian Scriptures*. Grand Rapids: Eerdmans, 2016.

________. *Exegetical Fallacies*. 2nd ed. Grand Rapids: Baker Academic, 1996.

________. *The Gagging of God: Christianity Confronts Pluralism*. Grand Rapids: Zondervan, 1996.

________. *The God Who Is There: Finding Your Place in God's Story*. Grand Rapids: Baker, 2010. 「힘써 하나님을 알자」, 두란노.

________. "Grammatical Fallacies." In *Exegetical Fallacies*, 65-86. 2nd ed. Grand Rapids: Baker Academic, 1996.

________. *The Inclusive-Language Debate: A Plea for Realism*. Grand Rapids: Baker, 1998.

________. *The King James Version Debate: A Plea for Realism*. Grand Rapids: Baker, 1978.

________. "The Limits of Functional Equivalence in Bible Translation-and Other Limits, Too." In *The Challenge of Bible Translation: Communicating God's Word to the World; Understanding the Theory, History, and Practice: Essays in Honor of Ronald F. Youngblood*, edited by Glen G. Scorgie, Mark L. Strauss, and Steven M. Voth, 65-113. Grand Rapids: Zondervan, 2003.

________. "Logical Fallacies." In *Exegetical Fallacies*, 87-123. 2nd ed. Grand Rapids: Baker Academic, 1996.

________. "Mystery and Fulfillment: Toward a More Comprehensive Paradigm of Paul's Understanding of the Old and New." In *The Paradoxes of Paul*, 393-436. Vol. 2 of *Justification and Variegated Nomism*, edited by D. A. Carson, Peter T. O'Brien, and Mark A. Seifrid. 2 vols. WUNT 181. Grand Rapids: Baker Academic, 2004.

________, ed. New Studies in Biblical Theology. Leicester: Apollos; Downers Grove, IL: InterVarsity Press, 1995-present. A master Scripture index for all the volumes in the series is available at http://www.theGospelCoalition.org/pages/nsbt.

________. "New Testament Theology." *DLNT* 796-814.

________, ed. *NIV Zondervan Study Bible*. Grand Rapids: Zondervan, 2015.

________, ed. *The Scriptures Testify about Me: Jesus and the Gospel in the Old Testament*. Wheaton, IL: Crossway, 2013.

________. "Systematic Theology and Biblical Theology." *NDBT* 89-104.

________. "Word-Study Fallacies." In *Exegetical Fallacies*, 27-64. 2nd ed. Grand Rapids: Baker Academic, 1996.

Carson, D. A., and Timothy Keller, eds. *The Gospel as Center: Renewing Our Faith and Reforming Our Ministry Practices*. Wheaton, IL: Crossway, 2012. Unpacks The Gospel Coalition's "Confessional Statement" (http://www.thegospelcoalition.org/about/foundation-documents/confessional-statement). 「복음이 핵심이다」, 아가페북스.

Carson, Thomas, ed. *New Catholic Encyclopedia*. 2nd ed. 15 vols. Washington, DC: Catholic University of America Press, 2003.

Carter, Charles W. *A Contemporary Wesleyan Theology: Biblical, Systematic, and Practical*. 2 vols. Grand Rapids: Francis Asbury, 1983.

Casillas, Ken. *Beyond Chapter and Verse: The Theology and Practice of Biblical Application*. 출간 예정.

________. *The Law and the Christian: God's Light within God's Limits*. Biblical Discernment for Difficult Issues. Greenville, SC: Bob Jones University Press, 2007.

Chafer, Lewis Sperry. *Systematic Theology*. 8 vols. Grand Rapids: Kregel, 1948.

Chalmers, Aaron. "The Importance of the Noahic Covenant to Biblical Theology." *TynBul* 60, 2 (2009): 206-16.

Chamberlain, Gary Alan. *The Greek of the Septuagint: A Supplemental Lexicon*. Peabody, MA: Hendrickson, 2011.

Chapell, Bryan. *Christ-Centered Preaching: Redeeming the Expository Sermon*. 2nd ed. Grand Rapids: Baker Academic, 2005. 「그리스도 중심의 설교」, 은성.

________. *Christ-Centered Sermons: Models of Redemptive Preaching*. Grand Rapids: Baker Academic, 2013. 「그리스도 중심 설교 이렇게 하라」, CUP.

________, ed. *Gospel Transformation Bible: English Standard Version*. Wheaton, IL: Crossway, 2013.

Chavalas, Mark W., and Murray R. Adamthwaite. "Archaeological Light on the Old Testament." In *The Face of Old Testament Studies: A Survey of Contemporary Approaches*, edited by David W. Baker and Bill T. Arnold, 59-96. Grand Rapids: Baker Academic, 2004.

Chavalas, Mark W., and Edwin C. Hostetter. "Epigraphic Light on the Old Testament." In *The Face of Old Testament Studies: A Survey of Contemporary Approaches*, edited by David W. Baker and Bill T. Arnold, 38-58. Grand Rapids: Baker Academic, 2004.

Chavalas, Mark W., and K. Lawson Younger Jr., eds. *Mesopotamia and the Bible: Comparative*

Explorations. Grand Rapids: Baker Academic, 2002.

Childs, Brevard S. *Biblical Theology of the Old and New Testaments: Theological Reflection on the Christian Bible*. Minneapolis: Fortress, 1993. 「신구약 성서 신학」, 은성.

________. *Old Testament Theology in a Canonical Context*. Philadelphia: Fortress, 1990. 「구약 신학」, 크리스천다이제스트

Chisholm, Robert B., Jr. *From Exegesis to Exposition: A Practical Guide to Using Biblical Hebrew*. Grand Rapids: Baker Academic, 1999. 「구약 원어 성경 주석에서 강해까지」, 크리스챤출판사.

________. *Interpreting the Historical Books: An Exegetical Handbook*. Handbooks for Old Testament Exegesis 2. Grand Rapids: Kregel, 2006. 「역사서를 어떻게 해석할 것인가」, 크리스챤출판사.

Clark, David K. *To Know and Love God: Method for Theology*. Foundations of Evangelical Theology. Wheaton, IL: Crossway, 2003.

Clendenon, Ray, ed. NAC Studies in Bible and Theology. Nashville: Broadman & Holman, 2007-present.

Clines, David J. A., ed. *The Concise Dictionary of Classical Hebrew*. Sheffield, UK: Sheffield Phoenix, 2009.

________, ed. *The Dictionary of Classical Hebrew*. 9 vols. Sheffield, UK: Sheffield Phoenix, 1993-2014.

Clontz, T. E., and J. Clontz. *The Comprehensive Bible Cross References*. Castroville, TX: Cornerstone, 2011.

Clowney, Edmund P. *The Church*. Downers Grove, IL: InterVarsity Press, 1995. 「교회」, IVP.

________. *Preaching Christ in All of Scripture*. Wheaton, IL: Crossway, 2003.

________. *The Unfolding Mystery: Discovering Christ in the Old Testament*. Phillipsburg, NJ: Presbyterian and Reformed, 1988. 「구약에 나타난 그리스도」, 네비게이토.

Cole, Graham A. *He Who Gives Life: The Doctrine of the Holy Spirit*. Foundations of Evangelical Theology. Wheaton, IL: Crossway, 2007.

Colunga, Alberto, and Laurentio Turrado, eds. *Biblia Vulgata*. Madrid: Biblioteca de Autores Cristianos, 1953; repr., 1977.

Combs, William W. "The History of the NIV Translation Controversy." *DBSJ* 17 (2012): 3-34.

________. "Paul, the Law, and Dispensationalism." *DBSJ* 18 (2013): 19-39.

"Commentary on the Critical Apparatus." In *BHQ*.

Comprehensive Aramaic Lexicon. http://cal1.cn.huc.edu/.

Compton, Jared M. "Shared Intentions? Reflections on Inspiration and Interpretation in Light of Scripture's Dual Authorship." *Themelios* 33, 3 (2008): 23-33.

Compton, R. Bruce. "Dispensationalism, the Church, and the New Covenant." *DBSJ* 8 (2003): 3-48.

Computer Assisted Tools for Septuagint/Scriptural Study. http://ccat.sas.upenn.edu/rs/rak/catss.html.

Coogan, Michael D., ed. *The Oxford History of the Biblical World*. Oxford: Oxford University Press, 1999.

Cook, John A. *Time and the Biblical Hebrew Verb: The Expression of Tense, Aspect, and Modality in Biblical Hebrew*. LSAWS 7. Winona Lake, IN: Eisenbrauns, 2012.

Cook, John A., and Robert D. Holmstedt. *Beginning Biblical Hebrew: A Grammar and Illustrated Reader*. Grand Rapids: Baker Academic, 2013.

Cowan, Christopher W. "The Warning Passages of Hebrews and the New Covenant Community." In *Progressive Covenantalism: Charting a Course between Dispensational and Covenant Theologies*, edited by Stephen J. Wellum and Brent E. Parker, 189-213. Nashville: Broadman & Holman, 2016.

Crown, Alan D., and Terry Giles. "Samaritan Pentateuchap." *NIDB* 6:73-74.

Currid, John D. *Against the Gods: The Polemical Theology of the Old Testament*. Wheaton, IL: Crossway, 2013. 「고대 근동 신들과의 논쟁」, 새물결플러스

________. *Doing Archaeology in the Land of the Bible: A Basic Guide*. Grand Rapids: Baker, 1999.

Currid, John D., and David P. Barrett. *Crossway ESV Bible Atlas*. Wheaton, IL: Crossway, 2010. 「ESV 성경 지도」, 부흥과개혁사.

Curtis, Adrian. *Oxford Bible Atlas*. 4th ed. Oxford: Oxford University Press, 2009.

Danker, Frederick W. *Multipurpose Tools for Bible Study*. 2nd ed. Minneapolis: Fortress, 2003.

Danker, Frederick W., et al. *Greek-English Lexicon of the New Testament and Other Early Christian Literature*. 3rd ed. Chicago: University of Chicago Press, 2000.

Davidson, Benjamin. *The Analytical Hebrew and Chaldee Lexicon*. 2nd ed. 1848; repr., Grand Rapids: Zondervan, 1993.

Davis, Dale Ralph. *The Word Became Fresh: How to Preach from Old Testament Narrative Texts*. Fearn, Scotland: Mentor, 2006.

Davis, John Jefferson. *Handbook of Basic Bible Texts: Every Key Passage for the Study of Doctrine and Theology*. Grand Rapids: Zondervan, 1984.

________. *Theology Primer: Resources for the Theological Student*. Grand Rapids: Baker, 1981.

Dawson, D. A. *Text-Linguistics and Biblical Hebrew*. JSOTSup 177. Sheffield, UK: Sheffield Academic, 1994.

Dean, David Andrew. "Covenant, Conditionality, and Consequence: New Terminology and a Case Study in the Abrahamic Covenant." *JETS* 57, 2 (2014): 281-308.

Decker, Rodney J. "The Church's Relationship to the New Covenant: Part 1." *BSac* 152 (1995): 290-305.

________. "The Church's Relationship to the New Covenant: Part 2." *BSac* 152 (1995): 431-56.

________. "An Evaluation of the 2011 Edition of the New International Version." *Themelios* 36, 3

(2011): 415-56.

Demarest, Bruce. *The Cross and Salvation: The Doctrine of Salvation*. Foundations of Evangelical Theology. Wheaton, IL: Crossway, 1997.

Dempster, Stephen G. *Dominion and Dynasty: A Biblical Theology of the Hebrew Bible*. NSBT 15. Downers Grove, IL: InterVarsity Press, 2003. 「하나님 나라 관점으로 읽는 구약 신학」, 부흥과개혁사.

________. *Linguistic Features of Hebrew Narrative: A Discourse Analysis of Narrative from the Classical Period*. Ph.D. diss., University of Toronto, 1985.

Dennis, Lane T., and Wayne Grudem, eds. Cross-references in *ESV Study Bible*. Wheaton, IL: Crossway, 2008.

de Regt, L. J., J. de Waard, and J. P. Fokkelman, eds. *Literary Structure and Rhetorical Strategies in the Hebrew Bible*. Winona Lake, IN: Eisenbrauns, 1996.

DeRouchie, Jason S. "The Blessing-Commission, the Promised Offspring, and the Toledot Structure of Genesis." *JETS* 56, 2 (2013): 219-47.

________. *A Call to Covenant Love: Text-Grammar and Literary Structure in Deuteronomy 5-11*. Gorgias Dissertations 30/Biblical Studies 2. Piscataway, NJ: Gorgias, 2007.

________. "Confronting the Transgender Storm: New Covenant Reflections on Deuteronomy 22:5." *JBMW* 21, 1 (2016): 58-69.

________. "Counting Stars with Abraham and the Prophets: New Covenant Ecclesiology in OT Perspective." *JETS* 58, 3 (2015): 445-85.

________. "Counting the Ten: An Investigation into the Numbering of the Decalogue." In *For Our Good Always: Studies on the Message and Influence of Deuteronomy in Honor of Daniel I. Block*, edited by Jason S. DeRouchie, Jason Gile, and Kenneth J. Turner, 93-125. Winona Lake, IN: Eisenbrauns, 2013.

________. "Father of a Multitude of Nations: New Covenant Ecclesiology in OT Perspective." In *Progressive Covenantalism: Charting a Course between Dispensational and Covenant Theologies*, edited by Stephen J. Wellum and Brent E. Parker, 7-38. Nashville: Broadman & Holman, 2016.

________. "From Condemnation to Righteousness: A Christian Reading of Deuteronomy." *SBJT* 18, 3 (2014): 87-118.

________. "Making the Ten Count: Reflections on the Lasting Message of the Decalogue." In *For Our Good Always: Studies on the Message and Influence of Deuteronomy in Honor of Daniel I. Block*, edited by Jason S. DeRouchie, Jason Gile, and Kenneth J. Turner, 415-40. Winona Lake, IN: Eisenbrauns, 2013.

________. "The Profit of Employing the Biblical Languages: Scriptural and Historical Reflections." *Themelios* 37, 1 (2012): 32-50.

________. Review of *Kingdom through Covenant: A Biblical-Theological Understanding of the Covenants*, by Peter J. Gentry and Stephen J. Wellum. BBR 23 (2013): 110-13.

________. ed. *What the Old Testament Authors Really Cared About: A Survey of Jesus' Bible*. Grand Rapids: Kregel, 2013.

DeRouchie, Jason S., and Jason C. Meyer. "Christ or Family as the 'Seed' of Promise? An Evaluation of N. T. Wright on Galatians 3:16." *SBJT* 14, 3 (2010): 36-48.

"The Development and Use of Gender Language in Contemporary English: A Corpus Linguistic Analysis; Prepared for the Committee on Bible Translation by Collins Dictionaries." September 2010. http://www.thenivbible.com/wp-content/uploads/2015/02/Collins-Report-Final.pdf.

Dever, Mark. *The Message of the Old Testament: Promises Made*. Wheaton, IL: Crossway, 2006. 「구약 성경의 핵심 메시지」, 부흥과개혁사.

Dewey, David. *A User's Guide to Bible Translations: Making the Most of Different Versions*. Downers Grove, IL: InterVarsity Press, 2005.

DeYoung, Kevin. *The Biggest Story: How the Snake Crusher Brings Us Back to the Garden*. Wheaton, IL: Crossway, 2015. 「세상에서 가장 위대한 이야기」, 성서유니온선교회.

Dines, Jennifer M. *The Septuagint*. Understanding the Bible and Its World. London: Bloomsbury, 2004.

Discoveries in the Judaean Desert. 32 vols. Oxford: Oxford University Press, 1951-2011.

Dockery, David S., Kenneth A. Mathews, and Robert B. Sloan, eds. *Foundations for Biblical Interpretation: A Complete Library of Tools and Resources*. Nashville: Broadman & Holman, 1994.

Doriani, Daniel M. *Putting the Truth to Work: The Theory and Practice of Biblical Application*. Phillipsburg, NJ: P&R Publishing, 2001. 「적용, 성경과 삶의 통합을 말하다」, 성서유니온선교회.

________. "A Redemptive-Historical Model." In *Four Views on Moving beyond the Bible to Theology*, edited by Gary T. Meadors, 75-121. Responses to other contributors on pp. 51-56, 205-9, 255-61. Counterpoints. Grand Rapids: Zondervan, 2009.

Dorsey, David A. "The Law of Moses and the Christian: A Compromise." *JETS* 34, 3 (1991): 321-34.

________. *The Literary Structure of the Old Testament: A Commentary on Genesis-Malachi*. Grand Rapids: Baker, 1999.

________. "The Use of the OT Law in the Christian Life: A Theocentric Approach." *EJ* 17, 1 (1999): 1-18.

Duguid, Ian M. *Is Jesus in the Old Testament? Basics of the Faith*. Phillipsburg, NJ: P&R Publishing, 2013.

Dumbrell, William J. *Covenant and Creation: An Old Testament Covenant Theology*. 2nd ed. Milton Keynes, UK: Paternoster, 2013. 「언약과 창조」, 크리스챤서적.

________. "The Prospect of Unconditionality in the Sinaitic Covenant." In *Israel's Apostasy and Restoration: Essays in Honor of Roland K. Harrison*, edited by Avraham Gileadi, 141-55. Grand Rapids: Baker Academic, 1988.

Duvall, J. Scott, and J. Daniel Hays. *Grasping God's Word: A Hands-On Approach to Reading, Interpreting, and Applying the Bible*. 3rd ed. Grand Rapids: Zondervan, 2012. 「성경 해석」, 성서유니온선교회.

Duvall, J. Scott, and Verlyn D. Verbrugge, eds. *Devotions on the Greek New Testament: 52 Reflections to Inspire and Instruct*. Grand Rapids: Zondervan, 2012.

Dyer, John. *Best Commentaries: Reviews and Ratings of Biblical, Theological, and Practical Christian Works*. http://www.bestcommentaries.com/.

Edwards, Jonathan. "A History of the Work of Redemption." In vol. 1 of *The Works of Jonathan Edwards*, edited by Edward Hickman, 532-619. Bellingham, WA: Logos Bible Software, 2008.

Eichrodt, Walther. *Theology of the Old Testament*. Translated by J. A. Baker. 2 vols. OTL. Philadelphia: Westminster, 1961, 1967.

Einspahr, Bruce. *Index to Brown, Driver & Briggs Hebrew Lexicon*. 2nd ed. Chicago: Moody, 1976.

Eissfeldt, Otto. *The Old Testament: An Introduction*. New York: Harper & Row, 1965.

Elliger, Karl, et al., eds. *Biblia Hebraica Stuttgartensia*. 5th rev. ed. Stuttgart: Deutsche Bibelgesellschaft, 1983.

Elwell, Walter A., ed. *Evangelical Dictionary of Biblical Theology*. Grand Rapids: Baker, 1996.

________, ed. *Evangelical Dictionary of Theology*. 2nd ed. Grand Rapids: Baker Academic, 2001.

________, *Topical Analysis of the Bible: A Survey of Essential Christian Doctrines*. Peabody, MA: Hendrickson, 2012.

Emerson, Matthew Y. *Christ and the New Creation: A Canonical Approach to the Theology of the New Testament*. Eugene, OR: Wipf & Stock, 2013.

Eng, Milton, and Lee M. Fields, eds. *Devotions on the Hebrew Bible: 54 Reflections to Inspire and Instruct*. Grand Rapids: Zondervan, 2015.

Enns, Peter. "Apostolic Hermeneutics and an Evangelical Doctrine of Scripture: Moving beyond a Modernist Impasse." *WTJ* 65, 2 (2003): 263-87.

Erickson, Millard J. *Christian Theology*. 3rd ed. Grand Rapids: Baker Academic, 2013. 「복음주의 조직신학」, 크리스천다이제스트.

Estes, Daniel J. *Handbook on the Wisdom Books and Psalms*. Grand Rapids: Baker Academic, 2010.

"ESV Bible Translators Debate the Word 'Slave' at Tyndale House, Cambridge." https://www.youtube.com/watch?v=Mx06mtApu8k.

Etheridge, J. W. *The Targums of Onkelos and Jonathan ben Uzziel on the Pentateuch*. 2 vols. 1862-65; repr.,

Piscataway, NJ: Gorgias, 2005.

Evangelical Textual Criticism (blog). http://www.evangelicaltextualcriticism.blogspot.com/.

Evans, Craig A. "New Testament Use of the Old Testament." *NDBT* 72-80.

Evans, Craig A., and Stanley E. Porter, eds. *Dictionary of New Testament Background.* Downers Grove, IL: InterVarsity Press, 2000.

Evans, John F. *A Guide to Biblical Commentaries and Reference Works.* 10th ed. Grand Rapids: Zondervan, 2016.

Evans, Mary J. "Blessing/Curse." *NDBT* 397-401.

Evan-Shoshan, Abraham, ed. *A New Concordance of the Old Testament Using the Hebrew and Aramaic Text.* Grand Rapids: Baker Academic, 1989.

Exter Blockland, A. F. den. *In Search of Syntax: Towards a Syntactic Text-Segmentation Model for Biblical Hebrew.* Amsterdam: VU University Press, 1995.

Fee, Gordon D. *The Disease of the Health and Wealth Gospels.* Vancouver: Regent College, 2006. 「탐욕의 복음을 버려라」, 새물결플러스.

Fee, Gordon D., and Mark L. Strauss. *How to Choose a Translation for All Its Worth: A Guide to Understanding and Using Bible Versions.* Grand Rapids: Zondervan, 2007.

Fee, Gordon D., and Douglas Stuart. *How to Read the Bible Book by Book: A Guided Tour.* Grand Rapids: Zondervan, 2002. 「책별로 성경을 어떻게 읽을 것인가」, 성서유니온선교회.

_________. *How to Read the Bible for All Its Worth.* 4th ed. Grand Rapids: Zondervan, 2014. 「성경을 어떻게 읽을 것인가」, 성서유니온선교회.

Feinberg, John S., ed. *Continuity and Discontinuity: Perspectives on the Relationship between the Old and New Testaments: Essays in Honor of S. Lewis Johnson Jr.* Westchester, IL: Crossway, 1988.

_________, ed. Foundations of Evangelical Theology. Wheaton, IL: Crossway, 1997-present.

_________. *No One like Him: The Doctrine of God.* Foundations of Evangelical Theology. Wheaton, IL: Crossway, 2001.

Fensham, F. Charles. "The Covenant as Giving Expression to the Relationship between Old and New Testament." *TynBul* 22 (1971): 82-94.

Ferguson, Sinclair B. *The Holy Spirit.* Contours of Christian Theology. Downers Grove, IL: InterVarsity Press, 1996. 「성령」, IVP.

_________. *Preaching Christ from the Old Testament.* Proclamation Trust Media Paper 2. London: Proclamation Trust Media, 2002.

_________. *The Whole Christ: Legalism, Antinomianism, and Gospel Assurance-Why the Marrow Controversy Still Matters.* Wheaton, IL: Crossway, 2016. 「온전한 그리스도」, 디모데.

Fields, Lee M. *Hebrew for the Rest of Us: Using Hebrew Tools without Mastering Biblical Hebrew.* Grand

Rapids: Zondervan, 2008.

Fischer, David Hackett. *Historians' Fallacies: Toward a Logic of Historical Thought*. New York: Harper & Row, 1970.

Flint, Peter W., ed. *The Bible at Qumran: Text, Shape, and Interpretation*. Studies in the Dead Sea Scrolls and Related Literature. Grand Rapids: Eerdmans, 2001.

Fokkelman, J. P. *Reading Biblical Narrative: An Introductory Guide*. Louisville: Westminster John Knox, 2000.

________. *Reading Biblical Poetry: An Introductory Guide*. Louisville: Westminster John Knox, 2001.

Frame, John M. *Apologetics: A Justification of Christian Belief*. Edited by Joseph E. Torres. 2nd ed. Phillipsburg, NJ: P&R Publishing, 2015.

________. *Salvation Belongs to the Lord: An Introduction to Systematic Theology*. Phillipsburg, NJ: P&R Publishing, 2006. 「조직 신학 개론」, 개혁주의신학사.

________. *Systematic Theology: An Introduction to Christian Belief*. Phillipsburg, NJ: P&R Publishing, 2013. 「존 프레임의 조직 신학」, 부흥과개혁사.

France, R. T. *Jesus and the Old Testament: His Application of Old Testament Passages to Himself and His Mission*. Downers Grove, IL: InterVarsity Press, 1971.

________. "Relationship between the Testaments." *DTIB* 666-72.

Frankfort, Henri. *Kingship and the Gods: A Study of Ancient Near Eastern Religion as the Integration of Society and Nature*. Chicago: University of Chicago Press, 1978.

Freedman, David Noel, ed. *The Anchor Bible Dictionary*. 6 vols. New York: Doubleday, 1992.

Freedman, David Noel, A. Dean Forbes, and Francis I. Andersen, eds. *Studies in Hebrew and Aramaic Orthography*. Winona Lake, IN: Eisenbrauns, 1992.

Fuller, Daniel P. *Gospel and Law: Contrast or Continuum-The Hermeneutics of Dispensationalism and Covenant Theology*. Grand Rapids: Eerdmans, 1980.

________. *The Unity of the Bible: Unfolding God's Plan for Humanity*. Grand Rapids: Zondervan, 1992.

Fuller, Russell T., and Kyoungwon Choi. *An Invitation to Biblical Hebrew: A Beginning Grammar*. Grand Rapids: Kregel, 2006.

________. *An Invitation to Biblical Hebrew Syntax: An Intermediate Grammar*. Grand Rapids: Kregel, 2016.

Futato, Mark D. *Beginning Biblical Hebrew*. Winona Lake, IN: Eisenbrauns, 2003. 「구약 성서 히브리어 시작하기」, 기독교문서선교회.

________. *Interpreting the Psalms: An Exegetical Handbook*. Handbooks for Old Testament Exegesis. Grand Rapids: Kregel, 2007. 「시편을 어떻게 해석할 것인가」, 크리스찬출판사.

Gaffin, Richard B. "Systematic Theology and Biblical Theology." *WTJ* 38, 3 (1976): 281-99.

Garrett, Duane A. "Type, Typology." *EDBT* 785-87.

Garrett, Duane A., and Jason S. DeRouchie. *A Modern Grammar for Biblical Hebrew and Workbook*. Nashville: Broadman & Holman, 2009.

Geisler, Norman L. *Systematic Theology: In One Volume*. Minneapolis: Bethany House, 2011.

Gentry, Peter J. *How to Read and Understand the Biblical Prophets*. Wheaton, IL: Crossway, 2017.

________. "The System of thc Finite Verb in Classical Biblical Hebrew." *HS* 39 (1998): 7-39.

________. "The Text of the Old Testament." *JETS* 52, 1 (2009): 19-45.

Gentry, Peter J., and Stephen J. Wellum. *God's Kingdom through God's Covenants: A Concise Biblical Theology*. Wheaton, IL: Crossway, 2015.

________. *Kingdom through Covenant: A Biblical-Theological Understanding of the Covenants*. Wheaton, IL: Crossway, 2012. 「언약과 하나님 나라」, 새물결플러스.

Gibson, Arthur. *Biblical Semantic Logic: A Preliminary Analysis*. Sheffield, UK: Sheffield Academic, 2002.

Ginsburg, Christian D. *Massorah*. 4 vols. 1865-1905; repr., New York: Ktav, 1975.

Gladd, Benjamin L., and Matthew S. Harmon. *Making All Things New: Inaugurated Eschatology for the Life of the Church*. Grand Rapids: Baker Academic, 2016. 「하나님 나라와 교회 생활」, 부흥과개혁사.

Glare, P. G. W., ed. *Oxford Latin Dictionary*. 2nd ed. 2 vols. Oxford: Oxford University Press, 2012.

Glenny, W. Edward. "Typology: A Summary of the Present Evangelical Discussion." *JETS* 40, 4 (1997): 627-38.

Glynn, John. *Commentary and Reference Survey: A Comprehensive Guide to Biblical and Theological Resources*. Grand Rapids: Kregel, 2007.

Goldenberg, Gideon. *Studies in Semitic Linguistics: Selected Writings*. Jerusalem: Magnes, 1998.

Goldingay, John. *Biblical Theology: The God of the Christian Scriptures*. Downers Grove, IL: InterVarsity Press, 2016.

________. *Israel's Faith*. Old Testament Theology 2. Downers Grove, IL: InterVarsity Press, 2006.

________. *Israel's Gospel*. Old Testament Theology 1. Downers Grove, IL: InterVarsity Press, 2003.

________. *Israel's Life*. Old Testament Theology 3. Downers Grove, IL: InterVarsity Press, 2009.

________. "Old Testament Theology and the Canon." *TynBul* 59, 1 (2008): 1-26.

Goldsworthy, Graeme. *According to Plan: The Unfolding Revelation of God in the Bible*. Downers Grove, IL: InterVarsity Press, 1991. 「복음과 하나님의 계획」, 성서유니온선교회.

________. "Biblical Theology and Hermeneutics." *SBJT* 10, 2 (2006): 4-19.

________. *Christ-Centered Biblical Theology: Hermeneutical Foundations and Principles*. Downers Grove, IL: InterVarsity Press, 2012. 「그리스도 중심 성경 신학」, 부흥과개혁사.

________. *The Goldsworthy Trilogy*. Exeter, UK: Paternoster, 2000.

________. *Gospel-Centered Hermeneutics: Foundations and Principles of Evangelical Biblical Interpretation*. Downers Grove, IL: InterVarsity Press, 2006. 『복음 중심 해석학』, 기독교문서선교회.

________. "Kingdom of God." *NDBT* 615-20.

________. *Preaching the Whole Bible as Christian Scripture: The Application of Biblical Theology to Expository Preaching*. Grand Rapids: Eerdmans, 2000. 『성경 신학적 설교 어떻게 할 것인가』, 성서유니온선교회.

________. "Relationship of Old Testament and New Testament." *NDBT* 81-89.

Goodrick, Edward W. *Do It Yourself Hebrew and Greek: A Guide to Biblical Language Tools*. Grand Rapids: Zondervan, 1980.

Goppelt, Leonhard. *Theology of the New Testament*. Edited by Jürgen Roloff. Translated by John E. Alsup. 2 vols. Grand Rapids: Eerdmans, 1981. 『신약 신학』, 크리스천다이제스트.

Gowan, Donald E. *Theology of the Prophetic Books: The Death and Resurrection of Israel*. Louisville: Westminster John Knox, 1998. 『구약 예언서 신학』, 대한기독교서회.

Gray, Richard W. "A Comparison between the Old Covenant and the New Covenant." *WTJ* 4, 1 (1941): 1-30.

Green, Jay Patrick, ed. *The Interlinear Bible: Hebrew, Greek, English*. Peabody, MA: Hendrickson, 2005.

Green, Joel B., and Max Turner, eds. *Between Two Horizons: Spanning New Testament Studies and Systematic Theology*. Grand Rapids: Eerdmans, 2000.

Greenspahn, Frederick E. *An Introduction to Aramaic*. 2nd ed. Atlanta: SBL, 2003. 『성경 아람어 길라잡이』, 기독교문서선교회.

Greenspoon, Leonard J. "Versions, Ancient (Greek)." *ABD* 6:793-94.

Greidanus, Sidney. *Preaching Christ from the Old Testament*. Grand Rapids: Eerdmans, 1999. 『구약의 그리스도 어떻게 설교할 것인가』, 이레서원.

Grisanti, Michael A. "A Critique of Gentry and Wellum's *Kingdom through Covenant*: An Old Testament Perspective." *MSJ* 26, 1 (2015): 129-37.

________. "The Davidic Covenant." *MSJ* 10 (1999): 234-50.

Grossfeld, Bernard, ed. *The Targum to the Five Megilloth*. New York: Hermon, 1973.

Grudem, Wayne A. *Bible Doctrine: Essential Teachings of the Christian Faith*. Edited by Jeff Purswell. Grand Rapids: Zondervan, 1999. 『성경 핵심 교리』, 솔로몬.

________. *Christian Beliefs: Twenty Basics Every Christian Should Know*. Edited by Elliot Grudem. Grand Rapids: Zondervan, 2005. 『꼭 알아야 할 기독교 핵심 진리 20』, 부흥과개혁사.

________, ed. *The ESV Study Bible*. Wheaton, IL: Crossway, 2008. 『ESV 스터디 바이블』, 부흥과개혁사.

________. *Systematic Theology: An Introduction to Biblical Doctrine*. Grand Rapids: Zondervan, 1994.

「웨인 그루뎀의 조직 신학」, 은성.

Grudem, Wayne A., C. John Collins, and Thomas R. Schreiner, eds. *Understanding the Big Picture of the Bible: A Guide to Reading the Bible Well*. Wheaton, IL: Crossway, 2012. 「성경, 어떻게 개관할 것인가」, 부흥과개혁사.

Guthrie, Donald. *New Testament Theology*. Downers Grove, IL: InterVarsity Press, 1981. 「신약 신학」, 기독교문서선교회.

Guthrie, George H. *Read the Bible for Life: Your Guide to Understanding and Living God's Word*. Nashville: Broadman & Holman, 2011. 「삶을 위한 성경 읽기」, 성서유니온선교회.

Guthrie, Nancy. Seeing Jesus in the Old Testament. Wheaton, IL: Crossway, 2014-present.

Hackett, Jo Ann. *A Basic Introduction to Biblical Hebrew*. Peabody, MA: Hendrickson, 2010.

Hafemann, Scott J., ed. *Biblical Theology: Retrospect and Prospect*. Downers Grove, IL: InterVarsity Press, 2002.

________. "The Covenant Relationship." In *Central Themes in Biblical Theology: Mapping Unity in Diversity*, edited by Scott J. Hafemann and Paul R. House, 20-65. Grand Rapids: Baker Academic, 2007.

________. *The God of Promise and the Life of Faith: Understanding the Heart of the Bible*. Wheaton, IL: Crossway, 2001. 「온전한 신뢰」, IVP.

________. "The Kingdom of God as the Mission of God." In *For the Fame of God's Name: Essays in Honor of John Piper*, edited by Sam Storms and Justin Taylor, 235-52. Wheaton, IL: Crossway, 2010.

Hafemann, Scott J., and Paul R. House, eds. *Central Themes in Biblical Theology*. Downers Grove, IL: InterVarsity Press, 2006.

Hahn, Scott. "Covenant in the Old and New Testaments: Some Current Research (1994-2004)." *CurBR* 3, 2 (2005): 263-92.

________. *Kinship by Covenant: A Canonical Approach to the Fulfillment of God's Saving Promises*. Anchor Yale Bible Reference Library. New Haven, CT: Yale University Press, 2009.

Hallo, William W., and William Kelly Simpson. *The Ancient Near East: A History*. 2nd ed. New York: Harcourt, Brace, 1998.

Hallo, William W., and K. Lawson Younger Jr., eds. *The Context of Scripture. Vol. 1, Canonical Compositions from the Biblical World*. Leiden: Brill, 1997.

________, eds. *The Context of Scripture*. Vol. 2, *Monumental Inscriptions from the Biblical World*. Leiden: Brill, 2000.

________, eds. *The Context of Scripture*. Vol. 3, *Archival Documents from the Biblical World*. Leiden: Brill, 2002.

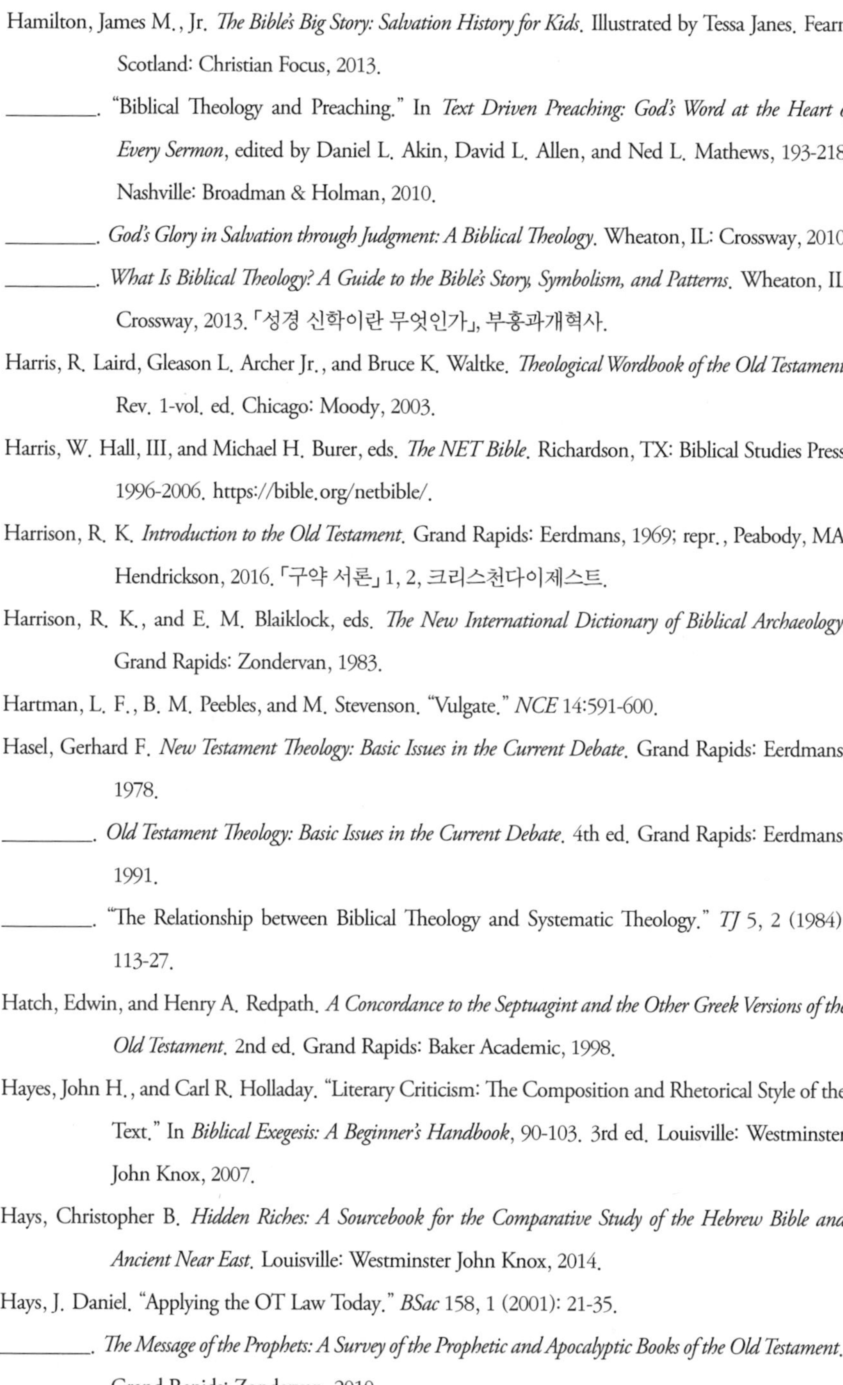

Hamilton, James M., Jr. *The Bible's Big Story: Salvation History for Kids*. Illustrated by Tessa Janes. Fearn, Scotland: Christian Focus, 2013.

________. "Biblical Theology and Preaching." In *Text Driven Preaching: God's Word at the Heart of Every Sermon*, edited by Daniel L. Akin, David L. Allen, and Ned L. Mathews, 193-218. Nashville: Broadman & Holman, 2010.

________. *God's Glory in Salvation through Judgment: A Biblical Theology*. Wheaton, IL: Crossway, 2010.

________. *What Is Biblical Theology? A Guide to the Bible's Story, Symbolism, and Patterns*. Wheaton, IL: Crossway, 2013. 「성경 신학이란 무엇인가」, 부흥과개혁사.

Harris, R. Laird, Gleason L. Archer Jr., and Bruce K. Waltke. *Theological Wordbook of the Old Testament*. Rev. 1-vol. ed. Chicago: Moody, 2003.

Harris, W. Hall, III, and Michael H. Burer, eds. *The NET Bible*. Richardson, TX: Biblical Studies Press, 1996-2006. https://bible.org/netbible/.

Harrison, R. K. *Introduction to the Old Testament*. Grand Rapids: Eerdmans, 1969; repr., Peabody, MA: Hendrickson, 2016. 「구약 서론」 1, 2, 크리스천다이제스트.

Harrison, R. K., and E. M. Blaiklock, eds. *The New International Dictionary of Biblical Archaeology*. Grand Rapids: Zondervan, 1983.

Hartman, L. F., B. M. Peebles, and M. Stevenson. "Vulgate." *NCE* 14:591-600.

Hasel, Gerhard F. *New Testament Theology: Basic Issues in the Current Debate*. Grand Rapids: Eerdmans, 1978.

________. *Old Testament Theology: Basic Issues in the Current Debate*. 4th ed. Grand Rapids: Eerdmans, 1991.

________. "The Relationship between Biblical Theology and Systematic Theology." *TJ* 5, 2 (1984): 113-27.

Hatch, Edwin, and Henry A. Redpath. *A Concordance to the Septuagint and the Other Greek Versions of the Old Testament*. 2nd ed. Grand Rapids: Baker Academic, 1998.

Hayes, John H., and Carl R. Holladay. "Literary Criticism: The Composition and Rhetorical Style of the Text." In *Biblical Exegesis: A Beginner's Handbook*, 90-103. 3rd ed. Louisville: Westminster John Knox, 2007.

Hays, Christopher B. *Hidden Riches: A Sourcebook for the Comparative Study of the Hebrew Bible and Ancient Near East*. Louisville: Westminster John Knox, 2014.

Hays, J. Daniel. "Applying the OT Law Today." *BSac* 158, 1 (2001): 21-35.

________. *The Message of the Prophets: A Survey of the Prophetic and Apocalyptic Books of the Old Testament*. Grand Rapids: Zondervan, 2010.

Hebrew University Bible Project. http://www.hum.huji.ac.il/english/units.php?cat=4980.

Heimerdinger, Jean-Marc. *Topic, Focus and Foreground in Ancient Hebrew Narratives*. JSOTSup 295. Sheffield, UK: Sheffield Academic, 1999.

Heller, Roy L. *Narrative Structure and Discourse Constellations: An Analysis of Clause Function in Biblical Hebrew Prose*. Harvard Semitic Studies 55. Winona Lake, IN: Eisenbrauns, 2004.

Helm, David. *The Big Picture Story Bible*. Wheaton, IL: Crossway, 2004. 「큰 그림 이야기 성경」, 부흥과개혁사.

Helm, Paul. *The Providence of God*. Contours of Christian Theology. Downers Grove, IL: InterVarsity Press, 1994. 「하나님의 섭리」, IVP.

Helyer, Larry R. *The Witness of Jesus, Paul, and John: An Exploration in Biblical Theology*. Downers Grove, IL: InterVarsity Press, 2008.

Hendel, Ronald, ed. The Hebrew Bible: A Critical Edition (HBCE). Formerly The Oxford Hebrew Bible Project. http://hbceonline.org/.

Henze, Matthias, ed. *Biblical Interpretation at Qumran*. Studies in the Dead Sea Scrolls and Related Literature. Grand Rapids: Eerdmans, 2004.

Hill, Andrew E., and John H. Walton. *A Survey of the Old Testament*. 2nd ed. Grand Rapids: Zondervan, 2000. 「구약 개론」, 은성.

Hodge, Charles. *Systematic Theology*. 3 vols. New York: Scribner's, 1887; repr., Peabody, MA: Hendrickson, 1999. 「조직 신학」, 크리스천다이제스트.

Hoerth, Alfred J. *Archaeology and the Old Testament*. Grand Rapids: Baker Academic, 2009.

Hoerth, Alfred J., Gerald L. Mattingly, and Edwin M. Yamauchi, eds. *Peoples of the Old Testament World*. Grand Rapids: Baker, 1994.

Hoffmeier, James K. *The Archaeology of the Bible*. Oxford: Lion, 2008.

________. *Israel in Egypt: The Evidence for the Authenticity of the Exodus Tradition*. Oxford: Oxford University Press, 1996.

Hoffmeier, James K., and Dennis R. Magary, eds. *Do Historical Matters Matter to Faith? A Critical Appraisal of Modern and Postmodern Approaches to Scripture*. Wheaton, IL: Crossway, 2012.

Holladay, William L. *A Concise Hebrew and Aramaic Lexicon of the Old Testament*. Grand Rapids: Eerdmans, 1988.

Hollifield, Gregory K. "Does God Want You to Be Rich? A Practical Theologian's Response to the Gospel of Prosperity." *JMT* 15, 2 (2011): 25-53.

Hoppe, Leslie J. *A Guide to the Lands of the Bible*. Collegeville, MN: Glazier, 1999.

Horton, Michael. *The Christian Faith: A Systematic Theology for Pilgrims on the Way*. Grand Rapids: Zondervan, 2011.

________. *Covenant and Eschatology: The Divine Drama*. Louisville: Westminster John Knox, 2002.

________. *God of Promise: Introducing Covenant Theology*. Grand Rapids: Baker, 2006.

________. "Law, Gospel, and Covenant: Reassessing Some Emerging Antitheses." *WTJ* 64, 2 (2002): 279-87.

________. *People and Place: A Covenant Ecclesiology*. Louisville: Westminster John Knox, 2008.

________. *Pilgrim Theology: Core Doctrines for Christian Disciples*. Grand Rapids: Zondervan, 2013. 「천국 가는 순례자를 위한 조직 신학」, 부흥과개혁사.

House, H. Wayne. "Creation and Redemption: A Study of Kingdom Interplay." *JETS* 35, 1 (1992): 3-17.

House, H. Wayne, and Thomas Ice. *Dominion Theology: Blessing or Curse? An Analysis of Christian Reconstructionism*. Portland, OR: Multnomah, 1988.

House, Paul R., ed. *Beyond Form Criticism: Essays on Old Testament Literary Criticism*. SBTS 2. Winona Lake, IN: Eisenbrauns, 1992.

________. *Old Testament Theology*. Downers Grove, IL: InterVarsity Press, 1998. 「구약 신학」, 기독교문서선교회.

House, Paul R., and Eric Mitchell. *Old Testament Survey*. 2nd ed. Nashville: Broadman & Holman, 2007.

Howard, David M., Jr. "Recent Trends in Psalms Study." In *The Face of Old Testament Studies: A Survey of Contemporary Approaches*, edited by David W. Baker and Bill T. Arnold, 329-68. Grand Rapids: Baker Academic, 2004.

Hugenberger, Gordon P. *Marriage as a Covenant: Biblical Law and Ethics as Developed from Malachi*. Grand Rapids: Baker, 1998.

Janzen, Waldemar. *Old Testament Ethics: A Paradigmatic Approach*. Louisville: Westminster John Knox, 1994.

Jastrow, Marcus. *A Dictionary of the Targumim, the Talmud Babli and Yerushalmi, and the Midrashic Literature*. 2nd ed. 2 vols. in 1. 1926; repr., New York: Judaica, 1996. Available at http://www.tyndalearchive.com/tabs/jastrow/.

Jellicoe, Sidney. *The Septuagint and Modern Study*. Winona Lake, IN: Eisenbrauns, 1978; repr., 2014.

Jenni, Ernst, and Claus Westermann, eds. *Theological Lexicon of the Old Testament*. Translated by Mark E. Biddle. 3 vols. Peabody, MA: Hendrickson, 1994.

Jensen, Peter. *The Revelation of God*. Contours of Christian Theology. Downers Grove, IL: InterVarsity Press, 2002. 「하나님의 계시」, IVP.

Jobes, Karen H., and Moisés Silva. *Invitation to the Septuagint*. 2nd ed. Grand Rapids: Baker Academic, 2015. 「70인 역 성경으로의 초대」, 기독교문서선교회.

Johns, Alger F. *A Short Grammar of Biblical Aramaic*. 2nd ed. Berrien Springs, MI: Andrews University Press, 1982.

Johnson, Dennis E. *Him We Proclaim: Preaching Christ from All the Scriptures*. Phillipsburg, NJ: P&R Publishing, 2007.

________. *Walking with Jesus through His Word: Discovering Christ in All the Scriptures*. Phillipsburg, NJ: P&R Publishing, 2015.

Johnston, Philip S., and Peter W. L. Walker, eds. *The Land of Promise: Biblical, Theological and Contemporary Perspectives*. Downers Grove, IL: InterVarsity Press, 2000.

Jones, David W., and Russell S. Woodbridge. *Health, Wealth and Happiness: Has the Prosperity Gospel Overshadowed the Gospel of Christ?* Grand Rapids: Kregel, 2011.

Jones, Mark. *Antinomianism: Reformed Theology's Unwelcome Guest?* Phillipsburg, NJ: P&R Publishing, 2013.

Joüon, Paul, and T. Muraoka. *A Grammar of Biblical Hebrew.* 2nd ed. Subsidia Biblica 27. Rome: Gregorian & Biblical, 2011. 「성서 히브리어 문법」, 도서출판 기혼.

Joy, Charles R. *Harper's Topical Concordance of the Bible.* 2nd ed. San Francisco: Harper & Row, 1976.

Judaica Electronic Texts. http://www.library.upenn.edu/cajs/etexts.html.

Jumper, James N. *A Short Grammar of Biblical Aramaic: An Annotated Answer Key*. Berrien Springs, MI: Andrews University Press, 2003.

Kaiser, Walter C., Jr. *The Messiah in the Old Testament*. SOTBT. Grand Rapids: Zondervan, 1995. 「구약에 나타난 메시아」, 크리스챤출판사.

________. "A Principlizing Model." In *Four Views on Moving beyond the Bible to Theology*, edited by Gary T. Meadors, 19-50. Responses to other contributors on pp. 121-25, 200-4, 249-54. Counterpoints. Grand Rapids: Zondervan, 2009.

________. *The Promise-Plan of God: A Biblical Theology of the Old and New Testaments*. Grand Rapids: Zondervan, 2008.

________. *Recovering the Unity of the Bible: One Continuous Story, Plan, and Purpose*. Grand Rapids: Zondervan, 2009.

________. "The Theology of the Old Testament." In *Introductory Articles*, edited by Frank E. Gaebelein, 283-305. Expositor's Bible Commentary 1. Grand Rapids: Eerdmans, 1979.

________. *Toward an Exegetical Theology: Biblical Exegesis for Preaching and Teaching*. Grand Rapids: Baker Academic, 1981.

________. *Toward an Old Testament Theology*. Grand Rapids: Zondervan, 1978.

________. *Toward Old Testament Ethics*. Grand Rapids: Zondervan, 1983.

________. *The Uses of the Old Testament in the New*. Chicago: Moody, 1985.

Kaiser, Walter C., Jr., and Duane A. Garrett, eds. *NIV Archaeological Study Bible*. Grand Rapids: Zondervan, 2005.

Kaiser, Walter C., Jr., and Moisés Silva. *Introduction to Biblical Hermeneutics: The Search for Meaning*. 2nd ed. Grand Rapids: Zondervan, 2007. 「성경 해석학 개론」, 은성.

Kaiser, Walter C., Jr., and Paul D. Wegner. *A History of Israel: From the Bronze Age through the Jewish Wars*. 2nd ed. Broadman & Holman, 2016.

Kaminski, Carol M. *Casket Empty: God's Plan of Redemption through History-Old Testament Study Guide*. Salem, MA: Casket Empty Media, 2012. 「구약을 읽다」, 죠이북스.

_________. *Casket Empty Old Testament Timeline*. www.CasketEmpty.com. 「성경 연대표」, 죠이북스.

Kautzsch, E., ed. *Gesenius' Hebrew Grammar*. Translated by A. E. Cowley. 2nd ed. Oxford: Clarendon, 1910.

Kelby, Tom. *Psalms 1-19: A Preacher's Guide*. Webster, WI: Hands to the Plow, Inc., 2015.

Keller, Timothy. *Counterfeit Gods: The Empty Promises of Money, Sex, and Power, and the Only Hope That Matters*. New York: Dutton, 2009. 「팀 켈러의 내가 만든 신」, 두란노.

_________. *Generous Justice: How God's Grace Makes Us Just*. New York: Dutton, 2010. 「정의란 무엇인가」, 두란노.

Kelley, Page H., Daniel S. Mynatt, and Timothy G. Crawford. *The Masorah of Biblia Hebraica Stuttgartensia: Introduction and Annotated Glossary*. Grand Rapids: Eerdmans, 1998. 「히브리어 성서의 마소라 해설」, 비블리카아카데미아.

Kim, Julius J. *Preaching the Whole Counsel of God: Design and Deliver Gospel-Centered Sermons*. Grand Rapids: Zondervan, 2015. 「설교학」, 부흥과개혁사.

Kiraz, George A., ed. *The Antioch Bible: The Syriac Peshitta Bible with English Translation*. 35 vols. Piscataway, NJ: Gorgias, 2012-.

Kitchen, K. A. *The Bible in Its World: The Bible and Archaeology Today*. Downers Grove, IL: InterVarsity Press, 1977.

_________. "The Fall and Rise of Covenant, Law, and Treaty." *TynBul* 40, 1 (1989): 118-35.

_________. *On the Reliability of the Old Testament*. Grand Rapids: Eerdmans, 2003.

Kittel, Gerhard, and Gerhard Friedrich, eds. *Theological Dictionary of the New Testament*. Translated by Geoffrey W. Bromiley. 10 vols. Grand Rapids: Eerdmans, 1964-76.

Klein, William W., Craig L. Blomberg, and Robert L. Hubbard Jr. "Application." *In Introduction to Biblical Interpretation*, 477-504. 2nd ed. Dallas: Word, 2004. 「성경 해석학 총론」, 생명의 말씀사.

Kline, Meredith G. *Kingdom Prologue: Genesis Foundations for a Covenantal Worldview*. Overland Park, KS: Two Age, 2000.

_________. *The Structure of Biblical Authority*. 2nd ed. Eugene, OR: Wipf & Stock, 1997.

Klink, Edward W., III, and Darian R. Lockett. *Understanding Biblical Theology: A Comparison of Theory and Practice*. Grand Rapids: Zondervan, 2012. 「성경 신학의 5가지 유형」, 부흥과개혁사.

Knoppers, Gary N. "Ancient Near Eastern Royal Grants and the Davidic Covenant: A Parallel?" *JAOS* 116, 4 (1996): 670-97.

Knox, Ronald Arbuthnott. *The Old Testament: Newly Translated from the Vulgate Latin*. 2 vols. New York: Sheed & Ward, 1950.

Koehler, Ludwig, Walter Baumgartner, and Johann Jakob Stamm, eds. *The Hebrew and Aramaic Lexicon of the Old Testament: Study Edition*. Translated by M. E. J. Richardson. 2 vols. Leiden: Brill, 2001.

Kofoed, Jens Bruun. *Text and History: Historiography and the Study of the Biblical Text*. Winona Lake, IN: Eisenbrauns, 2005.

Kohlenberger, John R., III, ed. *The Interlinear NIV Hebrew-English Old Testament*. Grand Rapids: Zondervan, 1993.

Kohlenberger, John R., III, and James A. Swanson. *The Hebrew-English Concordance to the Old Testament*. Grand Rapids: Zondervan, 1998.

Köstenberger, Andreas J. "The Present and Future of Biblical Theology." *Themelios* 37, 3 (2012): 445-64.

________. "Testament Relationships." *DBCI* 350-52.

Köstenberger, Andreas J., and David A. Croteau, eds. *Which Bible Translation Should I Use? A Comparison of 4 Major Recent Versions*. Nashville: Broadman & Holman, 2012.

Köstenberger, Andreas J., and Richard D. Patterson. *For the Love of God's Word: An Introduction to Biblical Interpretation*. Grand Rapids: Kregel, 2015.

________. *Invitation to Biblical Interpretation: Exploring the Hermeneutical Triad of History, Literature, and Theology*. Grand Rapids: Kregel, 2011. 「성경 해석학 개론」, 부흥과개혁사.

Kruger, Michael J., ed. *A Biblical-Theological Introduction to the New Testament: The Gospel Realized*. Wheaton, IL: Crossway, 2016. 「성경 신학적 신약 개론」, 부흥과개혁사.

Kubo, Sakae, and Walter Specht. *So Many Versions?* Grand Rapids: Zondervan, 1975.

Kugel, James L. *The Idea of Biblical Poetry: Parallelism and Its History*. New Haven, CT: Yale University Press, 1981; repr., Baltimore: Johns Hopkins University Press, 1998.

Kunjummen, Raju D. "The Single Intent of Scripture-Critical Examination of a Theological Construct." *GTJ* 7, 1 (1986): 81-110.

Ladd, George Eldon. *Crucial Questions about the Kingdom of God*. Grand Rapids: Eerdmans, 1952. 「하나님 나라에 관한 중요한 문제들」, 성광문화사.

________. *The Gospel of the Kingdom: Scriptural Studies in the Kingdom of God*. Grand Rapids: Eerdmans, 1959. 「하나님 나라의 복음」, 서로사랑.

________. *The Presence of the Future: The Eschatology of Biblical Realism*. Grand Rapids: Eerdmans, 1974.

「하나님 나라」, 크리스천다이제스트.

________. *A Theology of the New Testament*. Edited by Donald A. Hagner. 2nd ed. Grand Rapids: Eerdmans, 1993. 「신약 신학」, 대한기독교서회.

Lamsa, George M. *The Holy Bible from Ancient Eastern Manuscripts*. Philadelphia: Holman, 1957.

LaRondelle, Hans K. *The Israel of God in Prophecy: Principles of Prophetic Interpretation*. Andrews University Monographs; Studies in Religion 13. Berrien Springs, MI: Andrews University Press, 1983.

LaSor, William Sanford, David Allan Hubbard, and Frederic William Bush. *Old Testament Survey: The Message, Form, and Background of the Old Testament*. 2nd ed. Grand Rapids: Eerdmans, 1996.

Latin Vulgate. http://www.latinvulgate.com/.

Lawrence, Michael. *Biblical Theology in the Life of the Church: A Guide for Ministry*. 9Marks. Wheaton, IL: Crossway, 2010.

Leeman, Jonathan, ed. *9Marks Journal [Prosperity Gospel]*. 2014. https://9marks.org/journal/prosperity-gospel/.

Leithart, Peter J. *A House for My Name: A Survey of the Old Testament*. Moscow, ID: Canon, 2000. 「새로운 관점의 구약 성경 읽기」, 기독교문서선교회.

Letham, Robert. *The Work of Christ*. Contours of Christian Theology. Downers Grove, IL: InterVarsity Press, 1993. 「그리스도의 사역」, IVP.

Liddell, H. G., and R. Scott. *Greek-English Lexicon with a Revised Supplement*. 9th ed. Oxford: Clarendon, 1996.

Life Application Study Bible: NIV. Carol Stream, IL: Tyndale House, 2012.

Lints, Richard. *The Fabric of Theology: A Prolegomenon to Evangelical Theology*. Grand Rapids: Eerdmans, 1993.

Lioy, Dan. "The Heart of the Prosperity Gospel: Self or the Savior?" *Conspectus* 4 (2007): 41-64.

Lipiński, Edward. *Semitic Languages Outline of a Comparative Grammar*. 2nd ed. Orientalia Lovaniensia Analecta 80. Leuven: Peeters, 2000.

________. *Semitic Linguistics in Historical Perspective*. Orientalia Lovaniensia Analecta 230. Leuven: Peeters, 2014.

Livingston, G. Herbert. *The Pentateuch in Its Cultural Environment*. 2nd ed. Grand Rapids: Baker, 1987. 「모세오경의 문학적 배경」, 기독교문서선교회.

Lloyd-Jones, Sally. *The Jesus Storybook Bible: Every Story Whispers His Name*. Illustrated by Jago. Grand Rapids: Zonderkidz, 2007. 「스토리 바이블」, 두란노키즈.

Logos Bible Software. https://www.logos.com/.

Long, V. Philips. *The Art of Biblical History*. Foundations of Biblical Interpretation. Grand Rapids:

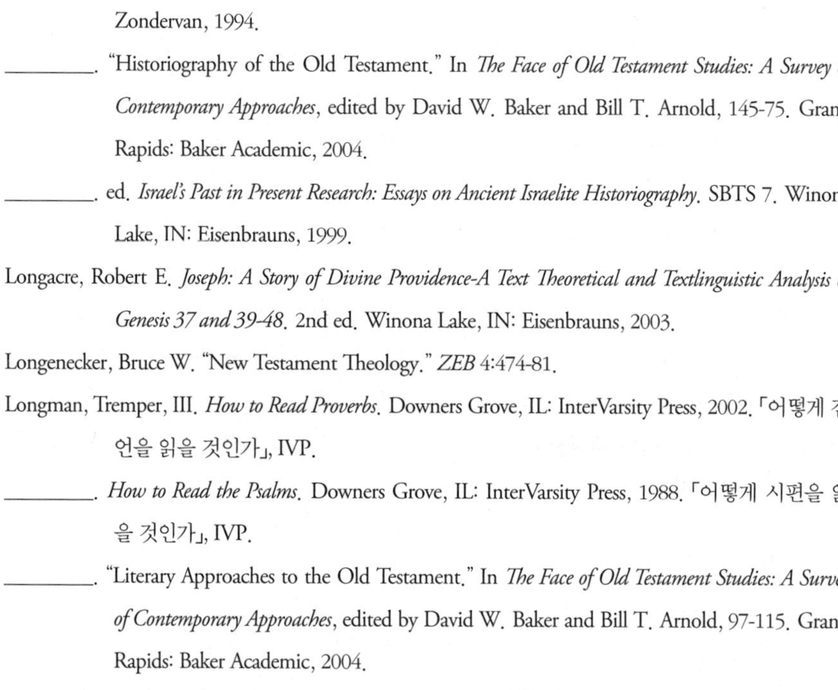
Zondervan, 1994.

________. "Historiography of the Old Testament." In *The Face of Old Testament Studies: A Survey of Contemporary Approaches*, edited by David W. Baker and Bill T. Arnold, 145-75. Grand Rapids: Baker Academic, 2004.

________. ed. *Israel's Past in Present Research: Essays on Ancient Israelite Historiography*. SBTS 7. Winona Lake, IN: Eisenbrauns, 1999.

Longacre, Robert E. *Joseph: A Story of Divine Providence-A Text Theoretical and Textlinguistic Analysis of Genesis 37 and 39-48*. 2nd ed. Winona Lake, IN: Eisenbrauns, 2003.

Longenecker, Bruce W. "New Testament Theology." *ZEB* 4:474-81.

Longman, Tremper, III. *How to Read Proverbs*. Downers Grove, IL: InterVarsity Press, 2002. 「어떻게 잠언을 읽을 것인가」, IVP.

________. *How to Read the Psalms*. Downers Grove, IL: InterVarsity Press, 1988. 「어떻게 시편을 읽을 것인가」, IVP.

________. "Literary Approaches to the Old Testament." In *The Face of Old Testament Studies: A Survey of Contemporary Approaches*, edited by David W. Baker and Bill T. Arnold, 97-115. Grand Rapids: Baker Academic, 2004.

________. *Old Testament Commentary Survey*. 5th ed. Grand Rapids: Zondervan, 2013.

Longman, Tremper, III, and Raymond B. Dillard. *An Introduction to the Old Testament*. 2nd ed. Grand Rapids: Zondervan, 2006.

Longman, Tremper, III, and Peter Enns, eds. *Dictionary of the Old Testament: Wisdom, Poetry, and Writings*. Downers Grove, IL: InterVarsity Press, 2008.

Louw, Johannes P., and Eugene A. Nida, eds. *Greek-English Lexicon of the New Testament: Based on Semantic Domains*. 2nd ed. 2 vols. New York: United Bible Societies, 1989.

Lucas, Ernest C. *A Guide to the Psalms and Wisdom Literature*. Exploring the Old Testament 3. Downers Grove, IL: InterVarsity Press, 2003. 「시편과 지혜서: 성경 이해 5」, 성서유니온선교회.

Lunn, Nicholas P. *Word-Order Variation in Biblical Hebrew Poetry: Differentiating Pragmatics and Poetics*. Paternoster Biblical Monographs. Eugene, OR: Wipf & Stock, 2006.

MacArthur, John, and Richard Mayhue, eds. *Biblical Doctrine: A Systematic Summary of Bible Truth*. Wheaton, IL: Crossway, 2017.

Macleod, Donald. *The Person of Christ*. Contours of Christian Theology. Downers Grove, IL: InterVarsity Press, 1998. 「그리스도의 위격」, IVP.

Marcos, Natalio Fernández. *The Septuagint in Context: Introduction to the Greek Version of the Bible*. Atlanta: SBL, 2009.

Marshall, I. Howard. *A Concise New Testament Theology*. Downers Grove, IL: InterVarsity Press, 2008.

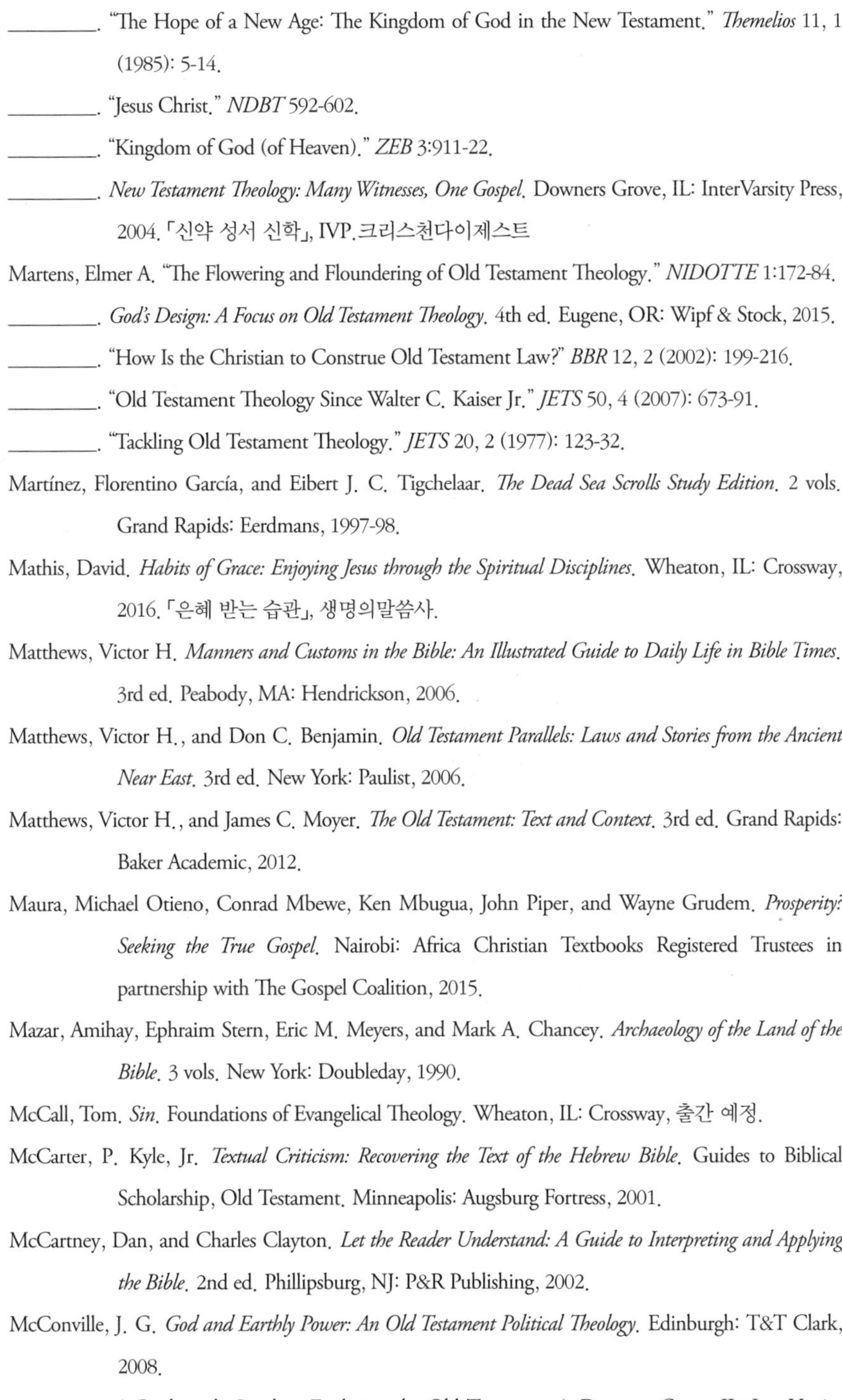

———. "The Hope of a New Age: The Kingdom of God in the New Testament." *Themelios* 11, 1 (1985): 5-14.

———. "Jesus Christ." *NDBT* 592-602.

———. "Kingdom of God (of Heaven)." *ZEB* 3:911-22.

———. *New Testament Theology: Many Witnesses, One Gospel*. Downers Grove, IL: InterVarsity Press, 2004. 「신약 성서 신학」, IVP.크리스천다이제스트

Martens, Elmer A. "The Flowering and Floundering of Old Testament Theology." *NIDOTTE* 1:172-84.

———. *God's Design: A Focus on Old Testament Theology*. 4th ed. Eugene, OR: Wipf & Stock, 2015.

———. "How Is the Christian to Construe Old Testament Law?" *BBR* 12, 2 (2002): 199-216.

———. "Old Testament Theology Since Walter C. Kaiser Jr." *JETS* 50, 4 (2007): 673-91.

———. "Tackling Old Testament Theology." *JETS* 20, 2 (1977): 123-32.

Martínez, Florentino García, and Eibert J. C. Tigchelaar. *The Dead Sea Scrolls Study Edition*. 2 vols. Grand Rapids: Eerdmans, 1997-98.

Mathis, David. *Habits of Grace: Enjoying Jesus through the Spiritual Disciplines*. Wheaton, IL: Crossway, 2016. 「은혜 받는 습관」, 생명의말씀사.

Matthews, Victor H. *Manners and Customs in the Bible: An Illustrated Guide to Daily Life in Bible Times*. 3rd ed. Peabody, MA: Hendrickson, 2006.

Matthews, Victor H., and Don C. Benjamin. *Old Testament Parallels: Laws and Stories from the Ancient Near East*. 3rd ed. New York: Paulist, 2006.

Matthews, Victor H., and James C. Moyer. *The Old Testament: Text and Context*. 3rd ed. Grand Rapids: Baker Academic, 2012.

Maura, Michael Otieno, Conrad Mbewe, Ken Mbugua, John Piper, and Wayne Grudem. *Prosperity? Seeking the True Gospel*. Nairobi: Africa Christian Textbooks Registered Trustees in partnership with The Gospel Coalition, 2015.

Mazar, Amihay, Ephraim Stern, Eric M. Meyers, and Mark A. Chancey. *Archaeology of the Land of the Bible*. 3 vols. New York: Doubleday, 1990.

McCall, Tom. *Sin*. Foundations of Evangelical Theology. Wheaton, IL: Crossway, 출간 예정.

McCarter, P. Kyle, Jr. *Textual Criticism: Recovering the Text of the Hebrew Bible*. Guides to Biblical Scholarship, Old Testament. Minneapolis: Augsburg Fortress, 2001.

McCartney, Dan, and Charles Clayton. *Let the Reader Understand: A Guide to Interpreting and Applying the Bible*. 2nd ed. Phillipsburg, NJ: P&R Publishing, 2002.

McConville, J. G. *God and Earthly Power: An Old Testament Political Theology*. Edinburgh: T&T Clark, 2008.

———. *A Guide to the Prophets*. Exploring the Old Testament 4. Downers Grove, IL: InterVarsity

Press, 2002. 「선지서: 성경 이해 6」, 성서유니온선교회.

McCune, Rolland. *A Systematic Theology of Biblical Christianity*. 3 vols. Allen Park, MI: Detroit Baptist Theological Seminary, 2009-10.

McGrath, Alister E. *Christian Theology: An Introduction*. 5th ed. Malden, MA: Wiley-Blackwell, 2011. 「신학이란 무엇인가」, 복있는사람.

McRay, John, and Alfred Hoerth. *Bible Archaeology: An Exploration of the History and Culture of Early Civilizations*. Grand Rapids: Baker, 2006.

Meade, John D. "Circumcision of Flesh to Circumcision of Heart: The Typology of the Sign of the Abrahamic Covenant." In *Progressive Covenantalism: Charting a Course between Dispensational and Covenant Theologies*, edited by Stephen J. Wellum and Brent E. Parker, 127-58. Nashville: Broadman & Holman, 2016.

Meadors, Gary T., ed. *Four Views on Moving beyond the Bible to Theology*. Counterpoints. Grand Rapids: Zondervan, 2009: (1) Walter Kaiser, "A Principlizing Model," (2) Dan Doriani, "A Redemptive-Historical Model," (3) Kevin Vanhoozer, "A Drama-of-Redemption Model," and (4) Bill Webb, "A Redemptive-Movement Model."

Merrill, Eugene H. *Everlasting Dominion: A Theology of the Old Testament*. Nashville: Broadman & Holman, 2006. 「구약 신학」, 크리스챤출판사.

________. *Kingdom of Priests: A History of Old Testament Israel*. 2nd ed. Grand Rapids: Baker, 2008. 「제사장의 나라」, 기독교문서선교회.

Merrill, Eugene H., Mark F. Rooker, and Michael A. Grisanti. *The World and the Word: An Introduction to the Old Testament*. Nashville: Broadman & Holman, 2011. 「현대인을 위한 구약 개론」, 기독교문서선교회.

Merwe, Christo H. J. van der, Jackie A. Naudé, and Jan H. Kroeze. *A Biblical Hebrew Reference Grammar*. Biblical Languages: Hebrew 3. Sheffield, UK: Sheffield Academic, 2002.

Metzger, Bruce M. *The Bible in Translation: Ancient and English Versions*. Grand Rapids: Baker Academic, 2001.

Meyer, Jason C. *The End of the Law: Mosaic Covenant in Pauline Theology*. NAC Studies in Bible and Theology 7. Nashville: Broadman & Holman, 2009.

________. "The Mosaic Law, Theological Systems, and the Glory of Christ." In *Progressive Covenantalism: Charting a Course between Dispensational and Covenant Theologies*, edited by Stephen J. Wellum and Brent E. Parker, 66-99. Nashville: Broadman & Holman, 2016.

________. *Preaching: A Biblical Theology*. Wheaton, IL: Crossway, 2013.

Meyers, Eric M., ed. *The Oxford Encyclopedia of Archaeology in the Near East*. 5 vols. New York: Oxford University Press, 1997.

Millard, A. R., James K. Hoffmeier, and David W. Baker, eds. *Faith, Tradition, and History: Old Testament Historiography in Its Near Eastern Context.* Winona Lake, IN: Eisenbrauns, 1994.

Miller, Cynthia L. *The Representation of Speech in Biblical Hebrew Narrative: A Linguistic Analysis.* HSM 55. Winona Lake, IN: Eisenbrauns, 1999.

_________, ed. *The Verbless Clause in Biblical Hebrew: Linguistic Approaches.* LSAWS 1. Winona Lake, IN: Eisenbrauns, 1999.

Miller, J. Maxwell, and John H. Hayes. *A History of Ancient Israel and Judah.* Philadelphia: Westminster, 1986. 「고대 이스라엘 역사」, 크리스천다이제스트.

Miqraot Gedolot HaKeter. http://www1.biu.ac.il/indexE.php?id=6261&pt=1&pid=43&level=3&cPath=6261.

Moberly, R. W. L. *The Old Testament of the Old Testament: Patriarchal Narratives and Mosaic Yahwism.* Eugene, OR: Wipf & Stock, 2001.

_________. *Old Testament Theology: Reading the Old Testament as Christian Scripture.* Grand Rapids: Baker Academic, 2013.

_________. "Theology of the Old Testament." In *The Face of Old Testament Studies: A Survey of Contemporary Approaches*, edited by David W. Baker and Bill T. Arnold, 452-78. Grand Rapids: Baker Academic, 2004.

Monson, James M. *The Land Between: A Regional Study Guide to the Land of the Bible.* Highland Park, IL: Institute of Holy Land Studies, 1983.

Moo, Douglas J. "The Law of Christ as the Fulfillment of the Law of Moses: A Modified Lutheran View." In *Five Views on Law and Gospel*, edited by Wayne G. Strickland, 319-76. Responses to other contributors on pp. 83-90, 165-73, 218-25, 309-15. Counterpoints. Grand Rapids: Zondervan, 1999.

_________. "The Law of Moses or the Law of Christ." In *Continuity and Discontinuity: Perspectives on the Relationship between the Old and New Testaments: Essays in Honor of S. Lewis Johnson Jr.*, edited by John S. Feinberg, 203-18, 373-76. Westchester, IL: Crossway, 1988.

_________, ed. "Updating the New International Version of the Bible: Notes from the Committee on Bible Translation." August 2010. Available at http://www.thenivbible.com/wp-content/uploads/2014/11/2011-Translation-Notes.pdf.

_________. *We Still Don't Get It: Evangelicals and Bible Translation Fifty Years after James Barr.* Grand Rapids: Zondervan, 2014. Available at http://www.thenivbible.com/wp-content/uploads/2014/11/We-Still-Dont-Get-It.pdf.

Moo, Douglas J., and Andrew David Naselli. "The Problem of the New Testament's Use of the Old Testament." In *The Enduring Authority of the Christian Scriptures*, edited by D. A. Carson,

702-46. Grand Rapids: Eerdmans, 2016.

Morgan, Christopher W., and Robert A. Peterson, eds. *The Kingdom of God*. Theology in Community. Wheaton, IL: Crossway, 2012.

Morrish, George. *A Handy Concordance of the Septuagint: Giving Various Readings from Codices Vaticanus, Alexandrinus, Sinaiticus, and Ephraemi*. London: Bagster, 1887; repr., Eugene, OR: Wipf & Stock, 2008.

Morwood, James, ed. *The Oxford Latin Desk Dictionary*. Oxford: Oxford University Press, 2005.

Motyer, J. Alec. *Look to the Rock: An Old Testament Background to Our Understanding of Christ*. Downers Grove, IL: InterVarsity Press, 1996.

Moulton, Harold K., ed. *The Analytical Greek Lexicon Revised*. 1852; repr., Grand Rapids: Zondervan, 1979.

Mounce, William D., ed. *Mounce's Complete Expository Dictionary of Old and New Testament Words*. Grand Rapids: Zondervan, 2006.

Muck, Terry C., ed. NIV Application Commentary. 42 vols. Grand Rapids, Zondervan, 1994-2012. "NIV 적용 주석", 솔로몬.

Muraoka, T. *A Greek-English Lexicon of the Septuagint*. Leuven: Peeters, 2010.

________. *Greek-Hebrew/Aramaic Two-Way Index to the Septuagint*. Leuven: Peeters, 2010.

________. *Hebrew/Aramaic Index to the Septuagint Keyed to the Hatch-Redpath Concordance*. Grand Rapids: Baker Academic, 1998.

Murray, David. *Jesus on Every Page: 10 Simple Ways to Seek and Find Christ in the Old Testament*. Nashville: Thomas Nelson, 2013. 「구약 속 예수」, 생명의말씀사.

Naselli, Andrew David. "D. A. Carson's Theological Method." *SBET* 29, 2 (2011): 245-74.

Nave, Orville J. *Nave's Topical Bible*. Peabody, MA: Hendrickson, 2002.

Nida, Eugene A. "The Sociolinguistics of Translating Canonical Religious Texts." *Traduction, Terminologie, Rédaction* 7, 1 (1994): 191-217.

________. "Theories of Translation." *ABD* 6:512-15.

Nida, Eugene A., and Charles R. Taber. *The Theory and Practice of Translation*. Leiden: Brill, 1969; repr., 2003.

Nida, Eugene A., and Jan de Waard. *From One Language to Another: Functional Equivalence in Bible Translation*. Nashville: Thomas Nelson, 1986.

Niehaus, Jeffrey J. *Ancient Near Eastern Themes in Biblical Theology*. Grand Rapids: Kregel, 2008.

________. "An Argument against Theologically Constructed Covenants." *JETS* 50, 2 (2007): 259-73.

________. *Biblical Theology*. Vol. 1, *The Common Grace Covenants*. Wooster, OH: Weaver, 2014.

________. "Covenant and Narrative, God and Time." *JETS* 53, 3 (2010): 535-59.

________. "Covenant: An Idea in the Mind of God." *JETS* 52, 2 (2009): 225-46.

________. *God at Sinai: Covenant and Theophany in the Bible and Ancient Near East*. SOTBT. Grand Rapids: Zondervan, 1995. 「시내산의 하나님」, 이레서원.

________. "God's Covenant with Abraham." *JETS* 56, 2 (2013): 249-71.

O'Connor, Michael Patrick. *Hebrew Verse Structure*. 2nd ed. Winona Lake, IN: Eisenbrauns, 1997.

Oden, Thomas C. *Classic Christianity: A Systematic Theology*. 2nd ed. New York: HarperOne, 2009.

O'Leary, De Lacy. *Comparative Grammar of the Semitic Languages*. London: Routledge, 2001.

Ollenberger, Ben C., ed. *Old Testament Theology: Flowering and Future*. 2nd ed. SBTS 1. Winona Lake, IN: Eisenbrauns, 2004.

Orion Center for the Study of the Dead Sea Scrolls and Associated Literature at Hebrew University of Jerusalem. http://orion.mscc.huji.ac.il/.

Ortlund, Dane C., and Miles V. Van Pelt, eds. Short Studies in Biblical Theology. Wheaton, IL: Crossway, 2015-present.

Ortlund, Dane C., Erika Allen, and Bill Deckard, eds. *ESV Women's Devotional Bible*. Wheaton, IL: Crossway, 2014.

Osborne, Grant R. *The Hermeneutical Spiral: A Comprehensive Introduction to Biblical Interpretation*. 2nd ed. Downers Grove, IL: InterVarsity Press, 2006. 「성경 해석학 총론」, 부흥과개혁사.

________. "Type, Typology." *EDT* 1222-23.

________. "Typology." *ZEB* 5:952-54.

Oswalt, John N. "Recent Studies in Old Testament Apocalyptic." In *The Face of Old Testament Studies: A Survey of Contemporary Approaches,* edited by David W. Baker and Bill T. Arnold, 369-90. Grand Rapids: Baker Academic, 2004.

Owens, John Joseph. *Analytical Key to the Old Testament*. 4 vols. Grand Rapids: Baker Academic, 1989.

Oxford English Dictionary. http://www.oed.com/.

Packer, J. I. *Concise Theology: A Guide to Historic Christian Beliefs*. Wheaton, IL: Tyndale House, 1995. 「성경과 신학을 아는 지식」, 아가페문화사.

Palmer, David L. *Casket Empty: God's Plan of Redemption through History-Old Testament Study Guide*. Salem, MA: Casket Empty Media, 2016. 「신약을 읽다」, 죠이북스.

________. *Casket Empty New Testament Timeline*. www.CasketEmpty.com. 「성경 연대표」, 죠이북스.

Payne, J. Barton. "Covenant (NT)." *ZEB* 1:1063-69.

________. "Covenant (OT)." *ZEB* 1:1051-63.

________. "Covenant, the New." *ZEB* 1:1071-76.

Payne, J. Barton, and R. Alan Cole. "Old Testament Theology." *ZEB* 4:581-94.

Payne, Philip B. "The Fallacy of Equating Meaning with the Human Author's Intention." *JETS* 20, 3

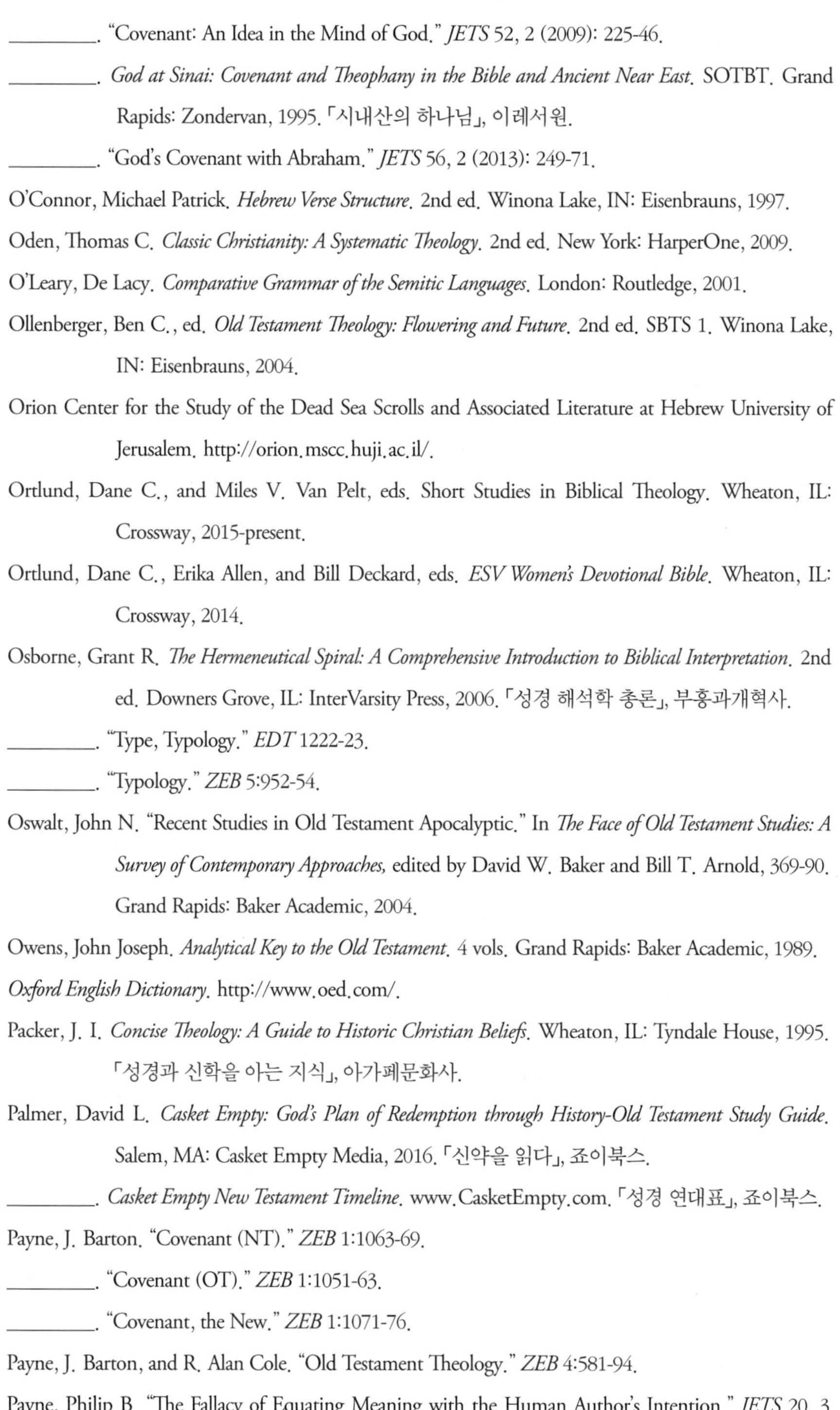

(1977): 243-52.

Pentecost, J. Dwight. *Thy Kingdom Come: Tracing God's Kingdom Program and Covenant Promises throughout History*. Grand Rapids: Kregel, 1995.

Peshitta Institute of Leiden, ed. *The Old Testament in Syriac*. Leiden: Brill, 1972-.

Pietersma, Albert, and Benjamin G. Wright. *A New English Translation of the Septuagint*. Oxford: Oxford University Press, 2007.

Piper, John. *Desiring God: Meditations of a Christian Hedonist*. 4th ed. Colorado Springs: Multnomah, 2011.「하나님을 기뻐하라」, 생명의말씀사.

_________. *Future Grace: The Purifying Power of the Promises of God*. 2nd ed. Colorado Springs: Multnomah, 2012.「장래의 은혜」, 좋은씨앗.

_________. "The Goal of God in Redemptive History." In *Desiring God: Meditations of a Christian Hedonist*, 308-21. 3rd ed. Sisters, OR: Multnomah, 2003.

_________. "Introduction to the Third Edition: New Realities in World Christianity and Twelve Appeals to Prosperity Preachers." In *Let the Nations Be Glad! The Supremacy of God in Missions*, 15-34. 3rd ed. Grand Rapids: Baker, 2010.「열방을 향해 가라」, 좋은씨앗.

_________. *The Pleasures of God: Meditations on God's Delight in Being God*. 2nd ed. Sisters, OR: Multnomah, 2000.「하나님의 기쁨」, 두란노.

_________. *Reading the Bible Supernaturally: Seeing and Savoring the Glory of God in Scripture*. Wheaton, IL: Crossway, 2017.「존 파이퍼의 초자연적 성경 읽기」, 두란노.

_________. *Seeing and Savoring Jesus Christ*. Wheaton, IL: Crossway, 2004.「예수님이 복음입니다」, 부흥과개혁사.

Plummer, Robert L. *40 Questions about Interpreting the Bible*. 40 Questions. Grand Rapids: Kregel, 2010.「성경을 여는 40가지 질문」, 기독교문서선교회.

_________. "Righteousness and Peace Kiss: The Reconciliation of Authorial Intent and Biblical Typology." *SBJT* 14, 2 (2010): 54-61.

Porter, Stanley E., and Richard S. Hess, eds. *Translating the Bible: Problems and Prospects*. Sheffield, UK: Sheffield Academic, 1999.

Poythress, Vern S. "Dispensing with Merely Human Meaning: Gains and Losses from Focusing on the Human Author, Illustrated by Zephaniah 1:2-3." *JETS* 57, 3 (2014): 481-99.

_________. "Kinds of Biblical Theology." *WTJ* 70, 1 (2008): 129-41.

_________. "The Presence of God Qualifying Our Notions of Grammatical-Historical Interpretation: Genesis 3:15 as a Test Case." *JETS* 50, 1 (2007): 87-103.

_________. *Reading the Word of God in the Presence of God: A Handbook for Biblical Interpretation*. Wheaton, IL: Crossway, 2016.

________. *The Shadow of Christ in the Law of Moses*. Phillipsburg, NJ: Presbyterian and Reformed, 1991. 「모세 율법에 나타난 그리스도」, 솔로몬.

Poythress, Vern S., and Wayne A. Grudem. *The TNIV and the Gender-Neutral Bible Controversy*. Nashville: Broadman & Holman, 2004.

Pratico, Gary D., and Miles V. Van Pelt. *Basics of Biblical Hebrew: Grammar and Workbook*. 2nd ed. Grand Rapids: Zondervan, 2007. 「베이직 비블리칼 히브리어」, 도서출판 대서.

Pratt, Richard L., Jr. *He Gave Us Stories: The Bible Student's Guide to Interpreting Old Testament Narratives*. Phillipsburg, NJ: P&R Publishing, 1993.

Preuss, Horst Dietrichap. *Old Testament Theology*. 2 vols. OTL. Louisville: Westminster John Knox, 1995.

Pritchard, James B., ed. *The Ancient Near East: An Anthology of Texts and Pictures*. Foreword by Daniel E. Flemming. Princeton, NJ: Princeton University Press, 2011. Reprinted from 2 vols. in 1958, 1975.

________, ed. *Ancient Near Eastern Texts Relating to the Old Testament*. 3rd ed. Princeton, NJ: Princeton University Press, 1969.

________, ed. *The Ancient Near East in Pictures Relating to the Old Testament*. 2nd ed. Princeton, NJ: Princeton University Press, 1994.

Provan, Iain W., V. Philips Long, and Tremper Longman III. *A Biblical History of Israel*. 2nd ed. Louisville: Westminster John Knox, 2015. 「이스라엘의 성경적 역사」, 기독교문서선교회.

Rad, Gerhard von. *Old Testament Theology*. 2 vols. OTL. Louisville: Westminster John Knox, 2001.

Rahlfs, Alfred, and Robert Hanhart, eds. *Septuaginta*. Stuttgart: Deutsche Bibelgesellschaft, 2007.

Rainey, Anson F., and R. Steven Notley. *The Sacred Bridge: Carta's Atlas of the Biblical World*. 2nd ed. Jerusalem: Carta, 2015.

Rasmussen, Carl. *Zondervan Atlas of the Bible*. 2nd ed. Grand Rapids: Zondervan, 2010.

Reader's Edition. Logos Bible Software.

Rendtorff, Rolf. *The Canonical Hebrew Bible: A Theology of the Old Testament*. Leiden: Deo, 2005.

Reviews of Peshitta and Targum scholarship. http://www.targum.info/biblio/reviews.htm.

Ridderbos, Herman N. *When the Time Had Fully Come: Studies in New Testament Theology*. Grand Rapids: Eerdmans, 1957.

Robar, Elizabeth. *The Verb and the Paragraph in Biblical Hebrew: A Cognitive-Linguistic Approach*. Studies in Semitic Languages and Linguistics 78. Leiden: Brill, 2014.

Roberts, Vaughan. *God's Big Picture: Tracing the Storyline of the Bible*. Downers Grove, IL: InterVarsity Press, 2002.

Robertson, David A. *Linguistic Evidence in Dating Early Hebrew Poetry*. Missoula, MT: Scholars Press, 1973.

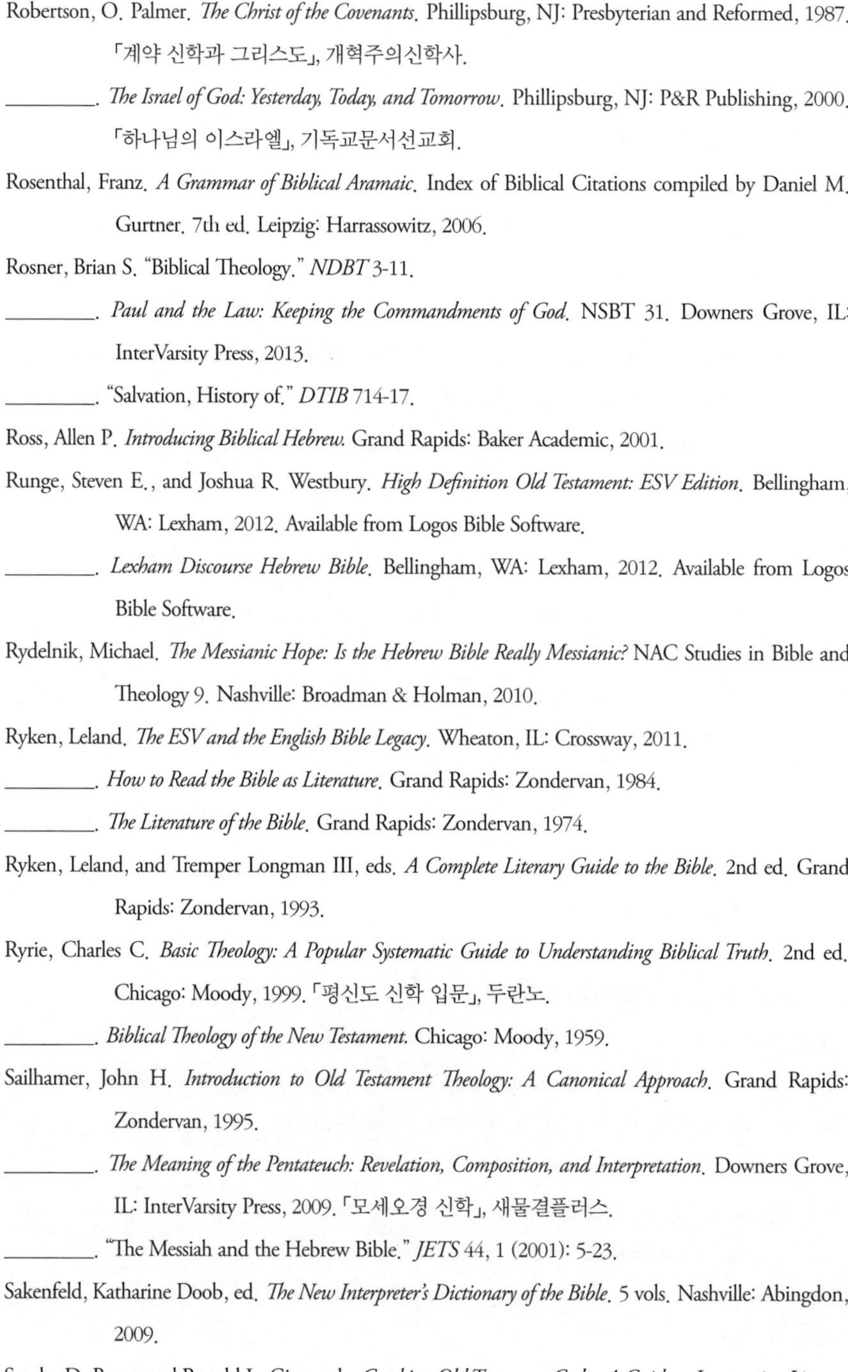

Robertson, O. Palmer. *The Christ of the Covenants*. Phillipsburg, NJ: Presbyterian and Reformed, 1987. 「계약 신학과 그리스도」, 개혁주의신학사.

________. *The Israel of God: Yesterday, Today, and Tomorrow*. Phillipsburg, NJ: P&R Publishing, 2000. 「하나님의 이스라엘」, 기독교문서선교회.

Rosenthal, Franz. *A Grammar of Biblical Aramaic*. Index of Biblical Citations compiled by Daniel M. Gurtner. 7th ed. Leipzig: Harrassowitz, 2006.

Rosner, Brian S. "Biblical Theology." *NDBT* 3-11.

________. *Paul and the Law: Keeping the Commandments of God*. NSBT 31. Downers Grove, IL: InterVarsity Press, 2013.

________. "Salvation, History of." *DTIB* 714-17.

Ross, Allen P. *Introducing Biblical Hebrew.* Grand Rapids: Baker Academic, 2001.

Runge, Steven E., and Joshua R. Westbury. *High Definition Old Testament: ESV Edition*. Bellingham, WA: Lexham, 2012. Available from Logos Bible Software.

________. *Lexham Discourse Hebrew Bible*. Bellingham, WA: Lexham, 2012. Available from Logos Bible Software.

Rydelnik, Michael. *The Messianic Hope: Is the Hebrew Bible Really Messianic?* NAC Studies in Bible and Theology 9. Nashville: Broadman & Holman, 2010.

Ryken, Leland. *The ESV and the English Bible Legacy*. Wheaton, IL: Crossway, 2011.

________. *How to Read the Bible as Literature*. Grand Rapids: Zondervan, 1984.

________. *The Literature of the Bible*. Grand Rapids: Zondervan, 1974.

Ryken, Leland, and Tremper Longman III, eds. *A Complete Literary Guide to the Bible*. 2nd ed. Grand Rapids: Zondervan, 1993.

Ryrie, Charles C. *Basic Theology: A Popular Systematic Guide to Understanding Biblical Truth*. 2nd ed. Chicago: Moody, 1999. 「평신도 신학 입문」, 두란노.

________. *Biblical Theology of the New Testament.* Chicago: Moody, 1959.

Sailhamer, John H. *Introduction to Old Testament Theology: A Canonical Approach*. Grand Rapids: Zondervan, 1995.

________. *The Meaning of the Pentateuch: Revelation, Composition, and Interpretation*. Downers Grove, IL: InterVarsity Press, 2009. 「모세오경 신학」, 새물결플러스.

________. "The Messiah and the Hebrew Bible." *JETS* 44, 1 (2001): 5-23.

Sakenfeld, Katharine Doob, ed. *The New Interpreter's Dictionary of the Bible*. 5 vols. Nashville: Abingdon, 2009.

Sandy, D. Brent, and Ronald L. Giese, eds. *Cracking Old Testament Codes: A Guide to Interpreting Literary Genres of the Old Testament*. Nashville: Broadman & Holman, 1995.

Sarles, Ken L. "A Theological Evaluation of the Prosperity Gospel." *BSac* 143 (1986): 329-50.

Sasson, Jack M., ed. *Civilizations of the Ancient Near East.* 2 vols. Peabody, MA: Hendrickson, 2001.

Satterthwaite, Philip E. *A Guide to the Historical Books.* Exploring the Old Testament 2. Downers Grove, IL: InterVarsity Press, 2012.

Satterthwaite, Philip E., Richard S. Hess, and Gordon J. Wenham, eds. *The Lord's Anointed: Interpretation of Old Testament Messianic Texts.* Exeter, UK: Paternoster, 1995.

SBL Writings from the Ancient World. Atlanta: SBL, 1990-.

Schenker, Adrian, et al., eds. *Biblia Hebraica Quinta.* Stuttgart: Deutsche Bibelgesellschaft, 2004-.

Schiffman, Lawrence H., and James C. VanderKam, eds. *Encyclopedia of the Dead Sea Scrolls.* 2 vols. New York: Oxford University Press, 2000.

Schlegel, William. *The Land and the Bible: A Historical Geographical Companion to the Satellite Bible Atlas.* Available at http://www.bibleplaces.com/wp-content/uploads/2015/08/The-Land-and-the-Bible.pdf.

________. *Satellite Bible Atlas.* Israel: William Schlegel, 2013.

Schnittjer, Gary Edward. *The Torah Story: An Apprenticeship on the Pentateuch.* Grand Rapids: Zondervan, 2006.

Schreiner, Thomas R. *40 Questions about Christians and Biblical Law.* 40 Questions. Grand Rapids: Kregel, 2010.

________. *Interpreting the Pauline Epistles.* 2nd ed. Grand Rapids: Baker Academic, 2011. 「바울 서신 석의 방법론」, 기독교문서선교회.

________. *The King in His Beauty: A Biblical Theology of the Old and New Testaments.* Grand Rapids: Baker Academic, 2013. 「성경 신학」, 부흥과개혁사.

________. *Magnifying God in Christ: A Summary of New Testament Theology.* Grand Rapids: Baker Academic, 2010. 「간추린 신약 신학」, 기독교문서선교회.

________. *New Testament Theology: Magnifying God in Christ.* Grand Rapids: Baker Academic, 2008. 「신약 신학」, 부흥과개혁사.

________. "Preaching and Biblical Theology." *SBJT* 10, 2 (2006): 20-29.

Schreiner, Thomas R., and Ardel B. Caneday. *The Race Set before Us: A Biblical Theology of Perseverance and Assurance.* Downers Grove, IL: InterVarsity Press, 2001.

Schultz, Richard L. "Integrating Old Testament Theology and Exegesis: Literary, Thematic, and Canonical Issues." *NIDOTTE* 1:185-205.

Scobie, Charles H. H. "History of Biblical Theology." *NDBT* 11-20.

Scorgie, Glen G., Mark L. Stauss, and Steven M. Voth, eds. *The Challenge of Bible Translation: Communicating God's Word to the World.* Grand Rapids: Zondervan, 2003.

Scott, William R., Harold Scanlin, and Hans Peter Rüger. *A Simplified Guide to BHS: Critical Apparatus, Masora, Accents, Unusual Letters and Other Markings*. 4th ed. N. Richland Hills, TX: D&F Scott Publishing, 2007.

Scripture 4 All: Hebrew Interlinear Bible (OT). http://www.scripture4all.org/OnlineInterlinear/Hebrew_Index.htm.

Septuaginta: Vetus Testamentum Graecum Auctoritate Societatis Litterarum Gottingensis Editum. 24 vols. Göttingen: Vandenhoeck & Ruprecht, 1931-2006.

Septuagint Online. http://www.kalvesmaki.com/LXX/.

Sherlock, Charles. *The Doctrine of Humanity*. Contours of Christian Theology. Downers Grove, IL: InterVarsity Press, 1996.

Silva, Moisés. *Biblical Words and Their Meaning: An Introduction to Lexical Semantics*. 2nd ed. Grand Rapids: Zondervan, 1994.

________. "God, Language, and Scripture: Reading the Bible in the Light of General Linguistics." In *Foundations of Contemporary Interpretation*, edited by Moisés Silva, 193-280. Grand Rapids: Zondervan, 1996.

________. ed. *New International Dictionary of New Testament Theology and Exegesis*. 2nd ed. 5 vols. Grand Rapids: Zondervan, 2014.

Simpson, D. P., ed. *Cassell's Latin Dictionary*. New York: Macmillan, 1968.

Smith, Gary V. *Interpreting the Prophetic Books: An Exegetical Handbook*. Handbooks for Old Testament Exegesis. Grand Rapids: Kregel, 2014.

Smith, George Adam. *The Historical Geography of the Holy Land*. London: Hodder and Stoughton, 1894; repr., New York: Harper & Row, 1966.

Smith, Jerome H., ed. *The New Treasury of Scripture Knowledge*. 2nd ed. Nashville: Thomas Nelson, 1992.

Smith, Ralph L. *Old Testament Theology: Its History, Method, and Message*. Nashville: Broadman & Holman, 1994.

Smith, R. Payne, ed. *A Compendious Syriac Dictionary*. Oxford: Clarendon, 1903; repr., Eugene, OR: Wipf & Stock, 1999.

Snell, Daniel C. *Life in the Ancient Near East, 3100-332 B.C.E.* New Haven, CT: Yale University Press, 1998.

Snoeberger, Mark A. "A Review Article: *Kingdom through Covenant: A Biblical-Theological Understanding of the Covenants.*" *DBSJ* 17 (2012): 99-103.

Soden, Wolfram von. *The Ancient Orient: An Introduction to the Study of the Ancient Near East*. Translated by Donald G. Schley. Grand Rapids: Eerdmans, 1994.

Soderland, S. K. "Text and MSS of the OT." *ISBE* 4:798-814.

Sokoloff, Michael. *A Dictionary of Jewish Babylonian Aramaic.* Baltimore: Johns Hopkins University Press, 2003.

_________. *A Dictionary of Jewish Palestinian Aramaic of the Byzantine Period.* 2nd ed. Baltimore: Johns Hopkins University Press, 2002.

Soulen, Richard N., and R. Kendall Soulen. *Handbook of Biblical Criticism.* 4th ed. Louisville: Westminster John Knox, 2011.

Sparks, Kenton L. *Ancient Texts for the Study of the Hebrew Bible: A Guide to the Background Literature.* Peabody, MA: Hendrickson, 2005.

Sperber, Alexander, ed. *The Bible in Aramaic.* 4 vols. Leiden: Brill, 1959-73.

_________. *A Historical Grammar of Biblical Hebrew.* Leiden: Brill, 1966.

Spicq, Ceslas, ed. *Theological Lexicon of the New Testament.* Translated by James D. Ernest. 3 vols. Peabody, MA: Hendrickson, 1993.

Stallard, Mike, ed. *Dispensational Understanding of the New Covenant: 3 Views.* Schaumburg, IL: Regular Baptist, 2012.

Stein, Robert H. *A Basic Guide to Interpreting the Bible: Playing by the Rules.* 2nd ed. Grand Rapids: Baker Academic, 2011. 「성경 해석학」, 기독교문서선교회.

_________. "Kingdom of God." *EDBT* 451-54.

Steinmann, Andrew E. *From Abraham to Paul: A Biblical Chronology.* St. Louis: Concordia, 2011.

Stern, Ephraim, Ayelet Leyinzon-Gilbo'a, and Joseph Aviram, eds. *The New Encyclopedia of Archaeological Excavations in the Holy Land.* 4 vols. New York: Simon & Schuster, 1993-2008.

Sternberg, Meir. *The Poetics of Biblical Narrative: Ideological Literature and the Drama of Reading.* Indiana Studies in Biblical Literature. Bloomington, IN: Indiana University Press, 1985.

Stevenson, William B. *Grammar of Palestinian Jewish Aramaic.* Oxford: Clarendon, 1962; repr., Eugene, OR: Wipf & Stock, 2000.

Storms, Sam, and Dane C. Ortlund, eds. *ESV Men's Devotional Bible.* Wheaton, IL: Crossway, 2015.

Strauss, Mark L. *How to Read the Bible in Changing Times: Understanding and Applying God's Word Today.* Grand Rapids: Baker, 2011.

_________. "Why the English Standard Version (ESV) Should Not Become the Standard English Version: How to Make a Good Translation Much Better." Paper presented at the National Meeting of the Evangelical Theological Society, Providence, RI, November 21, 2008. Available at http://zondervan.typepad.com/files/improvingesv2.pdf.

Strecker, Georg. *Theology of the New Testament.* Louisville: Westminster John Knox, 2000.

Strickland, Wayne G., ed. *Five Views on Law and Gospel.* Grand Rapids: Zondervan, 1999.

_________. "Preunderstanding and Daniel Fuller's Law-Gospel Continuum." *BSac* 144 (1987): 181-93.

Stuart, Douglas. *Old Testament Exegesis: A Handbook for Students and Pastors*. 4th ed. Louisville: Westminster John Knox, 2009. 「구약 주석 방법론」, 크리스천다이제스트.

Swete, Henry Barclay. *An Introduction to the Old Testament in Greek*. 2nd ed. Cambridge: Cambridge University Press, 1914; repr., Eugene, OR: Wipf & Stock, 2003.

Tal, Abraham, ed. *The Samaritan Pentateuch: Edited according to MS 6 of the Shekem Synagogue*. Tel-Aviv: Tel-Aviv University Press, 1994.

Taylor, Bernard A. *Analytical Lexicon to the Septuagint*. 2nd ed. Peabody, MA: Hendrickson, 2009.

Taylor, Willard H. "Biblical Theology." *ZEB* 1:622-30.

Tenney, Merrill C., and Moisés Silva, eds. *The Zondervan Encyclopedia of the Bible*. 2nd ed. 5 vols. Grand Rapids: Zondervan, 2009.

Theological and Academic Resources for the Septuagint. http://www.kalvesmaki.com/.

Thesaurus Linguae Graecae. http://stephanus.tlg.uci.edu/.

Thiele, Edwin R. *The Mysterious Numbers of the Hebrew Kings*. 2nd ed. Grand Rapids: Zondervan, 1983.

Thielman, Frank. *Theology of the New Testament: A Canonical and Synthetic Approach*. Grand Rapids: Zondervan, 2005. 「신약 신학」, 기독교문서선교회.

Thiselton, Anthony C. *Systematic Theology*. Grand Rapids: Eerdmans, 2015. 「조직 신학」, IVP.

Thompson, Frank Charles, ed. *Thompson Chain-Reference Bible: New International Version*. Grand Rapids: Zondervan, 1983.

Todd, James M., III. *Sinai and the Saints: Reading Old Covenant Laws for the New Covenant Community*. Downers Grove, IL: InterVarsity Press, 2017.

Topical concordances at the following websites:

________. http://www.crosswalk.com/.

________. http://www.biblestudytools.com/.

________. http://www.studylight.org/.

________. https://www.biblegateway.com/.

Torrey, R. A., and Timothy S. Morton. *The Treasury of Scripture Knowledge*. 3rd ed. Peabody, MA: Hendrickson, 2010.

Tov, Emanuel, ed. *Electronic Resources Relevant to the Textual Criticism of Hebrew Scripture*. http://rosetta.reltechap.org/TC/vol08/Tov2003.html.

________. *Scribal Practices and Approaches Reflected in the Texts Found in the Judean Desert*. Studies on the Texts of the Desert of Judah 54. Atlanta: SBL, 2009.

________. *The Text-Critical Use of the Septuagint in Biblical Research*. 3rd ed. Winona Lake, IN: Eisenbrauns, 2015.

________, ed. *The Texts from the Judaean Desert: Indices and an Introduction to the Discoveries in the*

Judaean Desert Series. DJD 39. Oxford: Clarendon, 2002.

________. "Textual Criticism (OT)." *ABD* 4:393-412.

________. *Textual Criticism of the Hebrew Bible*. 3rd ed. Minneapolis: Fortress, 2011.

Ulrich, Eugene. *The Dead Sea Scrolls and the Origins of the Bible*. Studies in the Dead Sea Scrolls and Related Literature. Grand Rapids: Eerdmans, 1999.

United Bible Societies. *Septuagint Bibliography*. http://www.ubs-translations.org/cgi-bin/dbman/db.cgi?db=lxxbib&uid=default.

Vance, Donald A., George Athas, and Yael Avrahami, eds. *Biblia Hebraica Stuttgartensia: A Reader's Edition*. Peabody, MA: Hendrickson, 2015.

VanderKam, James C. *The Dead Sea Scrolls and the Bible*. Grand Rapids: Eerdmans, 2012.

VanGemeren, Willem A. *Eschatology*. Foundations of Evangelical Theology. Wheaton, IL: Crossway, forthcoming.

________. *Interpreting the Prophetic Word: An Introduction to the Prophetic Literature of the Old Testament*. Grand Rapids: Zondervan, 1996.

________, ed. *New International Dictionary of Old Testament Theology and Exegesis*. 5 vols. Grand Rapids: Zondervan, 1997.

________. *The Progress of Redemption: The Story of Salvation from Creation to the New Jerusalem*. Grand Rapids: Baker Academic, 1996. 「구약 계시의 발전사」, 솔로몬.

Vanhoozer, Kevin J. "Exegesis and Hermeneutics." *NDBT* 52-64.

Van Pelt, Miles V. *Basics of Biblical Aramaic: Complete Grammar, Lexicon, and Annotated Text*. Grand Rapids: Zondervan, 2011.

________, ed. *A Biblical-Theological Introduction to the Old Testament: The Gospel Promised*. Wheaton, IL: Crossway, 2016. 「성경 신학적 구약 개론」, 부흥과개혁사.

________, "Introduction." In *A Biblical-Theological Introduction to the Old Testament: The Gospel Promised*, edited by Miles V. Van Pelt, 23-42. Wheaton, IL: Crossway, 2016.

van Wolde, Ellen, ed. *Narrative Syntax and the Hebrew Bible: Papers of the Tilburg Conference 1996*. Biblical Interpretation 29. Leiden: Brill, 1997.

Vaux, Roland de. *Ancient Israel: Its Life and Institutions*. Grand Rapids: Eerdmans, 1997.

Vermes, Geza. *The Complete Dead Sea Scrolls in English*. 7th ed. London: Penguin Books, 2012.

Vetus latina: Die Reste der altlateinischen Bibel nach Petrus Sabatier neu gesammelt und in Verbindung mit der Heidelberger Akademie der Wissenschaften herausgegeben von der Erzabtei Beuron. Freiburg: Herder, 1949-.

Vetus Testamentum Syriace et Neosyriace. 1852; repr., London: Trinitarian Bible Society, 1954.

Viening, Edward. *The Zondervan Topical Bible*. Grand Rapids: Zondervan, 1969.

Vine, W. E., Merrill F. Unger, and William White Jr. *Vine's Complete Expository Dictionary of Old and New Testament Words*. London: Oliphants, 1939; repr., Nashville: Thomas Nelson, 1996.

Vlach, Michael J. *Has the Church Replaced Israel? A Theological Evaluation*. Nashville: Broadman & Holman, 2010.

________. "Have They Found a Better Way? An Analysis of Gentry and Wellum's *Kingdom through Covenant*." MSJ 24, 1 (2013): 5-24.

________. "The Kingdom of God and the Millennium." *MSJ* 23, 2 (2012): 225-54.

________. "New Covenant Theology Compared with Covenantalism." *MSJ* 18 (2007): 201-19.

________. "What Does Christ as 'True Israel' Mean for the Nation Israel? A Critique of the Non-Dispensational Understanding." *MSJ* 23, 1 (2012): 43-54.

Vogt, Ernesto. *Lexicon Linguae Aramaicae Veteris Testamenti Documentis Antiquis Illustratum*. Rome: Pontifical Biblical Institute, 1991.

Vogt, Peter T. *Interpreting the Pentateuch: An Exegetical Handbook*. Handbooks for Old Testament Exegesis. Grand Rapids: Kregel, 2009. 「모세오경을 어떻게 해석할 것인가」, 크리스챤 출판사.

Von Gall, August, ed. *Der hebräische Pentateuch der Samaritaner: Genesis-Deuteronomy*. 5 vols. in 1. Giessen: Töpelmann, 1918; repr., Berlin: de Gruyter, 1965.

Vos, Geerhardus. *Biblical Theology: Old and New Testaments*. Grand Rapids: Eerdmans, 1948.

Waltke, Bruce. K. "Old Testament Textual Criticism." In *Foundations for Biblical Interpretation*, edited by David S. Dockery, Kenneth A. Mathews, and Robert B. Sloan, 156-86. Nashville: Broadman & Holman, 1994.

________. "The Phenomenon of Conditionality within Unconditional Covenants." In *Israel's Apostasy and Restoration: Essays in Honor of Roland K. Harrison*, edited by Avraham Gileadi, 123-39. Grand Rapids: Baker Academic, 1988.

________. "Samaritan Pentateuchap." *ABD* 5:932-40.

________. "Textual Criticism of the Old Testament." In *Introductory Articles*, vol. 1 of Expositor's Bible Commentary, edited by Frank E. Gaebelein, 211-28. Grand Rapids: Zondervan, 1979.

Waltke, Bruce K., and David Diewert. "Wisdom Literature." In *The Face of Old Testament Studies: A Survey of Contemporary Approaches*, edited by David W. Baker and Bill T. Arnold, 295-328. Grand Rapids: Baker Academic, 2004.

Waltke, Bruce K., and M. O'Connor. *An Introduction to Biblical Hebrew Syntax*. Winona Lake, IN: Eisenbrauns, 1990.

Waltke, Bruce K., and Charles Yu. *An Old Testament Theology: A Canonical and Thematic Approach*. Grand Rapids: Zondervan, 2006. 「구약 신학」, 부흥과개혁사.

Walton, John H. *Ancient Israelite Literature in Its Cultural Context.* Grand Rapids: Zondervan, 1994.

________. *Ancient Near Eastern Thought and the Old Testament: Introducing the Conceptual World of the Hebrew Bible.* Grand Rapids: Baker Academic, 2006. 「고대 근동 사상과 구약 성경」, 기독교문서선교회.

________. *Chronological and Background Charts of the Old Testament.* 2nd ed. Grand Rapids: Zondervan, 1994.

________. "Principles for Productive Word Study." *NIDOTTE* 1:161-70.

________, ed. Zondervan Illustrated Bible Backgrounds Commentary: Old Testament. 5 vols. Grand Rapids: Zondervan, 2009.

Walton, John H., and Craig S. Keener, eds. *NIV Cultural Backgrounds Study Bible.* Grand Rapids: Zondervan, 2016.

Walton, John H., Victor H. Matthews, and Mark W. Chavalas, eds. The IVP Bible Background Commentary: Old Testament. Downers Grove, IL: InterVarsity Press, 2000.

Weber, Robert, and Roger Gryson, eds. *Biblia sacra: Iuxta Vulgatam versionem.* 4th ed. Stuttgart: Deutsche Bibelgesellschaft, 1994.

Webster, Brian L. *The Cambridge Introduction to Biblical Hebrew.* Cambridge: Cambridge University Press, 2009.

Wegner, Paul D. *The Journey from Texts to Translations: The Origin and Development of the Bible.* Grand Rapids: Baker, 2004.

________. *A Student's Guide to Textual Criticism of the Bible: Its Methods and Results.* Downers Grove, IL: InterVarsity Press, 2006.

Wells, Tom, and Fred G. Zaspel. *New Covenant Theology: Description, Definition, Defense.* Frederick, MD: New Covenant Media, 2002.

Wellum, Stephen J. "Baptism and the Relationship between the Covenants." In *Believer's Baptism: Sign of the New Covenant in Christ*, edited by Thomas R. Schreiner and Shawn D. Wright, 97-161. NAC Studies in Bible and Theology. Nashville: Broadman & Holman, 2007.

________. *Christology.* Foundations of Evangelical Theology. Wheaton, IL: Crossway, forthcoming.

________. "Progressive Covenantalism and Doing Ethics." In *Progressive Covenantalism: Charting a Course between Dispensational and Covenant Theologies*, edited by Stephen J. Wellum and Brent E. Parker, 215-33. Nashville: Broadman & Holman, 2016.

Wellum, Stephen J., and Brent E. Parker, eds. *Progressive Covenantalism: Charting a Course between Dispensational and Covenant Theologies.* Nashville: Broadman & Holman, 2016.

Wenham, Gordon J. *A Guide to the Pentateuch.* Exploring the Old Testament 1. Downers Grove, IL: InterVarsity Press, 2003. 「모세오경: 성경 이해 3」, 성서유니온선교회.

Weston, Anthony. *A Rulebook for Arguments*. 4th ed. Indianapolis: Hackett, 2008.

White, James R. *The King James Only Controversy: Can You Trust Modern Translations?* 2nd ed. Minneapolis: Bethany House, 2009.

_________. "The Newness of the New Covenant: Better Covenant, Better Mediator, Better Sacrifice, Better Ministry, Better Hope, Better Promises (Part 1)." *RBTR* 1, 2 (2004): 144-68.

_________. "The Newness of the New Covenant: Better Covenant, Better Mediator, Better Sacrifice, Better Ministry, Better Hope, Better Promises (Part 2)." RBTR 2, 1 (2005): 83-104.

Whitney, Donald S. *Spiritual Disciplines for the Christian Life*. 2nd ed. Colorado Springs: NavPress, 2014. 「영적 훈련」, 네비게이토.

Wiley, H. Orton. *Christian Theology*. 5th ed. 3 vols. Kansas City: Beacon Hill, 1940.

Williams, Michael. *How to Read the Bible through the Jesus Lens: A Guide to Christ-Focused Reading of Scripture*. Grand Rapids: Zondervan, 2012. 「예수 렌즈로 성경을 어떻게 읽을 것인가」, 성서유니온선교회.

Williams, Ronald J., and John C. Beckman. *Williams' Hebrew Syntax*. 3rd ed. Toronto: University of Toronto Press, 2007.

Williamson, Paul R. "Covenant." *NDBT* 419-29.

_________. *Sealed with an Oath: Covenant in God's Unfolding Purpose*. NSBT 23. Downers Grove, IL: InterVarsity Press, 2007.

Wise, Michael, Martin Abegg Jr., and Edward Cook. *The Dead Sea Scrolls: A New Translation*. San Francisco: HarperSanFrancisco, 2005.

Witherington, Ben, III. *The Indelible Image: The Theological and Ethical Thought World of the New Testament*. 2 vols. Downers Grove, IL: InterVarsity Press, 2009.

Wolters, Al. "The Text of the Old Testament." In *The Face of Old Testament Studies: A Survey of Contemporary Approaches*, edited by David W. Baker and Bill T. Arnold, 19-37. Grand Rapids: Baker Academic, 2004.

Wonneberger, Reinhard. *Understanding BHS: A Manual for the Users of Biblia Hebraica Stuttgartensia*. 2nd ed. Rome: Pontifical Biblical Institute, 1990.

Wright, Christopher J. H. *How to Preach and Teach the Old Testament for All Its Worth*. Grand Rapids: Zondervan, 2016. 「구약을 어떻게 설교할 것인가」, 성서유니온선교회.

_________. *Knowing Jesus through the Old Testament*. 2nd ed. Downers Grove, IL: InterVarsity Press, 2014. 「구약의 빛 아래서 그리스도를 아는 지식」, 성서유니온선교회.

_________. *The Mission of God: Unlocking the Bible's Grand Narrative*. Downers Grove, IL: InterVarsity Press, 2006. 「하나님의 선교」, IVP.

_________. *Old Testament Ethics for the People of God*. Downers Grove, IL: InterVarsity Press, 2004. 「현

대를 위한 구약 윤리」, IVP.

Wright, N. T. *The Climax of the Covenant: Christ and the Law in Pauline Theology*. Minneapolis: Fortress, 1993.

________. *Jesus and the Victory of God*. Minneapolis: Fortress, 1997. 「예수와 하나님의 승리」, 크리스천다이제스트.

________. *The New Testament and the People of God*. Minneapolis: Fortress, 1992. 「신약 성서와 하나님의 백성」, 크리스천다이제스트.

________. *Paul and the Faithfulness of God*. 2 vols. Minneapolis: Fortress, 2013. 「바울과 하나님의 신실하심」, 크리스천다이제스트.

________. *The Resurrection of the Son of God*. Minneapolis: Fortress, 2003. 「하나님의 아들의 부활」, 크리스천다이제스트.

Würthwein, Ernst, and Alexander Achilles Fisher. *The Text of the Old Testament: An Introduction to the Biblia Hebraica*. Translated by Errol F. Rhodes. 3rd ed. Grand Rapids: Eerdmans, 2014.

Yamauchi, Edwin M. *Persia and the Bible*. Grand Rapids: Baker, 1990.

Yamauchi, Edwin M., and Marvin R. Wilson. *Dictionary of Daily Life in Biblical and Post-Biblical Antiquity*. 4 vols. Peabody, MA: Hendrickson, 2014-16.

Yarbrough, Robert W. "Biblical Theology." *EDBT* 61-66.

________. "The Practice and Promise of Biblical Theology: A Response to Hamilton and Goldsworthy." *SBJT* 12, 4 (2008): 78-87.

Young, Ian, Robert Rezetko, and Martin Ehrensvärd. *Linguistic Dating of Biblical Texts: An Introduction to Approaches and Problems*. 2 vols. London: Routledge, 2014.

Young, Rodger C. All his published essays found at http://www.rcyoung.org/papers. html.

Younger, K. Lawson, Jr., ed. *The Context of Scripture*. Vol. 4, Supplements. Leiden: Brill, 2016.

Zaspel, Fred G. *The New Covenant and New Covenant Theology*. Frederick, MD: New Covenant Media, 2011.

Zimmerli, Walther. *Old Testament Theology in Outline*. Atlanta: John Knox, 1978.

Zondervan Exegetical Commentary on the Old Testament. Grand Rapids: Zondervan, 2015-.

Zuck, Roy B., ed. *A Biblical Theology of the New Testament*. Chicago: Moody, 1994. 「신약 성경 신학」, 크리스찬출판사.

________, ed. *A Biblical Theology of the Old Testament*. Chicago: Moody, 1991.

성구 색인

출애굽기

레위기

민수기

신명기

열왕기하

역대상

역대하

에스라

느헤미야

욥기

시편

잠언

전도서

아가

이사야

예레미야 애가

에스겔

다니엘

호세아

학개

스가랴

말라기

마카베오하

마태복음

마가복음

누가복음

요한복음

사도행전

로마서

고린도전서

고린도후서

갈라디아서

야보고서

베드로전서

주제 및 인명 색인

ㄴ

ㅂ

ㅅ

ㅇ

ㅈ

ㅊ

ㅋ

ㅌ

ㅍ

구약, 어떻게 해석할 것인가

주해에서 신학에 이르는 12단계

초판 발행 2019년 3월 20일
초판 4쇄 2023년 9월 5일
지은이 제이슨 S. 드루치
옮긴이 정옥배
발행인 손창남
발행처 (주)죠이북스(등록 2022. 12. 27. 제2022-000070호)
주소 02576 서울시 동대문구 왕산로19바길 33, 1층
전화 (02) 925-0451(대표 전화)
(02) 929-3655(영업팀)
팩스 (02) 923-3016
인쇄소 송현문화
판권소유 ⓒ(주)죠이북스
ISBN 979-11-983839-6-9 04230
979-11-983839-5-2 (세트)

책값은 뒤표지에 있습니다.
잘못된 도서는 교환하여 드립니다.